# Histoire
# du terrorisme

Sous la direction de
Gérard Chaliand et Arnaud Blin

# Histoire du terrorisme

*De l'Antiquité à Al Qaida*

ISBN 2.227.47296.0
© Bayard, 2004
3 et 5, rue Bayard, 75008 Paris

# LES AUTEURS

**Gérard Chaliand** est spécialiste des problèmes politiques et stratégiques du monde contemporain et plus particulièrement des guérillas et des terrorismes. Professeur invité à Harvard, UCLA et Berkeley, il a aussi enseigné à l'ENA et au Collège interarmées de défense. Il a surtout été présent sur divers terrains conflictuels en Asie, Afrique et Amérique latine. Il est l'auteur de nombreux ouvrages, notamment *Anthologie mondiale de la stratégie* (Laffont/Bouquins), *Stratégies de la guérilla* (Payot), *L'arme du terrorisme* (Audibert), *L'atlas du nouvel ordre mondial* (Laffont).

**Arnaud Blin**, chercheur formé aux universités de Georgetown et de Harvard, est spécialiste de relations internationales et d'études stratégiques. Il a dirigé plusieurs années durant le Centre Beaumarchais à Washington. Il est notamment l'auteur, avec Gérard Chaliand, du *Dictionnaire de stratégie militaire* (Perrin), *America is back* (Bayard) et, avec François Géré, de *Puissances et influences* (Les Mille et une nuits).

**François Géré** est agrégé et docteur habilité en histoire. Directeur de l'institut Diplomatie et Défense, il est chargé de séminaire à l'université Paris III. Il est notamment l'auteur de *Pourquoi les guerres ?* (Larrousse-Courrier international), *La sortie de guerre* (Economica), *Les volontaires de la mort* (Bayard).

**Rohan Gunaratna** est directeur du Terrorism Research Institute for Defence and Strategic Studies à Singapour. Il est l'auteur de *Al Qaida. Au cœur du premier réseau terroriste mondial* (Autrement).

**Olivier Hubac-Occhipinti** est spécialiste des conflits et de la piraterie. Il a collaboré à *L'arme du terrorisme* et à *Puissances et influences*.

**Ariel Merari** est professeur invité à Harvard en sciences politiques. Il est directeur du Political Violence Research Unit à l'université de Tel Aviv.

**Philippe Migaux** est diplomé de sciences politiques, titulaire d'un DEA de défense et docteur en ethnologie. Il enseigne au Collège interarmées de défense.

**Yves Ternon** est docteur en histoire. Il est notamment l'auteur de *Du négationnisme* (DDB), *Empire Ottoman. Le déclin, la chute, l'effacement* (Éd. du Félin), *Makno, la révolte anarchiste* (Complexe), *Raspoutine, une tragédie russe* (Complexe), *L'état criminel. Les génocides au XXᵉ siècles* (Le Seuil).

« Il faut étouffer les ennemis intérieurs et extérieurs de la République ou périr avec elle. Or, dans cette situation, la première maxime de votre politique doit être qu'on conduit le peuple par la raison et les ennemis du peuple par la terreur. Si le ressort du gouvernement populaire dans la paix est la vertu, le ressort du gouvernement populaire en révolution est à la fois la vertu et la terreur ; la vertu sans laquelle la terreur est funeste ; la terreur sans laquelle la vertu est impuissante. »

Maximilien de Robespierre,
*Discours à la Convention* du 5 février 1794

« Le terroriste est noble, terrible, irrésistiblement fascinant car il combine en lui les deux sommets sublimes de la grandeur humaine : le martyr et le héros. Du jour où il jure, du fond du cœur, de libérer son peuple et sa patrie, il sait qu'il est voué à la mort. »

Serge Stepniak Kravtchinski,
*La Russie clandestine* (1863)

# Avant-propos

Au cours de l'histoire, le pouvoir s'est la plupart du temps exercé par la terreur, c'est-à-dire par la crainte inspirée.

Toutes les sociétés despotiques étaient fondées sur la peur comme le furent, plus récemment, les régimes dits totalitaires. La soumission à l'ordre établi et à la force a été, pour une large partie de l'espèce humaine, l'unique espace de sécurité, et en somme de liberté.

Sans remonter à la préhistoire, où régnait une terrorisante insécurité face à la nature, aux bêtes et aux autres hommes, l'usage de la terreur fait son apparition, en tant que méthode de gouvernement, dès l'aube des sociétés organisées, comme facteur de dissuasion ou comme châtiment.

*Terrere,* en latin, signifiait « faire trembler ». Le premier empire à voir le jour en Mésopotamie, celui de Sargon, était fondé sur la terreur. Ainsi, plus tard, du premier empire militaire de l'Antiquité, celui des Assyriens, dont la rigueur des représailles était destinée à frapper les esprits et à briser les volontés.

Introduite par la violence guerrière, la terreur, en temps de paix, reste suspendue, tel un glaive sur toute tête qui se relève. Elle est, dans les sociétés despotiques qui forment la majeure partie de la trame de l'histoire, l'instrument de la servitude, le garant de la soumission de la multitude.

La terreur d'État, suspendue ou exercée, traverse les siècles comme la terreur guerrière fondée sur le massacre de masse. Une fois exécutée, cette dernière peut servir d'exemple afin de contraindre les volontés sans qu'il soit nécessaire de combattre. Ainsi de l'usage de la terreur par les Mongols ou Tamerlan pour obtenir, parfois sans siège, la reddition des cités.

Si les historiens du terrorisme signalent que le terme de terreur désigne la terreur d'État durant la Révolution française, ils oublient souvent d'ajouter que ce phénomène, à des degrés divers, a été constant au cours des âges précédents, et fréquent depuis.

Aussi, le terrorisme qui consiste d'abord à terroriser est-il un phénomène historique infiniment plus vaste que ne le laisse supposer l'usage du terme aujourd'hui. Ce dernier se réduit pour l'essentiel à la description ou à l'analyse de l'emploi illégitime de la violence sous la forme de l'acte à caractère terroriste.

Le fait que le plus célèbre des terrorismes, à l'heure actuelle, soit à connotation religieuse bien que ses buts soient politiques rappelle que la plupart des terrorismes, qu'il s'agisse de celui des Zélotes juifs au premier siècle de l'ère chrétienne ou de la secte ismaélienne des Assassins aux XIe-XIIIe siècles, l'ont également été. En effet, longtemps, la référence au religieux a été centrale dans les sociétés et ce phénomène n'est pas épuisé.

Aujourd'hui, le terrorisme est, davantage que la guérilla, l'arme quasi unique du faible contre le fort. Son impact vise d'abord les esprits. En ce sens, le terrorisme est la forme la plus violente de la guerre psychologique et dépasse, comme on sait, très largement ses effets physiques. Le terrorisme sert, à partir de moyens souvent dérisoires, à créer du pouvoir en espérant atteindre par le bas ce dont l'État dispose par le haut.

G. CHALIAND et A. BLIN

# Introduction

## par Gérard Chaliand et Arnaud Blin

> De toutes les passions qui peuvent entraîner la volonté de
> l'homme, il n'en est point de plus incompatible avec la raison et
> la liberté, que le fanatisme religieux.
>
> Maximilien de Robespierre[1]

C'était à Washington, lors d'une conférence sur le terrorisme, ou plus
exactement sur le contre-terrorisme, organisée par les services de renseignements du Pentagone, *The Defense Intelligence Agency* (DIA). En grande
majorité, les participants travaillaient pour les divers (et nombreux) services
de renseignements américains qui, tous, s'étaient plus ou moins impliqués
dans la lutte antiterroriste. Pour la plupart, ces travailleurs de l'ombre s'étaient
reconvertis après la guerre froide dans ce secteur particulier appartenant désormais à la catégorie plus large des « nouvelles menaces », menaces qui
comprenaient aussi la prolifération nucléaire, les armes de destruction massive
(AMD), le crime organisé. Cette étrange congrégation d'hommes habillés uni-
formément écoutait avec application les propos des intervenants qui se succédaient pour disserter sur l'essence de la lutte antiterroriste. En fin de journée,
alors que l'audience fatiguée se préparait à écouter le dernier intervenant, sur-
git un étrange personnage qui s'avança à grandes enjambées vers l'estrade,
une valise et un sac à la main. Cheveux longs coiffés d'un chapeau noir, barbe
fournie, lunettes foncées, pantalon déchiré et veste de cuir, l'homme contrastait
avec les bureaucrates du renseignement. D'un seul coup, ouvrant son sac et sa

---

1. Jean Artarit, *Robespierre ou l'impossible filiation*, Paris, La Table Ronde, 2003, p. 71.

valise à la vitesse de l'éclair, l'inconnu balança deux grenades sur la foule et pointa un fusil M16 sur l'audience tétanisée.

Il n'y eut point d'explosion et le M16 est resté silencieux. Tranquillement, l'homme s'installa au micro et commença son discours. La salle, du moins une partie d'entre elle, avait d'emblée reconnu une voix familière. En réalité, il s'agissait du directeur de la DIA, un général donc, qui, déguisé en « terroriste », avait voulu montrer à ses ouailles avec quelle facilité un terroriste pouvait s'introduire dans le bâtiment où avait lieu le colloque (dans l'université George-Washington, où aucun contrôle de sécurité n'avait été mis en place) et éliminer la fine fleur du contre-terrorisme américain. Ayant récupéré son uniforme, le général eut ces mots prophétiques : « Un jour, des terroristes s'attaqueront à un bâtiment comme celui-ci, à Washington ou à New York. Ils provoqueront la mort de centaines de victimes et un choc psychologique sans précédent. La question n'est pas de savoir si un tel acte aura lieu sur le sol américain mais quand et où. C'est à vous, Messieurs, de vous préparer. C'est entre vos mains que repose la sécurité de notre territoire. » Le colloque avait lieu en 1998. Trois ans plus tard, 19 hommes décidés provoquaient 3 000 victimes dans l'attentat terroriste le plus spectaculaire de l'histoire, frappant New York et Washington. Le Pentagone, siège de la DIA, était lui-même touché. Par leur incurie, les services de renseignements américains n'avaient pu empêcher cette opération.

Avec le recul, cette mise en scène paraît presque surréaliste. D'abord à cause des propos du chef des renseignements du Pentagone. Ensuite à cause de l'incapacité de ces hommes à suivre ses conseils malgré leur exactitude. Et s'y ajoute le décalage entre cette image vieillotte d'un marginal fanatique prêt à tout faire exploser – pratiquement identique à ces dessins humoristiques montrant un anarchiste drapé dans une cape noire, une bombe entre les mains – et les discours sur l'imminence d'un terrorisme de haute technologie, ce fameux « hyper-terrorisme » contre lequel les politiques se préparent.

Le phénomène terroriste est plus complexe à conceptualiser qu'il n'y paraît au premier abord. Les interprétations idéologiques, la volonté d'introduire, lorsqu'il est fait usage du terme, notamment par les États, une connotation diabolisante, tout concourt à brouiller les pistes. Peut-être faut-il commencer par rappeler que l'usage de la terreur sert à terroriser – historiquement, c'était le rôle de la force organisée : État ou armée, du moins lorsqu'il s'agissait de régimes despotiques. C'est toujours le cas dans les pays non démocratiques. Dans les autres, en temps de guerre, la terreur peut être considérée comme légitimée, y compris contre des civils. À l'époque contemporaine, on peut citer les bombardements de Coventry, de Dresde, de Tokyo[1] et l'usage de la bombe atomique sur Hiroshima et Nagasaki.

La terreur au nom du religieux, la terreur sacrée, est un phénomène historique récurrent. L'exemple le plus notoire est, dans le judaïsme, celui des Zélotes, également appelés sicaires, au premier siècle. Cette secte assassine contribua à provoquer une rébellion contre l'occupation romaine dont une des conséquences fut la destruction du deuxième temple (70). La secte ismaélienne des Assassins[2] s'illustre à cet égard au sein de l'islam. Durant deux siècles (1090-1272) elle pratiqua l'assassinat politique à l'arme blanche à l'encontre de dignitaires musulmans. Aucune secte chrétienne n'a utilisé la terreur avec des résultats aussi fracassants. Mais on peut citer les taborites de Bohême (XIVe siècle) ou les anabaptistes (XVIe siècle) ou rappeler l'antijudaïsme actif de la première croisade (1095), sans parler des dérives de l'Inquisition. De toute façon, les mouvements messianiques véhiculent de la terreur et s'en nourrissent[3].

Le messianisme postule qu'un jour – point trop lointain – le monde sera totalement transformé par un avènement marquant la fin de l'histoire. Au sein du christianisme des premiers siècles, la croyance en une fin proche marquant la seconde venue du Christ (parousie) a été fréquente. L'idée d'apocalypse est intimement liée aux divers messianismes et cela non seulement parmi des religions révélées. Les Aztèques croyaient que quatre soleils (quatre mondes) avaient péri. Ils étaient hantés par la terreur d'une possible fin prochaine à moins de donner au soleil le sang des sacrifices humains.

Le sentiment messianique s'est maintenu vivace au sein du judaïsme (mouvement de Sabattai Zévi au XVIIe siècle, par exemple). Le retour à la « Terre promise » a produit, au lendemain de la victoire de la guerre de 1967, un renouveau messianique avec la création du Gush Emunim, et n'est pas étranger au dynamisme du mouvement de colonisation de la Judée et de la Samarie (Cisjordanie). Le messianisme au sein du christianisme aujourd'hui est manifeste parmi certaines sectes protestantes fondamentalistes dont les origines remontent au XIXe siècle. Parmi celles-ci, la puissante mouvance évangéliste est particulièrement sensible aux victoires d'Israël dont les avancées préconditionnent, à leurs yeux, la parousie. L'islam connaît aussi des mouvements de cette nature, notamment avec la

---

1. Le bombardement du 10 mars 1945 causa 80 000 morts.
2. Bernard Lewis, *Les Assassins*, préface de Maxime Rodinson, Berger-Levrault, 1987.
3. Norman Cohn, *Les fanatiques de l'Apocalypse*, Payot, 1983.

venue attendue du Mahdi (équivalent du Messie chrétien). Dans le chiisme duodécimain (Iran) avec l'attente du douzième imam, le messianisme est central. Bien qu'il s'agisse d'un conflit politique, les événements et antagonismes qui nourrissent aujourd'hui les oppositions violentes entre les islamistes radicaux et les États-Unis comme l'affrontement israélo-palestinien, ont aussi une dimension messianique. Contrairement à une idée assez largement partagée, il ne s'agit pas d'un « choc des civilisations ». Les antagonismes sont également vifs à l'intérieur des sociétés comme le démontre, par exemple, l'attaque par des radicaux sunnites majoritairement saoudiens, en 1979, de la Grande Mosquée lors du pèlerinage annuel ; ou, en 1995, l'assassinat d'Yitzhak Rabin, coupable de consentir à l'abandon de la Judée et de la Samarie (Cisjordanie), par un membre de la secte Gush Emunim[1].

Le terrorisme religieux est conçu comme un acte à caractère transcendantal. Justifié par les autorités religieuses, il donne toute licence aux acteurs qui deviennent alors des instruments du sacré. Le nombre des victimes, leur identité, n'a plus d'importance. Il n'y a pas de juge au-dessus de la Cause pour laquelle le terroriste se sacrifie. Les auteurs du premier attentat contre le World Trade Center, partiellement réussi seulement (1993), avaient, au préalable, obtenu une *fatwa* du cheikh Omar Abdel Rahman, aujourd'hui emprisonné aux États-Unis.

Ce détour rapide sur le religieux, ou du moins sur un de ses aspects, ne nous éloigne qu'en apparence de notre sujet qui est le terrorisme et qui, pour le lecteur contemporain, bien souvent se réduit au terrorisme islamique. Rappelons à cet égard que l'islam lie étroitement problèmes théologiques et problèmes politiques. La raison de cette spécificité de l'islam tient à sa genèse. Le chef suprême, pour reprendre un vocabulaire plus proche du nôtre, était à la fois dirigeant religieux et politique. Par la suite, ce modèle idéal ne fut pas suivi. Il s'est constitué, jusqu'à un certain point, un appareil politique et un appareil religieux et juridique, mais l'idéal était dans l'esprit des musulmans une structure unique, l'islam, à travers le Coran, étant religion et cité (*Dar we Dawla*). Les conditions de la naissance de l'Église ont été différentes. Même lorsqu'au IVe siècle le christianisme devient la religion de l'Empire, les deux appareils, le religieux et le politique, restent distincts, bien que brièvement au Moyen Âge il y ait eu la tentation, pour l'Église, de s'imposer aux chefs temporels.

---

1. Ehud Sprinzak, *Brothers against Brothers*, Free Press, New York, 1999. Voir aussi, du même auteur : « Fundamentalism, Terrorism and Democracy », in *Journal of Strategic Studies*, mai 1987.

C'est une constante dans les mouvements religieux, de se fragmenter en sectes. Les mouvements schismatiques ont toujours proclamé être les détenteurs de la véritable interprétation du credo originel.

Aujourd'hui, les courants sectaires qui se rattachent à l'islamisme radical, après avoir usé de la guérilla se manifestent par l'usage d'actions à caractère terroriste se nourrissant de religieux interprété de façon à susciter mobilisation et engagement au service de fins politiques.

On ne s'appesantira pas ici sur la longue cohorte des régimes despotiques qui, en Chine, depuis la fondation de l'État chinois, au IIIᵉ siècle avant notre ère, jusqu'à Mao Zedong, ont marqué l'histoire – ni des sociétés de l'Orient ancien ou de celles de l'Inde, sinon pour s'étonner qu'un souverain s'efforçant de se conformer aux préceptes du bouddhisme, comme Açoka, ait pu exister – ni des empires musulmans qui comme tous les pouvoirs préféraient l'injustice au désordre et dont le dernier, l'Empire ottoman, a su, jusqu'à sa chute, manier la terreur sans état d'âme. L'Occident non plus n'est pas en reste, jusqu'à l'apparition des embryons de démocratie en Suisse, aux Pays-Bas, en Angleterre, aux États-Unis, en France où elle versa dans la Terreur au nom de la vertu. Celle-ci atteint son zénith avec la loi du 22 prairial an II (1794) privant l'accusé de témoins et d'avocats et donnant au tribunal la latitude de condamner sur la base d'une conviction.

L'histoire, ou plus précisément les chroniques des vaincus à partir desquelles s'est imposée une certaine image historique, conserve des Mongols et de leur irruption au XIIIᵉ siècle, l'écho d'une terreur générale égalée seulement par Tamerlan avec sa pyramide de têtes après la prise de Bagdad. Quant à notre XXᵉ siècle qui a produit le nazisme et la terreur stalinienne, il est par excellence le siècle des génocides, de celui des Arméniens en 1915-1916 dans l'Empire ottoman à celui du Rwanda, en 1994, dans l'indifférence générale des États, avec celui des Juifs et des Tziganes en 1942-1945. Celui des massacres de masse de catégories sociales particulières : koulaks, contre-révolutionnaires réels ou supposés, races dites inférieures, etc.

Les sectes religieuses ou autres groupements investis d'une mission plus ou moins sacrée ayant abondamment usé de la terreur sont également légion. On peut citer la secte des thugs qui, depuis le VIIᵉ siècle, terrorisa les voyageurs en Inde jusqu'à sa liquidation au milieu du XIXᵉ siècle. Il s'agissait d'une secte d'étrangleurs où l'on était très tôt initié, le plus souvent familialement. La secte s'adjoignait parfois de très jeunes enfants capturés. Ceux-ci pouvaient, vers dix ou onze ans, accompagner les tueurs et, sous la direction d'un tuteur, regarder à distance, afin de se familiariser avec les activités de la secte et surtout apprendre à se taire. À la puberté, ils participaient aux opérations. La secte honorait Kali, la déesse hindoue de la mort. Celle-ci, selon les thugs, afin de lutter contre les démons avait créé avec la sueur de ses aisselles deux hommes qui l'avaient assistée dans un combat ; pour récompense, elle leur avait signifié qu'ils pouvaient tuer sans remords, à condition de ne pas répandre le sang. La tradition religieuse des thugs prétendait qu'autrefois, la déesse faisait disparaître les cadavres en les dévorant. Or, un jour, un novice se retourna et vit la déesse pendant qu'elle mangeait. Par punition, celle-ci désormais se refusa à faire disparaître les victimes. Elle donna l'ordre à ses fidèles de les découper et de les enterrer puis de célébrer une cérémonie rituelle.

Jusqu'au début du XIX$^e$ siècle des milliers de voyageurs disparaissaient chaque année. Les autorités mogholes, lorsqu'un thug était fait prisonnier, l'emmurait vivant ou lui faisait trancher les mains et le nez. C'est à partir de 1830 que les autorités britanniques s'efforcèrent de réduire la secte qui finit par disparaître.

Le terrorisme est avant tout un *instrument* ou, si l'on préfère, une *technique*. Et cette technique est aussi vielle que la pratique de la guerre, contrairement à l'idée répandue qui voudrait que le terrorisme naisse avec les nationalismes modernes du XIX$^e$ siècle. Il est vrai qu'une confusion s'est produite à cause de l'apparition tardive de ce terme avec la Révolution française et la Terreur.

Comme tous les phénomènes politiques, le terrorisme se définit à travers la dualité qui oppose les idéaux proclamés et leur mise en application. Et, comme tous les phénomènes politiques, le terrorisme n'existe que dans un contexte culturel et historique. Durant trois décennies, l'impact de l'idéologie marxiste sur les mouvements terroristes a épousé les fortunes de cette dernière ; aujourd'hui, les groupes terroristes se réclamant du marxisme sont minoritaires, alors qu'ils étaient prédominants durant les années 1970 et 1980. Il en est de même pour toute l'histoire des terrorismes, dont les formes se définissent par rapport aux contextes politiques dans lesquels ils naissent, vivent, et meurent. Car si le terrorisme est un phénomène qui ne cesse de se renouveler, le passage de témoin entre chaque génération de terroristes marque souvent une rupture profonde.

L'importance de la composante culturelle est mise en relief aujourd'hui par les mouvements terroristes d'inspiration religieuse, plus encore que par les mouvements nationalistes ou se réclamant strictement d'une idéologie politique. Ce sont ces mouvements qui font le plus parler d'eux. Le Hamas et Al Qaida en particulier mélangent les aspirations politiques ou pseudo-politiques (la destruction d'Israël ou des États-Unis) avec une base religieuse qui sert notamment pour le recrutement et qui s'apparente ainsi à l'élément idéologique d'autres mouvements. Notons que le terrorisme des débuts pratiqué par les Palestiniens était essentiellement politique et laïque et qu'un glissement religieux s'est opéré après la révolution iranienne durant les années 1980.

Tout ou presque oppose une organisation terroriste à l'appareil d'État. La nature de cette opposition définit souvent le caractère du mouvement terroriste. Là où l'État apparaît comme principalement rationnel, la mouvance terroriste paraît avoir un caractère fortement émotionnel. Là où l'appareil d'État moderne fonctionne sur les principes d'une politique « réaliste » et sur l'intelligence des rapports de force, le mouvement terroriste interjette dans sa politique un fort courant moral (dont le code varie selon l'idéologie employée) et une stratégie du faible au fort qui table essentiellement sur les effets psychologiques infligés à l'adversaire. Raymond Aron avait cette formule heureuse qui capte l'essence du phénomène : « Une action violente est dénommée terroriste lorsque ses effets psychologiques sont hors de proportion avec ses résultats purement physiques. »

Ce que l'on comprend aujourd'hui par « terrorisme » constitue ce que les spécialistes nomment le terrorisme « d'en bas ». Or, le terrorisme « d'en haut », c'est-à-dire celui pratiqué par l'appareil d'État, l'emporte au cours de l'histoire. Ce terrorisme-là connaîtra de beaux jours au XXe siècle avec l'avènement des totalitarismes. En termes de victimes, le terrorisme « d'en haut » aura fait infiniment plus de dégâts que celui « d'en bas ».

Dans le contexte de cet ouvrage, nous nous intéresserons principalement au terrorisme d'« en bas », mais pas exclusivement. En tant qu'instrument, la terreur, qu'elle vienne d'« en haut » ou d'« en bas », épouse les mêmes principes stratégiques : faire plier la volonté de l'adversaire en affectant sa capacité de résistance. Jusqu'à un passé récent, on ne parlait pas de « terrorisme d'État ». Le terrorisme d'État, tel qu'on l'entend aujourd'hui, s'applique surtout au soutien de certains régimes (Libye ou Iran par exemple) à des groupes terroristes. Mais le terrorisme d'État revêt bien d'autres formes. C'est aussi un outil employé de manière systématique par les régimes totalitaires. Le terrorisme d'un État se manifeste aussi à travers la doctrine militaire de ses armées. La doctrine des « bombardements stratégiques » développée en Occident durant les années 1930 par exemple était fondée exclusivement sur la terreur que pouvaient infliger des bombardements massifs sur les populations civiles, afin de faire plier les gouvernements. C'est de cette doctrine que résultent les bombardements de Dresde, ou encore les largages de bombes atomiques sur Hiroshima et Nagasaki.

La frontière entre terrorismes d'« en haut » et d'« en bas » est souvent mal définie : pensons au Lénine d'avant 1917 et à celui qui prend le pouvoir. Le terroriste d'aujourd'hui, c'est bien connu, deviendra peut-être le chef d'État de demain, c'est-à-dire celui avec qui tel ou tel gouvernement devra traiter diplomatiquement. Menahem Begin et Yasser Arafat (ou un autre Palestinien) peuvent illustrer cette métamorphose caractéristique.

La tradition occidentale ne considère comme légitime que la seule violence pratiquée par l'État. Cette conception restrictive de l'usage de la terreur fait peu de cas de ceux qui ne disposent pas d'autres moyens pour tenter de renverser une situation jugée oppressive. Car la légitimité d'une action terroriste se manifeste à travers les objectifs de ses agents. Il suffit de visionner quelques interviews d'anciens terroristes pour comprendre que l'idée que « la fin justifie les moyens » est à la base de la plupart des actions terroristes. C'est la cause du mouvement terroriste plutôt que son mode d'action qui est susceptible d'être considérée comme morale. Dans le cadre des guerres de libération nationale des années 1950 et 1960, les actes terroristes sont souvent considérés de manière positive car ils ont accéléré la libération de populations opprimées. Ces agents du terrorisme – en Algérie, en Indochine – sont des héros. Ils n'ont, pour la plupart, aucun regret. On en revient finalement aux considérations de la « guerre juste » qui légitime une action violente.

Or, en Occident et ailleurs, on a tendance à qualifier une action de terroriste quand on la juge illégitime. C'est cette confusion, toujours dangereuse, entre l'interprétation morale d'une action politique et l'action elle-même qui brouille notre vision du phénomène terroriste. Un acte est couramment jugé comme « terroriste » s'il est empreint de fanatisme ou si les objectifs de ses agents ne paraissent ni légitimes ni cohérents. L'observateur s'y retrouve mal dans le labyrinthe des mouvements terroristes, lesquels varient à travers les siècles, d'autant plus que les contextes historiques et culturels sont différents. Autre confusion : l'idée que l'acte terroriste est par définition un acte dont la cible est la population civile[1]. Or, la population civile est une cible de la stratégie indirecte à partir du moment où, comme victime potentielle,

---

1. C'est le cas notamment de Caleb Carr qui envisage l'action terroriste comme exclusivement destinée aux civils, ce qui exclurait donc selon lui de la sphère du terrorisme toute l'histoire de la secte des Assassins. Caleb Carr, *The Lessons of Terror, A History of Warfare against Civilians*, New York, Random House, 2003, pp. 66-67.

son sort peut modifier les décisions des dirigeants. C'est une vision moderne de la politique que de penser que le sort des populations civiles affecte nécessairement l'action des dirigeants politiques. Car il est bien connu que le concept de souveraineté populaire, au nom de laquelle se justifie d'ailleurs la terreur d'État, n'apparaît qu'avec les Lumières. Un peu plus tard, le terrorisme politique suit l'évolution des mentalités : les populistes russes du XIX<sup>e</sup> siècle par exemple sont fortement influencés par la tradition romantique.

Si en pratique le terrorisme moderne a pour cible principale le civil, ce phénomène découle en fait de l'évolution générale des structures politiques et de l'apparition des médias de masse. Depuis 1789 en Occident, les structures politiques ont évolué vers la démocratie. Les médias modernes, qui constituent une composante essentielle de la démocratie libérale, font leur apparition au même moment. Or, par définition, la légitimité politique d'une démocratie et de ses élus repose sur ses citoyens. Cela explique pourquoi l'arme du terrorisme est employée plus efficacement contre les pays démocratiques que contre les dictatures. Ce n'est pas tant, comme on a tendance à le penser, que les dictatures soient plus efficaces à trouver et à punir les terroristes – même si dans ce domaine elles ont une marge de manœuvre plus élevée qu'en démocratie – mais plutôt que la portée d'un attentat n'est pas la même dans un pays libre que dans un pays où les populations n'ont pas voix au chapitre et où les médias sont au service de l'appareil d'État ou contrôlés par lui. Il n'est donc pas faux d'établir que le terrorisme moderne est en partie une conséquence de la démocratie.

Pour autant, cela ne veut pas dire que le phénomène du terrorisme soit nécessairement lié à la démocratie, l'usage de la terreur étant beaucoup plus ancien que l'apparition de l'État démocratique moderne. Mais, et c'est là où il y a risque de confusion, le terrorisme « prédémocratique » apparaissait sous d'autres formes qui, à première vue, sont bien différentes de celles que l'on connaît aujourd'hui.

L'une des premières manifestations de la technique terroriste est à chercher dans ce qu'on appelait le « tyrannicide », terme tombé depuis longtemps en désuétude. Traditionnellement, l'attentat contre le tyran était accompli au nom de la justice. Le tyrannicide est la forme la plus répandue du terrorisme dans la période prémoderne. L'organisation terroriste la plus redoutable de cette période, agissant au nom de la pureté idéologique, est la secte des Assassins, qui opère durant les XIII<sup>e</sup> et XIV<sup>e</sup> siècles ; elle n'est pas sans rappeler certaines organisations terroristes contemporaines.

Aucune société n'a le monopole du terrorisme et au cours de l'histoire les actes terroristes ont marqué nombre d'aires géographiques et culturelles. Les Zélotes (ou *Sicarii*) et les Assassins, par exemple, œuvrent dans la zone moyen-orientale qui, encore aujourd'hui, est celle qui abrite les grandes organisations terroristes. À la fin de la Seconde Guerre mondiale, l'État d'Israël s'est imposé à travers une stratégie qui utilisait les techniques du terrorisme. Aujourd'hui, les Palestiniens exploitent ces mêmes techniques contre Israël. L'Asie centrale et le Moyen-Orient furent durant plusieurs siècles en butte à la terreur exercée par les diverses armées nomades, dont celles de Gengis Khan et de Tamerlan. La Russie, depuis le XIX<sup>e</sup> siècle, a été le théâtre de nombreux actes de terreur, dont la terreur d'État sur laquelle reposait tout l'édifice soviétique durant sept décennies. Aujourd'hui, le terrorisme, en Russie, est de nouveau un terrorisme « d'en bas » plus proche de la tradition populiste du XIX<sup>e</sup> siècle. En Europe la guerre de Trente Ans (1618-1648) montre que la technique de la terreur n'était pas inconnue des armées qui s'affrontaient violemment. Plus récemment l'Europe a connu diverses vagues de terrorisme : anarchistes, terrorisme irlandais, groupes idéologiques tels que les Brigades rouges ou la Fraction Armée rouge allemande, et, à l'heure actuelle, mouvements indépendantistes basque ou corse.

Les États-Unis ont connu à la fin du XIX<sup>e</sup> siècle les attentats anarchistes. Par ailleurs, l'assassinat de personnalités politiques (Lincoln, McKinley, John et Robert Kennedy), proche de la tradition du tyrannicide – l'assassin d'Abraham Lincoln crie « mort au tyran » avant de tuer le président américain –, est ancré dans leur Histoire. L'action d'une organisation semi-clandestine comme le Ku Klux Klan est elle aussi fondée sur la technique de la terreur à travers la pratique du lynchage. Les organisations d'extrême droite, héritières en quelque sorte du Ku Klux Klan, continuent aujourd'hui d'employer la technique terroriste (attentat d'Oklahoma City) mais avec des moyens modernes de plus en plus sophistiqués. Longtemps épargnés par le terrorisme international sur leur territoire, les États-Unis étaient dramatiquement frappés le 11 septembre 2001.

L'Afrique subsaharienne, qui traditionnellement semblait épargnée, est depuis quelques années victime du terrorisme exercé par les armées régulières, les troupes d'irréguliers et des bandes armées. C'est le cas notamment dans la région des grands lacs (trois millions de victimes, la plupart civiles, dans le conflit du Congo). L'emploi de la terreur en Afrique aujourd'hui n'est pas sans rappeler l'épisode de la guerre de Trente Ans. Dans le contexte de la globalisation, l'Afrique est devenue, indirectement, une cible du terrorisme, comme en attestent les attentats contre les ambassades américaines en Tanzanie et au Kenya. De son côté, l'Amérique latine a été le théâtre de nombreux foyers de guérilla, y compris urbaine. Les guérilleros ont naturellement employé les techniques du terrorisme, en particulier dans la guérilla urbaine (Tupamaros).

En 1979 l'islamisme radical apparaît de façon éclatante dans sa version chiite, en Iran. La même année, la guerre d'Afghanistan, grâce aux États-Unis, à l'Arabie Saoudite et au Pakistan, permet la montée de l'islamisme radical sunnite. Ce courant auquel participent des éléments venus de la plupart des pays musulmans, à l'exception de l'Afrique noire, se retourne, après le retrait de l'URSS d'Afghanistan, contre les États-Unis. Dès le milieu des années quatre-vingt-dix, l'hostilité aux États-Unis se matérialise par une série d'attentats. Celui du 11 septembre 2001 en marque le zénith et détermine l'expédition punitive menée par Washington contre le régime des Talibans et ce qui est désigné du label Al Qaida. À l'initiative de l'administration Bush, l'Irak est accusé de détenir des armes de destruction massive, d'avoir des liens avec Al Qaida et de représenter une menace pour la paix dans le monde et la sécurité des États-Unis. Cette guerre, décidée de façon unilatérale, avec l'appui quasi exclusif de la Grande-Bretagne, menée en principe contre le terrorisme, se révélait après la chute du régime baassiste porteuse de difficultés que le Pentagone n'avait pas envisagées.

Il ne peut y avoir de condamnation unilatérale du phénomène terroriste à moins de condamner toute violence, quelle qu'elle soit. Il faut au moins examiner pourquoi et par qui il est pratiqué. Comme dans la guerre et peut-être davantage encore, le terrorisme joue sur les esprits et les volontés. De prime abord, les démocraties se révèlent singulièrement vulnérables. Mais si le défi devient grave, voire fondamental, la capacité d'endurer cette stratégie, fondée sur la tension psychologique, se révèle bien plus grande dans les populations que ne le laissent paraître les réactions premières. En tant que dernier recours, le terrorisme est justifié. Or dans le monde actuel le faible n'a pas d'autre arme contre le fort. Dans le passé, bien des mouvements, par la suite légitimés, l'ont utilisé. Quant aux États, détenteurs de la violence légale, ils ont vocation et devoir de se défendre.

D'une façon générale, l'usage du terrorisme, comme technique de pression, par un mouvement ayant une certaine épaisseur sociale vise à arracher à l'État des concessions et une solution négociée. Dans le cas de l'islamisme combattant, la caractéristique particulière qui distingue cette mouvance de tous les mouvements qui l'ont précédée fait qu'il n'y a rien à négocier. En réalité, il s'agit d'une lutte à mort.

En tant que phénomène international, le terrorisme est davantage une nuisance considérable qu'une force véritablement déstabilisatrice, sauf psychologiquement. Le terrorisme est le prix, somme toute modeste, que l'Occident et plus particulièrement les États-Unis payent pour leur hégémonie. Encore faut-il s'efforcer, par intelligence politique, de ne pas le nourrir en prétendant le combattre.

# Du terrorisme comme stratégie d'insurrection*

## par Ariel Merari

Je dois préciser ce que j'entends par « terrorisme politique ». Ce terme a été utilisé par des gouvernements, les médias et même par des universitaires pour dépeindre des phénomènes qui ont peu de points communs. Ainsi, pour certains, le terrorisme signifie des actes violents commis par des groupes contre des États, pour d'autres l'oppression d'un État contre ses propres ressortissants, et pour d'autres encore, des actes belliqueux perpétrés par des États contre d'autres États.

Trouver une définition du terrorisme politique qui serait acceptable par le plus grand nombre se heurte à un obstacle majeur, celui de la connotation émotionnelle négative de cette expression. Le mot « terrorisme » est devenu un terme comportant purement et simplement un discrédit plutôt qu'un terme décrivant un type spécifique d'activités. D'une façon générale, les gens l'emploient pour exprimer la désapprobation d'une variété de phénomènes qui leur déplaisent, sans se préoccuper de définir avec précision ce qui constitue un comportement terroriste. Il faut, me semble-t-il, considérer le terrorisme comme un mode de lutte plutôt que comme une aberration sociale ou politique, et aborder ce phénomène d'un point de vue technique plutôt que moral.

---

* Pour la rigueur et l'originalité de sa problématique, nous avons tenu à republier dans ce volume cette contribution déjà parue dans G. Chaliand (éd.), *Stratégies du terrorisme*, Paris, Desclée de Brouwer, 1999.

## UNE DÉFINITION OPÉRATOIRE DU TERRORISME

La signification du mot « terrorisme » varie selon les individus. La terminologie nécessite toujours qu'on se mette d'accord pour arriver à une compréhension commune. Rechercher des définitions basées sur la logique pour des termes qui appartiennent au domaine de la science politique ou des sciences sociales, particulièrement quand ces termes revêtent une connotation émotionnelle négative, n'a aucun sens. Les États-Unis ne peuvent d'aucune manière prouver de façon *logique* que les attentats commandités par la Libye contre les aéroports de Rome et de Vienne en 1985 étaient des actes de terrorisme, à moins que certaines des présomptions de base et la sémantique nécessaire à la définition du terrorisme ne soient acceptées universellement. L'affirmation des États-Unis est certainement logique compte tenu de leur propre définition du terrorisme, mais le colonel Muammar Kadhafi peut toujours soutenir que le terme de « terrorisme » devrait être réservé aux actes tels que le raid punitif mené par les États-Unis contre la Libye (avril 1986) et que les attentats de Rome et de Vienne devraient plutôt être considérés comme des actes de violence révolutionnaire, de lutte armée ou de combat pour la liberté.

Pourtant, pour ceux qui étudient la violence politique, classifier les phénomènes qui entrent dans cette catégorie générale est un premier pas essentiel pour la recherche. Obtenir un consensus sur la signification du terme « terrorisme » n'est pas une fin importante en soi, sauf peut-être pour des linguistes. Il est nécessaire par ailleurs de faire une différenciation entre les diverses conditions de la violence et de distinguer les divers modes de conflits, quelle que soit la façon dont on les nomme, si nous voulons améliorer notre compréhension de leurs origines, les facteurs qui les affectent et apprendre à y faire face. Les intentions, les circonstances et les méthodes engagées dans la violence d'un État contre ses propres ressortissants sont totalement différentes de celles qui caractérisent la violence exercée par les États contre d'autres États ou par des groupes insurgés contre des gouvernements. Appliquer le terme de « terrorisme » à ces trois situations crée des confusions et nuit à la recherche universitaire de même qu'à l'action politique. Tant que le terme de « terrorisme » signifiera simplement pour celui qui l'emploie un comportement violent à déplorer, il sera plus utile à la propagande qu'à la recherche.

Deux chercheurs néerlandais de l'université de Leyde, Alex Schmid et Albert Jongman, ont adopté une approche intéressante du problème de la définition du terrorisme. Ils ont recueilli 109 définitions du terme auprès d'universitaires et de fonctionnaires et les ont analysées pour trouver leurs principales composantes. Ils ont trouvé que la violence figurait dans 83,5 % des définitions, les objectifs politiques dans 65 % et que 51 % d'entre elles avaient pour élément central la peur et la terreur. 21 % des définitions seulement mentionnaient l'arbitraire et les cibles prises au hasard, et seulement 17,5 % incluaient la victimisation de civils, de non-combattants, de personnes neutres et d'éléments extérieurs.

Une analyse plus fine de cet ensemble de définitions citées par Schmid et Jongman montre que les définitions du terrorisme données par les fonctionnaires sont vraiment similaires. Ainsi, la *task force* du vice-président des États-Unis (1986) définissait le terrorisme comme « l'utilisation illégale ou la menace de violence contre des personnes ou des biens, pour servir des objectifs politiques et sociaux. Le but en est généralement d'intimider ou de contraindre un gouvernement, des individus ou des groupes à modifier leur comportement ou leur politique. » La définition du Bureau pour la protection de la Constitution de la République fédérale d'Allemagne est la suivante : « Le terrorisme est la lutte menée sur la durée pour atteindre des objectifs politiques, [...] qui utilise des moyens comme des attentats contre la vie et les biens des gens en perpétrant tout particulièrement des crimes graves tels que détaillés dans l'article 129a, sec. 1 du Code pénal (principalement meurtres, homicides, enlèvements avec demande de rançon, incendies volontaires, utilisation d'explosifs) ou au moyen d'autres actes de violence qui servent à préparer de tels actes criminels. » Une définition officielle britannique contient les mêmes éléments sous une forme plus succincte : « Pour notre législation, le terrorisme est "l'usage de la violence à des fins politiques et inclut n'importe quel usage de la violence dans le but de provoquer la peur dans le public ou une fraction quelconque du public". » On trouve trois éléments communs dans ces définitions : l'usage de la violence ; les objectifs politiques et l'intention de semer la peur dans une population cible. Comparées aux définitions du terrorisme données par les fonctionnaires, celles proposées par les universitaires sont plus diversifiées, ce qui n'a rien de surprenant, mais on y retrouve les trois éléments clés des définitions gouvernementales. Avant de nous réjouir du consensus qui se dégage sur le terrorisme, souvenons-nous que l'échantillon de définitions fourni par Schmid et Jongman reflète, d'une façon générale, les perceptions et l'attitude d'universitaires et de fonctionnaires occidentaux. Les opinions des Syriens, des Libyens et des Iraniens sur ce qui constitue le terrorisme sont totalement différentes, et c'est très vraisemblablement le cas de beaucoup d'autres pays du tiers-monde. Le consensus qui se dégage peu à peu chez les Occidentaux sur l'essence du terrorisme n'est probablement pas partagé par la majorité des peuples dans le monde.

Bien plus, les trois caractéristiques de base communément admises du terrorisme énoncées plus haut ne suffisent pas pour établir une définition utilisable. En tant que définitions de travail, celles des fonctionnaires citées plus haut sont trop larges pour être applicables ; en effet on n'y trouve pas les éléments qui permettraient de faire une distinction entre le terrorisme et les autres formes de conflits violents, telles la guérilla ou même la guerre conventionnelle. Manifestement, aussi bien la guerre conventionnelle que la guérilla font usage de la violence à des fins politiques. Les bombardements massifs et systématiques des populations civiles dans les guerres modernes ont explicitement pour objectif de semer la peur parmi les populations ciblées. Par exemple, un tract lancé sur les villes japonaises par les bombardiers américains en août 1945 était rédigé en ces termes :

« Ces tracts sont lancés pour vous notifier que votre ville fait partie d'une liste de villes qui seront détruites par notre puissante armée de l'air. Le bombardement débutera dans 72 heures. […]

Nous notifions ceci à la clique militaire parce que nous savons qu'elle ne peut rien faire pour arrêter notre puissance considérable ni notre détermination inébranlable. Nous voulons que vous constatiez combien vos militaires sont impuissants à vous protéger. Nous détruirons systématiquement vos villes, les unes après les autres, tant que vous suivrez aveuglément vos dirigeants militaires… »

Le largage de bombes atomiques sur Hiroshima et Nagasaki qui mit fin à la Seconde Guerre mondiale peut lui aussi être considéré comme un exemple qui correspond à ces définitions du terrorisme, bien qu'à très grande échelle. Il s'agissait d'actes de violence perpétrés à des fins politiques, dans l'intention de semer la peur dans la population japonaise.

L'histoire de la guérilla offre elle aussi de nombreux exemples de victimisation systématique des civils dans une tentative pour contrôler la population. Durant la guerre d'indépendance de l'Algérie, le Front de libération nationale (FLN) a assassiné près de 16 000 citoyens musulmans et enlevé 50 000 autres que l'on n'a jamais revus ; en outre, on estime à 12 000 le nombre de membres du FLN tués lors des purges internes. Une directive du Viêt-cong de 1965 était très explicite quant aux catégories de personnes qui devaient être « réprimées », c'est-à-dire punies ou tuées : « Les cibles de la répression sont les éléments contre-révolutionnaires qui cherchent à entraver la révolution et travaillent activement pour l'ennemi et pour la destruction de la révolution. » Ce qui incluait entre autres : « Les éléments qui luttent activement contre la révolution dans des partis contre-révolutionnaires tels le Parti nationaliste vietnamien *(Quoc Dan Dang)*, le Parti du Grand Viêt-nam *(Dai Viet)* et le Parti du travail, et le Parti des personnalités *(Can Lao Nhan Vi)* et les éléments clés des organisations et des associations fondées par les partis réactionnaires, les impérialistes américains et le gouvernement fantoche. » Devaient être « réprimés » aussi les « éléments réactionnaires et récalcitrants qui profitent des diverses religions, comme le catholicisme, le bouddhisme, le caodaïsme et le protestantisme, pour s'opposer activement à la révolution et la détruire, et les éléments clés d'associations et d'organisa-tions fondées par ces personnes ». Un exemple plus récent est celui du Sentier lumineux péruvien, qui assassine et mutile des villageois coupables d'être allés voter.

Si l'on peut appliquer la définition du terrorisme aussi bien à la guerre nucléaire qu'à la guerre conventionnelle ou à la guérilla, ce terme n'est plus qu'un simple synonyme d'intimidation violente dans un contexte politique et n'est plus qu'un terme dépréciatif décrivant un aspect affreux de conflits violents, quelles que soient leur importance et leur nature, que l'humanité a toujours connus sous tous les régimes. Si l'attaque en plein vol d'un avion de ligne en temps de paix par un petit groupe d'insurgés et le bombardement stratégique d'une population ennemie par une superpuis-sance au cours d'une guerre mondiale sont tous deux qualifiés de « terrorisme », alors les chercheurs en sciences sociales, les hommes poli-tiques et les législateurs ne peuvent que soupirer. Si nous souhaitons utili-ser le terme « terrorisme » dans une analyse de sciences politiques, nous devrions le réserver exclusivement à la description d'un type de phéno-mène plus spécifique, distinct des autres formes de violence politique. Malgré les ambiguïtés et les désaccords évoqués plus haut, le concept de terrorisme dans son usage moderne est plus communément associé à un certain type d'actions violentes, perpétrées par des individus ou des grou-pes plutôt que par des États et qui se produisent plutôt en temps de paix que lors d'une guerre conventionnelle. Bien que, à l'origine, l'utilisation de ce terme dans un contexte politique ait fait référence à la violence et à la répression d'État (le « règne de la Terreur », période de la Révolution française), d'un point de vue pratique la récente définition de ce terme donnée par le Département d'État des États-Unis est plus opérationnelle. Selon cette définition, le « terrorisme » est une violence préméditée, motivée politiquement, perpétrée contre des cibles non combattantes par des groupes nationaux marginaux ou des agents clandestins d'un État dont le but est généralement d'influencer un public. Aussi, pour des raisons pratiques, emploierons-nous le mot « terrorisme » pour désigner la violence insurrectionnelle plutôt que la violence d'État.

Comment le terrorisme s'insère-t-il dans la gamme des violences politiques ? Comme il a été dit plus haut, l'usage moderne courant de ce terme fait référence, du moins en Occident, à des actions comme l'attaque en plein vol d'un avion de la Pan Am (vol 103) en décembre 1988, l'attentat contre des passagers dans les aéroports de Vienne et de Rome en décembre 1985 ou la prise de l'ambassade d'Arabie Saoudite à Khartoum en mars 1973. Ces actions représentent une forme de violence politique différente de la guérilla, de la guerre conventionnelle ou des émeutes. Des actions de ce genre, quand elles sont menées systématiquement, constituent une stratégie particulière d'insurrection. Cette stratégie devrait avoir un nom, que ce soit « terrorisme » ou tout autre terme, mais retenir celui de « terrorisme » a l'avantage de la familiarité[1]. En fait, les praticiens et les avocats de cette forme de lutte l'ont eux-mêmes souvent employé pour décrire leurs méthodes. Cependant les définitions de ce terme laissent plusieurs questions en suspens.

## TERRORISME ET GUÉRILLA

Les termes « terrorisme » et « guérilla » sont souvent utilisés indifféremment. Hormis une certaine négligence dans l'utilisation de la terminologie technique de la part des médias, des hommes politiques et même des universitaires, cette synonymie fautive reflète une confusion concernant la définition du mot « terrorisme » et souvent le désir d'éviter la connotation négative qu'il a prise. Le terme « guérilla » ne draine pas de connotation diffamatoire et, de ce fait, nombre d'auteurs semblent lui trouver un air d'objectivité. Comme le fait remarquer Walter Laqueur, l'usage fort

---

1. Les révolutionnaires du XIXe siècle ont souvent employé le terme de « terrorisme » avec fierté. Dans la seconde moitié du XXe siècle, cependant, la plupart des organisations insurrectionnelles qui ont adopté le terrorisme comme stratégie ont évité ce terme et l'ont remplacé par toutes sortes d'euphémismes. Néanmoins, une autorité moderne en matière de doctrine terroriste, Carlos Marighella, écrit : « Le terrorisme est une arme à laquelle le révolutionnaire ne peut jamais renoncer. »

répandu mais impropre de l'expression « guérilla urbaine » a probablement contribué à la confusion. Cette expression a été utilisée par des révolutionnaires pour décrire une stratégie de terrorisme qui serait une extension de la guérilla ou son substitut.

Cependant, en tant que stratégies de l'insurrection, terrorisme et guérilla sont tout à fait distincts. La différence la plus importante est que, à l'inverse du terrorisme, la guérilla essaie d'établir son contrôle physique sur un territoire. Ce contrôle est parfois partiel. Dans certains cas, les guérilleros contrôlent le terrain la nuit et les forces gouvernementales le contrôlent le jour. Dans d'autres exemples, les forces gouvernementales sont capables d'assurer la sécurité des principaux axes routiers, mais le territoire de la guérilla commence à quelques centaines de mètres à droite ou à gauche. Dans de nombreux cas, les guérilleros sont parvenus à contrôler totalement une portion conséquente de territoire pendant de longues périodes. La nécessité de contrôler un territoire est un élément clé de la stratégie de la guérilla insurrectionnelle. Le territoire sous le contrôle de la guérilla sert de réservoir humain pour recruter, de base logistique et, ce qui est plus important, de terrain et d'infrastructure permettant la création d'une armée régulière.

La stratégie terroriste ne cherche pas à contrôler matériellement un territoire. Indépendamment du fait que les terroristes tentent d'imposer leur volonté à l'ensemble d'une population et d'agir sur son comportement en semant la peur, cette influence n'a pas de lignes de démarcation géographiques. Le terrorisme en tant que stratégie ne s'appuie pas sur des « zones libérées » comme étape de consolidation et d'élargissement de la lutte. En tant que stratégie, le terrorisme reste dans le registre de l'influence psychologique et est dénué des éléments matériels de la guérilla.

D'autres différences pratiques entre ces deux formes de guerre accentuent encore davantage les différences de base des deux stratégies. Elles sont du domaine de la tactique, mais sont en réalité le produit de concepts stratégiques essentiellement divergents. Elles portent sur la taille des unités, les armes et le type des opérations de guérilla et de terrorisme. Habituellement, les guérilleros mènent des actions militaires en unités de la taille d'une section ou d'une compagnie, parfois même de bataillons et de brigades. On connaît même des exemples historiques où les guérilleros ont utilisé des formations de la taille d'une division dans des combats[1]. Les terroristes, eux,

---

1. Lors de la bataille de Dien Bien Phu (1954) le Viêt-minh a déployé quatre divisions contre les forces françaises fortes d'environ 15 000 hommes. La bataille elle-même a été menée comme une guerre régulière, bien qu'elle ait été lancée dans le cadre général d'une lutte de guérilla.

opèrent en très petites unités allant généralement de l'assassin isolé ou de la personne seule qui fabrique et pose un engin explosif de fabrication artisanale à une équipe de preneurs d'otages de cinq personnes. Les équipes les plus importantes comportent de 40 à 50 personnes[1]. Cependant, c'est très rare. Ainsi, en termes de taille des unités opérationnelles, les limites supérieures des terroristes sont les limites inférieures de la guérilla.

Les différences dans l'armement utilisé dans ces deux types de guerres sont aussi facilement perceptibles. Tandis que les guérilleros utilisent le plus souvent des armes de guerre de type ordinaire, comme des fusils, des mitrailleuses, des mortiers et même de l'artillerie, les armes types des terroristes sont des bombes de fabrication artisanale, des voitures piégées et des engins sophistiqués agissant sous la pression barométrique, destinés à exploser dans des avions en vol. Ces différences dans la taille des unités et dans les armes sont purement et simplement les corollaires du fait noté plus haut, à savoir que, tactiquement, les actions de la guérilla sont similaires au mode d'opération d'une armée régulière. Parce que les terroristes, à l'inverse des guérillas, n'ont pas de base territoriale, ils doivent se mêler à la population civile pour éviter d'être immédiatement repérés. C'est la raison pour laquelle habituellement les terroristes, à la différence des guérilleros, ne peuvent se permettre de porter un uniforme. Pour simplifier quelque peu la comparaison, tandis que la guérilla et la guerre conventionnelle sont deux formes de guerres différentes dans leur stratégie mais similaires dans leur tactique, le terrorisme est une forme particulière de lutte tant en matière de stratégie que de tactique.

MÉTHODE ET CAUSE :
TERRORISTES ET COMBATTANTS DE LA LIBERTÉ

Les groupes terroristes se décrivent en général comme des mouvements de libération nationale, des combattants contre l'oppression sociale, économique, religieuse ou impérialiste, ou une combinaison de tout cela. De l'autre côté de la barrière, dans une compréhensible tentative pour discréditer le terrorisme, les hommes politiques ont présenté les termes

---

1. Les équipes terroristes ayant mobilisé le plus d'hommes ont été utilisées lors d'incidents comportant des prises d'otages. Par exemple 50 membres de la Ligue populaire du 28-Février ont participé à la prise de l'ambassade du Panama à San Salvador le 11 janvier 1980 ; 41 membres du groupe colombien M-19 se sont emparés du palais de justice de Bogota le 6 novembre 1985.

« terroristes » et « combattants de la liberté » comme contradictoires. Ainsi, le président Bush écrit : « La différence entre les terroristes et les combattants de la liberté est parfois brouillée. Certains disent qu'un terroriste pour l'un est un combattant de la liberté pour l'autre. Je rejette cette opinion. Les différences philosophiques sont absolues et fondamentales. »

Sans vouloir porter de jugement sur la description que fait de lui-même n'importe quel groupe particulier, essayer de présenter les termes « terroristes » et « combattants de la liberté » comme s'excluant mutuellement d'une façon générale est fallacieux d'un point de vue logique. « Terrorisme » et « combat pour la liberté » sont des termes qui décrivent deux aspects différents du comportement humain. Le premier caractérise un mode de lutte et le second une cause. Les causes des groupes qui ont adopté le terrorisme comme mode de lutte sont aussi diverses que les intérêts et les aspirations de l'humanité. Parmi les causes proclamées par des groupes terroristes figurent les changements sociaux, que les idéologies soient de droite ou de gauche, les aspirations associées à des croyances religieuses, les revendications ethniques, les questions d'environnement, les droits des animaux et des causes spécifiques comme l'avortement. Certains groupes terroristes luttent incontestablement pour l'autodétermination ou la libération nationale. D'un autre côté, tous les mouvements de libération nationale n'utilisent pas le terrorisme pour faire avancer leur cause. En d'autres termes, certains groupes insurrectionnels sont à la fois des terroristes et des combattants de la liberté, certains sont l'un ou l'autre, certains ne sont ni l'un ni l'autre.

## TERRORISME ET MORALE

Ce héros de l'approche morale du terrorisme est un Russe nommé Ivan Kaliayev. Kaliayev était un membre de l'« organisation de combat » du Parti social-révolutionnaire clandestin, qui avait adopté l'assassinat de fonctionnaires comme stratégie principale dans sa lutte contre le régime tsariste. Kaliayev avait été choisi par l'organisation pour assassiner le grand-prince Serge. Le 2 février 1905, Kaliayev attendait, une bombe sous son manteau, l'arrivée de ce dernier. Mais quand le carrosse du prince approcha, Kaliayev remarqua que la victime désignée était accompagnée de ses deux jeunes enfants. Il prit sur lui de ne pas lancer la bombe afin de ne pas blesser l'innocente progéniture du prince. Deux jours plus tard, Kaliayev accomplit sa mission, fut pris, jugé et exécuté. Par sa définition rigoureuse des cibles permises de la violence révolutionnaire, Kaliayev obtint un statut de saint dans l'évangile des analystes moralistes du terrorisme et devint une espèce de référence permettant d'identifier rapidement ce qui est bien ou mal dans la violence révolutionnaire.

L'analyse la plus concise de la question de la moralité du terrorisme a probablement été offerte par Walzer. Sa position de base peut être résumée par la citation suivante :

« Dans ses manifestations modernes, la terreur est la forme totalitaire de la guerre et de la politique. Elle anéantit les conventions de la guerre et le code politique. Elle brise les limites morales au-delà desquelles il n'y a plus de limitation ultérieure possible car, à l'intérieur de catégories comme celles de civil ou de citoyen, il n'y a pas de groupe plus petit pour lequel l'immunité puisse être exigée. [...] De toute façon, les terroristes n'ont pas de telles exigences ; ils tuent n'importe qui. »

Le test de moralité, selon Walzer, réside dans la responsabilité des victimes à l'origine d'actes qui sont l'objet des griefs des assaillants. Suivant ce critère, il propose ce qu'on pourrait appeler une échelle sommaire d'assassinabilité : les fonctionnaires gouvernementaux appartenant à l'appareil présumé oppressif sont assassinables. La victime de Kaliayev entre dans cette catégorie. D'autres personnes au service du gouvernement, qui n'ont rien à voir avec les aspects oppressifs du régime (enseignants, personnel médical, etc.), forment une catégorie discutable. Selon le verdict quelque peu ambigu de Walzer, du fait de « l'extraordinaire diversité des activités subventionnées et payées par l'État moderne [...] il semble excessif et extravagant de considérer que toutes ces activités sont autant de prétextes à assassinats ». La troisième catégorie, celle des personnes privées, ne peut en aucun cas être assassinable, selon Walzer. Celles-ci ne peuvent sauver leur vie en changeant de comportement. Les tuer est, par conséquent et sans la moindre équivoque, immoral.

L'analyse de Walzer laisse certains problèmes de principe sans réponse satisfaisante. Le plus important concerne l'essence même du jugement moral. La question fondamentale est de savoir si les normes morales en général et les normes de la guerre en particulier sont absolues, immuables dans le temps et identiques dans toutes les sociétés, ou si elles sont le reflet changeant de la condition humaine et, par conséquent, variables selon les sociétés et sans cesse modifiées pour s'adapter à de nouvelles situations. Si les normes morales relèvent d'une nature absolue, elles ne peuvent alors dériver que de deux sources : d'un édit divin ou d'un trait psychologique universel, commun aux hommes et aux femmes de toutes les sociétés et de tous les temps. Dans le premier cas, il n'y a pas matière à discussion : les règles divines ne sont pas négociables, elles sont affaire de croyance. Pour ceux qui croient en leur source divine, ce sont des règles fixes réglementant la conduite humaine, immuables dans le temps. Walzer admet que son traité repose sur la tradition religieuse occidentale, mais on ne sait pas si c'est l'affirmation d'une identification culturelle ou la proclamation d'une conviction religieuse personnelle. Les normes culturelles sont sans conteste une source puissante qui influence les attitudes, les opinions et les comportements, et peuvent être décrites comme le moule dans lequel les valeurs personnelles sont façonnées. Mais pour pouvoir affiner le statut de valeur absolue de la race humaine, il est nécessaire de montrer que cette valeur en question est partagée par toutes les cultures. Étant donné l'extraordinaire diversité des cultures, l'affirmation et l'universalité d'une valeur doivent reposer sur l'assertion que cette valeur dérive d'un ensemble d'attitudes et d'émotions qui se retrouve dans toutes les sociétés.

Quant au sujet spécifique que nous sommes en train de considérer, c'est-à-dire les valeurs morales en relation avec la violence politique, l'affirmation de leur universalité n'est pas défendable. La preuve en est que les divergences concernant le code moral de la guerre, que Walzer présente pourtant comme un absolu, sont si courantes. On ne peut expliquer les flagrantes infractions aux règles de Walzer, dans l'histoire moderne, simplement par la folie personnelle ou l'immoralité de certains individus qui se sont retrouvés à la tête des régimes totalitaires qui leur ont permis d'agir contre la volonté de la population. Dans de nombreux cas, les violations de la morale ont été soutenues par la majorité de la population de la nation qui les commettait. De graves entorses aux lois de la guerre ont été faites même par des démocraties, un type de régime où l'action d'un gouvernement est limitée par la volonté publique. Ainsi, les bombardements massifs de la population civile japonaise, dans l'intention de porter atteinte au moral de cette population, et la totale destruction d'Hiroshima et de Nagasaki par des bombes atomiques au cours de la Seconde Guerre mondiale étaient, sans le moindre doute, soutenus par la majorité du peuple américain.

Il est clair que, dans son application actuelle, le code moral en général, y compris les règles de la guerre, est le produit des besoins des gens, de leurs perceptions et de leur confort et est tributaire des influences circonstancielles et culturelles. Les différences culturelles concernant le statut des non-combattants sont manifestes dans l'utilisation des otages par exemple. Tandis que la plupart des Occidentaux considéraient que l'utilisation par les Irakiens, en 1990, d'otages civils – hommes, femmes, enfants – comme boucliers humains contre le possible bombardement de cibles stratégiques était un acte répugnant et immoral, beaucoup de personnes dans le monde arabe estimaient que c'était un acte légitime et moralement justifié. Toutefois, il semble que des facteurs liés à la situation jouent un rôle bien plus important que la diversité culturelle dans la conduite de la guerre. La forme de gouvernement est, peut-être, le seul facteur important. Les violations les plus graves des droits de l'homme dans l'histoire moderne ont été commises par des régimes totalitaires occidentaux. La nécessité, telle qu'elle est perçue, joue un rôle tout aussi important. En fait, tous les États ont à maintes reprises violé les règles de la guerre. Dans presque toutes les guerres modernes, les populations civiles ont été intentionnellement victimisées et l'ampleur de la transgression a été déterminée par la capacité et le besoin autant que par les principes moraux.

Le terrorisme ne diffère pas des autres formes de guerres lorsqu'il prend des non-combattants pour cibles. Cependant, plus que toutes les autres formes de guerres, il enfreint systématiquement les lois de la guerre internationalement reconnues. La guérilla et la guerre conventionnelle ignorent souvent ces lois, mais le terrorisme les viole à la fois en refusant de faire la distinction entre combattants et non-combattants, et, s'agissant du terrorisme international, en ne tenant pas compte des limites des zones de guerre. Contrairement à la guerre conventionnelle et à la guérilla, le terrorisme n'a pas de statut légal selon la loi internationale (pour la loi nationale, toutes les insurrections sont traitées comme des crimes). Pour cette raison, le terrorisme en tant que stratégie et les terroristes en tant que parti combattant ne peuvent espérer obtenir un statut légal. Donc, on peut sans se tromper décrire le terrorisme comme une forme illégale de guerre, mais le caractériser comme une forme de guerre immorale n'a pas de sens. Les terroristes font la guerre selon leurs propres normes, non selon celles de leurs ennemis. Les règles de conduite de chacune des deux parties dérivent des capacités et des nécessités et subissent des changements pour des raisons qui sont essentiellement pragmatiques. Certes, les peuples et les États portent un jugement moral sur la justification des guerres et certains actes de guerre particuliers. Cependant, leur jugement, au mieux, ne reflète rien d'autre que leurs propres normes culturelles et, trop souvent, une vue partisane influencée par des intérêts immédiats. Pourtant, la morale, bien qu'elle ne puisse être traitée avec cohérence comme une valeur absolue, est, à un moment donné, dans une société et un contexte donnés, un fait *psychologique* et, par conséquent, politique. Les gens portent des jugements moraux sur des personnes, des organisations et des actions. Ils réagissent selon des normes morales, peu importe à quel point celles-ci peuvent être émotionnelles et irrationnelles. En fait, c'est plus la composante émotionnelle que la composante logique qui donne une telle puissance aux attitudes basées sur la morale.

La morale est un code de comportement qui prévaut dans une société donnée à un moment donné. En tant que telle, la morale correspond étroitement à la loi existante, mais cette dernière a l'avantage de la clarté, de la précision et de la formalité. Comme reflet des normes courantes, le terrorisme est une forme immorale de guerre pour les sociétés occidentales du XX$^e$ siècle. Cependant, la puissance de cette représentation est affaiblie par le fait que dans pratiquement toutes les guerres modernes le code moral de comportement (et, bien sûr, les lois de la guerre) a été battu en brèche, à grande échelle, par toutes les parties, du moins lorsque des civils ont été pris pour cibles. À cet égard, la différence entre le terrorisme et les autres formes de guerres est une question de compréhension. Tandis que les terroristes récusent habituellement la loi dans son ensemble, sans même faire semblant de la respecter, les États paient un tribut à la loi et aux normes et ne les violent que dans des circonstances extrêmes.

Les changements de réglementations concernant la lutte contre le terrorisme sont une preuve supplémentaire de la relativité de la morale. Si la loi reflète les normes morales prévalant dans une société donnée, il est intéressant de noter que tous les États confrontés à la menace d'une insurrection ont édicté des lois d'exception ou des réglementations d'urgence permettant aux forces de sécurité d'agir d'une façon qui serait en temps normal considérée comme immorale. Et, dans ces circonstances, c'est même avec une certaine clémence que les États ont tendance à sanctionner les violations de ces lois par les forces de sécurité ou au mieux à punir de tels « excès ».

## LE TERRORISME COMME STRATÉGIE D'INSURRECTION

Dans la pratique, l'inventaire des opérations menées par les terroristes est plutôt limité. Ils placent des charges explosives dans des lieux publics, assassinent des opposants politiques ou lancent des attaques au hasard avec des armes légères, prennent des otages en détournant des avions ou en se barricadant dans des immeubles. Dans la plupart des cas, leurs moyens sont plutôt minces. Prenons par exemple un groupe célèbre comme la Fraction Armée rouge allemande (plus connue sous le nom de « bande à Baader-Meinhof »). À aucun moment, le nombre de ses membres actifs n'a atteint 30 personnes. Ils ont été capables d'assassiner plusieurs fonctionnaires et hommes d'affaires, d'en enlever deux, et d'organiser une prise d'otages. Comment ont-ils imaginé pouvoir atteindre leur objectif politique ultime, à savoir renverser le gouvernement allemand pour instaurer un régime marxiste ? La même perplexité concerne aussi des organisations bien plus importantes comme l'Armée républicaine irlandaise (IRA), dont les membres actifs ont été estimés de 200 à 400 hommes et femmes et dont les sympathisants seraient bien plus nombreux. Comment peuvent-ils gagner la bataille contre la Grande-Bretagne ? J'examinerai donc les principaux éléments et les variations du terrorisme en tant que stratégie, en essayant d'expliquer comment les terroristes pensent pouvoir combler le fossé entre leurs faibles moyens et leurs objectifs extrêmes.

## L'élément psychologique

Le terrorisme est une stratégie essentiellement basée sur l'impact psychologique. De nombreux auteurs ont noté l'importance de l'élément psychologique dans le terrorisme. En fait, cette composante a également été reconnue dans les définitions officielles de ce terme. La référence à l'intention, qui est d'« influencer un public », dans la définition du terrorisme donnée par le Département d'État américain, ou encore à son but, qui est de « provoquer la peur dans le public ou une fraction quelconque du public », dans la définition officielle britannique de 1974, renvoit aux effets psychologiques de ce type de guerre.

En fait, toutes les formes de guerres ont une composante psychologique importante, qui vise d'un côté à miner le moral de l'ennemi en semant la peur dans ses rangs, et de l'autre côté à renforcer la confiance en soi de ses propres forces et son désir de se battre. Dans son fameux traité *Stratégie : l'approche indirecte,* sir Basil Liddell Hart, l'un des plus éminents théoriciens de la stratégie de ce siècle, va jusqu'à affirmer que dans presque toutes les grandes batailles de l'Histoire « le vainqueur avait l'avantage psychologique sur son ennemi avant même que le choc ait eu lieu ». En fait, une idée similaire a été exprimée quelque 2 500 ans auparavant, sous une forme très concise, par le stratège de la Chine ancienne Sun Zi.

Néanmoins, les guerres conventionnelles sont d'abord et avant tout un choc massif entre des forces matérielles, et sont généralement gagnées par l'épuisement physique de la capacité de résistance de l'ennemi, par la destruction de ses forces combattantes, de son infrastructure économique ou par les deux à la fois. Même si l'affirmation de Liddell Hart est juste, l'impact psychologique des manœuvres décisives de l'approche indirecte provient de la croyance de l'ennemi que, pour des raisons matérielles, toute résistance est inutile. Bien que, dans de nombreux cas, cette conclusion soit le produit de la surprise et de la confusion de la direction militaire et ne reflète pas le véritable rapport de forces, elle n'en repose pas moins sur des estimations matérielles, aussi erronées soient-elles. De ce fait, le tour de force psychologique décrit par Liddell Hart peut être caractérisé comme une feinte rapide, telle une prise de type jiu-jitsu, qui parvient à déséquilibrer l'ennemi. Les bases psychologiques de la stratégie du terrorisme sont d'une nature totalement différente. Comme la guérilla, le terrorisme est une stratégie de lutte prolongée. Cependant, la guérilla, mis à part sa composante psychologique, est avant tout une stratégie basée sur la rencontre physique. Bien que les théoriciens de la guérilla de ce siècle aient mis l'accent sur la valeur de propagande qu'ont les opérations de guérilla en diffusant le mot de révolution, en attirant des sympathisants, en réveillant des opposants au régime en sommeil et en leur fournissant des recettes pour résister, l'importance de ces éléments psychologiques reste secondaire. Toutes les doctrines de la guérilla insurrectionnelle insistent sur le fait que le champ de bataille contre les forces gouvernementales est la campagne. L'idée même de mener la lutte dans des zones rurales, loin de la présence des médias, affaiblit la portée du facteur psychologique.

Certes, l'impact psychologique est l'élément essentiel dans le terrorisme comme stratégie. La validité de cette généralisation repose sur les conditions de base de la lutte terroriste. Les groupes terroristes sont petits, de quelques personnes à plusieurs milliers, et la majorité d'entre eux ne comprennent que quelques dizaines à quelques centaines de membres. Même le plus faible des gouvernements dispose de forces combattantes infiniment plus importantes que celles des terroristes insurgés. Dans de telles circonstances, les insurgés ne peuvent en aucune manière espérer gagner la bataille physiquement. Décrire la stratégie du terrorisme comme une forme psychologique de guerre n'explique pas spécifiquement comment les terroristes espèrent gagner de cette façon (par la guerre psychologique). Bien que les terroristes aient rarement été bien clairs pour formuler un plan stratégique complet et cohérent, il est possible de discerner plusieurs idées stratégiques que les terroristes considèrent comme le concept pratique cardinal de leur lutte. Ces idées, bien que présentées comme des notions distinctes, ne sont pas nécessairement exclusives les unes des autres, et des terroristes les ont souvent adoptées conjointement.

## Propagande par l'action

L'essentiel de ce qui constituait les bases psychologiques de la lutte terroriste a peu changé depuis le siècle dernier, quand les écrits anarchistes ont, les premiers, formulé les principes de cette stratégie. L'idée de base était « la propagande par l'action ». Cette maxime signifiait que l'acte terroriste était le meilleur messager de la nécessité de renverser le régime et la torche qui montrerait la voie pour le faire. Les terroristes révolutionnaires espéraient que, grâce à leurs attentats, ils passeraient d'un petit club de conspirateurs à un vaste mouvement révolutionnaire. En un sens, le concept originel de propagande par l'action, tel qu'il a été expliqué et mis en pratique par les révolutionnaires du XIXe siècle, était plus raffiné que son utilisation moderne depuis la fin de la Seconde Guerre mondiale. Tandis que les premiers utilisateurs de cette idée veillaient à choisir soigneusement des cibles symboliques, telles que des chefs d'État, des gouverneurs et des ministres infâmes et oppresseurs, afin d'attirer l'attention sur la justesse de leur cause, la version actuelle a choisi les attaques indiscriminées provoquant de nombreuses pertes. En agissant ainsi, ils ont troqué la valeur propagandiste de la justification contre la valeur de choc maximale assurant une massive couverture médiatique. Ce changement semble refléter l'adaptation de la stratégie à l'âge de la télévision. Quoi qu'il en soit, ce concept de base de la nature de la lutte terroriste ne constitue pas une stratégie complète. Comme certaines autres conceptions du terrorisme, dans l'idée de la propagande par l'action le terrorisme est censé n'être que la première étape de la lutte. C'est un mécanisme destiné à hisser un drapeau et à recruter, un prélude qui devrait permettre aux insurgés de développer d'autres modes de lutte. Par lui-même, il n'est pas destiné à renverser un gouvernement.

## Intimidation

Comme l'explique ce terme, un autre élément psychologique saillant de la stratégie du terrorisme est l'intention de semer la peur dans les rangs ennemis. La notion est simple et ne nécessite pas de développement. Pour le régime et ses hauts fonctionnaires dont l'existence même est mise en danger par les insurgés, la lutte est une question de vie ou de mort, et généralement il y a peu de chances qu'ils l'abandonnent à cause des menaces terroristes. Néanmoins, des terroristes ont parfois réussi, à travers une campagne systématique d'assassinats, de mutilations ou d'enlèvements, à intimider des catégories sélectionnées de gens (juges, jurés ou journalistes). Une extension de cette idée de terrorisme coercitif s'applique à la population en général. Les fonctionnaires et les employés gouvernementaux ne sont pas les seuls à être punis par les terroristes, qui frappent aussi tous ceux qui coopèrent avec les autorités et refusent d'aider les insurgés. On peut citer comme exemple de l'utilisation à grande échelle de cette stratégie les meurtres de collaborateurs réels ou supposés des autorités par le Viêt-minh et le Viêt-cong au Viêt-nam, le FLN en Algérie et les « groupes de choc » palestiniens dans les territoires occupés par les Israéliens. Une utilisation encore plus extensive de ce type d'intimidation vise à obliger la population à s'engager. En fait, tout cela est surtout destiné à atteindre ceux qui restent neutres et qui, dans de nombreux cas, constituent la grande majorité de l'opinion publique, plutôt qu'à intimider les réels opposants. Home note qu'en Algérie, dans les deux premières années et demie de la guerre du FLN contre les Français, ce mouvement assassina au moins 6 352 musulmans pour 1 035 Européens. Les tueries étaient souvent atroces afin de maximiser l'effet de terreur.

Des organisations insurgées formulent parfois des exigences ridicules à l'égard de la population, avec pour seul objectif d'exercer et de démontrer leur contrôle. Lors de la révolte arabe de 1936-1939 en Palestine, les insurgés ont exigé de la population urbaine arabe qu'elle s'abstienne de porter le tarbouche[1] (le couvre-chef populaire parmi les citadins), et le remplace par le keffieh. Ceux qui ignoraient cet ordre étaient sévèrement punis. Dans le

---

1. Le keffieh était le couvre-chef traditionnel des villageois et certains auteurs considèrent que l'obligation de le porter pour les populations urbaines était un signe de la révolte sociale contre la bourgeoisie, outre l'élément nationaliste qui était le principal motif de la rébellion. À cette époque, les bandes insurgées étaient essentiellement composées de villageois. Indépendamment de la véritable origine de l'exigence des rebelles, le keffieh devint le symbole de la rébellion et les insurgés l'imposèrent à la population comme le symbole de son acquiescement.

même ordre d'idées, en 1955, le FLN algérien exigea de la population musulmane qu'elle s'abstienne de fumer. Il coupait les lèvres de ceux qui désobéissaient avec des cisailles. Encore une fois, il est difficile de trouver une quelconque logique dans cette injonction, si ce n'est une démonstration de pouvoir pour contrôler la population.

## La provocation

L'idée de provocation est un élément important de la stratégie terroriste. De même que pour la propagande par l'action, on retrouve ce thème dans les écrits des révolutionnaires du XIXe siècle[1]. Il a cependant acquis une importance particulière dans le *Mini-manuel de la guérilla urbaine,* de Carlos Marighella, publié en 1969. Marighella, auteur d'un des guides les plus influents du terrorisme (bien qu'il ait lui-même échoué en tant que praticien du terrorisme), décrivait ainsi le résultat des attentats terroristes :

« Le gouvernement n'a pas d'autre alternative que d'intensifier la répression. Les réseaux policiers, les fouilles domiciliaires, les arrestations d'innocents et de suspects, les bouclages de rues rendent la vie en ville insupportable. La dictature militaire s'embarque dans une persécution politique massive. Les assassinats politiques et la terreur policière deviennent la routine… Le peuple refuse de collaborer avec les autorités, et le sentiment général est que le gouvernement est injuste, incapable de résoudre les problèmes et a recours purement et simplement à la liquidation physique de ses opposants. »

L'idée est en général simple et vaut non seulement pour l'environnement politique des dictatures latino-américaines, mais aussi pour celui de beaucoup de démocraties libérales. Les attentats terroristes visent à entraîner de la part de n'importe quel régime des réponses répressives qui, forcément, affectent aussi des fractions de la population qui ne sont pas associées aux insurgés. En retour, ces mesures rendent le gouvernement impopulaire, et accroissent par là même le soutien de l'opinion publique aux terroristes et à leur cause. Quand les actions antiterroristes du gouvernement sont non seu-

---

1. Walter Laqueur, par exemple, note que les révolutionnaires arméniens des années 1880 et 1890 adoptèrent une stratégie basée sur la provocation ; ils supposaient que leurs attaques contre les Turcs provoqueraient de brutales mesures de rétorsion qui, en retour, entraîneraient la radicalisation de la population arménienne et, peut-être, conduiraient les pays occidentaux à intervenir. (*The Age of Terrorism,* Londres, Weidenfeld & Nicholson, 1987, p. 43, note 9.)

lement draconiennes mais encore inefficaces, les sentiments antigouvernementaux sont amenés à devenir encore plus forts.

Un cas particulier de cette doctrine de la provocation peut s'appliquer à un conflit ayant une dimension internationale. Quand les insurgés représentent la faction nationaliste radicale d'une entité politique plus large, ou sont soutenus par un État, ils peuvent espérer que leurs actions terroristes déclencheront une guerre entre le pays qu'ils ciblent et l'État qui les soutient. C'était la conception stratégique initiale du Fatah. Khaled el-Hassan, un important idéologue du Fatah, l'expliquait ainsi :

« La technique de la lutte armée était ostensiblement simple. Nous appelions cette tactique "actions et réactions", parce que nous allions lancer des actions, les Israéliens réagiraient, et les États arabes, selon nos plans, nous soutiendraient et entreraient en guerre contre Israël. Si les gouvernements arabes n'entraient pas en guerre, les peuples arabes nous soutiendraient et forceraient les gouvernements arabes à en faire autant. Nous voulions créer un climat d'esprit combatif dans la nation pour qu'elle se lève et combatte. »

## La stratégie du chaos

La stupidité d'un gouvernement peut aussi être utilisée comme la base d'un autre levier psychologique dans la stratégie de certains groupes terroristes. On pourrait appeler cela la « stratégie du chaos », qui est typiquement employée par des insurgés de droite. Elle fait référence à la tentative terroriste de créer un climat de chaos afin de démontrer l'incapacité du gouvernement à imposer la loi et l'ordre[1]. Les insurgés espèrent que l'opinion publique, dans de telles circonstances, exigera que ce gouvernement libéral trop « faible » soit remplacé par un régime fort. Afin de créer un climat de désordre et d'insécurité, les terroristes ont recours à des attentats aveugles dans des lieux publics. Ainsi le groupe néofasciste italien Ordine nero (Ordre noir) déposa une bombe dans un train le 5 août 1974, tuant 12 passagers et en blessant 48. Un autre groupe italien d'extrême droite, les Noyaux révolutionnaires armés, a été accusé d'avoir placé une bombe dans la gare de Bologne en août 1980, qui causa la mort de 84 personnes et en blessa 200. La même idée motiva vraisemblablement les terroristes allemands d'extrême droite qui firent exploser une bombe au milieu de la foule qui

---

1. Cette même idée de base a été appelée « stratégie de la tension ».

célébrait joyeusement la fête de la bière de l'Oktoberfest à Munich, le 26 septembre 1980. Bilan de l'explosion : 13 morts et 215 blessés. Une tactique similaire fut utilisée par un groupe terroriste belge d'extrême droite qui, de 1982 à 1985, assassina, au cours de vols dans des supermarchés, près de 30 personnes en tirant au hasard sur la foule. Il n'y avait aucune raison apparente à ces tueries, si ce n'est de semer la panique parmi la population. Comme les autres concepts stratégiques du terrorisme décrits plus haut, la stratégie du chaos ne constitue pas un plan d'ensemble pour prendre le pouvoir. C'est simplement un moyen de créer un état d'esprit dans l'opinion publique qui, comme l'espèrent les insurgés, leur donnera de meilleures possibilités de continuer leur lutte d'une façon non spécifiée.

## La stratégie d'usure

Certains groupes d'insurgés considèrent le terrorisme comme une stratégie de lutte prolongée, destinée à épuiser l'adversaire. D'ailleurs, c'est le seul cas où le terrorisme est considéré comme un moyen suffisant pour obtenir la victoire plutôt que comme le complément d'une autre stratégie ou son prélude. Les insurgés sont parfaitement conscients de leur faiblesse en tant que force combattante face à la puissance du gouvernement et, à l'inverse des conceptions de lutte décrites plus haut, ils n'espèrent pas devenir un jour assez forts pour vaincre le gouvernement par une confrontation physique. Néanmoins, ils estiment qu'ils sont plus endurants que le gouvernement et que, s'ils persistent, ce dernier finira par céder. Parce que cette stratégie présume que les insurgés peuvent l'emporter grâce à une plus grande persévérance plutôt que par la constitution d'une force supérieure, elle est manifestement adaptée à des conflits dont l'enjeu n'est pas d'une importance vitale pour le gouvernement.

Si le gouvernement considère la lutte comme une affaire de vie ou de mort, il ne succombera pas au harcèlement terroriste, aussi désagréable et durable soit-il. Bien plus, quand un gouvernement lutte pour sa survie ou pour l'existence de l'État, il a moins de scrupules et use de tous les moyens nécessaires pour réprimer l'insurrection, faisant fi des restrictions et des contrôles normalement imposés à l'action des forces de sécurité ou instituant des lois d'exception et des réglementations qui suspendent de telles restrictions. Dans une confrontation à mains nues, un groupe d'insurgés utilisant le terrorisme comme stratégie principale n'a qu'une toute petite chance de gagner, tant que les forces de sécurité demeurent loyales au régime. Cependant, si le gouvernement considère que ce conflit ne touche que les services publics et non la défense de son existence même, son approche du problème sera celle de l'analyse des pertes et profits. Il pèsera les pertes politiques, économiques ou stratégiques qu'il risque de subir s'il cède aux exigences des rebelles, par rapport au prix qu'il devra payer si la lutte continue.

Ce processus d'analyse des coûts et profits est rarement, sinon jamais, une évaluation lucide et méthodique de la situation et des perspectives. Habituellement, le gouvernement procède plutôt par tâtonnements, avec toutes les fluctuations, résultat des pressions politiques, des désaccords et des débats dans l'opinion publique et chez les analystes et les décideurs. Néanmoins, ce qui détermine éventuellement la décision est l'importance relative de la lutte tant pour le gouvernement que pour les insurgés, et le prix et la durabilité de la nuisance causée par les terroristes.

## Terrorisme expressif

Jusqu'à présent, le terrorisme a été traité comme une stratégie, impliquant un plan élaboré pour réaliser un objectif politique, en général la prise du pouvoir. Pourtant, dans plusieurs cas, le terrorisme a été une réponse émotionnelle, sans objectif stratégique clair, bien que les actes de violence aient été perpétrés par un groupe d'une façon tactiquement organisée. Cette constatation, tout le monde l'admet, nous entraîne vers le territoire obscur de la rationalité des terroristes et du terrorisme.

Si l'on porte un jugement rétrospectif, on peut dire, au vu des maigres succès que le terrorisme a obtenus dans la réalisation de ses objectifs politiques déclarés, que ce n'est pas une stratégie efficace, et les terroristes peuvent, d'une façon générale, être considérés comme des gens irrationnels, du moins en ce qui concerne leur comportement politique. Pourtant, dans certains cas, le combat terroriste semble un acte désespéré dans la mesure où son irrationalité est particulièrement frappante.

Le terrorisme moluquois aux Pays-Bas dans les années 1970 en est un exemple. La communauté moluquoise des Pays-Bas est un reliquat de l'ère coloniale néerlandaise. Après l'évacuation par les Néerlandais de leurs colonies en Asie du Sud-Est, une République moluquoise du Sud fut instaurée en 1950, mais bientôt conquise par l'Indonésie. Environ 15 000 Moluquois du Sud, dont la majorité avaient été associés à l'ancienne administration néerlandaise, trouvèrent refuge aux Pays-Bas. Les frustrations politiques et sociales engendrèrent, dans cette petite communauté, un groupe terroriste (le Mouvement de jeunesse des Moluques du Sud libres) qui organisa plusieurs attaques terroristes spectaculaires aux Pays-Bas. Les plus connues furent les prises simultanées de l'ambassade d'Indonésie et d'un train de passagers en 1975, puis celles d'une école et d'un autre train, simultanées elles aussi, en 1977. En échange de la libération de leurs otages, les terroristes exigeaient que le gouvernement néerlandais reconnaisse leur État inexistant et libère leurs camarades, arrêtés lors d'opérations précédentes.

Un exemple similaire est celui du terrorisme arménien dans les années 1970 et 1980. Les deux principaux groupes terroristes arméniens, l'Armée secrète arménienne pour la libération de l'Arménie (ASALA) et le Commando des justiciers du génocide arménien (CJGA), exécutèrent de nombreux attentats terroristes de 1975 à 1985, la plupart dirigés contre des diplomates turcs. Derrière tous ces actes, on retrouvait le désir de venger les massacres commis par les Turcs en 1915, au cours desquels on estime que 1,5 million d'Arméniens périrent. Ces groupes terroristes exigeaient des Turcs la reconnaissance officielle de leur responsabilité dans les massacres, ce que le gouvernement de la Turquie s'est toujours refusé à accorder. Outre cette exigence explicitement émotionnelle, l'ASALA demandait aussi la restauration d'un État arménien indépendant qui comprendrait les anciennes provinces arméniennes de Turquie. Présentement, environ 50 000 Arméniens seulement vivent en Turquie, dont très peu dans la région arménienne historique. Près des quatre cinquièmes des Arméniens vivent dans l'ancienne Union soviétique, dont la majorité dans l'ancienne République arménienne d'URSS. Pourtant, l'activité terroriste arménienne a été principalement dirigée contre la Turquie.

Les terrorismes moluquois et arménien sont tous deux des exemples manifestes du *terrorisme expressif*. La motivation dominante qui a poussé de jeunes hommes et de jeunes femmes à se lancer dans des actes de violence appartient au registre de l'émotion plutôt qu'au domaine d'une planification politique rationnelle. Le terrorisme, dans ces cas, exprime un état émotionnel et n'est pas un instrument utilisé dans le cadre d'une stratégie de l'insurrection. Certes, derrière les activités des autres groupes terroristes, l'élément émotionnel intervient aussi comme force motrice. Cependant, dans la plupart des cas, l'aspect désespéré de la revendication politique n'est pas aussi évident que dans les exemples moluquois et arménien, rendant impossible un jugement extérieur sur le poids du facteur émotionnel.

## JUSQU'À QUEL POINT
## LE TERRORISME EST-IL COURONNÉ DE SUCCÈS ?

L'évaluation du succès du terrorisme, en tant que stratégie, dépend de la façon dont on définit le succès. La plupart des groupes terroristes cherchent à renverser le gouvernement en place et à prendre le pouvoir. Selon ce critère de succès, en ne considérant que les insurgés qui ont utilisé le terrorisme comme stratégie principale, seuls quelques groupes anticolonialistes ont atteint pleinement leur objectif. La lutte contre l'autorité britannique du Ethniki Organosis Kypriahou Agoniston (EOKA) à Chypre et des Mau-Mau au Kenya, et celle du FLN algérien contre la France sont des exemples bien connus.

L'écrasante majorité des milliers de groupes terroristes qui ont existé au cours de la seconde moitié du XX$^e$ siècle a misérablement échoué. Ce n'est pas un hasard si les succès du terrorisme ont été limités à la catégorie de luttes anticoloniales. Ce n'est que dans cette catégorie que l'enjeu est bien plus important pour les insurgés que pour le gouvernement. Ce qui explique ce phénomène. Lorsque la lutte de l'organisation terroriste a pour objectif le changement de la nature politico-sociale du régime, comme c'est le cas des insurgés de droite ou de gauche, le gouvernement en place lutte pour sa survie et est prêt à prendre toutes les mesures nécessaires pour écraser l'insurrection. Pour les gouvernements français, italien ou allemand, la lutte contre, respectivement, Action directe, les Brigades rouges ou la Fraction Armée rouge, c'était tout ou rien. Il n'y avait pas place pour un compromis et le succès des terroristes aurait signifié la mort du gouvernement.

Cela est également vrai pour la plupart des luttes séparatistes, où les aspirations des insurgés sont perçues par le gouvernement comme une menace pour la souveraineté et l'intégrité territoriale de l'État, comme c'est le cas de la lutte séparatiste basque en Espagne. Les différences de degré dans le succès des terroristes séparatistes reposent principalement sur la question de savoir jusqu'à quel point la sécession de la partie disputée du pays semble, à la plupart des citoyens de l'État, une atteinte à leur chair et à leur sang. Pour la France, par exemple, abandonner les protectorats de Tunisie et du Maroc ou les colonies du Mali et de Madagascar était bien moins douloureux que de renoncer à son autorité sur l'Algérie qui, légalement, faisait partie de la France et comptait plus d'un million de Français dans sa population à majorité musulmane ; renoncer à la Bretagne ou à la Normandie serait impensable. En ce sens, le succès du séparatisme terroriste dans la réalisation de ses objectifs est la mesure qui permet de déterminer jusqu'à quel point le territoire disputé est réellement une entité séparée.

Cependant, il est vrai aussi qu'une cause nationaliste motive bien plus puissamment les gens que la question sociale et, par conséquent, toutes choses étant égales, l'intensité de la violence née de sentiments nationalistes est en général plus forte que l'ampleur de la violence générée par des griefs socio-économiques.

Tandis qu'il est rare que des insurgés réalisent complètement leurs objectifs, les terroristes ont plus souvent réussi à atteindre des objectifs partiels. On peut discerner quatre types de réussites terroristes partielles : le recrutement d'un soutien interne qui permet aux terroristes d'atteindre un niveau d'insurrection plus élevé ; le fait de sensibiliser l'opinion internationale concernant leurs griefs ; l'acquisition d'une légitimité internationale ; l'obtention de concessions politiques partielles de la part de leur adversaire.

Nous avons déjà mentionné que la notion de base du terrorisme en tant que stratégie est celle de la « propagande par l'action », qui considère ce mode de lutte comme un instrument permettant de répandre le mot d'ordre d'insurrection, d'élargir sa base populaire et ainsi de l'utiliser comme levier et prélude à une forme d'insurrection plus avancée. Pourtant, pour la plupart des groupes terroristes, même cette doctrine élémentaire n'a pas fonctionné. Bien que leurs actes de violence leur aient fait une énorme publicité, ils n'ont pas réussi à s'attirer la sympathie et le soutien du public et à donner naissance à la large insurrection populaire qu'ils espéraient promouvoir. Ce fut le cas, par exemple, des mouvements radicaux tant de gauche que de droite en Europe occidentale et aux États-Unis, dans les années 1970 et 1980.

Néanmoins, il est des cas où le terrorisme a apparemment aidé à produire l'étincelle qui a déclenché un mouvement plus vaste. L'un des exemples est celui des socialistes-révolutionnaires russes du début de ce siècle. Bien qu'ils aient échoué à transformer leur propre appareil clandestin en un instrument politique capable de s'emparer du pouvoir, et indépendamment du fait que la révolution d'Octobre 1917 a été en réalité faite par les bolcheviks, dont la base était plus large et mieux organisée, les actions terroristes des socialistes-révolutionnaires ont probablement fortement contribué à entretenir la flamme révolutionnaire. Tout au long des années où les sociaux-démocrates (bolcheviks et mencheviks) construisaient leur infrastructure clandestine sans actions d'éclat susceptibles d'enflammer l'enthousiasme des gens, les socialistes-révolutionnaires, en assassinant des ministres de l'État oppressif et d'autres fonctionnaires gouvernementaux, maintenaient vivaces l'esprit et l'idée de la lutte chez les révolutionnaires potentiels. Ironiquement, il semble que le terrorisme socialiste-révolutionnaire tant critiqué et ridiculisé par les sociaux-démocrates a ainsi permis à ces derniers d'atteindre 1917 avec la capacité de s'emparer du pouvoir.

Le résultat le plus courant du terrorisme international est de faire prendre conscience des griefs des terroristes sur le plan international. En soi, cette prise de conscience n'est pas suffisante pour entraîner les changements souhaités par les insurgés et parfois produit des effets négatifs pour la cause des terroristes. Pourtant, si les conditions sont favorables, elle fournit aux insurgés une échelle grâce à laquelle ils peuvent grimper plus haut. Dans les pays occidentaux, la première réaction à une campagne terroriste est, invariablement, la condamnation véhémente. Après cette première réaction, cependant, l'opinion publique fait souvent preuve de bonne volonté, est prête à examiner attentivement la position des terroristes et se montre même disposée à considérer leurs doléances favorablement. Paradoxalement, l'opinion publique peut finir par approuver les causes tout en dénonçant le procédé par lequel son attention a été attirée.

Une telle attitude bienveillante à l'égard des terroristes naît très probablement dans des sociétés qui souffrent des attentats, mais qui n'ont rien à perdre si les exigences des terroristes sont satisfaites. Dans ce cas, la fureur initiale fait vite place au souhait de voir disparaître le problème. Quand une attitude politique vis-à-vis de la cause terroriste est positive et semble susceptible d'apporter la paix, les gouvernements adaptent souvent leur politique, de sorte à inciter les terroristes à faire preuve de bonne volonté. En psychologie, on appelle cela « dissonance cognitive », et ce phénomène n'est pas nécessairement conscient. À la base, cela implique de trouver une excuse acceptable à une ligne de conduite qui pourrait entraîner un conflit parce qu'elle contredit certains principes ou certaines croyances. Il est certainement bien plus agréable pour un gouvernement ou pour le public de penser que, tout bien réfléchi, les terroristes n'ont pas tort, plutôt que d'admettre avoir cédé à la pression terroriste.

Quand d'autres pressions et intérêts se conjuguent à la volonté de faire cesser les attaques terroristes, comme ceux de se concilier les influents protecteurs des terroristes, il y a plus de chances de voir un gouvernement ou une opinion publique adopter une attitude plus favorable à la cause terroriste. Les réponses occidentales au terrorisme international palestinien sont un exemple frappant de ce processus. Les attentats terroristes palestiniens en Europe occidentale commencèrent en 1968 et atteignirent leur apogée en 1973. Ils furent fermement condamnés par la Communauté européenne. Pourtant, en peu d'années, l'OLP fut autorisée à ouvrir des représentations dans pratiquement tous les pays européens et, en 1974, environ un an après que l'Organisation des pays exportateurs de pétrole (OPEP) eut imposé un embargo sur le pétrole et l'augmentation de son prix, le président de l'OLP, Yasser Arafat, fut invité à prendre la parole devant l'Assemblée générale des Nations unies et l'OLP obtint un statut d'observateur à ce forum international.

Martha Crenshaw remarque fort justement que « la première difficulté quand on veut évaluer les résultats du terrorisme, c'est qu'il n'est jamais le facteur causal unique produisant des résultats identifiables. L'imbrication des effets politiques et sociaux avec d'autres événements et tendances fait que le terrorisme est difficile à isoler. » C'est un fait qu'il est impossible d'isoler la part prise par le terrorisme dans le processus de légitimation de l'OLP et d'estimer avec précision sa contribution relative, par rapport à d'autres facteurs comme les pressions économiques et politiques des États arabes. Cependant il ne fait aucun doute que, en dernière analyse, le terrorisme a eu un effet plus positif que négatif sur la légitimité de l'OLP.

Le cas de l'OLP est unique dans le sens où les autres mouvements insurrectionnels nationalistes et séparatistes n'ont pas bénéficié du soutien de tuteurs puissants. Les Kurdes, les Croates, les Cachemiris, les Sikhs, pour ne donner que quelques exemples de mouvements séparatistes qui ont été actifs au cours de ces vingt dernières années, n'ont pas gagné autant de légitimité et de soutien internationaux, bien que leurs doléances soient au moins aussi convaincantes que celles des Palestiniens. D'un autre côté, il est également vrai que ces mouvements n'ont pas autant utilisé le terrorisme international, tant s'en faut, que les Palestiniens (ce qui peut s'expliquer par l'absence d'un État « sponsor »).

Certains groupes terroristes, qui n'ont pas été capables de matérialiser leurs objectifs politiques, sont néanmoins parvenus à obtenir de leurs adversaires des concessions significatives. L'exemple des Basques de l'*Euzkadi ta Askatasuna* (ETA) est typique. Leur longue et violente campagne pour se séparer de l'Espagne n'a pas apporté l'indépendance à laquelle ils aspiraient, mais elle a été, sans aucun doute, un facteur majeur dans la décision de l'Espagne de concéder une large autonomie aux provinces basques. Un autre exemple est celui de l'IRA, en Ulster. Bien qu'aucun pas réel n'ait encore été fait vers le changement de statut de l'Ulster, on se montre de plus en plus pressé en Grande-Bretagne de se débarrasser du problème irlandais, et de trouver une solution qui ferait cesser la violence. Les accords anglo-irlandais de 1985 garantissaient que l'Ulster deviendrait partie de la République d'Irlande si un vote populaire en décidait ainsi. Pour l'heure, on a donné à l'Irlande voix au chapitre dans les affaires de l'Ulster, dans le cadre d'une conférence anglo-irlandaise. Il est évident que ces changements dans la politique britannique ont été imposés par la lutte de l'IRA.

## LES FORMES MIXTES DE SOULÈVEMENTS

Les différentes stratégies de soulèvement sont généralement traitées comme des entités ou des phénomènes séparés. Dans une analyse théorique, cette séparation est nécessaire si l'on veut comprendre l'essence d'une stratégie et ses caractéristiques. Mais le monde réel est toujours plus complexe que les classifications académiques. Dans la réalité, il est parfois difficile de distinguer entre terrorisme et guérillas même avec les critères proposés plus haut. Selon ces critères, la stratégie de base utilisée par l'IRA, par exemple, entre dans la catégorie du terrorisme : l'IRA ne cherche pas à s'emparer d'un territoire afin d'y établir les « zones libérées », et la tactique de cette organisation entre typiquement dans le registre qui caractérise le terrorisme, à savoir les assassinats et l'utilisation d'engins explosifs déposés dans des lieux publics. Pourtant, pour certaines de ses opérations, comme l'attaque au mortier d'un commissariat de police ou le fait de faire sauter des ponts, ce groupe a employé une tactique et des armes qui sont habituellement associées à la guérilla. Un autre exemple est celui des groupes palestiniens. Ces organisations ont continué à exercer un contrôle territorial au Liban (et, durant la période 1967-1970, en Jordanie), mais le territoire qu'ils tenaient se trouvait hors du principal théâtre de leurs opérations. Bien qu'ils aient utilisé la région qu'ils dominaient pour recruter, entraîner et constituer une force régulière selon les objectifs classiques de la guérilla, leurs recrues provenaient de la diaspora palestinienne de ces pays plutôt que de la population des territoires occupés par les Israéliens. En outre, à quelques exceptions près, ils ont utilisé plutôt les tactiques du terrorisme que celles de la guérilla. Dans leurs opérations en Israël même ou dans les territoires occupés, ils ont surtout employé des charges explosives placées dans des supermarchés, des immeubles résidentiels, des stations d'autobus et autres lieux publics. Même leurs incursions en Israël étaient en général le fait de petites équipes envoyées pour monter des opérations comportant des prises d'otages ou des attaques au cours desquelles ils tiraient au hasard sur des villages civils.

Hormis le fait qu'il est parfois difficile d'établir une distinction claire entre tactiques terroristes et tactiques de guérilla, la confusion est d'autant plus facile à faire que, dans de nombreux cas, les groupes insurgés mélangent systématiquement les deux stratégies. Au Pérou, le Sentier lumineux a utilisé une stratégie de guérilla classique dans la région montagneuse d'Ayacucho, où il a occupé des villes, attaqué des postes de police et des convois militaires et contrôlé de vastes zones. En même temps, cependant, il a mené une campagne typiquement terroriste dans les villes, où il a commis des assassinats, des attentats à la bombe et a enlevé des personnes. On retrouve un mélange similaire dans les activités de nombreux autres groupes latino-américains, comme l'Armée de libération nationale, le M 19 et les Forces armées révolutionnaires en Colombie, le Front de libération nationale Farabundo Marti au Salvador, et l'Armée de guérilla des pauvres au Guatemala. Cette stratégie duale de guérilla-terrorisme a aussi caractérisé certains groupes dans d'autres parties du tiers-monde. Les insurrections du Viêt-minh et, plus tard, du Viêt-cong, regorgent d'exemples où guerre classique, stratégie de la guérilla et terrorisme ont été employés conjointement. Des exemples similaires, quoique à plus petite échelle, abondent en Asie et en Afrique.

Un examen plus approfondi révèle que la coexistence de la stratégie de la guérilla et de la stratégie du terrorisme n'est pas accidentelle. Apparemment, toutes les organisations insurgées qui ont adopté la guérilla comme stratégie principale ont aussi régulièrement utilisé le terrorisme. Certains peuvent affirmer que les mouvements de résistance qui combattaient des armées d'occupation sont une notable exception à cette généralité. Cette réserve, pourtant, repose sur des bases discutables. Les combattants qui se dressent dans leur patrie contre une armée étrangère, comme la Résistance française, et les partisans russes, yougoslaves et grecs durant la Seconde Guerre mondiale, n'attaquaient que l'appareil militaire et officiel de l'ennemi pour la simple raison qu'il n'y avait pas de civils de même nationalité que l'ennemi sur le théâtre des opérations. Le fait de ne pas prendre pour cible des non-combattants ennemis n'était pas le produit d'un choix, mais le reflet d'une impossibilité. Les mouvements clandestins attaquaient en revanche des civils de leur propre nationalité – des collaborateurs réels ou supposés. En outre, bien que dans certains pays, comme l'Union soviétique ou la Yougoslavie, la stratégie adoptée par les partisans fût, et de loin, celle de la guérilla, employant de grandes unités qui opéraient à partir de zones libérées ou semi-libérées, dans les pays d'Europe occidentale comme la France, la stratégie des insurgés peut, au mieux, être caractérisée par des actions entrant dans cette zone grise se situant entre guérilla et terrorisme. Les clandestins français n'ont pu établir aucun contrôle territorial et leurs opérations consistaient en des attentats contre des membres isolés des forces d'occupation, ou encore à faire sauter des ponts, poser des mines et autres actions similaires, typiques de la guérilla. Il est probable que de nombreux lecteurs se sentiront insultés par cette classification qui met les combattants antinazis dans la catégorie des terroristes plutôt que dans celle des guérilleros. Je dois leur rappeler que les termes « terrorisme » et « guérilla » sont employés ici pour décrire différentes stratégies de guerre qui peuvent être utilisées au service d'une variété de causes, justes ou injustes, et qu'ils n'impliquent aucun jugement moral.

L'absence d'un authentique mouvement de guérilla antinazi en Europe occidentale durant la Seconde Guerre mondiale nous rappelle aussi qu'il n'y a eu aucune organisation de guérilla en Europe occidentale parmi les nombreuses organisations insurgées qui ont opéré dans cette région depuis les années 1960. Ce fait est particulièrement frappant si on le compare à l'abondance d'organisations de ce type dans les pays du tiers-monde. Comment l'expliquer ? Est-ce parce que les insurgés occidentaux ont tous décidé qu'ils préféraient le terrorisme à la guérilla comme choix stratégique ? La réponse est, bien sûr, autre. En Europe occidentale comme en Amérique du Nord, il n'y a pas eu de choix possible pour les insurgés. La seule option qui pouvait, au moins temporairement, paraître sensée a été le terrorisme. Qu'on imagine l'IRA en Ulster ou les Brigades rouges en Italie essayant de lancer une campagne de guérilla en créant des zones libérées et en menant des attaques avec des troupes de la taille d'une compagnie contre des installations militaires. Si elles avaient opté pour cette stratégie, cela aurait été, sans conteste, la guérilla la plus courte de l'histoire. Pour les forces gouvernementales, l'écrasement de l'insurrection n'aurait été qu'une question de jours.

Plusieurs exemples dans l'histoire montrent très clairement ce qui arrive quand un groupe d'insurgés vise trop haut dans le choix d'une stratégie. L'exemple le plus dramatique de la seconde moitié de ce siècle est probablement celui de l'aventure bolivienne d'Ernesto (Che) Guevara. Guevara, un des dirigeants de la guérilla à Cuba entre 1956 et 1959, tira des leçons erronées des circonstances plutôt particulières qui menèrent les insurgés au succès. Il croyait que l'expérience cubaine pourrait être appliquée telle quelle à plusieurs pays latino-américains qu'il considérait mûrs pour la révolution. À l'automne 1966, il emmena quinze hommes en Bolivie pour entamer une campagne de guérilla de style cubain. L'insurrection, cependant, ne parvint jamais à démarrer. Bien que le terrain ait été favorable à la guérilla, Guevara échoua à obtenir un soutien populaire suffisant. Bien que l'efficacité des forces gouvernementales ait été très en dessous des normes occidentales, leur supériorité numérique fut suffisante pour encercler et écraser l'insurrection en un an.

D'un autre côté, même s'il peut paraître impossible à la plupart des gens de provoquer un changement politique radical par le terrorisme, celui-ci est un mode de lutte qui, au moins, n'est pas immédiatement suicidaire même quand les circonstances ne sont pas favorables aux insurgés, et peut durer un temps considérable. Il est vraisemblable que les insurgés d'Europe occidentale voudraient être capables d'adopter la guérilla en tant que stratégie principale. On peut dire que tous les groupes terroristes souhaitent se transformer en guérilleros quand ils s'agrandissent[1]. Ils sont incapables de le faire pour des raisons pratiques. La guérilla nécessite un terrain favorable à de petites bandes d'insurgés et défavorable aux forces gouvernementales mécanisées et aéroportées. En Europe occidentale, on ne trouve pas ce type de terrain – jungle épaisse ou vastes montagnes escarpées, inaccessibles par transports motorisés. Parfois les guérilleros peuvent se risquer sur un terrain qui est loin d'être parfait à condition qu'ils puissent tirer parti d'autres avantages, en particulier des forces gouvernementales inefficaces et pauvrement équipées, d'une part, et, de l'autre, un soutien populaire massif. Au XXe siècle, aucun des pays occidentaux ne rassemble ces conditions et le terrorisme est la seule option stratégique que peuvent prendre des insurgés déterminés à recourir à la violence pour faire avancer leur cause.

Il reste encore à expliquer pourquoi ceux qui *peuvent* mener une campagne de guérilla recourent en même temps au terrorisme. Encore une fois, la réponse se trouve dans la différence existant entre les classifications académiques et la vie réelle. En un sens, la distinction entre guérilla et terrorisme est artificielle. Certes, c'est une différenciation pertinente, mais uniquement

---

1. Même Carlos Marighella, l'avocat le plus populaire et le plus moderne du terrorisme, considérait que le terrorisme (la « guérilla urbaine », selon sa terminologie) était une étape nécessaire pour permettre le développement de la guérilla rurale. « C'est une technique dont l'objectif est le développement de la guérilla urbaine et dont la fonction sera d'épuiser, de démoraliser et de distraire les forces ennemies afin de permettre l'émergence et la survie de la guérilla rurale, destinée, elle, à jouer le rôle décisif dans la guerre révolutionnaire. »

en tant qu'observation faite de l'extérieur. Des universitaires peuvent, tout en restant dans leur fauteuil, classifier en catégories les différentes stratégies de l'insurrection. Le problème, c'est que les insurgés, pour leur part, le font rarement quand ils en viennent à décider de leurs actions. Bien que les rebelles eux-mêmes aient souvent décrit leurs concepts stratégiques, leurs arguments ont presque toujours été de nature pratique. Leur problème, c'est de déterminer ce qu'ils doivent faire pour promouvoir leur cause politique. Cela n'implique pas de tenter de faire coïncider les actions avec un cadre doctrinaire rigide. Ce qu'ils considèrent en premier, c'est la capacité et l'utilité. Parce que le terrorisme est la plus fondamentale et la moins exigeante de toutes les formes d'insurrection, il a toujours été utilisé simultanément avec d'autres stratégies. L'importance relative du terrorisme dans un conflit dépend des circonstances mais il en fait toujours partie. Un exemple en est la lutte des Palestiniens. Abu Iyad, l'un des principaux dirigeants de l'OLP, note dans ses mémoires :

« Je ne confonds pas la violence révolutionnaire, qui est un acte politique, avec le terrorisme, qui ne l'est pas. Je rejette l'acte individuel accompli en dehors du contexte d'une organisation ou sans une vision stratégique. Je rejette un acte dicté par des motivations subjectives qui prétend prendre la place de la lutte de masse. D'un autre côté, la violence révolutionnaire fait partie d'un large mouvement structuré. Elle sert comme force d'appoint et contribue, durant une période de regroupement ou de défaite, à donner au mouvement un nouvel élan. Elle devient superflue quand le mouvement populaire remporte des succès politiques sur les scènes locale ou internationale. »

En fait, le terrorisme a toujours été utilisé par les Palestiniens dans leur lutte dès le début des années 1920. La citation d'Abu Iyad fait référence à la période 1971-1973 au cours de laquelle le Fatah, la principale organisation de l'OLP, mena une campagne intensive de terrorisme international sous le couvert de l'organisation Septembre noir. Abu Iyad lui-même était, dit-on, l'un des principaux chefs de l'appareil clandestin de terrorisme international qui a organisé une série d'attentats terroristes spectaculaires, dont la prise d'otages aux jeux Olympiques de Munich de 1972. La décision du Fatah de se lancer dans une campagne de terrorisme international spectaculaire faisait suite à l'expulsion de l'OLP de Jordanie par le roi Hussein en septembre 1970 (événement qui donna son nom à l'organisation Septembre noir). La vague de terrorisme international était destinée à remonter le moral des membres de l'OLP après la débâcle de Jordanie, qui leur fit perdre ce pays comme base de leurs opérations.

Le terrorisme international palestinien se développa de façon similaire à la veille de la guerre de 1982, au cours de laquelle l'OLP perdit la plupart de ses bases au Liban. À l'intérieur d'Israël et dans les territoires occupés, cependant, le terrorisme a toujours été considéré comme partie intégrante de la lutte par les insurgés palestiniens. Les changements dans le nombre d'attentats terroristes ont, par conséquent, été davantage le reflet de leur capacité que de leur motivation. La question ne s'est jamais posée de savoir si le terrorisme devait continuer, mais quels autres moyens on pouvait mettre en œuvre. Au cours des soixante-dix années de lutte violente, les Palestiniens ont, à certaines époques, été capables de mener conjointement guérilla et terrorisme, comme lors de la révolte arabe de 1936-1939, mais la plupart du temps le terrorisme resta le seul mode de violence à leur disposition. Des émeutes ont éclaté occasionnellement au cours de cette période et se sont parfois transformées en soulèvements populaires de grande envergure qui utilisaient simultanément plusieurs formes de violence.

L'*Intifada* (textuellement, l'« ébranlement ») est le plus récent de ces soulèvements, bien qu'il ne soit pas le plus intense. Comme en Algérie, en Afrique du Sud, en Azerbaïdjan, en Arménie soviétique et dans la lutte des Juifs pour l'indépendance dans les années 1930 et 1940, l'*Intifada* n'est pas une forme pure de violence insurrectionnelle. On y trouve des composantes violentes et d'autres non violentes. Parmi les éléments violents de l'*Intifada*, il y a les émeutes, l'usage de cocktails Molotov, les jets de pierres contre des véhicules civils et militaires et les classiques attentats terroristes comme l'utilisation de charges explosives et les assassinats. Les formes non violentes sont les grèves des travailleurs et des commerçants, le blocage de routes et les tentatives pour boycotter les produits israéliens et les services gouvernementaux. On aurait pu supposer que le fait de se lancer pendant l'*Intifada* dans la protestation de masse allait entraîner une réduction des attentats terroristes, forme de lutte moins élevée et moins efficace. C'est le contraire qui s'est produit : la fréquence des incidents terroristes et le nombre de victimes ont augmenté considérablement Ainsi, l'*Intifada* n'a pas été une stratégie distincte mais un mélange de plusieurs modes de lutte, y compris le terrorisme.

Le fait qu'il n'y ait pas eu d'effusion de sang en 1989 lors des changements de régime qui se sont produits dans plusieurs pays d'Europe de l'Est semble réfuter l'assertion selon laquelle le terrorisme fait partie de tout soulèvement. Si on l'examine selon des critères stricts, cette réserve est certainement justifiée. Il faudrait cependant se souvenir que les régimes des satellites soviétiques de l'Europe de l'Est tiraient leur force d'une source extérieure, l'URSS. Dès que son étau s'est relâché, tout s'est effondré. En d'autres termes, les changements en Europe de l'Est ne sont pas le résultat d'un véritable soulèvement intérieur mais la conséquence d'une reddition du sommet. Si les gouvernements de Tchécoslovaquie, de Bulgarie et d'Allemagne de l'Est avaient été plus déterminés à résister à ce soulèvement pacifique, la lutte aurait probablement dégénéré en une longue campagne, où le terrorisme aurait été utilisé comme mode majeur d'insurrection. En fait, ce même processus s'est reproduit dans plusieurs républiques de l'Union soviétique.

Pour résumer, la forme que prend une insurrection – terrorisme, guérilla, protestation de masse, ou n'importe quelle combinaison de tout cela – est principalement déterminée par les conditions objectives plutôt que par les conceptions stratégiques des insurgés. Le facteur le plus important est la capacité. Habituellement, les insurgés utilisent tous les modes de lutte possibles qui peuvent faire avancer leur cause. Parce que le terrorisme est le niveau inférieur de la lutte violente, il est toujours utilisé dans les insurrections. Souvent, parce que les insurgés sont peu nombreux, que le terrain n'est pas favorable à la guérilla et que les gouvernements sont efficaces, le terrorisme est le seul mode d'insurrection à leur portée. Parfois, les rebelles sont capables de mener une guérilla bien qu'ils continuent à utiliser en même temps le terrorisme. La forme que revêt la contestation se détermine dans un processus continu de frictions contre la dure réalité et le terrorisme en fait presque toujours partie.

*(Traduit de l'anglais par Juliette Minces.)*

Première partie

# La préhistoire du terrorisme

# Zélotes et Assassins

par Gérard Chaliand et Arnaud Blin

## LES ZÉLOTES

C'est au Moyen-Orient que l'Histoire a répertorié l'une des premières manifestations du terrorisme organisé, en Palestine, au Ier siécle de notre ère. La secte des Zélotes constitue l'un des premiers groupes ayant pratiqué la technique de la terreur de manière systématique et dont on possède aujourd'hui une trace écrite. En effet, on connaît la lutte entreprise par les Zélotes à travers la relation qu'en a faite Flavius Josèphe dans ses *Antiquités juives*, publiées en 93-94, et dans sa relation sur *La guerre des Juifs,* ouvrage plus court, publié entre 75 et 79, et tout à la gloire de Vespasien et de Titus, auprès desquels Josèphe œuvra comme conseiller pour les affaires juives. Josèphe emploie le terme de *Sicarii* pour désigner les Zélotes, terme générique utilisé par les Romains et qui vient du mot *sicarius*, celui qui tue avec une dague.

La cause immédiate de la rébellion des Juifs contre Rome fut le recensement entrepris par les autorités romaines dans l'Empire durant les premières années de notre ère. Celui-ci fut ressenti par les Juifs comme une humiliation, dans la mesure où il démontrait clairement que les Juifs étaient soumis à une autorité étrangère. C'est très exactement en l'an 6 que les choses s'embrasèrent, soit huit ans après la mort d'Hérode le Grand, événement qui marqua un tournant décisif dans l'histoire des Juifs, lesquels, depuis plus d'un siècle (129 av. J. C.), avaient pu profiter d'un certain degré d'indépendance et de prospérité. Les signes avant-coureurs d'une révolte étaient apparus dès l'an 4 av. J. C. mais c'est en l'an 6 que les Zélotes s'organisent pour combattre les autorités impériales. Les Juifs qui, sous le règne d'Hérode, trouvaient déjà insuffisant leur degré d'indépendance, n'entendaient pas laisser passer une opportunité de gagner leur indépendance véritable. Or, c'est exactement la situation inverse de celle qu'ils espéraient qui se profilait désormais. En conséquence, des foyers d'insurrection spontanés s'allumèrent un peu partout dans la région. Pour employer un langage moderne, on pourrait dire que les Juifs se trouvaient dans une dynamique anticoloniale de guerre de libération.

Après les premières émeutes, le gouverneur de Syrie, Varus, envoya deux légions romaines pour soutenir les garnisons mises en difficulté par la révolte. Varus parvint à écraser les rebelles et décida de faire un exemple en crucifiant deux mille d'entre eux. Cette action avait pour but d'infliger un choc psychologique tel sur les populations qu'elles seraient dissuadées de continuer la révolte. Ce fut le premier usage de la terreur dans cette guerre qui dura plusieurs décennies.

D'après Josèphe, les Zélotes représentaient une des quatre sectes « philosophiques » de Judée et celle qui avait le plus grand succès parmi la jeunesse. La doctrine philosophique des Zélotes était proche de celle des Pharisiens, qui vivaient dans la plus stricte observance de la Thora et qui furent accusés dans les Évangiles de dogmatisme et d'hypocrisie. Par rapport aux autres mouvements religieux juifs de l'époque, les Zélotes se comportaient en réformateurs, et jugeant qu'ils n'avaient de compte à rendre qu'à Dieu, ils entretenaient selon Josèphe un « invincible amour de la liberté ». Ils étaient animés d'une foi indestructible qui faisait l'admiration même de Josèphe, lui-même membre de la secte des pharisiens, et leur plus violent détracteur.

Si Josèphe fait couramment référence aux Zélotes ou *Sicarii* comme à des « brigands », sa relation de la guerre entreprise par les membres de cette secte la fait clairement apparaître comme une action qui, à la base, est politique et religieuse. Les autorités qui se trouvent en face d'une organisation terroriste font systématiquement référence à celle-ci comme à une organisation criminelle. Elles considèrent qu'elle agit en dehors des lois et que ses objectifs sont eux-mêmes criminels, et immoraux. Le but des autorités est de faire passer les terroristes pour des ennemis de la société, bien décidés à la détruire. D'après la relation de Flavius Josèphe, les élites juives voyaient d'un mauvais œil les activités des Zélotes qui menaçaient leur statut et leur sécurité. En revanche, les Zélotes avaient acquis un niveau considérable de popularité parmi les classes populaires et parmi les jeunes. Il semble que les fondateurs et les chefs de la secte des Zélotes – dont on sait très peu de chose

– étaient des lettrés, ils étaient donc probablement issus de classes sociales aisées. Il semblerait aussi que les Zélotes aient tenté de recruter leurs « militants » dans les couches populaires[1].

Le fondateur de la secte fut un certain Juda de Galilée dont l'action initiale se révéla un échec face à la répression romaine. Après ces débuts difficiles, on retrouve trace des Zélotes dans les années 60 sans que l'on sache exactement ce qu'ils advint d'eux durant plus d'un demi-siècle. Ce qui est certain, c'est qu'ils purent se maintenir en activité après leur échec initial. On sait aussi que les descendants de Juda se maintinrent à la tête du mouvement, donc qu'ils avaient un certain degré d'organisation. Dès le départ, les Zélotes affichèrent leur double objectif. Comme organisation religieuse, ils tentèrent d'imposer, souvent par la force, une certaine rigueur dans la pratique religieuse. Ils s'attaquèrent par exemple à des coreligionnaires qui, selon eux, ne pratiquaient pas leur religion de façon suffisamment rigoureuse. Les Zélotes commencèrent à faire usage de la terreur. Comme organisation politique, ils avaient pour objectif d'arracher l'indépendance de leur pays à Rome. Les objectifs religieux de cette organisation étaient indissociables de ses objectifs politiques.

L'idée de pureté – religieuse et politique – fait ici son apparition. On retrouvera cette dynamique dans presque tous les mouvements de ce type. C'est l'idée de pureté qui animera également Robespierre, par exemple. Quant à la combinaison religion-politique, elle est presque systématiquement présente, sous une forme ou une autre, dans la plupart des mouvements faisant usage du terrorisme. Aux XIXe et XXe siècles, la religion séculaire, soit l'idéologie – marxiste, trotskiste, maoïste, fasciste, nazie, etc. –, fut omniprésente avant que le religieux traditionnel ne fasse son retour à la fin du XXe siècle. En général, les organisations terroristes exclusivement politiques sont rares dans l'histoire tout comme les groupes de revendication religieux n'ayant aucun but politique. Maxime Rodinson résume bien cette synergie politico-idéologique : « Les mouvements idéologiques sont au confluent de deux séries de luttes, de conflits, d'aspirations. Il y a d'un côté la dynamique politique, celle de l'éternelle lutte pour le pouvoir que nous décelons partout où nous trouvons une société humaine… et même dans certains types de sociétés animales. D'un autre côté, on trouve l'aspiration non moins éternelle à être guidé dans la vie privée et publique par un système de normes, de règles, qui dispense de la

---

1. Voir S.G.F. Brandon, *Jesus and the Zealots, A Study of the Political Factor in Primitive Christianity*, Manchester, Manchester University Press, 1967, p. 56.

peine infinie qu'il y aurait à se faire chaque jour et à chaque occasion un modèle de conduite à suivre, à remettre constamment tout en question. Ce système, on peut l'appeler idéologie[1]. »

Cette aspiration, individuelle ou collective, combinée à un désir ardent de s'emparer du pouvoir, ou, ce qui revient au même, à la volonté d'empêcher un autre d'exercer un pouvoir sur soi, débouche logiquement sur l'extrémisme politique et sur son corollaire, le fanatisme idéologique ou religieux. Non moins logiquement, l'extrémisme et le fanatisme aboutissent souvent aussi à une certaine forme de violence plus ou moins organisée.

Dans le cas qui nous intéresse, le parti zélote sut canaliser la violence latente née de l'humiliation générale ressentie par le peuple juif, pour organiser cette violence puis la diriger contre « l'envahisseur » romain et aussi contre les membres de la communauté juive considérés comme des traîtres à la cause nationale. C'est en ce sens que le parti des Zélotes peut être considéré véritablement comme une organisation. Car si ce parti est, par certains aspects, proche des sectes millénaristes contemporaines, il se distingue de ces dernières par le projet politique sous-jacent à ses actions, qui explique le soutien populaire dont il bénéficia et la résolution dont firent preuve ses membres dans l'adversité.

Dans un schéma classique qui se reproduisit maintes fois au cours des âges, les Zélotes se retrouvèrent d'emblée dans le contexte d'une stratégie du faible au fort, avec deux options : l'organisation d'une résistance de type guérilla, avec pour objectif de vaincre l'adversaire à travers une approche (militaire) indirecte, ou bien une stratégie indirecte visant à déséquilibrer l'adversaire en menant une campagne essentiellement psychologique.

Néanmoins, les documents relatifs à cet épisode montrent que la technique adoptée par les Zélotes aurait plutôt été celle du terrorisme, ne serait-ce que par le fait que les autorités romaines les affublèrent du nom de *Sicarii*. En toute probabilité, les Zélotes durent organiser une lutte armée qui prit la forme d'une guérilla, y compris probablement une guérilla urbaine, et ils eurent recours aussi à une stratégie psychologique reposant sur l'arme du terrorisme. Étant donné que leur action s'étendit sur plusieurs décennies, on peut aussi penser que les stratégies évoluèrent avec le temps et selon les circonstances.

Pour ce qui concerne les techniques employées par les Zélotes, Flavius Josèphe n'est pas très disert, préférant décrire en détail l'organisation de

---

1. Maxime Rodinson, Préface à Bernard Lewis, *Les Assassins, terrorisme et politique dans l'islam médiéval*, Bruxelles, Éditions Complexe, 1984 et 2001, p. 8.

l'armée romaine qui combattait la secte. Néanmoins, il apparaît que leur stratégie était relativement élaborée. En 66 par exemple, les Zélotes commirent plusieurs assassinats de personnalités politiques et religieuses. Surtout, ils s'attaquèrent aux dépôts où se trouvaient les archives, y compris tous les bons relatifs aux prêts, l'objectif étant de gagner le soutien des couches populaires qui croulaient sous les dettes. On sait que les *Sicarii* égorgeaient leurs victimes à l'aide de leur dague et qu'ils agissaient souvent dans la foule, par exemple sur les marchés. Ce type d'opération prouve qu'ils désiraient inspirer un sentiment de vulnérabilité à l'ensemble de la population, technique classique du terroriste jusqu'à aujourd'hui. Les *Sicarii* pouvaient agir n'importe où et n'importe quand. Là résidait leur force.

L'autre source de la puissance des Zélotes est à chercher dans la volonté qu'eurent ses membres de combattre l'adversaire malgré les graves dangers encourus, ce qui leur assura un degré de soutien de la part des populations. Sur ce point, les témoignages sont éloquents, y compris ceux de Josèphe. À plusieurs reprises, l'armée romaine captura des centaines de rebelles qu'elle tortura avant de les laisser agoniser dans d'atroces souffrances. Loin de tempérer les ardeurs des combattants zélotes, des actions de ce genre semblent avoir galvanisé les forces de ces hommes et de ces femmes. Après la destruction du Temple en 70, mille hommes et femmes, sous la conduite de leur chef Eléazar, résistèrent durant trois ans dans la forteresse de Massada (73). Acculés par les troupes romaines, ils se donnèrent la mort plutôt que de tomber aux mains de leurs adversaires.

## La secte des Assassins

Les Zélotes et les Assassins constituent les deux exemples classiques d'une organisation terroriste. Il existe indéniablement des parallèles entre les deux sectes même si le manque d'information sur les premiers nous empêche d'établir une étude comparative rigoureuse. Si nous possédons peu de textes sur les Zélotes, l'histoire de la secte des Assassins, en revanche, est assez bien documentée. Cette histoire, qui s'étend sur deux siècles, a lieu durant une période particulièrement riche pour la culture arabo-musulmane, donc fertile en documentation. L'histoire de la secte des Assassins préfigure de manière remarquable la dynamique de la plupart des mouvements ayant fait appel à la technique du terrorisme au cours des siècles. C'est pourquoi nous nous attacherons à analyser en détail les mécanismes de cette organisation redoutable.

L'histoire des grandes religions monothéistes – judaïsme, christianisme, islam – est inséparable de l'idée de lutte. Comme pour toute organisation sociale, le parti religieux est au départ un rival naturel du pouvoir politique. Cette lutte est encore plus forte dès lors que ces religions ont aussi une vocation universaliste, comme c'est le cas pour le christianisme et l'islam. Les religions universalistes (qui comprennent aussi le bouddhisme) se constituent naturellement en « communautés idéologiques[1] », c'est-à-dire qu'elles incluent tous les individus qui acceptent leurs dogmes, et rejettent tous ceux qui ne les acceptent pas. Bâties autour d'un credo, ces communautés définissent l'organisation tout entière de la société à laquelle appartiennent leurs membres. À l'origine, les organisations de ce type s'intéressent essentiellement aux problèmes d'ordre religieux ou philosophique. À mesure qu'elles grandissent ou qu'elles gagnent en confiance, leur influence s'étend sur d'autres terrains de l'organisation sociale pour aboutir à briguer l'ultime contrôle de la société : le pouvoir politique.

À partir du moment où le parti religieux s'empare du pouvoir ou se greffe au pouvoir politique, on peut parler, comme Maxime Rodinson, d'un État idéologique, « c'est-à-dire d'un État qui proclame son adhésion, sa fidélité au credo, sa volonté de faire respecter les règles de vie en commun qui en sont déduites. […] Comme beaucoup d'États non idéologiques, il cherche à s'étendre quand il croit qu'il le peut, sans trop risquer. Mais ici, il proclame qu'il ne s'agit pas seulement de l'extension de la domination d'un groupe donné d'individus, voire de tout un peuple, mais d'élargir sur la face de la terre la zone où la Vérité peut exercer au mieux ses effets bénéfiques[2]. »

Parmi les grandes religions monothéistes-universalistes, l'islam est celle qui a su le mieux intégrer dans la même structure les problèmes strictement théologiques aux considérations d'ordre politique. Dans ce sens, c'est la religion qui se rapproche le plus des grands courants idéologiques des XIXe et XXe siècles. Le christianisme a toujours été concerné en priorité par les problèmes théologiques, comme en attestent les innombrables querelles qui émaillèrent son histoire. La synergie entre le religieux et le politique que l'on observe dans l'islam trouve sa source dans son origine historique. Dans le contexte politique tribal de la péninsule arabe, les pre-

---

1. Rodinson, *op. cit.*, p. 11.
2. *Ibid.*, p. 11.

miers musulmans durent, pour des raisons de simple survie, s'organiser en un ensemble proche du modèle de la tribu, c'est-à-dire en une organisation où le pouvoir religieux et politique était tenu par les mêmes mains. C'est ce modèle initial qui détermine la religion musulmane.

Cette dichotomie séparant le christianisme de l'islam est fondamentale. Elle permet de comprendre pourquoi une secte comme celle des Assassins est apparue dans le monde islamique alors qu'il n'existe aucune trace d'un tel mouvement dans l'histoire du christianisme. L'exemple islamique, et en particulier celui des Assassins, nous permet aussi d'appréhender la logique de la violence dans le contexte moderne des grandes idéologies universalistes contemporaines. A *fortiori*, l'histoire des Assassins nous amène logiquement à établir des comparaisons avec les organisations terroristes d'aujourd'hui, y compris celles qui trouvent leur origine et leur structure idéologique dans le monde islamique.

Dans le monde chrétien, le cas qui se rapproche le plus du cas islamique est évidemment celui de la Réforme, où la frontière entre politique et religieux devient beaucoup moins nette, comme en attestent les guerres de religion et surtout la guerre de Trente Ans. Mais, même dans cet exemple précis, la frontière existe, malgré de nombreux chevauchements. Or, l'histoire de l'Europe et du christianisme montre clairement à quel point les deux pouvoirs, celui de l'Église et celui des États, sont à la fois distincts et compatibles. En un mot, ils peuvent cohabiter.

Dans le cadre de l'islam en revanche, toute tentative de contestation ne peut se réduire à une contestation spirituelle ou religieuse. Le parti contestataire trouve sa raison d'être dans son opposition au pouvoir en place, c'est-à-dire au pouvoir de l'État. Donc, il est par la force des choses un « parti politique ». La secte des Assassins ne déroge pas à cette règle. Les Assassins faisaient partie d'une organisation qui s'inscrivait dans la logique d'une lutte pour le pouvoir politique. La combinaison, que l'on trouve dans la secte des Assassins, entre une mission religieuse et une ambition politique aboutit comme pour les Zélotes à des choix stratégiques et à l'usage de la violence. L'arme du terrorisme, comme pour les *Sicarii*, constitua un choix logique pour les Assassins. Par son efficacité, elle devint l'arme prédominante de leur arsenal stratégique et, à terme, en vint à définir l'essence même de cette secte pour la postérité. Contrairement à la confusion née de la terminologie associée au nom de cette secte, le terrorisme pratiqué par les Assassins est beaucoup plus proche en fait du terrorisme moderne que de la pratique du tyrannicide, cette branche particulière de la généalogie terroriste.

Les Assassins s'attaquaient aux personnalités associées au pouvoir dans une optique terroriste, parce que, justement, elles étaient des personnalités et non parce qu'ils en voulaient à un individu en particulier, comme ce fut le cas général lors des assassinats de dirigeants politiques, par exemple Henri IV, Lincoln ou Kennedy.

La secte des Assassins prit racine dans deux régions, l'Iran et la Syrie. Elle fit de l'usage de la terreur à des fins psychologiques son cheval de bataille et prit pour cible, entre autres, une puissance étrangère chrétienne (les croisés). Les terroristes eux-mêmes étaient animés d'une foi inébranlable qui leur permettait de se sacrifier volontairement au cours de leur mission avec la certitude d'aller directement au paradis[1]. Cependant, il faut observer que certaines de ces ressemblances sont fortuites. On s'aperçoit par exemple que la lutte contre les croisés, qui paraît centrale dans les écrits occidentaux, ne constituait en réalité qu'une part très secondaire de l'action menée par les Assassins. L'histoire de la secte des Assassins permet de comprendre certains des mécanismes sous-jacents à tous les terrorismes pratiqués au nom de l'idéologie. En ce sens, cette histoire, ou plus exactement cette protohistoire, présente un idéal type du terrorisme tel qu'il est pratiqué par des groupes idéologiques. Avec 1789, le phénomène idéologique atteindra une nouvelle dimension qui modifiera ces mécanismes mais sans toutefois les remplacer complètement. C'est pourquoi l'histoire des Assassins nous intéresse toujours aujourd'hui.

## Origines de la secte[2]

L'islam connut sa première crise de succession dès la mort du prophète Mohammed en 632. Dès la nomination d'Abû Bakr comme calife, c'est-à-dire comme *successeur*, certains musulmans contestèrent ce choix, préférant celui d'Ali, le cousin et gendre de Mohammed. Les partisans d'Ali formèrent le Chî'atu'Ali, c'est-à-dire le parti d'Ali, qui donna naissance au courant chiite. Nommé calife en 656 après la mort violente du troisième calife, Ali fut assassiné à son tour en 661. Les Omeyyades, grâce à l'habile Mu'âwiya – lui-même ciblé par les assassins d'Ali, les Khârijites

---

1. Bernard Lewis, *The Assassins, A Radical Sect in Islam*, Basic Books, 2003, p. XI (édition du livre publié en 1967, avec une nouvelle préface de l'auteur).

2. Nous utiliserons principalement deux sources pour cette analyse : Bernard Lewis, *op. cit.*, et M.G.H. Hodgson, *The Order of the Assassins*, La Haye, 1955.

– prirent le pouvoir, qu'ils gardèrent pendant un siècle grâce à l'instauration d'un système héréditaire. Husayn tenta de s'en emparer, avec le soutien de Fatima, fille du Prophète, mais cette tentative se solda par un échec. La mort de Husayn, de sa famille et de ses partisans aux mains des Omeyyades servit de mythe fondateur au mouvement chiite, tout comme une autre vaine tentative de prise de pouvoir en 687. Progressivement, ce qui était au départ une classique lutte de pouvoir prit une tournure idéologique.

L'imam devint une figure emblématique du mouvement chiite. C'est lui qui était chargé de renverser la tyrannie et d'instaurer la justice. Dès la fin du VIIe siècle, les chiites affirmèrent leur désir de reprendre le pouvoir du califat afin d'y installer un imam. Plus généralement, ils avaient pour ambition de devenir les maîtres du monde islamique et de restaurer le « vrai » islam. Survint alors la question de la légitimité de l'imam. Celui-ci devait être descendant d'Ali, ou mieux, d'Ali et de Fatima, donc du Prophète. L'établissement d'une filiation entre le prophète et la figure de l'imam parvint à tempérer le mouvement chiite qui, durant la première moitié du VIIIe siècle, vit apparaître un florilège de sectes, en particulier dans la région sud de l'Irak et sur les côtes du golfe Persique. C'est en Perse que le mouvement chiite prit racine, durablement accompagné, très tôt, d'un conflit quasi permanent entre modérés et extrémistes. Ce conflit endémique donna naissance à la première grande scission chiite. La mort du sixième imam Jafar (765) entraîna une crise de légitimité, sa succession opposant ses deux fils, Ismâ'îl et Mûsâ, et surtout leurs partisans. Les partisans (majoritaires) de Mûsâ formèrent à terme le chiisme duodécimain qui fut reconnu à partir du XVIe siècle comme la religion d'État de l'Iran. Les ismaéliens, moins modérés que les chiites duodécimains, constituèrent une secte secrète fondée sur l'organisation, la détermination, la discipline, et la cohésion interne. L'organisation des Assassins se développa au sein du mouvement ismaélien.

La secte des ismaéliens était semblable à de nombreuses organisations contestataires, qu'elles soient religieuses ou pas. On retrouve chez elle les caractéristiques des mouvements de Réforme européens, comme le respect du Livre, en l'occurrence le Coran, et de la tradition. Comme chez les protestants, les ismaéliens mettaient l'accent sur la dimension philosophique et morale de la vie de la communauté et tournaient leurs regards vers l'enseignement classique des Grecs. Mais, là où les protestants s'inspirent de l'école stoïcienne, les ismaéliens empruntaient à la philosophie néoplatonicienne. À l'enseignement religieux et philosophique, les ismaéliens ajoutaient une formidable machine politique qui présentait une structure à la fois solide et cohérente, pouvant soutenir cet ensemble dans lequel chacun pouvait trouver son compte : mystiques et intellectuels, mécontents et exaltés. Pouvoir religieux, pouvoir intellectuel, pouvoir politique : il ne manquait plus à cette organisation qu'une branche militaire pour en faire une véritable entité politique, sociale et théocratique. Cette branche militaire devint l'apanage des Assassins dont les stratégies et les instruments s'adaptèrent au caractère secret et minoritaire de la secte ismaélienne.

Durant cent cinquante ans environ après la création de la secte, les ismaéliens vécurent en camp retranché. Au IX^e siècle, l'affaiblissement du pouvoir des califes abbâssides à Bagdad et la sclérose de leur système laissèrent la porte ouverte à d'autres mouvements dont les mieux organisés profitèrent, notamment les deux groupes chiites. Les ismaéliens eurent le zèle missionnaire de tous les mouvements universalistes. Ils s'implantèrent dans diverses régions : Sud irakien, Syrie, Yémen. Le bagage théologique et philosophique dont ils disposaient, et qui a pu se développer au cours des décennies, constituait un formidable outil de propagande et de conversion leur permettant de convaincre les populations de se joindre à eux. Soutenus par l'Empire fatimide d'Égypte, les ismaéliens s'infiltrèrent un peu partout, notamment dans les grands centres universitaires comme celui du Caire. Leur influence grandit exponentiellement. Ils devinrent un danger de plus en plus pressant pour le pouvoir de Bagdad. Néanmoins, divers facteurs extérieurs servirent finalement le camp sunnite, en particulier l'arrivée des Turcs qui, une fois convertis, devinrent de farouches défenseurs de la cause sunnite. À cela s'ajouta le péril venu de l'Ouest qui permit au pouvoir sunnite de se réorganiser et de se renforcer. Ces éléments aidèrent les sunnites à retourner la situation à leur profit.

Néanmoins, le succès rencontré par la secte grâce aux Fatimides fut aussi cause de leur recul lorsque l'Empire s'effondra. La crise entraîna à la fin du XI^e siècle une scission au sein de la secte ismaélienne avec d'un côté les Musta'liens, qui se perdirent dans la périphérie du monde islamique, et de l'autre les Nizârites qui, à partir de la Perse, jouèrent un rôle important dans son noyau central. Avec la conquête des Turcs seldjoukides, qui commença en 1040 en Iran et se poursuivit tout au long du XI^e siècle, avec Alp Arslan (qui défit les Byzantins à Manzikert en 1071), les ismaéliens offrirent une échappatoire à tous les mécontents du régime, dont les anciennes élites marginalisées par le nouveau pouvoir.

L'ismaélisme avait établi de solides bases théologiques et philosophiques au cours des deux siècles précédant cette crise. Leur approche universaliste servit leur activisme missionnaire. Mais, dans un contexte qui, comme nous l'avons vu, ne peut séparer la mission religieuse du pouvoir politique, les ismaéliens n'avaient toujours pas établi une base politique à la mesure de leurs prétentions théocratiques. Pour cela, il fallait un personnage providentiel qui puisse guider la révolution ismaélienne. On pourrait dire que le monde musulman était dans une situation de crise larvée que tentèrent d'exploiter les ismaéliens.

Comme dans toutes les révolutions, celle-ci eut aussi un organisateur génial. Hasan-i-Sabbâh était le fils d'un chiite duodécimain d'origine yéménite installé en Perse. Hasan naquit vraisemblablement vers le milieu du XI$^e$ siècle. Une rencontre providentielle le poussa à adopter la foi ismaélite et il se retrouva chargé de mission au Caire où il aurait rencontré le vizir de l'empereur seldjoukide, Nizâm al-Mulk, et le mathématicien et poète Omar Khayyâm (tous deux persans comme lui) et se serait lié d'amitié avec eux. Nizâm al-Mulk et se serait lié d'amitié avec eux fut l'architecte politique et bureaucratique du vaste empire qui façonna pendant près de mille ans l'organisation étatique d'une grande partie du monde musulman. Fondateur de l'université de Bagdad, Nizâm al-Mulk réalisa avec ses descendants l'unité de la religion sunnite. Jusqu'à l'avènement de la science politique occidentale, son *Traité sur l'art de gouverner* servit de manuel de base aux administrateurs et dirigeants politiques d'Iran et des empires ottoman et moghol. Dans ce traité, il consacra une part importante aux techniques de contre-insurrection auxquelles il dut faire appel pour combattre les ismaéliens. Assassiné par ces derniers en 1092, il fut l'une des premières victimes d'une longue liste de hauts dignitaires tués par les Assassins.

En Égypte, Hasan eut des démêlés avec les autorités locales et il fut emprisonné avant d'être déporté. Après cet épisode, il entreprit une longue mission qui lui donna l'occasion de beaucoup voyager, en particulier en Perse. Ce périple lui permit de rencontrer des populations diverses et de nombreuses communautés, y compris dans des régions reculées. Il put apprécier les différentes qualités de ces communautés et déterminer les lieux où sa mission était susceptible de rencontrer un terrain fertile. Une région en particulier attira son attention.

Les montagnes de la région du Daïlam au nord de la Perse abritaient une population d'hommes rudes, durs, et jaloux de leur indépendance, qui ne furent jamais conquis par la force. La région, pacifiée sans effusion de sang lors de la percée islamique, fut très tôt attirée par la religion chiite. C'est ici qu'Hasan décida de déployer toute son énergie. La population, réceptive à la mission ismaélienne, avait un autre avantage, celui d'appartenir à une culture guerrière. De plus, le Daïlam offrait une topographie intéressante pour celui qui recherchait un sanctuaire. Or, Hasan nourrissait l'ambition de renverser à terme le pouvoir seldjoukide. Pour cela, il lui fallait trouver un endroit isolé et naturellement protégé d'où il pourrait organiser son projet politique et militaire.

Après plusieurs années de prospection, alors que les autorités commençaient à s'intéresser avec inquiétude à son cas, Hasan choisit la forteresse d'Alamût dans le massif de l'Elbourz (situé au nord de l'actuelle Téhéran, non loin de la Caspienne). Alamût était installée sur un rocher culminant à environ 2 000 mètres d'altitude et surplombant une vallée. Difficile d'accès, ce point stratégique permet de voir venir un adversaire de loin. La forteresse appartenait à un chef local, et il fallut d'abord qu'Hasan organise sa prise. Avec l'aide de convertis locaux qu'il infiltra dans l'enceinte, Hasan parvint à s'emparer du château (1090). Il en fit son quartier général et ne le quitta plus jusqu'à sa mort en 1125.

## La stratégie de la terreur

À partir d'Alamût, Hasan décida de gagner le contrôle de toute la région. À cet effet, il chercha d'abord à s'assurer le soutien des populations. En cela, sa stratégie fut identique à celle que pratiqueront les divers mouvements révolutionnaires au XXe siècle. Ces populations rurales et pauvres, qui subissaient le joug de petits seigneurs locaux, étaient prêtes à épouser la cause ismaélienne. Les activités missionnaires étaient prioritaires et le travail de propagande intensif. Après avoir acquis le soutien populaire, Hasan tenta de persuader les seigneurs féodaux de lui laisser le contrôle des châteaux et des forteresses des alentours. Lorsqu'il ne parvenait pas à convaincre ces derniers, Hasan était impitoyable, déployant tous les moyens pour s'emparer des forteresses, y compris par la subversion clandestine ou par la force. Dans ces cas de figure, il faisait usage de la terreur afin de persuader les autres seigneurs de ne pas opposer de résistance. Peu à peu, Hasan s'empara de tous les points stratégiques de la région. À mesure qu'il progressait, ses techniques militaires s'affinaient tout comme son savoir-faire politico-stratégique.

Ces premiers succès l'incitèrent à poursuivre son action sur d'autres territoires. Dès 1092, il envoya une mission dans une autre région montagneuse, celle du Kûhistan, près de l'actuelle frontière entre l'Iran et l'Afghanistan. Là encore, il trouva un terrain fertile. Cette région, qui avait auparavant constitué l'un des derniers refuges du zoroastrisme, abritait une population jalouse de son indépendance religieuse et politique par rapport à l'autorité centrale et accueillante pour les minorités religieuses dissidentes comme les ismaéliens. À cette époque, les populations se montraient hostiles au pouvoir seldjoukide et à ses vassaux. L'homme d'Hasan au Kûhistan, Husayn Qâ'inî, sut exploiter ce mécontentement au-delà de toute espérance et il prit le contrôle de la région, y compris dans les villes. La conquête d'Hasan se poursuivit dans d'autres régions, en général montagneuses (Fars, Khouzistan). À partir de ces têtes de pont stratégiques, Hasan déploya ses armées de missionnaires qui tentèrent petit à petit de s'infiltrer dans les zones contrôlées par le pouvoir seldjoukide. Inévitablement, l'affrontement entre les autorités et les agents d'Hasan devait avoir lieu. Le premier incident enregistré eut pour théâtre la ville de Sâva.

Les ismaéliens avaient tenté de convertir le muezzin de la ville à leur cause. Mais, devant son refus, ils l'assassinèrent. La réponse du vizir, Nizâm al-Mulk, ne se fit pas attendre : le meneur fut capturé, exécuté et son corps traîné dans les rues de la ville. Il s'agissait à la fois du premier assassinat organisé par les ismaéliens et de la première réponse donnée par les autorités. Ce premier affrontement allait provoquer un conflit armé entre les troupes du sultan et les ismaéliens, avec une double offensive sur Alamût et le Kûhistan. Au même moment, Hasan préparait une action d'envergure qui avait pour cible le grand vizir en personne, Nizâm al-Mulk.

Nizâm al-Mulk pensait-il déjà à cette confrontation lorsqu'il rédigea son *Traité* quelques années auparavant (1086) ? Le passage suivant laisse à penser qu'il avait déjà dû réfléchir à l'éventualité de troubles internes :

« C'est le souverain qui ferme la porte à tous les excès, à tous les troubles, à toutes les séditions. Il fait pénétrer dans tous les cœurs le respect et la crainte dérivant de la majesté qu'il déploie à tous les yeux afin que ses sujets jouissent de toute sécurité et désirent voir prolonger la durée de son règne. Mais l'esprit de révolte vient à se manifester chez ce peuple et, s'il lui arrive de mépriser la loi sacrée et de négliger les devoirs tracés par la religion, s'il enfreint les commandements divins, Dieu voudra alors le punir et lui infliger le châtiment que mérite sa conduite. […] Sans aucun doute, les funestes effets d'une pareille rébellion attireront sur le peuple la colère céleste et le feront abandonner par Dieu. Un bon prince disparaîtra, les sabres tirés hors du fourreau se dresseront les uns contre les autres et le sang coulera. Celui qui aura le bras le plus fort fera tout ce qui lui plaira et les créatures vouées au péché périront dans ce trouble et cette effusion de sang. »

Si, selon le dicton, un homme prévenu en vaut deux, la stratégie préventive que préconisait le grand vizir aurait dû le prémunir contre la tentative de meurtre qu'Hasan préparait contre sa personne. Encore dans son *Traité*, Nizâm al-Mulk recommandait les précautions suivantes :

« Des espions devront sillonner constamment les routes des différentes provinces, déguisés en marchands, en voyageurs, en soufis, en pharmaciens, etc., et faire des rapports détaillés sur ce qu'ils entendent dire afin que rien de ce qui se passe ne reste en aucune façon ignoré. Si (d'après les renseignements ainsi recueillis) des événements allaient se produire, il faut que des mesures soient immédiatement prises en conséquence. Car bien souvent des gouvernants, des feudataires, des fonctionnaires, des chefs militaires se sont montrés enclins à l'opposition et à la révolte et ont nourri de mauvais desseins à l'égard du souverain. Mais l'espion qui s'est dépêché à la cour a déjà informé le prince qui est monté à cheval, sur-le-champ, a mis ses troupes en marche et en attaquant les rebelles à l'improviste a pu étouffer dans l'œuf leur complot[1]. »

Le grand vizir n'aurait pas mené son offensive contre Hasan s'il n'avait pas été informé de ses activités clandestines. Néanmoins, Nizâm al-Mulk ne sut pas se protéger suffisamment pour déjouer le complot organisé contre lui. Or le nom de Nizâm al-Mulk sera associé à tout jamais à la secte des Assassins. Son assassinat par la main d'un agent d'Hasan, un dénommé Bu Tâhir Arrani, durant le ramadan (16 octobre 1092), constitua l'un des plus grands attentats terroristes de tous les temps, et qui eut, à l'époque, un retentissement au moins égal à celui que connurent l'assassinat de l'archiduc d'Autriche ou les attentats du 11 septembre 2001 dans le monde contemporain.

Nizâm al-Mulk était un personnage à la réputation inégalée dans le monde musulman du XIᵉ siècle. Sa place dans l'Histoire était déjà assurée par ce qu'il avait accompli durant sa vie. Par sa mort, Nizâm al-Mulk ouvrait sans le savoir l'un des chapitres déterminants de l'histoire du terrorisme. Pour un coup d'essai, Hasan ne pouvait rêver mieux. Apprenant la mort de sa victime,

---

1. Nizâm al-Mulk, *Siyar al-Mulk (Sayassat nameh)*, introduction, notes et commentaires par Hubert Dorke, Téhéran, 1968.

il s'exclama : « Le meurtre de ce démon est le début de la félicité. » Cet événement signala le début de la notoriété d'Hasan et de son organisation qui, grâce à cet acte fondateur, donna son nom à l'acte commis contre le vizir et qui allait bientôt devenir sa marque de fabrique : l'assassinat.

Comme dans le cas des attentats du 11 Septembre, les autorités avaient vu leurs services de police intérieure et de renseignements pris en défaut malgré les efforts consentis par le gouvernement pour se doter de services de sécurité performants. L'assassin de Nizâm al-Mulk, déguisé en soufi, était parvenu avec une banale arme blanche à infliger un choc psychologique d'une ampleur inconnue jusqu'alors dans un empire dirigé par une main de fer. L'Empire seldjoukide, à la fin du XIe siècle, était une puissance de premier ordre. L'assassinat du grand vizir fut l'un des premiers grands attentats terroristes répertoriés en tant que tels. Il survint à un moment propice pour Hasan. Sur le front militaire, il avait réussi dans le courant de la même année à repousser les deux assauts menés contre lui par les armées seldjoukides.

L'assaut le plus sérieux, celui contre Alamût, donc contre Hasan lui-même, aurait dû, d'un point de vue militaire, profiter aux troupes du sultan. En effet, Hasan se retrouva acculé dans sa forteresse avec une soixantaine d'hommes. Comme toujours dans ce type de situation – avec un assiégé faible – la seule issue consista à trouver des renforts extérieurs capables de soutenir les assiégés. Dans ce domaine, la politique d'Hasan allait payer de gros dividendes. Son travail de propagande accompli durant des années lui avait valu le soutien des populations avoisinantes. Voyant leur chef en difficulté, ses missionnaires s'étaient mobilisés. Ils étaient parvenus à former une petite armée qui, jouant sur l'effet de surprise, avait pris à revers les assiégeants.

La montée en puissance d'Hasan contribua certainement à la crise de succession qui eut lieu en 1094, au cours de laquelle les ismaéliens de Perse s'affranchirent de la tutelle égyptienne. Au même moment, l'Empire seldjoukide était en proie à une crise de pouvoir qui facilita l'offensive menée par Hasan. Celui-ci continua dans le même sens, s'octroyant toujours davantage de forteresses et contrôlant de plus en plus de points stratégiques. La prise de Châhdiz, non loin d'Ispahan, par les ismaéliens constitua un revers militaire et psychologique sérieux pour les autorités seldjoukides. C'est à cette époque aussi que les ismaéliens commencèrent à appliquer des techniques de subversion à travers des campagnes de terreur contre les populations urbaines. À Ispahan justement, qui était en pleine crise politique, les ismaéliens tentèrent de provoquer le chaos par une de ces campagnes de terreur. Mais là, comme dans d'autres villes, cette campagne se retourna contre ceux qui l'avaient montée et qui furent victimes du soulèvement des populations terrorisées.

Très tôt, les ismaéliens eurent un projet politique bien défini et avaient développé une stratégie à la mesure de leurs ambitions. Celle-ci visait à étouffer par divers moyens le pouvoir central. Ces moyens comprenaient la propagande, la conquête militaire de points stratégiques, la campagne de terreur à l'égard des populations et des personnalités politiques et religieuses. Le socle philosophico-religieux développé au préalable par la secte ismaélienne soutenait cette stratégie multidimensionnelle de plus en plus raffinée. Au sein de la secte ismaélienne implantée en Perse, l'usage de la terreur occupa une place grandissante dans les choix stratégiques. D'abord parce que la terreur se mariait avec d'autres aspects particuliers de la secte, comme le goût du secret, et ensuite parce que, durant les années charnières, la terreur, en particulier celle visant les élites, fut couronnée de succès. Les personnes chargées des assassinats, les « dévoués » (*fidâ-î* ou *fidaìin*) formaient une sorte de corps d'élite au sein de la secte.

La secte ismaélienne de Perse, qui allait bientôt se développer hors d'Iran, était en passe de devenir la fameuse secte des « Assassins ». Le terme « assassin », qui désigne un meurtrier dans de nombreuses langues, est lui-même dérivé du nom de la secte. L'étymologie du mot est incertaine. Il pourrait trouver son origine dans le mot « haschisch » désignant l'herbe, ou plus spécifiquement le cannabis. Les Assassins seraient donc les « haschaschins » : ceux qui prennent du cannabis, explication qui vaut ce qu'elle vaut mais n'est corroborée par aucune preuve faisant état d'usage de cannabis chez les Assassins. Il pourrait s'agir d'une expression méprisante et donc non fondée sur une consommation hypothétique de cannabis : c'est en Syrie que le terme « assassin » se répandit pour désigner une secte qui, au début, était composée d'étrangers (des Perses).

Avec le recul, il paraît évident que la secte des ismaéliens n'avait pratiquement aucune chance de chasser du pouvoir central la dynastie des Turcs seldjoukides. Or, c'est là aussi l'une des caractéristiques de nombreux mouvements terroristes que de s'attaquer indirectement à un pouvoir politique malgré une position de faiblesse extrême ne permettant en aucun cas de s'emparer du pouvoir ou d'anéantir le pouvoir en place. Ce genre d'organisation peut, au mieux, mener une campagne de harcèlement tout en étant suffisamment organisée pour résister aux offensives militaires conduites par les autorités.

Dans cette perspective, le cas des Assassins n'est pas fondamentalement différent de celui d'Al Qaida aujourd'hui. De son sanctuaire dans les montagnes de l'Afghanistan, Oussama Ben Laden a mené contre l'Occident une campagne semblable à celle de Hasan contre les Seldjoukides, avec des techniques parfois très similaires – comme l'emploi d'armes blanches. Les campagnes de propagande ou le recrutement et l'entraînement des terroristes étaient entrepris dans les deux cas d'une manière assez semblable, souvent dans les mêmes couches de population et dans des zones topographiques similaires (milieu rural, montagneux, populations aguerries au combat). Oussama Ben Laden, comme Hasan, ne pouvait pas non plus espérer voir s'effondrer son adversaire désigné, en l'occurrence l'Occident ou les États-Unis, par une simple attaque terroriste, de quelque nature qu'elle fût. Néanmoins, comme pour Al Qaida aujourd'hui, l'organisation d'Hasan savait jouer sur les faiblesses du pouvoir (seldjoukide) – désordres liés aux conflits de succession et aux luttes de pouvoir – pour affaiblir son adversaire et voir prospérer son propre mouvement. Aujourd'hui, Al Qaida exploite certaines faiblesses du système démocratique occidental ainsi que la psychologie des foules (désir chez l'homme occidental de vivre dans une sécurité absolue) pour contester l'orthodoxie religieuse dans le monde musulman avec l'espoir de faire tomber certains régimes.

Cette relation complexe entre des objectifs idéologiques non réalisables d'une part et des objectifs réalistes de moindre envergure de l'autre va déterminer l'action des Assassins pendant les deux siècles durant lesquels la secte va opérer. Après les victoires sur les assiégeants seldjoukides en 1092 et la consolidation des points stratégiques en Perse, Hasan décida, avec l'aide de ses émissaires, d'étendre ses activités vers la Syrie. Pourquoi la Syrie ? Après tout, l'Irak frontalier était plus proche et l'Égypte plus importante. Mais Hasan et ses partisans pensaient de manière stratégique. La Syrie était un pays montagneux qui n'avait jamais vraiment établi son unité culturelle. Diverses confessions musulmanes avaient pu y éclore, dont certains groupes proches des ismaéliens. De leur côté, les ismaéliens étaient parvenus à s'implanter durablement dans certaines régions. Comme pour le nord de la Perse, les populations étaient réceptives à l'enseignement divulgué par les hommes d'Hasan. Les Syriens étaient de surcroît confrontés aux croisés venus d'Europe. Cette présence européenne, donc extra-musulmane, servit les intérêts des Assassins dans leur travail de propagande auprès des populations et permit à l'Europe, à travers les relations des croisés, de connaître cette secte puis de contribuer à sa notoriété.

C'est à peu près au tournant du XII$^e$ siècle que les hommes d'Alamût entamèrent leur travail en Syrie. Les missionnaires dans leur grande majorité étaient persans, donc de culture étrangère dans un univers arabophone. Au départ, leur combat fut beaucoup plus difficile que celui qu'ils avaient mené en Perse, où le succès n'avait pas été très long à venir. En Syrie au contraire, les premières campagnes se soldèrent par des échecs répétés. Pourtant, la stratégie employée était quasiment la même qu'en Perse. Les hommes d'Hasan avaient pour mission de conquérir des points stratégiques, c'est-à-dire encore une fois des forteresses dans les régions montagneuses, et aussi d'entamer une première campagne de terreur contre les élites de Syrie. En marge, le travail purement missionnaire était là aussi d'une grande intensité.

Au départ, la propagande ismaélienne eut un impact modeste. Ciblée contre les étrangers (turcs et occidentaux), elle n'en était pas moins orchestrée par d'autres étrangers, ce qui finissait par poser un sérieux problème de légitimité. Malgré tout, les Assassins surent profiter de rivalités internes pour s'octroyer des appuis importants parmi certains dirigeants politiques, y compris chez les Turcs qui se servirent de la secte pour éliminer certains rivaux. Avec le temps, les Assassins incorporèrent des éléments arabes. Ils obtinrent des appuis parmi les dirigeants d'Alep et de Damas, ce qui leur permit d'organiser leur travail à partir de ces deux bases urbaines. Comme toujours cependant, ce fut dans les campagnes isolées qu'ils mobilisèrent leurs troupes.

Le premier assassinat perpétré en Syrie eut lieu en 1103, soit onze ans après l'assassinat de Nizâm al-Mulk. La technique fut identique à celle utilisée contre le grand vizir, technique qui, en ce court espace de temps, était devenue rituelle, l'arme blanche étant privilégiée. Les Assassins trouvaient leur raison d'être dans l'ultime sacrifice, car la plupart trouvaient la mort à l'issue de leur crime. Au cours des siècles, ces volontaires de la mort feront partie intégrante de l'histoire du terrorisme, comme on peut le constater encore aujourd'hui en observant le statut dont jouissent dans certains milieux les dix-neuf terroristes sacrifiés du 11 septembre 2001 ou encore les volontaires de la mort palestiniens ou tamouls.

Les Assassins tuaient exclusivement avec une dague – comme les Zélotes – et ils organisaient leurs assassinats dans les lieux de prière ou sur les marchés (où l'usage d'armes de jet par exemple aurait été plus facile). Pour leur premier assassinat en Syrie, des Assassins déguisés en soufis se jetèrent avec des armes blanches sur un dignitaire de Homs lors de sa prière. Plusieurs parmi les meurtriers trouvèrent la mort dans cet attentat. Comme en Perse, ce premier attentat réussit et il en appela de nombreux autres.

Au départ, les Assassins reçurent un soutien non négligeable d'un seigneur seldjoukide, Ridwân. C'est grâce à lui qu'ils purent s'attaquer en 1106 à la forteresse d'Afâmiya, sorte d'Alamût syrienne, tenue pourtant à cette époque par un ismaélien (mais non allié aux ismaéliens de Perse) qui s'était emparé du site dix ans plus tôt au détriment de Ridwân. Après un coup de main audacieux où ils avaient pénétré déguisés dans l'enceinte, les Assassins s'emparèrent de la place. Néanmoins, la réussite fut de courte durée. Profitant de la situation de crise, les croisés, emmenés par le prince d'Antioche, Tancrède, reprenaient à leur tour la forteresse.

La situation complexe de la Syrie desservit la cause des Assassins. Paralysés d'un point de vue militaire, il fallait qu'ils se rattrapent par un coup d'éclat. En 1113, les autorités seldjoukides avaient envoyé un corps expéditionnaire en Syrie pour organiser la riposte contre les croisés. Cette arrivée massive de troupes en Syrie n'était pas pour simplifier les affaires des Assassins déjà impopulaires à Alep. C'est alors qu'ils décidèrent l'assassinat du chef du corps expéditionnaire, Mawdûd. L'attentat, organisé à Damas, réussit. Mais l'impact n'eut pas l'effet escompté. Leur allié Ridwân trouva aussi la mort et son successeur fut contraint de lâcher les Assassins tandis que les dirigeants de la secte étaient arrêtés et exécutés.

Néanmoins, profitant des rivalités politiques de la Syrie, les Assassins parvinrent à exercer leurs activités subversives tout en s'adonnant aux pratiques politiques traditionnelles de ceux qui tentent de renverser le *statu quo*. C'est l'époque des alliances de circonstance, dont celles que nouent les Assassins avec les Turcs. En 1126, ils participent même à une action commune contre les croisés (qui se solde par un échec).

Mais les Assassins, dont la stratégie tablait essentiellement sur l'exploitation des conflits de succession, furent eux-mêmes victimes de ces guerres. En 1128-1129 par exemple, alors que meurt leur protecteur turc à Damas, ils subissent des représailles populaires orchestrées par les milices locales. Six à dix mille membres de la secte furent ainsi sommairement exécutés dans ce qui constitua l'un de ses plus gros revers. Les dirigeants d'Alamût ripostèrent en faisant assassiner le responsable de ce massacre mais sans pour autant regagner leur position à Damas. Neutralisés en Syrie, les Assassins se tournèrent un moment vers l'Égypte, où ils menèrent une campagne de terreur contre le calife fatimide, ennemi déclaré des ismaéliens.

Encore une fois, les Assassins organisent une série d'attentats, dont celui, couronné de succès, du calife lui-même (1130). La période suivante, peu documentée, laisse à penser que les Assassins adoptèrent un profil bas et tentèrent encore une fois de s'implanter en Syrie. Cette fois, ils parvinrent à leurs fins, récupérant un certain nombre de forteresses précédemment occupées par les croisés.

Durant la seconde moitié du XIIᵉ siècle, la cellule syrienne de la secte des Assassins trouva enfin son chef providentiel. Rachîd al-Dîn fut pour les Assassins de Syrie ce qu'Hasan avait été pour les ismaéliens de Perse. Natif de Bassora, il avait passé plusieurs années à Alamût avant d'être chargé de reprendre en main les affaires en Syrie. Arrivé en Syrie après un long périple (au cours duquel il voyagea incognito), Rachîd al-Dîn entreprit une vaste consolidation des points stratégiques. Il conquit de nouveaux espaces, et devint un grand bâtisseur. La longueur de son règne, trente ans, lui permit d'effectuer un travail en profondeur qui porta ses fruits. Son succès fut tel qu'il fit même ombrage au pouvoir central d'Alamût, lequel tenta sans succès de le faire assassiner.

Le règne politique de Rachîd al-Dîn correspondit à la montée en puissance d'un grand chef et rassembleur de l'islam : Saladin. Né en Irak d'un père kurde, Saladin avait pris la succession de son oncle comme vizir en Égypte. Ancien étudiant en théologie, il mit toute son énergie à défendre sa religion, à la fois contre les chrétiens et contre les hérétiques. Connu comme le pourfendeur de l'Occident – il écrase Guy de Lusignan et pénètre triomphalement dans Jérusalem le 2 octobre 1187 –, il fut aussi l'adversaire le plus coriace auquel durent faire face les Assassins au XIIᵉ siècle. Saladin, qui avait réorganisé son armée de terre et sa marine, menaçait par sa campagne d'unification d'éradiquer la menace des Assassins. Face au danger très réel posé par les armées de Saladin, Rachîd al-Dîn décida de recourir aux recettes de la secte et il organisa un assassinat en bonne et due forme.

La première tentative, lorsque Saladin assiégeait Alep (1174), fut déjouée lorsque les hommes de Rachîd al-Dîn furent identifiés. La seconde tentative eut lieu en 1176, alors que Saladin était en campagne, mais les tueurs ne purent l'atteindre. Après ces deux tentatives, Saladin devint très méfiant et il fut vraiment difficile de l'approcher. Il organisa une riposte contre les Assassins puis, sans que l'on en connaisse vraiment les raisons précises, il semble que Rachîd al-Dîn et lui aient conclu une sorte de pacte de non-agression. Saladin était probablement fatigué de vivre avec une épée de Damoclès au-dessus de la tête et peut-être jugeait-il que la secte des Assassins ne représentait pas, globalement, un réel danger pour son grand dessein d'unification. À l'époque où il conclut cet accord, il n'avait pas encore anéanti les armées franques et la guerre contre les croisés constituait son objectif principal. De son côté, Râchid al-Dîn eut probablement l'intelligence de comprendre que Saladin était le plus fort et qu'il aurait plus à gagner à s'en faire un « allié » plutôt qu'un ennemi. Quoi qu'il en soit, l'accord fut scellé et Saladin n'inquiéta plus les Assassins, ce qui n'empêcha pas ces derniers de fomenter d'autres assassinats contre des personnalités de moindre envergure.

En 1192, les Assassins allaient encore une fois faire parler d'eux. Le 28 avril de cette année, à Tyr, un groupe d'Assassins se déguisait en moines chrétiens. Toujours selon leur technique habituelle, ils s'approchèrent de leur victime, ils lui transpercèrent le cœur d'un coup de poignard. Le marquis de Montferrat, roi de Jérusalem, était mort. Il fut l'une des rares victimes chrétiennes de la secte des Assassins. Cet assassinat faisait-il partie de la campagne de terreur de la secte ? S'agissait-il d'un assassinat commandité ? Durant leur confession, les meurtriers auraient avoué avoir agi pour la couronne d'Angleterre. D'autres sources avancent le nom de Saladin comme commanditaire de l'assassinat. Les deux thèses sont crédibles, l'assassinat de Montferrat arrangeant aussi bien les affaires du roi d'Angleterre que celles de Saladin.

Les Assassins se comportaient avant tout comme une organisation politique, particulière certes, mais prête à bafouer ses principes pour nouer des alliances de circonstance. Après la mort de Rachîd al-Dîn, le pouvoir de la secte fut centralisé à nouveau à Alamût qui contrôlait la cellule syrienne après trois décennies d'indépendance incontestée. Jugeant que leurs membres s'étaient quelque peu relâchés, les maîtres d'Alamût imposèrent une nouvelle politique axée sur la réconciliation avec le califat de Bagdad. Cela explique probablement pourquoi les attentats contre des personnalités, au début du XIIIᵉ siècle, furent organisés contre des Occidentaux plutôt que des musulmans, résultant en un bras de fer entre croisés et Assassins, arbitré par le calife. Cette confrontation opposa notamment les Assassins aux hospitaliers et à saint Louis avec qui, vraisemblablement, ils arrivèrent à un accord. C'est à ce moment-là aussi que les Assassins décidèrent de mettre à profit leur « savoir-faire » en matière terroriste, en réclamant des tributs aux musulmans et aux croisés, en échange de quoi ils promettaient de les laisser en paix (mais ils durent eux-mêmes un moment payer un tribut aux hospitaliers).

Cette dérive n'est pas inhabituelle. On retrouve une situation semblable aujourd'hui en Colombie avec les deux guérillas (FARC et ELN) qui, de mouvements hautement idéologisés dans les années 1960 et 1970 – inspirés des mouvements de libération nationale marxistes-léninistes –, se sont progressivement métamorphosés en des organisations essentiellement terroristes qui exploitent la terreur à des fins presque exclusivement économiques (menaces, rapts, attentats en tous genres). Durant l'entre-deux-guerres, l'ORIM macédonienne et l'*Oustacha* croate avaient au départ un projet politique mais elles se transformèrent graduellement en des organisations semi-criminelles. Dans le cas des Assassins, comme pour celui de la Colombie aujourd'hui, il semble qu'une certaine lassitude gagna ces organisations après plusieurs décennies de combats infructueux. L'objectif avoué d'une organisation terroriste étant de renverser le *statu quo*, l'échec dans ce domaine tend à pousser ce type d'organisation à des activités proches de la criminalité, du moins lorsque ses dirigeants décident de ne pas abandonner les armes.

## Le déclin

Peu à peu, les Assassins avaient gagné un certain statut au sein de la société mais cette normalisation politique, fondée sur le pouvoir qu'ils exerçaient à travers une stratégie recourant à la menace, au chantage, à la persuasion et à la dissuasion, allait être de courte durée. Une menace plus forte que tout ce qu'ils avaient connu au cours des deux siècles de leur existence allait les balayer d'un seul coup de la surface de la planète : les Mongols.

C'est sous la poussée mongole que les Turcs, originaires aussi d'Asie centrale, s'étaient déplacés vers l'ouest. Désormais, les Mongols, unifiés par Genghis Khan, arrivaient eux aussi en Asie Mineure et poussaient aux portes de l'Europe. Au XIIᵉ siècle, l'Empire seldjoukide d'Iran s'était effondré tandis que les Seldjoukides avaient été affaiblis par des querelles politiques et par la guerre contre les croisés. En Iran, l'empire du Khorezm s'était installé sur les ruines de l'Empire seldjoukide, avec pour capitale Samarkand. Les hommes d'Alamût profitèrent un temps de cette transformation politique. Entre 1210 et 1221, Jalâl al-Dîn, le nouveau chef de la secte, imprima une nouvelle direction au mouvement qui, avec son père, avait durci sa ligne idéologique. Désirant se rapprocher de l'orthodoxie musulmane, il multiplia les ambassades et se déplaça lui-même hors d'Alamût. Aux tactiques terroristes, il préféra une stratégie militaire classique visant à consolider ses acquis. La fin de son règne coïncida avec l'arrivée des Mongols.

En 1220, l'armée mongole pénétrait dans l'Empire et s'emparait de Boukhara puis de Samarkand qui ne résista qu'une dizaine de jours, les Mongols réduisant en esclavage les hommes valides. Face aux Mongols, les Assassins n'étaient pas de taille, et ils furent les premiers à envoyer des ambassades auprès du Khan pour tenter de trouver un terrain d'entente. Hûlagû, petit-fils de Gengis Khan, avait soumis définitivement la Perse et fondé la dynastie mongole de Perse (1256). Dès le début de la campagne en Perse, il s'était fixé pour objectif de réduire les ismaéliens et de s'emparer de leurs forteresses. Les relations ismaélo-mongoles furent ponctuées par des périodes de calme diplomatique entrecoupées de confrontations militaires. Face aux Mongols, toutefois, les ismaéliens avaient peu de cartes à jouer, sinon de temporiser. Alamût fut investie par les Mongols et le pouvoir central annihilé. Çà et là, des poches de résistance purent se maintenir durant quelque temps (les ismaéliens récupérèrent même pendant un court moment la forteresse d'Alamût en 1275) mais de manière générale, la guerre était perdue.

En Syrie, la percée mongole avait aussi provoqué des remous. Désormais, le pays était sous le contrôle des Mamelouks d'Égypte avec qui les Assassins étaient en bons termes à l'origine. Depuis Saladin, les Assassins avaient poursuivi leur rapprochement avec les autorités, ce qui leur avait permis de poursuivre leur œuvre missionnaire avec une plus grande liberté.

Le sultan mamelouk Baybars était l'héritier spirituel de Saladin. Mais, en plus des croisés, il devait aussi se défaire de la menace mongole. Après avoir sollicité le soutien des Assassins dans cette tâche, il décida de se débarrasser de ce qui ne constituait pour lui qu'une bande d'hérétiques et de meurtriers faisant obstacle à son ambition de réunifier le monde musulman sur les bases d'une orthodoxie religieuse. Dès 1260, alors que les Assassins étaient déjà considérablement affaiblis par l'anéantissement de la secte en Perse, Baybars décida de passer à l'action.

Au départ, le sultan exerça des pressions économiques que les Assassins furent contraints d'accepter, ce qui, déjà, démontrait leur faiblesse. Ensuite, Baybars usa de son pouvoir pour influencer les décisions prises par les Assassins. Rapidement, il prit lui-même la secte en main, désignant un nouveau chef après s'être débarrassé du précédent (1271). Mais ayant eu maille à partir avec le nouveau dirigeant, il décida de démanteler le mouvement. À partir de cette date, la secte des Assassins cessa d'exister. Baybars se servit un moment des membres de la secte pour commettre des assassinats contre des rivaux (Édouard d'Angleterre, Philippe de Montfort) ou en menacer d'autres (le comte de Tripoli). Très vite cependant, on n'entendit plus parler de la secte, sauf dans la légende.

La secte des Assassins ne fut pas la première société secrète à recourir à l'assassinat ou à la terreur. Mais, dans ce domaine, elle fut pendant longtemps, et de très loin, le groupe « terroriste » le mieux organisé et le plus durable. Sans jamais obtenir le pouvoir central, la secte des Assassins joua malgré tout un rôle considérable dans le théâtre géostratégique moyen-oriental, et ce pendant deux siècles, ce qui est en soi remarquable, surtout lorsque l'on considère le contexte politique dans lequel ils opéraient. Bien implantés dans des régions propices à des mouvements de ce genre, les Assassins mirent au point une efficace stratégie du faible au fort. Ils eurent recours à une stratégie indirecte tablant sur la menace et sur les techniques de persuasion, plutôt que sur une guerre classique, et ils surent se donner les moyens d'exercer cette menace. Dans la technique de l'attentat, les Assassins étaient quasiment imparables. C'est là que résidait leur « avantage comparatif » qu'ils surent monnayer avec diligence, exploitant leur savoir-faire pour asseoir un prestige et une réputation dont on sait qu'ils sont essentiels pour réussir en politique.

La stratégie indirecte est une caractéristique essentielle des stratégies qui se développèrent au cours des siècles dans le monde arabe et qui contrastèrent avec les stratégies occidentales. La stratégie indirecte, qui a fait un retour éclatant au XXe siècle après l'ère des guerres révolutionnaires, privilégie des moyens autres que militaires pour combattre l'adversaire. Elle fonctionne particulièrement bien articulée dans un contexte où la synergie entre fins politiques et moyens stratégiques est atteinte. En Occident, où la frontière entre le politique et le militaire a tendance à être fermée, ce genre d'approche fut écarté au profit d'une stratégie associant la victoire politique à la victoire militaire. Il n'est pas étonnant que la stratégie indirecte se soit développée dans le contexte culturel arabo-musulman, où tout, y compris la religion, se confond avec la politique.

Les Assassins surent établir un régime centralisé solide qui put régir à partir d'Alamût une organisation complexe, s'étendant sur deux territoires distincts. Le système de succession héréditaire fonctionna relativement bien et ce n'est que vers la fin, au moment de l'écroulement final, que les dissidents contestèrent le pouvoir central. L'autonomie dont bénéficia la cellule syrienne fut suffisante pour que le pouvoir central ne perde son autorité qu'en de rares occasions. La dimension religieuse de la secte, dont les dirigeants prônèrent de manière systématique une rigueur sans faille de la part de ses membres, sut imprimer un degré élevé de légitimité à un mouvement qui, pourtant, garda toujours un caractère extrémiste. Pour autant, ce mouvement millénariste, marginal et non orthodoxe reposa sur une politique réaliste. Ses architectes surent tirer parti des rapports de force complexes qui caractérisaient cette région du monde, et souvent ils eurent un coup d'avance sur leurs adversaires. Loin d'être l'organisation de fanatiques que l'on imagine trop souvent, la secte des Assassins sut au contraire canaliser son fanatisme pour mettre en œuvre les moyens de sa survie. Malgré tout, et au bout de deux cents ans d'activité, la secte ne put jamais mettre en péril l'orthodoxie sunnite ni s'étendre au-delà des frontières perses et syriennes choisies au début de son activité militante. Son idéal politique, l'installation d'un imam à la tête d'un empire musulman d'inspiration ismaélienne, servit de fil conducteur à un militantisme qui ne fut jamais pris en défaut.

De leur côté, les adversaires des Assassins parvinrent à contenir ceux-ci sans toutefois jamais vraiment réussir à les éliminer. L'exemple des Assassins montre comment une telle organisation, avec un appui populaire régional, peut s'installer durablement et s'insérer dans la vie sociale d'une communauté. Comme toute organisation traditionnelle, elle avait ses prêtres, ses soldats, ses diplomates et ses lettrés. La division rigoureuse du travail et la hiérarchie des activités combinées avec le zèle fanatique que nourrissaient un activisme théologique dynamique et une fidélité à toute épreuve envers les chefs firent de la secte des Assassins un acteur marginal mais avec lequel il fallait compter. La terreur inspirée par leurs tentatives d'assassinat était sans limites à partir du moment où ils pouvaient s'attaquer à n'importe qui, n'importe où. En Europe même, certains chefs d'État impliqués dans les croisades craignaient pour leur vie alors qu'ils étaient protégés dans leurs châteaux de France ou d'Angleterre (et il n'existe aucune source prouvant que les Assassins aient projeté de tels attentats). Mais la peur irrationnelle qu'inspirent les terroristes, sans proportion avec leurs capacités réelles de nuire, fait leur force. Pendant deux siècles, les Assassins survécurent grâce à cette peur qu'ils entretinrent magistralement et qui affectait les chefs d'État les plus puissants et les mieux protégés de l'époque, peut-être même de toutes les époques. Les objectifs des terroristes du XXIᵉ siècle ne sont pas foncièrement différents, même si la peur qu'ils inspirent à travers la menace d'attentats n'affecte pas exclusivement les grands de ce monde. Mais, dans un contexte démocratique, un attentat sur des civils peut faire basculer une élection. Aujourd'hui, alors que le terrorisme n'est pas encore entré dans l'ère de la haute technologie, notre subconscient collectif nous a déjà fait pénétrer dans le monde du terrorisme de destruction de masse. Pour illustrer ce phénomène, depuis 2001, la plupart des mesures antiterroristes prises par le gouvernement américain touchent aux armes de destruction massive alors que, dans les faits, les terroristes utilisent principalement des armes explosives classiques. Le « cyber-terrorisme » par exemple (qui utiliserait les moyens de la technologie informatique), dont les experts nous annoncent l'avènement depuis des années, n'a jusqu'à présent fait l'objet que d'un seul attentat sérieux[1], qui ne fit aucune victime.

L'histoire des Zélotes et plus encore celle des Assassins illustrent un fait occulté par la plupart des analystes du terrorisme contemporain, à savoir que le terrorisme n'est pas un phénomène récent.

Le terrorisme, s'il a évolué et changé de forme au cours des siècles, n'est pas né au XIXᵉ siècle comme le laissent trop souvent penser les experts en terrorisme[2]. Or, aujourd'hui, l'histoire des Assassins n'est pas plus éloignée de certains phénomènes contemporains que l'expérience des nihilistes ou des anarchistes du XIXᵉ siècle. L'histoire des Assassins met aussi à mal une autre idée reçue très répandue actuellement, à savoir que le phénomène terroriste est une conséquence directe de l'injustice sociale, économique et politique qui règne dans le monde et qui reproduit à l'échelle mondiale la lutte des classes de l'idéologie marxiste. Après le 11 septembre, de nombreuses voix se sont élevées pour accuser les États-Unis, l'Occident, le système capitaliste, le libéralisme ou la mondialisation d'avoir créé les conditions pour que se développe le terrorisme dans les sociétés défavorisées n'ayant aucun autre moyen de résister à l'impérialisme (américain, occidental, capitaliste, etc.). Cette analyse, bien entendu, est fausse. Et elle implique une autre idée tout aussi fausse, à savoir que l'éradication des injustices est la seule réponse possible au terrorisme. L'idée que le terrorisme est une conséquence des injustices sociales et économiques est liée au fait que l'on associe le terrorisme à ses origines européennes dans un contexte idéologique marqué par les doctri-

---

1. En Australie, en l'an 2000, un *hacker* a réussi, à travers la modification d'un programme informatique qu'il avait infiltré, à faire déverser des déchets dans des rivières, causant la mort de poissons (il avait lui-même travaillé sur l'installation du système infiltré et eut beaucoup`de difficultés à commettre cet acte).

2. Mais l'Américain Walter Laqueur fait exception dans ce domaine. Voir *A History of Terrorism*, Transaction Publishers, Londres, 2002 (1977).

nes politiques modernes (anarchisme, marxisme, nihilisme, fascisme) qui, toutes, contestent l'ordre « bourgeois » incarné aujourd'hui par le système capitaliste et la mondialisation. Le phénomène terroriste ne se réduit pas à une interprétation moderne, et subjective, du phénomène. Et, même si chaque groupe terroriste est particulier, certains traits similaires semblent affecter toutes les organisations terroristes qui ont en commun beaucoup plus que l'emploi d'une simple technique de combat. Or, force est de constater que l'on retrouve chez les Zélotes et chez les Assassins de nombreux traits communs avec les terroristes du XXIᵉ siècle.

# Manifestations de la terreur
# à travers les âges

par Gérard Chaliand et Arnaud Blin

## LE TYRANNICIDE

Nous avons vu que l'assassinat des personnalités politiques et religieuses fut la technique de base employée par les Assassins et que les Zélotes aussi y eurent recours. Aux XIX$^e$ et XX$^e$ siècles, l'assassinat politique fera aussi partie de la panoplie stratégique de plusieurs organisations terroristes. L'assassinat politique n'est pas l'apanage des terroristes. Et ce n'est pas parce qu'une organisation commet des assassinats politiques qu'elle agit nécessairement en terroriste. Toutefois, d'un point de vue philosophique, l'assassinat politique, à l'intérieur ou à l'extérieur du cadre terroriste, trouve ses origines dans l'Antiquité grecque et romaine avec la défense du tyrannicide. Pourquoi parler du tyrannicide dans le contexte du terrorisme ? Difficile en effet de voir un lien quelconque entre la philosophie d'Aristote et des organisations vouées à semer la terreur. Pourtant ce lien existe, d'abord parce que la pensée politique, en Occident et dans le monde arabe, fut fortement influencée par l'héritage grec. Ensuite parce que l'influence, directe et indirecte, que purent avoir les défenseurs du tyrannicide sur les groupes pratiquant l'assassinat politique fut importante au cours des siècles. Le soutien apporté par la philosophie (ou la théologie) est souvent considéré comme une source de légitimité appréciable par des révolutionnaires prêts à recourir à des actions violentes. Or le tyrannicide fut pendant longtemps l'un des moyens jugés légitimes pour lutter contre le despotisme.

Dans un contexte non démocratique, l'assassinat politique représente pratiquement l'unique moyen de contester l'autorité politique. C'est à la fois un moyen de protester, un moyen de déstabiliser un régime politique, ou un moyen de se débarrasser d'un chef d'État ou d'un dirigeant politique (en espérant peut-être un meilleur remplaçant). Quoi qu'il en soit, dès lors qu'un soulèvement populaire n'est pas envisageable – ce qui dans la plupart des sociétés est la norme – l'assassinat politique reste la seule manière de s'attaquer au pouvoir. La notion d'assassinat politique est liée tout d'abord à celle de despotisme. La plupart des assassinats politiques trouvent leur justification, chez ceux qui les organisent, dans le combat contre le despotisme. Cela est vrai aussi pour les terroristes qui justifient presque systématiquement leurs actions comme une lutte contre le despotisme, quelle que soit sa forme et même si au fond ce qu'ils combattent n'est pas vraiment un despote (l'Occident, les États-Unis ou le gouvernement espagnol par exemple). Les Assassins justifiaient les meurtres de personnalités à travers leur objectif affiché de renverser le régime despotique des Turcs seldjoukides. Que la plupart des groupes terroristes aient pour objectif de remplacer un régime despotique par un autre régime despotique importe peu finalement, puisque le but premier est d'abord d'engager un combat.

Dans les faits, n'importe quoi ou n'importe qui peut être qualifié de « despotique ». Durant la guerre en Irak de 2003, il était parfois difficile de discerner en France dans les médias une différence entre un tyran comme Saddam Hussein et le président américain George W. Bush (celui-ci, quelques réserves qu'on puisse avoir à son égard, est loin de posséder les qualifications lui permettant de prétendre au titre de tyran, ne serait-ce que parce qu'il est obligé d'affronter un parti d'opposition aux élections présidentielles). Dans le même ordre d'idées, les États-Unis sont souvent perçus comme une puissance despotique prête à tout pour imposer sa volonté au reste du monde. C'est de cette manière aussi que les terroristes corses justifient leur action contre un État français qualifié d'« oppressif » alors que le principal défaut de ce dernier est d'être trop laxiste à l'égard de ces mêmes terroristes. Dans ce contexte de subjectivité incontrôlée, toute action intentée contre un régime politique peut donc se justifier ainsi par une lutte contre le despotisme ou la tyrannie.

Chez les philosophes, la notion de despotisme ou de tyrannie est beaucoup plus précise. Chez Hérodote, la tyrannie s'oppose à la monarchie par le fait qu'elle est dénuée de facultés de prudence et de modération. Pour Platon, la tyrannie est une conséquence des dérives anarchiques des systèmes démocratiques qui, face à leur incurie, sont obligés de recourir à un tyran, lequel, enfant du peuple, n'hésite pas à frapper son propre « père ». Car la tyrannie se caractérise selon les philosophes par une dynamique proche de la relation parents/enfants. On retrouve cette interprétation chez Aristote qui voit dans la tyrannie une corruption du système politique représenté par la monarchie, mais où le père est figuré par le monarque ou le tyran plutôt que par le peuple. Cette vision de la politique est caractérisée par une interprétation morale du système (qui est bon ou mauvais). Or la recherche d'un système juste – et la recherche de la justice est le but de la politique – implique la destruction d'un système injuste. Le schéma politique tripartite d'Aristote – monarchie/tyrannie, aristocratie/oligarchie, timocratie/démocratie –, qui fit autorité durant des siècles, implique que la version corrompue de chaque système éloigne une société de la justice. Donc qu'il est du devoir des citoyens de rétablir le système correspondant en le débarrassant de toute corruption. En clair, que l'élimination physique d'un tyran relève en quelque sorte du devoir civique. Ainsi naît tout un courant politique qui va approuver sinon encourager cette pratique et qui prendra le nom de « tyrannicide », soit de parricide politique.

Dans la culture grecque, l'assassin du tyran s'élève au rang de héros. Selon Aristote, celui qui tue le tyran est un héros parce qu'il élimine celui qui a été coupable d'excès. À l'opposé, celui qui tue le voleur n'est pas un héros parce que les crimes de ce dernier ne sont dus qu'à ses exigences vitales. Déjà Aristote dissocie le tyrannicide du simple crime. Cette distinction philosophique n'aura guère de valeur dans le droit civil mais elle constituera une caractéristique importante de la culture politique antique et de celles qui s'en inspirent en Europe et dans le monde arabe. Les Romains, qui sont frappés par l'exemple de Brutus, semblent fascinés par cette notion. Appien, Dion Cassius et Plutarque utilisent cet exemple pour justifier le tyrannicide. Cicéron, contemporain de Brutus, affirmait que si l'assassinat était le plus condamnable de tous les crimes, le tyrannicide était en revanche l'action la plus noble qui soit, celle qui délivre l'humanité de la « cruauté d'une bête sauvage ».

Au Moyen Âge, John of Salisbury (XIIᵉ siècle) reprend le flambeau et analyse le phénomène du tyrannicide dans des termes similaires tout en discutant le problème de la légitimité d'un tel acte d'un point de vue religieux. Pour Salisbury, il est juste de se débarrasser des tyrans pour « libérer le peuple afin qu'il puisse servir Dieu ». Néanmoins, les moyens employés doivent concorder avec la morale : « Quant à l'usage du poison, dit-il, bien que je constate qu'il ait été utilisé immoralement par les infidèles, je n'ai jamais lu qu'il ait jamais été permis par aucune loi[1]. » Cette justification du tyrannicide, qu'accompagne une volonté de faire concorder un tel acte avec la loi et de lui accoler certaines règles de morale, est proche de la doctrine de la guerre juste à travers laquelle l'usage de la violence trouve une justification, dans des cas très précis, bien que sujets à interprétation. L'un des pères de la doctrine de la guerre juste, saint Thomas d'Aquin, mentionnera l'acte du tyrannicide dans des termes proches, c'est-à-dire que seul le besoin de préservation (donc d'autodéfense) peut justifier. Au début du XV$^e$ siècle, le XVI$^e$ concile œcuménique de Constance abolit officiellement le tyrannicide. Néanmoins, les philosophes, catholiques et protestants, continuent à défendre le droit de tuer un tyran. C'est le cas notamment du protestant Duplessis Mornay qui, sous un pseudonyme (Junius Brutus), signe son *Vindiciae contra Tyrannos* pour lequel il puise, comme Salisbury, dans l'Ancien Testament les cas justifiant le tyrannicide. La même année, 1579, voit la parution d'un autre pamphlet sur le tyrannicide, écrit cette fois par un humaniste écossais, George Buchanan. Son ouvrage fit scandale et fut interdit par le parlement. Toujours au XVI$^e$ siècle, le jésuite espagnol Juan de Mariana, auteur de *De rege et regis institutione* (1598), tente aussi de trouver des justificatifs religieux, moraux et politiques au tyrannicide mais il se perd en détails sur des problèmes tels que l'usage du poison (qu'il condamne), problème qui nous semble aujourd'hui d'une importance relative mais qui occupa beaucoup l'esprit de ceux qui écrivirent sur le tyrannicide à cette époque (son texte fut interdit par la Sorbonne après l'assassinat d'Henri IV). Mariana anticipait les traités politiques basés sur l'idée d'un contrat social (Hobbes, Locke, Rousseau) en légitimant le tyrannicide à partir d'une analyse sur l'origine et la nature de l'État reposant sur le concept de l'« état de nature » préfigurant la société humaine. Un demi-siècle plus tard, l'Anglais Edward Saxby publia un pamphlet en Hollande (1657), *Killing no Murder*, qui connut un grand succès, y compris, beaucoup plus tard, en France durant la période révolutionnaire. L'Italien Vittorio Alfieri rédigea peu avant la Révolution de 89 un document, *Della Tirannide*, dont l'influence sera grande au XIX$^e$ siècle. Selon l'écrivain et poète italien, seule la volonté populaire ou celle d'une majorité peut maintenir un tyran en place, et aussi le détruire. Alfieri élargissait la notion de tyrannie pour englober ce qu'il appelait les « tyrannies modérées », beaucoup plus dangereuses parce que moins visiblement violentes, mais capables d'anéantir un peuple à petit feu en lui prenant chaque jour « quelques gouttes de sang ».

---

1. *The Statesman's Book of John of Salisbury*, Prentice Hall, Englewood Cliffs, New Jersey, 1963.

Alfieri, qui fut beaucoup lu par les groupes révolutionnaires, annonçait paradoxalement les systèmes totalitaires que certains de ces révolutionnaires
allaient mettre en place.

On retrouve dans la plupart de ces documents sur le tyrannicide les
origines lointaines d'un concept que Jean-Jacques Rousseau va placer formel-
lement au centre de la philosophie politique : la volonté populaire. C'est la
volonté populaire qui pousse les hommes et leur donne le droit de s'insurger
contre un tyran déterminé à détruire son peuple. Mariana, pourtant si soucieux
des méthodes employées pour tuer le tyran, approuve non seulement son
assassinat (par les armes) mais aussi la désobéissance civile, du moment
qu'elle se justifie pour des raisons autres que personnelles et par les autorités
compétentes (et non par un individu ou un groupe isolés). À partir du XVIe siècle, le tyrannicide n'est plus, comme dans l'Antiquité, le fait du héros, de
l'individu qui se sacrifie pour sauver le peuple du despotisme. C'est au peuple
lui-même, ou à l'un de ses représentants, de prendre en charge cette tâche.
George Buchanan justifie l'entreprise en prônant une guerre contre le tyran
qui, pour avoir enfreint les lois de la société, peut être considéré comme un
ennemi du peuple et du pays, et traité comme tel. Pour Saxby, opposant de
Cromwell, l'assassinat du tyran est entrepris au nom de l'honneur, de la sécurité, et du bien public. Le tyrannicide est un devoir que l'individu ou le peuple
entreprennent au nom des leurs, et même de l'humanité, avec la bénédiction
de Dieu. Pour Saxby, à la différence de Mariana, tous les moyens sont bons
pour éliminer le tyran, la fin justifiant les moyens.

Mais Edward Saxby évolue dans un contexte politique radicalement différent. Son texte est publié une dizaine d'années après la signature du traité de
Westphalie (1648) qui mit fin à la guerre de Trente Ans et amorça un nouvel
ordre européen. C'est l'ère de la politique réaliste, la *realpolitik* comme on
l'appellera plus tard, de la raison d'État où les considérations morales n'ont
plus droit de cité. Ces transformations radicales du paysage politique européen vont de pair avec l'application d'un principe fondamental qui va régir
les relations internationales jusqu'à la fin du XXe siècle : la non-ingérence
dans les affaires des autres États. Ce principe stipule que chaque État est responsable de sa gestion politique, quelle que soit la nature de son régime, et
que sa liberté est entière dans ce domaine, y compris celle de tyranniser son
propre peuple. Ce n'est qu'à la fin du XXe siècle que le principe de non-inter-
vention dans les affaires internes d'un autre État est remis en question. En
pratique, les États les plus puissants bafouent ce principe (guerres coloniales,
guerres préventives) au détriment des États faibles de la périphérie, mais ils

le font au nom d'un intérêt supérieur : la sécurité, nationale et internationale. Aujourd'hui, le droit ou devoir d'ingérence est invoqué pour des raisons morales qui sont presque identiques à celles que l'on retrouve dans les textes philosophiques justifiant le tyrannicide. Il est significatif que la guerre en Irak en 2003, après avoir été « vendue » initialement par les dirigeants politiques américains et britanniques au nom de la sécurité (détruire les armes de destruction massive et endiguer la menace terroriste), a finalement trouvé un meilleur écho auprès du public dès lors que la propagande s'est fixée sur l'élimination d'un dictateur, ce qui aurait été impensable quelques années auparavant. Par ailleurs, la mise en place d'un tribunal pénal international pour les crimes au Rwanda et en ex-Yougoslavie, suivie de la création d'une cour pénale internationale, met à la disposition du droit international un mécanisme permanent et légitime permettant de juger des dirigeants politiques (déchus) pour des crimes commis contre leurs peuples, donc de juger par la loi d'anciens tyrans.

En conséquence, pendant des siècles, et jusqu'à un passé très récent, le tyrannicide constitua un phénomène marginal que seuls quelques théologiens et philosophes défendirent au nom d'une morale en décalage avec les pratiques politiques. Néanmoins, cette marginalisation servit probablement les intérêts de cette philosophie auprès des mouvements révolutionnaires qui émergèrent un peu partout à partir de la fin du XVIII$^e$ siècle. Conforté par les théories sur la volonté populaire de Rousseau, le tyrannicide a refait surface, s'inspirant de textes, classiques et modernes, décrits plus haut et surtout du modèle de la Révolution de 89, marquée par l'exécution de Louis XVI et de Marie-Antoinette. Mais au XIX$^e$ siècle, le tyrannicide n'est plus seulement un moyen de se débarrasser du tyran et de rendre la liberté au peuple. L'exécution du tyran est symbolique car elle permet une purification du système politique et la possibilité d'un nouveau départ, l'objectif n'étant plus seulement de changer de régime politique mais aussi de transformer la société. Cette nouvelle interprétation du tyrannicide, condamnée par les moralistes comme Emmanuel Kant, va néanmoins marquer tout le XIX$^e$ siècle. Les populistes russes furent des partisans du tyrannicide. Pour eux, la nature même d'un régime despotique nécessitait l'élimination physique de l'autocrate, seul moyen d'assurer la transformation et la régénérescence du système politique. Lénine appliquera ce principe à l'issue de la Révolution de 1917 en faisant exécuter sans procès la famille impériale russe. Pour de nombreux groupes révolutionnaires et organisations terroristes, le tyrannicide est un élément central de la philosophie. Mais, comme nous le verrons plus tard, le tyrannicide sert aussi de justificatif au terrorisme d'État, c'est-à-dire à la terreur employée par l'appareil d'État contre le peuple, et qui trouve son origine moderne dans la Révolution de 1789, celle précisément qui construisit son mythe autour de l'assassinat du souverain.

## AUX ORIGINES DU TERRORISME D'ÉTAT : LES CONQUÊTES MONGOLES

Nous reparlerons un peu plus loin de la Révolution française, car elle marqua aussi, dans le domaine de la terreur, un nouveau point de départ, ne serait-ce qu'en apportant au monde le terme de « terrorisme ». Mais, là encore, le terrorisme « d'en haut », c'est-à-dire celui pratiqué par l'État, ne date pas de 1789. Au cours des siècles qui précèdent les grands mouvements révolutionnaires du XVIII<sup>e</sup> au XX<sup>e</sup> siècle, la terreur est surtout pratiquée durant les périodes de guerre, et presque toujours en exploitant les ressources de l'appareil militaire plutôt que celles de la police. L'armée offre, de tous temps, un formidable instrument pour le terrorisme d'État. En Occident, et de manière générale dans les sociétés sédentaires, l'armée fut rarement employée comme une arme terroriste. Seul le cas particulier de la guerre civile, où les populations font partie intégrante de la guerre, déroge à cette loi. En Europe, la terrible guerre de Trente Ans fut probablement le seul conflit où la terreur fut d'un usage systématique. Mais cette guerre était née en partie des conflits religieux qui secouèrent l'Europe aux XVI<sup>e</sup> et XVII<sup>e</sup> siècles et elle garda toujours certaines caractéristiques des guerres civiles, bien qu'elle impliquât presque toutes les grandes nations européennes de l'époque (à l'exception de l'Angleterre aux prises avec sa propre guerre civile, et de la Russie). Le cas de la guerre de Trente Ans, que nous analyserons un peu plus loin, est à part dans l'histoire moderne et préfigure, au XVII<sup>e</sup> siècle, les grands conflits du XX<sup>e</sup> siècle. Ces derniers marquent l'ère des guerres totales et correspondent aux totalitarismes qui les accompagnent, c'est-à-dire à un système qui se nourrit de la terreur.

Avant l'avènement des totalitarismes modernes, les guerriers nomades pratiquèrent avec une redoutable efficacité le terrorisme à grande échelle. De toutes ces tribus, celle des Mongols fut la mieux organisée, la plus redoutable et la plus dévastatrice. À son apogée, l'Empire mongol devint l'empire le plus étendu de tous les temps, englobant la presque totalité du continent eurasiatique.

Les Mongols sous Gengis Khan disposaient d'un outil militaire supérieur à toutes les armées de leur époque. Leur supériorité provenait de leur mode de vie spartiate, de leur pratique des arts martiaux dès leur plus jeune âge, de leur organisation militaire, de leur mobilité et de leur supériorité incontestable dans la rigueur de la discipline. Mais ils disposaient d'un autre atout constitué par la pratique systématique de la terreur contre les populations. Nicolas Machiavel a bien perçu dans ses *Discours* la distinction entre le type de guerres pratiqué par les sociétés sédentaires, et celui pratiqué par les armées nomades :

« On peut distinguer deux différentes espèces de guerres à raison de leur différente source. L'une est due uniquement à l'ambition des princes ou des républiques qui cherchent à étendre leur empire : telles furent celles d'Alexandre le Grand, les guerres des Romains, et celles que se font chaque jour deux puissances entre elles. Ces guerres sont dangereuses mais elles ne vont point jusqu'à chasser les habitants d'une province. En effet, la soumission des peuples suffit au vainqueur ; la plupart du temps il les laisse vivre dans leurs propres maisons, et leur conserve leurs lois et leurs biens. La seconde espèce de guerre a lieu quand un peuple entier, contraint par la famine ou par la guerre, abandonne ses terres, ses femmes, ses enfants, et va chercher de nouvelles terres et une nouvelle demeure, non pour y dominer, comme ceux dont nous avons parlé plus haut, mais pour la posséder individuellement, après en avoir battu et chassé les anciens habitants. Cette espèce de guerre est la plus affreuse, la plus cruelle. [...] Ces peuplades sortent de leur pays, comme nous l'avons dit, chassées par la faim, ou par la guerre, ou par quelque genre de fléau qui les accable, et qui les oblige d'aller chercher de nouveaux territoires. Quelquefois, elles sont en si grand nombre qu'elles débordent avec impétuosité sur les terres étrangères, en massacrent les habitants, s'emparent de leurs biens, fondent un nouvel empire, et changent le nom du pays même. »

La société nomade, par rapport à la société sédentaire, est démographiquement très faible. La supériorité du guerrier nomade ne réside donc pas dans le nombre. C'est grâce à la concentration des forces et à travers l'effet de surprise que les nomades espèrent l'emporter sur leur adversaire. Et aussi grâce au choc psychologique qu'ils infligent à des populations mal préparées à affronter ce genre de fléau. En conséquence, ils comptent sur la terreur qu'ils inspirent aux populations et aux armées pour éviter les soulèvements après leur passage. La terreur devient donc un instrument fondamental de la stratégie du conquérant nomade.

Pour les nomades, la raison d'être de leur stratégie résidait dans l'anéantissement physique de l'adversaire. Il ne suffisait pas de remporter une victoire militaire mais il fallait l'exploiter le mieux possible en éliminant l'adversaire, pour que sa volonté de résister soit anéantie et pour qu'il ne puisse se reconstituer et livrer un autre combat.

L'usage systématique de la terreur fut institutionnalisé par Gengis Khan en parallèle avec sa réorganisation des armées mongoles. Mais c'est avec Tamerlan que l'emploi de la terreur atteint un raffinement inégalé jusque-là. Tamerlan ou Timour Leng (Timour le boiteux) se voulait l'héritier spirituel de Gengis Khan. De fait, il fut un digne successeur du grand khan mongol même si son œuvre conquérante fut moins durable. Tamerlan était un turcophone musulman imprégné de culture persane, qui souhaitait à la fois imposer l'islam tout en conservant l'héritage mongol et son code coutumier (*yassa*). En termes militaires, Tamerlan fut l'égal de Gengis, toutes ses entreprises étant couronnées de succès même s'il affronta à plusieurs reprises les mêmes adversaires.

Ce qui caractérise son entreprise est le fait qu'il s'attaque souvent à de grandes zones urbaines : Damas, Bagdad, Alep, Delhi, Ankara. Ses adversaires ne sont pas des moindres. Son ancien protégé nomade Toktamich est un formidable guerrier, tout comme l'Ottoman Bayazid (Bajazet). L'emploi systématique de la terreur contre les cités fait partie de l'arsenal stratégique de Tamerlan. Lorsqu'il assiège une ville, la reddition à la première sommation permet aux populations de conserver la vie sauve. En revanche, un refus est durement sanctionné par le massacre des civils, souvent dans des conditions atroces. Une fois terminé le pillage de la ville, Tamerlan fait élever des pyramides de têtes décapitées. Lors de la prise d'Ispahan (1387), les observateurs estiment à cent ou deux cent mille le nombre de victimes dans une ville qui comptait peut-être un demi-million d'habitants[1]. Après le massacre, Tamerlan fit construire une cinquantaine de pyramides comprenant mille à deux mille têtes chacune. En opérant de la sorte, Tamerlan espérait que les autres villes assiégées se rendraient à la première sommation. La technique ne fonctionna pas toujours et de nombreuses villes refusèrent néanmoins de se rendre. Toutefois, après le viol d'Ispahan, Tamerlan se rendit à Chiraz qui n'offrit aucune résistance. Selon lui, cette approche permettait d'éviter l'effusion de sang, du

---

1. Jean-Paul Roux, *Tamerlan*, Paris, Fayard, 1991, p. 98.

moins chez ceux qui raisonnablement rendaient les armes sans même combattre. La technique de la terreur restait toujours méthodique et il prenait soin d'épargner les élites : théologiens, artistes, poètes, ingénieurs, architectes, etc.

Ceux qui pratiquent la terreur à grande échelle invoquent généralement la raison d'État et une éthique justifiée par les conséquences ultimes de leurs actions (la paix). Mais peut-on comparer Harry Truman, qui prit la décision de bombarder le Japon, au féroce Tamerlan ? L'un des paradoxes du terrorisme est que ce qui apparaît comme une abomination aux uns est parfois considéré comme un acte libérateur par les autres. Peut-être est-ce justement parce que l'usage de la terreur est un moyen de la politique plutôt qu'une fin en soi. Le terrorisme trouve toujours une justification, au contraire du génocide qui est un objectif en soi. L'exemple de Tamerlan illustre de manière forte la façon dont un conquérant se sert de la terreur pour réaliser ses objectifs. Car le conquérant doit non seulement vaincre des armées et briser l'appareil d'État de son ennemi, mais il doit aussi soumettre des populations. Or, dès lors que les civils entrent en ligne de compte, l'usage de la terreur n'est jamais très loin.

## LA TERREUR DANS LA GUERRE : LA GUERRE DE TRENTE ANS

Alors que les Mongols et les Turcs pratiquaient une stratégie de conquête qui incluait l'usage de la terreur, l'Europe occidentale était largement épargnée par ce phénomène. La guerre en Europe était au Moyen Âge un événement hautement ritualisé dont l'idéal, qui, il est vrai, n'était pas toujours atteint ou respecté, fonctionnait selon un code où l'éthique occupait une grande place. L'emprise de l'Église, l'importance de la culture chevaleresque et l'homogénéité culturelle de l'Europe contribuaient à limiter les effets de la guerre. Les armées, onéreuses, étaient petites. Lors des conflits, les populations civiles étaient loin d'être épargnées. C'était elles, d'abord, qui finançaient la guerre à travers les taxes. C'était elles ensuite qui subissaient les conséquences habituelles des conflits : famines, pillages, saccages. Mais dans un univers où la vie d'un homme du peuple ne vaut pratiquement rien, et où la population est en grande majorité rurale, les civils n'ont aucune raison d'être des cibles militaires. La guerre est donc principalement une affaire qui touche les États et leurs souverains ainsi que les armées qui, souvent, sont des entreprises privées. La guerre évolue dès le XIV<sup>e</sup> siècle avec le retour au premier plan du fantassin qui nécessite de nouvelles bases de recrutement, mais elle reste une affaire limitée. Rien de comparable en tout cas avec les développements que connaissent l'Asie centrale et le Moyen-Orient.

C'est un événement religieux qui va modifier la donne stratégique avec la Réforme et la Contre-Réforme. Bientôt le civil est au cœur des conflits qui opposent catholiques et protestants. D'un point de vue stratégique, la Réforme apporte à l'art de la guerre une dimension morale issue de l'éthique protestante et de la culture humaniste dont sont imprégnés les stratèges protestants. Le roi de Suède Gustave-Adolphe, par exemple, applique une certaine éthique à l'organisation de ses armées. Néanmoins la pratique de la guerre durant la première moitié du XVII$^e$ siècle va se révéler particulièrement cruelle.

Les guerres de religion, les guerres civiles, les guerres « d'opinion » ont toutes un point en commun : elles impliquent les populations civiles. Les guerres de religion qui frappent l'Europe au XV$^e$ siècle se distinguent des guerres « chevaleresques » par leur violence et surtout par leur manque de « discrimination », qui fait que les non-combattants, contrairement à tous les préceptes de la « guerre juste » établis par l'Église, sont des cibles privilégiées. Les guerres de religion ont deux caractéristiques. D'abord, les armées impliquées sont modestes. Ensuite, elles se concentrent avant tout sur la réduction de villes tenues par l'ennemi. Entre 1579 et 1585, le gouverneur des Pays-Bas, Alexandre Farnèse, pratique une « stratégie des accessoires[1] » qui consiste en une succession d'assauts sur des villes rebelles accompagnés de la destruction des campagnes dans le but d'éliminer les sources de ravitaillement. Qu'il s'agisse des Pays-Bas, de la France ou de l'Angleterre, les conflits religieux se limitent avant tout à des opérations militaires de basse intensité : les armées coûtent cher et l'on préfère d'autres moyens moins onéreux. Ainsi les efforts se concentrent-ils sur les populations, les soldats choisissant de « battre l'estrade[2] », c'est-à-dire de débusquer l'ennemi dans les campagnes, de brûler les récoltes et d'abattre (ou voler) les troupeaux. Le nombre d'opérations de petite envergure est inversement proportionnel au nombre de batailles rangées. La violence est partout et elle peut frapper n'importe qui, n'importe quand. Dans ces conditions particulières, même la sacro-sainte trêve hivernale n'est pas respectée. Le massacre de populations devient une arme stratégique : en 1562,

---

1. Voir David El Kenz et Claire Gantet, *Guerres et paix de religion en Europe, XVI$^e$ - XVII$^e$ siècles*, Paris, Armand Colin, p. 20.

2. *Ibid.*, p. 21.

François de Beaumont, lieutenant de Condé, commet « quatre mille meurtres de sang-froid » durant la campagne qu'il mène en Provence, dans le but d'anéantir toute volonté de résistance.

Les guerres de religion, si elles s'en prennent aux civils, provoquent aussi leur participation dans les combats. Dans les Cévennes, les camisards commettent des attentats contre les missionnaires catholiques. En Bavière, les paysans s'organisent en guérilla. Mais les civils sont le plus souvent les victimes des massacres. En France, dans la décennie qui s'étend de 1562 à 1572, on assiste à des dizaines de massacres de civils. En 1562, une trentaine de villes sont affectées. En 1572, année de la Saint-Barthélemy (24 août), on recense une dizaine de milliers de morts entre août et octobre[1]. Cette période est également fertile en tyrannicides. Tous ces massacres, tous ces tyrannicides ne participent pas d'une campagne de terreur organisée. Beaucoup de massacres sont perpétrés par des civils contre d'autres civils. Leur caractère est passionnel : on observe que les massacreurs s'acharnent sur les cadavres. Par ailleurs, les massacres appellent les massacres. Néanmoins, la terreur est aussi un instrument de l'État, que celui-ci utilise avec la bonne conscience de celui qui est certain d'être dans son bon droit. Quant aux tyrannicides, ils n'ont pas le caractère terroriste des tyrannicides de la secte des Assassins mais visent plutôt à éliminer un chef d'État particulier, pour des raisons passionnelles ou politiques.

En bref, l'usage de la terreur dans le cadre des guerres de religion n'est qu'un phénomène secondaire noyé dans une atmosphère de violence généralisée. La guerre de Trente Ans (1618-1648) s'inscrit au départ dans la continuité des guerres de religion et ne concerne, au début, que les affaires intérieures du Saint Empire romain germanique. Mais l'Europe bouge et les puissances montantes comme la France et la Suède bousculent le rêve d'hégémonie impériale qu'entretiennent les Habsbourg. À terme, le choc entre les puissances impériales et leurs opposants se greffe à la guerre civile qui engloutit l'Allemagne. C'est donc en toute logique que le brasier allemand va littéralement exploser. La violence inhérente aux guerres civiles va trouver une nouvelle source d'énergie avec les armées massives qui affluent de toute l'Europe. Ces armées ont deux formes distinctes. Les armées privées de mercenaires, dont la plus redoutable est celle dirigée par Albrecht von Wallenstein, un Tchèque au service des impériaux, affrontent sur le terrain les armées nationales modernes, dont la plus fameuse est celle de Gus-

---

1. *Ibid.*, p. 24.

tave-Adolphe. Deux mondes, deux époques, deux approches de la guerre coexistent sur ce territoire ravagé par le conflit. À l'inverse des guerres de religion du XVIᵉ siècle, la guerre de Trente Ans met en scène des armées gigantesques dont la taille était inconnue jusqu'alors en Europe (cette inflation se poursuivra après la guerre, notamment en France sous Louis XIV).

Conséquence de cette violence incontrôlée combinée à cette masse militaire, le civil se trouve au centre des combats dont il est la première victime. À terme, la population allemande qui avoisine les 20 millions d'habitants au début du conflit régresse de 50 à 60 % durant les trois décennies que dure la guerre. Pour la plupart, les civils sont d'abord victimes des « dégâts collatéraux » de la guerre, comme on les appelle aujourd'hui, c'est-à-dire les épidémies, les famines, et les conséquences des déplacements massifs de populations. Ensuite, les civils sont des victimes directes des armées régulières ou des bandes armées (constituées par des déserteurs) qui sévissent dans les campagnes où l'anarchie s'est installée par la force des choses. Enfin, les civils sont aussi victimes de campagnes de terreur orchestrées par les armées à des fins stratégiques, exactement comme pour les armées de Tamerlan.

Dans ce domaine, toutes les armées engagées ont leur part de responsabilité. Après des décennies de combats, les généraux, las de mener campagne, pensaient accélérer le processus en terrorisant l'ennemi. Comme toujours, c'est dans le cadre d'assauts urbains que ces campagnes furent organisées. Il existe de nombreux exemples de campagnes de terreur. La plus connue, et celle qui fit le plus de bruit à l'époque, fut le sac de Magdebourg, le 20 mai 1631. À cette occasion, l'armée impériale de Tilly somma la ville de Magdebourg de se rendre. Les impériaux redoutaient que la résistance de la ville ne pousse d'autres villes du nord de l'Allemagne à se joindre à la Suède. Alors que les Magdebourgeois essayaient de temporiser, les impériaux investissaient la place qui, malgré l'aide des Suédois, n'était pas de taille à résister. Une fois à l'intérieur, les soldats de Tilly, encouragés par son second, Pappenheim, massacrèrent l'ensemble de la population. Les conséquences de cet acte allaient se retourner contre leurs auteurs. Choqués par le massacre qui avait mis toute l'Europe en émoi, les protestants, qui jusque-là étaient divisés, trouvèrent là les ressources psychologiques pour se rassembler et combattre ensemble l'armée impériale. Tilly, qui jusque-là bénéficiait d'une excellente réputation, la perdit de façon définitive. Jamais il ne se remettrait de cette décision. Au contraire, les Suédois ztrouveront un second souffle après le viol de Magdebourg.

Mais les impériaux n'étaient pas les seuls à recourir à ces techniques. Le célèbre roman de Grimmelshausen, *Simplicius Simplicissimus*, qui a pour cadre la guerre de Trente Ans, retrace en détail toutes les horreurs que pouvaient infliger les soldats des deux camps aux populations civiles. La France n'était pas en reste. Un exemple parmi d'autres : lors de la campagne en Lorraine, le marquis de Sourdis, aux ordres de Richelieu, prit d'assaut la petite ville fortifiée de Châtillon-sur-Saône. Le 4 juin 1635, Sourdis écrasa la garnison de quatre cents soldats lorrains et croates chargés de défendre la place. Une fois à l'intérieur, il chargea ses soldats de faire un exemple capable de terroriser l'ensemble de la région. Ses hommes massacrèrent sommairement les soldats qui avaient réchappé du combat, puis ils constituèrent un tribunal de campagne devant lequel comparurent des habitants, la plupart choisis au hasard. Parmi les condamnés figurait le prévôt, un certain Pierre Vernisson, agé de 95 ans ! Après avoir pendu ses victimes aux arbres d'une forêt avoisinante, Sourdis ordonna qu'on laisse pendre les cadavres au bout de la corde. Ainsi, pensait-il, le choc serait encore plus fort et la nouvelle pourrait se propager encore mieux et plus loin. Pour cet exploit remarqué, Sourdis reçut une lettre de félicitations signée de Richelieu.

Les atrocités de la guerre de Trente Ans allaient engendrer les fameux accords signés en Westphalie en 1648 qui mettaient fin au conflit. Lents à déboucher sur une signature, les traités de Münster et Osnabrück allaient pourtant enfanter l'un des accords de paix les plus réussis de tous les temps. La guerre n'était pas éliminée du théâtre européen, mais telle n'était pas l'intention des architectes de la paix westphalienne pour qui le recours aux armes était un instrument du maintien général de l'équilibre géopolitique. Loin de l'idéalisme arrogant qui imprégnait les esprits à l'issue de la guerre de 1914-1918, guerre qui « devait en finir avec toutes les guerres », l'esprit qui animait les diplomates de Westphalie était concerné avant tout par ce qu'on appellerait aujourd'hui les droits de l'homme. La violence et la terreur qui l'avaient accompagnée tout au long représentaient pour les diplomates un fléau qu'il fallait absolument éliminer. À cette fin, ils eurent recours à deux principes de base. Le principe de l'équilibre tablait sur le maintien du *statu quo* géopolitique en assurant à travers des mécanismes complexes mais fiables qu'aucun État ne serait capable de dominer tous les autres. Le principe de non-ingérence stipulait qu'aucun État ne pouvait s'immiscer dans les affaires intérieures d'un autre pays. Étant donné que chaque pays respectait selon le traité de 1648 le principe, assoupli par rapport à la calamiteuse paix d'Augsbourg de 1555, du *cujus regio, cujus religio* (la religion du prince est la religion du peuple), chaque religion devait prospérer en toute liberté dans chacun de ses espaces réservés. Contrairement à l'interprétation contemporaine du principe de non-ingérence, où celui-ci est envisagé comme allant à l'encontre du respect des droits de l'homme, ce principe était considéré, au XVIIᵉ siècle, comme un énorme progrès dans ce domaine. De fait, la paix de Westphalie marqua un arrêt total des guerres de religion, et des campagnes de terreur qui les accompagnaient. Il fallut attendre 1789 pour que la pratique de la terreur refasse surface. Mais, cette fois, la terreur prit une tout autre dimension. Elle n'était plus un outil secondaire de l'appareil militaire mais un instrument fondamental de l'appareil d'État moderne. Avec la Révolution française naît la terreur moderne, et avec elle le terme de « terrorisme ».

Deuxième partie

# L'ère moderne, de 1789 à 1968

# L'invention de la terreur moderne

par Gérard Chaliand et Arnaud Blin

« Le révolutionnaire est un homme perdu d'avance. Il n'a pas
d'intérêts particuliers, d'affaires privées, de sentiments, d'attaches personnelles, de propriété, il n'a même pas de nom. Tout en
lui est absorbé par un seul intérêt à l'exclusion de tout autre, par
une seule pensée, par une passion – la révolution. Au fond de
son être, non seulement en paroles mais en actes, il a rompu tout
lien avec l'ordre public et avec le monde civilisé tout entier, avec
toutes les lois, convenances, conventions sociales et règles morales de ce monde. Le révolutionnaire en est un ennemi implacable
et il ne continue à y vivre que pour le détruire plus sûrement. »

Sergueï Netchaïev, *Catéchisme révolutionnaire*

La Révolution française est une période charnière dans l'histoire du terrorisme. C'est là que le terme de « terreur », qu'on peut aussi appeler « terrorisme d'État », fait son apparition, préfigurant une pratique qui va se
développer considérablement au XXᵉ siècle avec l'avènement des totalitarismes et de la violence à grande échelle. Le terme « terrorisme », bien
entendu, provient de l'expérience de la Terreur qui sévit en 1793 et 1794. Le
siècle des Lumières a donné à l'humanité l'idée de la souveraineté populaire. C'est en son nom que la Révolution propose de la défendre par le truchement d'une terreur d'État où les fins justifient les moyens, y compris les
plus violents.

Après la Terreur, le XIXᵉ siècle marque une longue parenthèse pour le terrorisme d'État, qui ne fait sa véritable réapparition qu'en 1917. Entre-temps
se développe une nouvelle forme de terrorisme politique qui va se perpétuer

jusqu'à nos jours. Le terrorisme dirigé contre l'État n'est pas un phénomène nouveau, comme nous l'avons constaté avec les Zélotes et les Assassins. Néanmoins, le terrorisme moderne est différent. D'abord, il n'est plus religieux – le religieux ne refait surface, dans le contexte du terrorisme, que durant la seconde moitié du XX$^e$ siècle. Plus exactement, sa dimension religieuse, définie en termes classiques, est quasiment inexistante. Ensuite, ce terrorisme est pratiqué par des groupes souvent marginaux qui n'ont pas toujours des objectifs politiques clairement définis. Ils participent à divers courants – anarchistes, nihilistes, populistes, marxistes, fascistes, racistes, etc.

Les terroristes de la fin du XIX$^e$ siècle sont influencés par la tradition romantique, de la même manière que Robespierre était l'héritier des Lumières. Ce nouveau terrorisme se développe dans un contexte géopolitique et géostratégique très particulier. D'abord, le XIX$^e$ siècle est un siècle de remise en question secoué par plusieurs vagues révolutionnaires. C'est un siècle violent où la guerre est devenue un phénomène de masse qui ne concerne plus seulement les chefs d'État et les armées mais des sociétés entières. La technologie enfin, et l'industrialisation, font que la violence possède désormais un potentiel de destruction phénoménal. Les progrès réalisés durant la seconde moitié du XIX$^e$ siècle en termes de technique des explosifs vont contribuer sensiblement à l'éclosion de mouvements terroristes qui, par définition, constituent une forme de lutte au coût peu élevé et au potentiel de rendement inversement proportionnel aux moyens engagés et, souvent, aux risques encourus.

Sur le plan géopolitique, le XIX$^e$ siècle marque l'effondrement progressif de l'ordre westphalien, de l'équilibre des puissances et, surtout, la dislocation de plusieurs empires historiques. C'est aussi l'époque des revendications nationales. Les Balkans sont un théâtre géopolitique extrêmement fragile car la région se trouve à l'intersection de deux empires déclinants : l'autrichien et l'ottoman. C'est là que bon nombre de mouvements indépendantistes vont naître à la fin des années 1870 – lorsque l'Empire ottoman est amputé de ses territoires européens – et perdurer jusqu'à la période de décolonisation qui se termine presque un siècle plus tard. L'assassinat de l'archiduc d'Autriche en 1914 intervient dans ce contexte politique qui dépasse le cadre régional puisque c'est l'étincelle qui déclenche la Première Guerre mondiale. Avant cela, le terrorisme se manifeste en France et en Europe du Sud, avec les mouvements anarchistes qui prônent la « propagande par le fait », et en Russie où anarchistes, nihilistes et populistes s'expriment au sein d'une société en pleine crise. Finalement, ce sont les bolcheviks qui l'emportent. Lénine utilise la terreur d'État pour asseoir son pouvoir et le consolider une fois déclenchée la révolution. Il pose les premiers jalons d'un terrorisme d'État pratiqué à une échelle jusqu'alors inconnue. Son successeur à la tête de l'Empire soviétique, Joseph Staline, exploite un système terroriste déjà bien en place grâce à un appareil politique aux ordres dès le début des années 1930 et instaure un pouvoir absolu autour de sa personne. Le modèle soviétique fera des émules dans le monde, notamment en Chine et jusque dans les années 1970 avec les Khmers rouges au Cambodge.

Le cas irlandais est un autre modèle terroriste qui sera repris par de nombreux mouvements nationalistes de par le monde. Face à la démocratie britannique, et en pleine guerre, l'IRA arrache une victoire politique en obtenant l'indépendance de l'Irlande (Eire) au lendemain de la Grande Guerre. Les Irlandais sont les premiers à comprendre les mécanismes complexes qui définissent la disproportion entre le potentiel stratégique extrêmement faible de l'arme terroriste et les gains politiques potentiellement très élevés. L'IRA et son stratège Michael Collins parviennent à déséquilibrer l'Angleterre avec des moyens limités mais une organisation de premier plan. C'est cette expérience qui va porter les espoirs de nombreux mouvements indépendantistes en Europe et ailleurs.

Durant l'entre-deux-guerres, le terrorisme est généralement associé à des mouvements indépendantistes ainsi qu'à des mouvements terroristes d'extrême droite, comme l'*Oustacha* croate d'Ante Pavelitch, qui se hissa un moment au pouvoir avec le soutien de l'Allemagne hitlérienne. Des États européens manipulent certains mouvements afin d'affaiblir des rivaux ou des adversaires. C'est une période, contrairement à la précédente, où la politique internationale se caractérise par une volonté partagée de déséquilibrer le système et de changer le *statu quo*. À ce jeu-là, les organisations terroristes constituent de formidables éléments perturbateurs. Mentionnons à cet égard, durant la République de Weimar, l'assassinat du ministre des Finances Walter Rathenau.

Le terrorisme, durant la Seconde Guerre mondiale, est souvent davantage qu'une force d'appoint pour certains des mouvements de résistance. Après la guerre, divers mouvements indépendantistes vont suivre le chemin tracé par les Irlandais un quart de siècle plus tôt. Cette fois, la marche de l'Histoire est favorable aux organisations revendiquant leur indépendance car les empires coloniaux ont perdu leur légitimité durant la Seconde Guerre mondiale. Les mouvements de libération, nationalistes ou marxistes-léninistes, quand ils sont obligés de combattre pour arracher l'indépendance, usent surtout de la guérilla et, d'une façon seconde, de l'arme terroriste.

En marge du sionisme officiel incarné par le Haganah, deux groupes prônant la violence : l'Irgoun, puis le groupe Stern qui s'en détache, utilisent le terrorisme à la fois pour obliger les Anglais à se retirer et à l'encontre des Palestiniens. Vingt ans plus tard, les Palestiniens utiliseront à leur tour l'arme du terrorisme pour combattre l'État israélien dans le cadre d'un conflit qui, depuis ses origines, est territorial.

En 1947, la Grande-Bretagne se retirait de l'Inde après avoir organisé la partition du pays. C'est en Inde cependant que se développe au début du siècle la « philosophie de la bombe », une approche du terrorisme qui mêle des éléments de la culture indienne et de la culture occidentale de la violence et où les terroristes indiens s'inspirent au départ de l'expérience russe du tournant du siècle.

Dans les années cinquante, les Britanniques doivent faire face au Kenya au mouvement Mau-Mau, qu'ils parviennent à juguler. Par contre, en Europe, à Chypre et dans la péninsule arabe, à Aden, les Britanniques ne peuvent venir à bout d'organisations terroristes qui ont compris que la bataille de la décolonisation se joue principalement sur le théâtre de la politique et non sur le terrain militaire. La France, autre puissance coloniale, subit le même sort en Algérie où le FLN use du terrorisme pour s'imposer comme mouvement principal de la résistance algérienne. Le général de Gaulle, comme ses homologues britanniques un peu plus tôt, a l'intelligence de comprendre que la bataille politique, dans ce contexte, est perdue d'avance.

La fin des années cinquante et le début des années soixante marquent la transition entre les guerres de libération nationale et les mouvements terroristes contemporains qui s'inspirent à la fois de cette expérience et de l'idéologie lénino-maoïste adoptée par une majorité de mouvements indépendantistes. À partir de 1968, le terrorisme publicitaire fait sa véritable apparition et signale l'avènement d'une nouvelle étape de l'histoire du terrorisme.

L'usage de la terreur à des fins politiques ou militaires n'est pas né, comme nous l'avons vu, avec la Révolution française. Et les terroristes existaient bien avant que le terme soit inventé à l'occasion de la Terreur de 1793-1794. Très vite cependant, l'emploi des mots « terroriste » et « terrorisme » se généralise dans le langage courant. Le dictionnaire de l'Académie française de 1798 décrit le phénomène du terrorisme comme « système, régime de la terreur ». Auparavant, l'usage de ce terme avait déjà franchi la Manche : dès 1795, Edmund Burke décrivait les révolutionnaires français de la manière suivante : « *thousands of those hell hounds called terrorists* ». Tous les mouvements terroristes du XIXᵉ siècle trouvent leur origine dans les idées proclamées en 1789 alors que la Révolution russe de 1917 amorce ce qui constituera l'apogée aberrant de la politique moderne de la terreur.

La guerre totale, le totalitarisme et le terrorisme naissent en même temps et au même moment que la liberté, les droits de l'homme et la démocratie. Il semble difficile de réconcilier ces pôles tellement ils semblent opposés l'un à l'autre. La Révolution américaine de 1776 tend vers le pôle de la liberté et de la démocratie libérale. La Révolution russe constitue le second pôle, avec le totalitarisme et le terrorisme d'État. La Révolution française se situe à mi-chemin. C'est elle qui enfante la révolution des droits de l'homme et invente la terreur d'État au nom de la vertu, d'où sa complexité et la difficulté inhérente à interpréter les divers éléments qui la composent.

De manière générale, la Terreur est comprise comme une période de la Révolution plutôt qu'une « forme de la politique révolutionnaire » que l'on pourrait définir comme « l'emploi de la contrainte et de la violence à des fins politiques et dans le silence des lois[1] ». L'interprétation de la Terreur a évolué au gré des modes historiographiques et de l'outillage utilisé par les différentes écoles, comme l'interprétation socio-économique de la Révolution par Jaurès et Albert Soboul ou celle, récente, de l'histoire culturelle qui tend à mettre en avant les racines anthropologiques de la violence par exemple, tout en minimisant le caractère purement politique du phénomène. La médecine a récemment fait une incursion intéressante dans l'historiographie de la Révolution avec la biographie de Robespierre écrite par le psychiatre et historien Jean Artarit[2]. Par ailleurs, l'analyse de la Terreur a souvent polarisé les diverses interprétations, opposant par exemple les analyses « réactionnaires » décrivant la Terreur comme l'illustration de l'irrationalité révolutionnaire à certaines analyses marxistes qui voient à travers ce moment une culmination de la lutte des classes, tandis que le courant libéral perçoit la Terreur comme un « dérapage[3] ».

Comme pour toute l'histoire du terrorisme en général, les historiens ont trop souvent voulu expliquer la Terreur révolutionnaire à travers le fanatisme de quelques individus. Comme pour les Assassins ou les terroristes islamistes d'aujourd'hui, cette explication, pourtant répandue, est loin d'être satisfaisante. Elle tend à minimiser l'action terroriste comme un moment d'égarement psychologique qui échappe à nos catégories rationnelles. Comme le résume Patrice Gueniffey, « la Terreur n'est ni le produit de l'idéologie, ni une réaction motivée par les circonstances. Elle n'est imputable ni aux droits de l'homme, ni aux complots des émigrés de Coblence, ni même à l'utopie jacobine de la vertu : elle est le produit de la dynamique révolutionnaire, et, peut-être, de toute dynamique révolutionnaire. En cela, elle tient à la nature même de la révolution, de toute révolution[4]. »

En effet, des révolutions aussi disparates que la révolution bolchevique de 1917 ou la révolution iranienne des ayatollahs vont produire des régimes fondés sur une politique terroriste. La révolution iranienne inaugure une stratégie terroriste, qui s'étend au-delà des frontières nationales et qui va habilement faire fusionner une politique révolutionnaire de la terreur avec une pratique du terrorisme religieux dont on peut faire remonter la généalogie jusqu'aux Assassins.

---

1. Patrice Gueniffey, *La politique de la terreur,* Paris, Gallimard, coll. « Tel », 2000, p. 13.
2. Jean Artarit, *Robespierre ou l'impossible filiation*, Paris, La Table Ronde, 2003.
3. Par exemple François Furet et Denis Richet, *La Révolution française*, Paris, Fayard, 1973, p. 125.
4. Gueniffey, *op. cit.*, p. 14.

D'un point de vue historique, la Terreur commence le 5 septembre 1793 sous la Convention et se termine le 27 juillet 1794 avec la chute de Robespierre (9 thermidor), soit une période de moins d'une année. Toutefois, des actes de terreur, certes beaucoup moins extrêmes, se poursuivent après thermidor[1]. Si la Terreur ne se termine pas réellement avec thermidor, peut-on affirmer qu'elle commence seulement le 5 septembre 1793 alors que tous les éléments semblent en place pour la pratiquer ? Difficile de retracer avec précision les origines de la Terreur. Certes, les massacres et les appels à la violence à des fins politiques commencent dès les débuts de la Révolution en 1789. Mais s'agit-il vraiment d'actes terroristes ? C'est là encore toute la difficulté à trouver une définition satisfaisante de la terreur et de la politique terroriste. Pour simplifier notre démarche, nous aborderons la terreur comme un phénomène *politique*. C'est d'ailleurs sous cet angle que la plupart des dictionnaires la définissent, mais souvent aussi à partir de l'expérience historique de 1789.

Ainsi *Le Robert* : *(Depuis 1789). Peur collective qu'on fait régner sur une population, un groupe, pour briser sa résistance ; régime, procédé politique fondé sur cette peur, sur l'emploi des mesures d'exception et de la violence.* De là suit la définition du terrorisme : *gouverner par la terreur.* Pour *Le Larousse*, le terrorisme est l'*emploi systématique de violence à des fins politiques.*

Consultons les dictionnaires spécialisés de politique et de stratégie. Le *Dictionnaire de la pensée politique* qui n'a pas d'entrée pour le concept de terrorisme nous donne la définition suivante de la terreur : *Période où sont déployées des mesures destinées à épouvanter et détruire des ennemis et, plus généralement, ensemble de mesures visant ces buts*[2].

Le *Dictionnaire de stratégie* aussi part de l'expérience de 1789 pour définir le concept de terrorisme : *La « terreur » est un état, une peur exacerbée, quand le terrorisme est action. Les deux notions tendent, toutefois, à se recouvrir dans la mesure où, depuis la Révolution française, la terreur est aussi un régime politique, voire un procédé de gouvernement permettant de briser à force d'effroi collectif ceux qui résistent, tandis que le terrorisme, dépassant souvent les initiatives ponctuelles pour devenir « stratégie », postule l'emploi systématique de la violence*[3].

---

1. Voir Bronislaw Baczko, *Comment sortir de la Terreur, Thermidor et la Révolution*, Paris, Gallimard, 1989.

2. Dominique Colas, *Dictionnaire de la pensée politique. Auteurs, œuvres, notions,* Paris, Larousse-Bordas, 1997, p. 253.

3. Pierre Dabezies, « Terrorisme », in Thierry de Montbrial et Jean Klein, *Dictionnaire de stratégie*, Paris, PUF, 2000, pp. 581-582.

Enfin, le *Dictionnaire de la pensée stratégique* définit le terrorisme avant tout comme un phénomène politique : *Action spectaculaire violente, mais de dimension limitée, visant à dégrader la volonté de lutte de l'adversaire. [...] Phénomène temporaire et limité dans l'espace, le terrorisme constitue un moyen au service d'une fin*[1]. Seule définition à ne pas s'attacher à 1789, elle stipule néanmoins une limitation de l'acte terroriste, à la fois en termes de moyens, d'espace et de temps.

Plus précisément, on peut ajouter que, pour que le terrorisme dure dans le temps, il doit nécessairement être limité dans les moyens et dans les résultats. Au contraire, le terrorisme aux moyens illimités ne dure en général que peu de temps : soit il est vaincu, soit il atteint ses objectifs. Même la grande terreur stalinienne, dont la durée est longue par rapport aux autres exemples historiques, n'atteint de paroxysme, comme en 1937, que durant des périodes circonscrites. Pour que l'usage de la terreur soit efficace, l'État doit « doser » ses campagnes terroristes et faire jouer « l'alternance », exactement comme le font les tortionnaires durant une séance de torture, ce que comprit parfaitement Joseph Staline.

La Terreur constitue à la fois l'acte fondateur de la terreur d'État moderne et le modèle à partir duquel se définit et se comprend l'usage stratégique de la violence par l'appareil d'État. « La terreur est à l'ordre du jour », dit la Convention qui prétend ainsi « frapper de terreur les ennemis de la Révolution ». Faisons la distinction entre la violence collective que l'on constate au début surtout de la Révolution et la terreur « stratégique » qui, elle aussi, prend racine dès les premiers soulèvements révolutionnaires avec la création du Comité des recherches de la ville de Paris, comité dont l'architecte est Brissot et qui annonce le futur Comité de sûreté générale de 1793. Le Comité des recherches, créé le 21 octobre 1789, a pour mission de déjouer les complots contre la Révolution. Il ira encore plus loin en inventant de toutes pièces des complots fictifs[2]. Pour déjouer les complots, ce Comité table sur les dénonciations. Il s'applique donc à mettre en place toute une politique de délation et promet aux membres du Comité qu'ils « s'assureraient, en cas de besoin, des personnes dénoncées, les interrogeraient, et rassembleraient les pièces et preuves[3] ». Les membres du Comité ont accès à des fonds qui permettent de rémuné-

---

1. François Géré, *Dictionnaire de la pensée stratégique*, Paris, Larousse-Bordas/HER, 2000, pp. 269-270.
2. Gueniffey, *op. cit.*, p. 91.
3. *Ibid.*, p. 87.

rer les délateurs, proportionnellement à l'importance des informations données. Pour se maintenir en activité – et ses détracteurs sont nombreux – le Comité agit comme toutes les institutions de ce type : il invente et crée de toutes pièces des complots et des ennemis. Des organismes comme la CIA n'agiront pas différemment, dans un tout autre contexte, et toujours en invoquant la même raison, celle de l'État, ou de la Révolution : « La fin justifie les moyens[1]. » Après la création de ce Comité, et aussi du Comité des recherches de l'Assemblée nationale, se mettent en place les institutions qui permettront de faire usage de la terreur comme le Tribunal révolutionnaire et le Comité de salut public. En 1791, l'Assemblée législative prend la même direction avec pour cibles et victimes les émigrés. Dès 1792, à la fin de l'été, la création d'un tribunal criminel extraordinaire permet les rafles et les exécutions sommaires de prisonniers. La mécanique terroriste est en marche.

En 1793 et 1794, un pas supplémentaire est accompli lorsque la terreur est institutionnalisée par le pouvoir central qui en fait la politique de la Révolution. 1794 marque le point d'orgue de la politique de la terreur lorsque le gouvernement met en pratique sa stratégie d'extermination des « ennemis du peuple » qu'illustre la campagne menée en Vendée et qui place les contre-révolutionnaires sur le même plan qu'une nation étrangère ennemie. Face à une nation ennemie, l'usage de la force dans une perspective d'autodéfense se justifie même sur un plan moral. « La terreur, dit François Furet, est le gouvernement de la crainte, que Robespierre théorise en gouvernement de la vertu[2]. » Car la Terreur accompagne la Révolution : « Née pour exterminer l'aristocratie, la Terreur finit en moyen de réduire les méchants et de combattre le crime. Elle est désormais partie intégrante de la Révolution, inséparable d'elle, puisqu'elle seule permet de produire un jour une République de citoyens. [...] Si la République des citoyens libres n'est pas possible encore, c'est que les hommes, pervertis par l'histoire passée, sont méchants ; par la Terreur, la Révolution, cette histoire inédite, toute neuve, fera un homme nouveau[3]. »

---

1. C'est ce que fait Brissot lorsqu'il s'exclame : « Qui veut la fin, veut les moyens. » Jacques Pierre Brissot, *À Stanislas Clermont, sur la diatribe de ce dernier contre les comités de recherches, et sur son apologie de Mme Jumilhac, et des illuminés*, Paris, Buisson, 1790, p. 12-13. Guéniffey, *op. cit.*, p. 89.

2. François Furet, « Terreur », in François Furet et Mona Ozouf, *Dictionnaire critique de la Révolution française*, Paris, Flammarion, 1988.

3. *Ibid.*

La Terreur préfigure le système que l'on retrouve dans les grandes révolutions, notamment la bolchevique : exploitation du fanatisme idéologique, manipulation des tensions sociales, campagne d'extermination contre une fraction révoltée (de la paysannerie)[1]. Les « colonnes infernales » firent des dizaines de milliers de morts en Vendée, entre 140 000 et 190 000 selon certaines estimations[2]. À Paris 2 625 personnes sont envoyées à la mort, et 16 600 dans toute la France[3]. À ces chiffres officiels de la terreur « légale », s'ajoutent encore d'autres victimes de la Terreur, soit au moins vingt mille victimes supplémentaires. En tout, la Terreur aurait provoqué la mort de 200 000 à 300 000 personnes (sur une population de 28 millions d'habitants)[4], chiffre modeste au regard des campagnes de terreur orchestrées au XXᵉ siècle mais néanmoins élevé.

Le terrorisme d'État ne doit pas être confondu avec le génocide même si la terreur peut parfois produire un nombre de victimes considérable. Le propre de la terreur n'est pas d'accumuler les victimes mais d'être sélectif. Le génocide vise à l'extermination.

Robespierre lui-même était conscient que l'efficacité de la Terreur reposait avant tout sur le choix des cibles plutôt que sur l'accumulation des victimes. Répondant au dossier d'accusation contre les Girondins présenté par le Comité de sûreté générale (3 octobre 1793), il eut ces mots : « La Convention nationale ne doit pas chercher à multiplier les coupables, c'est aux chefs des factions qu'elle doit s'attacher ; la punition des chefs épouvantera les traîtres et sauvera la patrie. »

La logique d'une campagne terroriste veut que l'on frappe à certains endroits tout en épargnant d'autres, que l'on favorise certaines cibles par rapport à d'autres sans pour autant qu'il y ait de raison « rationnelle » ou visible derrière ce choix. La victime de la terreur ne sait pas pourquoi elle est visée plutôt qu'une autre. La Révolution française n'échappe pas à cette règle. La terreur est appliquée diversement. Certains sont frappés de plein fouet, comme les Vendéens. Ailleurs, des régions échappent presque totalement à la terreur, comme le Languedoc et le Dauphinois. Pour le reste, la terreur est loin d'être égale : si Lyon voit 2 000 des siens tomber sous la guillotine, seu-

---

1. Voir Stéphane Courtois, « Pourquoi ? » in S. Courtois, Nicolas Werth, et al., *Le livre noir du communisme : Crimes, terreur, répression*, Paris, Robert Laffont, coll. « Bouquins », 1998, p. 854.

2. Voir Gueniffey, *op. cit.*, p. 235.

3. Chiffre établi par Donald Greer, *The Incidence of the Terror During the French Revolution : A Statistical Interpretation*, New York, Harvard University Press, 1935.

4. Gueniffey, *op. cit.*, p. 235.

lement cinq Tarbais sont exécutés. De manière générale, l'Ouest est de loin la zone la plus frappée, avec des villes comme Bordeaux et Nantes. Néanmoins, le Calvados, par exemple, ne prononce que treize condamnations à mort.

Cette disparité montre d'abord que la terreur est un phénomène qui touche à toutes les strates de l'appareil d'État, depuis l'appareil central jusqu'aux autorités locales qui ont une certaine liberté dans l'application des directives venues d'en haut. La terreur, donc, est *injuste*, c'est même là l'une de ses caractéristiques fondamentales, quelle que soit sa forme et à quelque période que ce soit. L'ironie de cette injustice inhérente au terrorisme d'État est que la terreur a souvent été utilisée par des régimes prônant l'égalité. L'épisode de la Terreur montre aussi à quel point un État, même autoritaire (ou totalitaire) ne contrôle pas forcément complètement l'instrument terroriste. Aux différents niveaux de l'échelle étatique, les décisions prises par les individus dans des positions de pouvoir comptent autant que les décisions prises tout en haut. Cet aspect particulier encourage l'abus de pouvoir, surtout chez les êtres médiocres dont le zèle compense les autres carences, et favorise la propagation de la terreur. En Union soviétique le pouvoir a terrorisé même les individus chargés d'appliquer la terreur.

Dans le domaine de l'organisation terroriste, la France de la Terreur est loin d'atteindre le raffinement que l'on constatera plus tard au XX$^e$ siècle. Comme le dit fort justement Roger Caillois : « Ce n'est ni la vaillance, ni l'esprit d'agression, ni la férocité qui fait l'intensité de la guerre. C'est le degré de mécanisation de l'État, ce sont ses capacités de contrôle et de contrainte, le nombre et la rigidité de ses structures. Durant le cours de l'histoire, la puissance de l'État profite régulièrement de la guerre. Et c'est, réciproquement, l'accroissement seul de la puissance de l'État qui change petit à petit la nature de la guerre et qui l'achemine vers ce qu'on commence d'appeler à partir du début du XIX$^e$ siècle son être absolu[1]. »

La pratique moderne de la terreur est indissociable du phénomène totalitaire *et* de l'émergence de ce qu'on appellera plus tard la « guerre totale ». Toutes les grandes révolutions ayant engendré la terreur à grande échelle furent à la fois engagées sur le front de la guerre et happées par la tentation totalitaire, qu'il s'agisse de la France, de l'URSS, de l'Allemagne nazie, de la Chine ou de l'Iran.

---

1. Roger Caillois, *Bellone ou la pente de la guerre*, Bruxelles, La Renaissance du livre, 1963, p. 16.

On a trop souvent tendance à séparer le phénomène de la guerre de celui de la terreur. Comme s'il s'agissait de deux éléments que seule une coïncidence liée aux circonstances historiques a pu associer. Mais la guerre est toujours à la source de l'action terroriste de l'État révolutionnaire – ou totalitaire. Elle sert à la fois à légitimer l'action violente de l'État contre une puissance étrangère ennemie, puis elle lui permet de substituer habilement ce combat contre l'étranger en un combat contre les ennemis de la révolution. À terme, la police se substitue aussi à l'armée comme appareil de répression interne et devient le vecteur principal de la terreur. La transition est à peine visible. L'État totalitaire table sur l'appui des masses qu'il parvient à manipuler grâce à un autre outil fondamental de l'arsenal totalitaire : la propagande.

La Révolution française illustre tous ces mécanismes caractéristiques de l'État totalitaire mais elle n'en est qu'une manifestation inachevée, car tout l'édifice s'effondre pratiquement avec l'exécution de Robespierre. C'est pourquoi on peut interpréter la Terreur de 93-94 à la fois comme une dérive de la Révolution et comme l'événement annonciateur du phénomène totalitaire. La « terreur totale », écrit Hannah Arendt, est « facilement confondue comme un symptôme de la tyrannie parce que lors de ses phases initiales le régime totalitaire doit se comporter comme une tyrannie et éliminer les frontières établies par le droit des hommes[1]. » Mais la terreur totale ne se contente pas d'éliminer ces frontières qui protègent les hommes les uns des autres et par rapport à l'État. Elle n'est pas là pour permettre à un despote d'exercer son pouvoir, auquel cas l'espace entre les hommes reste un espace de liberté, même restreint. La terreur totalitaire a pour mission de créer un homme nouveau, en accélérant par la volonté du gouvernement le cours naturel de l'histoire[2]. Elle s'inscrit de force dans le cours naturel d'une histoire qu'elle ambitionne de modeler, et se distingue en cela de la terreur que peut exercer un État autoritaire qui est un outil de répression permettant au régime de se maintenir en place. Elle prend alors la forme d'une campagne d'élimination des opposants ou opposants potentiels au pouvoir. L'assassinat « politique » et la torture sont ses principaux instruments de répression. Ce fut le type de campagne que mit en place par exemple le général Pinochet au Chili après le coup d'État de 1973.

---

1. Hannah Arendt, *The Origins of Totalitarianism*, Harcourt, 1979, p. 465.
2. *Ibid.*, p. 466.

C'est un tout autre phénomène que l'on peut observer en 1793-1794. L'idée de régénérescence de l'être humain trouve sa source dans la philosophie des Lumières, et tout particulièrement chez Rousseau. Sa vision de l'éducation telle qu'on la trouve dans l'*Émile* énonce les conditions qui rendent possible la création d'un être nouveau. Quant au *Contrat social*, il expose les conditions politiques de cette transformation : « Chacun de nous met en commun sa personne, dit-il, et toute sa puissance sous la suprême direction de la volonté générale ; et nous recevons en corps chaque membre comme partie indivisible du tout. » L'influence de la pensée rousseauiste sur les révolutionnaires français est bien connue. Mais un autre courant de pensée, celui de la « philosophie de l'histoire, » qui va enfanter deux visions de l'histoire, l'une libérale, l'autre hégélienne, cette dernière très présente chez Marx.

Chez Marx la philosophie de l'histoire trouve son aboutissement avec une progression par étapes qui, à travers la lutte des classes, voit apparaître la dictature du prolétariat qui mène au dépérissement de l'État. C'est une vision déterministe de l'histoire qui va marquer le XIXᵉ et le XXᵉ siècle et dont les totalitarismes d'inspiration marxiste vont user pour légitimer leurs actions, y compris l'usage de la terreur. Au moment même où sévit la Terreur en 1793-1794, Condorcet rédige son chef-d'œuvre, *Esquisse d'un tableau historique des progrès de l'esprit humain*, dont l'inspiration est directement associée au projet kantien (*Idée d'une histoire universelle au point de vue cosmopolitique*, 1784).

Mais la philosophie de l'histoire, comme celle de Kant et celle de Condorcet (ou celle de Turgot, qui dès 1751 publie son remarquable ouvrage sur l'histoire universelle), est fondée sur la liberté : à travers les diverses étapes de l'histoire qu'il traverse, l'homme parvient à se libérer. Cette libération trouve sa consécration chez Condorcet qui va l'associer au progrès général de l'humanité. Avec Hegel le progrès de l'histoire n'est plus associé avec la liberté mais il se définit à travers un autre concept : la lutte. Marx reprend cette interprétation à son compte et l'affine : elle devient la fameuse lutte des classes. La liberté, qui formait la base de cette philosophie de l'histoire, est complètement délaissée à son profit. Grâce à cette épuration, la philosophie de l'histoire marxiste paraît conforme à la politique marxiste dont se réclament les révolutionnaires aux XIXᵉ et XXᵉ siècles. Dans ces conditions, la mise en place d'une politique de terreur lorsque c'est jugé nécessaire ne provoque pas contradiction au moins provisoirement avec la doctrine dont se réclament les révolutionnaires.

D'un point de vue philosophique, la liberté constitue l'une des fondations de la Révolution en 1793, ainsi que de l'interprétation historique sous-jacente aux actions entreprises par ses principaux protagonistes, dont Robespierre. Mais, paradoxalement, le pouvoir a besoin de la Terreur tandis que la Révolution ne peut s'accomplir avec elle. Finalement, l'impasse aboutit à l'élimination physique de Robespierre, qui met un terme à la campagne de terreur.

Si la France a la chance de mettre un terme à la campagne de terreur orchestrée par l'Incorruptible, son exemple laisse déjà entrevoir la manière dont un État révolutionnaire entraîné dans une logique de violence aboutit à un système politique de terreur. Or, la Terreur n'est pas une période de répression passagère servant à maintenir le cap révolutionnaire.

En 1793, la France est dans une position désastreuse d'un point de vue militaire, à la fois à l'étranger et à l'intérieur, en Vendée. La situation politique aussi est précaire. Par ailleurs, l'équilibre, au sein du parlement, vire de manière décisive au profit des radicaux. Enfin, la pression que subit la Convention de la part de la rue est considérable[1]. Le 25 septembre, Robespierre dresse l'inventaire de la situation :

« Onze armées à diriger, le poids de l'Europe entière à porter, partout des traîtres à démasquer, des émissaires soudoyés par l'or des puissances étrangères à déjouer, des administrateurs infidèles à surveiller, à poursuivre, partout à aplanir des obstacles et des entraves à l'exécution des plus sages mesures ; tous les tyrans à combattre, tous les conspirateurs à intimider […] : telles sont nos fonctions. »

Récapitulons brièvement les événements majeurs de cette année et de la suivante (le changement de calendrier a lieu en octobre 93). L'année 1793 commence avec l'exécution de Louis XVI le 21 janvier (Marie-Antoinette est guillotinée le 16 octobre). Au cours des trois premiers mois, la Convention déclare la guerre à l'Angleterre, la Hollande et l'Espagne. Le 11 mars débute la guerre en Vendée, soit deux jours après la création du Tribunal révolutionnaire qui marque le début de la Terreur. Le 16 mars, les Français sont battus à Neerwinden alors que la trahison de Dumouriez a lieu le 1er avril. Le 6 avril est créé le Comité de salut public. La journée insurrectionnelle contre la Gironde a lieu le 31 mai, et une nouvelle manifestation contre la Convention le 2 juin. Cette période voit l'exclusion des députés girondins. La constitution est adoptée par la Convention le

---

1. Gueniffey, *op. cit.*, p. 241.

24 juin. Le 10 juillet voit le renouvellement du Comité de salut public alors que Danton est mis à l'écart, trois jours avant l'assassinat de Marat. Robespierre est élu au Comité de salut public le 27 juillet. Le 1er août, la Convention décrète la mise au pas par la violence armée de la Vendée. Le 24 août a lieu le décret de la levée en masse, événement considérable puisque à terme il va bouleverser de fond en comble la pratique de la guerre et révolutionner les stratégies pour les cent cinquante ans à venir. Les sansculottes manifestent le 5 septembre. Le 9 septembre est créée l'Armée révolutionnaire.

La loi des suspects du 17 septembre inaugure la seconde période de la Terreur qui voit les Vendéens subir une première défaite à Cholet le 17 octobre avant d'être battus à nouveau le 23 décembre. Cette période est marquée par le procès et l'exécution des hébertistes (21 et 24 mars 1794) et des dantonistes (2 et 5 avril).

La troisième période de la Terreur commence le 10 juin 1794 avec la loi sur les suspects (22 prairial) et se termine avec l'exécution de Robespierre (ainsi que Saint-Just et une vingtaine de robespierristes) le 28 juillet.

La Révolution menace de faire éclater le vénérable système d'équilibre établi par la paix de Westphalie en 1648 et avec lui l'Europe de l'Ancien Régime. L'enjeu est considérable. La guerre en Vendée combine les passions de la guerre civile avec les moyens d'une guerre classique. Là encore, les enjeux sont énormes. Avec la levée en masse, c'est désormais le citoyen qui forme le corps de l'armée, marquant l'apparition du nationalisme moderne. Elle engendre le concept de nation armée, puis celui de guerre absolue, dont l'idéal pousse la violence à son paroxysme, et enfin celui de guerre totale, soit l'application sur le terrain du principe de guerre absolue. Nous n'en sommes pas encore là en 1793. Mais le processus est entamé.

C'est dans ce contexte d'insécurité quasi absolue, et d'une lutte pour le pouvoir qui atteint son paroxysme, que sont créés le Tribunal révolutionnaire et le Comité de salut public. Robespierre, qui va incarner le visage de la Terreur pour la postérité, avait été élu au Comité le 27 juillet. Comme le note Jean Artarit, « tout annonçait cette évolution, permise par les circonstances. Pouvoir se livrer sur la Nation, dans la métaphore, à la gigantesque épuration qu'il menait depuis toujours à l'intérieur de lui-même, ne pouvait qu'être la source d'une immense et inconcevable jouissance. Il serait d'ailleurs tout à fait mal venu de situer les débuts de la Terreur à une date précise. Elle cheminait dans les têtes depuis longtemps, et pas seulement dans celle de Robespierre[1]. »

Les troubles du mois de septembre contraignirent la Convention à déclarer la Terreur à « l'ordre du jour », le 5 septembre. Le vote de la loi des suspects, le 17, était basé sur une définition des suspects qui permettait l'élimination de tous les opposants au régime. Le décret du 20 donna les pleins pouvoirs au Tribunal révolutionnaire pour en dresser la liste. La mécanique terroriste était déclenchée.

Le 10 octobre, Saint-Just propose un décret à la Convention pour établir un régime d'exception : « Il est impossible que les lois révolutionnaires soient exécutées si le gouvernement lui-même n'est constitué révolutionnairement. » Le premier article du décret déclare que « le gouvernement provisoire de la France est révolutionnaire jusqu'à la paix ». Le Comité de salut public est désormais chargé de la surveillance de l'ensemble de l'appareil d'État. Les institutions comme le Tribunal révolutionnaire, qui ont jusque-là agi avec retenue – 260 accusés et 66 condamnations à mort –, vont désormais pouvoir donner la pleine mesure de leur caractère répressif. Le Tribunal est réorganisé en quatre sections. Fouquier-Tinville est l'accusateur public. Le Comité de salut public et le Comité de sûreté générale proposent la liste des jurés à la Convention qui se charge de les nommer. Le chiffre des accusations et des condamnations augmente considérablement : 371 mises en accusation et 177 condamnations à mort entre octobre et décembre. Les Girondins sont guillotinés le 1er novembre alors que les arrestations organisées par le Comité de salut public se multiplient. Pour Robespierre, qui suit Danton, la Terreur est un moyen limitatif d'éviter d'atroces massacres. Limitée ou non, justifiée ou pas, la pratique de la Terreur engendre la politique de la Terreur.

Face aux contre-révolutionnaires vendéens, la Convention décida de mettre tous les moyens en œuvre pour écraser le pays rebelle, selon le décret du 1er août 1793 qui projetait aussi de faire évacuer les populations par la force. C'était la stratégie de la terre brûlée qui visait à réprimer tout en prévenant par une politique de terreur toute volonté, en Vendée ou ailleurs, d'organiser la lutte armée contre la Révolution. Le premier décret n'envisageait pas, comme le voulait Barère, « d'exterminer cette race rebelle », mais la mise en pratique d'une telle stratégie sur le terrain fut facilitée puis encouragée par le Comité de salut public dès le mois d'octobre puis encore au mois de

---

1. Artarit, *op. cit.*, p. 264.

février (1794) lorsqu'il soutint la stratégie terroriste à travers la campagne d'extermination qui se prolongea après la fin des combats avec les colonnes infernales du général Turreau.

Le 5 septembre 1793, Robespierre, président de l'Assemblée, défend la liberté, au nom du peuple : « Le bras du peuple est levé, la justice le fera tomber sur la tête des traîtres, des conspirateurs, et il ne restera de cette race impie, ni traces, ni vestige ; la terre de la liberté, trop longtemps souillée par la présence de ces hommes pervers, doit en être affranchie. »

Mais l'apologie la plus sanglante de la Terreur est celle de Saint-Just, qui, le 10 octobre, au nom du Comité de salut public, s'exprime en ces termes :

« Il n'y a point de prospérité à espérer tant que le dernier ennemi de la liberté respirera. Vous avez à punir non seulement les traîtres, mais les indifférents mêmes ; vous avez à punir quiconque est passif dans la République, et ne fait rien pour elle. Car depuis que le peuple français a manifesté sa volonté, tout ce qui lui est opposé est hors le souverain ; tout ce qui est hors le souverain est ennemi… Il faut gouverner par le fer ceux qui ne peuvent l'être par la justice : il faut opprimer les tyrans. »

Cette déclaration n'était pas un simple exercice de rhétorique. Après le discours de Saint-Just, la Convention déclara que le gouvernement de la France serait « révolutionnaire jusqu'à la paix », que les ministres et généraux seraient désormais sous la surveillance du Comité de salut public, que la Constitution était suspendue. Le Comité de salut public devenait *de facto* cet instrument fondamental de la machine que l'on retrouvera plus tard à l'ère des totalitarismes, dont celle des fameux « comités centraux » chers aux régimes communistes du xx$^e$ siècle, œuvrant cette fois au nom de la « dictature du prolétariat ».

Les campagnes de terreur orchestrées par des régimes totalitaires font une place généreuse à la mise en scène politique, généralement sous la forme de procès de personnalités. La Terreur de 1793 préfigurait cette règle avec le procès de Marie-Antoinette. Femme, reine, et étrangère, celle-ci réunissait tous les éléments pour faire de ce simulacre de procès une formidable réussite de la Terreur en matière de propagande. Marie-Antoinette comparaît le 14 octobre. Aux chefs d'accusation « politiques » – dans la hâte avec laquelle est organisé le procès, les preuves de sa trahison n'ont pu être réunies – le procès émet des accusations mettant en cause la vertu de la reine. Hébert l'accuse d'avoir entretenu des relations incestueuses avec son fils. Il n'est pas faux de conclure qu'elle fut « jugée sur les fantasmes pornographiques de tout un peuple[1] ».

La loi du 22 prairial marque l'apogée de la Grande Terreur. D'une part, cette loi permet d'accuser n'importe qui comme étant un ennemi de la révolution. D'autre part, elle anéantit toutes les garanties de la justice qui avaient survécu jusque-là.

Le gouvernement révolutionnaire qui s'était reconstruit au moment où l'État s'effondrait était fondé sur la centralisation et l'autorité absolues qui surpassaient le régime monarchique de l'Ancien Régime. Celui-ci s'était d'ailleurs assez largement libéralisé durant les dernières années de son existence (l'une des causes de la Révolution selon Tocqueville). Avec le Comité de salut public, c'en était fini de la séparation tripartite de Montesquieu – exécutif, législatif, judiciaire – dont se réclamait 1789. Désormais, le Comité de salut public possédait tous les pouvoirs. Il ne relevait même pas, comme sous la monarchie, de l'autorité divine. La formule célèbre de Lord Acton définit parfaitement les données de ces événements : « Le pouvoir corrompt ; le pouvoir absolu corrompt absolument. »

Robespierre incarnait alors ce nouveau pouvoir. Face à lui, l'Assemblée avait trouvé son maître et elle n'osait s'opposer à lui, même après l'élimination de Danton. Après avoir liquidé toutes les personnes susceptibles de lui contester le pouvoir, Robespierre plaça ses proches aux postes clés, dont son frère, Joseph François, chargé de la censure.

La Terreur avait perdu sa légitimité première à partir du moment où avait été rétablie la situation intérieure et extérieure. Le gouvernement avait en effet réussi dans ces deux tâches et, si l'on s'en tenait à la logique de 1793, la Terreur n'avait plus de raison d'être. Entre-temps, la Terreur était passée d'un instrument temporaire de politique de « redressement » à un système de gouvernement où, à terme, la fonction principale du gouvernement serait de nourrir la Terreur.

Robespierre était allé trop loin pour pouvoir reculer. La Terreur de juin et juillet 1794 fit plus de 1 400 victimes condamnées à mort, soit dix fois plus que lors des mois précédents. S'agissait-il d'un dérapage ou d'une action concertée ? La loi de prairial était assez claire sur ce point lorsqu'elle proclamait que « le tribunal révolutionnaire est institué pour punir les ennemis du peuple ». Quant à Robespierre, ses discours, jusqu'à la fin, démon-

---

1. Chantal Thomas, *La reine scélérate. Marie-Antoinette dans les pamphlets*, Paris, Le Seuil, 1989, p. 16.

trent sans conteste que la Terreur était le vecteur du règne de la vertu qu'il avait souhaité et dont la représentation était contenue dans l'oligarchie terroriste à la tête de laquelle il se trouvait en possession du pouvoir absolu.

Le 8 thermidor (26 juillet), Robespierre, au cours d'un discours passionné, exalte la vertu : « Elle existe cette *ambition généreuse* de fonder sur la terre la première République du monde. » C'est à travers cette vertu que Robespierre entend laver la société des insanités qui la souillent afin de repartir sur de nouveaux fondements. Robespierre n'évolue plus dans l'univers de la politique mais dans celui de la morale. La rupture est totale avec l'univers a-moral de Machiavel, celui de la raison d'État qui gouvernait les relations politiques sous l'Ancien Régime et plus particulièrement depuis la paix de Westphalie. La politique de la vertu ne se bornait pas simplement à l'élimination physique des « ennemis du peuple ». Elle revêtait un caractère missionnaire dont l'idéal affiché plus ou moins clairement était de réformer l'être humain en chassant le vice de la société. Le culte de l'Être suprême institué au printemps constituait l'acte de légitimation morale de cette vaste entreprise révolutionnaire guidée par la Providence et censé assurer son succès tout en cautionnant la Terreur qui devait mener la Révolution à son terme. Cependant la Terreur était incarnée par Robespierre. Dès lors que celui-ci tombe, la Terreur tombe avec lui (comme sa virulence tombera, plus lentement c'est vrai, avec la mort de Staline). Et pourtant Robespierre ne fut pas vaincu par les ennemis de la Terreur mais par ceux qui, favorables comme lui à la Terreur, étaient directement menacés par son pouvoir suprême. À ceux qui considéreront la Terreur comme un épisode, nécessaire ou regrettable, lié aux événements particuliers de la Révolution française, l'Histoire aura tôt fait de démontrer que la terreur d'État est intimement liée au phénomène totalitaire lorsqu'il est porteur d'une idéologie prônant une transformation radicale de la société et des individus qui la composent. Le totalitarisme moderne n'a pas inventé le terrorisme d'État, il en a décuplé la puissance, de la même manière que le nucléaire transforma la nature des bombardements stratégiques. Toutefois, il faudra attendre plus d'un siècle pour que la mécanique totalitaire donne la pleine mesure de ses possibilités, à l'ère des masses.

Entre-temps, un autre terrorisme va se développer au XIX<sup>e</sup> siècle. De manière indirecte, il est aussi, partiellement, un produit de la Révolution française. Il est masqué par l'apparition des populistes russes influencés par les idées des Lumières, de la liberté et aussi de la justice sociale, ainsi que par le courant romantique. Le terrorisme contemporain prend naissance vers

1878 en Russie. Par la suite, associé à divers projets révolutionnaires, il est lié à une autre révolution, la révolution industrielle. Le terrorisme moderne va exploiter les moyens techniques de cette révolution, et il va rapidement comprendre que la société industrielle est une cible formidable pour les terroristes. Le roman de Joseph Conrad *L'agent secret*, premier grand ouvrage littéraire, avec *Les possédés (Les démons)* de Dostoïevski (dont l'un des personnages est inspiré par Netchaïev), à prendre le terrorisme pour thème central, faisait précisément le lien entre l'émergence d'une société obsédée par le progrès scientifique et celle d'un terrorisme visant à accélérer par la force le progrès de l'humanité.

# Les terroristes anarchistes du XIX<sup>e</sup> siècle

## par Olivier Hubac-Occhipinti

> « Ah, ça ira, ça ira, ça ira,
> Tous les bourgeois goût'ront d'la bombe,
> Ah, ça ira, ça ira, ça ira,
> Tous les bourgeois on les saut'ra...
> On les saut'ra ! »
>
> Refrain de *La Ravachole*

Le terrorisme anarchiste bénéficie d'une représentation positive dans l'imaginaire populaire. À l'instar de ses homologues russes, le terroriste libertaire est perçu comme un révolté idéaliste et romantique. La littérature classique explique en partie la sympathie dont bénéficient les auteurs de ces crimes pourtant d'une extrême violence. En effet, certains écrivains, tout en condamnant les attentats, ne peuvent s'empêcher d'éprouver une sorte de fascination pour l'action anarchiste. Ainsi, Émile Zola évoquera « l'éternelle poésie noire » des anarchistes et Mallarmé parlera de « l'éclat décoratif » du dynamitage. S'arrêter à des considérations esthétiques ne permet pas pour autant d'expliquer ou de comprendre les motivations qui ont poussé des individus à user de la bombe comme moyen de propagande, inaugurant par là le terrorisme moderne.

On ne peut comprendre davantage l'importante vague terroriste anarchiste durant la seconde moitié du XIX<sup>e</sup> siècle sans appréhender la doctrine dont elle est issue et sans replacer ce mouvement politique dans le contexte historique qui est le sien.

## UN CONTEXTE HISTORIQUE FAVORABLE
## À L'ÉMERGENCE DE LA DOCTRINE ANARCHISTE

La doctrine anarchiste fait son apparition durant la seconde moitié du XIXe siècle, période qui fut propice à l'avènement de doctrines révolutionnaires. En effet, l'Europe entière et les États-Unis connaissent alors un progrès technique et des transformations économiques sans précédent. On exploite les découvertes de la « première révolution industrielle » et, parallèlement, se met en place la « seconde révolution industrielle ». Dans le domaine de la technique de la métallurgie notamment, la découverte du procédé Thomas Gilchrist en 1879 va permettre de transformer la fonte provenant de minerais de fer phosphoreux en acier. Cela permettra l'exploitation des gisements de fer de Lorraine qui avaient été jusque-là inutilisables. Mais ce fut aussi le développement de la machine à vapeur, de la turbine hydraulique, de l'électricité découverte par Gramme en 1869, du téléphone de Graham Bell en 1877, du moteur à explosion, de l'automobile... Ces progrès profitèrent également à l'agriculture. L'apparition de l'industrie chimique fournira colorants, engrais, produits pharmaceutiques et explosifs. En effet, l'invention de la nitroglycérine et de la nitrocellulose date des années 1860 et permettra des attentats d'un nouveau type.

L'utilisation de ces machines et de ces procédés techniques nouveaux, le développement du commerce, tout concourt à un développement de la production comme le monde n'en avait encore jamais connu.

Cela eut pour conséquence de profondément modifier la vie économique. En cinquante ans, les progrès des communications et des échanges avec le chemin de fer, l'automobile, l'aviation, les navires à vapeur rendirent le commerce réellement mondial.

On assiste aussi à la mise en place d'une économie nouvelle qui annonce le capitalisme du monde contemporain. Cette période fut aussi celle de la prospérité et des crises financières. La crise de 1873, due à un excès de spéculation, marqua le début d'un long marasme économique qui durera presque vingt ans.

Cette révolution économique et technologique provoqua un profond bouleversement des conditions humaines de l'époque. D'une part, le recul de la mortalité entraîna un accroissement notable de la population, qui fut cependant peu marqué en France. D'autre part, pour des raisons politiques, religieuses et surtout économiques, la seconde moitié du XIXe siècle a vu des dizaines de millions d'immigrants européens prendre les chemins de l'Ouest américain et de l'Amérique latine. La France fut aussi un pays d'immigration pour de nombreux Espagnols, Italiens, Belges ou Allemands. Enfin, les villes virent leur population s'accroître considérablement. En effet, l'exploitation du charbon, essentiel à la fois comme source d'énergie et comme matière première de l'industrie métallurgique, mobilisait une importante main-d'œuvre. Ce furent les paysans pauvres, attirés par la perspective d'une vie meilleure, qui peuplèrent les grands centres urbains. Le développement des moyens de communication accéléra l'exode rural, doublant en soixante ans le nombre d'habitants des principales agglomérations.

Et c'est de tous ces aspects nouveaux de la société que naît l'affirmation des doctrines révolutionnaires. La société a connu en effet de profondes mutations avec la naissance de deux grandes classes sociales : la bourgeoisie qui réunit ceux qui ne vivent pas d'un travail manuel et le prolétariat qui rassemble les ouvriers de l'industrie moderne. Si la bourgeoisie bénéficie dans son ensemble du progrès, la classe ouvrière se caractérise surtout par la formation d'un prolétariat industriel à la situation particulièrement précaire et misérable. Au sein des villes, la question sociale se posera de façon d'autant plus cruciale que ces deux mondes s'ignorent et vivent dans des quartiers différents : si le premier craint les bouleversements sociaux, le second nourrit souvent un profond sentiment de révolte à l'encontre du système capitaliste.

## QU'EST-CE QUE L'ANARCHISME ?

Définir et cerner la doctrine anarchiste n'est pas une entreprise aisée. En effet, comme le rappelle Sébastien Faure, il « ne peut y avoir ni credo, ni catéchisme libertaires ». Le principe fondamental de l'anarchisme, qui est de nier toutes formes d'autorité lui interdit en même temps toute définition clairement établie. Nous pouvons cependant avancer que le point commun aux différents mouvements anarchistes et aux individus se réclamant d'avoir agi en son nom est la négation du principe d'autorité sous toutes ses formes, le refus violent de tout droit de contrainte sur l'individu.

La notion d'anarchisme, au sens politique du terme, fait son apparition avec Pierre Joseph Proudhon (1809-1865) au cours de la première moitié du XIXᵉ siècle. Cependant, il ne s'agit pas encore pour autant de détruire l'État, mais de l'organiser différemment de façon à garantir le respect de l'individu et la libre association politique et économique. Proudhon propose le recours au « mutuellisme », c'est-à-dire à la suppression du profit capitaliste et la gratuité du crédit pour permettre le rachat des moyens de production par le peuple et mettre fin aux injustices sociales. Ce principe est à l'origine de la création des coopératives et des sociétés de secours mutuel. La doctrine proposée par Proudhon est plus réformiste que révolutionnaire. Elle influencera beaucoup les débuts de la Première Internationale, plus connue sous le nom d'Association internationale des travailleurs (AIT)[1], fondée en septembre 1864.

Mikhaïl Bakounine (1814-1876) prône la libre fédération des individus et postule que la véritable liberté suffit à organiser les rapports politiques, sociaux et économiques. Il critique très vivement la religion qu'il définit comme « anéantissement et asservissement de l'humanité au profit de la divinité[2] ». Plus encore que Proudhon, Bakounine s'est opposé à Karl Marx sur la question de la nature du régime politique à mettre en place sur les ruines des États bourgeois. Bakounine vise la destruction de toute structure étatique et le rejet total de tout pouvoir, tandis que Marx postule que la société nouvelle doit passer par la dictature du prolétariat. À l'occasion de l'exclusion de Bakounine de l'AIT en 1872 au congrès de La Haye, ce profond différend aboutira à la scission au sein de l'organisation entre « autoritaires » et « anti-autoritaires ». Cette séparation est le point de départ de la réelle autonomie des doctrines marxiste et anarchiste.

Le théoricien russe anarchiste Pierre Kropotkine (1842-1921) sera réellement le premier à se faire l'avocat d'actions violentes, même s'il est revenu sur l'efficacité de l'action terroriste à partir de 1891. Fondateur du journal *Le révolté* avec le géographe français Élisée Reclus, il incite à la préparation de la révolution et affirme qu'il faut « réveiller l'audace, l'esprit de révolte, en prêchant l'exemple ». Il s'inscrit pour le recours à « la propagande par le fait », tactique révolutionnaire définie en 1877 comme « un puissant moyen de réveiller la conscience populaire[3] ». À l'échelle internationale, c'est le congrès de Londres du 14 juillet 1881 réunissant les différentes délégations

---

1. Lors de l'exposition de Londres en 1862, la délégation des ouvriers français et anglais décide de nouer des liens afin d'aboutir à une solidarité internationale et à une organisation autonome prolétaire. Ces différentes rencontres aboutissent au meeting international de *Saint Martin's Hall* à Londres, le 28 septembre 1864, réunissant des délégations ouvrières de nombreux pays qui fondèrent la Première Internationale.

2. Bakounine, *Œuvre*, 6 vol., Paris, éditions Max Nettlau et James Guillaume, 1895-1913.

3. « La propagande par le fait », Paul Brousse, in *Bulletin de la Fédération jurassienne*, daté du 5 août 1877.

anarchistes de l'AIT qui proclamera que « l'heure est venue de passer […] à la période d'action, et de joindre à la propagande verbale et écrite, dont l'inefficacité est démontrée, la propagande par le fait et l'action insurrectionnelle ». Et les résolutions du congrès d'ajouter qu'il « recommande aux organisations et individus […] de donner un grand poids à l'étude et aux applications des [sciences techniques et chimiques] comme moyen de défense et d'attaque ». Toutes les conditions pour l'émergence d'un terrorisme nouveau sont alors réunies.

## LES ANARCHISTES ITALIENS : À L'ORIGINE DE LA « PROPAGANDE PAR LE FAIT »

L'Italie a été une terre d'élection de la doctrine anarchiste. La Fédération italienne adhéra en 1864 à l'Association internationale des travailleurs (AIT) et rompit dès août 1872 avec son Conseil général au congrès de Rimini. Elle prit position contre le renvoi de Bakounine de l'AIT au congrès de La Haye. Cependant, ce fut lors du congrès de Florence, en octobre 1876, que la Fédération italienne se démarqua réellement au sein de la I<sup>re</sup> Internationale en se prononçant ouvertement en faveur de la propriété collective des moyens de production et de ses produits. Les anarchistes Carlo Cafiero (1846-1892) et Enrico Malatesta (1853-1932), à l'origine de cette déclaration, défendaient que le « fait insurrectionnel » était « le moyen de propagande le plus efficace ». En avril 1877, ils en firent une démonstration pratique, qui se solda par un échec, dans la province du Bénévent. Les anarchistes occupèrent la mairie du village de Letino « à main armée, au nom de la révolution sociale » et décrétèrent la mise en place du communisme libertaire après avoir brûlé les titres de propriété. L'arrivée de plus de dix mille soldats mit fin à la révolte. Cet épisode donna naissance avant la lettre à la « propagande par le fait » si chère aux terroristes anarchistes.

À partir des années 1880, le mouvement anarchiste se divisa en deux tendances : le premier courant, révolutionnaire et communiste anarchiste, et le second, proche du socialisme en vigueur à l'époque. Malgré la tentative de Malatesta et de Francesco Merlino (1856-1930) pour rapprocher les deux formations en janvier 1891 au congrès de Capolago, la scission sera définitive en 1892.

L'anarchisme italien oscillera alors entre deux modes d'action pour diffuser sa doctrine.

D'une part, l'action violente individuelle, avec le recours à l'attentat, forme extrême de la « propagande par le fait », ne rencontra pas un réel succès. L'assassinat du président de la République française, Sadi Carnot, par l'anarchiste italien Sante Caserio en juin 1894 s'inscrit dans la tradition anarchiste de l'assassinat politique[1] motivé par la vengeance. En effet, Caserio, en poignardant le président au cri de « Vive la révolution ! » et « Vive l'anarchie ! », vengeait avant tout la condamnation du terroriste français Ravachol. Madame Carnot recevra le lendemain une photo de ce dernier avec ces mots : « Il est bien vengé ! » À l'instar de Caserio, on retrouve des terroristes italiens très actifs hors de leur pays. L'assassinat du président du Conseil espagnol Antonio Canovas par l'anarchiste Michele Angiolillo en août 1897[2], ou encore le meurtre de l'impératrice Élisabeth d'Autriche le 10 septembre 1898 à Genève par Luigi Lucheni, sont l'illustration de cette immigration italienne ralliée aux thèses révolutionnaires anarchistes. Les terroristes italiens ont aussi visé l'élimination de leurs dirigeants. À Rome, le militant Paolo Lega tira sans succès sur le président du Conseil italien le 16 juin 1894. Le roi, Humbert Ier d'Italie, fut l'objet d'attentat à trois reprises. La première tentative fut l'initiative de Giovanni Passanante qui tenta de le poignarder. L'anarchiste Pietro Acciarito réitéra à Rome le 22 avril 1897. Mais ce fut trois ans après que ce dessein fut effectivement réalisé. Au cours de la remise du prix de gymnastique dans le parc de la ville de Monza, l'anarchiste Gaetano Brecci abattit Humbert Ier d'Italie de trois coups de revolver le 29 juillet 1900. Son acte avait pour but de punir le souverain d'avoir soutenu et décoré le général Bava Beccaris qui avait fait ouvrir le feu sur la foule lors des émeutes de janvier 1898 contre l'augmentation du coût du pain. Si le meurtre du plus haut dignitaire d'un régime fut un moyen de propagande très prisé par révolutionnaires et anarchistes durant la seconde moitié du XIXe siècle, cet assassinat intervient à une période où le recours à « la propagande par le fait » de façon aussi violente est sérieusement remis en cause au sein même du mouvement anarchiste. Divers journaux anarchistes, même s'ils ne condamnent pas pour autant Brecci, avancent que c'est dorénavant la tête économique qu'il faut combattre.

D'autre part, le mouvement anarchiste italien, qui avait déjà eu recours à des grèves importantes, opta définitivement au début du siècle pour un syn-

---

1. L'assassinat politique sera entendu pour l'ensemble de l'article comme le meurtre au mobile politique, et non au sens juridique qui ne retient pas ledit mobile pour définir l'assassinat politique.

2. L'assassinat de Canovas est probablement motivé par la vengeance. Il est en effet le responsable de la condamnation à mort de cinq anarchistes espagnols pour l'attentat du 7 juin 1896.

dicalisme révolutionnaire de type sorélien[1], abandonnant derrière lui la courte période terroriste. Il faudra attendre l'avènement du fascisme pour renouer avec la technique de l'attentat individuel.

## LES TERRORISTES ANARCHISTES ESPAGNOLS : DE LA RÉVOLTE ARMÉE AU RÉGICIDE

Le mouvement anarchiste rencontra au XIXᵉ siècle un très vif succès en Espagne, qui ne sera pas démenti au cours du siècle suivant. Le phénomène le plus marquant fut l'utilisation de toutes les manifestations possibles de la « propagande par le fait » durant plusieurs décennies.

Un début d'explication à ce particularisme peut être apporté par le retard de l'Espagne en matière de développement industriel et économique. Un grave problème social affectait la grande majorité de la population. La réforme agraire n'avait abouti ni à la création de grands domaines ni à l'émergence d'une paysannerie propriétaire de sa terre. Il en résultait une grande pauvreté au sein du monde agricole avec ses millions de « braceros » – travailleurs journaliers qui connaissaient bas salaires et chômage. Par ailleurs, l'industrialisation était rare et souvent aux mains de propriétaires étrangers. Seule l'industrie légère du textile en Catalogne avait su s'imposer et ainsi incarner le « travail national ». À ces différents problèmes économiques s'ajoute la mise à mal de l'unité espagnole par les tendances régionalistes, les provinces riches ne voulant pas supporter financièrement les plus pauvres.

Dans ce contexte difficile, dès les années 1830, la Catalogne fut en proie à de nombreux sursauts de violence sans se réclamer d'une quelconque doctrine politique. C'est ainsi qu'en 1835 des travailleurs mirent en pièces des machines et équipements divers. L'Espagne, au moment de l'émergence des mouvements anarchistes, avait déjà derrière elle une longue tradition révolutionnaire.

En effet, à chaque tension politique qui se produisait en Espagne, des insurrections armées ou des grèves faisaient leur apparition à travers le pays. Ce fut notamment le cas lors de la première guerre carliste (1833-1840) qui opposait Marie-Christine, régente au titre de sa fille Isabelle II, et Don

---

1. Georges Sorel (1847-1922), théoricien français, prône comme moyen d'action la grève générale, illustration de la violence révolutionnaire.

Carlos proclamé roi par ses partisans pour l'accession au trône d'Espagne. Durant cette période d'instabilité fut commis le premier attentat social individuel à Barcelone. Et de façon générale, tout au long du XIXᵉ siècle, de nombreuses attaques furent orchestrées à l'encontre de couvents et de religieux, accusés à tort ou à raison de tous les maux par le peuple.

Les idées de Bakounine, introduites en Espagne par l'italien Giuseppe Fanelli (1827-1877), rencontrèrent immédiatement une large adhésion au sein de la population hispanique. Le mouvement anarchiste se développa très rapidement dès les années 1860 et la délégation espagnole participa dès les lendemains du congrès de La Haye à l'AIT « anti-autoritaire ». Des sections régionales à la Fédération anarchiste espagnole furent mises en place dans tout le pays. Ce qui caractérisait l'organisation du mouvement anarchiste de l'époque était le lien très étroit qu'elle conserva avec le milieu ouvrier et agricole. Cela lui permit, entre autres, de maintenir son influence au plus fort de la répression.

Ce fut dans l'Espagne pauvre, principalement en Andalousie et en Catalogne, que les anarchistes prônèrent le recours à la « propagande par le fait ». De 1882 à 1886, des groupes anarchistes, telle *La Mano negra*, se livrèrent à des expropriations et à plus de vingt meurtres à l'encontre de notables. Lors de la révolte du 8 janvier 1892, ce fut la ville de Xérès qui fut prise d'assaut la nuit par des centaines d'ouvriers agricoles. Ce mode d'action violent, qui répond à la motion adoptée lors du congrès de Londres (1881) exhortant à s'engager sur le terrain de l'illégalité, est condamné par la Fédération dès l'origine.

Cependant, durant plus de vingt ans, l'action terroriste sera fréquemment utilisée. En octobre 1878, le jeune ouvrier Juan Oliva Moncasi, en ouvrant le feu sur le cortège du roi Alphonse XII à Madrid, réalise la première tentative d'atteinte au pouvoir royal. Ce fut surtout sous le règne personnel, commencé en 1902, d'Alphonse XIII que les attaques à l'encontre de la personne royale se multiplièrent. À Paris, lors de la visite officielle en mai 1905 du roi d'Espagne en France, une bombe fut lancée sur le président Loubet et le roi Alphonse XIII qui sortirent indemnes de l'attentat malgré les nombreux blessés. Le responsable, un certain Alexandre Farras, ne fut jamais arrêté. Un an après, alors que le roi célébrait son mariage avec la princesse Ena de Battenberg à Madrid, l'anarchiste Mateo Morral (1880-1906) jeta depuis un hôtel sur le carrosse nuptial une bombe dissimulée dans un bouquet de fleurs. L'attentat fit une quinzaine de morts et une cinquantaine de blessés, mais le couple royal en réchappa.

Ce sera surtout au cours de la dernière décennie du XIXᵉ siècle que le terrorisme aveugle fera son apparition en Espagne. En effet, le 7 novembre 1893, l'anarchiste Santiago Salvador lançait deux bombes sur le public venu au Grand Théâtre du Liceu de Barcelone, provoquant plus de vingt morts. L'attentat visait à faire justice de l'exécution du terroriste Paulino Pallas, auteur de l'assassinat du général Arsenio Martinez Campos en septembre 1893. Les autorités répondirent à ce crime en décrétant l'état de siège dans la ville et en procédant à des arrestations en masse d'anarchistes. Malgré la forte répression à l'encontre du mouvement et les nombreuses arrestations au fort militaire de Montjuich, une bombe fut de nouveau jetée au cours de la procession religieuse du Corpus Christi, rue Cambos Nuevos à Barcelone, le 7 juin 1896, faisant plus de quarante victimes.

Contrairement aux autres pays européens où la vague terroriste anarchiste est relativement restreinte sur une courte période, l'Espagne connaîtra encore durant le XXᵉ siècle de nombreux attentats. L'action individuelle violente coexistera avec la mise en place d'un anarcho-syndicalisme pacifiste et officiel.

L'assassinat politique en Espagne vise à abattre un responsable du système politique, identifié comme tel par le terroriste. Le roi personnifie l'État et son régime. Mais le but recherché n'est pas forcément un effet déstabilisant sur la société, comme cela a pu être le cas chez les terroristes russes dont la volonté était d'obliger l'État à répondre à ces attaques par la répression afin de dénoncer par la suite les mesures policières du régime. Cela permit surtout d'associer, en plus du nom de l'auteur de l'attentat, celui de la doctrine au nom de laquelle il avait agi. En somme, de crier à la face de la société toute sa colère et sa révolte.

Le cas de l'attentat de Pallas est singulier dans la mesure où c'est la première fois qu'une foule est prise à partie pour elle-même. Ce type d'action vise à terroriser l'ensemble d'une classe sociale identifiée comme l'ennemi de la cause anarchiste. Il diffère dans les moyens usités dès lors qu'il recherche à abattre tout individu acteur ou simple collaborateur du système patronal ou étatique. Dans cette conception, tout « bourgeois » est un ennemi à abattre, sans lui reconnaître une responsabilité particulière.

## LES TERRORISTES ANARCHISTES NORD-AMÉRICAINS

Les États-Unis n'ont pas été réellement un terrain propice au développement des idées anarchistes. Dans les grands centres industriels, l'essor du capitalisme engendra rapidement une opposition ouvrière. Cependant, cette dernière ne visait pas à remettre en cause le système capitaliste. Elle recherchait avant tout à en limiter les effets négatifs sur le prolétariat. Plusieurs facteurs peuvent l'expliquer. D'une part, les ouvriers avaient du mal à unir leurs forces en raison du manque d'homogénéité au sein de leur classe sociale. La très grande majorité d'entre eux était issus de l'immigration la plus récente. D'autre part, beaucoup vivaient leur situation sociale comme transitoire. Ils ne se sentaient pas enchaînés à leur condition prolétaire. Dans ce contexte, des groupements de revendications ouvriers comme l'éphémère *Ordre des chevaliers du travail* ou l'importante *Fédération américaine du travail* rencontrèrent un certain succès, mais ils se sont toujours tenus à l'écart de la politique. Les doctrinaires anarchistes retinrent tout de même une certaine attention, notamment à travers leurs publications et leurs nombreux meetings à travers le pays. Des personnalités comme la théoricienne Emma Goldman (1869-1940), ou le propagandiste Benjamin R. Tucker (1854-1939) qui traduisit en anglais dès 1876 des ouvrages de Proudhon et de Bakounine, contribuèrent à faire connaître l'anarchie aux États-Unis. Ce fut l'Allemand Johann Most (1846-1906), ancien député du Reichstag exilé aux États-Unis en 1882, qui, influencé par les idées de Kropotkine, se fit le porte-parole de la « propagande par le fait » en Amérique. Il éditera entre autres un petit guide du poseur de bombes avant d'abandonner le recours à la violence pour privilégier l'action syndicale.

Quelques anarchistes américains ont eu recours à l'assassinat « ciblé », à l'instar des terroristes européens, ou à la vengeance armée.

Cependant, les célèbres événements de Chicago relèvent plus d'une conception d'autodéfense que de l'action terroriste. À l'origine de cette affaire, de nombreuses grèves en faveur de la journée de huit heures secouaient le pays, paralysant près de 12 000 usines. À Chicago, le mouvement s'était durci et la police avait violemment réprimé un meeting en faveur des ouvriers. À Haymarket Square, un second rassemblement fut organisé le 4 mai 1886 au cours duquel les représentants de l'ordre chargèrent la foule. Un engin explosif fut alors projeté dans le rang des policiers qui ripostèrent en tirant. Il y eut plus d'une douzaine de morts, dont sept agents de police. La bombe lancée par les ouvriers[1] s'inscrit ici dans le cadre

---

1. Il s'agit là de l'origine du 1er mai. Suite à ces événements, la police procéda à l'arrestation de huit anarchistes notoires dont le procès fut controversé. Les anarchistes le vécurent comme celui du mouvement anarchiste et les socialistes en firent une journée commémorative.

d'un affrontement entre grévistes et forces de l'ordre. Cette action s'assimile davantage à une insurrection armée.

La tentative d'assassinat du directeur de la Carnegie Steel Company (Les Aciéries Carnegie), Henry Clay Frick, par l'anarchiste Sasha Berkman (1870-1936) résume assez bien quant à elle l'état d'esprit des partisans américains de la « propagande par le fait ». Il s'agit ici de « cibler » l'action sur un individu symbole de la bourgeoisie et de la répression du mouvement prolétaire. En effet, en mai 1892, un conflit social opposait les ouvriers des usines de Homestead et l'entreprise à propos d'une demande de hausse des salaires proportionnelle à la hausse des prix du marché et à l'accroissement des bénéfices du trust. Frick refusa toute négociation et mit à pied l'ensemble de son personnel afin d'examiner chaque demande d'emploi séparément. Les usines furent fermées momentanément et les familles des salariés expulsées des habitations dont la société était propriétaire. Quelques jours plus tard, des hommes de main à la solde de Frick ouvrirent le feu sur des ouvriers faisant le siège des usines. Il y eut de nombreux morts et blessés. Berkman décida alors de tuer Frick afin qu'il « en supporte les conséquences[1] ». Le but de l'assassinat était d'abattre un personnage en qui s'incarnaient toutes les haines des anarchistes, identifié par ces derniers comme étant un responsable de cette tragédie. Dans cette conception, apparaît donc le souci d'épargner toute victime innocente. L'anarchiste Emma Goldman ne conçoit pas que Berkman ait pu blesser volontairement le secrétaire de Frick lors de sa tentative. Il n'y a pas ici, contrairement à certains terroristes anarchistes français, d'extension de la définition de l'ennemi bourgeois à tous ceux qui collaborent de près ou de loin au système capitaliste dominant.

Les motivations des terroristes anarchistes américains ne sont pas pour autant homogènes. Si Berkman espère que son action mettra en avant la cause anarchiste, il agit avant tout pour venger la mort des ouvriers de Homestead. Par contre, Léon Czolgosz, l'assassin d'origine polonaise du président des États-Unis William McKinley[2], affirme sur la chaise électrique qu'il a agi pour libérer le peuple américain. Il déclare qu'il a voulu frapper en la personne du président « un ennemi de la classe ouvrière ». Le premier a agi par vengeance, le second a procédé à un attentat politique. L'assassinat du plus grand représentant de l'État rappelle les attentats des socialistes révolutionnaires russes, visant directement la destruction du système poli-

---

1. Emma Goldman, *Living my Life*, Knopf, 1932.

2. Le président McKinley fut abattu en 1901, au cours d'un bain de foule, lors de l'exposition de Buffalo (État de New York).

tique et la libération des masses opprimées à travers les plus hautes instances du régime en place.

Ce dernier attentat sonne la fin de la « propagande par le fait » aux États-Unis. Différents États, puis le Congrès, votent d'importantes lois anti-anarchistes qui porteront un dur coup à l'ensemble du mouvement. Les principales mesures furent de mettre hors la loi les activités anarchistes et d'interdire l'entrée des États-Unis à toute personne hostile au gouvernement institué[1]. Si le mouvement survit difficilement du point de vue intellectuel, l'action violente est condamnée par la grande majorité des anarchistes américains. Emma Goldman aura quelques difficultés à soutenir publiquement ce mode d'action.

Si les doctrines anarchistes ont connu un relatif succès au sein des classes ouvrières aux États-Unis, on n'observe pas pour autant de véritable terrorisme anarchiste. Les quelques actions directes commises relèvent plus de la révolte armée ou de l'assassinat politique, voire du régicide, que du terrorisme.

## LES TERRORISTES ANARCHISTES FRANÇAIS : LE RECOURS À LA DYNAMITE

Le développement de la doctrine anarchiste en France est indissociable de l'histoire de l'insurrection parisienne de la Commune (mars-mai 1871). En effet, de nombreux disciples de Proudhon participèrent au soulèvement et ne pardonnèrent jamais aux républicains et aux royalistes la répression dont ils firent l'objet. La plupart furent condamnés à la déportation en Nouvelle-Calédonie. Si la Commune hantait l'esprit des anarchistes français durant les années 1880-1890, c'est qu'elle fut érigée en symbole du sacrifice de ses martyrs révolutionnaires.

L'anarchisme français fut influencé par les idées du Russe Kropotkine qui proposait le communisme libertaire comme forme ultime de la réalisation de la doctrine anarchiste, c'est-à-dire l'application de la formule : À chacun selon ses besoins. Le retour des communards déportés en 1880, dont la doctrinaire Louise Michel (1830-1905), redonnera un souffle nouveau au mouvement anarchiste. L'amnistie avait déjà été réclamée en vain par Victor Hugo et Raspail en 1876. Cependant, très rapidement, en marge du congrès de La Chaux-de-Fonds en septembre 1880, les principales figures de l'anar-

---

1. La première loi visant les anarchistes fut la *Criminal Anarchy Law* de l'État de New York.

chisme français[1] précisèrent les moyens tactiques à mettre en œuvre pour précipiter la révolution sociale. Elles préconisaient de « sortir du terrain légal pour porter l'action sur le terrain de l'illégalité ». Ce fut à cette occasion que le recours aux « sciences techniques et chimiques » fut énoncé pour la première fois avant d'être repris *in extenso* par le congrès de Londres le 14 juillet 1881. L'adoption de la « propagande par le fait » comme moyen exclusif d'action marquera durablement le mouvement français jusqu'à la fin des années 1890. Parallèlement, le mode d'organisation retenu par les anarchistes fut le groupe, assimilable à une cellule qui peut librement correspondre avec d'autres. Il fut cependant laissé en leur sein une grande place à l'autonomie individuelle. Dans ce contexte où chacun espérait l'avènement prochain de la grande Révolution, les groupes adoptèrent des noms aux consonances guerrières qui ne laissaient guère de doute sur leurs intentions d'exercer l'« action directe ». On peut ici citer « Le revolver à la main » de Montceau-les-Mines ou encore « La panthère des Batignolles » de Paris.

À l'annonce du moyen d'action à mettre en œuvre, les journaux anarchistes français le complétèrent par des guides pratiques de fabrication d'engins explosifs. Ainsi, sous différents titres, de nouvelles rubriques intitulées « Produits anti-bourgeois » ou « Études scientifiques » virent le jour. À ces conseils techniques s'ajoutait le conseil de mettre le feu à la campagne ou aux habitations de propriétaires réputés pour leur conservatisme. En 1887 fut imprimé un manuel du parfait dynamiteur, plus connu sous le nom de *L'indicateur anarchiste*, et traduit en plusieurs langues (anglais, italien, espagnol et allemand). Cette brochure expliquait de façon simple la fabrication artisanale de la nitroglycérine, puis sa transformation en dynamite. L'ensemble ne coûtait pas plus de dix francs. Cependant, lorsque l'on examine la composition des bombes employées par les terroristes et si l'on tient compte de la large diffusion de ces procédés dans les milieux anarchistes, force est de constater qu'ils ont peu été usités. Il faut rappeler que la manipulation d'un explosif, et à plus forte raison sa fabrication, n'est pas sans danger. Elle requiert expérience et prudence, la nitroglycérine étant un produit particulièrement instable. On ne s'improvise pas artificier. Cela explique les bombes qui n'explosèrent pas au bon moment ou encore sans produire tous leurs effets meurtriers. Ainsi, des terroristes privilégièrent d'autres armes, plus simples d'exécution, telles que les armes de poing ou le couteau.

---

1. Le rapport de police de l'époque cite Kropotkine, Élisée Reclus et P. Martin de Vienne.

Avant que ne se déclenche l'épidémie des attentats, la France a connu des agitations populaires, orchestrées ou récupérées par la cause anarchiste, qui illustrèrent une autre manifestation de la « propagande par le fait » et qui constituèrent les prémices d'actions à venir plus violentes. Le point de départ était le plus souvent la grève, mais qui menaçait de virer à l'insurrection ou au meurtre. Le premier épisode significatif fut la tentative d'assassinat d'un industriel par un jeune ouvrier suite à la grève de Roanne en février 1882. La presse anarchiste salua le geste comme étant celui d'un révolutionnaire. Ce furent surtout les événements de Decazeville en 1886 qui furent érigés par les anarchistes en symbole de l'acte authentiquement révolutionnaire. Le 26 janvier, une grève spontanée débutait à la Société nouvelle des houillères et fonderies de l'Aveyron. Dans l'après-midi, un groupe de 150 à 200 mineurs envahissait les bâtiments administratifs de la concession. Après refus d'accéder aux revendications des grévistes, l'ingénieur Watrin, sous-directeur de la compagnie, fut défenestré par les émeutiers. Par ailleurs, durant la crise économique des années 1883-1887, les anarchistes incitèrent les chômeurs à procéder illégalement et à se servir par eux-mêmes. Le 9 mars 1883, à l'initiative du syndicat des menuisiers, des chômeurs se réunirent sur l'esplanade des Invalides à Paris. Suite à la dispersion par la police des manifestants, un petit groupe, avec à sa tête l'anarchiste Louise Michel, se dirigea vers le boulevard Saint-Germain où il se livra au pillage de trois boulangeries aux cris de : « Du pain, du travail ou du plomb ! » Enfin, durant l'été 1882, une société secrète, la Bande noire, sévit dans les environs de Montceau-les-Mines et du Creusot. Ce groupuscule ne fut pas à proprement parler anarchiste et ses buts étaient mal définis. Il commit des exactions sur les croix des calvaires, nombreuses dans la région, et à la mi-août, procéda à une série d'attentats à l'encontre d'édifices religieux. Le gouvernement, craignant une contagion révolutionnaire, réprima le mouvement. Cependant, en 1884, la Bande noire refit son apparition et fut l'auteur de plusieurs attentats à la dynamite. Cette fois-ci, elle se déclara explicitement anarchiste et partisane de la « propagande par le fait ».

La vague des attentats individuels de 1892-1894, inaugurée par l'anarchiste Ravachol, fut caractérisée par la concentration, en deux ans à peine, d'impressionnantes réalisations terroristes et la construction d'une réelle doctrine de l'action directe par leurs auteurs.

Cependant, le recours à la bombe ou à l'assassinat politique n'était pas en soi une nouveauté. De nombreux précédents eurent lieu dans les années

1880. Deux tentatives d'assassinat de personnalités de premier plan, Gambetta en octobre 1881 et Jules Ferry en janvier 1884, échouèrent, leurs auteurs n'ayant pu approcher leur victime. La personnalité des apprentis assassins, même s'ils se réclamèrent de la doctrine anarchiste, révélait plus l'accomplissement d'un acte de désespoir que d'un quelconque credo politique. Le meurtre d'une mère supérieure d'un couvent de la région de Marseille en 1884 par l'anarchiste notoire Louis Chaves, jardinier récemment congédié, correspondait davantage à la manifestation de la « propagande par le fait ». Dans une lettre-testament, il appelait tous les anarchistes à imiter son geste, seule pratique efficace pour la propagation de l'idée révolutionnaire. Mais ce fut surtout l'attentat contre la Bourse de Paris qui préfigurait le mode d'action futur. Son auteur, l'ancien clerc de notaire Charles Gallo (1859-1887), avait été condamné pour fabrication de fausse monnaie avant de se rallier aux thèses libertaires. Lorsqu'il décida en 1886 de réaliser un attentat à la Bourse, il le prépara méthodiquement. Il fit par deux fois la reconnaissance des lieux, emprunta un revolver auprès d'un ami et se procura un flacon d'acide prussique. Le 5 mars, il jeta le contenu de sa bouteille sur la corbeille depuis les galeries supérieures et tira plusieurs coups de feu sur les employés. Aucune victime ne fut à déplorer. Au cours de son procès, Gallo le regrettera : « Malheureusement, je n'ai tué personne. » Il profitera de l'occasion qui lui était donnée de s'expliquer pour développer ses théories sur la nécessité d'avoir recours à la « propagande par le fait ».

La période 1892-1894 fut l'apogée en France de l'utilisation de la dynamite. On dénombra une vingtaine d'attentats, qui ne furent pas tous efficaces ni de retentissement égal au sein de l'opinion publique. On peut citer, à titre d'exemples, une explosion en 1893 à Marseille contre le général Voulgrenant ou le dépôt d'une bombe en 1894 devant le grand magasin Le Printemps à Paris. Les journaux de l'époque instaurèrent une rubrique permanente « La dynamite ». Les fausses alertes à la bombe n'étaient pas rares comme l'attestent les dessins humoristiques de Michelet dans *L'Illustration*. La population française vécut dans une véritable psychose de l'attentat.

Le 11 mars 1892, l'immeuble du conseiller Benoît, situé au 136 boulevard Saint-Germain, explosait. Malgré l'absence de victime, ce fut le premier attentat d'origine terroriste d'importance. Son auteur, qui sera arrêté le 30 mars, incarnera à lui seul la figure du terroriste anarchiste français du XIXᵉ siècle. François-Claudius Kœnigstein (1859-1892), dit Ravachol, a d'abord eu un passé de délinquant de droit commun avant de justifier ses actes par des thèses anarchistes. Il sera jugé pour avoir profané en 1891 la tombe de la baronne de Rochetaillé où il avait espéré trouver quelques bijoux de valeur, et surtout pour le meurtre en juin 1891 d'un vieil ermite qu'il dépouillait de ses biens. Recherché par la police, il se réfugia en Espagne chez un compagnon d'exil, Paul Bernard. Ce fut probablement à Barcelone qu'il s'initia à la fabrication des bombes. Dès août 1891, il monte à Paris sous un nom d'emprunt et se mêle au milieu anarchiste parisien. Il fera à cette occasion la rencontre de la femme de Henri Louis Descamps, un militant arrêté à la suite de la manifestation du 1er mai à Clichy. Au cours de cette manifestation, la police avait voulu s'emparer du drapeau rouge des militants et il s'ensuivit une violente bagarre. Après avoir été passés à tabac par les forces de l'ordre, trois manifestants furent lourdement condamnés à de la prison le 28 août 1891. Révolté par ce jugement, Ravachol décida de les venger en s'attaquant à M. Benoît, conseiller à la Cour, et au substitut de la République Bulot. Il déroba des cartouches de dynamite à des ouvriers travaillant dans une carrière. Il réalisa sa première « marmite infernale[1] », destinée au magistrat Benoît, avec un détonateur constitué de capsules de fulminate et agrémenté de mitraille. La seconde fut composée avec 120 grammes de nitroglycérine additionnés de salpêtre et de charbon pulvérisé dans un mélange d'acide nitrique et d'acide sulfurique. Elle explosera le 27 mars 1891 au domicile du substitut Bulot, rue de Clichy, blessant cinq personnes et provoquant d'importants dégâts matériels. Dînant au restaurant *Véry*, Ravachol se trahira par la teneur de ses propos en discutant avec le garçon de café Jules Lhérot, qui le fera arrêter quelques jours plus tard. Il sera condamné au bagne à perpétuité pour les attentats et à la peine de mort pour le meurtre de l'ermite. Il fut guillotiné le 11 juillet 1892 à Montbrison à l'âge de trente-trois ans. Certains anarchistes y virent « une sorte de Christ violent[2] » annonçant une ère nouvelle.

Fidèle à une tradition anarchiste, Ravachol fut vengé par Théodule Meunier, un mois après son arrestation, par l'explosion du restaurant où il avait été dénoncé. Cet attentat fit deux morts, dont le propriétaire. À son procès, le terroriste fut aussi reconnu coupable de l'explosion le 15 mars 1892 de la caserne Lobau, célèbre pour les massacres de communards qui y eurent lieu.

---

1. On appelait ainsi ce type de bombe parce que son enveloppe était constituée par une marmite de fer achetée dans le commerce.

2. On peut se reporter à titre d'exemple au numéro de mai 1894 du *Père Peinard*, journal anarchiste en argot, qui le dépeint ainsi en médaillon.

Cependant, les actes de Ravachol firent des émules et inspirèrent même l'anarchiste Léon-Jules Léauthier. Le 13 novembre 1893, armé d'un tranchet, il tua « le premier bourgeois venu » au restaurant, le Bouillon Duval, en la personne de M. Georgewitch, ministre de Serbie.

À côté de ces attentats qui entretenaient un sentiment d'insécurité et de menace diffuse, la bombe lancée par Auguste Vaillant (1861-1894) au Palais-Bourbon suscita une vive émotion. L'auteur était un anarchiste engagé de longue date. Après un bref passage par les thèses socialistes, il appartint un temps au groupe « Les Révoltés ». Vaillant exerça différents métiers sans jamais gagner sa vie de façon satisfaisante. Il partit en Argentine, rêvant d'un avenir meilleur, mais revint à Paris trois ans plus tard, en mars 1893. Ce fut durant cette période qu'il se mit en ménage et eut un enfant. Sa situation ne lui permettait pas de subvenir aux besoins de sa famille et il était incapable de le supporter. Vaillant songea à se suicider pour mettre fin à une misère dont il avait le sentiment de ne pouvoir sortir. Cependant, comme il le déclara durant les assises, il voulait une mort utile qui serait « le cri de toute une classe qui revendique ses droits et qui bientôt joindra les actes à la parole… ». Ainsi, après avoir préparé sa bombe dans une chambre d'hôtel rue Daguerre, Vaillant se rendit le 9 décembre 1893 à la Chambre des députés où il la lança dans l'hémicycle depuis la tribune. De faible puissance, elle ne blessa qu'un député, mais elle atteignit son but : le gouvernement se sentait désormais directement visé par les anarchistes. Lors du procès, Vaillant résumera assez bien toute la haine éprouvée par les anarchistes contre l'injustice sociale : « […] J'aurai au moins la satisfaction d'avoir blessé la société actuelle, cette société maudite où l'on peut voir un homme dépenser inutilement de quoi nourrir des milliers de familles, société infâme qui permet à quelques individus d'accaparer les richesses sociales […]. Las de mener cette vie de souffrance et de lâcheté, j'ai porté cette bombe chez ceux qui sont les premiers responsables des souffrances sociales. »

Quinze jours après l'exécution d'Auguste Vaillant le 5 février 1894, la police fut avertie par courrier du suicide d'un certain Rabardy dans deux hôtels différents, l'un faubourg Saint-Jacques et l'autre rue Saint-Martin. Il s'agissait en fait d'un piège, les portes des chambres étant reliées à une bombe destinée à tuer les policiers. Ces deux attentats furent attribués à un anarchiste belge, Amédée Pauwels (1864-1894), qui était très actif au sein des milieux anarchistes de Saint-Denis. Il n'aura pas l'occasion de reconnaître sa culpabilité : il sauta le 15 mars 1894 avec la bombe qu'il transportait à l'intérieur de l'église de la Madeleine à Paris.

Tous ces terroristes se réclamaient d'avoir agi au nom de l'anarchisme, mais aucun n'a su aussi bien qu'Émile Henry (1872-1894) exprimer le bousculement profond qu'opère le terrorisme en cette fin du XIXᵉ siècle.

## ÉMILE HENRY THÉORISE LE RECOURS AU TERRORISME DE MASSE

Admis à Polytechnique, Émile Henry refusera de poursuivre ses études pour se lancer dans la propagande anarchiste. Il sera dans un premier temps opposé au recours à la dynamite et condamnera les attentats de Ravachol en raison des victimes innocentes qu'ils générèrent : « [...] Le véritable anarchiste [...] va abattre son ennemi ; il ne dynamite pas des maisons où il y a femmes, enfants, travailleurs et domestiques. » La grève des mineurs de Carmaux en août 1892 fut probablement l'événement qui fit basculer Henry dans le terrorisme. Face au refus de toutes négociations de la part de la Compagnie des mines, il décida qu'il était de son devoir de venger les ouvriers, de leur prouver « que seuls les anarchistes étaient capables de dévouement ».

Après avoir effectué une reconnaissance des locaux, le 8 novembre 1892, Henry déposa une bombe à retardement destinée à détruire les bureaux de la Compagnie des mines de Carmaux, 11 avenue de l'Opéra à Paris. L'engin fut découvert et transporté par un agent de police au commissariat de la rue des Bons-Enfants où il explosa, faisant cinq victimes. Cet attentat relève encore du terrorisme « ciblé ». Henry vise la direction d'une entreprise capitaliste. Cependant, sa bombe aurait pu, en explosant dans l'immeuble, blesser ou tuer des passants. Le terroriste s'était posé la question avant de passer à l'acte, contrairement à Ravachol qui regrette *a posteriori* d'avoir touché des innocents. Émile Henry affirme au cours de sa défense que « la maison [...] n'était habitée que par des bourgeois. Il n'y aurait donc pas de victimes innocentes. La bourgeoisie, tout entière, vit de l'exploitation des malheureux, elle doit tout entière expier ses crimes. »

Le second attentat réalisé par Henry visera directement la bourgeoisie dans son ensemble. Le 12 février 1894, il jeta une bombe sur l'orchestre du café *Terminus* de la gare Saint-Lazare à Paris, causant un mort et une vingtaine de blessés en plus d'importants dégâts matériels. Cette attaque terroriste se voulait la réponse aux mesures prises par le gouvernement à l'encontre des anarchistes au lendemain de l'explosion au Palais-Bourbon. Henry expliqua pourquoi il avait « frappé dans le tas » : « La bourgeoisie n'a fait qu'un bloc des anarchistes […]. On persécuta en masse [après l'attentat de Vaillant]. Eh bien ! Puisque vous rendez ainsi un parti responsable des actes d'un seul homme, et que vous frappez en bloc, nous aussi, nous frappons en bloc. »

Quelques jours après, Émile Henry fut arrêté et exécuté le 21 mai 1894. Ses crimes furent assimilés à ceux d'un fou par l'opinion publique et réprimandés par les intellectuels anarchistes. Maurice Barrès, qui assista au guillotinage du terroriste, résumera assez bien le problème que posera ce type d'attentat et les moyens de lutte qu'il faudrait mettre en œuvre : « Ce fut une faute psychologique que d'exécuter Émile Henry. Vous lui avez composé la destinée même à laquelle il prétendait […]. La lutte contre les idées se mène par des moyens psychiques, non avec des accessoires [les expédients qu'apportent le politicien et le bourreau]. »

La fin de l'ère des attentats individuels en France sera marquée par l'assassinat de Sadi Carnot en juin 1894. Le mouvement anarchiste était l'objet d'une forte répression depuis l'adoption par les autorités des « lois scélérates[1] » et le procès des Trente[2] d'août 1894. Les doctrinaires libertaires condamnèrent pour la plupart les principaux attentats de cette période. Dès la fin du XIX<sup>e</sup> siècle, l'anarchiste Émile Pouget (1860-1931) appelait à l'abandon de la « propagande par le fait » au profit de moyens d'action moins violents.

Le terrorisme anarchiste du XIX<sup>e</sup> siècle présente des caractéristiques fort particulières. Il s'agit d'abord d'un terrorisme individuel qui ne bénéficie pas, ou très peu, de moyens logistiques (financement, entraînement…). Il n'y a pas eu de réseaux capables de « penser » une stratégie de terreur à un niveau national ou international. Chaque terroriste agissait en fonction d'émotions qui lui étaient propres. Telle condamnation d'un mouvement ouvrier pouvait déclencher chez l'un le passage à l'acte, et nullement chez un autre qui sera plutôt sensible à la vengeance d'un camarade. Ensuite, le recours à « la propagande par le fait » a été réellement international. En plus des nombreux attentats français, espagnols et italiens, le langage de la bombe s'exporta un peu partout dans le monde où l'on pouvait retrouver des

---

1. La première loi du 11 décembre 1893 visait la presse anarchiste, la seconde de la même année portait sur les associations libertaires. La dernière loi de juillet 1894 instaurait un délit d'anarchisme.

2. Il s'agit du procès de trente anarchistes, accusés d'association de malfaiteurs. Parmi eux, on retrouve quelques grandes figures du mouvement libertaire mélangées à des délinquants de droit commun.

foyers anarchistes. Ce fut notamment le cas en Allemagne, en Belgique ou encore en Argentine. Enfin, le terrorisme anarchiste a bénéficié pour la première fois d'une couverture médiatique exceptionnelle par la grande presse, d'où l'important décalage entre le nombre de victimes – onze morts en France entre 1892 et 1894 – et la publicité qui fut faite aux attentats.

À l'aube du nouveau siècle, l'efficacité d'une telle démonstration de violence fut remise en cause par l'ensemble des penseurs libertaires. On retrouva en Europe comme aux Amériques cette même évolution de la manifestation de la révolte anarchiste : de la « propagande par le fait », avec un détour par la reprise individuelle – c'est-à-dire le vol justifié par l'anarchisme –, à l'adoption définitive de l'anarcho-syndicalisme par les différentes fédérations libertaires.

# Le terrorisme russe (1878-1908)

## par Yves Ternon

Le terrorisme est, en Russie, à la fin du XIX$^e$ siècle et au début du XX$^e$ siècle, une composante tardive du mouvement révolutionnaire. Ceux qui en prônent l'usage sont convaincus de sa nécessité et l'incluent dans une panoplie de moyens allant de la propagande au soulèvement armé. Certains le perçoivent comme une tactique, d'autres comme une stratégie, mais, pour tous, l'acte terroriste est à la fois idéologique, politique et éthique. Il est rarement le fait d'une décision individuelle, mais l'aboutissement d'un travail d'équipe, ce qui suppose un complot, une prise de décision et une longue préparation. Celui (ou celle) qui est désigné par le groupe révolutionnaire pour frapper est seulement le mieux placé pour le faire. Tous ceux qui participent à une action terroriste sont conscients que le risque est considérable et que la mort est l'issue la plus probable. La police tsariste est en effet d'une redoutable efficacité : les tentatives d'attentat échouent plus souvent qu'elles ne réussissent. Enfin, l'effet recherché – la prise de conscience du peuple russe – n'est pas obtenu. Le meurtre politique ne fait pas jaillir l'étincelle qui embraserait la Russie et il ne pousse guère le pouvoir à entreprendre des réformes. Au contraire, il enclenche des représailles de plus en plus dures. Par contre, l'autocratie est ébranlée par les coups répétés des terroristes. Bien qu'ils n'en soient pas la cause directe, ils ne sont pas étrangers à son brusque effondrement en 1917.

Cette histoire demande à être interprétée avec prudence. L'historiographie soviétique en a déformé l'image. Elle tenait à écrire une histoire linéaire du mouvement révolutionnaire russe et à présenter les bolcheviks comme les seuls héritiers légitimes de ce mouvement. Les historiens soviétiques ont gommé ce qui ne leur convenait pas et imprimé des idées reçues. À son origine la social-démocratie était opposée au terrorisme alors que son principal adversaire politique, le Parti socialiste-révolutionnaire, avait été à maintes reprises favorable à ce recours. En fait, le terrorisme n'est utilisé comme moyen de combat qu'à deux moments du mouvement révolutionnaire russe et par deux groupes qui s'inscrivent dans la continuité l'un de l'autre : la *Narodnaïa Volia* et le Parti socialiste-révolutionnaire, et ces deux groupes sont issus d'une scission du mouvement révolutionnaire russe en deux fractions dont l'autre conduira au Parti social-démocrate. La première idée reçue est de voir le Parti socialiste-révolutionnaire comme un parti de terroristes. La seconde est de réduire l'opposition au tsarisme – avant l'apparition de la social-démocratie – au terrorisme, alors qu'elle prit des formes multiples. Les nihilistes, les propagandistes qui « vont au peuple », les premiers anarchistes russes ne sont pas des terroristes. Les émeutiers paysans, les ouvriers insurgés, les soldats et marins révoltés ne sont pas des terroristes. Les théoriciens du socialisme et de la révolution russes n'ont que rarement prôné le recours au terrorisme comme moyen privilégié pour renverser l'autocratie, et, quand ils l'ont fait, comme Bakounine, ils n'ont pas joint le geste à la parole. Enfin, le terroriste russe est un athée. Il sacrifie sa vie pour les autres et il n'attend pas une récompense dans l'au-delà.

Le mouvement révolutionnaire russe est un vaste ensemble où les théories et les idées ouvrent des voies différentes qui se divisent rapidement après un tracé plus ou moins tortueux. Ces voies sont jalonnées de groupes, d'associations, de cercles. Les membres de ces organisations passent volontiers de l'une à l'autre au gré de leurs convictions du moment. Certains restent en dehors du terrorisme, d'autres s'y fixent ou le quittent, parfois pour en dénoncer l'usage. Le parcours du terroriste s'achève volontiers par la mort, la déportation ou l'exil et nombre de révolutionnaires n'ont jamais participé à une action terroriste. Ainsi, Véra Zassoulitch[1], qui ouvre la période terroriste russe par un acte spontané et non sur ordre d'un groupe, est une ancienne camarade de Netchaïev, puis une propagandiste populiste. Après son attentat, elle s'oppose au terrorisme dans le cadre du *Tcherny Peredel* – un organisme qui précède le Parti social-démocrate –, avant de devenir une des fondatrices de ce parti, adversaire résolu du terrorisme, puis de rester dans la fraction menchevik. À

---

1. Voir Véra Zassoulitch, Olga Loubatovitch, Elisabeth Kovalskaïa, Véra Figner, *Quatre femmes terroristes contre le tsar*, Paris, Maspero, 1978.

l'opposé, le parcours de Sophie Perovskaïa est exemplaire d'une évolution vers le terrorisme. Cette jeune aristocrate devient une propagandiste, puis une terroriste, et reste ferme dans ses convictions jusqu'à l'échafaud. Autour du terroriste gravitent des personnages qui espionnent, provoquent ou trahissent, manipulés ou payés par la police, et nombre d'idéologues qui appellent au recours à la terreur mais ne la pratiquent pas eux-mêmes, comme les nihilistes ou les premiers anarchistes. C'est dans un monde complexe que pénètre l'historien du terrorisme russe. Cette complexité relève autant des mentalités des acteurs que du déroulement des événements. Mais l'axe central du terrorisme russe reste la lutte contre le despotisme de l'empereur. Et le discours est le même que celui que tiendront les terroristes du XX$^e$ siècle. À la terreur d'État qui bénéficie d'une impunité totale, ils prétendent opposer une justice immanente et l'exercer contre ceux qui incarnent cette terreur et qu'ils condamnent comme bourreaux du peuple. On peut légitimement s'interroger sur le droit moral à agir ainsi, mais on ne saurait les condamner comme des tueurs aveugles. Cette histoire du terrorisme russe ne cherche ni à justifier ces crimes, ni à réhabiliter leurs auteurs, mais à raconter ce qui advint en Russie dans cette période et à analyser ce que fut, dans ce pays, dans sa diversité, le mouvement révolutionnaire et le rôle qu'y joua le terrorisme.

## LES POPULISTES

Dans l'historiographie qu'il a commandée, Staline a rompu la continuité du mouvement révolutionnaire russe. Il a opéré un tri entre les révolutionnaires positifs, précurseurs de la social-démocratie, et les révolutionnaires négatifs, un magma qui inclut tous les terroristes. À l'opposé, en Occident, des historiens tentèrent de faire naître une tradition libérale opposée à la tradition populiste et révolutionnaire. Cette dernière était accusée d'avoir fait manquer à la Russie sa chance d'accéder à la démocratie. Ces visions divergentes ne peuvent effacer une réalité : de 1848 à 1881, le socialisme russe est populiste et le populisme s'appuie sur le paysan russe. L'enjeu des différents courants révolutionnaires russes est la communauté paysanne, l'*obchtchina* ou *mir*. La commune paysanne est un héritage des anciennes structures slaves. Elle est à double face et aucun courant révolutionnaire ne parviendra à surmonter cette ambiguïté. En effet, le *mir* vient du servage et cette condition féodale est imprimée dans la mentalité paysanne. Pourtant il est égalitaire et il porte le germe d'un socialisme paysan.

Les révolutions russes de 1917 sont le terme logique d'un mouvement dont la première manifestation publique est la révolte des décabristes du 14 décembre 1825. Ce soulèvement est en partie la conséquence des guerres napoléoniennes. De jeunes officiers russes, en occupation à Paris, découvrent les idées de la Révolution française. L'un d'eux, Pestel, est le premier révolutionnaire à proposer un changement radical du système tsariste sur une base républicaine et socialiste : la solidarité des membres de la commune paysanne. Pestel est radical dans le choix de ses moyens, puisqu'il est partisan de supprimer la famille impériale. Après l'échec de l'insurrection et sa condamnation à mort, il n'exprime qu'un regret : « avoir voulu récolter la moisson avant les semailles ».

Cette première manifestation contre le despotisme éveille l'intelligentsia russe. Cependant les trente années du règne de Nicolas I$^{er}$, qui suivent la révolte des décabristes, sont marquées par une répression impitoyable. Les paroles et les écrits sont surveillés par la redoutable police politique de la Troisième Section et les idées de liberté ne peuvent guère s'exprimer qu'à l'étranger. Il n'y eut sous ce règne qu'un seul procès politique, celui du cercle des Petratchevtsi (1849), d'inspiration à la fois slavophile et utopiste fouriériste. Les « semailles » sont faites dans l'émigration. Le serment échangé sur la colline des Moineaux à Moscou, entre Herzen et Ogarev, de consacrer leur vie à la cause de la liberté, prend corps à l'étranger. Alexandre Herzen est le fondateur du populisme russe. Il opère une synthèse entre les Lumières et les thèses décabristes. Il pose à l'intelligentsia russe une question qui demeurera au centre de sa réflexion : faut-il libérer les serfs sans la terre ou avec la terre ? Il se démarque ainsi des slavophiles et des utopistes français qui représentent les deux courants originels du socialisme russe avant 1848. Herzen pense qu'il est possible de développer en Russie, à partir de l'*obchtchina*, un socialisme spécifiquement russe et de sauter l'étape de la révolution bourgeoise que préparent les soulèvements européens de 1848. Pour Herzen, l'unique solution est la libération avec la terre : la terre et la liberté. C'est le thème qu'il développera, avec l'aide d'Ogarev, dans sa revue *Kolokol* (La Cloche). Imprimée à Londres à partir de 1857, cette revue est largement diffusée en Russie. La guerre de Crimée (1853-1856) – qui oppose la Russie à une coalition anglo-française et ottomane – s'achève par une débâcle russe. Il est urgent de réformer la société. C'est la conclusion que le nouvel empereur, Alexandre II, tire de cette défaite – son père, Nicolas Ier, est mort en 1855. L'acte d'émancipation du 19 février 1862 abolit le servage[1]. Les paysans peuvent racheter les terres qu'ils cultivent. Herzen demande à l'intelligentsia d'expliquer au village que ce rachat, s'il ruine les paysans, leur coûte cependant moins qu'une révolte. Il exhorte la jeunesse universitaire à « aller au peuple » pour lui démontrer que l'acquisition de la terre et de la liberté n'est pas suffisante : il lui faut acquérir l'instruction. Mais Herzen a perdu le contact avec la réalité. Dans les campagnes, les premiers qui pourraient être éveillés sont ceux qui savent déjà lire, et ils sont membres des sectes.

Ces deux mouvements, celui des intellectuels et celui des sectes, sont incompatibles. Le fond paysan russe est imprégné par l'esprit vieux-russe. Il est nationaliste, religieux, réactionnaire, xénophobe, antisémite et barbare. Pour n'avoir pas saisi cette contradiction, Herzen voit son influence se réduire. Il continue à privilégier les réformes sociales au lieu des réformes politiques profondes qu'exige le mouvement populiste qu'il a lancé.

C'est Tchernichevski qui trace les lignes d'action du populisme. La vieille revue fondée par Pouchkine, *Sovremennik* (Le Contemporain), à laquelle il collabore puis dont il prend la direction, est, dans les années soixante, la tribune du libéralisme. Tchernichevski résume son programme en une question : le socialisme pourra-t-il aboutir en Russie avant le développement du capitalisme ? En d'autres termes : peut-on éviter la destruction de la tradition collectiviste de la communauté paysanne russe ? Il serait vain, explique-t-il, de supprimer l'*obchtchina* pour la reconstituer après la victoire du socialisme. Dès 1859, Tchernichevski sait bien que cette voie pacifique ne mènera nulle part. Dans une *Lettre de la province* adressée à Herzen et dont l'auteur non identifié est probablement Dobrolioubov, la conclusion s'impose : « Vous avez fait tout ce qui était possible pour collaborer à une solution pacifique du problème. Maintenant, changez de ton ! Que votre *Cloche* n'appelle plus à la prière ! Qu'elle sonne le tocsin ! Appelez la Russie à prendre les haches[2] ! » Autour du *Sovremennik* se réunissent de petits groupes clandestins qui se dressent contre le courant réformiste ébauché dans la noblesse. Tout en affirmant

---

1. Les dates qui figurent dans ce chapitre sont celles du calendrier julien, en retard de douze jours au XIXe siècle, de treize au XXe, sur le calendrier grégorien. Les dates du calendrier grégorien qui sont utilisées sont complétées par la mention [ns].

2. Franco Venturi, *Les intellectuels, le peuple et la révolution. Histoire du populisme russe au XIXe siècle*, Paris, Gallimard, « Bibliothèque des histoires », 1972, 2 vol., p. 341.

leur volonté démocratique, ces premiers populistes veulent créer une organisation révolutionnaire forte et ils prônent le recours à la violence. Le roman de Tchernichevski, *Que faire ?*, rédigé en 1862 dans la forteresse Pierre-et-Paul où l'écrivain est emprisonné, devient le bréviaire de la jeune intelligentsia populiste. Le héros de ce roman est un adversaire résolu de l'absolutisme. Il propose la création de coopératives de production et préconise, pour y parvenir, l'action. Dobrolioubov, mort à vingt-cinq ans en 1861, avait déjà exprimé les sentiments contenus dans la vision prophétique de Tchernichevski. Il soulignait l'importance de la réforme des mentalités politiques et la nécessité de passer du monde des rêves qu'incarne l'*Oblomov* de Gontcharov à celui de l'action, mais aussi de penser avant d'agir. En opérant la rupture d'une génération à l'autre, des enfants avec les pères, Dobrolioubov et Tchernichevski ouvraient aux intellectuels la route du peuple.

Les étudiants fournissent au populisme ses premiers militants. Ils n'étaient pas plus de 3 000 dans l'Empire russe en 1853, mais le monde universitaire s'est transformé après la mort de Nicolas I$^{er}$. Les portes de l'université se sont ouvertes. Les premières jeunes filles y entrent. Les étudiants tiennent des réunions, rédigent des journaux. Une conscience corporative naît et on parle politique. La tenue d'une première manifestation, en 1861, entraîne la fermeture de plusieurs universités considérées comme des foyers de subversion. Elles sont rouvertes peu après et les désordres cessent jusqu'en 1869. La première *Zemlia i Volia* (Terre et Liberté), une organisation créée à la fin de 1861 par un jeune noble, Michel Serno-Sovolievitch, est le premier maillon de la tradition populiste. Sa devise reprend la formule d'Ogarev. À la question : « Que faut-il au peuple ? » celui-ci répondait : « La terre et la liberté. » Le manifeste de *Zemlia i Volia* est publié en 1862 dans *La Jeune Russie*. Dès lors, la Russie est entrée dans une période révolutionnaire. Cette organisation clandestine, la première apparue en Russie après les décabristes, est un ensemble de groupuscules qui se développent d'abord en province. Plusieurs de ces petits groupes s'éloignent de la tradition populiste et prennent des positions anarchistes et libertaires. En mars 1863, le cercle des étudiants de Moscou originaires de Kazan invite ses militants à marcher vers le peuple. Lors de ces pérégrinations, les jeunes gens diffusent des tracts, mais ils n'établissent pas de contact avec le peuple. C'est néanmoins sur ce groupe que s'appuie le comité polonais pour déclencher en Russie une révolte paysanne. Les conjurés sont dénoncés à la Troisième Section et arrêtés. L'écrasement de l'insurrection polonaise par l'armée russe met un terme aux espérances levées par l'acte d'émancipation de 1862. La volonté réformatrice du tsar s'épuise avec les réformes administratives (les *zemstvo*) et judiciaires entreprises en 1864 et le pouvoir poursuit la russification de l'Empire.

L'organisation d'Ichoutine (1864-1866) se place plus directement dans la perspective révolutionnaire du *Que faire ?* de Tchernichevski. « Le terrorisme [russe] plonge ses racines dans cette convergence du machiavélisme révolutionnaire et de ce populisme intégral[1]. » Les étudiants du cercle d'Ichoutine considèrent – et c'est là leur machiavélisme – que le mouvement révolutionnaire n'est pas mûr pour remplacer l'État et que seule l'exécution du tsar autocrate provoquerait une révolution sociale. La société secrète qu'ils forment prend le nom d'« Organisation ». Au centre de ce cercle, l'Organisation constitue un noyau, « l'enfer », qui a pour fonction la pratique d'un terrorisme dirigé contre le gouvernement et les propriétaires terriens. Les membres de « l'enfer » sont des ascètes : ils se coupent de tout lien avec l'extérieur et vivent dans une clandestinité totale, tout en surveillant le reste de « l'organisation ». L'idée d'un attentat contre le tsar fait son chemin. Un cousin d'Ilioutine, Dimitri Karakozov, annonce à ses camarades sa résolution de tuer Alexandre II. Ceux-ci objectent que le peuple n'est pas prêt, que le tsar reste pour lui un personnage mythique et que, depuis le manifeste, il le considère comme son libérateur, et ils l'engagent à renoncer. Karakozov passe outre. Le 4 avril 1866, il tire sur Alexandre II au moment où celui-ci monte dans son carrosse. Un paysan ivre qui passe par là dévie le tir. C'est le premier attentat d'un homme du peuple contre l'empereur de toutes les Russies. La réaction, initiée par le « pendeur » de Varsovie, Mouraviev, est violente. La « terreur blanche » extirpe dans le terreau de l'intelligentsia russe les racines encore fragiles d'un mouvement révolutionnaire. C'est ainsi que, pendant les vingt premières années du règne d'Alexandre II, de 1855 à 1875, le mouvement révolutionnaire, riche d'idées, de proclamations et de projets, continue à se chercher un sens et ne parvient pas à pénétrer le monde paysan. C'est dans cette période que se développent le nihilisme et le mouvement anarchiste, deux courants différents du populisme, et qu'apparaît Netchaïev.

---

1. Venturi, *op. cit.*, p. 592.

## NIHILISME ET ANARCHISME

Le nihilisme est un mouvement philosophique et littéraire développé en Russie dans les années 1860 par la revue *Rousskoie Slovo* (La Parole russe) de Dimitri Pisarev. L'idée qui anime ce mouvement est un individualisme absolu, « la négation, au nom de la liberté individuelle, de toutes les obligations imposées à l'individu par la société, la famille, la religion[1] ». Le nihilisme s'attaque à ce qui n'a pas pour fondement la raison pure. Le terme de « nihiliste » est forgé dans une intention polémique par Tourguéniev dans son roman *Pères et fils*. Son héros, Bazarov, dénonce les préjugés et ne croit qu'en la raison et la science. Les populistes ne sont ni les frères, ni les enfants de Bazarov qui méprise le peuple. Le nihiliste ne croit en rien, ne reconnaît aucune autorité et nie toutes les valeurs reconnues, alors que le révolutionnaire croit dans le peuple et lutte pour les droits de l'homme. Le nihilisme débouche sur le radicalisme politique. Il est une des sources de l'anarchisme russe et du jacobinisme de Tkatchev.

L'anarchisme est, comme le libéralisme et le socialisme, une réplique à la centralisation imposée par le développement du capitalisme, mais c'est une troisième voie. Les anarchistes appellent à une révolution qui abolirait toute autorité et créerait une société fondée sur la coopération volontaire entre des individus libres. Mikhaïl Bakounine en est l'inspirateur. Sa doctrine est influencée par Proudhon : négation de l'État, collectivisation des moyens de production, préservation de la liberté individuelle. Bakounine conçoit la révolution totale comme un soulèvement massif dans les villes et les campagnes de tous les opprimés qui n'ont rien à perdre que leurs chaînes. L'anarchisme est, en Russie, le produit du despotisme de Nicolas Ier, mais il a des antécédents dans les sectes. Des idées voisines de l'anarchisme ont également été propagées par les slavophiles, qui sont opposés à un État centralisateur et bureaucratique, et par le socialisme de Herzen qui refuse de sacrifier la liberté individuelle à des théories abstraites. Malgré cette riche tradition paysanne russe, « aucun mouvement révolutionnaire anarchiste ne vit le jour en Russie avant le XXe siècle[2] ». C'est l'épisode du « netchaïevisme » qui a créé le malentendu assimilant le populisme au nihilisme et à l'anarchisme.

---

1. Stepniak, *La Russie souterraine*, Paris, Jules Lévy, 1885, p. 16.
2. Paul Avrich, *Les anarchistes russes*, Paris, Maspero, 1967, p. 45.

« L'importance de Netchaïev ne doit pas être mesurée à l'influence qu'il a exercée – celle-ci fut brève, épisodique et sans lendemain –, mais à sa vision aiguë et prophétique de la lutte révolutionnaire[1]. » Situé à la croisée des chemins entre le populisme, l'anarchisme et le nihilisme, Netchaïev annonce la dictature d'un petit cercle de révolutionnaires. Le personnage est une grande figure de la révolution russe. C'est par lui que la révolution entre dans une phase active et que le terrorisme devient un moyen de cette action. Le *Catéchisme révolutionnaire* qu'il rédige en 1869 avec Bakounine porte sa marque. Il exprime, poussées à l'extrême, les idées en germe dans le cercle d'Ichoutine. Il exige le passage à l'acte et ridiculise les « doctrinaires de cabinet », « produits de la corruption universitaire », qui poussent à la révolte et sont incapables de la faire :

*Paragraphe I. – Le révolutionnaire est un homme perdu. Il n'a pas d'intérêts propres, ni de cause personnelle, ni de sentiments, d'habitudes ni de biens. Il n'a pas même un nom. Tout en lui est absorbé par un intérêt unique et exclusif, par une seule pensée, une seule passion : la révolution[2].*

C'est Netchaïev qui conduit Bakounine à accepter, dans *Les principes de la révolution*, le terrorisme comme un des moyens d'aplanir le terrain à la révolution. Lorsqu'il revient à Moscou en 1869, il réunit un petit groupe, « la société de la hache », dont la seule action d'éclat est le meurtre d'un de ses membres, accusé sans fondement de délation, l'étudiant Ivanov. Pour se soustraire à la justice après ce crime, Netchaïev s'enfuit en Europe. Il est extradé en 1872 et enfermé à vie dans la forteresse Pierre-et-Paul, puis dans le ravin Alexis de Schlusselbourg où il restera en rapport avec les révolutionnaires populistes. Après l'assassinat d'Ivanov, Bakounine réalise qu'il a été la dupe de Netchaïev qu'il accuse d'être un mystificateur et un maître chanteur et qu'il juge très dangereux. Il l'est en effet, comme le Chigalev des *Possédés* de Dostoïevski qui, au nom de la liberté illimitée, justifie tous les moyens. Netchaïev n'est pas le précurseur des terroristes russes. Son « tout est permis » donnera naissance aux révolutions totalitaires du XXe siècle où des hommes institueront la terreur d'État et justifieront des millions de crimes par des idées, alors que le terroriste russe, lui, tue et paie son crime. Netchaïev annonce la dictature préconisée par Tkatchev. Pierre Tkatchev est l'un des premiers à faire connaître en Russie le matérialisme historique de Marx et à l'introduire dans la polémique développée dans les

---

1. René Cannac, *Netchaïev. Du nihilisme au terrorisme*, Paris, Pagot, 1961, p. 169.
2. Venturi, *op. cit.*, p. 636.

cercles populistes. Disciple de Tchernichevski, qu'il considère comme le père fondateur du Parti social-révolutionnaire en Russie, il est en contact avec les groupes actifs à Saint-Pétersbourg dans les années 1860, dont Karakozov et Netchaïev. La vision politique qu'il développe est centrée sur l'idée que la révolution sociale n'est possible en Russie qu'en interrompant le développement du capitalisme. En renversant le pouvoir, on éviterait à la Russie de suivre la voie des pays occidentaux. La révolution se fait en deux étapes : la première est certes destructrice ; mais la seconde est constructrice. Et ces deux étapes ne peuvent être accomplies que par une organisation homogène, disciplinée, hiérarchisée, qui agit en fonction d'un plan préconçu et qui peut seule animer le peuple. Tkatchev se situe donc à l'opposé de l'individualisme de Bakounine, mais le mouvement populiste, hanté par la dérive de Netchaïev, n'accepte pas plus son jacobinisme que l'anarchisme de Bakounine. Les populistes veulent aller au peuple. Le courant les y porte.

## LES PROPAGANDISTES

Lorsque le mouvement populiste, frappé par la « terreur blanche », renaît au début des années soixante-dix, il s'inspire d'un autre idéologue, Pierre Lavrov. Les *Lettres historiques* de Lavrov expliquent aux étudiants qu'il faut aller au peuple des villages, se mêler à lui pour lui apprendre le socialisme, mais qu'il ne faut pas oublier le peuple ouvrier, car la solidarité des travailleurs est essentielle. Lavrov est, lui aussi, partisan d'une révolution sociale par étapes. Le premier temps est la formation dans l'intelligentsia de militants socialistes révolutionnaires qui iront ensuite dans les campagnes rassembler les meilleures forces du peuple. Il développe ce programme dans sa revue *Vpériod* (En avant), dont le premier numéro paraît à Zurich en août 1873.

Le mouvement révolutionnaire russe reprend donc dans les années soixante-dix. La Commune de Paris est l'étincelle qui engage le socialisme russe à passer des cabinets et des cercles aux ateliers et aux villages, c'est-à-dire à entrer dans une phase active. Si les populistes ont rompu avec Bakounine et Tkatchev, ils ne sont cependant pas des disciples inconditionnels de Lavrov. Ces jeunes gens sont impatients et ils veulent se mettre immédiatement au service du peuple. Un premier groupe est réuni par Marc Natanson dans l'académie de médecine et de chirurgie de Saint-Pétersbourg.

Après l'arrestation de Natanson en novembre 1871, la relève est assurée par un garçon de vingt ans, Nicolas Tchaïkovski. Les *tchaïkovtsi*, comme on les nomme, n'ont qu'un but : faire de la propagande en milieu paysan et ouvrier. Ils sont les premiers à afficher la priorité de l'éthique dans l'action révolutionnaire : ils veulent vivre en conformité avec leurs idéaux ; ils aspirent à la pureté et ils sont prêts au sacrifice total. « Être propre et limpide comme un miroir », demande Tchaïkovski.

Les *tchaïkovtsi* essaiment en province, à Moscou, Odessa et Kiev. Trente-sept provinces sont « contaminées » par la propagande révolutionnaire. Le groupe est définitivement constitué en 1871 avec l'arrivée de Sophie Perovskaïa, qui se consacre à la librairie et à la propagande, de Dimitri Klements, qui assure la diffusion des livres, et des sœurs Kornilov. L'une des caractéristiques de ce groupe est la place faite à la femme. La lutte pour l'émancipation de la femme avait commencé à Zurich, lorsque des centaines d'étudiants, victimes de la répression, s'y étaient réfugiés, en particulier des jeunes filles, interdites à l'université. En 1873, pour freiner ce mouvement d'émigration, le gouvernement russe émet un oukase qui déclare hors la loi les sujets russes qui ne quitteront pas immédiatement Zurich. Les étudiants reviennent alors en masse et fournissent à la révolution des militants. Dans l'été 1874, « l'été fou », des centaines, peut-être des milliers de jeunes gens, quittent les villes, seuls ou par petits groupes, pour aller de village en village, surtout dans les terres d'où sont parties les grandes révoltes de Stenka Razine et de Pougatchev, vers le Sud et le long des grands fleuves. Ils veulent instruire le peuple, mais aussi le voir vivre, s'instruire auprès de lui, apprendre un métier et l'exercer au village. Cette croisade vers le peuple se fait au grand jour. Elle ne saurait d'ailleurs être clandestine dans un milieu où aucun secret ne peut être gardé. Le gouvernement n'a aucun mal à la détruire par des arrestations en masse : toute une génération de révoltés est ainsi moissonnée.

## LA SECONDE *ZEMLIA I VOLIA*

La croisade menée par les propagandistes en milieu paysan était vouée à l'échec. Ils n'avaient pas réalisé que leur culture et celle des campagnes étaient en opposition et qu'ils n'avaient en commun que la langue. C'est ce que leur explique Tourguéniev dans son roman, *Les terres vierges* (1877). Telle fut l'ambiguïté de « l'aller au peuple ». Le caractère collectiviste et égalitaire du *mir* avait égaré les populistes. Ils l'avaient paré de toutes les vertus libertaires, alors qu'il était infiltré par les sectes de vieux croyants, que c'était un monde clos, replié sur sa foi et ses superstitions, et que le mythe du tsar rédempteur y était toujours vivace, comme au temps de Pougatchev.

Un seul succès est remporté à Tchiguirine, près de Kiev, où trois militants ont l'idée de fabriquer un faux manifeste du tsar pour faire croire aux paysans que l'empereur cède à leur demande et les incite à former une organisation pour lutter contre les propriétaires et s'emparer de la terre. La « légion secrète » qu'ils forment recrute jusqu'à 2 000 personnes avant d'être découverte en 1877. Par contre, en milieu ouvrier, la propagande ébauchée dans les années soixante se développe dans les années soixante-dix. Ce succès est d'abord la conséquence d'une mutation opérée par le passage du corporatisme – héritage de l'*artel* paysan – à une organisation sur une base syndicale et ce sont les propagandistes qui aident les ouvriers à rompre avec leur mentalité paysanne. Mais la première apparition de l'Union ouvrière de Kiev est démantelée. Elle se reconstitue à Zurich sous la forme d'une Organisation social-révolutionnaire panrusse qui centre son action sur la propagande et l'agitation en milieu ouvrier et qui se fixe pour objectif la création d'une structure capable de rassembler les mouvements spontanés. De retour à Moscou, les membres de cette organisation sont arrêtés en 1875.

L'échec de la propagande en milieu paysan et la destruction des organisations ouvrières amènent les populistes à repenser les modalités de leur action et à se fondre en un parti agissant dans une stricte clandestinité. Un premier groupe de survivants des *tchaïkovtsi* s'organise à Saint-Pétersbourg autour de Marc Natanson, échappé de sa relégation, de sa femme Olga et d'Alexis Obolechev. Alexandre Mikhaïlov qui les rejoint appartient à une autre génération, celle qui était trop jeune pour aller au peuple. Pour souligner leur caractère clandestin, les conspirateurs se nomment « les troglodytes ». Ils se réunissent avec des groupes provinciaux, et la nécessité de former un véritable parti s'impose à eux. Le programme du Parti social-révolutionnaire, qui reprend l'ancien nom de *Zemlia i Volia*, est lentement élaboré. Les troglodytes reprennent les idées des Vieux-Russes du *raskol* et, après être entrés en contact avec les sectes, ils étudient les perspectives d'un terrorisme agraire. Ils envisagent de provoquer des émeutes paysannes. Leur programme est révisé à plusieurs reprises avant sa rédaction définitive au printemps 1878. Le Parti préconise le recours à la terreur politique pour désorganiser le gouvernement. En fait, de 1876 à 1878, les membres de *Zemlia i Volia* ne sont pas plus de 35.

Dès 1875, ils passent à l'action en faisant évader leurs camarades emprisonnés, dont Kropotkine, le futur anarchiste. De 1875 à 1877, ils sont des centaines à s'évader. Plusieurs de ces opérations sont organisées par Sophie Perovskaïa. Dans *Vpériod*, Lavrov consacre une chronique régulière aux évasions. Si les évasions sont un succès, les « démonstrations » doivent vite être abandonnées après les arrestations massives des manifestants sur la place de Kazan à Saint-Pétersbourg en décembre 1876. Ils sont jugés et condamnés en janvier 1877. Comme le précédent, le procès des 193, ouvert en octobre 1877 et terminé en janvier 1878, contribue à révéler au public le courage et la générosité de ces enfants du peuple russe. Bien que tenus à huis clos, ces procès accroissent le prestige des révolutionnaires dans la société russe.

Parallèlement, le gouvernement organise le procès des propagandistes. Le premier procès, celui des 50 de la Société de Moscou arrêtés en 1874, se tient en février-mars 1877. Contrairement aux précédents, ce procès est public, ce qui permet à l'opinion publique russe de découvrir que ces jeunes gens sont prêts au sacrifice. « Les propagandistes ne voulaient rien pour eux-mêmes. Ils étaient la personnification de l'abnégation la plus pure [...]. S'il ne pouvait changer (la société), il devait disparaître. Et déjà un autre lui succédait », écrit Stepniak[1].

La presse clandestine russe informe également le public sur la situation des détenus dans les prisons et la violence de la police – la première imprimerie est montée à Saint-Pétersbourg par Zundelevitch. Un incident survenu dans une prison déclenche un mouvement de protestation : un des manifestants de la place de Kazan, Bogolioubov, est fouetté sur ordre du gouverneur de Saint-Pétersbourg, Trepov, parce qu'il ne l'a pas salué lorsqu'il visitait la prison. L'Organisation envisage une action contre Trepov, mais, sans informer personne, une jeune fille, Véra Zassoulitch, vient au palais, se mêle aux porteurs de requête et tire sur Trepov, qui est blessé. Elle est rapidement jugée par une cour d'assises. Lors du procès, la salle est comble : des ministres, des généraux, des écrivains. L'avocat de la défense, Alexandrov, fait le procès du gouvernement. Il dénonce la cruauté de Trepov et justifie le geste de sa cliente : « Au bourreau de Bogolioubov il fallait non le gémissement du mal physique, mais celui de l'âme humaine outragée, de la dignité

---

1. Stepniak, *op. cit.*, p. 50-51.

humaine piétinée. Le sacrilège s'est accompli. Le sacrifice honteux a été consommé. On a organisé solennellement l'apothéose russe des verges[1]. » Véra Zassoulitch est acquittée à l'unanimité. Le verdict est applaudi par la salle. Libérée, la jeune fille parvient à échapper aux gendarmes qui, sur ordre de l'empereur, tentent de l'arrêter à la sortie du tribunal.

Le coup de revolver de Véra Zassoulitch ébranle non seulement la Russie, mais l'Europe. C'est par ce geste que commence « la saison des attentats ». « Les attentats russes se trouvent à mi-chemin entre la guerre de partisans et le geste de l'anarchiste ; ils constituent une tentative, au moins partiellement réussie, pour déclencher une lutte politique et ouvrir la voie à la révolution ; ils sont une expression de la "propagande par les faits" et non pas des gestes isolés de protestation. Le "terrorisme" russe n'est, en somme, qu'un aspect de la formation d'un parti socialiste-révolutionnaire et de l'ouverture d'une crise générale de la société russe » (Franco Venturi[2]).

La vague terroriste vient du Sud. C'est en Ukraine que le terrorisme russe prend, pour la première fois, une forme organisée. C'est à Kiev que naît, au sein du Parti social-révolutionnaire, le premier Comité exécutif. Créé en février 1878 par Valéri Ossinski, ce comité décide de désorganiser le gouvernement en frappant les instruments de l'oppression et les traîtres. Son manifeste, diffusé dans plusieurs villes russes, porte au bas un sceau : une hache, un poignard et un revolver entrecroisés ; autour, une inscription, comité exécutif du Parti social-révolutionnaire. Le comité ordonne l'exécution de Matveiev, recteur de l'université et du baron Hegking, chef-adjoint de la gendarmerie. En août, à Saint-Pétersbourg, Serge Kravtchinski – Stepniak de son pseudonyme – poignarde le général Mezentzev, chef de la Troisième Section, Barannikov tire sur son aide de camp et ils disparaissent dans une voiture conduite par Adrien Mikhaïlov. Cet attentat est perpétré deux jours après l'exécution à Odessa d'un terroriste, Kovalski. « Mort pour mort », écrira Kravtchinski qui parvient à s'échapper dans une voiture rapide. Kravtchinski est un ancien des *tchaïkovtsi*. Il s'est réfugié en Europe où il a participé en 1876 à l'insurrection d'Herzégovine, puis au soulèvement de Benvenuto en Italie. Il est ensuite revenu en Russie prendre contact avec le parti *Zemlia i Volia*. Le gouvernement publie une déclaration dénonçant la « bande de malintentionnés » et il institue une Commission spéciale composée des ministres de la Justice, de l'Intérieur et des chefs de la Troi-

---

1. J.W Bienstock, *Histoire du mouvements révolutionnaire en Russie*, vol. 1 (1790-1894), Paris, Payot, 1920, p. 204-205.

2. *Op. cit.*, p. 966.

sième Section et de la gendarmerie. L'oukase du 8
police à arrêter qui elle veut.

Dès sa fondation, le Parti social-révolutionnaire a été u.
tion du terrorisme. Dans sa revue clandestine, *Zemlia i Volia*, ..
s'inquiète de voir les terroristes forcer la main du Parti, alors qu'ils ont e..
définis comme une équipe de protection. Cependant, pour une majorité de
militants, la répression gouvernementale ne laisse ouverte qu'une seule voie :
le développement du terrorisme. Le Parti est passé de la phase de la conjuration à celle de la révolution et le meurtre politique apparaît le seul moyen de
défense. Au début de 1879, le comité exécutif méridional est liquidé :
Ossinski et son groupe sont arrêtés ; ceux qui ont été pris les armes à la main
sont pendus en mai, après un procès rapide. Ces arrestations ne mettent pas
un terme aux attentats : le 9 février 1879, Goldenberg abat le gouverneur de
Kharkov, Kropotkine – le cousin du prince anarchiste ; à Odessa, en mars, le
colonel de gendarmerie Knoop est tué ; à Moscou, l'espion Reinstein est exécuté ; le 13 mars, à Saint-Pétersbourg, Leonid Mirski tire sur le nouveau chef
de la Troisième Section, Drenteln, le manque et s'enfuit. Le Parti ouvre des
imprimeries clandestines et décide de recourir au vol à main armée pour
financer ses activités : ce sont les premières « expropriations ».

Depuis l'attentat manqué de Mirski, Alexandre Soloviev a décidé
d'attenter à la vie du tsar. Il tient à agir seul, mais il sollicite l'avis de deux
dirigeants du Parti, Kviatkovski et Mikhaïlov, qui hésitent puis cèdent
devant la détermination du jeune homme. Le matin du 2 avril 1879, à
l'heure de la promenade de l'empereur, Soloviev tire cinq coups de revolver
sur Alexandre II et le manque. Arrêté, il tente de se suicider en prison en
avalant du poison. Rapidement soigné, il survit et est jugé. Lors de son procès, il fait une longue déclaration dans laquelle il retrace son parcours.
« Nous socialistes révolutionnaires, dit-il, nous avons déclaré la guerre au
gouvernement. » Le 28 mai, Soloviev est pendu devant une grande foule où
se trouvent des correspondants de la presse internationale. Dans un opuscule
publié anonymement à Genève, Pierre Kropotkine évoque le jour de son
exécution : « Les villes murmurent. Et là-bas, dans ces vastes plaines, arro-
sées par la sueur du laboureur resté esclave, dans ces sombres hameaux où
la misère tuait toutes les espérances, les coups de revolver de Soloviev
deviennent la cause d'une sourde agitation : l'insurrection, précurseur des
révolutions, fait déjà entendre son grondement[1]. » En fait, il n'en est rien et,

---

1. Venturi, *op. cit.*, p. 1015, n. 2.

comme à l'accoutumée, le gouvernement répond à cet acte de terrorisme en instituant un régime de terreur. Dans six régions où le mouvement révolutionnaire s'est développé, à Saint-Pétersbourg, Moscou, Kharkov, Kiev, Odessa et Varsovie, le pouvoir est confié à des dictateurs militaires qui exercent une justice sommaire. Les condamnations à mort se multiplient, surtout à Odessa où sévit Totleben.

Depuis l'attentat de Soloviev, le parti *Zemlia i Volia* s'interroge de façon plus pressante sur l'opportunité du terrorisme. Jusqu'alors latent, le conflit devient ouvert. Une réunion du parti, c'est-à-dire des groupes du Nord et du Sud, s'impose. Au congrès clandestin de Lipetzk, du 15 au 17 juin 1907, 25 révolutionnaires, pour la plupart membres du comité exécutif de *Zemlia i Volia*, se réunissent : Morozov fait l'apologie du terrorisme ; Plekhanov marque sa désapprobation ; Mikhaïlov prononce un violent réquisitoire contre le tsar ; un nouveau comité exécutif est formé. Le lendemain, les membres du parti se retrouvent à Voronej où ils rencontrent d'anciens populistes. Ils sont 19 à écouter le plaidoyer d'André Jéliabov en faveur de la terreur. Jéliabov fixe un objectif immédiat : le renversement de l'absolutisme par le meurtre de l'autocrate. Plekhanov quitte alors la réunion. Le programme de *Zemlia i Volia* est lu et adopté sans changement. Le projet d'attentat contre l'empereur est mis aux voix et il en recueille une majorité. C'est seulement le 26 août que le Comité exécutif prononce la condamnation à mort d'Alexandre II. Cependant, après le congrès de Voronej, plusieurs membres du parti reviennent sur les concessions faites au terrorisme. Popov et Véra Zassoulitch suivent Plekhanov. C'est la rupture, et la fin de *Zemlia i Volia*. Le parti se scinde en deux fractions : *Tcherny Peredel* (Le Partage noir) et *Narodnaïa Volia* (La Volonté du peuple). Les actifs sont répartis entre les deux groupes : *Tcherny Peredel* garde l'imprimerie clandestine. *Le Partage noir* s'inscrit dans la continuité du populisme : son symbole est le partage égalitaire des terres entre les serfs, les « noirs ». Il est cependant un pont entre la propagande socialiste des années soixante-dix et la social-démocratie que Plekhanov fondera plus tard. La position de Plekhanov est claire : il estime que la situation ne se prête pas à l'insurrection et que ni les révolutionnaires, ni le peuple ne sont prêts. C'est également le point de vue d'Axelrod et d'Aptekman : en cas d'insurrection, les masses paysannes ne soutiendraient pas le mouvement révolutionnaire. Si la révolte triomphait, elle aurait substitué un ordre à un autre et les révolutionnaires auraient travaillé pour la bourgeoisie.

## NARODNAÏA VOLIA

Le terroriste de 1880 n'est plus un homme seul. Il est membre d'une organisation qui l'inclut dans une opération clandestine conçue en commun et qui lui confie une mission précise. Le terroriste de la *Narodnaïa Volia* sait qu'il est promis à la mort et il accepte son sort comme la condition de la libération de l'humanité. Stepniak, qui l'idéalise, le définit comme « un socialiste convaincu » qui n'a qu'un but : « abattre ce terrible despotisme, donner à son pays la condition de tous les peuples civilisés, c'est-à-dire la liberté politique. C'est alors qu'il pourra travailler en toute sécurité à son programme rédempteur[1]. » Pour la *Narodnaïa Volia*, l'État russe est un monstre qui possède en propriété privée plus de la moitié du territoire de l'Empire. Plus de la moitié des paysans sont ses fermiers. C'est donc contre ce monstre que la *Narodnaïa Volia* veut se battre, afin d'éviter qu'il transmette son pouvoir à la bourgeoisie. La lutte doit être entreprise immédiatement. « Maintenant ou jamais », tel est le mot d'ordre. Les *narodnovoltsi* sont convaincus que le « coup au centre », le meurtre du tsar, remettra l'État entre les mains du peuple. Ils sont restés des populistes et ils conçoivent toujours la révolution comme la conquête de la terre par l'*obchtchina* et des usines par les ouvriers. Ils ne réalisent pas que le moyen qu'ils choisissent pour parvenir à ce but – un terrorisme opéré par un noyau de clandestins – limite la diffusion de leurs idées dans l'intelligentsia et que, faute de ce relais, leur acte ne sera pas compris par le peuple.

Pendant l'automne et l'hiver 1879-1880, tous les efforts de la *Narodnaïa Volia* se concentrent sur l'assassinat d'Alexandre II. L'organisation a changé ses techniques. Elle abandonne l'attentat individuel au revolver ou au poignard et choisit la dynamite. Kibaltchitch a inventé une bombe qui peut être lancée sur l'objectif. Il propose également de creuser sous des rues empruntées par le carrosse impérial des sapes bourrées d'explosifs. La sape serait commencée dans des bâtiments jouxtant ces rues. La première sape est creusée sous la banque de Kherson en mai 1879, pour assurer le financement des opérations. En novembre, le Comité exécutif organise une série d'attentats sur la voie de chemin de fer que doit emprunter le train impérial ramenant le tsar de Crimée – où il est en villégiature – à Saint-Pétersbourg. Trois lignes sont minées : un poste de garde-barrière près d'Odessa – attentat organisé par Kibaltchitch, Kviatkovski et Véra Figner –, mais le tsar rentre

---

1. Stepniak, *op. cit.*, p. 66.

à Odessa par la mer et il n'emprunte pas cette ligne ; à Alexandrovsk, près de Moscou – l'équipe est conduite par Jéliabov –, mais l'explosion ne se produit pas ; plus près de Moscou – un groupe conduit par Alexandre Mikhaïlov et qui comprend neuf personnes dont Sophie Perovskaïa –, mais c'est le second train du convoi qui saute et le tsar était dans le premier. Stepan Khaltourine, menuisier au palais d'Hiver, propose ses services au comité exécutif qui les accepte. Le 5 février 1880, il fait sauter une salle du palais, mais le tsar n'y est pas. L'explosion fait 11 morts et 56 blessés.

Alexandre II a peur. Il hésite entre deux répliques : l'une libérale, l'autre répressive. En fait, il choisit les deux. Il dissout la Troisième Section et nomme une « Commission exécutive supérieure » présidée par un libéral, Loris-Melikov. Le nouveau « dictateur » contrôle la police et les organismes de sécurité, mais il introduit dans sa commission une majorité de libéraux et il sollicite l'appui de la société russe pour la tâche réformatrice qu'il veut entreprendre. Le comité exécutif de la *Narodnaïa Volia* ne change cependant pas sa ligne. Ses forces s'épuisent avec l'arrestation de plusieurs de ses membres, mais il continue à recruter non seulement en milieu étudiant, mais aussi en milieu ouvrier et dans l'armée. Des officiers, des soldats, des marins de la base de Cronstadt sont prêts à aider le comité : c'est un retour aux sources du mouvement décabriste. Tout un petit monde souterrain se déploie autour des terroristes, qui, eux, s'enferment dans une clandestinité totale. L'une des pièces essentielles de cet appareil clandestin est le « receleur » (*ukrivatel*). Ce « compagnon de route » est aussi bien un aristocrate ou un bourgeois qu'un fonctionnaire ou un policier. Sa tâche est de cacher les objets et les hommes. Les portiers (*dvornik*) sont le plus souvent des informateurs de la police, mais ceux qui travaillent pour les révolutionnaires sont particulièrement efficaces : ils connaissent la topographie de la ville et les maisons à double issue. La police réplique en infiltrant l'organisation avec des informateurs. Ceux-ci sont rarement découverts. L'un des premiers infiltrés, Oklatski, renseigne la police de 1880 à 1917 et il n'est identifié qu'en 1924.

Le Comité exécutif est toujours résolu à tuer le tsar. Il refuse la proposition de Mlodetski de changer de cible et d'assassiner Loris-Melikov. Mlodetski passe outre et, le 20 février 1881, il tire à bout portant sur le « dictateur » et le manque. Arrêté sur place, il est jugé le lendemain, condamné à mort et pendu le 22 février, en dépit de l'intervention de Loris-Melikov qui demande à l'empereur de commuer sa peine. En avril 1880, Loris-Melikov a présenté à l'empereur un premier rapport sur l'état de la

Russie dans lequel il propose les mesures à prendre pour l'améliorer. Alexandre II a approuvé ce rapport ainsi que les suivants déposés en août 1880 et en janvier 1881. Le 1er mars, deux heures avant d'être tué, il signe la demande de convocation d'une commission générale chargée de rédiger une constitution pour l'Empire.

Si Loris-Melikov prépare des réformes libérales, il n'en durcit pas moins la répression. Les conditions de détention des déportés du bagne de Kara, en Sibérie, s'aggravent. Les militants de la *Narodnaïa Volia* tombent les uns après les autres : Alexandre Mikhaïlov est arrêté en novembre 1880. Mais la préparation de l'attentat continue : une sape est creusée sous le pont Kameny par Jéliabov et Teterka, le 16 août 1880 ; durant l'hiver, les *narod-novoltsi* travaillent à partir d'une fromagerie achetée par eux au creusement d'une sape sous la rue Petite Sadovaïa que le tsar doit emprunter. La rumeur d'un attentat contre l'empereur se répand. La presse en parle et la police renforce sa surveillance. Le 27 février, Jéliabov est arrêté. Le 28, les membres du comité exécutif qui ont échappé aux arrestations fixent au lendemain l'attentat préparé depuis des mois. Le plan retenu associe la mise à feu de la sape de la rue Petite Sadovaïa et des lancers de bombes. L'empereur doit se rendre le 1er mars à midi au manège en passant par la rue Petite Sadovaïa où la mine est placée sous la chaussée. En cas d'insuccès, les porteurs de bombes sont placés sur le trajet probable du carrosse. Sur les conseils de son épouse morganatique, Alexandre II change son itinéraire. Les « lanceurs » sont déplacés par Sophie Perovskaïa qui contrôle l'opération. Ils sont envoyés au canal Catherine où ils attendent le retour de l'empereur après sa visite au manège. Au signal convenu, Rysakov lance la première bombe. Le convoi impérial s'arrête. Alexandre est indemne. C'est alors que le deuxième lanceur, Grinevietzki, s'avance et fait exploser sa bombe entre l'empereur et lui. Tous deux sont mortellement blessés. La plupart des conjurés sont arrêtés les jours suivants, sur dénonciations : pour sauver sa tête, Rysakov, arrêté comme lanceur de bombe, divulgue tous les détails du complot ; un autre terroriste « repenti », Merkoulov, fait le tour des rues de la capitale et désigne à la police tous les révolutionnaires qu'il aperçoit. Jéliabov s'accuse d'avoir participé à la préparation de l'attentat et il est inclus dans le groupe des accusés jugés dans un procès public. Bien qu'ils soient défendus par les meilleurs avocats de la capitale, les six accusés – Jéliabov, Sophie Perovskaïa, Kibaltchitch, Rysakov, Mikhaïlov, Essia Helf-mann – sont condamnés à mort pour régicide. Des libéraux, comme le comte Léon Tolstoï et le philosophe Vladimir Soloviev, tentent de fléchir le nouveau tsar, Alexandre III. Le 12 mars, le comité exécutif de la *Narodnaïa Volia* publie une lettre ouverte rédigée par Tikhomirov et Mikhaïlovski, dans laquelle ils demandent au tsar une amnistie générale et la convocation d'une assemblée constituante. Alexandre III ne cède pas. Le 3 avril 1881, cinq condamnés sont pendus place Semionovski, dont Sophie Perovskaïa, la première femme exécutée en Russie. Seule Essia Helfmann, enceinte de huit mois, voit sa peine commuée.

Le discours que tient Jéliabov lors du procès résume l'histoire du mouvement révolutionnaire russe. Les rêveurs, explique-t-il, sont devenus des positivistes ; ils sont passés de la propagande aux actes, de la parole à la lutte ; l'événement du 1er mars est dans la continuité de l'année 1878, une année de transition où la doctrine « mort pour mort » s'impose. Et il conclut : « Mon but, le but de ma vie, a été de travailler au bonheur commun. Longtemps, j'ai suivi la voie pacifique. Par mes convictions j'aurais abandonné cette dernière forme de lutte [le terrorisme] s'il y avait eu la moindre possibilité d'aboutir par la lutte pacifique[1]. » Pour Albert Camus, Jéliabov est le symbole du terroriste rédimé : « Celui qui tue n'est coupable que s'il consent encore à vivre ou si, pour vivre encore, il trahit ses frères. Mourir, au contraire, annule la culpabilité et le crime lui-même[2]. » Karl Marx ne condamne pas les auteurs de l'attentat, bien au contraire. Dans une lettre à sa fille Jenny, datée du 11 avril 1881, il écrit : « As-tu suivi le procès des auteurs de l'attentat ? Ce sont des gens foncièrement honnêtes, sans pose mélodramatique, simples, réalistes, héroïques. Le brailler et l'agir sont des contradictions inconciliables. Le Comité exécutif de Pétersbourg, qui a agi si énergiquement, publie des manifestes d'une modération raffinée [...]. Ils s'efforcent d'expliquer à l'Europe que leur *modus operandi* est une manière d'agir spécifiquement russe, historiquement inévitable ; ce sur quoi on peut moraliser aussi peu que sur le tremblement de terre de Chios[3]... »

## LES SOCIALISTES RÉVOLUTIONNAIRES

Le comité exécutif de la *Narodnaïa Volia* a échoué. Il a tout misé sur un seul acte : le régicide, mais le meurtre de l'empereur ne pouvait entraîner

---

1. Bienstock, *op. cit.*, p. 270.

2. Albert Camus, *L'homme révolté*, Paris, Gallimard, 1951, p. 214.

3. Léon Poliakov, *La causalité diabolique. Du joug mongol à la victoire de Lénine*, Paris, Calmann-Lévy, 1985, p. 152.

une insurrection du peuple russe, ni dans les villes ni dans les campagnes. Dans la logique du système impérial, le fils aîné succède à son père assassiné. Alexandre III réplique immédiatement au meurtre de son père en instituant une terreur d'État. Cette terreur, comme jadis la réaction de Nicolas I$^{er}$ au soulèvement décabriste, brise le mouvement révolutionnaire. Ce règne de treize ans est inauguré par une vague de pogroms. Du 5 avril au 25 décembre 1881, la zone de résidence, où la législation russe enferme des millions de Juifs, est ravagée. Ces pogroms sont orchestrés par un groupe d'aristocrates, la « Sainte Légion » ou « Sainte Droujine », une première ébauche de la future organisation d'extrême droite, l'Union du peuple russe. Les Juifs sont accusés d'être responsables de la mort du tsar. La désignation d'un bouc émissaire permet au pouvoir de détourner sur les Juifs le ressentiment populaire. L'empereur est d'abord surpris par ces troubles et il les attribue aux révolutionnaires. Puis il conclut à la spontanéité de ce mouvement populaire, alors que les émeutes antisémites sont soigneusement programmées par la Sainte Légion. Il décrète alors des lois d'exception qui aggravent la condition juive dans l'Empire russe. Les pogroms déclenchent une émigration massive des Juifs de Russie, en particulier vers les États-Unis. La principale conséquence de l'assassinat d'Alexandre II est le réveil de l'antisémitisme en Russie.

L'institution d'un régime de répression durant le règne d'Alexandre III contient le mouvement révolutionnaire. Pendant cette même période, le développement économique de la Russie, en particulier par l'industrialisation, contribue à éveiller le prolétariat. Des syndicats se forment dans les usines et les premières grèves éclatent. Une société secrète, Le Prolétariat ouvrier, fondée en Pologne en 1882, adopte dans son programme le recours à la terreur politique. Mais les grèves apparaissent un moyen plus efficace que le recours à la violence. Elles contraignent le gouvernement à promulguer des lois réduisant la durée du travail et réglementant le travail des femmes et des enfants. Ce mouvement ouvrier prélude à la formation du Parti social-démocrate, préparé dans l'émigration dès 1883 par des membres du *Tcherny Peredel*. Les campagnes ne restent pas silencieuses. La terrible famine de 1891-1892, qui frappe 30 millions de Russes, fait 100 000 victimes. Elle est suivie d'une épidémie de choléra qui, venue de Perse par la mer Caspienne, remonte le cours de la Volga. Famine et épidémie provoquent des soulèvements paysans qui sont impitoyablement réprimés. Les sectes sont alors persécutées, ce qui a pour résultat de les rapprocher du mouvement révolutionnaire, un résultat que n'avaient pu obtenir les populistes.

Alexandre III s'acharne à détruire ce qui reste des réformes libérales de son père. Il s'en remet à ses ministres pour organiser cette politique réactionnaire : Pobiedonostsev, procureur général du Saint-Synode, et le comte Dimitri Tolstoï, ancien ministre de l'Instruction publique. Tolstoï considère que l'instruction du peuple est la cause directe du mouvement révolutionnaire. Il fait promulguer des lois qui écartent de l'enseignement secondaire les enfants pauvres et qui réduisent l'autonomie de l'université. Le 30 mai 1882, l'homme le plus réactionnaire de l'Empire devient ministre de l'Intérieur.

## Formation du Parti socialiste-révolutionnaire

En dépit de la violence de la réaction, le terrorisme ne cesse pas sous le règne d'Alexandre III. Certes, la *Narodnaïa Volia* ne se relève pas des arrestations qui l'ont décimée après 1881. En mai 1881, tous ses dirigeants ont été arrêtés ou ont fui à l'étranger, à l'exception de Véra Figner qui regroupe les survivants et transfère l'organisation à Moscou. Cependant, la *Narodnaïa Volia* décline progressivement et disparaît en tant que parti en 1887. De petits groupes ont surgi pendant cette période. En 1885, à Saint-Pétersbourg, une « section terroriste de la *Narodnaïa Volia* » projette d'assassiner Alexandre III. Les conspirateurs sont arrêtés avant d'avoir pu agir : 42 personnes sont jugées, 15 condamnées à mort et 5 pendues, dont Alexandre Oulianov, fils d'un conseiller d'État et frère aîné de Vladimir Oulianov, le futur Lénine. En 1888, un groupe d'officiers, en rapport avec un cercle terroriste de Zurich, prépare un attentat contre l'empereur. Une étudiante de Saint-Pétersbourg, Sophie Guinsbourg, assure la liaison. Les plans sont découverts et le cercle dit des « militaristes » est démantelé.

Loris-Melikov a quitté le ministère de l'Intérieur en mai 1881. Il a été remplacé par le comte Ignatiev qui centralise les activités de la police et de la gendarmerie et crée des unités spéciales pour enquêter sur les délits politiques à Saint-Pétersbourg, Moscou et Varsovie. Ces unités reçoivent le nom de « sections de protection » (*okhrannye otdeleniia*). C'est de l'établissement de ces unités en 1881 que date l'emploi du mot Okhrana pour désigner l'ensemble de la police russe sous les deux derniers empereurs. Quand Dimitri Tolstoï devient ministre de l'Intérieur, il s'appuie sur le directeur du département de la police, Viatcheslav Plehve, qui est promu en 1884 ministre adjoint de l'Intérieur. Plehve conserve son poste sous le ministère de Tolstoï et de son successeur, Dournovo (1889-1895). L'Okhrana est chargée d'organiser les « recherches politiques ». Cette technique de recherche repose sur la présence de collaborateurs secrets qui renseignent la police sur les milieux qu'ils ont infiltrés. Ils sont plusieurs centaines, rémunérés mensuellement. Lorsqu'ils permettent de prévenir un complot ou de découvrir une imprimerie clandestine ou une fabrique de bombes, ils touchent une prime spéciale[1]. L'Okhrana inaugure en outre une méthode plus subtile de lutte contre le terrorisme : la formation d'agents provocateurs. Le général Guerassimov, chef de l'Okhrana de Saint-Pétersbourg de 1905 à 1909, donnera une définition précise du provocateur : « le provocateur est celui qui commence par inciter les gens à commettre des actes révolutionnaires, pour finir par les livrer à la police[2] ». Révolutionnaires et policiers tissent ensemble les mailles étroites d'un filet où ils tentent de se prendre les uns les autres. C'est ainsi que Zoubatov, ancien révolutionnaire recruté par la police secrète, devient chef de l'Okhrana de Moscou et que Pierre Ratchkovski, ancien étudiant compromis avec les révolutionnaires, devient le meilleur policier de Russie et recrute le personnage le plus ambigu de l'histoire du terrorisme, Eugène Philippovitch (Evno) Azev. Cette technique de retournement des révolutionnaires a parfois un effet boomerang : le premier chef de l'Okhrana de Saint-Pétersbourg, le lieutenant-colonel Grégoire Soudeïkine, est assassiné le 16 décembre 1883 grâce aux renseignements fournis par Serge Degaev qu'il a recruté. Envoyé à Genève pour contacter Tikhomirov et l'attirer en Russie, Degaev se confesse à Tikhomirov qui lui propose de se racheter en tuant Soudeïkine, ce qu'il fait ; puis il réussit à s'embarquer pour l'Amérique où il devient professeur dans un collège.

Sous le règne d'Alexandre III, le nombre des déportés en Sibérie s'accroît. La vie dans ces bagnes est insupportable. À Iakoutsk, en 1889, un soulèvement est réprimé par un massacre. La même année, dans le bagne de Kara, ouvert en 1875, les déportés se suicident en masse après une révolte. Le bagne est fermé en 1890. Frappés par la répression, les survivants du populisme parviennent peu à peu à s'organiser en province et dans la capitale. Des imprimeries clandestines sont ouvertes, mais elles sont régulièrement saisies. Les tracts et manifestes sont alors édités ailleurs et la propagande populiste se développe dans les usines en dépit des attaques des sociaux-démocrates qui considèrent le prolétariat ouvrier comme leur chasse gardée. La fracture du mouvement révolutionnaire russe, opérée après le congrès de Voronej, s'est complétée dans l'émigration. En 1881,

---

1. Général Zavarzine, *Souvenirs d'un chef de l'Okhrana (1900-1917)*, Paris, Payot, 1930, p. 13-25.
2. Grigori Guerchouni, *Dans les cachots de Nicolas II*, Paris, Dujarric, 1909, p. 223.

Plekhanov fonde la « Libération du travail », premier groupe marxiste russe, mais c'est seulement en 1892 qu'est constitué le Parti social-démocrate. Ce parti exalte le rôle révolutionnaire du prolétaire qu'il oppose au moujik conservateur. Dès sa création, la social-démocratie condamne l'action de ceux qu'elle appelle péjorativement des populistes, alors qu'ils se désignent comme socialistes et révolutionnaires. Elle les accuse d'avoir tenté de prendre le pouvoir au mépris de la volonté du peuple. D'anciens populistes font aussi leur autocritique et le procès du terrorisme. En 1888, Léon Tikhomirov publie une brochure dans laquelle il explique pourquoi il a cessé d'être un révolutionnaire et il dénonce le recours à la terreur : « [...] la terreur a des effets négatifs en bas, sur les révolutionnaires eux-mêmes et partout où son influence se fait sentir. La terreur enseigne le mépris de la société, du peuple, du pays ; elle enseigne l'esprit du bon vouloir incompatible avec n'importe quel régime social. D'un point de vue strictement moral, quel pouvoir peut être pire que celui d'un homme sur la vie d'un autre homme ? Ce pouvoir, beaucoup (et certainement pas les plus mauvais) refusent de l'accorder à la société. Et voilà qu'une poignée d'hommes s'approprie ce pouvoir. En quoi donc consistent ces assassinats ? En ce qu'un gouvernement légitime, reconnu par le peuple, refuse de satisfaire les exigences d'une poignée d'hommes qui se vit à tel point comme une minorité insignifiante qu'elle n'essaie même pas d'engager une lutte à découvert contre ce gouvernement [...]. La vie du terroriste est négative. C'est une vie de loup traqué [...]. On peut également se souvenir que les personnalités de Jéliabov, Mikhaïlov, Perovskaïa ne se forgèrent pas par le terrorisme et qu'ils périrent trop tôt pour pouvoir sentir l'influence du combat qui commençait, combat qui, pour eux, était infiniment plus vaste que pour leurs petits héritiers[1]. »

Après la mort d'Alexandre III et l'avènement de Nicolas II, en 1894, un mouvement se dessine parmi les anciens populistes, sous l'impulsion de Victor Tchernov qui réclame le droit à l'autodétermination des individus et l'instauration d'un État fédéraliste décentralisé et autoadministré. En 1895, les vieux révolutionnaires reviennent de Sibérie sans avoir perdu leurs convictions. Leurs récits enflamment la jeunesse. De Londres, Vladimir Bourtsev lance un ultimatum au nouvel empereur : s'il n'accorde pas la constitution, les révolutionnaires emploieront la terreur. Entre 1895 et 1900, les groupuscules issus de la *Narodnaïa Volia* reprennent les mots-

---

1. Christine Fauré, *Terre, terreur et liberté*, Paris, Maspero, 1979, p. 224-226.

clés des populistes et se désignent comme socialistes et révolutionnaires. De 1897 à 1899, ils tentent de se regrouper en un parti, lors de conférences tenues à Voronej, à Poltava et à Kiev. Ce nouveau parti offre dès sa création un double visage : son programme a pour objectif l'élaboration d'un régime démocratique ; parallèlement, il construit une machine de guerre qui, de 1900 à 1908, lance une seconde vague terroriste. Les socialistes-révolutionnaires (SR) sont décidés à poursuivre le travail de propagande en milieu ouvrier – le prolétariat est passé de 700 000 en 1870 à 2 800 000 en 1900 – et parmi les intellectuels. Contrairement à ce que prétendra l'historiographie soviétique qui les réduira à ce seul rôle, les SR négligent les paysans. Parmi les théoriciens du Parti socialiste-révolutionnaire, seul Tchernov considère la question paysanne comme prioritaire. Il reste convaincu que le parti doit trouver un double point d'appui à la ville et à la campagne. Cette analyse est vérifiée par les faits : les paysans subissent le contrecoup de la crise industrielle qui frappe la Russie de 1900 à 1903 et les campagnes bougent. Une Ligue socialiste agraire est fondée à Paris en 1900. Devenue l'Union paysanne, elle rejoint le Parti socialiste-révolutionnaire en 1902. La question de la terreur agraire est alors soulevée, mais aussitôt rejetée. C'est sur la question ouvrière que sociaux-démocrates (SD) et socialistes-révolutionnaires s'opposent. Les SR ne veulent pas plus contrôler le mouvement ouvrier que le mouvement paysan. Ils considèrent les conseils (soviets) ouvriers comme la véritable incarnation du prolétariat et ils sont favorables au développement des syndicats. Ils craignent les effets d'une centralisation de l'État. Après des années de préparation, le Parti socialiste-révolutionnaire est enfin constitué en 1900 par la réunion du groupe du Sud, qui a initié le mouvement révolutionnaire, du groupe du Nord et des cercles de l'émigration animés par Tchernov. C'est au cours de cette période de rassemblement en un parti unique que se forme le groupe de terroristes qui prend le nom d'Organisation de combat du Parti socialiste-révolutionnaire.

## L'attentat contre Plehve

Le Parti socialiste-révolutionnaire se structure en 1902 et 1903. À sa tête, un comité central qui contrôle les comités locaux – une dizaine en 1902, plus de trente-cinq en 1903 –, définit l'activité du parti, édite et distribue la littérature de propagande. Le comité central contrôle la propagande et l'« agitation » – meetings, manifestations – aussi bien en milieu ouvrier que militaire – parmi les officiers et les recrues –, universitaire et paysan – la populiste Ekaterina Brechko Brechkovskaïa, revenue de Sibérie, répand dans les villages les brochures et tracts révolutionnaires.

Les désordres étudiants ont commencé en 1899. Ils ont été sévèrement réprimés par la police. Le 14 février 1901, un ancien étudiant, Pierre Karpovitch, assassine le ministre de l'Instruction publique, Bogoliepov. Arrêté, il se déclare socialiste-révolutionnaire. Peu après, un membre du comité des zemstvos de Samara, Lagouski, tire dans les fenêtres de l'appartement du procureur du Saint-Synode, Pobiedonostsev. Lui aussi affirme qu'il approuve le programme des SR et qu'il juge nécessaire d'employer la terreur contre les principaux représentants du pouvoir. Ce sont là des actes individuels, mais ils ont sur le Parti socialiste-révolutionnaire le même effet que le geste de Véra Zassoulitch sur le Parti populiste. Au cours de l'automne 1901, à l'initiative de Grigori Guerchouni, le comité central décide la formation d'une Organisation de combat (OC). Mikhaïl Gotz assure la liaison entre cette organisation et le comité central. L'OC reçoit ses directives du comité central qui lui fixe ses objectifs, mais elle conserve son autonomie pour le choix de ses membres et les modalités de son action. L'Organisation de combat comprend de douze à quinze membres. Plusieurs sont recrutés par Brechko Brechkovskaïa, qui contrôle leur fidélité. La première cible désignée par le comité central à l'OC est le ministre de l'Intérieur, Sipiaguine. Le comité central le condamne pour sa responsabilité dans un massacre perpétré en 1901 à Saint-Pétersbourg. Le verdict est exécuté le 15 avril 1902 par Stepan Balmachev, fils d'un militant de la *Narodnaïa Volia*. Celui-ci pénètre au palais Marinski de Saint-Pétersbourg en uniforme d'aide de camp. Il tire à bout portant sur Sipiaguine et le tue. Après ce meurtre, le comité central se réfugie à Kiev et prépare l'opération suivante : un attentat contre le prince Obolenski, gouverneur de Kharkov. Les terroristes veulent venger les victimes d'atrocités commises lors de la répression d'émeutes paysannes ordonnée par le gouverneur. Le 29 juillet 1902, l'exécutant désigné par Guerchouni, Thomas Katchoura, tire au revolver sur Obolenski. Les deux premières balles le manquent, mais la troisième le blesse : les balles sont empoisonnées avec de la strychnine. L'Organisation de combat frappe à nouveau le 6 mai 1903, à Oufa. Dans un jardin public, Egor Doulebov tue le gouverneur Bogdanovitch qui, en mars, a ordonné de fusiller des ouvriers à Zlatoostov. Peu après, Guerchouni est arrêté à Kiev. Il est condamné à mort, mais sa peine est commuée et il est transféré à la forteresse de Schlusselbourg, un petit îlot au point de jonction de la Neva et du lac

Ladoga. Cette forteresse est la prison réservée aux terroristes les plus dangereux. De 1884 à 1905, 68 personnes y sont détenues : 13 sont fusillées ou pendues, 4 se suicident, 15 meurent en prison, dont Netchaïev[1].

Second de Guerchouni, Evno Azev lui succède à la direction de l'Organisation de combat. Deux personnages dominent l'histoire du terrorisme russe : Netchaïev et Azev. Le premier se situe en marge du processus, mais il incarne l'option extrême du fanatisme, l'absence totale de seuil moral dans le choix des moyens. Azev, au contraire, élève le terrorisme au niveau de la stratégie. Informateur de la police, il est aussi un révolutionnaire. L'homme est à double face, sans être réellement un agent double. Il est recruté à Paris par Pierre Ratchkovski, qui dirige de 1884 à 1902 la section étrangère de l'Okhrana, qui est un ancien membre de la Sainte Droujine et qui est à l'origine de la rédaction du faux antisémite, les *Protocoles des Sages de Sion*. Ratchkovski l'envoie infiltrer le Parti socialiste-révolutionnaire. Il devient l'intime de Mikhaïl Gotz, qui l'introduit dans le comité central du parti. Guerchouni le prend dans l'Organisation de combat. En juillet 1902, le nouveau ministre de l'Intérieur, Plehve, et le directeur de la police de Saint-Pétersbourg, Lopoukhine, lui demandent de pénétrer le centre du Parti socialiste-révolutionnaire, sans savoir qu'il y est déjà et qu'il n'a pas dévoilé les projets d'attentat contre Sipiaguine et Obolenski, alors qu'il était informé de leur préparation. Pour maintenir la confiance que l'Okhrana place en lui, Azev distille la délation en livrant quelques militants de comités locaux. Dans l'Okhrana, Azev est l'homme de Ratchkovski, lequel est dans le clan du gouverneur général de Saint-Pétersbourg, Trépov. Ratchkovski et Trépov complotent contre Plehve. Or, le comité central a ordonné à Azev de préparer l'assassinat de Plehve. Le ministre est par ailleurs responsable du pogrom de Kichinev perpétré les 19 et 20 avril 1903 et Azev est juif, comme le sont 15 % des membres du Parti socialiste-révolutionnaire.

L'attentat contre le ministre de l'Intérieur est minutieusement préparé par une petite équipe dirigée par Boris Savinkov. Les terroristes reprennent les méthodes de préparation de l'attentat contre Alexandre II. La surveillance des déplacements du ministre est faite par de faux cochers. Ils décident de recourir au lancement de bombes : quatre lanceurs sont placés sur la route que doit emprunter le ministre. Les explosifs sont préparés par Pokotilov qui, le 31 mars, est tué accidentellement dans une explosion. Savinkov décrit minutieusement la fragilité de ce matériel : « Nos bombes étaient pourvues de deux

---

1. Général Guerassimov, *Tsarisme et terrorisme*, Paris, Plon, 1934, p. 131-132.

tubes croisés avec des appareils d'allumage et des détonateurs. Les premiers se composaient de tubes de verre remplis d'acide sulfurique avec des ballons et des poids de plomb. Ces poids, à la chute de l'engin, dans n'importe quelle position, brisaient le tube de verre. L'acide sulfurique, en se répandant, rendait incandescent un mélange de chlorate de potasse et de sucre. Ce mélange allumé déterminait l'explosion du fulminate de mercure d'abord et de la dynamite qui remplissait la bombe, ensuite. Le danger, impossible à éviter dans le chargement de l'engin, résultait de ce que le tube de verre pouvait se briser facilement pendant la manipulation[1]. » Azev prévient la police que l'OC prépare un attentat contre Plehve. En même temps, il explique à ses hommes que l'entreprise est trop hâtive. Après deux échecs – le ministre ne prend pas le trajet prévu à l'heure prévue –, la surveillance reprend et l'équipe de Savinkov se renforce. Quatre nouveaux membres sont intégrés : Dora Briliant, qui se charge des explosifs ; Sazonov, un disciple de la *Narodnaïa Volia* ; Kaliaiev, ami d'enfance de Savinkov ; Egor Doulebov, le meurtrier de Bogdanovitch. Albert Camus s'est longuement interrogé sur la personnalité de ces « meurtriers délicats » et les mémoires de Savinkov l'ont amené à développer l'analyse de leurs personnalités. C'est en effet parmi ces terroristes que l'on trouve les préoccupations éthiques les plus grandes : « Ce sont des hommes d'exigence. Les derniers dans l'histoire de la révolte, ils ne refuseront rien de leur condition ni de leur drame. S'ils ont vécu dans la terreur, « s'ils ont eu foi en elle » (Pokotilov), ils n'ont jamais cessé d'y être déchirés. L'histoire offre peu d'exemples de fanatiques qui aient souffert de scrupules jusque dans la mêlée[2]. » Dans ses Mémoires, Savinkov tente d'analyser les motivations de ses camarades. Dora Briliant : « Taciturne, modeste et timide, Dora ne vivait que par sa foi dans l'action terroriste. Aimant la révolution, souffrant profondément de ses échecs, reconnaissant la nécessité du meurtre de Plehve, elle redoutait en même temps ce meurtre. Elle ne pouvait pas se faire à l'idée de répandre du sang. Il lui eût été plus facile de mourir que de tuer… Et puis, elle estimait de son devoir de franchir le seuil au-delà duquel commence la participation effective à l'œuvre. Pour Dora, comme pour Kaliaiev, l'action terroriste s'embellissait, tout d'abord, par le sacrifice que lui faisait le terroriste[3]. » Egor Sazonov : «… était jeune, sain, robuste. Une force de jeunesse émanait de ses yeux étincelants et de son visage à la carnation vive. Enthousiaste et cordial, avec un cœur aimant et doux, il faisait ressortir encore davantage par

---

1. Boris Savinkov, *Souvenirs d'un terroriste*, Paris, Payot, p. 53.
2. Camus, *op. cit.*, p. 208.
3. Savinkov, *op. cit.*, p. 57.

sa joie de vivre la douce tristesse de Dora Briliant. Il croyait à la victoire et il l'attendait. Pour lui, l'action terroriste était, avant tout, un sacrifice personnel, un haut fait. Mais il allait à ce sacrifice, il allait à ce haut fait calme et joyeux, comme s'il n'y pensait pas, de même qu'il ne pensait pas à Plehve[1]. » Serge Kaliaiev « … aimait la révolution de cet amour tendre et profond que n'éprouvent pour elle que ceux qui lui font le don total de leur vie. Mais, poète de naissance, il aimait l'art. Lorsqu'il n'y avait pas de réunions révolutionnaires, lorsqu'on ne discutait pas d'affaires d'ordre pratique, il parlait littérature, il en parlait longuement, avec enthousiasme, avec un léger accent polonais[2]. »

Azev et Savinkov préparent minutieusement l'attentat. La date est fixée au 8 juillet, puis remise au 15. Azev détourne l'attention de l'Okhrana en révélant la préparation d'un autre attentat et en annonçant celui contre Plehve, sans autre précision. Le 15 juillet 1904, Azev est à Varsovie, ce qui lui fournit un alibi. Ce jour-là, Plehve est tué par le premier lanceur, Sazonov. La bombe pèse six kilos ; elle est de forme cylindrique et le terroriste la dissimule sous un journal. Il la lance sur le carrosse de Plehve ; le ministre est déchiqueté par l'explosion et Sazonov, blessé, est arrêté.

## Développement de l'Organisation de combat

Après le meurtre de Plehve, Azev se rend à Genève où les huit autres membres du comité central du Parti socialiste-révolutionnaire l'accueillent comme un héros. Il exploite son succès, réclame et obtient une indépendance totale de l'Organisation de combat. Les statuts de l'OC, établis en août 1904, sont adoptés par le parti :

*Article 1 : l'Organisation de combat a pour but de lutter contre l'autocratie au moyen d'actes terroristes. Article 2 : l'Organisation de combat jouit d'une indépendance complète au point de vue technique ; elle possède sa caisse à part et est liée au parti par l'intermédiaire du comité central*[3].

Azev est élu directeur de l'OC. Savinkov est son remplaçant et le comité de l'organisation, « organe suprême », se compose d'Azev, Savinkov et Maximilien Schweitzer. L'Organisation de combat installe à Paris un laboratoire pour fabriquer de la dynamite et initier les futurs terroristes à la pré-

---

1. *Ibid.*, p. 18.
2. *Ibid.*, p. 59.
3. Général Alexandre Spiridovitch, *Histoire du terrorisme russe (1885-1917)*, Paris, Payot, 1930, p. 187.

paration d'explosifs. Azev recrute de nouveaux militants et il forme trois équipes qui sont chargées d'exécuter les verdicts prononcés par le comité central du parti contre trois gouverneurs généraux :

L'équipe de Schweitzer réunit 15 militants : elle doit tuer le grand-duc Vladimir Alexandrovitch, gouverneur général de Saint-Pétersbourg.

L'équipe de Savinkov comprend 5 membres : elle doit tuer le grand-duc Serge Alexandrovitch, gouverneur général de Moscou.

La troisième équipe, dirigée par Borichanski, est chargée d'assassiner le gouverneur général de Kiev, le général Kiepels.

Les trois équipes partent pour la Russie en novembre 1904. Pendant ce temps, Azev continue à fournir à son agent traiteur de l'Okhrana, Rataiev, des renseignements erronés. Il le lance sur de fausses pistes.

Ces préparatifs se déroulent pendant la guerre russo-japonaise et avant les événements de 1905. D'autre part, la stratégie de l'Okhrana a changé depuis 1895, sous l'influence de Zoubatov, directeur de la section de Moscou. Zoubatov espère séparer les ouvriers des révolutionnaires en créant des unions ouvrières légales et en poussant les révolutionnaires vers le radicalisme et la terreur. La carrière de Zoubatov s'achève avec le meurtre de Plehve qui soutenait son action, mais les « sociétés Zoubatov » lui survivent. C'est ainsi que la société ouvrière qui contrôle à Saint-Pétersbourg la grève de janvier 1905 opère sous la protection de la police. Dirigée par le pope Gapone, elle compte en 1905 6 000 à 8 000 membres. Le dimanche 22 janvier 1905, un cortège de 8 000 personnes se dirige vers le palais d'Hiver pour remettre une pétition au tsar. Gapone est à sa tête. À sa droite, Pierre Routemberg, membre du Parti SR. Le grand-duc Vladimir donne l'ordre de tirer sur la foule : 1 600 personnes sont tuées, plusieurs milliers blessées. Jeté à terre par Routemberg, Gapone n'est pas atteint. Tous deux s'enfuient. Le massacre du « dimanche rouge » ouvre la révolution de 1905. L'intelligentsia russe est bouleversée par ce crime et elle est favorable aux révolutionnaires : Chaliapine chante des hymnes révolutionnaires sur la scène du théâtre impérial et l'écrivain Leonid Andreiev met son appartement à la disposition du comité central du Parti social-démocrate [*sic*]. L'empereur doit accepter des réformes. L'autonomie universitaire est décrétée en août 1905. Le comte Serge Witte devient Premier ministre. La guerre s'achève. Le manifeste du 17 octobre donne à la Russie un organe législatif, la Douma d'empire. Ces réformes ne freinent cependant pas le développement des partis révolutionnaires, en particulier du Parti social-démocrate. Des comités locaux de ces partis surgissent à travers le pays. Le Parti socialiste-révolutionnaire ne joue en fait qu'un rôle secondaire dans les mouvements de grève qui se développent parmi les ouvriers, les étudiants et les marins.

En dépit des bouleversements politiques survenus en 1905, les trois groupes de l'Organisation de combat préparent les attentats dont ils sont chargés. Savinkov et son équipe surveillent les déplacements du grand-duc Serge. Le groupe comprend cinq membres : Savinkov, Kaliaiev, Dora Briliant, Boris Moïsseienko et Koulikovski. Les « surveillants » sont déguisés en cochers : ils établissent où et quand sort le grand-duc. Dora Briliant prépare les bombes. Le 2 février, Kaliaiev renonce à agir : il voit que le grand-duc est accompagné de sa femme et de ses neveux, les enfants du grand-duc Paul. Il explique son geste à ses camarades qui l'approuvent. L'Organisation de combat n'avait jamais soulevé auparavant la question des victimes innocentes : « Dans le même temps, ces exécuteurs, qui mettent leur vie en jeu, et si totalement, ne touchaient à celle des autres qu'avec la conscience la plus pointilleuse » (Albert Camus[1]). Le 4 février, Kaliaiev lance sa bombe à une distance de quatre pas, tout droit, en courant. Le grand-duc Serge est tué. Arrêté, Kaliaiev est transféré à la prison Boutirki. Il reçoit quelques jours après la visite de la grande-duchesse Élisabeth qui lui remet une icône et lui dit qu'elle priera pour lui. Le long plaidoyer de Kaliaiev prononcé lors de son procès, le 5 avril 1905, explique la position de ces révolutionnaires qui, à un terrorisme d'État, opposent la vengeance : « Nous sommes séparés par des montagnes de cadavres, par des centaines de milliers de vies brisées, par toute une mer de larmes et de sang submergeant le pays tout entier sous des torrents d'indignation et d'horreur. Vous avez déclaré la guerre au peuple. Nous avons relevé le défi […]. Vous êtes prêts à reconnaître qu'il existe deux morales : l'une pour les simples mortels qui dit : "ne tue pas, ne vole pas", l'autre, politique celle-là, pour les gouvernants à qui elle permet tout[2]. » Condamné à mort, Kaliaiev est transféré à Schlusselbourg et pendu, le 10 mai.

En mars 1905, Max Schweitzer est tué par l'explosion de la bombe qu'il prépare à l'hôtel Bristol de Saint-Pétersbourg. Sur les renseignements fournis par Tatarov, un révolutionnaire retourné par la police, tout le groupe est arrêté. Le troisième groupe, celui de Kiev, renonce à agir. Pendant cette année 1905, des groupes locaux indépendants de l'Organisation de combat perpètrent des attentats contre des chefs de la police ou des commissaires de

---

1. Camus, *op. cit.*, p. 211.
2. Savinkov, *op. cit.*, p. 155 et 157.

police : à Odessa, Viatka, Nijni-Novgorod, Dvinsk, Vitebsk, Samara, Tiflis, Loubni, Kreslavl, Rostov sur le Don, Bialystok, Krasnoïarsk, Kichenev, Gomel. Quelques indicateurs sont exécutés, à Bakou, à Vilno[1].

Pour se dédouaner, Azev livre à l'Okhrana le réseau de Bulgarie, mais il lui dissimule le laboratoire de Villefranche, qui est ensuite transporté à Genève. Le Parti socialiste-révolutionnaire réalise que la police politique l'a profondément infiltré. En effet, dès 1904, le département de police a plusieurs centaines d'agents dans les partis d'opposition, en particulier le Parti social-démocrate et le Parti socialiste-révolutionnaire. Pour la seule ville de Saint-Pétersbourg, le général Guerassimov, qui dirigera l'Okhrana de la capitale à partir de 1906, dénombre en 1908 120 à 150 agents infiltrés chez les SD, les SR, les anarchistes et les KD (membres du Parti constitutionnel démocrate). Des informations commencent même à circuler sur Azev, mais, pour ses camarades, il reste au-dessus de tout soupçon.

## LES ANARCHISTES RUSSES (1903-1907)[2]

Les premiers anarchistes russes apparaissent à Bialystok au printemps 1903 (groupe Bor'ba [combat], d'une douzaine de membres), puis à Odessa et dans la province de Tchernigov. Le mouvement anarchiste se développe surtout après 1905 : dans les provinces occidentales, dans les petites *shtetl* (villes de marché dans la zone de résidence autorisée aux Juifs de Russie) et surtout dans le Sud, à Odessa et à Ekaterinoslav, puis en Ukraine, en Crimée et au Caucase. Le processus est partout le même : des SR ou des SD déçus forment un petit cercle anarchiste. Ces organisations ont pour but la destruction de l'État et du capitalisme, mais ses membres ne s'accordent pas sur les moyens d'y parvenir, en particulier sur le rôle de la terreur.

Dans cette mouvance anarchiste difficile à identifier, deux groupes principaux peuvent être individualisés : *Tchernoe znamia* (le drapeau noir) et *Beznatchalie* (refus de toute autorité).

*Tchernoe Znamia* est, de loin, le groupe anarchiste terroriste le plus important de l'Empire russe. Il recrute surtout parmi les jeunes Juifs de la zone de résidence. Au cours de l'été 1904, à Bialystok, Nisan Farber, un anarchiste de dix-huit ans, blesse grièvement en le poignardant Avraam Kogan, propriétaire

---

1. Jacques Baynac, *Les socialistes-révolutionnaires*, Paris, Robert Laffont, 1979, p. 200.
2. Voir Avrich, *op. cit.*, p. 43-84.

d'une usine de filage, alors que celui-ci se rend à la synagogue le jour de Yom Kippour. Quelques jours plus tard, il lance une bombe « macédonienne » de sa fabrication dans un commissariat et est tué par l'explosion. D'autres attentats ont lieu dans des usines ou des appartements de patrons, à Bialystok, Varsovie et, surtout, dans le Sud où les *tcherno-znamentsi* créent des sections de combat, fabriquent des bombes, attaquent des usines et multiplient les expropriations et les sabotages. Un groupe dissident, les *bezmotivniki* (les sans-motif), appelle les masses à se soulever et, en 1905, fait exploser des bombes à l'hôtel Bristol de Varsovie et au café Libman d'Odessa.

*Beznatchalie* est un groupe plus restreint, mais tout aussi fanatique. Il opère à Saint-Pétersbourg et la majorité de ses membres sont des étudiants. Ils se disent anarcho-communistes, car ils veulent établir une fédération de communes. Son fondateur, Nicolas Romanov [*sic*], se fait appeler Bidbei. En fait, le groupe se consacre plus à la propagande qu'à l'action terroriste, en dépit de ses appels frénétiques à une terreur de masse. D'autres groupes dissimulent sous le manteau anarchiste des activités de brigandage et de pillage.

Après la révolution de 1905, les anarchistes sont traqués par la police. La répression est impitoyable, la justice expéditive. Des centaines de jeunes gens sont condamnés à mort ou exécutés par leurs geôliers. Ils ont souvent moins de vingt ans. Plusieurs se suicident ou s'immolent. Les plus chanceux parviennent à s'enfuir en Europe occidentale et aux États-Unis. Les deux procès les plus spectaculaires sont, en décembre 1905, celui des anarchistes d'Odessa (café Libman) et, en novembre 1906, celui du groupe *Beznatchalie*.

D'après les estimations de Paul Avrich, il y aurait eu en Russie, de 1905 à 1907, 5 000 anarchistes actifs. Le mouvement développe la même controverse que les autres mouvements révolutionnaires en Russie : faut-il placer ou non le terrorisme au centre de l'action révolutionnaire ? Après 1907, la période terroriste est passée et l'anarchisme évolue vers le syndicalisme, c'est-à-dire la propagande et l'organisation en milieu ouvrier. Les rêves des anarchistes ne paraîtront pouvoir se réaliser qu'en 1917, où une seconde tempête anarchiste se déchaînera.

## Le Parti socialiste-révolutionnaire après 1905

Après le manifeste du 17 octobre, le Parti socialiste-révolutionnaire, resté à la remorque des événements de 1905, sort de la clandestinité. Le comité central quitte Genève et rentre en Russie. La question du terrorisme est à nouveau débattue. En dépit des exigences d'Azev et de Savinkov qui demandaient le maintien de l'Organisation de combat, le comité central le dissout pour le reconstituer sous une autre forme. Il décide de préparer le soulèvement armé de Saint-Pétersbourg. À cette fin, il crée un Comité de combat qu'il confie à Azev et à Savinkov. Mais le projet de soulèvement échoue. Des perquisitions entraînent la saisie d'armes et d'explosifs et des arrestations. Par contre, à Moscou, en décembre, les organisations révolutionnaires préparent une grève générale, et les SR y participent. Le soviet des députés ouvriers de Moscou proclame la grève générale, le 6 décembre. Des barricades sont élevées, mais la troupe et la police ont le dessus et la grève s'achève le 18. Ce sont le régiment de la garde Semenovski, commandé par le général Mien, et le régiment Lodarski, venu de Varsovie, qui mettent fin au soulèvement et qui nettoient les derniers îlots de résistance dans le quartier de Presnia. Dans les provinces, des comités locaux participent aux grèves et aux soulèvements. En dépit de la résolution du comité central d'interrompre le terrorisme, une douzaine d'attentats sont perpétrés contre des policiers. Revenu en Russie, le comité central convoque le premier congrès du Parti socialiste-révolutionnaire, alors que le parti a déjà quatre années d'existence. Ce congrès se tient en Finlande, à Imatra, du 29 décembre 1905 au 4 janvier 1906. Il décide de « renforcer la terreur politique centralisée » « jusqu'à ce que les libertés de fait soient définitivement acquises, après quoi, seulement, le Comité central pourra suspendre les actions terroristes[1] ». Mais le parti renonce à la terreur agraire, une décision qui provoque la séparation de son aile gauche, favorable à ce recours. Depuis 1904, cette fraction estime que la terreur paysanne serait le moyen de lutte le plus efficace. Au congrès, les « agrariens » demandent la socialisation immédiate des terres et des usines. Leur demande est rejetée et ils se séparent du parti pour constituer une organisation indépendante, l'Union des SR maximalistes, animée par un agronome originaire de Saratov, Sokolov, surnommé Medvied (l'Ours).

Le Parti socialiste-révolutionnaire décide la liquidation de deux traîtres : Gapone et Tatarov. En février 1906, Gapone avait cherché à retourner Routemberg, mais il lui avait en même temps révélé qu'il était au service de la police et qu'il était chargé de découvrir les conspirations contre le tsar, le Premier ministre Witte et le ministre de l'Intérieur, Dournovo. Gapone lui avait proposé de rencontrer Ratchkovski. Routemberg avait aussitôt averti le

---

1. Spiridovitch, *op. cit.*, p. 309.

comité central et demandé des instructions. Azev et Tchernov l'invitent à accepter un rendez-vous avec Gapone et Ratchkovski et à les tuer. Routemberg laisse donc croire à Gapone qu'il est disposé à collaborer avec la police. L'affaire est remise plusieurs fois. Ratchkovski ne se rend pas aux rendez-vous fixés. Azev se fâche et Routemberg décide d'agir seul. Il loue une villa dans le golfe de Finlande et invite Gapone à y venir, le 28 mars 1906. Des ouvriers du parti, cachés dans la villa, se saisissent de Gapone et le pendent. Le parti ne reconnaît pas cette exécution. Tatarov, qui a vendu le groupe de Schweitzer, est exécuté le 4 avril 1906 à Varsovie, où il s'est réfugié chez ses parents. Ce meurtre avait été proposé par Savinkov au comité central, qui l'avait accepté. Savinkov avait alors composé une équipe de cinq hommes dont Nazarov, qui tue Tatarov à coups de couteau, mais blesse aussi sa mère.

Les hommes d'Azev préparent un attentat contre Dournovo. Ceux qui surveillent la maison du ministre sont repérés et, à la mi-avril 1906, Azev est arrêté à Saint-Pétersbourg par des policiers qui ignorent son appartenance à l'Okhrana. Ratchkovski, qui, depuis la retraite de Rataïev, est l'officier traitant d'Azev mais qui a cessé d'être en relation avec lui, explique au nouveau chef de l'Okhrana de la capitale, le général Guerassimov, qu'Azev est depuis longtemps un de ses agents. Le général passe alors un accord avec Azev : il informera les services secrets de la préparation d'attentats, il continuera à recevoir un salaire et la police arrêtera les membres de son groupe avant les attentats, afin que la peine soit plus légère. Et cet accord est respecté : « Azev se montra mon meilleur collaborateur pendant plusieurs années. Avec son aide, je réussis à paralyser dans une mesure très appréciable l'activité des terroristes[1]. » Guerassimov est décidé à neutraliser le terrorisme des SR et il applique de nouvelles méthodes. Dans ses Mémoires, il juge sévèrement la maladresse de ses prédécesseurs : « Une arme d'une valeur aussi exceptionnelle, aussi efficace que la police secrète ne doit être utilisée qu'avec la plus grande circonspection, car c'est une arme à deux tranchants, excessivement dangereuse pour ceux qui s'en servent sans en connaître le maniement[2]. »

Savinkov avait reçu d'Azev en février, donc avant la reprise en main de celui-ci par l'Okhrana, mission de tuer le gouverneur général de Moscou, l'amiral Doubassov, organisateur de la répression de décembre 1905.

1. Guerassimov, *op. cit.*, p. 114.
2. *Ibid.*, p. 105.

L'attentat avait été reporté à plusieurs reprises, le gouverneur n'ayant pas emprunté le trajet prévu. À chaque fois, Boris Voinarovski, qui devait lancer la bombe, se rendait au point de passage, son colis de trois kilos enveloppé dans du papier. Après chaque tentative manquée, la bombe devait être désamorcée, ce qui n'était pas sans risque. Le 10 avril, une bombe explose entre les mains d'une jeune terroriste, Benevskaïa, qui est blessée et arrêtée. L'attentat contre Doubassov a néanmoins lieu le 23 avril, le plan ayant été accepté par Azev. Voinarovski, qui lance la bombe, est tué, ainsi que l'aide de camp de Doubassov, le comte Konovnitzov, mais le gouverneur est seulement blessé.

Après la dissolution de la première Douma, le 9 juillet 1906, le Parti socialiste-révolutionnaire, jusque-là en attente, appelle à nouveau au soulèvement armé. Il développe son travail d'organisation, quadrille les provinces et forme de nouveaux comités qui sont réunis par région. Il crée des journaux et lance des proclamations. Il s'infiltre dans l'armée, en particulier dans la flotte de la Baltique. Mais la plus active de ses organisations est celle des marins de la flotte de la Volga qui se déploie de Nijni-Novgorod à Astrakan. Les soulèvements de marins à Sveaberg et à Cronstadt échouent. Ces échecs renforcent la conviction des SR que le soulèvement est prématuré et que le parti doit revenir à son ancienne tactique, celle de la terreur de masse, tant dans la capitale qu'en province. Sur ordre du comité central, Azev charge Savinkov de tuer l'amiral Tchoukhine, commandant de la flotte de la mer Noire, qui a dirigé la répression des marins. Une équipe est formée et une surveillance mise en place, mais les « combattants » sont eux-mêmes filés. À l'insu de Savinkov, le comité local du Parti socialiste-révolutionnaire de Sébastopol organise un autre attentat contre le commandant de la forteresse de Sébastopol, le général Neploïev. Lors d'une revue, le 14 mai 1906, une première bombe est lancée, qui n'éclate pas ; une seconde bombe tue six personnes, dont le terroriste. Savinkov est arrêté dans la rafle ordonnée après cet attentat, ce qui porte un coup grave à l'Organisation de combat. Aussi le comité central accepte-t-il la proposition de Léon Silberberg de faire évader Savinkov. Le 15 juillet, un gardien de prison le fait sortir de prison sous le nez de la garde. Dix jours plus tard, un officier de marine, Boris Nikitenko, le fait passer à l'étranger.

À l'automne 1906, Azev propose l'assassinat du Premier ministre, Stolypine. En fait, à l'instigation de Guerassimov, il cherche à détruire l'Organisation centrale de combat. Le parti réalise que cette organisation a une « malchance exceptionnelle » : aucune des cibles qui lui sont désignées n'est atteinte, alors que les comités locaux, indépendants d'elle, restent actifs et efficaces. En effet, dans les huit premiers mois de 1906, les comités locaux multiplient les attentats contre des fonctionnaires civils et militaires et des mouchards, surtout dans les régions du Nord et de la Volga : une trentaine, dont l'assassinat du général Mien, commandant du régiment Semenovski, par Albert Trauberg, en août. Trois attentats avaient été programmés dès décembre 1905 contre les responsables d'émeutes paysannes à Tambov, en novembre 1905 : le général von der Launitz et ses deux collaborateurs, Bogdanovitch et Loujanovski. Le sous-gouverneur, le général Bogdanovitch, avait été tué le 28 décembre par Karpovitch. En janvier, une jeune fille de dix-neuf ans, originaire de Tambov, Maria Spiridovna, abat le commandant de l'expédition punitive, Loujanovski. Von der Launitz sera exécuté plus tard.

Le comité central reprend le projet d'attentat contre Dournovo, projet qui avait échoué à Saint-Pétersbourg. Une jeune fille, Tatiana Leontieva, part pour Interlaken où le ministre passe ses vacances sous le nom de Müller. Guerassimov, averti, conseille à Dournovo de quitter la station et Leontieva tue un touriste français, nommé Müller, qu'elle prend pour le ministre.

Après leur séparation du Parti socialiste-révolutionnaire, Sokolov et le groupe des maximalistes qu'il dirige organisent le 7 mars une « expropriation » qui leur permet de financer leurs opérations : le pillage de la société de Crédit mutuel de Moscou. Le 12 août, la villa de Stolypine dans l'île Aptekarski est détruite par des bombes : 32 personnes sont tuées, dont les trois porteurs de bombes et la fille du Premier ministre. Le comité central du Parti SR dénonce cet acte criminel, en contradiction avec son éthique et son programme politique. L'union des socialistes-révolutionnaires maximalistes est dissoute après l'arrestation de Sokolov, le 1er décembre 1906, et son exécution. De petits groupes maximalistes se sont formés à Moscou et dans les provinces, mais, en 1907, le maximalisme se dissout progressivement, tandis que s'exprime seul en son nom un théoricien raciste, Pavlov, qui tient des propos démentiels sur la terreur extrême et l'extermination physique massive. L'Okhrana avait tenté d'infiltrer le groupe maximaliste, mais elle avait été la dupe de son prétendu agent. En effet, en juillet 1906, la police secrète recrute un maximaliste, Salomon Ryss. Arrêté à Kiev au moment où il tentait de dévaliser un encaisseur, c'est lui qui propose au chef de l'Okhrana locale de travailler pour lui. En fait, Ryss est introduit par Sokolov pour fournir de fausses informations à la police. Un agent de l'Okhrana infiltré auprès de Sokolov apprend les manœuvres de Ryss et il le dénonce à ses chefs. Ryss est arrêté, jugé par une cour martiale et pendu. Pendant son procès, il affirme ses convictions maximalistes.

Les échecs de l'Organisation centrale de combat conduisent le comité central à relever Azev de ses fonctions et à constituer un nouveau groupe : le « Détachement de combat auprès du comité central ». La direction de ce détachement est confiée à Silberberg qui installe son poste de commandement et ses laboratoires de dynamite à Imatra, en Finlande, et forme une nouvelle équipe. Il complète la méthode de préparation des attentats : une double information, non seulement sur les déplacements de la cible, mais aussi sur sa vie privée. Le 21 décembre 1906, von der Launitz est tué par Koudriavtzev qui se suicide aussitôt après. Silberberg organise également trois attentats : l'assassinat du directeur de la prison de Deriabinsk, le 17 janvier 1907, par Albert Trauberg ; un second attentat contre l'amiral Doubassov, qui échoue ; l'assassinat du procureur général Pavlov, par Trauberg. Mais la police a « logé » l'équipe de Silberberg, qui est arrêté le 9 février 1907. La direction du Détachement de combat passe à Boris Nikitenko, l'officier de marine qui a permis à Savinkov de quitter Sébastopol après son évasion. Le détachement prépare un attentat contre Stolypine, le grand-duc Nicolas et l'empereur. Informée par Azev, la police arrête, dans la nuit du 31 mars au 1er avril, 28 terroristes dont Nikitenko.

Le 12 février 1907, le Parti socialiste-révolutionnaire réunit en Finlande son deuxième congrès. Guerchouni, évadé du bagne de Sibérie en passant par les États-Unis, est revenu en Russie. Il préside le congrès. Les 115 députés savent que les élections à la deuxième Douma leur donneront 30 à 40 députés. Guerchouni domine les débats. Il fait accepter la participation du parti à la future Douma et il fait condamner le recours aux expropriations, alors que c'est la méthode de financement des autres groupes : des anarchistes, des bolcheviks, des nationalistes polonais ou transcaucasiens – en juin 1907, Kamo dirigera le hold-up de la banque de Tiflis. Guerchouni approuve le recours à la terreur, mais il fait dépendre la décision du parti de l'attitude du gouvernement. Si celui-ci maintient sa politique de répression – pogroms, sévices dans les prisons, arrestations arbitraires, dispersion des manifestations –, le terrorisme reprendra. Comme la deuxième Douma repousse leurs propositions, les SR exercent leur justice. Le 3 juin 1907, la deuxième Douma est dissoute. Une troisième Douma est élue, toujours avec des SR. Elle ouvre ses travaux le 2 novembre.

Après la débâcle du Détachement principal, décapité par les arrestations successives de Silberberg et de Nikitenko, le Détachement volant de combat, dirigé par Albert Trauberg – connu sous le pseudonyme de Karl –, passe sous les ordres directs du comité central. Des directeurs de prison sont tués en août 1907, à Saint-Pétersbourg et à Pskov. Le chef de l'administration des prisons de la capitale, Maximovski, est assassiné le 15 octobre. Puis les échecs commencent. Les plans du groupe de Karl sont éventés, alors que les groupes locaux qui opèrent indépendamment du comité central restent efficaces. En effet les groupes de combat régionaux exécutent à travers l'Empire des dizaines de fonctionnaires civils – surtout des directeurs de prison et de bagne –, des officiers et des indicateurs[1]. Le pic d'activité du terrorisme organisé par le Parti socialiste-révolutionnaire est atteint en 1907, en dépit de la destruction du groupe central.

En août 1907, réfugié à nouveau en Suisse, le comité central continue à débattre de l'opportunité du recours à la terreur. Non seulement Azev, qui est toujours membre du comité, en défend la pratique, mais il propose d'utiliser de nouvelles inventions techniques, en particulier la commande à distance d'explosifs et l'utilisation d'engins volants. Savinkov, qui reste à son côté, est d'avis de réorganiser le secteur terroriste et de le répartir sur deux niveaux : le renseignement et l'action. Le comité central rejette ces suggestions et décide de créer une nouvelle Organisation de combat qui préparerait un attentat contre Nicolas II. Azev est nommé à la tête de cette nouvelle OC. Il prend pour adjoint Karpovitch. Il continue à informer Guerassimov et il lui livre le détachement de Trauberg. Puis il passe un nouvel accord avec Guerassimov : l'Organisation de combat ne commettra aucun attentat, mais la police n'arrêtera aucun membre du groupe. Dès lors, la police est informée régulièrement de la préparation d'un attentat contre l'empereur et elle est en mesure de le protéger. Les accords passés entre Azev et Guerassimov ne sont pas connus des policiers et ceux-ci commettent une bévue. Karpovitch, qui s'était évadé de Sibérie, est recherché par la police, qui l'arrête. Guerassimov organise son évasion, mais il ne veut pas attirer sa méfiance. Le policier chargé de le transférer dans une autre prison doit s'y prendre à trois fois avant que son prisonnier exploite les occasions qu'il lui offre.

Le démantèlement des réseaux terroristes se poursuit en 1908. Les projets d'attentat sont éventés, les caches d'armes et d'explosifs sont saisies, les imprimeries clandestines détruites, les groupes de combat régionaux sont arrêtés, à chaque fois en totalité. Azev, qui est en partie responsable de cette situation, sent sa position menacée. Pour regagner la confiance du comité

---

1. Voir la liste dans Spiridovitch, *op. cit.*, p. 480-483.

central, il prépare un attentat contre le tsar qui doit avoir lieu à Reval, lors de son entrevue avec le roi d'Angleterre, Édouard VII, les 9 et 10 juin [ns]. Mais il prévient l'Okhrana. Un autre attentat contre Nicolas II échoue en septembre 1908. Des marins du croiseur *Rurik*, construit en Écosse, avertissent le comité central que le tsar inaugurera le navire à son arrivée en Russie et ils proposent de l'abattre. Azev accepte le projet et ne le révèle pas à la police. Pour faire taire les rumeurs qui se développent de plus en plus sur sa trahison, il n'a d'autre solution que de laisser tuer Nicolas II. Mais les deux matelots chargés de l'attentat n'osent pas tirer sur la personne de l'empereur, quand ils sont devant lui.

Les rumeurs concernant une trahison d'Azev sont anciennes. Depuis plusieurs années, le vieux révolutionnaire Vladimir Bourtsev, membre du comité central, accuse Azev d'être un agent de l'Okhrana. Mais il n'est pas suivi par les autres membres du comité. Guerchouni a toujours rejeté cette accusation – mais il meurt en 1908 – et Savinkov accuse Bourtsev de chercher à discréditer le parti. Une commission d'enquête est nommée, qui blanchit Azev. Bourtsev s'entête. Afin de réunir des preuves irréfutables, Bourtsev rencontre dans un train l'ancien directeur de la police, Lopoukhine, qui lui raconte que Azev informe la police sur les activités du Parti socialiste-révolutionnaire, mais qu'il a aussi organisé les attentats contre Plehve et le grand-duc Serge et qu'il prépare un attentat contre l'empereur. Celui-ci risque d'être tué si Azev n'est pas arrêté, c'est pourquoi Lopoukhine le démasque. Pour faire pièce aux accusations persistantes de Bourtsev, un jury de révolutionnaires, les uns du Parti socialiste-révolutionnaire, les autres extérieurs au parti, comme Véra Figner, Lopatine et Kropotkine, est réuni à Paris, à la fin octobre 1908, pour établir l'innocence d'Azev. La déposition de Bourtsev, appuyée sur une documentation fournie, impressionne le jury. Guerassimov apprend alors que Lopoukhine doit aller à Londres rencontrer des membres du comité central : Tchernov, Argounov et Savinkov. Il conseille à Azev de parler à Lopoukhine, mais celui-ci ne cède pas. Il se rend à Londres et confirme aux membres du comité central qu'Azev est un informateur de l'Okhrana et qu'il vient même de faire pression sur lui pour qu'il ne le démasque pas. Craignant pour sa vie, Azev s'enfuit et s'installe sous un nom d'emprunt à Berlin où il meurt de néphrite en 1918.

Le 8 janvier 1909, le comité central publie une déclaration le désignant comme « agent provocateur ». À la suite de ces révélations qui ont un retentissement dans la presse mondiale, deux interpellations sont déposées à la

Douma. L'une accuse le gouvernement d'avoir organisé les assassinats de Plehve, du grand-duc Serge et du général Bogdanovitch, dans un but de provocation, afin de justifier sa politique de répression. L'autre lui demande de préciser qu'il était au courant des activités illégales de certains de ses agents. Le Premier ministre, Stolypine, vient à la Douma et reconnaît publiquement la collaboration d'Azev avec l'Okhrana. Le Parti social-démocrate exploite l'affaire pour discréditer à la fois le gouvernement et les terroristes. Les SR, par la voix de Tchernov, défendent une autre thèse : ce n'est qu'un épisode d'une lutte interne entre ministres : à l'époque, Ratchkovski était l'homme de Trépov. Savinkov demande au Parti socialiste-révolutionnaire de surmonter cette trahison : « Ce n'est pas Azev qui a engendré la terreur, ce n'est pas Azev qui lui a insufflé la vie, et Azev n'a pas le don de détruire le temple qu'il n'a pas édifié. L'affaire Azev, c'est un coup sévère pour le parti et la révolution. Mais ce n'est pas un coup sévère parce qu'il sape l'importance morale de la terreur – la terreur de Kaliaiev est pure –, ni parce que la terreur comme forme de lutte est impossible : Azev passera, la terreur durera. Ce coup est sévère et terrible pour une autre raison [...]. L'affaire Azev ébranlera les faibles, elle peut confondre même les forts. Il nous faut un grand amour pour brandir notre vieille bannière, il nous faut une foi ardente. Or, la loi sans l'action est morte et la victoire ne revient qu'à celui qui tient le glaive[1]. » Et Savinkov demande le maintien de la politique de terreur. Mais le coup est trop rude : le comité central démissionne ; l'Organisation de combat est dissoute. Une troisième conférence du parti tenue en mars-avril 1909 prépare la formation d'un Conseil du parti. Celui-ci propose de supprimer le recours à la terreur, puis il y revient après une déclaration de Tchernov sur la technique de la « guerre terroriste » : « Nos méthodes de conduire la guerre terroriste doivent être au niveau de la technique moderne de la guerre. Or, cette technique ne reste pas immobile [...]. Je ne fais qu'affirmer que, redresser la lutte terroriste, cela veut dire, entre autres, effectuer une série de nouvelles recherches techniques, posséder à cet effet un groupe ou des groupes techniques spéciaux, chercher à utiliser le dernier mot de la science pour les buts réels de notre lutte. La terreur sera la terreur, dans le sens véritable du terme, au cas seulement où elle équivaudra à l'application révolutionnaire de la plus haute science technique au moment donné[2]. »

---

1. Spiridovitch, *op. cit.*, p. 563.
2. *Ibid.*, p. 588-589.

Un nouveau comité central est élu par le Conseil du parti, mais le parti reste affaibli. La fin de l'affaire Azev a signé la fin du terrorisme. Le déclin du Parti socialiste-révolutionnaire se poursuit de 1910 à 1913, aggravé par les conflits de personnes et d'idées. Une nouvelle Organisation de combat a bien été formée et Savinkov en prend la direction. Il revient en Russie préparer le régicide et le meurtre de Stolypine. Mais il renonce à poursuivre et la terreur centralisée est abandonnée. Le meurtre du colonel Karpov, nouveau chef de l'Okhrana de Saint-Pétersbourg, par le SR Petrov, le 6 décembre 1909, est le seul attentat notable. Il est d'ailleurs dénoncé par le comité SR de la capitale. Les comités locaux conduisent quelques actions en province : deux directeurs de prison sont tués en 1911. Puis les organisations locales sont démantelées par la police. Le meurtre de Stolypine, assassiné à Kiev le 1er septembre 1911 par Dimitri Bogrov, est l'acte d'un anarchiste ayant collaboré avec l'Okhrana et contraint, pour se blanchir devant ses camarades, d'exécuter cet attentat. Au cours de son procès, Bogrov se déclare socialiste-révolutionnaire, mais le comité central du parti nie toute implication dans cet attentat.

Le Parti socialiste-révolutionnaire ressuscitera avec la Guerre mondiale et la révolution de Février 1917. Majoritaire au soviet des ouvriers et des soldats, hégémonique au soviet panrusse des paysans, titulaire du ministère de l'Agriculture, allié à droite aux populistes, à gauche aux mencheviks, le parti a un moment, jusqu'en octobre, l'illusion de bâtir le socialisme démocratique autoadministré dont il rêve.

Cette histoire du terrorisme russe est loin d'être exhaustive. Elle se limite à l'analyse de deux mouvements qui se situent dans la continuité l'un de l'autre. Si elle évoque la terreur anarchiste, elle ne mentionne pas les nombreux attentats perpétrés par des partis nationalistes – ainsi, les militants du Parti socialiste polonais exécutent plusieurs centaines de personnes dans les années 1900 – ou par l'Union du peuple russe animée par le docteur Alexandre Doubrovine, un parti d'extrême droite qui programme un attentat contre le Premier ministre, le comte Witte, qui assassine plusieurs députés et qui, en 1916, collabore à un attentat aussi symbolique que le régicide de 1881, le meurtre du paysan Grigori Raspoutine.

Les séismes qui ont secoué la Russie sous les règnes des trois derniers tsars autocrates minaient le pouvoir et préparaient les Révolutions de 1917. Le terrorisme n'est qu'une composante d'un ensemble de violences : émeutes paysannes, mutineries, grèves, soulèvements armés, mais il a une signification particulière. L'histoire des populistes et des socialistes-révolutionnaires est en effet, à plusieurs titres, exemplaire. C'est une charnière entre deux époques. Mais, d'abord, c'est une histoire russe. Bien qu'ils se réclament, comme tous les révolutionnaires, de la Révolution française, de celle de 1848 et de la Commune de Paris, ces hommes et ces femmes sont russes. Sous le bonnet du moujik ou la casquette de l'étudiant, ils sont russes, d'âme et de corps, d'apparence et de langue, tous héritiers d'une longue tradition qui plonge ses racines dans une terre immense et froide. Terroristes et policiers sont russes, souvent issus des mêmes couches sociales, intimement liés par le crime, les uns pour l'accomplir, les autres pour le prévenir. Le clivage est plus grand d'une génération à l'autre que d'une classe à l'autre. Les terroristes connaissent le prix de la vie. Ils ont conscience de la transgression qu'ils commettent et leur existence suffit à peine à la racheter. Lorsque le pouvoir leur offre une tribune, ils parlent, expliquent et se justifient. Ils ne dissimulent pas et ne nient pas, mais ils revendiquent leurs actes, haut et fort. Ces meurtriers sont animés par un idéal. Ils se croient autorisés à tuer parce que ceux qu'ils exécutent, eux aussi, ont tué ou fait tuer. Ce sont des justiciers plus que des vengeurs, et ils n'acceptent pas que la justice soit à sens unique et que les agents de l'État bénéficient, eux, d'une impunité pour leurs actes. Ils ont admis qu'il faut opposer au monstre glacé qu'est le pouvoir une organisation et qu'il faut obéir à un parti. En cela seulement ils annoncent le terrorisme du XXe siècle, mais ils restent d'un autre temps, le XIXe siècle. Ces femmes et ces hommes ne sont en rien les précurseurs du totalitarisme du XXe siècle et de son terrorisme d'État. Ils se situent à un moment de l'histoire, en un lieu spécifique, la Russie. Comme l'écrit Camus : « Tout s'est passé comme si les descendants de Netchaïev utilisaient les descendants de Kaliaiev et de Proudhon[1]. » Les terroristes étaient certes des meurtriers, mais ils avaient des principes éthiques : ils avaient franchi un seuil, mais ils n'avaient pas effondré leurs barrières morales. Leur choix était resté éthique.

Quel que soit le jugement que l'on porte sur leurs actes, qu'ils suscitent l'indignation ou la sympathie, on ne peut les mépriser. À de rares exceptions près, il faut bien reconnaître qu'ils ont, à leur manière, préservé une éthique. Mort pour mort, vie pour vie, œil pour œil, c'est un principe qui jaillit des sources les plus profondes de l'histoire des hommes. Où est le seuil à ne pas franchir ? Dans le « Tu ne tueras point ! » ou dans le « Tu ne frapperas pas l'innocent ! ». Pour ma part, je me situe dans le respect du cinquième

---

1. Camus, *op. cit.* p. 403.

commandement, car je sais qu'une analyse de l'innocence conduit aux débordements qu'a connus le XX<sup>e</sup> siècle et que connaîtra le XXI<sup>e</sup>. Je sais aussi que la culpabilité des victimes est l'argument qu'avancera toujours l'assassin pour tuer sans état d'âme. C'est pourquoi j'ai tenu à rappeler, en conclusion de ce chapitre russe de l'histoire du terrorisme, que franchir ce seuil, même sans croire en Dieu et sans chercher le paradis, c'est ouvrir sur terre les portes de l'enfer[1].

---

1. On pourra également consulter utilement, à ce sujet, L. Feuillade et N. Lazarevitch (éd.), *Tu peux tuer cet homme. Scènes de la vie révolutionnaire russe*, Paris, Gallimard, 1950.

# La « Belle Époque » du terrorisme

## par Gérard Chaliand et Arnaud Blin

L'époque qui va de la fin du XIX$^e$ siècle au début du XX$^e$ voit surgir un certain nombre de mouvements terroristes à l'échelle internationale. L'exemple des populistes russes ou des anarchistes italiens et français produit des émules : dans les Balkans, chez les Arméniens, en Inde, dans d'autres pays encore. C'est à cette époque aussi que vont poindre à l'horizon les premiers mouvements nationalistes et indépendantistes dont certains perdurent jusqu'à ce jour.

La période précédant la Grande Guerre, qui est celle de la « Belle Époque » et aussi du « premier entre-deux-guerres », est une période de transformations politiques et économiques profondes. C'est celle de la « révolution industrielle » et celle du développement impétueux du capitalisme. Celle des empires coloniaux qui s'affirment (la France, l'Angleterre, la Russie, etc.) et celle des empires déclinants (l'Autriche et la Turquie). Cette phase expansionniste qui contraste avec le dépérissement des grands empires est celle que Rudolf Hilferding appelle « impérialisme », terme repris par Lénine qui en fait le stade suprême du capitalisme. Le système d'équilibre des puissances, fondation de l'ordre westphalien, s'effondre avec la Grande Guerre de 1914-1918, qui est aussi l'événement marquant la fin ou le début de la fin de l'hégémonie mondiale de l'Europe – définitivement achevée en 1945. Mais c'est un système qui ne saura pas juguler la montée des nationalismes qui le mettent en péril.

De nouvelles puissances, comme le Japon et les États-Unis, émergent et montrent qu'elles ont des ambitions. L'Europe n'est pas démocratique mais elle n'est plus celle de l'Ancien Régime. L'émergence très progressive de la liberté démocratique a permis aux mécontents d'afficher leurs revendications d'une manière qui aurait été naguère inconcevable. Mais le nouveau vent de liberté ne soufflait que de façon limitée et très inégale selon les pays ou les régimes, ce qui légitimait ces mouvements de protestations.

Ailleurs, c'est à travers la violence que l'on envisage de changer le *statu quo*. Celui-ci, dans la plupart des cas, est précaire. La montée des nationalismes et l'émergence des idéologies de droite et de gauche offrent un terrain fertile à une nouvelle forme de violence : le terrorisme. Depuis la Révolution française, le terme est devenu d'un usage courant. Mais il désigne des phénomènes qui ont peu en commun avec le terrorisme d'État brièvement introduit par la Révolution française et qui va faire un retour fracassant avec la révolution d'Octobre en Russie. Le terrorisme, à cette époque, est surtout pratiqué par des groupes d'extrême gauche et il prend la forme, la plupart du temps, de régicides – soit une version moderne du tyrannicide des Anciens. La religion est quasiment absente de la nouvelle équation terroriste. Le nationalisme en est l'un des moteurs principaux, ainsi que diverses idéologies, dont l'anarchisme et le nihilisme. Il faudra attendre quelques années avant que le marxisme, sous différentes formes, ne vienne dominer l'idéologie révolutionnaire. La Révolution russe sera le vecteur de son succès alors qu'une autre révolution, l'iranienne, viendra beaucoup plus tard réintroduire la religion dans la donne terroriste.

D'un point de vue théorique, l'Allemand Karl Heinzen est le premier à faire une apologie du terrorisme comme moyen légitime de lutte révolutionnaire. Dans un essai, *Der Mord*, « Le meurtre », qu'il rédige lors de la fièvre suscitée par la révolution de 1848, Karl Heinzen part du concept de tyrannicide qu'il élargit considérablement. « Nous prenons comme principe fondamental, comme nous ont enseigné nos ennemis, que le meurtre, à la fois des individus et des masses, est encore une nécessité, un instrument incontournable dans l'accomplissement de l'histoire[1]. »

Heinzen est le premier à intégrer, en se faisant l'apôtre de la violence, les trois éléments suivants : la philosophie du tyrannicide, l'émergence de la société démocratique, l'idéologie révolutionnaire. Comme les défenseurs du tyrannicide, Heinzen tente de concilier les principes de la morale traditionnelle (où le meurtre est proscrit) avec les expédients politiques que justifie la révolution. Le résultat est pour le moins confus mais Heinzen est l'un des

---

1. Paru dans *Die Evolution*, février-mars 1849.

premiers à poser les fondations philosophiques du terrorisme moderne, où les populations et non plus seulement les États sont une cible légitime des terroristes. Il est aussi l'un des premiers à percevoir dans la technologie un formidable instrument pour les terroristes, permettant à un petit groupe d'individus d'infliger de grands dommages en milieu urbain. Heinzen lui-même ne mettra pas ses principes à exécution et les attentats, durant la seconde moitié du XIXe siècle, n'atteindront pas cette échelle. Heinzen, comme beaucoup d'autres après lui, commet l'erreur de penser que le terrorisme et la destruction de masse vont de pair. Or, jusqu'à aujourd'hui, le terrorisme s'est servi des populations civiles pour frapper les gouvernements mais, en dehors du terrorisme d'État, les populations ne sont en général pas visées pour elles-mêmes.

Toujours est-il que la première vague terroriste du premier entre-deux-guerres (1870-1914) se termine avec un attentat, aux conséquences colossales ! L'assassinat de l'archiduc d'Autriche et de sa femme, le 28 juin 1914, à Sarajevo, déclenche un conflit parmi les plus grands de l'histoire, qui portera le nom de Grande Guerre. L'attentat n'était pas le fait d'anarchistes, eux que le grand public associait automatiquement avec le terrorisme – comme il le fait aujourd'hui avec les islamistes –, mais de révolutionnaires nationalistes serbes. L'ère du terrorisme anarchiste était terminée, celle des nationalistes ne faisait que commencer. Cet attentat n'était pas la cause de la guerre mais l'étincelle qui la déclencha.

## L'ATTENTAT DU SIÈCLE

L'attentat le plus célèbre du XXe siècle fut organisé par un mouvement nationaliste serbe, la « Main noire » (Tsrna Rouka). Les militants de cette organisation secrète choisirent d'assassiner l'archiduc François-Ferdinand, héritier du trône austro-hongrois, parce qu'ils craignaient qu'il ne fasse des concessions ayant pour effet d'affaiblir la volonté du mouvement nationaliste en Bosnie. C'est précisément lorsque les États décident de faire des concessions que le noyau dur du mouvement terroriste choisit de se radicaliser davantage et multiplie les actions violentes. On le voit aujourd'hui dans le cadre du terrorisme en Corse et au pays Basque espagnol où chaque concession, interprétée comme un signe de faiblesse, est généralement récompensée par une vague d'attentats. La Main noire était une organisation créée de toutes pièces par les services secrets serbes. Durant les années qui précédèrent la guerre, la Main noire devint très active, à la fois en Serbie, où elle organisa des dizaines d'attentats politiques, et à l'extérieur, dans le contexte des conflits balkaniques.

En Bosnie, les nationalistes serbes promouvaient l'idée d'une solidarité grand-serbe en organisant la révolte contre l'administration provisoire mise en place par l'Autriche. Pour répondre à cette attaque contre l'autorité autrichienne, l'empereur François-Joseph décida d'annexer, le 5 octobre 1908, la Bosnie-Herzégovine, profitant, comme les Bulgares – qui proclamaient leur indépendance le même jour –, du choc de la révolution des Jeunes-Turcs. Le 24 février 1909, la Serbie, qui avait fait partie comme la Bosnie-Herzégovine de l'Empire ottoman pendant des siècles avant le démantèlement de l'Empire turc d'Europe en 1878[1], réagissait d'autant plus violemment qu'elle était soutenue par la Russie et menaçait d'annexer la Bosnie-Herzégovine, la Croatie, la Dalmatie et la Slavonie. La Serbie, animée par des ambitions panslavistes émanant de Saint-Pétersbourg, rêvait de reconstruire la Grande Serbie du XIVe siècle, au détriment de l'Autriche-Hongrie qui occupait désormais une grande partie des territoires convoités. C'est contre l'Autriche, dans les zones frontalières où ils pouvaient trouver un soutien chez les minorités serbes, que les agents de la Main noire organisèrent entre 1910 et 1914 une série d'attentats terroristes, visant notamment un gouverneur de Bosnie et des préfets en Croatie. Pour Dimitrievitch, la Serbie aspirait dans les Balkans à un rôle de réunificateur semblable à celui qu'avait joué le Piémont lors de l'unité italienne. Dans le même temps, le sentiment nationaliste serbe était exacerbé par le conflit qui l'opposait à la Bulgarie depuis le démantèlement de l'Empire ottoman dans la région. La Russie, qui tentait de se relever de l'humiliation de 1905 face aux Japonais, misait une grande partie du succès de sa politique extérieure sur sa stratégie balkanique[2].

Le terrorisme constitua le rouage important d'une stratégie ambitieuse impliquant divers acteurs : une grande puissance, la Russie, un État, la Serbie et des minorités à l'extérieur du pays. Le cas de la Serbie dans les années qui précèdent le cataclysme de 1914 annonce les conflits éminemment complexes qui jalonnent le XXe siècle et exploitent les ressorts d'une

---

1. En 1875-1876, les populations de Bosnie-Herzégovine et de Bulgarie s'étaient soulevées. William Gladstone, chef du Parti libéral britannique, avait pris fait et cause pour les insurgés, publiant un pamphlet retentissant : *Les horreurs bulgares et la question d'Orient*. Le congrès de Berlin de 1878 avait amputé l'Empire turc de la Serbie, du Monténégro, de la Roumanie, de la Bosnie-Herzégovine, de la Thessalie, de l'Épire et de la Bessarabie. Afin d'endiguer l'expansion russe dans la région et de prévenir une réunification des Slaves méridionaux, la Bosnie-Herzégovine avait été placée sous tutelle autrichienne.

2. Dominique Venner, *Histoire du terrorisme*, Paris, Pygmalion/Gérard Watelet, 2002, p. 37.

stratégie indirecte comprenant l'usage du terrorisme. À terme, le Moyen-Orient remplacera les Balkans comme premier foyer d'instabilité du monde. Lui aussi prendra corps sur les décombres de l'Empire ottoman après son partage par les Anglo-français. Les interventions de la Turquie à Chypre, du Pakistan au Cachemire ou, dans un autre contexte, des États arabes en faveur des Palestiniens procèdent de la même logique[1]. Dans ce type de situation, l'arme terroriste est rarement absente des confrontations.

L'assassinat de l'archiduc clôturait une période particulièrement féconde en complots terroristes, en particulier contre les chefs d'État et les têtes couronnées. Malgré les nombreux attentats ayant échoué, comme celui visant Napoléon III en 1858, le succès rencontré par les terroristes fut significatif durant cette période qui rappelle l'ère des tyrannicides des XVIe-XVIIe siècles. L'année 1881 inaugure en quelque sorte l'ère des régicides. Cette année-là, le tsar Alexandre II de Russie est déchiqueté par une bombe de la *Narodnaïa Volia* (le président américain James Garfield est tué par balle la même année mais l'attentat n'était lié en rien avec un complot terroriste). Une série d'attentats vont être commis par des anarchistes italiens dans plusieurs pays d'Europe. Après Sadi Carnot en 1894 (Caserio), le Premier ministre espagnol Canovas del Castillo était assassiné par un autre anarchiste italien en 1897. L'année suivante, l'anarchiste Lucheni tuait Élisabeth, impératrice d'Autriche et reine de Hongrie (Sissi). Une autre tête couronnée, le roi Humbert Ier d'Italie, était victime d'un anarchiste transalpin, Bresci, en 1900. Aux États-Unis, après Lincoln et Garfield, un troisième président américain, William McKinley, était assassiné, cette fois par un sympathisant, bien que non militant, anarchiste. En 1908, au Portugal, le roi Carlos et son fils sont tués par deux membres d'une société secrète dont les objectifs restent très vagues. Trois ans plus tard, Piotr Stolypine, Premier ministre du tsar qui avait réchappé à plusieurs attentats anarchistes, tombait aux mains d'un révolutionnaire socialiste, Bogrov, lors d'une représentation à l'opéra de Kiev.

## L'APPORT TECHNOLOGIQUE

Les attentats à la bombe remplacent ceux à l'arme blanche d'autrefois. La technique, depuis la fin du XIXe siècle, est restée à peu près inchangée. Dans ce sens, le terrorisme n'a pas suivi l'évolution technologique de la

---

1. *Ibid.*, p. 32.

guerre et, en 2004, les armes de destruction massive n'ont encore pas fait leur apparition sur le théâtre du terrorisme alors qu'elles font partie de l'arsenal stratégique des nations depuis 1945. Quant aux armes chimiques, employées dès la Première Guerre mondiale par les belligérants, elles n'ont fait qu'une apparition brève et limitée lors de l'attentat dans le métro de Tokyo le 20 mars 1995. Seule l'invention de l'aéronef au début du siècle a apporté une nouveauté dans la technique terroriste. Mais c'est à la fin des années 1960 que l'avion devient un vecteur du terrorisme[1]. Pourtant, dès les premiers vols, certains pensaient déjà exploiter cette technologie à des fins terroristes. En 1906, l'ingénieux Evno Azev avait très tôt perçu le potentiel de l'avion et avait même acheté un aéronef à un ingénieur anarchiste avec l'intention de l'employer pour un attentat terroriste qu'il n'eut jamais l'occasion d'organiser.

Le registre du terrorisme est politique et psychologique. Ce sont les effets de ses actions sur la psyché des populations et sur les régimes politiques ciblés qui constituent les objectifs d'un mouvement terroriste. Pour atteindre ces objectifs, la technologie est un facteur secondaire car sa ressource principale est humaine et psychologique. Or, dès le $XIX^e$ siècle, la technologie des explosifs est suffisamment avancée pour servir les besoins des terroristes. Aujourd'hui, les difficultés de manipulation des armes nucléaires, chimiques, radiologiques, biologiques et bactériologiques sont suffisantes pour (provisoirement) dissuader les groupes terroristes d'en faire usage. Aujourd'hui, face aux équipements de détection de plus en plus sophistiqués que l'on trouve désormais un peu partout, en particulier dans les aéroports, les terroristes n'ont que deux options : battre les autorités sur le terrain de la technique, ou revenir à des procédés tellement simples qu'ils sont en deçà de la détection moderne. Tandis que les autorités chargées de la lutte antiterroriste pensent continuellement aux prochaines étapes de la « course aux armements », les terroristes tentent de déjouer les mesures de protection. Dans le domaine de la prévention, plus une arme est simple, plus elle est difficile à détecter.

La grande percée technologique, dans la perspective terroriste, vient de l'invention de la dynamite. La seconde moitié du $XIX^e$ siècle, avec l'industrialisation, a besoin d'explosifs, notamment pour creuser des mines et aménager les voies de chemin de fer. Les ingénieurs et les scientifiques s'ingénient à rendre les explosifs plus maniables, plus efficaces et moins

---

1. Mais en 1974, l'IRA utilisait un hélicoptère pour déposer des bombes.

massifs. La poudre noire, au milieu du XIX$^e$ siècle, est le seul explosif employé mais elle présente de très nombreux inconvénients. La nitroglycérine, découverte en 1846, est inutilisable étant donné les dangers qui accompagnent son utilisation. C'est en 1864 qu'un chimiste suédois, Alfred Nobel, entame les expériences qui l'amèneront deux ans plus tard à l'invention de la dynamite (nitroglycérine fixée par la poudre de Kieselguhr) deux ans plus tard. Parmi les produits dérivés, le « plastic » est inventé en 1875 (93 % de nitroglycérine et 7 % de collodion).

La dynamite va bouleverser la technologie du terrorisme et fortement contribuer à l'essor des mouvements anarchistes et populistes en France, en Russie et ailleurs, y compris aux États-Unis. Elle offre beaucoup d'avantages pour un attentat de type terroriste : masse, maniabilité, usage facile, fiabilité. Une explosion fait beaucoup de bruit et peut tuer un petit groupe de personnes, ce qui correspond exactement à ce que recherche le terroriste déterminé à semer la terreur. Malgré tout, les dangers ne sont pas absents et nombre de terroristes sont eux-mêmes victimes d'explosions lors d'expériences ou d'attentats. En Russie et en Irlande, par exemple, les terroristes montent des laboratoires de chimie clandestins afin d'affiner leur technique et de produire des explosifs mieux adaptés à leurs besoins. Néanmoins, si l'invention de la dynamite révolutionne la technique terroriste au départ, il s'avère aussi qu'elle n'est pas tout à fait la panacée décrite à ses débuts. Si les bombes sont beaucoup plus légères qu'auparavant, il faut cependant compter une trentaine de kilos pour disposer d'une masse d'explosifs suffisante. Lors d'attaques contre des personnalités politiques ayant une protection rapprochée, la taille des bombes est encore plus élevée car il faut pouvoir détruire un périmètre important pour espérer atteindre la victime. La multiplication des conflits au cours du XX$^e$ siècle a non seulement favorisé les progrès dans ce domaine, notamment dans la miniaturisation des explosifs, mais elle a aussi favorisé l'accès à toutes sortes d'armements pour des groupes armés privés. L'effondrement du bloc soviétique en 1991 qui a engendré la vente massive d'armes et de technologies à destination de l'extérieur, et notamment des terroristes, en est l'illustration la plus récente.

La technique des explosifs, à la fin du XIX$^e$ siècle, eut aussi des effets sur la doctrine élaborée par les théoriciens du terrorisme. Johann Most était né en Allemagne en 1846 et il entama une longue carrière d'activiste politique dans son pays natal et en Autriche. Contraint de quitter sa patrie avec l'arrivée au pouvoir de Bismarck, il se réfugia en Angleterre où il fonda une revue hebdomadaire, *Freiheit* (« Liberté ») dans laquelle il prêcha la doctrine marxiste. Vers 1880, il se détourna du marxisme pour embrasser l'anarchisme de Bakounine. Ce virage le poussa à défendre et encourager tous les actes de terreur perpétrés dans le monde, y compris en Irlande et en Russie. Un éditorial sur l'attentat contre Alexandre II en 1881, qu'il publia dans *Freiheit*, lui valu d'être expulsé de Grande-Bretagne. Il s'embarqua pour les États-Unis avec sa revue. Durant les années qui suivirent, *Freiheit* devint la revue phare du mouvement anarchiste. Grâce à cet instrument, distribué à plusieurs dizaines de milliers d'exemplaires, Most fit l'éloge systématique de la « propagande par le fait ». Pour cela, il suffisait d'avoir un groupe de gens déterminés et disposant de la technologie nécessaire pour engager une campagne de terreur.

Influencé par les doctrines darwinistes en vogue à cette époque, Most était persuadé qu'une sélection naturelle devait produire une élite de révolutionnaires chargés de guider les masses populaires vers la révolution. Cette élite de révolutionnaires courageux n'avait qu'un chemin pour parvenir à ce résultat : l'emploi de la violence. La technologie constituait un progrès inespéré qui devait permettre à une petite élite de contester l'autorité en place.

Dans l'un de ses pamphlets les plus célèbres, *La science révolutionnaire de la guerre*, Most fit l'apologie de la bombe : « Aujourd'hui, l'importance des explosifs en tant qu'instrument pour exécuter des révolutions orientées vers la justice sociale est une chose évidente. N'importe qui peut observer que ce matériel sera un facteur décisif durant la prochaine période de l'histoire mondiale. En conséquence, il est naturel que tous les révolutionnaires de tous les pays se procurent des explosifs et apprennent les techniques leur permettant de les utiliser[1]. »

Johann Most anticipait les effets du terrorisme publicitaire[2] : « Tout le monde sait maintenant par expérience que le mieux placé un coup de feu ou une explosion, et le plus parfaitement exécuté l'attentat, le plus gros effet propagandiste. » Ou encore : « Nous avons dit une centaine de fois ou plus lorsque les révolutionnaires modernes entreprennent leurs actions, ce qui est important n'est pas seulement ces actions mais aussi les effets propagandistes qu'ils sont capables d'accomplir. Donc, nous prônons non seulement l'action pour elle-même mais aussi l'action comme

---

1. Johann Most, « The Revolutionary Science of Warfare. Handbook of Instruction Regarding the Use and Manufacture of Nitroglycerine, Dynamite, Gun-Cotton, Fulminating Mercury, Bombs, Arson, Poisons, etc. », in Isaac Cronin, éd., *Confronting Fear, A History of Terrorism*, New York, Thunder's Mouth Press, 2002, pp. 17-21.

2. *Freiheit*, 13 septembre 1884.

propagande[1]. » Most va plus loin encore en anticipant aussi les campagnes médiatiques qui feront partie de l'arsenal des terroristes : « Pour accomplir le succès désiré dans sa pleine mesure, immédiatement après que l'action a été accomplie, tout spécialement dans la ville où elle a eu lieu, des affiches devraient être posées expliquant les raisons pour lesquelles l'action a été entreprise, de manière à en tirer le plus grand bénéfice[2]. » Mais Johann Most a-t-il compris l'essence même du terrorisme qui est de créer un sentiment irrationnel d'insécurité ?

C'est dans le domaine de la technologie que Johann Most démontra son imagination et sa capacité de prévision. Il tenta des expériences chimiques pour fabriquer des lettres piégées. Surtout, il envisagea d'exploiter les nouvelles technologies du vol aérien au profit du terrorisme. Le dirigeable, inventé en 1852 par Henri Giffard (un ballon avec un moteur à vapeur placé six mètres en dessous), permettrait à des terroristes, selon Most, de faire jouer l'effet de surprise en lançant des explosifs sur la foule, sur les armées ou sur des personnalités depuis les airs, où ils seraient intouchables.

## PROBLÈMES D'ORGANISATION

Une autre constante du terrorisme qui se développe dès le XIXe siècle est le caractère limité des organisations terroristes, que Most souligne d'ailleurs à maintes reprises. Celles-ci sont limitées en termes de ressources humaines et, surtout, de ressources financières. Ces petites organisations sont contraintes de procéder à des calculs coûts-bénéfices pour établir des options stratégiques. Ces calculs, pour la plupart, empêchent que les ressources soient investies dans la haute technologie plutôt que dans des domaines où l'argent sert mieux leur cause : le recrutement, l'entraînement, le renseignement, la protection, la clandestinité. Si, aujourd'hui, certaines organisations terroristes comme Al Qaida bénéficient de soutiens financiers importants, les mouvements terroristes du XIXe siècle étaient pauvres. Les soutiens extérieurs étaient rares. Une riche Française donna un million de francs, par exemple, à l'un de ses amis, l'anarchiste espagnol Francisco Ferrer. L'*Irish Revolutionary Brotherhood* fut créé en 1858 avec un don américain de 400 dollars. Souvent, les terroristes devaient se tourner vers la criminalité pour trouver

1. *Freiheit*, 25 juillet 1885.
2. *Ibid.*

des fonds. Au début du XX<sup>e</sup> siècle, les terroristes indiens tentèrent, sans succès, de fabriquer des faux billets, avant de s'orienter vers le cambriolage[1].
En France, la bande de l'anarchiste Joseph Bonnot se spécialisa dans les
vols à main armée avant de tomber aux mains de la police en 1912.

Ce n'est qu'après la Première Guerre mondiale que les organisations terroristes commencent à recevoir des fonds provenant de gouvernements, tendance qui s'accentue après la Seconde Guerre mondiale dans le contexte de
la guerre froide et après le choc pétrolier avec la manne financière provenant
des pays arabes producteurs de pétrole. Dans le contexte de la politique de
l'équilibre qui prédomina jusqu'en 1914, l'exploitation de mouvements terroristes à des fins politiques n'était pas dans l'air du temps, l'idée générale
étant de maintenir la stabilité et le *statu quo* d'un système plus ou moins
homogène politiquement. La volonté de déstabiliser un adversaire ne viendra qu'après l'effondrement du système westphalien et, surtout, lors de la
confrontation entre le bloc soviétique et l'Occident. On notera cependant
que les attentats du 11 septembre 2001 furent réalisés avec un budget
modeste employé avant tout à préparer et entraîner les hommes, et non pas
à acquérir des moyens technologiques de pointe.

Au départ donc, les terroristes agissaient avec peu de ressources et de
moyens. Leur capacité de nuisance était proportionnelle à l'ingéniosité dont
ils faisaient preuve pour concevoir leur stratégie et à la rigueur qu'ils mettaient en œuvre sur le terrain. De manière générale, les risques d'être découverts par les autorités étaient inversement proportionnels à la taille des
organisations. La *Narodnaïa Volia,* par exemple, compta jusqu'à cinq cents
membres, ce qui, à l'époque, était considérable[2]. La plupart des organisations terroristes étaient beaucoup plus modestes. Elles opéraient souvent
avec quelques membres seulement, parfois moins d'une dizaine. Les mouvements terroristes des années 1970-1980 comme Action directe et le groupe
Baader-Meinhof ne seront guère plus importants. L'accroissement, surtout
s'il est rapide, d'un mouvement multiplie les risques : dans les années
soixante, les Tupamaros, qui comptaient une cinquantaine de militants au
départ et trois mille cinq ans plus tard, furent victimes de leur succès[3]. Dans
le cadre des mouvements de libération nationale, dont les premiers se développent au tournant du XX<sup>e</sup> siècle, l'organisation est généralement concen-

---

1. Voir Walter Laqueur, *A History of Terrorism*, New Brunswick, NJ, Transaction Publishers, 2002
(Little Brown, 1977), p. 87.
2. *Ibid.,* p. 85.
3. *Ibid.,* p. 85.

trée sur un noyau central limité mais possédant une base très large de soutien avec de nombreux agents actifs, semi-actifs ou dormants.

On remarque que souvent les attentats terroristes arrivent par vagues, comme ce fut le cas pendant l'ère des attentats du premier entre-deux-guerres. D'après Walter Laqueur, ces vagues correspondent à un changement de génération, soit une vingtaine d'années[1]. Les autorités parviennent généralement en quelques années à maîtriser les techniques de contre-terrorisme adaptées et parviennent à infiltrer les mouvements, tandis que les attentes des mouvements terroristes sont souvent beaucoup plus élevées que les résultats obtenus.

Les mouvements nationalistes et religieux sont plus coriaces. Ils ont une base de soutien beaucoup plus large et peuvent sans difficulté recruter. La présence de sanctuaires est primordiale pour qu'un mouvement puisse durer et affronter les crises inévitables. Pour les petits groupes sans moyens, la recherche d'un sanctuaire peut tout simplement se résumer à l'exil. D'un pays étranger, un mouvement peut plus facilement échapper aux autorités du pays ciblé. C'était encore plus vrai lorsque les frontières étaient facilement franchissables, comme c'était le cas avant la guerre de 1914-1918, que les accords entre les États en matière de justice (extradition, etc.) étaient peu développés et que les communications entre polices étaient rudimentaires. Aujourd'hui, les efforts entrepris dans ces domaines et les progrès considérables des technologies de l'information sont encore insuffisants dans le domaine de la coopération entre les États.

Une grande partie des activités terroristes touche à l'organisation du mouvement et à sa survie. Viennent ensuite la préparation des attentats et leur mise en œuvre. Étant donné le nombre important d'échecs dû à une mauvaise préparation, à des sources d'information erronées (infiltration d'agents doubles), à une mauvaise coordination (en particulier au niveau du temps), et à une mauvaise manipulation des armes, peu d'attentats réussissent à atteindre leur cible. Ce phénomène apparut très nettement lorsque se développa le terrorisme à la fin du XIXᵉ siècle, mais il dure encore aujourd'hui. Les terroristes commirent et continuent de commettre beaucoup d'erreurs.

Cependant, le terrorisme a ceci de particulier qu'il se perpétue même lorsqu'il rencontre des échecs répétés. Souvent même, les échecs poussent un mouvement terroriste à continuer ses opérations de telle manière qu'au bout d'un moment le terrorisme devient une fin en soi et non plus un instru-

---

1. *Ibid.*, p. 86.

ment au service d'une cause. En ce sens, le terrorisme « d'en bas » est semblable au terrorisme d'État.

Le terrorisme russe et l'ère des attentats en France et en Europe du Sud incarnent dans les esprits le terrorisme qui sévit durant l'époque à cheval entre le XIX^e et le XX^e siècle. Mais d'autres mouvements terroristes apparaissaient ici et là. En Irlande, avec le mouvement nationaliste qui perdure jusqu'à ce jour. Toujours en Europe, la Pologne fut victime d'une vague terroriste qui se perpétua après la Première Guerre mondiale. En Inde, colonie britannique, les attentats terroristes annoncèrent avec quelques décennies d'avance les futures guerres de libération nationale. Avant son démantèlement d'après-guerre, l'Empire ottoman en pleine déliquescence dut affronter deux mouvements terroristes avec les Arméniens et les Macédoniens.

## LE CAS IRLANDAIS

Pendant plus d'un siècle, la violence en Irlande puis en Irlande du Nord a nourri de manière sporadique la une des quotidiens. À la violence irlandaise est associée dans les esprits une organisation, l'IRA, *Irish Republican Army*. Celle-ci naquit durant la première guerre mondiale avec la fusion de plusieurs groupes nationalistes dont l'IRB, l'*Irish Republican Brotherhood* et l'*Irish Citizen Army* de James Connolly. On retrouve l'IRA à la fin des années 1960 en Irlande du Nord dans une lutte complexe contre la communauté protestante soutenue par l'Angleterre et entretenue par la mystique de la lutte pour l'indépendance. Le parlement britannique avait voté pour le *Home Rule* en mai 1914. Mais cette concession qui fournissait à l'Irlande une plus grande autonomie était insuffisante pour les nationalistes qui voulaient un État indépendant.

La lutte qui aboutit à l'indépendance de l'Eire en 1922[1] préfigure avec quelques décennies d'avance les divers mouvements de libération nationale qui vont secouer les empires coloniaux après la Seconde Guerre mondiale. L'organisation de la guérilla urbaine sur une échelle inconnue jusqu'alors va favoriser l'usage systématique du terrorisme en Irlande. La Grande-Bretagne, qui ne fut pas battue militairement en Irlande, fut l'un des premiers

---

1. Les indépendantistes irlandais proclamèrent l'indépendance le 21 janvier 1919. Après trois ans de guerre, la conférence de Londres aboutit au traité du 21 décembre 1921 qui divisait l'Irlande en deux entités. L'Eire, avec ses 26 comtés, devenait indépendante ; l'Ulster, avec ses 6 comtés, restait britannique. Le 8 janvier 1922, le traité était ratifié par Dublin malgré le refus d'Eamon De Valera.

pays à subir la loi d'une nouvelle équation stratégique où la victoire militaire n'équivaut pas à une victoire politique. L'autre grand empire colonial, la France, devra faire sa propre expérience en Algérie pour aboutir aux mêmes conclusions.

L'histoire de la résistance irlandaise est marquée à tout jamais par le jour de Pâques 1916. En ce lundi 24 avril, les membres de plusieurs mouvements indépendantistes décidaient de frapper un grand coup dans Dublin même. À leur tête, on retrouvait le poète Patrick Pearse et le socialiste James Connolly, revenu en Irlande pour la cause indépendantiste après avoir émigré aux États-Unis. Les insurgés s'emparèrent de la grand-poste et hissèrent les couleurs vert, blanc et orange du futur drapeau irlandais. Pearse proclama la république d'Irlande. Les hommes espéraient que leur coup de main allait engendrer un soulèvement général. L'armée britannique réprima brutalement l'insurrection. À l'aide de l'artillerie, les troupes britanniques – qui comprenaient un fort contingent de soldats irlandais – reprenaient le contrôle de la ville après d'âpres combats qui firent cent trente-quatre morts parmi les soldats de la couronne et une soixantaine de tués chez les insurgés.

Dans le feu de la bataille, les indépendantistes avaient émis le souhait de parlementer, mais le général chargé de réprimer l'insurrection exigeait une reddition sans conditions. Dans la foulée, les Britanniques décidèrent d'exécuter les chefs de la rébellion, dont Pearse et Connolly, mais d'autres dirigeants comme De Valera et Michael Collins échappèrent au peloton d'exécution. L'intransigeance des Anglais allait se retourner contre la couronne : malgré ses maladresses, le mouvement indépendantiste avait désormais ses martyrs. Il avait perdu la bataille militaire mais il s'apprêtait à gagner la guerre politique.

Après l'épisode sanglant de Pâques, le mouvement nationaliste s'organise et tire les leçons de l'événement. L'un des architectes de la lutte armée est Michael Collins. Il établit une structure militaire qui permet aux unités de fonctionner de manière autonome et recrute pour l'encadrement des vétérans de la Grande Guerre. En face, les Anglais organisent leur riposte pareillement en créant des unités spécialisées dans la contre-insurrection, les *Black and Tan* (les « noir et beige », pour la couleur de leurs uniformes) et les auxiliaires de la police spécialisés dans la lutte antiterroriste. Ces unités n'hésitent pas à employer la violence contre la violence, au risque de s'aliéner les populations. Mieux armés et mieux équipés que les irréguliers, ils perdent cependant la bataille politique sans véritablement s'imposer sur le terrain de la guerre.

La guerre, elle, est sans merci. Des deux côtés, on use de la terreur. Les indépendantistes s'attaquent aux loyalistes – qui soutiennent la couronne – et aux autorités. La police pratique une politique de représailles visant à dissuader l'adversaire de poursuivre son action : pour un loyaliste tué, on assassine deux indépendantistes. À Londres, Lloyd George et Winston Churchill approuvent cette stratégie. Mais l'adversaire est coriace. Il a compris que la victoire se joue sur le théâtre de la politique où l'opinion publique est un levier vital. Michael Collins n'attaque jamais de front, là où il se sait irrémédiablement inférieur à l'ennemi. Il gagne le soutien d'une partie de la population – et les Irlandais d'Amérique contribuent au financement de la lutte – et parvient grâce à ses réseaux d'indicateurs à gagner la bataille du renseignement, qui est essentielle et permet de garder l'initiative.

La veille de Pâques (1920), l'IRA attaque simultanément plus de trois cents postes de police. Quelques mois plus tard, le 21 novembre, Collins fait mieux : il élimine à la même heure en huit lieux différents onze officiers travaillant pour les services secrets britanniques. Psychologiquement, c'est un coup magistral porté au cœur du centre nerveux de l'ennemi. Les Britanniques choisissent peu après de riposter en ouvrant le feu sur la foule lors d'une manifestation sportive, avec pour résultat quatorze tués et des dizaines de blessés.

Michael Collins décide de porter la lutte en Angleterre. La même année, le 28 novembre, il envoie un commando à Liverpool pour des opérations de sabotage. Deux *Black and Tan* sont tués. Militairement, l'opération de Liverpool est dérisoire, mais c'est un triomphe politique. Non seulement l'IRA a touché l'opinion anglaise mais elle atteint aussi l'opinion internationale. Les États-Unis, vainqueurs incontestés de la Grande Guerre et qui accèdent au statut de puissance de premier rang, sont derrière l'Irlande. L'Amérique abrite des millions d'Irlandais, beaucoup sont émigrés de fraîche date. Ils soutiennent les indépendantistes et leur opinion, aux États-Unis, compte politiquement. Lloyd George, Premier ministre britannique, est obligé de négocier. Un an plus tard environ, l'Eire obtient son indépendance. Au sein du mouvement indépendantiste, une lutte fratricide s'engage entre ceux qui acceptent le partage de l'Irlande, comme Collins, et ceux qui refusent les accords, comme De Valera. Collins n'aura guère le temps de savourer sa victoire. Il tombe dans une embuscade le 22 août 1922.

Plusieurs éléments se sont conjugués pour que le mouvement indépendantiste aboutisse à la victoire, ou tout au moins à une semi-victoire puisque l'Ulster reste britannique. Qui aurait pu croire au succès des indépendantistes irlandais quelques années auparavant, sinon eux-mêmes ? Le mouvement nationaliste était divisé, mal organisé, et le soutien populaire était mince. Les facteurs qui contribuèrent à la réussite comprennent l'appui des États-Unis, financier au départ, puis politique, la détermination des nationalistes qui ne faiblit jamais malgré les échecs répétés, et le génie stratégique de dirigeants comme Michael Collins. Le contexte de la guerre et la lassitude de l'opinion publique britannique feront le reste. Tout au long de la lutte, surtout au début, l'IRA accumule les erreurs alors que les Britanniques démontrent une efficacité redoutable. Néanmoins, ces derniers commettent une erreur irréparable en oubliant que le conflit se joue sur le théâtre de la politique. En voulant user de la terreur, pour combattre la terreur, ils tombent dans le piège de l'IRA.

Pour une nation démocratique, l'usage de la terreur n'est pas une option et elle mène à l'échec, sauf peut-être dans des cas très particuliers et sur des théâtres extérieurs et lointains (dans les colonies par exemple). Pourtant, les Britanniques étaient forts de leur expérience coloniale. C'est même un sujet britannique, C.E. Caldwell, qui, quelques années plus tôt, avait théorisé la stratégie de la « petite guerre[1]. » Les architectes de la stratégie contre-insur-rectionnelle britannique avaient été confrontés pour la plupart à des insur-rections au sein de l'Empire. Mais le contexte est différent lorsque la violence s'introduit sur le territoire national. Dans le cas irlandais, c'est lors-que la violence atteint l'Angleterre que tout bascule. Il en sera de même pour les États-Unis avec le 11 septembre, alors que des cibles américaines avaient été atteintes à plusieurs reprises auparavant, mais loin du territoire national (ce n'est pas un hasard si les ambassades américaines furent visées à plusieurs reprises puisqu'elles font partie légalement du territoire natio-nal). Or, sur le territoire proprement national, l'échelle de la violence change complètement : un simple attentat terroriste peut avoir des répercussions énormes.

## NAISSANCE DU TERRORISME EN INDE

Tandis que les Irlandais s'attaquaient à la couronne britannique, les Indiens aussi avaient commencé à envisager la perspective d'une Inde libérée du joug anglais. Là encore, l'exemple de la Russie avait traversé

---

1. C.E. Caldwell, *Small Wars*, Londres, 1899.

les frontières, et les terroristes russes avaient même aidé les Indiens à construire des bombes. En Inde, le nationalisme naissant conjuguait un mélange d'idéologie occidentale avec les traditions culturelles et religieuses propres au sous-continent indien. Les dirigeants nationalistes provenaient en majorité de la caste la plus élevée, celle des brahmanes (prêtres). Bal Ganjadhar Tilak, l'un des fers de lance du nationalisme indien et apôtre de la violence terroriste au début du XXe siècle, préférait employer la méthode forte plutôt que la stratégie de la non-violence ancrée dans la tradition indienne. Ici aussi, la tradition du tyrannicide était remise au goût du jour. Comme en Irlande à la même époque, les nationalistes indiens, avant la Grande Guerre, étaient relativement inefficaces. Ils parvinrent tout de même à assassiner à Londres un membre du gouvernement anglais en 1909.

Vinayak Savarkar, leader du mouvement nationaliste *Hindu Mahasabha* et de sa branche militaire, le RSSS (*Rashitriya Swayam Sewak Sangh*), avait une approche sectaire de la lutte nationaliste où tous les ennemis du RSSS étaient les ennemis du peuple. La lutte qu'il prônait visait les Anglais mais aussi les musulmans. C'est l'un des disciples de Savarkar qui assassina Gandhi en 1948.

De nombreux membres des mouvements terroristes luttant pour la libération de l'Inde étaient des transfuges du mouvement de Gandhi. Déçus par le manque de résultats, ils se tournèrent vers des mouvements cherchant à travers la violence un moyen de faire plier la Grande-Bretagne. L'Inde jouissait en Occident et ailleurs d'une réputation bien ancrée de non-violence, grâce à la figure de Gandhi. Mais la non-violence qu'on associe aussi aux religions « pacifiques » de l'Inde ne représente qu'un aspect d'une société où la violence est considérable. Dans la lutte pour l'indépendance de l'Inde, ces deux composantes de la société indienne étaient en concurrence l'une avec l'autre. Gandhi était résolument contre le recours au terrorisme qu'il dénonça à plusieurs reprises en public. Au contraire, le mouvement de l'*Hindustan Socialist Republican Association*, créé à la fin des années 1920, était résolument tourné vers la violence et inspiré par la doctrine marxiste. Il prônait la révolution qui devait abolir le capitalisme, les distinctions de classes et les privilèges, et instaurer la dictature du prolétariat. En 1930, le mouvement publia et distribua dans toute l'Inde un manifeste intitulé *La philosophie de la bombe*, dans lequel il faisait l'apologie du terrorisme, sans l'usage duquel, selon les auteurs, la révolution n'était pas possible [...]. « Le terrorisme, disaient-ils, est une phase inévitable et nécessaire de la révolution. Le terrorisme insuffle la peur dans le cœur des oppresseurs, et apporte l'espoir de revanche et de rédemption chez les masses opprimées[1]. »

Tout autant qu'un pamphlet révolutionnaire et une apologie du terrorisme, *La philosophie de la bombe* est surtout une attaque personnelle contre le Mahâtma Gandhi et ses méthodes : « Quelle pitié que Gandhi ne comprenne pas et ne veuille pas comprendre la psychologie révolutionnaire malgré l'expérience d'une vie passée dans la vie publique[2]. » Le fondement moral derrière *La philosophie de la bombe* reposait là encore sur le vieux concept du tyrannicide : « Nous aurons notre revanche, la revanche justifiée sur le tyran. Laissez les lâches reculer et s'en tenir aux compromis et à la paix. Nous ne réclamons pas la pitié et nous ne faisons pas de quartier. Notre guerre est une guerre jusqu'au bout. Jusqu'à la victoire ou la mort. Longue vie à la révolution[3]. »

Malgré ces déclarations fracassantes, le mouvement terroriste en Inde sera limité, à la fois en termes d'impact et dans la durée. Un autre manifeste, distribué en 1930, appela à l'organisation d'attentats contre les civils occidentaux et certaines infrastructures. Les terroristes commirent quelques attentats ici et là mais dans l'ensemble, leurs déclarations sur la lutte des classes avaient une portée faible sur une société toujours profondément structurée autour du système des castes. La réaction britannique contre les mouvements insurrectionnels fut couronnée de succès dès le milieu des années 1930. Comme en Irlande, ce fut la guerre, cette fois la Seconde Guerre mondiale, qui provoqua la résurgence du terrorisme. Celui-ci trouva un exutoire aussi dans l'indépendance. Mohandas Gandhi en fut la principale victime, lui qui depuis longtemps avait compris que la violence engendrée par les pratiques terroristes aurait du mal à être contrôlée et qu'elle finirait par frapper les Indiens, même une fois l'indépendance acquise.

## MACÉDONIENS, CROATES ET ARMÉNIENS

L'Empire ottoman, qui occupe depuis quatre siècles les Balkans (chute de Sofia 1385, Kosovo 1389, Belgrade 1520), est contesté par ses sujets chrétiens de la région qui, au nom du nationalisme, veulent se libérer. La

---

1. Voir Walter Laqueur, *Terrorism Reader. A Historical Anthology*, New York, New American Library, 1978, p. 139.

2. *Ibid.*

3. *Ibid.*, p. 140.

Grèce s'émancipe en 1830 avec l'aide des puissances européennes. La Serbie s'est soulevée en 1815 et les Bulgares en font autant en 1878 et subissent une terrible répression qui justifie l'intervention de la Russie, protectrice des Slaves. En 1878, l'Empire ottoman se retire d'une grande partie des Balkans mais reste pleinement maître de l'Albanie, de la Macédoine et de la Thrace. Débris d'Empire, la Macédoine, peuplée d'orthodoxes mais aussi de musulmans (Albanais), est revendiquée à la fois par la Bulgarie, la Grèce et la Serbie.

La Macédoine était l'une des régions lésées par les accords de Berlin de 1878 où l'Empire ottoman s'était vu rejeté d'une importante partie de ses possessions européennes. Notoirement connue pour la multiplicité d'ethnies et de religions qui la composait, la Macédoine était l'une des régions les plus instables des Balkans.

Voisine de la Macédoine et libérée du joug turc en 1878, la Bulgarie offrit un sanctuaire aux indépendantistes macédoniens – dont beaucoup étaient des Bulgares de Macédoine – déterminés à obtenir pour leur pays ce que la plupart de leurs voisins avaient obtenu lors du congrès de Berlin. La lutte des Macédoniens, qui se poursuivra pendant près de quatre décennies, deviendra au fil des années un instrument de la politique extérieure bulgare, illustrant encore une fois comment les groupes terroristes sont souvent manipulés par des États.

L'Organisation révolutionnaire pour l'indépendance de la Macédoine (ORIM) fut fondée en 1893 sous l'impulsion d'un instituteur, Gotzé Deltcheff. Au départ, l'ORIM était un mouvement nationaliste dont le but était d'obtenir l'indépendance de la Macédoine. Le mouvement était dans ses débuts composé de civils avant d'évoluer vers une organisation semi-militaire permanente dirigée par Todor Alexandrov.

Les Comitadjis de l'ORIM (c'est-à-dire les membres du Comité, terme repris du français et de la Révolution française) entrent en action en avril 1903. Ils font exploser, à Salonique, un navire français qui livrait des armes à la Sublime Porte. Des bombes explosent dans les lieux fréquentés par les Européens (casinos, cafés, etc.). Mais ces actions ne donnent pas les résultats escomptés : l'intervention des puissances. En août de la même année, changeant de tactique, l'ORIM attaque une garnison turque en Albanie. Cette fois, la répression est féroce : les victimes se comptent par dizaines de milliers tandis que les puissances européennes se contentent de réclamer des réformes pour les minorités chrétiennes de l'Empire. L'ORIM continue cependant ses activités, surtout à caractère terroriste, jusqu'à la révolution des Jeunes Turcs (1908). Celle-ci, dans un premier temps, est accueillie avec enthousiasme par les populations, surtout par les non-musulmans, chrétiens ou juifs, l'égalité des droits étant proclamée pour tous les sujets de l'Empire.

Le mouvement était parti de Salonique où se trouvaient nombre d'éléments éclairés désireux de moderniser l'Empire. Mais très rapidement, le programme d'« ottomanisme » fondé sur l'égalité de toutes les composantes ethniques et/ou religieuses est abandonné en faveur du pan-turquisme. La crise de l'Empire devient aiguë. En fait, dès 1878, l'Empire ottoman était à l'agonie et ne survivait plus que parce que les puissances et notamment la Grande-Bretagne s'inquiétaient du partage des dépouilles et plus particulièrement des visées russes sur les Dardanelles.

Les tensions sont vives à l'intérieur de l'Empire soumis aux pressions des puissances qui, sur le plan financier, ont fait de la Turquie une semi-colonie. L'Empire ottoman vient de perdre la Tripolitaine (Libye) que l'Italie lui a ravie (1911). En 1912, la Bulgarie, la Grèce et la Serbie déclarent la guerre à l'Empire ottoman et refoulent les Turcs quasiment hors d'Europe. La prise de Contantinople n'a pas lieu, en partie à cause des rivalités internes de la Ligue balkanique. L'Albanie devient indépendante mais ne recouvre pas les territoires très majoritairement peuplés d'Albanais (Kosovo et la partie occidentale de la Macédoine d'aujourd'hui). La Macédoine, qui avait lutté pour son autonomie, voire pour son rattachement à la Bulgarie, est englobée dans la Yougoslavie. L'ORIM continue ses activités terroristes bien après la fin de la Grande Guerre. Le mouvement se durcit et le combat contre la Grèce et surtout contre l'État yougoslave fut encore plus violent que celui mené auparavant contre les Turcs.

Opérant toujours à partir de leur base bulgare, les dirigeants de l'ORIM furent abordés par les Russes. Désormais soviétique, la Russie portait un intérêt toujours aussi grand aux Balkans. Alexandrov était hostile à un rapprochement avec Moscou et il fut assassiné par une faction prosoviétique (plus tard, l'Italie fournit des armes et de l'argent aux Macédoniens). À l'issue de la lutte fratricide qui s'ensuivit, une autre grande figure émergea, celle d'Ivan Mikhaïlov (ou Michailoff), qui prit le commandement de l'organisation en 1928. Mikhaïlov était un administrateur et un homme d'affaires redoutable. Mais l'ORIM, dont les tentacules étaient de plus en plus menaçants dans les régions où ils sévissaient (notamment dans la partie macédonienne de la Bulgarie), se transforma graduellement en une organisation mafieuse prête à honorer des « contrats ». Soutenue à bout de bras par la Bulgarie et d'autres puissances intéressées comme l'Italie, elle ne put survivre lorsque la source de ce soutien finit par se tarir. C'est l'ORIM qui commettra l'acte terroriste le plus meurtrier de la première moitié du XX<sup>e</sup> siècle : un attentat dans la cathédrale de Sofia, dans les années 1930, qui fit 182 morts.

À partir de la fin des années 1920, l'ORIM encadra le mouvement nationaliste croate, lui aussi ennemi de l'État yougoslave, qui entama une série d'attentats (bombardements de trains, assassinats de personnalités). Ante Pavelitch, avocat croate en exil qui avait plaidé pour les Macédoniens, s'associa avec Mikhaïlov pour créer une organisation indépendantiste digne de ce nom. La résistance croate, l'*Oustacha*, allait faire parler d'elle dans les années à venir : jusqu'à ce jour, les *Oustachis* symbolisent dans les esprits le terrorisme de l'entre-deux-guerres. Installé à Vienne, Pavelitch fut sommé par les autorités autrichiennes de quitter le pays. Il se tourna vers l'Italie mussolinienne. Le *Duce* offrit un sanctuaire aux *Oustachis* qui purent s'entraîner dans la campagne lombarde et sur la côte Adriatique. La Hongrie, elle aussi hostile aux Serbes, proposa son soutien à Pavelitch.

L'*Oustacha*, comme l'ORIM, prit le parti de s'attaquer à des cibles civiles (contrairement à l'IRA par exemple). Préfigurant les attaques aériennes des années 1970 et 1980, l'*Oustacha* s'attaqua à des trains, y compris au prestigieux Orient-Express, dans le but de faire connaître sa cause au monde entier. Ce fut l'une des premières expressions du terrorisme publicitaire qui allait se développer plus tard à la fin des années 1960. En 1934, la résistance croate réussit son plus beau coup avec l'assassinat du souverain yougoslave Alexandre I<sup>er</sup> de Serbie.

Profitant d'une visite à Paris prévue de longue date, un commando de terroristes était parti pour la France. Il était dirigé par un cadre *oustachi*, Eugène Kvaternik, et comprenait un tueur macédonien expérimenté, au service de l'ORIM, « Vlada ». Les hommes avaient débarqué du train à Fontainebleau avant de poursuivre sur Paris par la route. De là, le petit groupe s'était séparé en deux avec une équipe de trois unités – dont Kvaternik – dépêchée sur Marseille où le roi devait faire une première escale. Une première tentative devait avoir lieu dans la cité phocéenne. Si elle n'aboutissait pas, une seconde tentative aurait lieu à Paris.

Une fois les préparatifs accomplis, Kvaternik quitta Marseille, laissant sur place « Vlada » et Krajli, un homme de main fiable de l'*Oustacha*. Les deux hommes disposaient de pistolets et de grenades. L'attaque devait se faire à bout portant durant le cortège dans les rues de Marseille, un peu comme dans l'attentat de Sarajevo. Le 9 octobre, à 16 h 15, « Vlada » sauta sans hésiter sur le marchepied du véhicule transportant le roi, un cabriolet Delage, et tira mortellement sur le souverain. L'assassin, lui-même victime d'un coup de sabre en pleine tête et de plusieurs balles de pistolet, mourut un peu plus tard dans la soirée. Dans la confusion, le ministre des Affaires étrangères français, Louis Barthou, reçut d'un policier, dans l'épaule, une balle perdue qui provoqua sa mort un peu plus tard. Les trois membres du commando restés sur le territoire français furent capturés et passèrent aux aveux. Le caractère politique de cet attentat provoqua l'intervention de la Société des nations qui se résolut à combattre le terrorisme.

Pour la première fois, une législation internationale concernant le terrorisme est adoptée en 1937 par la Société des Nations (SDN). Elle formule une définition du terrorisme.

Convention internationale signée à Genève, le 16 novembre 1937 par vingt-cinq pays (sauf Italie et Étas-Unis) :

Les actes terroristes sont définis comme : « ... des faits criminels dirigés contre un État et dont le but ou la nature est de provoquer la terreur chez des personnalités déterminées, des groupes de personnes ou la population. »

Ainsi que : « Le fait de détruire ou d'endommager intentionnellement des biens publics ou destinés à une utilisation publique, qui appartient à un autre État signataire ou qui lui appartient en propre. »

Enfin : « Le fait de fabriquer, de se procurer, de détenir ou de fournir des armes, des munitions, des produits explosifs ou des substances nocives en vue de l'exécution, dans n'importe quel pays, d'une infraction prévue par le présent article. »

La culpabilité de l'*Oustacha* démontrée, l'organisation ne put exploiter cet attentat qui constitua pourtant le couronnement de sa lutte. C'est l'un des paradoxes du terrorisme : lorsqu'un attentat est trop réussi, l'organisation qui en est l'auteur est noyée dans le tourbillon politique qu'a entraîné son action et qui était son but dès le départ. Les attentats du 11 septembre illustrent encore une fois cette vérité : l'énormité de l'attaque sur New York (et Washington) fut telle que la riposte américaine entraîna la chute du régime taliban en Afghanistan, et porta un coup très sérieux à l'organisation Al Qaida. Mais aussi spectaculaire que soit un attentat, rien ne garantit que ses effets soient ceux escomptés par les terroristes. La mort d'Alexandre Ier n'aida en rien la cause de la Croatie, et le 11 septembre ne causa ni l'effondrement de l'Amérique, ni celui des régimes modérés des pays musulmans qu'attendait Ben Laden. Presque toujours, les terroristes démontrent des aptitudes plus grandes dans l'organisation d'attentats que dans la prospective politique.

Comme Al Qaida aujourd'hui, l'*Oustacha* se maintint tant bien que mal en activité. Elle perdit le soutien que lui apportaient auparavant l'Italie et la Hongrie. Ante Pavelitch et Eugène Kvaternik furent arrêtés par les Italiens mais ces derniers refusèrent de les extrader. En Croatie, l'attentat eut un énorme retentissement, de même que dans les médias du monde entier.

Pendant un moment, les Croates bénéficièrent eux aussi d'événements qui échappèrent à leur contrôle. En 1941, conséquence de la percée allemande en avril dans les Balkans, l'État croate proclamait son indépendance ainsi que celle de la Bosnie-Herzégovine. Ante Pavelitch se retrouva au pouvoir avec l'appui de l'Allemagne alors que Josip Broz, dit « Tito », prenait le maquis. La réussite fut de courte durée pour Pavelitch dès lors que le sort de la Croatie était dépendant des événements liés à la guerre et, en 1945, l'ancien dictateur et chef de l'*Oustacha* se réfugia en Amérique du Sud alors que Tito prenait le contrôle de la Yougoslavie.

Parmi les mouvements indépendantistes de la première moitié du XXᵉ siècle, celui des Arméniens connut le destin le plus tragique. Comme d'autres mouvements nationalistes anti-Turcs, il prit son essor à la fin du XIXᵉ siècle. De jeunes étudiants arméniens envoyés à Genève, Paris ou Saint-Pétersbourg furent influencés par les idées nées des Lumières et les idéaux du socialisme, et une fois de retour ils voulurent lutter contre le despotisme, pour certains d'entre eux en prenant les armes. Entre 1890 et 1908, quelques milliers de *Fedaïs* arméniens organisèrent une lutte armée à petite échelle contre l'Empire. Les premiers groupes, formés surtout de jeunes urbanisés, furent liquidés rapidement mais, progressivement, des noyaux se formèrent ici et là en Anatolie orientale. L'exemple des insurrections balkaniques contre l'Empire nourrissait les espoirs. Le soulèvement de la Bulgarie, en particulier, semblait être un exemple à suivre. Mais l'Arménie était en plein cœur de l'Empire, contrairement aux États balkaniques européens qui en occupaient la périphérie. Or, l'Empire ottoman avait beau être « malade », il restait une puissance militaire dotée d'un redoutable appareil de répression.

Le 26 août 1896, à Constantinople, un commando de vingt-six Arméniens tenta une opération terroriste « publicitaire » afin d'attirer l'attention des puissances européennes. Des militants investirent le premier centre financier de l'Empire, la Banque ottomane. D'un point de vue stratégique, le coup fut un succès puisque les puissances étrangères intervinrent pour que soit libéré le commando et que des réformes soient entreprises de la part du gouvernement turc. Mais cela n'empêcha pas le sultan de déclencher des massacres à Constantinople et dans de nombreuses autres villes d'Anatolie qui firent entre cent et deux cent mille victimes. L'opinion publique européenne et américaine s'émut et la « question arménienne » devint un des dossiers majeurs de la « question d'Orient ».

En 1908, la révolution jeune-turque, qui proclamait l'égalité de tous les peuples de l'Empire, fut accueillie favorablement. Les *Fedaïs* déposèrent les armes. Mais l'euphorie fut de courte durée. Au gouvernement, les éléments radicaux rejetèrent les modérés dans l'opposition. Le panturquisme remplaça l'ottomanisme. L'Empire perdit la Libye et même la fidèle Albanie. Les guerres balkaniques évincèrent presque entièrement les Turcs du continent européen.

Si les grandes puissances avaient projeté une réforme favorable aux Arméniens, la Grande Guerre enterra le projet. Les Jeunes-Turcs, après des revers dans le Caucase contre les Russes, décidèrent de résoudre le problème arménien par l'élimination de sa population. La déportation des Arméniens fut décrétée et une organisation spéciale fut chargée de veiller à la bonne marche de l'assassinat d'un peuple. Les soldats arméniens incorporés dans l'armée ottomane furent liquidés par petits groupes. Le 24 avril 1915 l'intelligentsia et les notables arméniens de Constantinople disparurent. La population arménienne de l'ensemble de l'Anatolie fut territorialement éliminée et la moitié des Arméniens de l'Empire disparut au cours du premier génocide du XXe siècle.

Les hauts dirigeants turcs et les hauts responsables de ce crime furent condamnés par contumace par une cour martiale ottomane lors de l'occupation des Alliés. Nombre des coupables se trouvaient en Allemagne et Berlin refusa de les extrader. C'est alors que fut organisée par le parti socialiste arménien Dachnak l'opération *Némésis*, l'une des très rares entreprises terroristes dont le but fut de venger l'assassinat d'un peuple et de rendre justice. La « mission spéciale » entreprise par *Némésis* était dans le droit-fil de la tradition du tyrannicide.

Les attentats furent préparés de Boston, de Constantinople et d'Érévan, relayés par Genève et exécutés à Berlin, Rome, Tbilissi, etc. Peu connue, cette chasse à l'homme est l'une des plus extraordinaires du siècle[1] : les instructions étaient claires, l'objectif étant d'assassiner les responsables, et seulement les responsables.

---

1. Jacques Derogg, *Opération Némésis*, Paris, Fayard, 1986.

Un premier attentat eut lieu à Berlin le 15 mars 1921. Il visait Talaat, l'un des membres du triumvirat jeune-turc avec Djemal et Enver. Les préparatifs durent quatre mois. Un homme de vingt-quatre ans qui avait perdu toute sa famille durant la guerre lui tire une balle dans la tête, rue Hardenberg. Passé en jugement, l'auteur de l'attentat est acquitté à l'unanimité par le jury.

C'est à Rome cette fois que fut perpétré le second attentat, le 5 décembre 1921. Un jeune homme de vingt-deux ans se précipite sur le fiacre de Saïd Halim, ancien grand vizir du premier gouvernement jeune-turc, et lui loge une balle dans la tête avant de disparaître. C'est de nouveau à Berlin qu'a lieu l'assassinat, toujours sans bavures, de Behaedinne Chakir, l'un des grands responsables du génocide, et de Jemal Azmi, ancien préfet de Trébizonde. Djemal, autre membre du triumvirat, est abattu en Géorgie, devant le quartier général de la Tchéka à Tbilissi d'où il venait de sortir. Mais l'opération *Némésis* s'arrête court, sans avoir pu éliminer l'ancien chef de la sûreté générale de Constantinople, Aziz Bey, et le docteur Nazim, autre responsable des massacres et des déportations. Ce dernier fut pendu par Mustafa Kemal quelques années plus tard pour conspiration. Quant à Enver Pacha, il trouve la mort en 1922 en Ouzbékistan en combattant avec les *basmadjis* contre les bolcheviks.

## LES TERRORISMES D'EXTRÊME DROITE

Durant l'entre-deux-guerres, il y eut quelques assassinats de personnalités qui eurent un grand retentissement, dont celui en 1922 de Walter Rathenau, le ministre des Affaires étrangères allemand, par le Freikorps, et celui du député italien Giacomo Matteotti par les fascistes en juin 1922. Les Gardes de fer parvinrent à assassiner deux Premiers ministres en Roumanie, Duca en 1933 et Calinescu en 1939. L'extrême droite, qui jouissait à l'époque dans nombre de pays d'un soutien populaire relativement important, usait surtout de l'assassinat ciblé. La terreur avait surtout pour objectif d'éliminer les opposants politiques. Quant aux victimes désignées, elles faisaient souvent partie de groupes « exogènes » à la société telle qu'elle était envisagée par les extrémistes. En France, par exemple, l'extrême droite exploita beaucoup plus l'outil de la presse que celui de la terreur, même si des groupuscules marginaux comme le Comité secret d'action révolutionnaire (la « Cagoule ») d'Eugène Deloncle, soutenu par l'Italie, commettaient aussi des attentats (le CSAR élimina notamment deux exilés italiens antifascistes en 1937, mais les *Cagoulards* furent rapidement démantelés). À la différence du système soviétique pour qui la terreur institutionnalisée constituait la structure de base, c'est la violence qui était le moteur du projet fasciste, violence dont la source était autant instinctive que rationnelle. Il en sera de même avec le national-socialisme. La terreur d'État trouve là un de ses paroxysmes.

# Lénine, Staline et le terrorisme d'État

par Gérard Chaliand et Arnaud Blin

### Lénine et le terrorisme stratégique

Le terrorisme russe, sous ses diverses formes, avait contribué à affaiblir l'État russe et à faire le lit de la Révolution de 1917. Avec celle-ci, la technique de la terreur allait bientôt se confondre avec l'État soviétique. Lénine allait mettre en place un système que Staline portera aux extrêmes.

Pour le jeune Lénine, la terreur n'est qu'un des moyens de la révolution. Si, en 1899, il rejette son usage, c'est parce qu'il pense que les problèmes organisationnels sont, à ce moment-là, primordiaux. En 1901, dans un article d'*Iskra*, il écrit ne pas avoir rejeté le « principe de la terreur », tout en critiquant les révolutionnaires socialistes pour leur usage du terrorisme, sans aucune considération pour les autres formes de combat.

Pour Lénine, la technique terroriste s'inscrit dans le contexte d'une stratégie politico-militaire et son usage doit être appliqué avec méthode et circonspection, ce que n'ont pas compris les révolutionnaires socialistes pour qui le terrorisme est, selon Lénine, devenu une fin en soi. Pour Lénine, la terreur n'est pas l'instrument principal de la lutte révolutionnaire. Il ne devait donc pas, selon lui, devenir une « méthode régulière » de la lutte armée.

Afin que la technique terroriste soit efficace, il fallait selon Lénine qu'elle dépasse le stade des attentats commis par des individus ou des groupuscules. C'est le terrorisme des masses populaires qui devait aboutir au renversement de la monarchie (et du capitalisme) lorsque les forces armées se joindraient au peuple. Lénine était résolument hostile au terrorisme régicide, dans lequel il ne voyait aucun avenir. Au deuxième congrès du Parti ouvrier social-démocrate de 1903, il fit une intervention virulente contre le terrorisme. C'est à cette occasion que le parti se scinda en deux, avec les bolcheviks d'un côté, les mencheviks de l'autre.

C'est parce qu'il dénonça systématiquement le terrorisme des révolutionnaires socialistes que Lénine est parfois perçu comme peu favorable au terrorisme. En fait, Lénine fut, depuis ses débuts d'activiste politique, un apôtre de la terreur mais dans une perspective complètement différente. S'il critiquait ces « duels » contre les autorités tsaristes, qui ne menaient à rien sinon à l'apathie des masses qui attendaient en spectateur le prochain « duel », sa position va rester inchangée jusqu'à la prise de pouvoir des bolcheviks en 1917 : « La terreur, mais pas maintenant. » L'attente ne fera que multiplier la force avec laquelle la terreur sera déclenchée une fois le pouvoir entre les mains de Lénine. En fait, ce n'est pas l'excès de terreur qu'il critiquait, mais tout le contraire. La terreur, pour être appliquée efficacement, devait être une terreur de masse, contre les adversaires de la Révolution.

Dès 1905 et le troisième congrès du Parti social-démocrate qui a lieu au printemps à Londres – la Révolution de 1905 s'est produite au mois de janvier –, Lénine commence à parler de terreur de masse, faisant référence à la Révolution française. Pour éviter plusieurs « Vendée », une fois la Révolution enclenchée, Lénine juge insuffisant d'exécuter le tsar. Pour que la Révolution réussisse, il faut faire de la « prévention » afin de tuer dans l'œuf toute forme de résistance antirévolutionnaire. À cet effet, la technique de la terreur est la plus appropriée. Pour écraser la monarchie russe, il faut agir selon lui comme les Jacobins, à travers la « terreur de masse ».

Toujours en 1905, Lénine rédige ses instructions pour la prise de pouvoir révolutionnaire. Il prône deux activités essentielles, les actions militaires indépendantes et la direction des foules. Il encourage la multiplication d'actes terroristes mais dans une perspective stratégique, car il continue de dénoncer les attentats terroristes qui sont le fait d'individus isolés et sans rapport avec les masses populaires :

« Le terrorisme à petite échelle, désordonné et non préparé n'aboutit, s'il est poussé à l'extrême, qu'à éparpiller et gaspiller les forces. C'est vrai, et il ne faut certes pas l'oublier. Mais d'autre part, on ne saurait non plus en aucun cas oublier que le mot d'ordre de l'insurrection est *déjà* lancé aujourd'hui. Que l'insurrection a déjà *commencé*. Commencer l'attaque, si des conditions favorables se présentent, n'est pas seulement le droit, mais l'obligation directe de tout révolutionnaire[1]. »

L'échec de la Révolution de 1905 est selon lui dû à un manque de volonté, de fermeté et d'organisation. Il faut aller plus loin et déclencher la violence généralisée. Mais, à ce moment-là, Lénine est un homme impuissant qui doit se contenter de rédiger des critiques virulentes à l'encontre des révolutionnaires à partir de son lointain exil (en Finlande puis en Suisse). En 1907, il envoie ce message aux révolutionnaires socialistes : « Votre terrorisme n'est pas le résultat de votre conviction révolutionnaire. C'est votre conviction révolutionnaire qui se limite au terrorisme. »

L'année suivante, il approuve l'assassinat du roi Carlos du Portugal (et de son fils) mais regrette que ce genre d'attentat soit un phénomène isolé et sans but stratégique précis. Toujours ce manque de vision stratégique chez les terroristes, malgré leur courage. La Révolution de 1917 corrobore ses avertissements : c'est effectivement au moment opportun, lorsque la situation est suffisamment « mûre », que l'action directe parvient à faire basculer les événements.

Alors qu'éclate la guerre, Lénine se démarque encore davantage des autres courants socialistes avec lesquels il refuse toute collaboration. Dans son essai classique, *L'impérialisme, stade suprême du capitalisme*, il expose sa position : la révolution socialiste peut se réaliser dans un pays économiquement arriéré si elle est dirigée par un parti d'avant-garde prêt à aller jusqu'au bout, c'est-à-dire prêt à recourir aux moyens d'une violence extrême et sans crainte d'une effusion de sang massive. Le moment est propice à la dictature du prolétariat (c'est-à-dire en fait du parti d'avant-garde).

Les bolcheviks, Lénine à leur tête, s'engouffrent dans l'espace gigantesque qui se libère soudainement par l'effondrement brutal de la Russie. Dans ce vide politique, les bolcheviks, avec moins de vingt-cinq mille membres, s'emparent du pouvoir après que les autres mouvements politiques révolutionnaires se sont montrés incapables de maîtriser le cours des événements consécutifs à la révolution de Février.

L'historiographie de la révolution d'Octobre a suivi d'une certaine manière celle de la Révolution de 89. La thèse de l'« accident » a alimenté l'école historique russe depuis l'effondrement de l'Union soviéti-

---

1. V.I. Lénine, « Les tâches des détachements de l'armée révolutionnaire (octobre 1905) », in *Œuvres choisies,* t. VIII, éd. en langues étrangères, Moscou, 1941.

que en 1991, après que l'école soviétique a interprété pendant des décennies cet événement comme l'aboutissement historique d'une révolution des masses populaires entreprise par le biais du travail des bolcheviks[1]. Entre les deux, la thèse du « dérapage » entrevoit une révolution entreprise par les masses mais récupérée par un petit groupe abusant de son pouvoir. Nous souscrivons plutôt à l'analyse de Nicolas Werth pour qui la Révolution de 1917 « apparaît comme la convergence momentanée de deux mouvements : une prise de pouvoir politique, fruit d'une minutieuse préparation insurrectionnelle, par un parti qui se distingue radicalement, par ses pratiques, son organisation et son idéologie, de tous les autres acteurs de la Révolution ; une vaste révolution sociale, multiforme et autonome[2]. »

Quoi qu'il en soit, le minuscule Parti bolchevik se retrouvait à la tête d'un immense pays aux prises avec une crise menant à la guerre civile, au milieu de la plus grande guerre qu'ait connue l'Europe jusque-là ! Mais le Parti bolchevik était constitué de telle sorte qu'il put résister au choc combiné de toutes ces forces et qu'il put, grâce à l'habileté de ses dirigeants, se maintenir au pouvoir.

Très rapidement, Lénine dévoila son caractère et ses convictions politiques. Lorsque le congrès des soviets décida d'abolir la peine de mort (26 octobre/8 novembre 1917), Lénine jugea « inadmissible » cette « erreur » et il s'empressa de rétablir la peine de mort. Un peu plus tard, ces quelques lignes d'*Izvestia* annonçaient modestement la création d'un des plus formidables outils de terreur jamais conçus :

« *Par décret du 7 décembre 1917 du soviet des commissaires du peuple est créée la Tchéka panrusse de lutte contre le sabotage et la contre-révolution.*

*La Tchéka est domiciliée au n° 2 de la rue Gorokhovaya. Réception de 12 à 17 heures tous les jours[3].* »

Ainsi était créée la police politique soviétique, ancêtre du KGB, qui enverra durant trente-cinq années des millions de personnes au *goulag*. Quelques mois plus tard seulement, un nouveau décret annonce la création de « tchékas locales de lutte contre le sabotage et la contre-révolution »,

---

1. Voir Nicolas Werth, « Un État contre son peuple. Violences, répressions, terreurs en Union soviétique, » in Stéphane Courtois, Nicolas Werth, et al., *Le livre noir du communisme. Crimes, terreur, répression*. Paris, Laffont, coll. « Bouquins », 1998, pp. 45-46.

2. *Ibid.*, p. 46.

3. *Izvestia*, n° 248, 10 décembre 1917, in Baynac, *op. cit.*, p. 57.

étant entendu que ces tchékas « combattent la contre-révolution et la spéculation, les abus de pouvoir, y compris par voie de presse » et que « dorénavant, le droit de procéder aux arrestations, perquisitions, réquisitions et autres mesures susmentionnées appartient exclusivement à ces tchékas, tant à Moscou que sur place[1]. »

La terreur fut un terme employé de plus en plus souvent par les dirigeants politiques, comme le montre cette lettre écrite par Lénine à Zinoviev, après qu'il eut appris que les ouvriers menaçaient de faire une grève générale suite à la réaction des bolcheviks, marquée par les arrestations massives (fin juin 1918) qui suivirent l'assassinat d'un de leurs dirigeants, Volodarski : « Nous venons seulement d'apprendre que les ouvriers de Petrograd souhaitaient répondre par la *terreur de masse* au meurtre du camarade Volodarski et que vous (pas vous personnellement mais les membres du comité de Petrograd) les avez retenus. Je proteste fermement ! Nous nous compromettons : nous prônons la *terreur de masse* dans les résolutions du Soviet, mais, lorsqu'il faut passer aux actes, nous ralentissons l'initiative absolument fondée des masses. C'est inadmissible ! Les terroristes vont nous considérer comme des chiffes molles. L'heure est à la militarisation. Il est indispensable d'encourager l'énergie et le *caractère de masse de la terreur* dirigée contre les contre-révolutionnaires, en particulier à Petrograd où l'exemple doit être décisif[2]. »

La situation durant l'été 1918 était des plus précaires. Pour les bolcheviks, tout semblait pouvoir basculer d'un seul coup. Non seulement ils ne maîtrisaient qu'une modeste partie de territoire, mais ils devaient faire face à trois fronts antirévolutionnaires et durent subir près de cent quarante insurrections durant l'été. Pour résorber la crise, les instructions aux tchékas locales se firent de plus en plus précises : arrestations, prises d'otages dans la bourgeoisie, établissement de camps de concentration. Lénine demanda que soit promulgué un décret établissant que « dans chaque district producteur de céréales, vingt-cinq otages désignés parmi les habitants les plus aisés répondront de leur vie pour la non-réalisation du plan de réquisition. »

Toujours durant l'été, le Parti bolchevik entame la destruction systématique des protections légales de l'individu. La guerre civile, selon certains membres, ne connaît pas de « lois écrites », celles-ci étant réservées à la « guerre capitaliste ». La terreur est déjà en marche, alors que le pouvoir est

---

1. *Izvestia*, n° 54 (318), 22 mars 1918.
2. V.I. Lénine, *Œuvres complètes*, Moscou, vol. 35.

loin d'être assuré, et va permettre aux bolcheviks de s'imposer définitivement. La logique révolutionnaire est la même que celle de la France en 1793-1794. Lénine va profiter de deux incidents pour déclencher une campagne de terreur. Le 30 août 1918, deux attentats, sans relation l'un avec l'autre[1], avaient ciblé le chef de la Tchéka à Petrograd ainsi que Lénine lui-même. Le premier attentat était un acte de vengeance commis par un jeune étudiant agissant de manière isolée. Le second, attribué à une militante anarchiste, Fanny Kaplan – exécutée immédiatement sans jugement –, fut peut-être un acte de provocation initialement organisé par la Tchéka. Néanmoins, dès le lendemain, la *Krasnaïa Gazeta* (Petrograd) donnait le ton : « À la mort d'un seul, disions-nous naguère, nous répondrons par la mort d'un millier. Nous voici contraints à l'action. Que de vies de femmes et d'enfants de la classe ouvrière chaque bourgeois n'a-t-il pas sur la conscience ? Il n'y a pas d'innocents. Chaque goutte de sang de Lénine doit coûter aux bourgeois et aux Blancs des centaines de morts[2]. » On entend le même son de cloche chez les dirigeants du parti avec cette déclaration signée Dzerjinski : « Que la classe ouvrière écrase, *par une terreur massive*, l'hydre de la contre-révolution[3] ! » Le lendemain, 4 septembre, on pouvait lire dans *Izvestia* qu'« aucune faiblesse, aucune hésitation ne peut être tolérée dans la mise en place de la *terreur de masse*[4]. »

De fait, ce qu'on appellera la « terreur rouge[5] » prend corps à ce moment, avec le décret officiel du 5 septembre : « [...] il est de première nécessité que la sécurité de l'arrière du front *soit garantie par la terreur*. [...] De même, afin de protéger la République soviétique contre ses ennemis de classe, nous devons les isoler dans des camps de concentration. Toutes les personnes impliquées dans des organisations de gardes blancs, dans des complots ou des rébellions, doivent être fusillées[6]. » Le décret se terminait par la déclaration suivante : « Enfin, il est indispensable de publier les noms de tous les fusillés et les causes de l'application de la mesure qui les frappe. » Dans la réalité, seule une petite proportion du nombre de fusillés est recensée officiellement. Quant aux « causes » de leur exécution, il faudra les chercher dans l'arbitraire rationnel de la ter-

---

1. Voir Nicolas Werth, *op. cit.*, p. 85.

2. Cité par Venner, *op. cit.*, p. 61.

3. *Izvestia*, 3 septembre 1918, in Werth, *op. cit.*, p. 86.

4. *Izvestia*, 4 septembre 1918, in *Ibid.*

5. Par opposition à la « terreur blanche » organisée, de manière moins systématique mais avec autant de brutalité, par les Blancs (monarchistes) au même moment, durant la guerre civile.

6. *Izvestia*, 10 septembre 1918, in Baynac, p. 59.

reur institutionnalisée. Il n'existe pas de chiffres exacts de la terreur rouge, et pour cause. Selon les estimations, le nombre de victimes de la terreur, entre 1917 et 1921, se situerait dans une fourchette allant de 500 000 morts à près de deux millions[1]. On voit qu'il n'a pas fallu attendre l'arrivée de Staline au pouvoir pour que la terreur institutionnalisée fasse ses premiers ravages. Quant aux comparaisons avec la période tsariste, elles sont encore plus éloquentes : durant les deux premiers mois de la terreur rouge – dix à quinze mille exécutions – on recense plus de condamnés à mort que durant la période 1825-1917, soit près d'un siècle (6 321 condamnations à mort pour raisons politiques, dont 1310 en 1906[2]).

Dès l'instauration du régime de terreur en septembre 1918, on trouve déjà la plupart des éléments qui vont caractériser non seulement la terreur pratiquée par Lénine – puis, avec une tout autre intensité, par Staline –, mais celle que vont pratiquer d'autres régimes politiques se revendiquant héritiers du marxisme-léninisme dont la Chine de Mao Zedong, le Cambodge de Pol Pot, ou plus récemment la Corée du Nord. Au XXe siècle, le terrorisme d'État dirigé contre les masses populaires aura fait infiniment plus de victimes que le terrorisme dirigé contre l'État (souvent au nom de ces mêmes masses populaires). Alors que le bilan du terrorisme dirigé contre l'État s'élève à quelques milliers de victimes, celui du terrorisme d'État se chiffre en dizaines de millions. Selon les auteurs du *Livre noir du communisme*, la terreur d'État fait en Union soviétique quelque 20 millions de morts[3]. La Chine voisinerait les 65 millions de victimes. L'Allemagne nazie, dans un laps de temps extrêmement court, dépasse largement les dix millions.

« Qu'est-ce que la terreur ? » demande Isaac Steinberg, qui fut aux avant-postes en tant que commissaire du peuple à la justice entre décembre 1917 et mai 1918. Réponse :

« La terreur, c'est un système de violence qui vient du sommet, qui se manifeste ou qui est prêt à se manifester. La terreur, c'est un plan légal d'intimidation massive, de contrainte, de destruction, dirigé par le pouvoir. C'est l'inventaire, précis, élaboré, et soigneusement pesé des peines, châtiments et menaces par lesquels le gouvernement effraie, dont il use et abuse afin d'obliger le peuple à suivre sa volonté. [...] "L'ennemi de la

---

1. Voir *ibid*, p. 75.

2. Werth, *op. cit.*, p. 91.

3. C'est-à-dire principalement l'exécution (fusillades, pendaisons, bastonnades, gaz, poison, accidents), la destruction par la faim, la déportation. Voir Courtois et al., *op. cit.*, p. 8.

révolution" prend de gigantesques proportions lorsqu'il n'y a plus au pouvoir qu'une minorité craintive, soupçonneuse et isolée. Le critère s'élargit alors sans cesse, embrasse progressivement tout le pays, finit par s'appliquer à tous, sauf à ceux qui détiennent le pouvoir. La minorité qui dirige par la terreur étend tôt ou tard son action grâce au principe que tout est permis à l'égard des piliers de "l'ennemi de la révolution"[1]. »

Mais le terrorisme d'État, c'est-à-dire le terrorisme du fort au faible, et le terrorisme du faible au fort ont de nombreux points en commun. La campagne de terreur a pour but de répandre un sentiment d'insécurité générale qui doit pouvoir atteindre n'importe qui, n'importe quand. On verra que lors des grandes purges staliniennes, les personnages parmi les plus haut placés du régime terroriste tomberont victimes du système sans que personne, à part Staline, ne soit à l'abri.

L'arbitraire caractérise presque toutes les formes de terrorisme, à l'exception du tyrannicide, dès lors que certaines victimes sont prises pour cibles plutôt que d'autres. Dès l'instauration de la terreur rouge est institué un système de prise d'otages arbitraire. À Novossibirsk, par exemple, les autorités avaient institué un jour de prison de manière périodique pour assigner la population à résidence et effectuer des rafles plus facilement. À Moscou, une rafle avait été effectuée un jour dans un grand magasin[2]. Pour la victime de la terreur soviétique, le premier réflexe est l'incompréhension : innocent(e), il ou elle devrait être relâché(e), une fois l'erreur prouvée. Même chose pour la victime du terrorisme d'Al Qaida : lors d'une attaque récente à Ryad (9 octobre 2003), une victime interrogée par les journalistes montrait son incompréhension devant le fait qu'une bombe pouvait viser des musulmans plutôt que des Occidentaux (le but de l'opération étant logiquement de déstabiliser le régime saoudien). C'est là toute l'essence du terrorisme, d'en haut ou d'en bas, dont la force repose sur l'arbitraire du choix des victimes. C'est cette psychose généralisée que recherche le terroriste, qu'il soit au pouvoir ou qu'il le combatte. Seule différence : le terrorisme contre l'État cherche à déstabiliser le pouvoir, alors que le terrorisme d'État cherche au contraire à le stabiliser (tout en déstabilisant les populations). Souvent l'État terroriste s'est approprié le pouvoir au terme d'une lutte où le terrorisme a joué un rôle. Il maîtrise donc les paramètres de cette arme stratégique et psycho-

---

1. Isaac Z. Steinberg, « L'aspect éthique de la révolution », in Baynac, *op. cit.*, pp. 363-364.
2. Baynac, *op. cit.*, p. 142.

logique. Entre les deux formes de terrorisme, les moyens ne sont pas les mêmes. L'État terroriste dispose de toutes les ressources de l'appareil d'État. Le terroriste « privé » tente au contraire d'exploiter les faiblesses de l'État, ou celles de la société qu'il est censé représenter et protéger. D'une certaine manière, l'État terroriste agit de façon préventive, de façon à tuer dans l'œuf toute tentative de contester son pouvoir (y compris par des terroristes).

Pour l'État terroriste, une fois le pouvoir acquis, il s'agit d'éliminer l'ancien pouvoir jusqu'aux racines – ce qu'accomplissent les bolcheviks, action symbolisée par l'assassinat du tsar et de sa famille. Second objectif : éliminer tous les postulants potentiels au pouvoir et tous les opposants. C'est cette situation qui avait déjà caractérisé la Révolution française en 1793-1794. Lénine saura tirer les leçons de l'échec de Robespierre en maîtrisant l'instrument terroriste. Mais il s'attelle rapidement à la tâche d'éliminer ses adversaires politiques ou idéologiques, à commencer par les anarchistes, qui sont les premiers à dénoncer le dérapage de la révolution et la dictature bolchevique. Ceux-là figurent parmi les premières victimes ciblées de la terreur rouge. Le terrorisme anti-anarchiste commence même avant septembre 1918 et se poursuit lorsque l'appareil d'État, notamment l'armée, est suffisamment fort pour appliquer la terreur généralisée. En avril, Trotski organise la première campagne de terreur contre les « anarcho-bandits ». Après la Russie, les persécutions contre les anarchistes s'étendent à l'Ukraine. La campagne anti-anarchiste n'est pas uniquement une campagne destinée à éliminer un adversaire politique. Bientôt, la pensée anarchiste est elle-même interdite. Les autorités utilisent cette campagne de répression pour écraser toute volonté de résistance que pourraient entretenir d'autres groupes.

La terreur touche aussi les individus vaguement associés à un anarchiste, par exemple un parent éloigné. Logiquement, la terreur est dirigée contre tous les rivaux politiques, à commencer par les mencheviks et les socialistes révolutionnaires de droite, leurs rivaux les plus dangereux, et de gauche (ces derniers quittèrent le gouvernement après le traité de Brest-Litovsk au printemps 1918, les autres furent expulsés du Comité exécutif central des soviets). La dirigeante des socialistes-révolutionnaires de gauche, Maria Spiridonova, condamna la terreur et fut promptement éliminée par les bolcheviks en 1919. Condamnée par le tribunal révolutionnaire, elle fut la première personne à être internée dans un asile psychiatrique pour raisons politiques (elle s'évada et reprit dans la clandestinité la tête de son parti, alors interdit).

Les mencheviks et les socialistes révolutionnaires de droite, parfois associés, furent pris pour cible par la Tchéka à partir de 1919.

Quant aux ouvriers, pour qui la révolution avait théoriquement été accomplie, ils ne sont pas épargnés. Qu'une grève survienne et c'est toute l'usine qui est soupçonnée de trahison. Les meneurs, évidemment, sont arrêtés puis exécutés, avec d'autres ouvriers. En novembre, l'usine d'armement de Motovilikha subit cette répression de la part de la Tchéka locale, encouragée par l'autorité centrale. Une centaine de grévistes sont exécutés[1]. On observe le même scénario au printemps suivant à l'usine Poutilov. Ailleurs, les (nombreuses) grèves sont réprimées sévèrement, comme à Astakhan et Toula. La terreur anti-ouvrière atteint son apogée en 1921 lors de l'épisode de Cronstadt, où, sur ordre de Trotski, l'Armée rouge envahit la ville et massacre les marins révoltés du *Petropavlovsk*.

Les paysans qui se révoltèrent eux aussi, à Tambov ou ailleurs, subirent la même loi. Dans les unités de l'Armée rouge, qui était composée essentiellement de soldats issus de couches paysannes, les mutineries éclatèrent et furent également réprimées avec brutalité. La répression à l'encontre des Cosaques montra que la terreur ne se limitait pas aux catégories sociales et économiques mais qu'elle pouvait toucher aussi des groupes particuliers.

Très vite, il fallut trouver une base juridique à l'internement des prisonniers, ce qui fut accompli en organisant de manière systématique les camps de concentration. Par le décret de 1919, on distingua alors deux types de camps, les camps de redressement par le travail et les camps de concentration à proprement parler, distinction en réalité toute théorique. L'univers concentrationnaire, le *Goulag*, avec ses millions de *zeks*, deviendra l'un des fondements du régime politique et le symbole, légué à la postérité par les Soviétiques, de la terreur d'État.

Entre 1923 et 1927, le pays connaît une « trêve » qui dure jusqu'à ce que la succession de Lénine soit assurée (malade depuis mars 1923, il décéda le 24 janvier 1924). Au sein du gouvernement, des voix se font entendre pour que le système s'assouplisse. Mais, dans le contexte de la lutte pour la succession, la police politique va servir les intérêts de Staline qui cherche à éliminer ses rivaux, Trotski au premier chef. Une fois le pouvoir assuré et les rivaux éliminés, Staline et son entourage purent reprendre la politique de terreur qui s'était momentanément, et relative-

---

1. Werth, *op. cit.*

ment, relâchée. Nous sommes à la fin des années 1920. Le système terroriste est déjà bien ancré dans la politique soviétique. Staline va profiter du formidable tremplin offert par Lénine pour étendre encore beaucoup plus loin les limites établies par son aîné. Seules les horreurs de la terreur nazie parviendront à occulter pendant un moment au reste du monde celles qui ont lieu en URSS. Comme le dira avec justesse Hannah Arendt, « par une ruse de la raison idéologique, c'est l'image des horreurs des camps nazis qui est chargée de masquer la réalité des camps soviétiques ».

## STALINE OU LA TERREUR D'ÉTAT

Au début des années trente, Staline expérimenta la technique de la terreur contre la paysannerie, par la fameuse campagne de « dékoulakisation ». La collectivisation forcée qui l'accompagna provoqua une famine qui fit près de six millions de victimes. Le début des années trente marqua aussi une reprise de la terreur généralisée contre certains secteurs de la population, en attendant la Grande Terreur des années 1936-1937. Staline exploita l'appareil d'État imposé par Lénine, c'est-à-dire la dictature du parti, et le transforma en un instrument du pouvoir d'un homme. Pour imposer à son tour ce système, solution à ses yeux aux problèmes de la modernisation et de l'industrialisation du pays, Staline recourut au seul moyen de cette politique : la terreur. Sous Lénine, l'appareil de répression servait le parti. Avec Staline, c'est le parti qui va servir l'appareil répressif[1].

La terreur des années trente est organisée en plusieurs étapes. Les purges de 1933 sont suivies par la trêve de 1934. Fin 1934, les purges reprennent jusqu'à la fin de 1935. Début 1936, une courte pause précède la Grande Terreur de 1936-1938 qui culmine avec l'année 1937. La terreur stalinienne affecte la base et l'élite, et s'attaque aux paysans et aux ouvriers d'une part, de l'autre aux personnalités à la tête de l'appareil politique (et militaire), ainsi qu'à tous les membres du Parti en général. L'objectif de Staline est de créer un appareil politique entièrement renouvelé et entièrement dévoué à sa cause. Jusqu'en 1936, la vieille garde a survécu avant d'être frappée de plein fouet lors des procès de Moscou.

---

1. Voir Hélène Carrère d'Encausse, *Staline, l'ordre par la terreur*, Paris, Flammarion, coll. « Champs », p. 41.

Ce sont ces grands procès, où les anciens compagnons de Staline avouent leurs « crimes » devant un tribunal, qui vont frapper l'opinion publique internationale. En fait, les procès occultent en partie la campagne de terreur généralisée sévissant dans tout le pays, et qui frappe les populations de toutes les provinces de l'URSS sans distinction de classe ou de nationalité.

Pour les populations, c'est la peur quotidienne. La peur que quelqu'un frappe à votre porte au milieu de la nuit et la peur de disparaître à tout jamais. Collectivement, les effets psychologiques sont terribles et impossibles à mesurer. L'insécurité, la peur, le règne de l'arbitraire font partie de la vie quotidienne. Au travail, et même à la maison, la suspicion est omniprésente. N'importe quel faux pas, aussi infime soit-il, n'importe quel propos peut vous envoyer à la mort ou au goulag. À l'horizon, aucun espoir que cela cesse un jour. Aucune garantie non plus qu'un comportement irréprochable vous épargne. En termes de victimes réelles, le terrorisme stalinien peut s'enorgueillir d'avoir éliminé plusieurs millions de personnes sans qu'on connaisse jamais le chiffre exact ou même approximatif[1]. À partir du choc psychologique que peut provoquer sur une nation un attentat terroriste faisant quelques dizaines de morts, imaginons les effets sur un peuple où tout le monde connaît de près au moins une victime de la terreur stalinienne, un parent, un proche, un voisin, un collègue, sinon tous ceux-là à la fois.

Le système instauré par Staline est d'une perversité sans équivalent : non seulement il est le grand architecte de la terreur généralisée, mais c'est de lui que les populations attendent d'être protégées de la terreur dont elles ont du mal à comprendre les mécanismes. Contre l'arbitraire de la terreur, Staline est perçu par beaucoup comme le dernier rempart[2]. Comme dans tous les régimes totalitaires, la perversion tient aussi à la volonté des dirigeants de recouvrir d'une apparence de légalité un système fondé sur le règne de la peur, de l'arbitraire et de l'illégalité.

De tous les régimes totalitaires, l'Union soviétique fut, entre 1929 et 1953, l'incarnation la plus parfaite du terrorisme d'État. Aucun autre pays n'avait auparavant subi de manière aussi systématique la terreur imposée par un appareil d'État policier. Mais l'URSS fera de nombreux émules en Europe et en Asie qui parfois rivaliseront de perversité dans

---

1. Pour un détail des chiffres de la Grande Terreur, après l'ouverture des archives du KGB, voir Werth, *op. cit.* pp. 216-236. Voir aussi Robert Conquest, *La Grande Terreur*, Paris, Robert Laffont, 1995 (Stock, 1968).

2. *Ibid.*, pp. 68-69.

l'application de la terreur institutionnalisée. Le comble est atteint avec le Cambodge des années 1970, qui mêle le terrorisme d'État d'inspiration soviétique avec la soif exterminatrice des nazis. C'est à cette époque aussi qu'un autre genre de terrorisme apparaît sur les devants de la scène, lui aussi se réclamant du marxisme. Mais il tire aussi sa source d'une longue maturation qui trouve ses origines dans l'expérience de la Seconde Guerre mondiale et des guerres de libération nationales qui lui emboîtèrent le pas.

# Le terrorisme dans la guerre, de la Seconde Guerre mondiale aux guerres de libération nationale

par Gérard Chaliand et Arnaud Blin

La Seconde Guerre mondiale marque une rupture stratégique avec le passé et en bouleverse la donne, tout en transformant le terrorisme en instrument de résistance. Le terrorisme contemporain, qui prend son essor dans les années 1960, trouve ses origines dans la Seconde Guerre mondiale et dans les guerres de libération nationale qui suivent la fin du conflit et se poursuivent durant les années quarante, cinquante et soixante (et même au-delà pour le Portugal). Durant cette époque qui marque aussi le point culminant de la guerre froide, le terrorisme est avant tout un terrorisme de guerre qui sert, à travers une technique particulière, une stratégie d'usure.

Alors que la Seconde Guerre mondiale constitue à la fois l'apogée et la fin de l'ère des guerres de masse, la période qui suit est celle des grands bouleversements stratégiques avec, d'une part, la naissance de la stratégie nucléaire, et de l'autre, l'avènement de la guerre limitée, la seconde étant en partie la conséquence de la première. La guerre froide, qui commence pratiquement au lendemain du conflit planétaire, fige la stratégie de la guerre totale et libère les stratégies de la guerre limitée et de la guerre indirecte tout en favorisant l'explosion de toutes sortes de conflits dits de « basse intensité ». En même temps, la confrontation entre deux blocs rivaux polarise les conflits idéologiques. Les guerres de libération coloniale profitent de cette nouvelle dynamique dans un schéma classique où les mouvements de libération nationale s'inscrivent souvent dans la mouvance « marxiste-léniniste », pour des raisons idéologiques mais aussi pratiques, afin de s'assurer le soutien de l'Union soviétique ou de la Chine. Par voie de conséquence, les mouvements de libération nationale vont être enclins à exploiter une stratégie indirecte fondée sur la guérilla et le terrorisme. C'est à la suite de l'expérience anticoloniale de ces mouvements de libération nationale, dont beaucoup ont pris naissance durant la Seconde Guerre mondiale, qu'apparaissent la plupart des groupes terroristes dans les années 1960 et dont un certain nombre perdurent jusqu'à aujourd'hui.

## LA TRANSFORMATION DU PAYSAGE STRATÉGIQUE

D'un point de vue stratégique, le XXᵉ siècle est, entre autres et plus que jamais, celui de la guerre psychologique, dont la forme la plus violente est le terrorisme. Ce phénomène tient à plusieurs raisons. D'abord, la guerre totale fait apparaître un nouveau centre de gravité : les populations civiles. Celles-ci sont à l'origine de l'effort de guerre de la nation, et elles deviennent par conséquent aussi une cible. Comme elles ne peuvent être atteintes physiquement et directement que de manière limitée, elles sont soumises à la propagande et aux chocs psychologiques.

Désormais, la technologie fournit, du moins en théorie, des instruments capables d'influencer le moral de tout un peuple.

La guerre aérienne, toute récente, introduit à cet égard une dimension nouvelle. Les théoriciens de l'entre-deux-guerres développent une approche qui aboutit à la doctrine des bombardements stratégiques, c'est-à-dire à des bombardements sur les civils destinés à infliger un tel sentiment de terreur aux populations que celles-ci perdent la volonté de combattre et poussent leurs gouvernements à renoncer à la poursuite de la guerre. C'est à ces doctrines que se rattache la décision de bombarder Hiroshima et Nagasaki.

Avec l'invention des armes nucléaires, et en particulier de la bombe H, la dimension psychologique de la guerre devient primordiale. L'un des architectes les plus en vue de la stratégie nucléaire américaine, Albert Wohlstetter, émet en 1959 le concept d'« équilibre de la terreur[1] ». L'équilibre de la terreur repose sur le principe de dissuasion réciproque occasionné par l'espoir que la terreur inspirée par les armes nucléaires sera suffisante pour dissuader l'adversaire d'en faire usage. La confrontation va se jouer

---

1. « The Delicate Balance of Terror », in *Foreign Affairs*, 1959.

désormais par l'intermédiaire de conflits indirects qui épousent diverses formes, dont celles de la guérilla et du terrorisme. La guerre de Corée (1950-1953) est la première confrontation indirecte entre les États-Unis et l'Union soviétique. Bientôt, la guerre froide s'étend sur d'autres territoires, notamment les colonies où Britanniques, Français, Hollandais et Portugais doivent désormais affronter des mouvements de libération au moment où les puissances coloniales ont perdu leur aura d'invincibilité depuis la Seconde Guerre mondiale. Ces mouvements sont très souvent soutenus par les Soviétiques et par la Chine. Pour les nationalistes, le système du parti d'avant-garde marxiste-léniniste constitue un outil organisationnel formidable pour ce type de combat. Par ailleurs, certains de ces mouvements sont même soutenus, au départ, par les États-Unis, comme au Viêt-nam par exemple, où ils cherchent à contrer la France de Vichy en appuyant Ho Chi Minh, un peu comme ils le feront beaucoup plus tard avec Ben Laden en Afghanistan, avant que ce dernier ne se retourne, comme Ho Chi Minh, contre eux par un effet de boomerang.

Les grandes puissances coloniales européennes sont, pour la plupart, devenues des démocraties libérales (à l'exception du Portugal). Un double décalage s'est donc instauré au fil des décennies : d'une part, ces pays ne sont plus des puissances de premier plan (l'échiquier est dominé par les États-Unis et l'URSS) ; d'autre part, elles prônent des valeurs contraires à celles incarnées par l'esprit colonial et impérialiste. Les gouvernements, dont la tendance naturelle est de préserver les acquis de leur nation tout en assurant la sécurité du territoire, vont plus ou moins résister aux exigences indépendantistes. Les Britanniques s'adaptent plus rapidement que les Français au nouvel esprit du temps, tout comme les Hollandais. La France mène de 1946 à 1962 deux longs combats retardateurs. Enfin la dictature archaïque du Portugal poursuit trois guerres coloniales avant de s'effondrer en 1974.

C'est dans ce contexte très particulier, sur fond de guerre froide, d'armes nucléaires, et d'une mutation de l'esprit du temps, que dans le contexte colonial s'affirme un nouveau style de guerre où la victoire politique n'est plus directement associée avec la victoire militaire, du moins lorsque le conflit implique un État démocratique. Ce phénomène fondamental est mieux et plus vite compris par les mouvements de libération nationale, comme celui du Viêt-nam, que par les Occidentaux en général, qui ont des difficultés à s'adapter à la métamorphose du paysage stratégique qui s'est opérée en un temps très court. À partir du moment où la victoire politique repose tout

rtout, sur la guerre psychologique que sur la bataille mili-
nt terroriste devient l'une des clés de cette victoire. C'est
les leçons de la guerre d'Algérie.

Nous n'entrerons pas ici dans les détails de la lutte terroriste durant la
guerre au risque de traiter partiellement d'un sujet qui mériterait de faire
l'objet d'une étude à lui seul. À partir d'une Angleterre isolée, bien que pré-
servée par son insularité, seuls les bombardements stratégiques et les foyers
de résistance semblent susceptibles d'affaiblir l'Allemagne, quasi-maîtresse
du continent, pour envisager à terme une grande offensive militaire. « Mettez l'Europe à feu », s'exclame Winston Churchill pour résumer sa stratégie
indirecte. Pour s'en donner les moyens, Churchill crée un organisme spécialisé, le *Special Operation Executive* qui va, entre autres tâches, soutenir les
mouvements de résistance, y compris en France. En France comme ailleurs,
la lutte insurrectionnelle attire les communistes. Ils joueront un rôle important dans la résistance française (du moins à partir de la rupture du pacte
germano-soviétique).

C'est à Paris que le premier attentat terroriste a lieu le 21 mai 1941, alors
que 5 000 prisonniers juifs sont acheminés vers le camp de Drancy, inauguré
la veille. Un soldat choisi au hasard, Alfons Moser, est pris pour cible au
métro Barbès où il succombe de deux balles tirées dans la tête. Les Allemands réagissent par des représailles massives contre la population, dont
l'exécution d'otages. La répression est sans commune mesure avec l'attentat. La population, prise en otage, est l'enjeu de ce type de stratégie. L'effet
recherché par les terroristes est d'empoisonner les relations entre l'occupant
et l'occupé. L'attentat de Barbès, qui fait une victime – d'autres attentats
contre des soldats allemands seront organisés dans les semaines qui suivent –, alors que des milliers de soldats allemands meurent anonymement
sur le front, illustre la force psychologique d'un attentat terroriste, même en
pleine guerre, même lorsque la violence a atteint son paroxysme. Sous des
formes diverses des résistances à l'occupation nazie s'expriment en Europe
occidentale, mais plus particulièrement en Pologne, en Grèce et surtout en
Yougoslavie et en Albanie.


ÉTHIQUE ET TERRORISME

La casuistique appliquée à la guerre condamne presque unanimement
l'acte terroriste. La doctrine de la guerre juste, par exemple, ne permet une

action de guerre que si elle est entreprise par un État légitime. Elle condamne toutes les actions entreprises contre des non-combattants, c'est-à-dire des civils. Faute d'une éthique bien définie, capable d'examiner l'acte terroriste en lui-même, on s'en tient à une éthique politique qui juge l'acte sur ses ultimes conséquences. Les « terroristes » de la résistance française sont des héros car ils combattaient les nazis (et de toute façon, ils avaient adopté une stratégie qui ne visait pas directement la population). L'enjeu était tel que la fin justifiait les moyens. Les poseurs de bombes de la guerre d'Algérie ne font pas l'unanimité même si la lutte contre l'« impérialisme colonial » s'inscrit dans le sens de l'histoire. L'éthique de la guerre juge les motifs et les motivations, pas nécessairement les actes en eux-mêmes, qui font partie d'un ensemble. De manière générale, le terrorisme est mieux toléré s'il s'inscrit dans une stratégie globale qui inclut d'autres instruments plus traditionnels de la guerre. Encore faut-il s'entendre sur la définition de la guerre. La guerre d'Algérie, par exemple, n'était pas considérée comme une guerre par les autorités françaises mais plutôt comme un problème de sécurité intérieure, l'Algérie étant française. Quant aux tactiques employées par les « rebelles », elles étaient décrites comme relevant de l'acte criminel plutôt que de l'acte guerrier, ce qui, d'un point de vue strictement juridique, n'était pas faux. En général, plus l'acte terroriste est éloigné de l'acte de guerre, plus il est susceptible de rencontrer la réprobation. Le terme « terroriste » est un qualificatif à connotation négative. Un terroriste se définit rarement comme tel. Il se perçoit plutôt comme un combattant ou comme un révolutionnaire par exemple, obligé de recourir au terrorisme dans une logique du faible au fort, au service d'une cause.

Paradoxalement, ce sont souvent les adeptes d'une *realpolitik* pure et dure qui sont les premiers à juger un acte terroriste selon des critères moraux.

## DE LA GUERRE À L'APRÈS-GUERRE

La déclaration Balfour qui légitime la création d'un « foyer national juif » en Palestine était fondé sur une formulation ambiguë puisqu'il s'agissait, en somme, que ce foyer ne se construise pas au détriment des populations locales. D'emblée l'analyse que fait Vladimir Jabotinsky[1] de la situation apparaît comme l'exposé le plus lucide et le plus clairement exprimé de la réalité politique.

« Ni aux Palestiniens, ni aux autres Arabes, nous ne pouvons proposer une quelconque compensation pour la Palestine. Comme une entente militaire n'est pas possible, ceux qui la considèrent comme une condition *sine qua non* du sionisme peuvent, dès maintenant, dire non et refuser le sionisme. Notre colonisation doit ou bien cesser ou bien continuer contre l'opinion de la population autochtone. Par conséquent elle ne peut continuer et se développer qu'avec l'aide d'une force de défense indépendante de la population locale, une muraille de fer qu'elle ne soit pas en mesure de forcer. C'est en cela que consiste toute notre politique arabe : non seulement elle doit être ainsi, mais elle est ainsi pour autant que nous ne fassions pas les hypocrites[1]. »

Des heurts ont déjà eu lieu en 1920 entre les deux communautés. Ceux-ci recommencent en 1929 et surtout entre 1936 et 1939. Il s'agit d'actions de guérilla et d'actes à caractère terroriste de part et d'autre. À partir de 1937, l'Irgoun s'oppose à la violence arabe et y répond. Le 27 février, l'Irgoun frappe simultanément plusieurs villages et le quartier arabe de Jérusalem. La même année, la Grande-Bretagne décide de bloquer l'immigration juive en Palestine afin de ne pas s'aliéner les Arabes. À cette date, la Palestine compte environ 450 000 Juifs.

Lorsque la guerre éclate, l'Agence juive propose de contribuer à l'effort de guerre en constituant une Brigade juive qui serait placée sous commandement britannique. Les terroristes retenus dans les prisons britanniques de Palestine sont libérés en échange de leur enrôlement au sein de la Brigade juive. Parmi ceux-ci, Abraham Stern, qui bientôt rompit avec l'Irgoun pour constituer son propre groupe qui continue la lutte contre la puissance mandataire. Il trouve la mort en février 1942. C'est le même mois qu'un navire chargé de huit cents réfugiés juifs est refoulé de plusieurs ports du Proche-Orient avant de couler. Le groupe Stern entend venger leur mort et frapper le coupable présumé, le haut-commissaire britannique, Sir H. Mac Michael. Celui-ci est trop bien protégé mais le groupe Stern, par la suite, parvient à assassiner le secrétaire d'État Lord Moyne (novembre 1944).

---

1. Vladimir Jabotinsky est le chef historique du mouvement sioniste dit « révisionniste » des années 1920. En 1937, il fonde l'organisation combattante clandestine Irgoun Zvai Leumi (organisation militaire nationale).

1. *La question arabe. Au sujet d'une muraille de fer* in Rassviet (l'Aube), numéro 42/43, 1924. Traduit du russe par Thérèse Naskidashvili-Bitarova.

Entre-temps, l'Irgoun proclame une trêve avec l'occupant britannique pour la durée de la guerre. Tandis que Jabotinsky décède en 1940, l'Irgoun est bientôt repris en main par Menahem Begin qui arrive en 1942 en Palestine. Celui-ci restructure le mouvement avec la collaboration du commandement militaire de l'organisation David Raziel.

En mars 1944, le Livre blanc britannique fixait un quota d'immigration. Des attentats frappent les centres administratifs britanniques de Haifa et de Tel-Aviv, ainsi que divers autres bâtiments gouvernementaux.

L'attentat le plus spectaculaire réalisé par l'organisation est celui de l'hôtel *King-David*, siège du quartier général britannique, le 22 juillet 1946, qui fait 91 morts et de nombreux blessés, la plupart civils. L'un des responsables du commando est Menahem Begin, plus tard Premier ministre de l'État d'Israël (1977-1983) et prix Nobel de la Paix, avec le Président Sadate, après les négociations du Camp David (1978). Begin écrit dans ses Mémoires[1] : « L'origine historique et linguistique du mot terreur pris dans son acception politique prouve qu'il ne peut pas s'appliquer à une guerre révolutionnaire de libération. Une révolution peut donner naissance à ce qu'on appelle terreur comme ce fut le cas en France. La terreur peut être, épisodiquement, son but, comme on le vit en Russie. Mais la révolution en soi n'est pas la terreur, et la terreur n'est pas la révolution. Une révolution ou une guerre révolutionnaire ne tend pas à instaurer la peur. Son objectif est de renverser un régime et d'en installer un nouveau à la place. Dans une guerre révolutionnaire, les deux camps recourent à la force. » En effet, la lutte d'émancipation menée contre la colonisation britannique reçoit non seulement l'appui de la communauté juive des États-Unis mais aussi celui du Congrès. Une résolution du Congrès américain condamne « l'oppression britannique » et réaffirme l'appui des États-Unis à la création d'un État juif en Palestine. La tension est à son comble en 1947 lorsque, en représailles à l'exécution de trois terroristes de l'Irgoun, deux sous-officiers britanniques sont pendus. La pression pour que l'immigration soit ouverte pour les Juifs « déplacés » augmente tandis qu'un Comité spécial sur la Palestine de l'ONU appelle, après enquête, à la fin de l'occupation britannique. Avec l'accord de la Grande-Bretagne qui souhaite se désengager, la date de la création de l'État d'Israël et du partage, par voie de conséquence, de la Palestine est fixée au 15 mai 1948. Les États arabes annoncent qu'il se refu-

---

1. M. Begin, *La révolte d'Israël*, Albatros, 1971,

sent à accepter ce partage. La création d'Israël est cependant entérinée, à la fois par les États-Unis et l'URSS.

La guerre, inévitable, a lieu et celle-ci, grâce aux armes fournies entre autres par la Tchécoslovaquie, est remportée par l'État d'Israël qui parvient, à la faveur des combats, à élargir le territoire qui lui était dévolu de façon substantielle. En septembre 1948, le groupe Stern organise, sous la direction d'Yitzhak Shamir, l'assassinat du médiateur nommé par l'ONU, le comte Bernadotte. À la suite de cet attentat le groupe fut démantelé par le gouvernement israélien. Une politique de terreur est menée par l'Irgoun à l'encontre du village de Deir Yassin afin de provoquer l'exode des Arabes. Conséquence du conflit, environ 700 000 Arabes de Palestine se réfugient en Cisjordanie et dans les pays voisins. Un organisme spécial est créé à leur effet par l'ONU, l'UNRWA qui, depuis, 1949, est toujours en fonction. Une résolution de l'ONU demandant à Israël de réinstaller les réfugiés n'est pas entérinée par l'État hébreu. L'Égypte devient mandataire de la bande de Gaza. La Transjordanie annexe la Cisjordanie avec l'accord de certains notables palestiniens et se transforme en Royaume de Jordanie, sa population étant aux deux tiers palestinienne.

Les mouvements qui ont utilisé de façon quasi exclusive la technique des attentats terroristes ont été relativement rares jusqu'en 1968. Les Irlandais de l'IRA avaient pratiqué le terrorisme parce qu'ils n'avaient pas d'autre choix. Leur exemple inspire les groupes terroristes juifs, ainsi que l'EOKA chypriote (Ethniki Organosis Kyprion Agoniston ou organisation nationale des combattants chypriotes).

Il faut insister sur le fait que la majeure partie des mouvements de libératin qui voient le jour durant ou au lendemain de la Seconde Guerre mondiale sont d'abord des guérillas. La campagne est le lieu privilégié de l'action. Le terrorisme n'est utilisé, en général, que de façon marginale. Soit comme détonateur pour entamer l'action, soit pour marquer le fait qu'on peut atteindre l'adversaire jusque dans sa citadelle. L'après-guerre se révèle propice aux succès des luttes d'émancipation. La volonté impériale des puissances européennes n'a plus la tranquille assurance de naguère. Les troupes japonaises ont tour à tour battu les Américains aux Philippines, les Hollandais en Indonésie, les Français en Indochine, les Britanniques en Malaisie. De surcroît, la nouvelle organisation des Nations unies n'a-t-elle pas proclamé le droit des peuples à disposer d'eux-mêmes ? 1945-1965, avec le retrait des dernières possessions coloniales européennes – à l'exception du Portugal –, marque la période où la plupart des mouvements d'émancipation triomphent sur le plan de leurs revendications politiques. Certes, on enregistre aussi des échecs, la plupart du temps de mouvements communistes. Ces derniers sont combattus avec énergie : échec des Huks aux Philippines, des communistes chinois en Malaisie, des communistes grecs. D'autres mouvements trop mal organisés sont réduits, tel celui des Mau-Mau au Kenya. Ce pays recouvre cependant l'indépendance (1963).

Des mouvements nationaux comme celui des Juifs en Palestine qui ont utilisé de façon quasi exclusive l'arme du terrorisme de 1944 à 1947, l'emporte. C'est aussi le cas du mouvement animé par le général Grivas, à Chypre, l'EOKA.

Grivas, qui s'était illustré dans la lutte clandestine contre le nazisme, parvient à la tête de quelques centaines d'hommes à obliger la Grande-Bretagne à se retirer de l'île. Celle-ci, occupée depuis 1878 par la Couronne britannique, demande son rattachement à la Grèce (Enosis). Une minorité turque, soutenue par la Turquie, s'y oppose. Après une solide préparation qui dure près de deux années, Grivas entame la lutte le 1$^{er}$ avril 1955. Bien que très largement surclassée du point de vue numérique par les troupes britanniques, la poignée de Chypriotes combattants organisés en petites cellules autonomes parvient à être active tant en ville qu'à la campagne. En quelques mois, les résultats de l'action armée dépassent, par leur retentissement, des années de travail diplomatique. Chypre devient un des problèmes dont l'ONU est saisie.

Les troupes turques, inquiètes du progrès de l'EOKA, débarquent au Nord de l'île, dans la partie où la minorité turque est surtout présente. Des affrontements gréco-turcs ont lieu en 1956. L'EOKA n'arrache pas l'unité avec la Grèce mais contribue à la proclamation d'indépendance de l'île qui est, de fait, divisée entre Turcs (au Nord) et Grecs (au centre et au Sud). Des exodes de population ont lieu et l'ONU envoie ses Casques bleus comme force d'interposition. Citons aussi dans cette catégorie le cas d'Aden (Yémen) où le Front de libération nationale (1964-1967) obligea la Grande-Bretagne à se retirer. Notons que l'épaisseur sociale des mouvements dont nous avons évoqué les activités terroristes étaient considérables et qu'ils ont utilisé le terrorisme comme substitut à la guérilla.

On connaît mieux, en France, la guerre d'Algérie. Durant celle-ci un usage abondant d'actes à caractère terroriste a été fait, en marge d'une guérilla menée activement, surtout dans les régions où la nature du terrain était favorable. Le FLN utilisa le terrorisme à des fins diverses : élimination des agents du colonialisme, intimidation des populations pour établir son contrôle, liquidation des mouvements concurrents comme le Mouvement nationaliste algérien de Messalli Hadj. La bataille d'Alger est un moment particulièrement dramatique dans l'histoire du terrorisme[1].

Pour le FLN, les attentats aveugles (tel celui du *Milk bar*) étaient destinés à radicaliser la situation en marquant bien que l'adversaire était l'ensemble des « pieds-noirs ». Il s'agissait aussi de démoraliser les Européens d'Algérie. L'offensive du Front de Libération de l'Algérie commence par quatre attentats à Alger, le 30 septembre 1956. Ils sont suivis par d'autres tout au long du dernier trimestre de l'année. Le maintien de l'ordre est confié à l'armée sous la direction du général Massu. La première moitié de l'année 1957 est marquée par la recrudescence d'attentats[2] et l'escalade de la violence. L'usage de la torture devient systématique, bien qu'elle soit niée par les politiques. En aout 1957, le responsable du FLN à Alger Yacef Saadi est arrêté ainsi que d'autres responsables. Grâce à tout l'arsenal répressif dont ils disposent, la bataille d'Alger, sur le plan militaire, est gagnée par les parachutistes. Entre-temps, le régime parlementaire se délite et le 13 mai 1958 entraîne sa chute. Sur le plan politique, le FLN en 1957-1958 marque des points auprès de l'opinion publique internationale et cette dimension psychologique prend, avec le temps, de plus en plus d'importance. L'usage du terrorisme atteint son zénith à la fin de la guerre d'Algérie, 1961-1962, avec le chassé-croisé entre OAS (Organisation armée secrète, créée au printemps 1961) qui veut conserver l'Algérie française, le régime gaulliste qui entend mettre un terme à cette guerre et accepte l'Algérie algérienne et le FLN. La lutte entre l'OAS, et le régime gaulliste est portée en France également et vise entre autres le général de Gaulle lui-même qui échappe de peu à l'une des tentatives d'assassinat à son encontre. Les trois derniers mois de la guerre sont particulièrement meurtriers. Le 23 mars 1962, l'OAS tente de prendre le contrôle du quartier de Bab-el-Oued. L'armée française intervient : 15 soldats français sont tués. Mais il s'agit d'un combat perdu. Le putsch d'avril 1961 a été un échec. Le 18 mars, les accords d'Évian, qui entérinent le principe de l'autodétermination de l'Algérie, sont signés. Mais la politique de la terre brûlée préconisée par l'OAS hâte la fin de l'Algérie française dans le sens où les Européens d'Algérie n'ont guère d'autre choix que de quitter le pays. Le terrorisme a conditionné le conflit et l'a exacerbé pour, finalement, en ce qui concerne l'OAS, se révéler contre-productif.

---

1. Remarquablement illustré par le film de Pontecorvo, *La bataille d'Alger*.
2. Entre 1956 et 1957, le nombre de morts consécutifs aux attentats passe de 78 à 837.

La période qui s'étend de l'après-guerre à la fin de la décolonisation est celle où l'activité terroriste est réduite à une branche spécialisée et mineure des activités militaires. Si certains mouvements, y compris ceux décrits plus haut, exploitèrent avec plus ou moins de réussite l'arme terroriste, la période fut plutôt celle de la guerre limitée (guerre de Corée), de la guérilla anti-coloniale et, de manière virtuelle, de la guerre nucléaire. Si l'on examine la « littérature » stratégique de l'époque, on s'aperçoit que ce sont ces trois domaines qui dominent largement les débats stratégiques alors qu'on évoque à peine le terrorisme, considéré au mieux comme une branche subalterne de la guérilla et de la guerre révolutionnaire. Mais si le terrorisme s'est main-tenu au cours des âges comme l'une des formes constantes de la violence politique, c'est bien parce qu'il a prouvé son efficacité en tant qu'arme d'appoint. Car si, depuis la fin des années 1960, le terrorisme a connu un certain succès, grâce à une conjoncture stratégique particulière et grâce à l'avènement des mass-médias et de la communication, l'histoire tend à démontrer que le terrorisme à lui seul fut rarement capable de concrétiser les objectifs politiques des groupes qui le pratiquèrent. Dans ce domaine, la période de la décolonisation fut particulièrement favorable aux mouvements nationalistes et indépendantistes ayant choisi, souvent par nécessité, d'utili-ser l'arme du terrorisme combinée avec celle de la guérilla.

C'est durant cette période de grande transformation géostratégique que se développa la relation complexe entre démocratie et terrorisme, relation qui, aujourd'hui, définit en grande partie l'essence du terrorisme contemporain. Le terrorisme de la décolonisation dut son succès à la contradiction morale et politique qui s'était développée entre les valeurs démocratiques, caracté-risées par la défense de la liberté, et les exigences du colonialisme, fondé sur la domination de l'Autre. La fin de la décolonisation est le creuset, dans un contexte historique très spécifique, des nouvelles formes de terrorisme dont 1968 marque l'apparition.

Troisième partie

# Le terrorisme contemporain
# de 1968 à nos jours

# De 1968 à l'islamisme radical

## par Gérard Chaliand et Arnaud Blin

Pour l'historien du terrorisme contemporain, quatre dates marquent des coupures. D'abord 1968, avec les deux matrices latino-américaine et palestinienne. La première inaugure la stratégie dite de la guérilla urbaine, la seconde entame le terrorisme publicitaire avant de déboucher sur la violence proprement dite. L'une comme l'autre de ces matrices adoptent, comme déjà signalé, les actions à caractère terroriste comme substitut à la guérilla que l'une et l'autre sont incapables de mener.

1979 est un tournant, avec d'une part la révolution iranienne qui marque le succès éclatant de l'islamisme radical dans sa version chiite, à l'influence directe (Hezbollah au Liban) ou indirecte (l'adoption de l'attentat suicide facilitée par une tradition où le martyr est hautement valorisé). Les islamistes radicaux d'obédience sunnite s'en inspirèrent (Hamas, Al Qaida, etc.). D'autre part, avec l'intervention soviétique en Afghanistan qui apparaît aux Américains comme l'occasion idéale de faire subir aux Soviétiques un échec similaire à celui qu'ils ont eux-mêmes rencontré au Viêt-nam.

Les États-Unis, avec l'aide financière de l'Arabie Saoudite et la collaboration du Pakistan (relais logistique, sanctuaire, centre de formation), aident puissamment des combattants afghans décidés à résister. Dès le début de la guerre, des islamistes radicaux issus du Moyen-Orient et d'autres régions musulmanes viennent participer sous une forme ou une autre à ce jihad. Nombre d'entre eux y acquièrent formation religieuse et militaire. Militants issus du sunnisme, ils serviront aussi, pour les États-Unis comme pour l'Arabie Saoudite et le Pakistan, à contrebalancer l'aura de la révolution chiite iranienne.

Notons que parmi les divers mouvements qui composent la résistance afghane, les États-Unis choisissent d'aider le plus radical des islamistes, Gulbuddin Hekmatyar qui dirige le Hezb Islami.

Moins de dix années après être entrés en Afghanistan, les Soviétiques s'en retirent. Les moudjahidin afghans se targuent d'avoir vaincu l'armée soviétique. Cette perception a besoin d'être sérieusement nuancée.

Les Soviétiques, à partir de la montée au pouvoir de Mikhaïl Gorbatchev, en 1985, ne font plus la guerre que de façon sporadique. Ils s'appuient sur les services afghans, le Khad, et jouent des rivalités tribales dans le cadre des ethno-stratégies chères au XIXᵉ siècle colonial. Leurs troupes au nombre initial de 120 000 hommes restent, de bout en bout, au même niveau, contrairement aux Américains au Viêt-nam qui augmentent leur contingent jusqu'à 500 000 hommes, ou aux Français en Algérie qui en ont le double.

Enfin, à aucun moment les Soviétiques n'ont mené une contre-insurrection sérieuse. On entrait en Afghanistan sans difficulté (combien d'étrangers en huit années ont-ils été tués ou faits prisonniers ? une poignée dans une guerre plus que largement couverte). Pour l'essentiel les Soviétiques ont surtout pratiqué les opérations coup de poing pour déloger les poches de résistance trop actives (Panshir, région de Kandahar, Paktia, etc.).

L'erreur des Soviétiques a été de vouloir faire cette guerre avec des conscrits. Erreur qui fut celle des Américains au Viêt-nam. Les guerres de type colonial ne doivent être menées que par des professionnels, de préférence volontaires.

Quant aux combattants afghans, sobres, robustes et motivés, ils formaient des troupes habituées à guerroyer mais sans discipline, sans cohésion de groupe et en définitive peu capables de se transformer en force combattante homogène. Il leur a fallu près de trois années, après le retrait soviétique, pour s'emparer de Kaboul, malgré toute l'aide matérielle dont ils disposaient !

Dans ce contexte, les forces tadjikes du commandant Massoud représentaient une exception, ce dernier s'étant inspiré des techniques organisationnelles du lénino-maoïsme.

Sur le plan du terrorisme international, durant ces années-là, si l'on s'en tient à l'essentiel, il faut insister sur l'importance au Liban des attentats suicides de 1983 à Beyrouth, et plus particulièrement les deux qui tuèrent 241 marines américains et 53 parachutistes français[1].

---

1. Sans compter les 57 morts de l'attentat contre l'ambassade des États-Unis. Signalons, par ailleurs, l'arraisonnement du navire italien *Achille Lauro* au large des côtes égyptiennes en 1985, par un commando palestinien.

Ces attentats dus au Hezbollah vont déterminer le départ des troupes occidentales et représentent le succès majeur du terrorisme international entre 1968 et 2000. En effet, cette fois, le choc psychologique est relayé sinon dépassé par les *conséquences* des attentats : le retrait de l'adversaire.

Cette leçon ne sera pas perdue. Peut-être faisait-elle partie du calcul de Saddam Hussein lorsqu'il s'est refusé à céder au cours des mois précédant la première guerre entre l'Irak et la coalition menée par les États-Unis (1991). À l'heure de la doctrine de la guerre zéro mort, peut-être pouvait-on faire saigner suffisamment l'adversaire pour que l'arrière s'effondre ?

En France, pour ce qui nous concerne, l'année 1986 et l'année 1995 ont été marquées par deux campagnes terroristes sanglantes, la première menée par les Iraniens, la seconde par le GIA.

La troisième date importante, maintenant que nous avons une perspective, se situe entre 1991 et 1993. Elle correspond à la mutation qui s'est opérée à l'intérieur de l'Afghanistan. D'un instrument utilisé par les États-Unis afin d'affaiblir l'Union soviétique, l'islamisme radical, poursuivant sa propre dynamique et ses propres buts, devient, en partie comme conséquence de la guerre contre l'Irak de 1991, une mouvance politico-militaire indépendante à ramifications multiples.

Cette date est marquée par le jihad entrepris sous les meilleurs auspices en Algérie, bientôt par la participation aux guerres de Bosnie (1993-1995), de Tchétchénie, du Cachemire. La date de 1993 est aussi celle du premier attentat au véhicule piégé au World Trade Center, qui n'a pas produit tous les effets escomptés mais montrait que les États-Unis étaient désormais devenus une cible pour les islamistes combattants. Les États-Unis sous-estimeront l'importance de l'attentat de Khobar en Arabie Saoudite en 1995, où périssent 19 soldats américains. L'année suivante, toujours en Arabie Saoudite, c'est l'attentat de Dahran, et c'est précisément l'année où Oussama Ben Laden somme les États-Unis de quitter le territoire sacré de l'Arabie Saoudite. Les Talibans, entre-temps (1994-1996), formés et soutenus par le Pakistan avec l'aval des États-Unis, sont devenus maîtres de l'Afghanistan. Progressivement, l'influence du noyau Ben Laden et des Égyptiens Ahmed Al Zawahiri et Mohamed Atef sur le régime des Talibans commence à faire ses effets. En février 1998, Oussama Ben Laden décrète la guerre contre les « croisés et les juifs ». C'est l'année des attentats contre les ambassades américaines en Afrique orientale, suivis deux ans plus tard de celui, maritime, contre l'*USS Cole* au large d'Aden.

La quatrième date est évidemment celle du 11 septembre 2001 qui marque le stade ultime du terrorisme classique. Cette date détermine à son tour la plus importante opération de contre-terrorisme jamais menée : la guerre d'Afghanistan, destinée à éradiquer ce dangereux sanctuaire.

Après cette date, c'est l'administration Bush, fortement influencée par les civils du Pentagone, qui prend l'initiative. Il lui paraît judicieux de terminer une « guerre inachevée » en Irak.

Cette guerre de choix et non de nécessité a été entreprise préventivement pour lutter contre un éventuel terrorisme de destruction de masse dont l'existence était hypothétique, malgré les assertions britanniques destinées à conforter le grand allié.

Dans la pratique, l'après-conquête de Bagdad se révèle, comme c'était prévisible, plus complexe que les opérations militaires initiales. Mais nul n'avait prévu que les conditions de ce qu'on a peine à appeler l'« après-guerre » seraient aussi négatives. Une part importante de responsabilité incombe à une administration – et singulièrement au Pentagone – qui a en charge l'occupation. L'impréparation est confondante et n'a d'égal que le souci, dans une première phase de quelque six mois, de pratiquer une grande politique à petit prix. La remise en marche des infrastructures essentielles a été négligée, le pillage et la délinquance n'ont pas été empêchés ni contrôlés. La graduelle passation des problèmes de sécurité entre les mains de la police et de l'armée a été très tardivement entamée. Le projet même de demander à la Turquie d'envoyer des troupes en Irak montre la non-connaissance des réalités historiques de certains des décideurs du Pentagone. Le Conseil de gouvernement n'a pas été doté d'un minimum de pouvoir ; il semble chargé de rédiger une constitution. Dans un premier temps, la bataille des communications a été perdue. Six semaines après l'investissement de Bagdad, les Américains n'avaient pas encore de relais radiophonique ou télévisuel en langue arabe avec la population.

Les victimes de la guérilla – rurale et urbaine – menée par les opposants à l'occupation étrangère sont en nombre non négligeable. Si ces actions perdurent jusqu'en juin 2004, ce qui n'est pas certain, mais possible, la crise politique créée par la situation sera un test difficile pour les États-Unis. La première puissance militaire du monde aurait-elle des difficultés à gagner un conflit dit de basse intensité ? La tentation de l'administration sera sans doute de démontrer, à l'égard de la Syrie, sa capacité de pression. Et de continuer à arguer de la montée et de l'imminence des périls. Si les opérations de guérilla se poursuivent avec une intensité plus ou moins égale à celle des derniers mois, l'Irak sera au centre des débats des élections de novembre 2004. Celles-ci seront vraisemblablement remportées par G.W. Bush. Encore que l'Amérique, à cet égard, soit imprévisible.

Mais la conclusion provisoire est que la lutte contre le terrorisme entreprise avec l'intervention en Irak a suscité plus de terrorisme qu'il n'y en avait à la veille de la guerre. Par contre, la lutte pour la non-prolifération des armes de destruction massive a porté des fruits (Lybie, Iran).

Les régimes contre lesquels les islamistes radicaux se sont dressés sont toujours en place, qu'il s'agisse de l'Égypte, de l'Algérie ou de l'Arabie Saoudite. Les jihads auxquels certains d'entre eux ont participé ou participent encore n'ont pas débouché sur un changement de statut.

Le problème du terrorisme en tant que seul instrument destiné à provoquer un changement de régime, comme pour le *foco* urbain hier, est la capacité réduite de groupes strictement clandestins à gagner une base organisée d'une certaine importance sociale. Celle-ci est indispensable si l'on escompte, lorsque les circonstances s'y prêtent, déstabiliser un appareil d'État et s'emparer du pouvoir.

L'avenir dira si le sunnisme pourra rééditer ce qui fut réussi en Iran, en 1979, par la conjonction de l'usure du pouvoir, du mécontentement de couches et classes composites alliées de manière circonstancielle grâce à une personnalité charismatique, et d'un appareil religieux organisé, sans équivalent hors du chiisme chez les musulmans.

Dans quel pays un processus révolutionnaire plus ou moins similaire, s'appuyant sur un appareil entraînant une notable partie de la population ou bien issu d'une fraction de l'appareil d'État[1] lui-même, peut-il advenir ? Nul ne le sait avec certitude. Cependant, à moyen terme, l'État placé à l'épicentre de la crise qu'est le Pakistan paraît le plus menacé. Nous verrons bientôt la place qu'occupe l'Irak dans ce champ conflictuel.

## LES MULTIPLES VISAGES DU TERRORISME

1967 est, au Moyen-Orient, une date importante. Elle marque, de façon éclatante, la supériorité militaire israélienne. La perception, en Occident, de la guerre de 1948-1949 avait été celle d'un jeune État défendant héroïque-

---

1. Le rôle de l'armée dans les crises à venir dans des pays comme le Pakistan, l'Indonésie, l'Égypte, ne doit pas être sous-estimé.

ment son droit à l'existence et arrachant la victoire contre les forces des trois États arabes. En 1956, Israël était arrivé sans mal jusqu'au canal de Suez mais faisait partie d'une coalition avec les forces anglo-françaises. La victoire de 1967 était sans appel. L'humiliation des États arabes, totale.

Mais cette défaite arabe permettait l'émergence des Palestiniens du Fatah jusque-là marginalisés. L'OLP n'avait-elle pas été fondée en 1964, en Égypte, sous l'égide de Nasser qui avait placé à sa tête Ahmed Choukeiri dont la représentativité ne dépassait pas celle d'un notable ?

La défaite arabe ramenait, dès 1968, avec l'escarmouche de Karameh où s'illustraient les fedayin, les Palestiniens au premier plan, comme sauveurs de l'honneur arabe.

Ces événements attiraient l'attention sur le fait que territorialement, le conflit israélo-arabe était essentiellement un conflit israélo-palestinien. Ils rappelaient aussi que le nationalisme palestinien, malgré la guérilla menée contre le colonat juif en 1936-1939, n'avait pas su prendre suffisamment d'épaisseur pour se refuser à l'absorption par la Transjordanie de la Cisjordanie (qui faisait partie de la Palestine du mandat) ni au mandat exercé par l'Égypte sur Gaza.

Par une de ces ironies de l'histoire, l'OLP était prête à la fin des années quatre-vingt à accepter la souveraineté sur des territoires qui, de 1949 à 1967, avaient été sous contrôle d'États arabes. Tout comme en 2002, avec trois décennies de retard, l'Arabie Saoudite proposait, en échange de la reconnaissance et de la paix avec Israël, la restitution des territoires occupés après la guerre des Six-Jours.

La réalisation pleine et entière d'un état de fait paraît singulièrement lente parmi les élites dirigeantes arabes. La mesure du rapport de force semble singulièrement floue. Ainsi, à la fin de 1968 et au début de 1969, avec la promulgation de la Charte palestinienne, les mouvements qui composent l'OLP et ses franges se bercent-ils d'illusions.

D'une part celle de parvenir, par le truchement de la guérilla, à vaincre Israël (les modèles étant le Viêt-nam et l'Algérie) ; d'autre part, en se privant de tout allié parmi les partis israéliens, celle d'obtenir la création d'un État palestinien démocratique sur l'ensemble de la Palestine où les Juifs n'auraient que des droits de minorité religieuse.

C'était retourner à la conception ottomane du *millet*, au statut du *dhimmi* auquel précisément la création d'un État national était la réponse. La sous-estimation de l'épaisseur du nationalisme israélien caractérisait la résistance palestinienne. Un État palestinien n'était envisageable *au mieux* qu'en Cisjordanie et en Transjordanie à condition de renverser la monarchie hachémite. Ce n'est pas la stratégie adoptée par l'OLP. Celle-ci visait, avec l'aide du monde arabe, à miner par la guérilla la société israélienne. Cette dernière pourrait-elle être amenée, comme les Européens d'Algérie, à quitter le pays ? Le croire était s'illusionner. En fait, pour les dirigeants israéliens, à l'époque, les Palestiniens, s'ils voulaient un État, n'avaient qu'à le créer de l'autre côté du Jourdain. Et parmi les élites politiques, nombreux déjà étaient ceux qui n'avaient pas l'intention – sans même évoquer le cas de Jérusalem-Est – de revenir aux frontières de juin 1967. L'impossibilité de créer les conditions d'une guérilla en Cisjordanie, jointe à l'interception de presque tous les commandos envoyés de l'autre côté du Jourdain à partir de la Jordanie, a conduit les organisations palestiniennes à privilégier le terrorisme – comme en Amérique latine, où l'échec des *focos* avait mené à la guérilla urbaine. L'impossibilité de la guérilla poussait les organisations palestiniennes à se rabattre sur les actions à caractère terroriste.

En juillet 1968, en détournant un avion de la compagnie El Al entre Athènes et Le Caire, le Front populaire de libération de la Palestine créait ce que j'ai désigné à l'époque comme le terrorisme publicitaire.

La cause palestinienne, née d'une dépossession, venait de façon fracassante d'être portée à la connaissance de l'Occident.

### Typologie des terrorismes

Pour rendre compte du terme de terrorisme, qui désigne une quantité considérable de mouvements et de groupes fortement différenciés, il est nécessaire d'établir une typologie sommaire.

En dehors du terrorisme d'État, il faut aujourd'hui distinguer :

— Les groupes terroristes fondés sur une idéologie politique de gauche ou de droite. À cet égard, il est utile de rappeler que le terrorisme est une technique et n'a pas par lui-même de connotation politique.

— Des mouvements nationalistes, qu'ils soient séparatistes ou autonomistes.

— Des sectes politico-religieuses.

Dans l'ensemble des cas, le terrorisme est une stratégie politique. Si la guerre est fondée sur la coercition physique, le terrorisme vise à produire sur les esprits un impact psychologique. Par rapport à la guérilla, le terrorisme est négation du combat. Il ne s'agit plus de frapper par surprise les éléments d'une armée régulière mais de frapper un adversaire sans arme.

• On peut ranger parmi les groupes terroristes à vocation révolutionnaire, de gauche surtout, ou de droite, les organisations ou groupuscules suivants : Weathermen, Symbionese Liberation Army (États-Unis), Rote Armee Fraktion (République fédérale d'Allemagne), mieux connue sous le nom de « Baader-Meinhof » qui en furent les dirigeants avec Gudrun Ensslin et Horst Mahler, ainsi que, beaucoup moins célèbre, le groupuscule anarchiste « Mouvement du 2 Juin » (*Bewegung Zwei Juni*, ou B2J) dont le nom commémore la date à laquelle un étudiant fut tué par la police lors d'une manifestation hostile à la présence du chah d'Iran en Allemagne ;

— les Brigate Rosse ou Brigades rouges italiennes et, à l'extrême droite, diverses organisations fascisantes italiennes ;

— en France et en Belgique, Action directe et Cellules communistes combattantes ;

— au Japon, l'Armée rouge japonaise.

• Parmi les mouvements ethniques – séparatistes ou autonomistes – on peut citer, en Occident ;

— le Front de libération du Québec (FLQ), éphémère mais qui se fit remarquer par l'enlèvement et l'exécution d'un ministre ;

— les Irlandais de l'IRA, le mouvement aux bases les plus larges parmi cette liste ;

— les Basques de l'ETA, branche militaire ;

— enfin, les plus caricaturaux, qui prétendent se trouver dans une situation coloniale, les mouvements et groupuscules corses qui profitent du laxisme de l'État français pour mimer un mouvement de libération.

• Les mouvements autonomistes ou séparatistes utilisant aussi le terrorisme seraient classés par l'administration américaine comme des mouvements terroristes. Or nombre d'entre eux sont d'abord et essentiellement des mouvements de guérilla.

C'est, en Amérique latine, le cas des deux organisations colombiennes, les Forces armées révolutionnaires de Colombie (FARC) ou l'Armée de libération nationale (ELN), moins puissante, et du Sentier lumineux ou de ce qu'il en reste depuis l'arrestation de son dirigeant Abimaël Guzman, dit « le Président » Gonzalo.

Au Proche et au Moyen-Orient, ce fut le cas du Parti démocratique du Kurdistan iranien (PDKI) dirigé, jusqu'à son assassinat par les Iraniens, par A.R. Ghassemlou. Ce mouvement, de 1979 à 1984, date à laquelle il a été obligé de se retirer en Irak, n'a jamais commis d'actes à caractère terroriste. C'est également, à notre connaissance, le cas des mouvements combattants kurdes d'Irak entre 1968 et 1991, qu'il s'agisse du Parti démocratique du Kurdistan ou de l'Union patriotique du Kurdistan.

Le PKK (Parti des travailleurs de Turquie), actif sur le territoire turc de 1984 à l'arrestation de son dirigeant Öcalan, dit *Apo*, en 1998, était avant tout un mouvement de guérilla. Durant une quinzaine d'années, ce mouvement opérant sur une importante partie du sud-est de la Turquie a obligé Ankara à mobiliser jusqu'à 150 000 hommes pour éradiquer cette guérilla. Le PKK a, par ailleurs, effectivement utilisé le terrorisme comme moyen d'action. L'armée turque, de son côté, a utilisé des escadrons de la mort pour liquider toute opposition, y compris non violente.

Les Palestiniens, quelle que soit leur obédience, sont réduits à n'utiliser que le terrorisme.

Les Tchétchènes sont moins simples que d'autres à caractériser. D'une part, indiscutablement, il y a dans le mouvement des nationalistes attachés à l'idée d'indépendance et qui combattent dans le cadre d'une guérilla. Par ailleurs, la Tchétchénie est un des jihads où se pressent des islamistes combattants venus de divers pays, le plus célèbre étant le Jordanien Bassaev qui tenta, sans succès, d'entraîner le Daghestan dans la lutte. Par ailleurs, les Tchétchènes (s'agit-il de nationalistes ou d'islamistes radicaux ?) recourent au terrorisme, comme l'indique la prise d'otages du théâtre de Moscou en 2002.

Sans l'ombre d'un doute, l'organisation la plus efficace au monde en matière de terrorisme est le LTTE (Liberation Tigers of Tamil Eelam), les *Tigres tamouls*. Mais cette organisation est d'abord un mouvement de guérilla, capable même d'engager des opérations classiques contre l'armée srilankaise.

Au Népal, le mouvement maoïste est une guérilla. Tout comme, à Sumatra, l'organisation luttant pour l'indépendance de Aceh. C'est aussi le cas de mouvements plus faibles mais qui mènent une lutte armée sur leur terrain aux Moluques et en Papouasie-Nouvelle-Guinée.

Pour finir, aux Philippines, le Front Moro à Mindanao, qui représente 4 % de musulmans parmi une écrasante majorité de catholiques, réclame depuis des décennies l'autonomie – voire l'indépendance. Ce mouvement a été aidé, au cours des années, par la Libye et d'autres pays arabes. Aujourd'hui, il est largement influencé par l'islam combattant. C'est à ce courant qu'appartient le groupe Sayyaf.

Comme aucune typologie ne recouvre la complexité de la réalité, c'est ici, à défaut, que l'on peut ranger un mouvement atypique et sans lendemain, celui des Arméniens, actif entre 1975 et 1983.

• Parmi les sectes politico-religieuses faisant usage du terrorisme – au premier chef, les islamistes radicaux combattants formés en Afghanistan et qui ont participé à diverses luttes armées, certaines ne se limitant nullement aux actes à caractère terroriste : Bosnie, Algérie, Tchétchénie, Cachemire, etc.

On peut y ajouter la longue liste des organisations islamistes allant de quelques dizaines de membres à d'autres qui peuvent dépasser le millier. Les pays d'origine de ces mouvements se situent quasiment dans tous les pays musulmans – à l'exception en général de l'Afrique subsaharienne.

Le mouvement Hezbollah du Liban, classé terroriste par les États-Unis, est avant tout un mouvement politique combattant. Les actes terroristes ne sont pas sa caractéristique principale.

Enfin, il faut signaler parmi les sectes millénaristes (ce n'est pas la seule) Aum Shimrikyo qui s'est illustrée en 1995 à Tokyo par l'utilisation de gaz sarin dans le métro, tuant 12 personnes et en affectant plusieurs milliers à des degrés divers.

Les organisations islamistes regroupent des dizaines de mouvements à travers le monde musulman.

• Enfin, pour ne pas négliger la terreur d'État au cours de la même période, rappelons à titre d'exemple, en Amérique latine :

— les Escadrons de la mort au Brésil ;

— la répression systématique des Indiens au Guatemala ;

— les exactions des militaires argentins, de leur prise de pouvoir à leur chute ;

— les débuts (tout particulièrement) du régime de Pinochet au Chili ;

— le contre-terrorisme et la contre-insurrection particulièrement féroce à l'époque de la présidence Fujimori au Pérou.

En Afrique :

— l'armée algérienne et ses méthodes ;

— l'usage de la terreur durant les quatorze années de la dictature de Charles Taylor au Liberia ;

— les dictatures de Macias (Guinée ex-espagnole) et d'Idi Amin Dada (Ouganda), la guerre civile en Sierra Leone ;

— la terreur au Burundi sous les Tutsis ;

— le génocide du Rwanda et son impact sur le Congo voisin.

Au Proche-Orient :

— la terreur d'État exercée par la Turquie dans le cadre de la contre-insurrection : escadrons de la mort, politique systématique de déterritorialisation dans la région kurde ;

— liquidation à Hama de 10 000 sunnites par le régime de Hafez El Assad en 1982 ;

— utilisation systématique de la terreur à tous les échelons par Saddam Hussein, particulièrement à l'égard des Kurdes (opération Anfal[1] ; usage de gaz chimiques à Halabja en 1988 et répression à l'encontre des Kurdes et des chiites en 1991).

En Asie du Sud-Est et orientale :

— massacres de masse de type génocidaire au Cambodge ;

— terreur durant la révolution culturelle en Chine ;

— Bien que se situant quelques années avant 1968, rappelons le massacre d'environ 300 à 500 000 communistes ou supposés tels par le régime Suharto (1965) en Indonésie.

Cette liste est non exhaustive.

Enfin, rappelons que l'usage de la torture est la « forme extrême de la terreur individualisée », pour reprendre l'expression du spécialiste britannique Paul Wilkinson[2].

## Terrorisme et guérilla

Après les échecs répétés des *focos* ruraux et la mort de Che Guevara en Bolivie (1967), Carlos Marighella tente de mettre en place une nouvelle stratégie où, à terme, guérilla urbaine et guérilla rurale seraient articulées. Il n'aura le temps que d'entamer la guérilla urbaine. Selon Marighella, la stratégie du terrorisme urbain consiste à « transformer la crise politique en conflit armé par le truchement d'une série d'actions violentes qui forcent le pouvoir à transformer la situation politique du pays en situation militaire[3] ».

Le calcul de Marighella était, en amenant les autorités à réagir de façon répressive, d'attirer le blâme sur l'État. Dans la pratique, cette répression a eu pour effet de démanteler l'organisation révolutionnaire sans pour autant susciter un soutien des masses autre que passif. Encore aurait-il fallu connaî-

---

1. *Génocide en Irak*, Paris, Karthala, 2002.
2. Paul Wilkinson, *Political Terrorism*, Londres, Macmillan, 1974.
3. Carlos Marighella, *Pour la libération du Brésil*, mini-manuel du guérillero urbain, Paris, le Seuil, 1970, traduit du portugais par Conrad Detrez.

tre l'ampleur de la base sociale potentielle de telles actions et ne pas oublier qu'il y a loin de la sympathie au soutien organisé.

Marighella a d'ailleurs vu lui-même les contradictions de sa stratégie. Il signale, dans son manuel, parmi les sept erreurs du guérillero urbain « la surestimation de la lutte urbaine. Ceux qui se laissent enivrer par les actes de guérilla dans les villes risquent de ne pas se préoccuper beaucoup du déclenchement de la guérilla rurale. Ils finissent par considérer la guérilla urbaine comme décisive et par y consacrer toutes les forces de l'organisa-tion. La ville est susceptible d'être l'objet d'un encerclement stratégique que nous ne pourrons éviter ou rompre que lorsque sera déclenchée la guérilla rude. Tant que celle-ci n'aura pas surgi, l'ennemi pourra toujours nous por-ter des coups graves. »

En réalité, la stratégie de « guérilla urbaine » de Marighella souffre de plusieurs faiblesses intrinsèques : l'absence d'un soutien populaire organisé compte tenu du caractère clandestin – et très réduit numériquement – du mouvement ; le présupposé que l'État est faible ou est déjà affaibli – ce qui n'était pas le cas de l'État brésilien, dictature militaire depuis 1964. Malgré son rejet de la stratégie du *foco* rural, la « guérilla urbaine » de Marighella[1] était, en fait, un *foco* urbain.

Certes, des actions terroristes avaient déjà vu le jour en Amérique latine au cours des années soixante, dès 1963 au Venezuela où le ministre de la Justice est abattu par le Mouvement de la gauche révolutionnaire (MIR), et au Guatemala. Mais la « guérilla urbaine » en tant que telle commence en 1968, au Brésil, suivi bientôt par l'Uruguay et l'Argentine.

Au Brésil, le processus de la violence urbaine est rapide, intense et bref. Carlos Marighella, membre du Parti communiste, était présent lors de la conférence de l'OLAS à La Havane. Après la mort de Guevara, il tire les conséquences qui, d'après lui, s'imposent : fonder un nouveau parti commu-niste révolutionnaire et créer les conditions d'une lutte armée articulée sur le milieu urbain (le triangle Rio/São Paulo/Belo Horizonte) et par la suite avec la campagne, pour obliger la police et l'armée à disperser leurs forces.

Les actions commencent en octobre 1968, avec l'assassinat d'un officier supérieur de l'armée américaine, suivi d'une série de hold-up pour financer l'organisation et d'attaques contre des installations de télévision afin d'obte-nir de la publicité. L'année suivante, l'ambassadeur américain est enlevé et

---

1. Sur Marighella, comme sur les Tupamaros, on ne peut sous-estimer l'influence de l'Espagnol Abraham Guillen, *La guérilla urbaine et les Tupamaros,* in Gérard Chaliand, *Stratégies de la guérilla,* Payot, 1994.

quinze prisonniers politiques sont relâchés en échange de sa libération. Mais Carlos Marighella est abattu à São Paulo en novembre 1969. L'année suivante, l'ambassadeur d'Allemagne fédérale est enlevé et échangé contre quarante détenus politiques. Camara Ferreira, qui assure la succession, est abattu à son tour en octobre 1970. Le mouvement, à partir de cette date, entre en crise sans avoir pu entamer la phase de la guérilla rurale.

En Argentine, trois mouvements entrent en action autour de 1970 : l'Armée révolutionnaire du peuple (ERP), sigle excessif pour un groupe aussi réduit en effectifs, les Forces armées de libération (FAL) et les Montoneros dont le nom s'inspire de l'histoire argentine. Les FAL enlèvent, en mai 1970, le consul du Paraguay puis l'ancien président de la République qui est exécuté après des négociations avortées.

Au début de l'année suivante, le consul honoraire de Grande-Bretagne à Rosario est enlevé par l'ERP et sera plus tard relâché après une distribution de vivres dans les quartiers populaires. Le même mouvement réussit au début de 1972 un hold-up de 800 000 dollars. Peu après, l'ERP enlève le président de la filiale argentine de Fiat. Celui-ci est exécuté après l'échec des pourparlers avec le gouvernement qui refuse les exigences du mouvement. La répression, dès lors, s'accentue. Seize prisonniers politiques sont abattus au cours d'une prétendue tentative d'évasion. En représailles, l'ERP enlève une dizaine d'hommes d'affaires et récupère des rançons considérables. La situation est telle que le mouvement péroniste impose, en 1973, le retour d'exil de Juan Perón, le dirigeant populiste qui avait été à la tête du pays entre 1946 et 1955. Le calme n'est pas pour autant rétabli.

L'enlèvement du dirigeant de la filiale argentine d'Esso permet à l'ERP d'obtenir une rançon de 14 millions de dollars. Après le décès de Juan Perón se développe un terrorisme d'extrême droite d'une grande violence mené par l'Alliance argentine anticommuniste (ARA). Cette dernière vise à établir la dictature, et la situation chaotique amène l'armée à s'emparer du pouvoir après un coup d'État militaire (1976). La terreur, cette fois, change de camp. Elle dure jusqu'à la chute du régime militaire au lendemain de la défaite des Malouines (1982).

Le mouvement latino-américain se réclamant de la guérilla urbaine qui a exercé l'influence la plus large est celui des Tupamaros d'Uruguay. C'est d'eux que se sont plus ou moins inspirés les groupuscules ou mouvements révolutionnaires d'Amérique du Nord et d'Europe occidentale.

Les Tupamaros voyaient à juste titre Montevideo, la capitale, comme le centre stratégique de l'Uruguay, dans la mesure où environ la moitié de la population totale du pays y était concentrée. Les villes rendent inutilisables l'aviation et l'artillerie, ce qui prive l'adversaire de certains de ses avantages. L'Uruguay est un pays urbanisé à plus de 80 % et les zones rurales, essentiellement des plaines, ne pouvaient servir que de diversion afin de réduire la pression des forces armées en ville. Pour les Tupamaros, Montevideo, comme toutes les grandes villes, présentait des cibles toutes désignées : ambassades, administrations, banques, hommes d'affaires, médias.

Les débuts du mouvement, après une phase de préparation, sont prometteurs. En octobre 1969, pour le deuxième anniversaire de la mort de Guevara, ils se rendent maîtres, à 25 km de Montevideo, d'une localité d'importance moyenne, Pando, ce qui d'emblée les fait connaître.

Ils procèdent à une suite d'enlèvements et d'actions bien réglées et ne faisant pas de victimes inutiles, tout en critiquant, sur une base populiste, la gestion du pays. En juillet 1970, ils enlèvent un expert américain délégué auprès de la police uruguayenne en tant que consultant : Dan Mitrione. L'épisode dure dix journées frénétiques pendant lesquelles les Tupamaros négocient avec le gouvernement pour faire libérer six d'entre eux, tout en réussissant plusieurs hold-up spectaculaires. Des membres du mouvement sont arrêtés tandis que des agents du FBI arrivent pour prêter main-forte à la police. Tandis que les Tupamaros procèdent à un nouvel enlèvement, l'un de leurs principaux responsables, Raoul Sendic, est arrêté. La vie des otages dépend de celle de Sendic, décrètent les Tupamaros tandis que l'état de siège est proclamé. Le lendemain, le cadavre de Dan Mitrione est découvert. Le Parlement suspend les libertés constitutionnelles pour trois semaines. Mais les rapts continuent, notamment avec l'enlèvement de l'ambassadeur de Grande-Bretagne, libéré après plusieurs mois d'incarcération (1971). En 1972, on observe huit nouveaux enlèvements et l'évasion spectaculaire de plusieurs dirigeants Tupamaros.

La Chambre des députés vote la déposition du président de la République. Le pays semble au bord de la guerre civile. En fait, tout mène au coup d'État de droite.

Les Tupamaros connaissent une phase euphorique d'opérations réussies, à la fois spectaculaires et sans victimes quasiment, qui leur gagnent la sympathie d'une partie de la population. Il faut cependant souligner qu'à l'époque, les Tupamaros ne combattent pas un gouvernement non démocratique. La montée du terrorisme, destiné selon le mouvement à démasquer un pouvoir fondé sur l'oppression sociale, produisit la montée de l'extrême droite. Avec le temps, les opérations des Tupamaros rencontrent, par lassitude, de moins en moins d'échos favorables parmi l'opinion publique. Le mouvement, qui s'appuyait sur une infrastructure d'amitiés complices, constate à la longue qu'il utilise la violence comme substitut au soutien populaire. Une fois de plus, le caractère *foquiste* de l'organisation apparaît lorsque, précisément, ce n'est plus de sympathie qu'a besoin le mouvement, mais d'un soutien organisé. Comme les Brésiliens de Marighella, les Tupamaros d'Uruguay rencontrent le dilemme d'une organisation armée réduite condamnée à la clandestinité : comment bâtir une infrastructure politique quand tous les militants sont mobilisés par les tâches militaires ? Il apparaît avec le recul que les Tupamaros n'ont que très peu mordu dans les couches populaires, y compris dans leur recrutement. En 1971-1972, leurs tentatives d'établir quelques bases rurales pour desserrer l'étau en ville se sont soldées par des échecs. Leur stratégie, consistant à amener les autorités à réagir avec excès afin d'attirer les sympathies de la population, s'est révélée un jeu dangereux où l'État en général – à moins d'être très faible – a le dessus.

Comme la guérilla rurale, la guérilla urbaine est avant tout politique et son but est de convaincre et d'organiser les populations. C'est une tâche qui paraît en général secondaire pour de petites organisations obsédées par la clandestinité, la nécessité de réussir des opérations et de constater leur impact dans les médias. À la limite, l'exécution des opérations, la sécurité du mouvement suffisent à consommer l'énergie et les forces réduites de l'organisation. La population est en fait surtout spectatrice. Malgré un effort considérable pour être sélectif, l'usage du terrorisme finit par devenir contre-productif. La lassitude, compte tenu de l'insécurité, remplace l'enthousiasme des débuts. Avec le temps, l'effet de surprise passé, les commentaires admiratifs sur la perfection d'une opération efficace, ou humiliante pour les forces de l'ordre, se changent en réprobation générale à l'égard de la violence, quelle qu'elle soit.

Fin 1972, la montée de la contre-terreur pratiquée écrase le mouvement des Tupamaros. Et l'année suivante, l'Uruguay hérite pour douze ans d'un régime dictatorial.

Dans le tiers-monde, l'utilisation du terrorisme comme technique de déstabilisation ou comme moyen de s'emparer, à terme, du pouvoir, provoque une montée des extrémismes[1].

---

1. La Turquie est un exemple classique de l'incapacité du terrorisme à peser autrement que par le désordre sans perspective. La montée au pouvoir des militaires (1980) et la dictature de remise en ordre qu'ils ont instaurée à l'époque en sont la conséquence inévitable.

La stratégie des Tupamaros, consistant à user de la violence révolution-naire contre un gouvernement démocratique (mais de classe) afin d'amener la répression qui dévoilera aux yeux des masses la « vraie nature » du régime, débouche sur la prise de pouvoir de l'armée. En Europe, la même stratégie aberrante ne fera pas bouger les masses mais amènera les États à multiplier l'arsenal des lois répressives.

L'échec inscrit dans la conception même de ces groupes peut favoriser l'apparition de factions nihilistes qui n'ont plus pour objectif proclamé l'obtention d'un quelconque soutien populaire et recourent au banditisme comme moyen d'existence pour leur squelettique appareil.

Des mouvements d'extrême droite peuvent aussi opérer dans une société démocratique avec des chances aussi minces de peser sérieusement sur la stabilité politique d'un pays, à moins d'une crise profonde.

La caractéristique des groupes révolutionnaires nord-américains, qu'il s'agisse des Weathermen[1], de la Symbionese Liberation Army ou plus sérieusement des Black Panthers, est leur brièveté. Tous ont été démantelés rapidement et parfois, dans le dernier cas, brutalement.

## LES MOUVEMENTS ET GROUPES EUROPÉENS ET MÉDITERRANÉENS

En Europe, sur les cinq groupuscules, groupes ou mouvements se récla-mant de la révolution, deux seulement retiennent l'attention : les Brigades rouges italiennes dont l'impact fut non négligeable sur certains milieux sociaux italiens et la Fraction Armée rouge allemande.

Auprès de ceux-ci, le groupuscule anarchiste Mouvement du 2 Juin alle-mand, Action directe France – dont l'équipée se termine autour d'une poi-gnée d'individus tenus, pour survivre, de pratiquer des braquages – et les Cellules communistes belges ne représentent politiquement à peu près qu'eux-mêmes.

Tous ces groupes naissent au lendemain de la crise de mai 1968 dont l'impact psychologique a été important en Europe occidentale. Le tiers-mondisme, jusqu'à 1975 au moins, bat son plein, relayé par le maoïsme de

---

1. « Nous croyons que mener la lutte armée aura des effets sur la conscience du peuple concernant la nature de la lutte armée, la conscience de sa nécessité se fera jour. Cela n'est pas moins vrai aux États-Unis que dans d'autres pays à travers le monde. Les actions révolutionnaires produisent une conscience révolutionnaire ; cette conscience génère l'action révolutionnaire à son tour. L'action apporte des leçons pour combattre et démontrer que la lutte armée est possible. » Tract clandestin des Weathermen (1974).

la révolution culturelle, et justifié par la guerre du Viêt-nam qui renforce l'anti-impérialisme ambiant. Les luttes armées contre le colonialisme portugais, soutenu par l'OTAN, l'opposition au racisme blanc en Afrique du Sud et en Rhodésie sont mobilisatrices. Les Tupamaros et leur exemple remplacent l'exaltation de la guérilla rurale, tandis que Guevara, héros et martyr de la révolution, est transformé en icône.

La lutte des Palestiniens qui résistent à l'occupation israélienne après la guerre des Six-Jours et aspirent à un État s'ajoute aux combats qui sont soutenus par les courants révolutionnaires. L'accusé principal est l'Amérique de Nixon. Sur le plan intérieur, la lutte en faveur des immigrés et de leurs conditions de vie prend le pas sur l'exaltation du prolétariat.

C'est à peu près dans ce climat qu'apparaissent les groupes révolutionnaires européens désireux de participer au combat international contre l'impérialisme et l'État de classe fondé sur le capitalisme. Tout cela, faut-il le rappeler, prend place jusqu'en octobre 1973 dans un climat économique hautement favorable.

L'Italie est, de loin, le pays le plus touché par les activités terroristes entre 1969 et 1985. L'adversaire de l'extrême gauche comme de l'extrême droite est le système politique italien dominé par la Démocratie chrétienne à laquelle sont reprochés son immobilisme et sa corruption. L'extrême gauche reproche aussi au Parti communiste italien, qui représente une force politique importante, de composer avec la majorité conservatrice. L'extrême droite estime que le centrisme de la Démocratie chrétienne favorise la montée des forces de gauche et d'extrême gauche.

Le bilan des morts pour la décennie considérée est de 428, chiffre le plus important en Europe occidentale mais qui ne rend pas compte de la fréquence quotidienne, durant la même période, des actes de violence politiques de toute sorte (attaques de banques, enlèvements, explosions visant des bâtiments administratifs, sabotages, etc.)

Du côté de l'extrême droite, il s'agit de s'opposer à la montée de l'extrême gauche, nettement plus portée par l'esprit du temps. Cela s'exprime par des actions provoquant des victimes nombreuses : Milan, décembre 1969 : 16 morts ; Brescia, mai 1974 : 8 morts ; attentat ferroviaire d'août 1974 : 12 morts ; attentat à la gare de Bologne, août 1980 : 85 morts ; attentat du train Naples-Milan, décembre 1984 : 16 morts. Ces attentants sont commis afin de favoriser un autoritarisme dont l'absence est reprochée au gouvernement. Quant à l'extrême gauche – les Brigades rouges essentiellement, mais pas seulement –, elle cherche à réveiller la classe ouvrière détournée par le Parti communiste de sa vocation révolutionnaire à frapper les multinationales, à humilier l'État italien. C'est en décembre 1969 que débute la « stratégie de la tension » avec une bombe à Rome et une autre à Milan ; ce dernier attentat visant une banque faisait 16 morts et n'était pas revendiqué.

En septembre 1971, les Brigades rouges diffusent leur premier communiqué, qui est dans le droit-fil de la vision stratégique des Tupamaros : déboucher à travers la spirale violence/répression sur une prise de conscience du prolétariat, dont elles se veulent l'avant-garde.

En mars 1972, les Brigades enlèvent le dirigeant de l'entreprise Fiat-Siemens de Milan, prélude à une longue série : un dirigeant d'Alfa Romeo en juin 1973, un chef du personnel de Fiat en décembre de la même année, un juge en avril 1974 – premier, lui aussi, d'une série d'enlèvements de magistrats. Entre-temps, l'éditeur Feltrinelli, connu pour son engagement, se tue par accident en voulant saboter à l'explosif un pylône électrique.

Les Brigades rouges ont, durant ces années-là, le vent en poupe et mettent le Parti communiste en difficulté. Mais la répression s'organise de son côté ; Renato Curcio, dirigeant historique des Brigades, et un autre responsable sont interpellés en septembre 1974. Cependant la compagne de Curcio, Margherita Cagol, elle-même dirigeante du mouvement, réussit à faire évader ce dernier au grand dam des autorités.

Margherita Cagol est abattue quelques mois plus tard lors d'une tentative d'enlèvement d'un industriel. Renato Curcio est arrêté de nouveau en janvier 1976 à Milan, mais le mouvement a suffisamment d'épaisseur pour poursuivre sans faiblir.

De 1976 à 1978, les Brigadistes continuent à pratiquer leurs enlèvements ou leurs assassinats dans une impunité relative : « exécution » d'un procureur général à Gênes (juin 1976), enlèvement d'un industriel (printemps 1977), assassinat d'un éditorialiste de *La Stampa* (novembre 1977). Entre-temps le Parti communiste se rapproche du pouvoir, ce qui provoque une crise aiguë entre ceux qui lui reprochent sa compromission et ceux qui pensent qu'il faut épauler l'État plutôt que de le voir s'effondrer.

C'est dans ce contexte que les Brigades rouges parviennent à enlever Aldo Moro, personnalité politique de premier plan, ancien secrétaire politique de la Démocratie chrétienne, plusieurs fois ministre, président du Conseil. Le 16 mars 1978, Aldo Moro se rend à l'Assemblée nationale pour y voter la confiance au gouvernement Andreotti et consacrer ainsi sa ligne du « compromis historique » qui consiste à faire entrer le Parti communiste italien dans la sphère gouvernementale.

Enlevé après la liquidation de son escorte, Moro reste prisonnier durant deux mois pendant lesquels il est « jugé » et fait l'objet d'interventions, dont celles du pape et du secrétaire général de l'ONU. Les Brigades rouges font la une de l'actualité durant toute cette période, tandis que se déroule simultanément à Turin le procès des chefs historiques du mouvement. Des attentats brigadistes ont lieu à Turin contre l'ancien maire, un dirigeant de la Démocratie chrétienne, contre des gardiens de prison, des personnalités de l'industrie et de la politique, dans un climat de tension croissante entre la mi-mars et la fin avril. Le 9 mai, on retrouve le cadavre d'Aldo Moro dans le coffre d'une voiture abandonnée à Rome.

Quel que soit l'aspect spectaculaire de l'affaire Moro, les objectifs politiques essentiels des Brigades ne sont pas atteints. L'État ne s'est pas effondré, les masses populaires n'ont pas bougé. Six autres assassinats sont commis au cours de la même année. Cependant, l'organisation est traquée de façon plus systématique par le général Della Chiesa et la clandestinité renforcée des Brigades les isole de la population, à l'exception des cercles plus ou moins intellectuels de leurs sympathisants. En fait, le déclin n'est pas loin malgré quelques actions à un rythme moindre au cours de la période 1979-1981. Un ultime grand coup est réussi avec l'enlèvement d'un général américain affecté à l'OTAN, J. L. Dozier, en décembre 1981. Celui-ci est libéré par la police de Padoue après cinq semaines d'incarcération. Lentement, le mouvement tend à se désagréger, malgré quelques opérations menées à bien. En 1985, un document des Brigades annonce la fin du mouvement. La police s'est servie avec efficacité des « repentis ». Les chefs historiques, pour avoir reconnu leurs « erreurs » ou leurs « errements », vont bénéficier de réductions de peines, voire d'un régime de liberté surveillée. C'est le cas, après dix-sept ans de prison, de Renato Curcio, le dernier des Brigadistes à être relâché.

En Allemagne, la répression d'une manifestation, le 2 juin 1967, où un étudiant trouve la mort, sert de détonateur. C'est ce qui détermine un petit groupe à préparer les conditions de la lutte armée. Andreas Baader et Gudrun Ensslin prennent la tête du groupe mais sont arrêtés dans le cadre d'une agression armée. Cependant Ulrike Meinhof, qui est la personnalité marquante du groupe, parvient à faire évader Baader. Au Mouvement du 2 Juin, à connotation anarchiste, succède *de facto* le groupe Baader-Meinhof dont la ligne est internationaliste : des contacts sont pris avec les Palestiniens qui, en échange d'appui logistique, fournissent armes et entraînement.

Les actions de la Rote Armee Fraktion (Fraction Armée rouge) visent les représentants de l'État allemand. Celui-ci répond avec un arsenal répressif considérable. La loyauté des fonctionnaires est sujette à examen, les prérogatives policières largement renforcées. La Rote Armee Fraktion, après une série d'attentats, est décapitée. En mai 1971, Baader est arrêté ; en juin, Gudrun Ensslin et Ulrike Meinhof le sont également. En novembre 1974, un des membres décède au terme d'une grève de la faim. Le lendemain, en représailles, un juge berlinois est assassiné. En février 1975, le chef du Parti chrétien démocrate (CDU) est enlevé. Il est relâché moins d'une semaine plus tard, lorsque, de façon exceptionnelle, le gouvernement allemand consent à libérer en échange six responsables de la Rote Armee. Ceux-ci sont débarqués au Yémen du Sud, alors marxiste-léniniste.

Tandis que le gouvernement se refuse à tout autre chantage, il mène le procès des dirigeants qu'il détient. En mai, Ulrike Meinhof est retrouvée « suicidée » dans sa cellule, selon la thèse de l'État allemand.

En avril 1977, un « groupe d'action Meinhof » « exécute » le procureur général de Karlsruhe. Peu de temps après, le procès des membres de la Rote Armee Fraktion se termine au bout de cinq ans d'instruction par des condamnations à perpétuité et des transferts dans une prison de haute sécurité. En représailles, le président de la Dresdner Bank est assassiné (juillet 1977). Au début de septembre, le président de l'Association des industriels allemands est enlevé après que ses quatre gardes du corps ont été tués. En échange, les membres de la Fraktion réclament la libération de leurs camarades détenus. La police est aux abois et va jusqu'à arrêter l'avocat des terroristes, soupçonné d'être l'intermédiaire entre les kidnappeurs et les chefs emprisonnés du mouvement. À la mi-octobre, alors que les pourparlers continuent, la Rote Armee Fraktion détourne un avion de la Lufthansa. Ce dernier atterrit à Mogadiscio (Somalie) où il est finalement pris d'assaut par des troupes spéciales allemandes, conseillées par des experts britanniques.

Cinq jours plus tard, trois des dirigeants de la RAF, dont Andreas Baader et Gudrun Ensslin, sont retrouvés morts dans leur cellule et se seraient, selon la police, suicidés. De toute évidence, pour faire cesser le chantage, l'État a préféré mettre un terme à son objet. Le lendemain, le corps du patron allemand est retrouvé à Mulhouse (France). Après ces événements, la Rote Armee Fraktion – qui avait des contacts avec les services est-allemands – survit encore quelques années mais ne retrouve plus l'élan qui fut le sien au cours de la décennie écoulée. Les Brigades rouges ont eu plus d'impact dans certaines catégories sociales – mais non celles qu'elles voulaient mobiliser –

que la Rote Armee Fraktion. Mais cette dernière s'est heurtée avec davantage de violence à l'appareil d'État et à l'*establishment* allemand qui, de son côté, s'est révélé singulièrement ferme, sinon brutal, dans la défense de ses intérêts et de ses prérogatives.

Auprès de ces deux organisations, Action directe France paraît bien mince. En fait ceux qui ont participé activement à mai 1968 et qui auraient pu verser dans la lutte armée – n'a-t-on pas prétendu un moment chez les maos qu'il fallait organiser une résistance contre l'occupation du pays par la bourgeoisie ? – s'en sont abstenus. Action directe avait peu d'épaisseur sociale et intellectuelle. Deux policiers sont assassinés en mai 1983, puis en février 1984 deux Iraniens de l'opposition à Khomeyni. L'ingénieur général Audran est assassiné en janvier 1985, le PDG de Renault en novembre 1986. Le groupe bascule rapidement dans le hold-up « révolutionnaire » avant d'être arrêté. Il ne comptait plus que quelques membres.

Pour l'observateur à froid, tous ces mouvements hautement idéologiques ont tenté de mettre en marche, au moins dans une première phase, un processus qui devrait mener à la mobilisation des masses populaires. La stratégie de la tension, destinée, à travers la violence et la répression, à faire prendre conscience, restait, une fois de plus, une conception *foquiste* ou spontanéiste. De surcroît, il était évident que la classe en question n'avait pas d'aspirations révolutionnaires. C'est d'ailleurs de ce combat qu'est né le tiers-mondisme. Aussi nombre de ces groupes ont-ils, dès que les circonstances s'y sont prêtées, collaboré avec des mouvements extérieurs. Le plus ouvert à ce type de collaboration s'est révélé être le mouvement palestinien, qu'il s'agisse du Front populaire de libération de la Palestine ou du Fatah. Le Liban, à partir de la guerre civile (1975), n'a plus d'État et devient jusqu'en 1982 le sanctuaire où il est commode et facile de s'entraîner. La Libye a aussi, parfois, servi de relais à certains groupes européens. Dans les mouvements anti-impérialistes de ce type, il faut mentionner l'Armée rouge japonaise qui participe, en collaboration avec les Palestiniens, à un attentat à l'aérodrome de Lod (Tel-Aviv) en 1972. Ce groupe connut une scission et les deux fractions se combattirent durement avant que ce courant ne dépérisse.

Au total, les bilans, en termes de succès politique, paraissent maigres. Force est restée, comme on dit, à la loi – celle-ci d'ailleurs devient partout, mais plus particulièrement en Allemagne, plus répressive.

\*\*\*

Tous ces mouvements et groupes idéologiques dans les pays industriels sont issus de l'esprit du temps : anti-impérialisme et critique radicale de la société capitaliste, sans très bien mesurer l'importance des avancées démocratiques dans les pays occidentaux, ni le poids des dictatures bureaucratiques dans les pays se réclamant de la révolution.

Il est vrai que la scène internationale est plus complexe qu'il n'y paraît si l'on s'en tient aux choix manichéens. Les sociétés occidentales, États-Unis en tête, ne sont pas seulement les garantes de la démocratie, Washington est aussi l'allié de dictatures dont l'unique mérite est d'être anticommunistes. Du coup d'État auquel la CIA participe contre Mossadegh en Iran ou contre le régime d'Arbenz au Guatemala, au début des années cinquante, au soutien du chah d'Iran, ou de Marcos aux Philippines, ou de Suharto en Indonésie et de bien d'autres, la realpolitik menée par les États-Unis s'abrite derrière des déclarations fort éloignées des réalités. À l'inverse, le soutien accordé à des mouvements de libération nationale, depuis Khrouchtchev, par l'Union soviétique ne peut dissimuler que la dictature du Parti opprime les nationalismes, celui des pays dits de démocratie populaire comme ceux de l'URSS, tout comme elle asservit les Russes en échange d'une sécurité médiocre, à condition de ne pas exprimer d'opinion contraire à la ligne officielle.

Les mouvements gauchistes se préoccupent peu de cette complexité. Le choix est fait, comme on le faisait souvent à l'époque, de façon tranchée et péremptoire. Ainsi, partant de positions qui ne se discutent que sur des détails tactiques, les actions à caractère terroriste sont pleinement justifiées par les nécessités révolutionnaires.

Après la guerre des Six-Jours, les Palestiniens émergent comme force politique autonome pour la première fois depuis la fondation du Fatah (1956). Le choc de la défaite ramène vers leur cause des militants de gauche ou d'extrême gauche, jusque-là préoccupés par des luttes panarabes. C'est le cas du Front populaire de Georges Habache.

C'est d'ailleurs ce mouvement qui projette les Palestiniens à la une des médias, le 22 juillet 1968, en détournant un avion de la compagnie israélienne El Al.

L'Organisation de libération de la Palestine se donne une charte dont le but principal est de créer un État palestinien démocratique, et, pour ce faire, en somme, de supprimer l'État israélien et d'offrir aux Juifs un statut de minorité religieuse. Le rapport de forces ne permettait pas d'envisager, après l'écrasante défaite de la guerre des Six-Jours, un tel programme qui tenait de l'utopie. Les Palestiniens, quels que soient leurs droits à un État, se dotaient d'un projet qui ne pouvait trouver aucun appui dans l'opinion publique adverse. La Cisjordanie et Gaza, hier encore sous contrôle arabe, depuis les lendemains de la création d'Israël n'auraient-ils pas dû être les objectifs du mouvement national palestinien ? Comme je l'avais suggéré à l'époque[1], le projet d'un État palestinien sur les deux rives du Jourdain (Cisjordanie et Transjordanie) aurait paru plus réaliste qu'une impossible reconquête.

L'adversaire immédiat du mouvement national palestinien, compte tenu de la présence d'éléments armés en Jordanie, était-il Israël ou la dynastie hachémite de Transjordanie qui avait, avec l'aval de notables palestiniens, annexé la Cisjordanie en 1949 ? C'est ainsi que la Transjordanie devenait le royaume de Jordanie. Les actions publicitaires par rapport aux opérations de commando, avec ou sans victimes, menées de l'autre côté du Jourdain représentaient le gros des actions des divers mouvements. Ce qui frappait l'observateur, à l'époque, était l'extraordinaire émiettement de la résistance. On avait, en ce début de 1969, au moment où la charte était publiée : le Fatah, dirigé par Yasser Arafat, première personnalité de l'Organisation de libération de la Palestine (OLP) pour les décennies à venir ; le Front populaire de libération de la Palestine, de Georges Habache, situé plus à gauche ; une très récente scission sur l'extrême gauche, dirigée par Nayaf Hawatmeh, le Front populaire démocratique de libération de la Palestine (FPDLP), la Saïka, d'obédience syrienne, le Front arabe de la Palestine, d'obédience irakienne, sans oublier un dernier mouvement d'obédience égyptienne. Les mouvements sont bientôt démultipliés par des scissions comme le FPLP-CG – commandement général d'Ahmed Jibril – ou des groupes comme celui d'Abu Nidal, utilisé tour à tour par l'Irak, la Syrie ou la Libye.

D'emblée, les pays arabes – soit avec des finances comme l'Arabie Saoudite, soit avec de la logistique – ont à la fois épaulé et émietté un mouvement national qui représentait un peu plus de trois millions de personnes à l'époque. Rarement une ligne commune a pu être dégagée et les stratégies des uns et des autres étaient contradictoires.

Le Front populaire commet l'erreur de détourner plusieurs avions américains à Zarka en territoire jordanien et négocie directement avec des États étrangers en posant ses conditions pour la libération des otages. Ces événements, en septembre 1970, permettent au roi Hussein, las de voir les Palesti-

---

1. *La résistance palestinienne*, Le Seuil, 1970.

niens se comporter comme un État dans l'État, de réprimer les organisations palestiniennes, qui se réfugient pour l'essentiel au Liban.

En perdant le terrain jordanien où se trouve une population aux deux tiers palestinienne, sinon davantage, les organisations palestiniennes perdaient une base précieuse. Sauf en cas d'intervention israélienne ou américaine, il n'aurait pas été impossible, avec le temps, de renverser la monarchie hachémite de Jordanie qui s'appuie surtout sur des Bédouins.

C'est en 1972 que les Palestiniens, en l'occurrence le Fatah, réussirent l'opération la plus spectaculaire du siècle : l'enlèvement des athlètes israéliens lors des jeux Olympiques à Munich. Au lieu d'utiliser cette exceptionnelle tribune pour expliquer à l'opinion publique occidentale, pacifiquement, la dépossession vécue par les Palestiniens, l'action s'achève par la mort des athlètes et des membres du commando. Les demandes des ravisseurs étaient non négociables pour l'État israélien.

Cependant, dans un climat où le tiers-mondisme n'a pas encore épuisé sa trajectoire, l'Assemblée générale des Nations unies reconnaît en 1974 l'Organisation pour la libération de la Palestine comme le « représentant du peuple palestinien », et surtout reçoit en grande pompe Yasser Arafat au siège de l'ONU à New York. Un glissement progressif s'opère du terrorisme publicitaire des débuts vers un terrorisme de coercition diplomatique, téléguidé par des États comme l'Irak, la Syrie et la Libye.

Tant que l'objectif essentiel était publicitaire, le terrorisme palestinien représentait une nuisance. Mais l'instrumentalisation de certains groupes palestiniens par des États en tant qu'éléments d'une stratégie indirecte destinée à faire plier des États européens devient préoccupante. D'ailleurs, avec le temps, l'Europe occidentale qui avait surtout – compte tenu du relais démocratique des médias – servi de théâtre, devient cible.

Tout invitait les organisations politiques, grandes ou petites, à utiliser le terrorisme au cours des années 1970. L'impact d'une seule action spectaculaire, menée dans une capitale européenne, dépassait de beaucoup celui d'une guérilla luttant depuis des années. À moins de voir engagées des troupes américaines, l'écho de la plupart des luttes marginales était quasiment nul. De temps en temps, un article rappelait une « guerre oubliée ». Que savait-on vers 1972 de la plus efficace des luttes menées sur le continent africain, celle du Parti africain pour l'indépendance de la Guinée et du Cap-Vert, dirigée par Amilcar Cabral ? Dix ans plus tard, que savait-on de la lutte entreprise contre la dictature de Khomeyni au Kurdistan d'Iran, sous la direction du plus remarquable des dirigeants kurdes, A.R. Ghassemlou ?

Lui-même ne disait-il pas, avec humour, au cours d'une conférence de presse à Paris vers cette date (1982), qu'il espérait que son mouvement ne serait pas pénalisé par les médias parce qu'il refusait l'usage du terrorisme !

Par ailleurs, reprocher aux médias de privilégier le sensationnel et le fantastique est inutile. C'est ainsi. Si l'on veut être entendu – ce qui ne signifie pas automatiquement être compris –, il faut frapper des objectifs qui feront la une.

Le cas du terrorisme arménien est, à cet égard, intéressant, et les actions menées entre 1975 et 1983 ont conduit la Rand Corporation à signaler qu'au cours de cette période, « l'ampleur de leur aire géographique n'est égalée par aucun autre groupe ». Ces actions ont eu lieu en effet dans une vingtaine de pays : États-Unis, Australie, France, Suisse, Turquie, Yougoslavie, Bulgarie, etc.

De quoi s'agissait-il ?

La liquidation concertée, en 1915-1916, de l'ensemble des populations arméniennes d'Anatolie, effectuée à la faveur d'une déportation massive lors de laquelle les victimes étaient pour la plupart exécutées en route, ne fit même pas une note de bas de page dans les manuels d'histoire occidentaux. En 1973, un rapport présenté à la sous-commission des droits de l'homme des Nations unies mentionnait que ces événements étaient généralement considérés comme étant « le premier génocide du XXe siècle ». L'opposition de la Turquie débouchait sur la suppression de ce paragraphe, provoquant une indignation considérable des Arméniens de la diaspora ou des personnes d'origine arménienne dont la mémoire drainait l'écho de cette tragédie.

Le fait que ce terrorisme se manifeste après un intervalle de silence d'un demi-siècle (ponctué par des démarches vaines des partis arméniens auprès de la Société des Nations, puis de l'ONU) s'explique par l'esprit du temps : décolonisation, ethnicité, droits de l'homme, terrorisme publicitaire utilisé par d'autres mouvements, etc. D'ailleurs ce n'est pas un hasard si les activistes arméniens étaient, dans leur majorité, issus du Liban.

Ce terrorisme, sauf en 1983[1], est dirigé contre les représentants de l'État turc à l'étranger. Quel que soit le jugement moral qu'on puisse porter sur ces actes, ils ont visé, pour l'essentiel, des représentants d'un État qui se refuse

---

1. Des éléments de l'ASALA s'en prennent aux clients de la Turkish Airline et cherchent à commettre des attentats contre des États n'ayant aucune responsabilité dans l'affaire. L'ASALA fait scission et cesse, par la suite, ses activités.

obstinément à reconnaître des faits et exerce même des pressions à l'encontre d'États qui voudraient reconnaître le génocide des Arméniens.

Les deux organisations qui ont mené ces actions résument assez bien la portée et les limites du terrorisme contemporain. La première, les Justiciers du génocide arménien (émanation du Parti social-démocrate Dachnak), ne visait qu'à la reconnaissance du génocide à travers des actions spectaculaires. Des attentats avaient même lieu dans des pays où il était difficile de prétendre qu'il s'agissait d'attentats anti-occidentaux (Bulgarie, Yougoslavie).

Il a fallu, pour rompre le mur du silence fondé sur le temps (le génocide est considéré comme un crime imprescriptible), user de la violence terroriste. Relayé par d'autres voies, celles-là pleinement légales et destinées à établir les faits aux yeux de l'opinion publique (Tribunal permanent des peuples, 1984, Paris), le génocide des Arméniens était reconnu en 1985 par la sous-commission des droits de l'homme des Nations Unies, et en 1987 par le Conseil de l'Europe[1].

La ligne suivie par l'Armée secrète arménienne pour la libération de l'Arménie (ASALA) était tiers-mondiste et ne visait rien de moins comme perspective à long terme que la récupération des territoires qui furent jadis l'Arménie, ou restaient jusqu'en 1915 assez largement peuplés d'Arméniens.

Sans base sociale, sans stratégie adaptée aux réalités (peut-on raisonnablement, en 1975 et contre la Turquie, membre de l'OTAN, revendiquer des territoires ?), le mouvement ne pouvait que dériver rapidement vers de condamnables actions. Quelques éléments issus de cette mouvance allaient cependant, à la fin des années quatre-vingt, trouver un engagement actif dans la lutte pour le droit à l'autodétermination du Haut-Karabagh (Monte Melkonian).

Les attentats des groupes palestiniens se poursuivent au cours des années 1975-1982, marquées par deux événements extérieurs : la guerre civile libanaise, conséquence de l'immixtion palestinienne dans le fragile équilibre confessionnel libanais, et en 1982 l'entrée des troupes israéliennes jusque dans les faubourgs de Beyrouth, entraînant l'élimination de l'OLP du Liban. C'est à l'occasion de cette incursion qu'ont lieu les massacres des camps palestiniens de Sabra et de Chatila par les Phalangistes (avec l'aval du général Sharon).

---

1. Il a été reconnu depuis par la France – qui a bravé ainsi l'ire de la Turquie –, la Belgique, la Grèce, la Fédération de Russie, l'Argentine, la Suisse, le Vatican. Aux États-Unis la lutte prolongée entre les exigences turques et les partisans de la reconnaissance se poursuit.

Entre-temps, le Liban sert de plaque tournante et de sanctuaire pour tous les groupes révolutionnaires qui désirent recevoir un entraînement militaire, dont la fabrication d'explosifs. Brigades rouges, Fraction Armée rouge, ETA, PIRA, DEV-YOL turc, Arméniens de l'ASALA, Armée rouge japonaise et bien d'autres, un moment ou l'autre, séjournent dans les camps du Fatah ou du FPLP.

Le nombre des attentats internationaux, limité à une dizaine par an avant 1968, augmente très sensiblement en quelques années : 1970 : 110 ; 1972 : 157 ; 1974 : 344 ; 1976 : 415 ; 1978 : 738, etc. On peut cependant remarquer (ces chiffres étant ceux de la CIA) qu'il y a une considérable différence dans le décompte entre la CIA et la Rand Corporation. Pour la décennie 1968-1977, la CIA donne le chiffre de 2 698 attentats. La Rand, moins encline à la manipulation politique, publie celui de 1 022 attentats et signale que 729 d'entre eux n'ont pas fait de victimes.

Si, en matière psychologique et publicitaire, les terrorismes ont occupé, au cours de la décennie soixante-dix, bien souvent la une, les bilans sont nuancés. Échec complet pour les groupes d'extrême gauche en Amérique du Nord comme en Europe, ainsi qu'on le constate vers le milieu des années quatre-vingt, pour ceux qui durent jusqu'à cette date.

Par contre, les mouvements de type national comme l'IRA, surtout, et dans une moindre mesure l'ETA militaire, perdurent. Depuis plus de deux ans, les hostilités ont pris fin en Ulster.

Le mouvement national palestinien, quels que soient ses erreurs stratégiques, ses reculs et ses difficultés, a une épaisseur sociale considérable et constitue, au cours des trente-cinq dernières années, le mouvement politique le plus durable avec le mouvement irlandais.

Quelle a été, dans la première phase, avant que l'islamisme ne devienne central, la réponse des États, et plus particulièrement des États européens ?

Les actions concernant les transports aériens ont donné lieu à des détournements spectaculaires. En août 1969, deux Palestiniens, dont une femme, Leïla Khaled, détournent de Rome un appareil de la TWA qu'ils font évacuer et exploser à Damas. En février 1970, le FPLP fait exploser en vol un appareil Swissair avec 48 passagers. En septembre 1970, quatre avions sont pris d'assaut dont l'un de la compagnie El Al. Leïla Khaled ayant été capturée, un cinquième avion est détourné et ses passagers échangés contre la libération de la Palestinienne. Trois des avions, évacués (Pan Am, TWA, Swissair) sont détruits. En février 1973, toujours à Rome, décidément un point faible, un commando tire sur un avion de la Pan Am et tue 32 passagers. En 1974, un avion de la TWA, en route de Tel-Aviv à New York, explose en vol avec 98 personnes.

Face à ces techniques, les États multiplient les précautions d'embarquement, ce qui va rendre plus compliquée l'introduction d'armes. En 1976, les Israéliens se refusent à céder au chantage du FPLP qui a réussi à détourner un appareil d'Air France faisant route vers Israël via Athènes avec 248 passagers. Après avoir débarqué les passagers non israéliens en Libye, l'avion se pose à Entebbe. Les Israéliens envoient des parachutistes qui parviennent à ramener les otages en ne perdant qu'un officier supérieur.

Du côté palestinien, les deux actions les plus spectaculaires sont Munich (1972) et Vienne (1975) où des membres du FPLP et de la RAF font irruption dans la salle des conférences de l'OPEP. L'opération mit en vedette le Vénézuélien Carlos (arrêté au Soudan en 1994).

## L'ORGANISATION DES RIPOSTES

À la veille de la guerre des Six-Jours on n'eût certainement pas pensé que le phénomène terroriste prendrait une telle ampleur. Plus d'une cinquantaine d'ambassades ont été prises d'assaut. Six chefs d'État ont été assassinés comme aux beaux jours de l'anarchisme : Aldo Moro (1978), Anouar el Sadate (1981), Indira Gandhi (1984), Rajiv Ghandi, un chef d'État sri-lankais Yitzhak Rabin (1995), sans parler de la tentative d'assassinat contre le pape Jean-Paul II par un Turc (1982) ou de lord Mountbatten, assassiné par l'IRA (1979).

Les victimes du terrorisme transnational se chiffrent autour de 15 000 au minimum depuis 1968. Pour les États, le terrorisme pose de coûteux problèmes de sécurité : protéger les dirigeants politiques, les ambassades, des personnalités, des lieux publics pouvant servir de cibles, des infrastructures sensibles, les aéroports, etc.

Que faire contre le terrorisme ? Le problème fondamental est celui du renseignement. Celui-ci reste le pivot de toute action efficace (prévention, infiltration, neutralisation, manipulation, liquidation). Constituer un fichier permettrait de connaître les ramifications sociales et politiques d'un groupe : ses contrats, ses fournisseurs en armes, argent, papiers ; son réseau social en général. Le renseignement a deux volets bien distincts : l'accumulation de renseignements, tâche de base, indispensable, comportant un pourcentage important de déchets, et l'interprétation du renseignement, qui est surtout un art d'intelligence sociologique et politique. Celui-ci requiert une connaissance de l'adversaire : idéologie, organisation, méthodes, etc. Les fichiers informatisés et tenus régulièrement à jour de la République fédérale d'Allemagne passent pour un modèle du genre. En France, le problème n'est pas tant l'obtention du renseignement, parfois, que la circulation du renseignement entre services. Le renseignement reste la parade essentielle au terrorisme, avec l'organisation nécessaire pour répondre de manière adéquate à la surprise.

D'abord pris de court, les États démocratiques ont commencé, surtout à partir de 1972, à lutter plus sérieusement contre le terrorisme et à entamer une balbutiante coopération.

Il y a eu peu de représailles, sauf dans le cas israélien : non seulement des actions telles que l'intervention à Entebbe mais l'assassinat, par exemple, par un commando israélien de trois dirigeants du Fatah à Beyrouth dans les années quatre-vingt. En 1986, en réponse à une série d'attentats notoirement commandités par la Libye, les États-Unis bombardent Tripoli en cherchant à atteindre le colonel Kadhafi. À ce jour l'opération contre-terroriste la plus massive est celle menée par les États-Unis contre l'Afghanistan du mollah Omar au lendemain du 11 septembre 2001.

À partir du début des années 1970, des modifications sensibles ont été apportées dans les législations en matière de garde à vue, de visites à domicile, etc. En Grande-Bretagne par exemple, où les libertés ont toujours été jalousement défendues, la législation a été adaptée aux réalités créées par le terrorisme (notamment irlandais). Le U.K. Prevention of Terrorism (Temporary Provisions) Act, promulgué en 1974 et reconduit après des modifications mineures en 1976, légalise la prolongation du temps de garde à vue, le fait de pénétrer et de fouiller les domiciles, d'expulser les suspects, etc. La Grande-Bretagne avait décrété l'interdiction de l'IRA. Soutenir cette organisation était considéré comme illégal et toute personne convaincue d'avoir des liens avec l'IRA passible d'expulsion. La garde à vue a été portée à quarante-huit heures avec possibilité de la prolonger de cinq jours à condition que le secrétaire d'État y consente. Dans les aéroports et les ports, la police peut détenir un suspect sept jours avec possibilité de prolongation si le secrétaire d'État juge la requête acceptable.

En République fédérale d'Allemagne, compte tenu du sérieux défi posé par la Rote Armee Fraktion, la législation édictée pour lutter contre le terrorisme est la plus sévère de toutes celles qui existent en Europe occidentale. Elle permettait de ne pas intégrer dans l'administration les éléments jugés « indésirables » *(Berufsverbot)*. De 1974 à 1978, des amendements ont été apportés au Code criminel pour permettre la plus grande latitude possible aux autorités afin de combattre le terrorisme. Cinq ans d'emprisonnement à ceux qui forment une association ou participent, de près ou de loin, à une association de type terroriste (sections 129 et 129a du Code de procédure criminelle). Trois ans pour toute propagande contre la Constitution ou contre l'existence et la sécurité de la RFA (section 88a du Code de procédure criminelle). Tout avocat suspect de mettre en danger la sécurité de l'État était exclu de l'Ordre par décision de la Cour de justice fédérale. Si cela était jugé utile, tout contact oral ou écrit entre avocat et client pouvait être supprimé durant trente jours renouvelables *(Kontaktsperregesetz)* (section 48 C. p.c). La police était autorisée à fouiller un immeuble entier si elle soupçonnait qu'un suspect s'y trouvait (section 1031 C. p.c).

Les dangers d'une législation antiterroriste visant des « suspects » sont évidents. Sous couvert de lutte antiterroriste, on peut aussi chercher à éliminer toute opposition considérée comme indésirable. Tout dépend des traditions démocratiques du pays et de l'indépendance du judiciaire. La Grande-Bretagne a également créé des brigades spéciales *(Special Patrol Groups)* destinées à la lutte antiterroriste afin d'intervenir efficacement lorsque l'État décide de faire donner l'assaut à un objectif occupé par un groupe terroriste. Des pays européens ont créé, à cet effet, des unités spéciales : le Bundesgrenzschutz en Allemagne, le GIGN en France, qui est intervenu lors d'un détournement d'avion par des Algériens du GIA à Marseille (1994).

Des chantages meurtriers sont utilisés par des groupes pour obtenir la libération de leurs camarades incarcérés. Ce fut le cas, en ce qui concerne la France, de l'Organisation de la lutte armée arabe, sigle utilisé par des commandos de Carlos, des Fractions armées révolutionnaires libanaises : attentat aveugle de septembre 1974 au Publicis Saint-Germain (2 morts) afin d'obtenir la libération d'un membre de l'Armée rouge japonaise emprisonné en France, suite à la prise d'otages à l'ambassade de France à La Haye (Pays-Bas). Cette libération fut obtenue.

En mars 1982, le même chantage pour la libération de terroristes détenus est utilisé : explosion d'une bombe dans le Paris-Toulouse (5 morts). Un mois après, une voiture piégée explose rue Marbeuf à Paris, le jour même où les terroristes détenus sont jugés. Ils sont cette fois condamnés. Le 31 décembre 1983, une bombe cause la mort de deux personnes en gare de Marseille, et une autre, le même jour, dans le TGV Marseille-Paris fait trois morts. Ces attentats sont revendiqués par l'OLAA (Carlos), de même qu'un attentat visant le centre culturel français de Tripoli (Liban). Ce chantage vise, cette fois, la présence de troupes françaises au Liban.

Le problème des limites suggérées ou assignées aux médias est délicat. Seul parmi les démocraties, Israël, avec un souci de sécurité plus grand que les autres, est parvenu à faire accepter aux médias de mettre une sourdine à l'écho donné au terrorisme.

Un développement de la coopération entre États, particulièrement à l'échelle de l'Europe occidentale où l'exiguïté géographique permet le passage rapide d'un pays à l'autre, reste à renforcer.

L'État italien, au cours des années soixante-dix, a manifestement manqué de détermination dans la lutte antiterroriste (contre les Brigades rouges et plus encore contre les groupes d'extrême droite). Cela tient sans doute aux caractéristiques historiques de cet État. La France, à cet égard, a une tradition étatique différente. S'il y a eu négociations ou clémence à l'égard de telle ou telle organisation, cela a été moins l'effet de l'incurie de l'État français, sauf à propos de la Corse, que d'un choix politique.

Un nombre non négligeable de diplomates américains sont morts parce que le gouvernement américain s'en est tenu à son refus de négociation. La négociation peut cependant être un moyen d'imposer sa volonté à l'adversaire.

En revanche, il est évident que céder sur les exigences imposées par le groupe terroriste est une invite à de nouvelles exigences.

Les techniques de conduite de négociation ont été développées et mises au point, soit pour aboutir à une négociation quelconque, soit, le plus souvent, pour gagner du temps dans le cas de prises d'otages (sièges d'ambassades, détournements d'avions). L'attitude de l'État français par exemple, au cours des dix dernières années, semble avoir moins été dictée par les demandes que par la nature des groupes terroristes. Il ne s'agit pas de céder, sauf exceptionnellement. Les États-Unis ont consenti en 1969 à faire l'échange de quinze prisonniers politiques brésiliens contre la libération de leur ambassadeur. Même les Israéliens ont accepté à deux ou trois reprises de négocier. Mais, d'une façon générale, le but de la négociation est autre. Pour l'État, il s'agit d'offrir, soit la possibilité d'une libre retraite en échange des otages, soit un procès politique, ce qui est un des buts poursuivis par nombre de groupes terroristes.

Fermeté de l'État, autorégulation des médias et éducation de l'opinion publique devraient aller de pair. En octobre 1977, lors du détournement par des Palestiniens d'un avion de la Lufthansa à Mogadiscio (Somalie), le commando apprit par les médias que le capitaine de l'avion transmettait des informations aux autorités durant les transmissions de routine. Cela coûta la vie au capitaine.

Le spectacle de la violence qu'offrent de façon sensationnelle les médias avantage le terrorisme dans sa guerre psychologique. La répétition de ce spectacle engendre un effet de contagion et une propension au mime. Le comble a été atteint en France au cours de l'été 1984 lorsque deux jeunes gens ont essayé de se faire passer pour un mouvement politique afin de rançonner l'État. Aux États-Unis, en 1971, D. B. Cooper saute en parachute d'un avion détourné avec une rançon de 200 000 dollars. La même semaine, cinq autres individus, compte tenu de l'écho des médias, tentent d'utiliser la même technique.

D'une façon générale, au cours des années quatre-vingt, les États ont notablement accru leur capacité globale de répondre au terrorisme. À la longue, un certain nombre d'organisations ont été sérieusement affaiblies. En décembre 1983, la police allemande capturait certains des responsables majeurs de la Rote Armee Fraktion. En Italie, la police a largement utilisé les « repentis » pour obtenir des informations permettant de démanteler une bonne partie des cellules des Brigades rouges (1982-1983). Les résultats sont beaucoup moins probants du côté des réseaux terroristes d'extrême droite[1], qui paraissent disposer de sympathies à des échelons très élevés de la société italienne et de l'appareil d'État.

Cependant, le niveau du terrorisme reste, hier comme aujourd'hui, en deçà des risques de déstabilisation des sociétés occidentales, tandis que l'arsenal répressif ne cesse d'augmenter. C'est particulièrement le cas depuis le 11 septembre 2001.

Longtemps, l'Europe occidentale a été le théâtre ou la cible des attentats tandis que les États-Unis étaient défiés et frappés hors de leur territoire. Cet état de fait a pris fin en 1993 avec l'attentat contre le World Trade Center, puis en 1995, avec l'attentat contre le bâtiment fédéral d'Oklahoma par un extrémiste américain, Timothy Mac Veigh, puis durant les jeux Olympiques d'Atlanta, en 1996, encore par un Américain. Mentionnons aussi Unabomber (Ted Kaczynski, 17 attentats) avant l'attentat fracassant du 11 septembre.

Aux États-Unis, les mesures prises pour renforcer la sécurité paraissent, aux yeux de certaines organisations soucieuses de la liberté des citoyens, de nature à restreindre parfois indûment celle-ci.

Signalons que les prisonniers islamistes de Guantanamo n'ont aucun statut juridique.

---

1. Les nombreux groupes néofascistes ont pour sigle : GAR (Groupes armés révolutionnaires), Ordre noir, Ordre nouveau, Rose des vents, Avant-Garde nationale, Front national, etc.).

## LES MOUVEMENTS MINORITAIRES ET RELIGIEUX

On sait que si l'Eire accède à l'indépendance au terme d'un dur combat au début des années vingt, l'Ulster reste, compte tenu de sa majorité protestante, rattachée à la Grande-Bretagne.

En 1969, les catholiques sont des citoyens de seconde zone, tant par la situation économique que par la perception qu'en ont les protestants (des Écossais d'origine, presbytériens, installés en Irlande par les Anglais au XVIII$^e$ siècle). Ils représentent 38 % de la population mais leur pourcentage augmente au fil des années. L'indépendance de l'Eire datait de 1921. Par la suite, l'IRA, estimant que les objectifs de l'indépendance n'ont pas été pleinement atteints, lance deux campagnes terroristes, toutes deux sans résultat, la première à la veille de la Deuxième Guerre mondiale, la seconde entre 1956 et 1962.

Mais à la fin des années soixante, le refus par les unionistes (protestants) de toute réforme concernant la minorité catholique radicalise cette dernière. L'IRA provisoire émerge avec la volonté d'être un mouvement de libération nationale à l'instar de ce qui s'est passé dans le monde colonisé.

La lutte de l'IRA a été, dès lors, sur le plan militaire, menée par quelques centaines d'hommes. Non seulement le recrutement a toujours été facile mais le petit nombre d'activistes permettait une sélection fondée sur la clandestinité la plus serrée. Jamais, malgré les efforts des forces contre-insurrectionnelles, l'IRA n'a été en passe d'être démantelée. Le fait de défendre une cause perçue comme nationaliste a davantage de consistance sociale que les combats idéologiques des groupes gauchistes.

Dans la lutte contre l'IRA provisoire, le gouvernement britannique s'est efforcé d'utiliser le terme de terroriste. Tout statut politique a été dénié aux prisonniers. En signe de protestation, à l'époque de Margaret Thatcher, des grèves de la faim ont été menées par une douzaine de détenus. Devant le refus de céder de cette dernière, les grévistes ont poursuivi jusqu'à la mort. Cela a été perçu comme une défaite morale du gouvernement par une partie importante de l'opinion publique en Grande-Bretagne.

L'IRA est scindée en deux branches. L'IRA proprement dite, opposée aux actes à caractère terroriste et d'une façon générale à la violence, milite en faveur des manifestations de masse. L'autre branche, l'IRA provisoire, constitue en fait l'aile militaire du mouvement.

La violence refait son apparition au milieu de 1970 lorsque l'IRA provisoire tire sur une manifestation protestante. Cette organisation doit rapidement s'adapter à un combat sur deux fronts : d'une part contre les milices unionistes, de l'autre contre les Britanniques. L'année 1971 voit une escalade de la violence tandis que le gouvernement britannique fait interner, sans procès, les suspects ou militants arrêtés.

Le dimanche 30 janvier 1972 (Bloody Sunday), à Londonderry, un affrontement entre l'armée britannique et l'IRA provisoire provoque une quinzaine de morts. Ces événements amènent le gouvernement britannique à imposer l'administration directe de l'Ulster. Londres devient à la fois l'arbitre et le garde-fou d'une situation où elle exerce aussi la répression, tout en veillant à ce que les affrontements entre catholiques et unionistes ne prennent des proportions dramatiques. Le vendredi 21 juillet 1972 (Bloody Friday), l'IRA provisoire commet une série d'attentats à l'explosif qui provoquent une dizaine de morts et une centaine de blessés.

L'année suivante, l'IRA provisoire porte la crise sur le sol de l'Angleterre. Des attentats ont lieu au siège de la Bourse à Londres, dans des grands magasins, etc. La répression s'intensifie. Londres propose d'accorder une autonomie élargie à l'Ulster. Cette mesure avantageait de fait la majorité protestante. Pour toute réponse, l'IRA assassine lord Mountbatten, le dernier vice-roi des Indes, allié à la famille royale (1979).

De leur côté, les unionistes qui se sont organisés en milice armée (Ulster Defense Assocation, Ulster Volunteer Force, etc.) se livrent à des expéditions punitives dans les quartiers catholiques.

Cependant, quelle que soit l'âpreté des confrontations, le bilan global des morts au terme de plus de trente ans de conflit dépasse de peu les 3 000 morts. Des négociations finissent par s'engager. La violence s'efface et l'IRA politique tire profit du renversement du rapport de forces local que les combattants, peu nombreux mais très bien organisés, de l'IRA provisoire ont opéré. Les unionistes ont le sentiment d'être les perdants de la confrontation bien que le statut final de l'Ulster reste à déterminer.

L'ETA, *Euskadi ta Askatasuna,* qui signifie « terre et liberté », créé en 1959, se définit comme un mouvement de libération nationale à connotation socialiste révolutionnaire.

À l'époque du franquisme, c'est-à-dire jusqu'en 1975, l'ETA vise surtout la *Guardia civil* et son action la plus efficace et la plus spectaculaire est l'assassinat à l'explosif du numéro deux du régime, l'amiral Carrero Blanco (1973). Après l'établissement de la démocratie, l'ETA non seulement continue mais accentue ses actions. L'autonomie accordée aux provinces par l'État espagnol en 1980 et l'élection d'une Assemblée basque satisfait l'ETA politico-militaire. Ce n'est pas le cas de la branche minoritaire de l'ETA militaire qui revendique l'indépendance des provinces basques : Navarre, Biscaye, Alava et Guipuzcoa.

Les actions de l'ETA militaire deviennent plus difficiles à mener lorsque Madrid obtient la collaboration de Paris pour démanteler les réseaux constitués dans le pays basque. L'État espagnol, de son côté, utilise des unités spéciales clandestines pour tenter d'éliminer les militants et les cadres de l'ETA avant que la découverte de l'existence de celles-ci ne fasse scandale.

À plusieurs reprises, des manifestations populaires au pays basque se sont élevées contre la poursuite des attentats à la fin des années quatre-vingt-dix. Sans renoncer, l'ETA militaire se manifeste beaucoup moins depuis les lendemains du 11 septembre 2001. Le terrain de la lutte semble s'être transporté dans le domaine plus proprement politique. L'autonomie, au pays basque comme en Catalogne, mène semble-t-il à des revendications plus larges. La perspective de l'indépendance, cependant, paraît exclue.

Les mouvements indépendantistes corses arguent, avec une inculture ou une mauvaise foi rare, du caractère « colonial » de l'attitude de l'État français à l'égard de la Corse. On a, en Corse, mimé les mouvements de libération nationale car plus d'un quart de siècle après Aléria (1975), nul ne peut prétendre qu'une majorité de Corses[1] souhaitent l'indépendance. L'échec premier est là. Le second échec tient à l'émiettement des groupes et mouvements et au nombre de cadres qui ont quitté leur organisation ou ont été liquidés en chemin. Le troisième est constitué par la dérive mafieuse. Peut-être pourrait-on ajouter un quatrième échec : celui du niveau politique et culturel d'une mouvance qui, dans des conditions pourtant favorables, n'a pas progressé et s'est enfermée dans une vision d'une rare étroitesse.

Du côté de l'État français, la pusillanimité le dispute au manque de cohérence. La décision de dissoudre l'Association pour la renaissance de la Corse et d'arrêter son dirigeant Edmond Siméoni en août 1975 était-elle justifiée ? Par contre, la mort de deux gendarmes au cours d'un affrontement provoqué par cette décision devait être sévèrement sanctionnée. On ne doit pas passer l'éponge sur de tels faits. En Corse, plus qu'ailleurs, comme dans toute société fondée sur un certain code de l'honneur et du courage, la fai-

---

1. De fait, 80 % des Corses sont tenus en otages par une terreur feutrée qui à tout moment peut se transformer en acte répressif.

blesse est interprétée, non comme une attitude conciliatrice mais comme une invitation à pousser l'avantage. Il faut savoir, dans ce contexte, sévir, mais sévir justement en ne donnant pas l'occasion aux activistes de capitaliser sur la répression dont ils sont l'objet.

## Le terrorisme religieux

Les terrorismes qui se réclament d'un courant religieux n'ont rien de nouveau, comme on l'a signalé dans l'introduction. Cependant, ils connaissent une indiscutable montée. Non seulement dans la version islamiste intégriste radicale, qui est traitée à part, mais également parmi d'autres religions. Les sikhs, par exemple, ont mené un combat religieux au nom d'un idéal national contre l'Union indienne et voulaient créer le *Khalistan* (le pays des Purs). La fermeture, en 1984, par l'armée indienne, du Temple d'or à Amritsar (Pendjab), le lieu sacré des sikhs qui réclamaient l'indépendance, a provoqué un conflit qui a coûté la vie à quelque 20 000 personnes. Les gardes du corps sikhs d'Indira Gandhi assassinèrent celle-ci en 1986. Les heurts entre musulmans et hindous ultra-religieux, à propos de la destruction de mosquées ou de temples qu'on projette de bâtir sur un lieu de culte vénéré par les musulmans, se sont multipliés au cours des années 1990.

En 1983, un étudiant israélien fréquentant une école religieuse (*yeshiva*) est tué par des Palestiniens. Des colons appartenant au mouvement religieux *Gush Emunim* (Bloc de la foi) décident d'exercer des représailles. Sanctifié par un rabbin appartenant au mouvement, un commando tire à la sortie d'une *madrassa*, à Hébron, provoquant trois morts et quelque trente blessés.

En 1994, Baruch Goldstein, né aux États-Unis, membre du Kach, organisation ultra-orthodoxe créée par le rabbin Meir Kahane qui prône l'expulsion des Arabes, ouvre le feu, dans une mosquée en prière, un jour de ramadan. Goldstein tire en rafale et tue 29 personnes et en blesse 150 avant d'être lynché. Quant à l'assassin d'Yitzhak Rabin (1995), membre d'un mouvement religieux ultra-orthodoxe, il a justifié son acte par la tradition juive : « À l'instant où un Juif trahit son peuple et son pays, il doit être tué. »

Au Japon, la secte *Aum Shinrikyo*, fondée en 1987 par Shoko Asanara qui s'estimait être à la tête de l'« Armée de Dieu », est responsable de l'attentat au gaz sarin dans le métro de Tokyo en 1995. Cet attentat provoqua la mort de 12 personnes et affecta des centaines d'autres. La secte comptait quelque 10 000 membres avec des réseaux en Australie, au Sri Lanka, au États-Unis, en Russie, en Allemagne, et ne prétendait à rien de moins que préparer l'inévitable Apocalypse.

Le phénomène de l'islamisme radical sous sa forme combattante n'est pas isolé. Mais il constitue, à l'heure actuelle, le plus important de tous les mouvements politiques s'inspirant du sacré.

Une avant-garde internationale d'islamistes radicaux s'est formée en Afghanistan. Celle-ci, à de rares exceptions près (Algérie 1991), n'a guère d'enracinement. La participation à tel ou tel jihad (Bosnie, Tchétchénie, Cachemire, etc.) sur un modèle proche de celui des Brigades internationales n'a, au fil des années, nulle part débouché sur une modification radicale. L'islamisme combattant se trouve handicapé par deux facteurs :

D'une part le fait qu'il est difficile, pour une organisation clandestine, de s'adonner à un travail d'encadrement à moins de disposer d'une aile politique faisant ce travail. D'autre part, l'internationalisme de la mouvance islamiste radicale, fondée sur le retour de l'Oumma (la communauté des croyants), se trouve limitée par l'épaisseur des nationalismes locaux qui font qu'un Tunisien n'est pas un Afghan ni un Saoudien un Égyptien. La fusion à l'échelle populaire s'avère moins facile que parmi une partie des élites ou des déclassés.

Al Qaida, ou plus précisément l'islamisme combattant, bute sur une contradiction qui fut celle de nombreux groupes et mouvements européens d'extrême gauche : l'incapacité pour une avant-garde autoproclamée d'entraîner des masses si elles ne sont pas organisées et encadrées. Peut-être, à cet égard, le Pakistan est-il le maillon faible.

*Ce texte est dédié aux cinquante-huit parachutistes du Drakkar et aux sept moines de Tibhirine, chacun venu faire dans des terres d'islam, de la manière qui lui était propre, œuvre de paix.*

# Les racines de l'islamisme radical

## par Philippe Migaux

L'islam est idéologie et foi, patrie et nationalité, religion et État, esprit et action, livre et épée.

Hassan Al Banna, 1934

Celui qui a permis notre survie par Sa main secourable et qui nous a fait vaincre l'Empire soviétique, est capable de nous protéger à nouveau et de nous faire vaincre l'Amérique, sur le même territoire avec les mêmes méthodes, et telle est la grâce d'Allah. Nous pensons donc que la défaite de l'Amérique est envisageable, avec la permission d'Allah, et qu'elle nous sera plus facile […] que la défaite de l'Empire soviétique auparavant.

Oussama Ben Laden, 2001

Ô vous qui croyez ! Soyez stricts (dans vos devoirs) envers Dieu et soyez équitables envers les hommes ! Que la haine d'un peuple ne vous incite point à user d'injustice ! Soyez justes, car cela est très près de la piété. Craignez Dieu, car Dieu est parfaitement au courant de vos actes...

Le Coran 5, 8, 9

Née au début des années 1970, la mouvance du jihad de l'épée (ou mouvance jihadiste) s'est appuyée sur une idéologie aux racines anciennes. Celle-ci est l'aboutissement déviant d'une école de pensée fondamentaliste, basée sur une vision mythifiée de l'islam originel. Elle vise à la manipulation des exclus et des marginalisés des sociétés islamiques.

Cette idéologie a été utilisée, à partir de la fin des années 1970, par une nouvelle génération d'islamistes radicaux, pour justifier le passage à une violence politique transnationale, considérée comme le seul mode d'action possible pour restaurer le califat (symbiose du politique et du religieux) et réunifier l'*oumma* (communauté musulmane).

Sa manifestation la plus radicale est le terrorisme islamique moujahidin d'inspiration salafiste. Celui-ci, d'origine sunnite, est aujourd'hui la principale menace internationale.

Deux autres formes du jihadisme contemporain, marquées par les modèles du Hezbollah iranien et du Hamas palestinien, seront observées de façon plus sommaire, car elles ne diffusent pas le même message de terreur politique. Elles ont en effet, toutes deux, un projet politique qui permet, à un moment donné – même si ce n'est pas encore le cas pour l'islamisme palestinien –, de passer à la négociation avec l'adversaire.

• Le chiisme combattant est né avec la création de la République islamique d'Iran en 1979. L'expansion de son idéologie jihadiste a été marquée tant par le maintien des ambitions régionales de l'Iran que par la volonté des mollahs d'affaiblir le pôle saoudien considéré comme un rival religieux. Elle s'est caractérisée par la montée en puissance, au début des années 1980, du Hezbollah (Parti de Dieu). Ce dernier a trouvé, dans le Liban des années 80, un lieu d'action propice à la violence politique. Mais ce modèle s'est modifié. Le chiisme combattant est aujourd'hui d'abord un protagoniste interne de la scène iranienne, alors que le Hezbollah libanais, tout en gardant jusqu'à récemment des capacités fortes d'action terroriste, est devenu un acteur politique incontournable de la scène locale.

• L'islamisme palestinien a été le premier acteur de la lutte contre le projet sioniste, dès les années 1930, sous la férule idéologique du grand mufti de Jérusalem. Marginalisé, après-guerre, par l'action de l'OLP ou de ses dissidences et par la montée du panarabisme, l'islamisme palestinien a connu une nouvelle naissance grâce à la première Intifada (1987) et à l'institutionnalisation de l'OLP par la création d'une entité palestinienne inachevée. Cependant, Hamas et Jihad islamique restent pour l'heure des mouvements locaux, dont les militants sont issus d'un moule autonome – les camps palestiniens et non l'Afghanistan – et dont les objectifs sont différents du salafisme combattant. On notera cependant sans attendre que plusieurs responsables de haut rang de la mouvance moujahidine sont d'origine palestinienne.

C'est en ce sens qu'a été privilégiée l'étude de la mouvance moujahidine car celle-ci est fondée sur un projet politique utopique. Elle est la forme la plus marginale et la plus extrême du terrorisme contemporain en ce qu'elle n'a rien à négocier. La violence politique n'est plus un moyen du combat, elle en est au final le seul objectif, condamnant ainsi ses combattants à l'extinction. Très logiquement, ceux-ci n'hésitent plus à se donner la mort, cherchant par l'exemple du martyre à perpétuer ce qu'ils perçoivent vraisemblablement comme une nouvelle épopée.

Enfin, on évoque couramment l'idéologie qui sous-tend la mouvance moujahidine par l'expression d'« islamisme jihadiste ». Cela rend nécessaire qu'on la définisse. En effet, comme on l'analysera ensuite, le terme de jihad revêt une conceptualisation plus vaste que celle qu'en ont donnée tout au long de l'histoire musulmane des exégètes rigoristes et marginaux. On évoquera plus utilement le « jihad de l'épée », en référence au détournement simplificateur mais puissant effectué par des penseurs radicaux qui se sont approprié l'allégorie coranique du « paradis à l'ombre des épées ».

## LA PLACE DE LA MOUVANCE JIHADISTE
### DANS LA GALAXIE TERRORISTE CONTEMPORAINE

Dans les années 1970 à 1990, il était d'usage de classer les organisations terroristes en trois catégories : révolutionnaire, identitaire et de manipulation.

Le terrorisme révolutionnaire était à l'époque principalement représenté par les groupes d'extrême gauche européens comme les Brigades rouges ou la Rote Armee Fraktion. Le terrorisme identitaire était particulièrement influencé, au niveau international, par les organisations palestiniennes, à l'idéologie laïque et de sensibilité marxiste-léniniste ; elles avaient su nouer des liens actifs (formation, logistique ou sous-traitance de missions) avec les groupes révolutionnaires européens ou d'autres organisations identitaires comme la PIRA ou l'ETA. Enfin le terrorisme de manipulation, qui s'identifie au terrorisme d'État – agissant par ses propres agents sous couverture, voire par le relais d'organisations mercenaires ou sous contrôle –, était principalement l'œuvre de pays du Moyen-Orient ou du Machrek comme l'Iran, la Syrie, l'Irak et la Libye ; tous ces pays avaient d'ailleurs, dans le cadre de leurs stratégies de puissance régionale, utilisé les services de groupes dissidents de l'OLP.

Au lendemain de l'effondrement du bloc soviétique est apparue une double tendance : d'une part, la quasi-extinction du terrorisme d'État et, d'autre part, la fin du terrorisme palestinien d'obédience laïque ainsi que des terrorismes révolutionnaires d'extrême gauche européens. En parallèle est apparue la montée en puissance du terrorisme islamiste dont les formes multiples, soit ont couvert les vides apparus (action du Hamas palestinien pour se substituer au combat de l'OLP devenue organisation d'État), soit se sont engagées dans de nouvelles luttes.

Pour certains observateurs, le terrorisme islamiste actuel est une forme nouvelle du combat anti-impérialiste et peut être classé dans la catégorie du terrorisme révolutionnaire. Pour d'autres, le terrorisme islamique appartient à une quatrième catégorie, celle du terrorisme religieux.

On précisera d'entrée que ce texte ne se veut ni la dénonciation de l'islam ou de ses écoles religieuses, ni un ouvrage savant sur les luttes dans les sociétés musulmanes ou pénétrées par l'islam. Il est plus modestement un outil – disons un filtre – de compréhension d'un phénomène contemporain : la violence politique qui se proclame inspirée par l'islam.

La prétendre sacrée tient de la propagande. La prétendre explicable uniquement par des retours précis aux interprétations religieuses et aux analyses ponctuelles est une réduction de spécialistes parfois éloignés des réalités du terrain. À l'été 2002, des chercheurs reconnus publiaient un opuscule documenté sur les fondamentalismes locaux pour expliquer que la menace d'un terrorisme jihadiste en Asie du Sud-Est relevait du fantasme. Le 12 octobre suivant, la Jammah Islamiyah commettait à Bali les attentats les plus meurtriers jamais perpétrés depuis ceux du 11 septembre. Depuis, l'ouvrage, par ailleurs excellent, a été réédité avec une autre conclusion.

Il est nécessaire, au-delà des menaces factuelles, de resituer la mouvance moujahidine dans l'histoire de la terreur politique, pour comprendre sa véritable nature et donc analyser sa réelle dangerosité.

Ce texte s'inscrit dans une démarche différente de celle de ces ouvrages parus depuis la fin 2001, qui privilégient le sensationnel par rapport à l'étude des faits. Voir, dans le 11 septembre, l'apparition d'un hyper terrorisme, amalgamer des événements mal analysés avec des menaces relevant du fantasme apocalyptique procède davantage de l'argument de vente que de la réflexion distanciée. Pour abonder dans le sens de Gérard Chaliand, qui dénonce les « vendeurs d'angoisse », on constatera que si le terrorisme tue beaucoup de gens, il en fait vivre bien d'autres, vu le nombre d'experts aux explications doctes que la période récente a vu fleurir. Là encore, le sujet – si ce n'est le respect dû aux victimes – mérite plus de retenue.

Une chose est sûre : le terrorisme jihadiste ne peut gagner car il n'a pas de projet politique réel (à la différence de l'islamisme) et ne veut donc pas négocier. Son but est ailleurs, pousser à une radicalisation de masse dans une démarche quasi messianique. En ce sens, le message des jihadistes est bien plus révolutionnaire que religieux et s'inscrit dans une durée plus longue que celle généralement observée.

La surestimation du phénomène par certains auteurs n'a de comparable que leur silence devant la montée en puissance de ses vecteurs dans les dix années précédentes. Le premier des attentats commis contre une des tours du World Trade Center n'a pas été exécuté par un avion détourné le 11 septembre 2001, mais bien le 26 février 1993, au moyen d'une voiture piégée placée dans un sous-sol.

A *contrario*, ces thèmes ont été abordés avec beaucoup d'acuité par quelques auteurs plus sérieux, travaillant dans des domaines différents mais qui participent tous de l'approche globale du terrorisme jihadiste. On les retrouvera dans la bibliographie. L'approche multidisciplinaire de ce texte leur doit beaucoup.

## Quelques précautions d'écriture doivent être enfin indiquées au lecteur

On rappellera que l'islamisme n'est pas une doctrine théologique, mais un concept qui désigne l'utilisation politique de l'islam. L'islamisme doit, en ce sens, être différencié du fondamentalisme qui est la volonté de retour aux textes fondateurs de l'islam. Le fondamentalisme bascule ainsi dans l'islamisme quand il est utilisé comme idéologie afin d'imposer à la société et à l'État d'un pays le modèle rigoureux de l'islam originel, la *charia* (loi islamique).

Aussi utilisera-t-on dans cette étude le terme d'islamisme politique pour définir les mouvements qui veulent – par les moyens légaux – utiliser l'islam pour réformer les systèmes institutionnels et les modes socioculturels d'un ensemble géopolitique donné. On empruntera le terme d'islamisme radical quand ces mêmes mouvements chercheront à transformer complètement cet ensemble géopolitique. On choisira le terme d'islamisme activiste (ou d'islamisme combattant) quand ces mouvements auront recours à la violence pour atteindre leur but. Le terme d'islamisme terroriste (ou de terrorisme jihadiste) correspondra à une nouvelle étape de cette troisième phase, celle où l'islamisme activiste emploie les techniques du terrorisme (aveugle ou ciblé) pour imposer ses vues ou marquer son identité.

Ainsi peut-on considérer que l'expression de « mouvance jihadiste » recouvre un certain nombre de groupes islamistes activistes qui, au départ dispersés, avaient fait du jihad un moyen d'action avant de le transformer en unique objectif. L'expression de « mouvance moujahidine », assez proche pour lui être souvent substituée, insiste davantage sur l'engagement individuel de ses militants dans ce qu'ils considèrent être le combat dans – et pour – la voie de Dieu.

On évitera enfin toute querelle savante, qui ne concerne que les spécialistes. S'adressant à un lectorat curieux des réalités de la terreur contemporaine, pour l'essentiel non érudit dans les sciences de l'islam, on a choisi de réduire la référence aux textes à de courtes citations éclairantes, à condition d'être réinsérées dans leur contexte socio-historique. Plusieurs textes utiles à la compréhension du phénomène sont proposés cependant en annexe. Enfin, certains seront sans doute déçus de la transcription la plus simple possible des termes arabes, dont on a voulu qu'ils restent intelligibles au plus grand nombre. N'en déplaise aux puristes, Mahomet et jihad sont aussi compréhensibles que Mohammad et djihad. On a choisi simplement d'employer la forme moujahidin et d'accorder l'adjectif de ce terme au pluriel (moujahidins) ou au féminin (moujahidine).

## LES ORIGINES IDÉOLOGIQUES DE L'ISLAM RADICAL : LA RELECTURE TRONQUÉE ET RÉDUCTRICE DE L'ISLAM PAR DES EXÉGÈTES RIGORISTES ET MARGINAUX

Il n'est pas question dans ce développement sur l'islam de retracer en quelques pages l'histoire de la religion musulmane. On cherchera simplement à évoquer comment les circonstances de sa création, puis de son expansion et enfin de son recul, périodes marquées par une extraordinaire capacité civilisatrice mais aussi par la guerre et la conquête, ont donné naissance à une relecture tronquée et réductrice, qui a permis l'éclosion de l'islamisme radical et de ses dérives combattantes.

## La naissance de l'islam par les combats du Prophète

Mahomet est né vers 570 après J. C. Orphelin à dix ans, il est élevé par son grand-père puis par son oncle, dans une tribu bédouine guerrière située sur le territoire de ce qui est aujourd'hui l'Arabie Saoudite. À l'époque, la plupart des tribus arabes sont polythéistes, respectant de façon superstitieuse l'influence souvent maléfique des *djinns* (génies). D'autres sont converties depuis longtemps aux deux grands courants du monothéisme, le judaïsme et le christianisme.

La Mecque est le centre religieux de ce monde païen préislamique que les auteurs musulmans désigneront par la suite sous le terme dénonciateur de *Jahiliyya*. Le culte des idoles y est tout particulièrement manifesté par la présence d'une pierre noire, tombée du ciel et retaillée, la *Ka'aba*, alors recouverte de symboles païens.

Dès 610, Mahomet, à l'imitation de juifs et de chrétiens qu'il a fréquentés, décide de pratiquer des retraites dans la solitude et le recueillement. Il reçoit alors des révélations divines, qui lui sont transmises par l'archange *Jibril* (Gabriel, dont on connaît la connotation guerrière dans l'imaginaire chrétien). Mahomet devient ainsi le dépositaire des nouveaux principes de la Loi de Dieu, qu'il transmet dans une langue arabe qui deviendra la norme de l'arabe classique. Ces enseignements formeront le corpus moral et politique de la nouvelle religion, présentée comme la forme aboutie du monothéisme. L'*islam* (la soumission à Dieu) est, par là même, proche mais supérieur au judaïsme et au christianisme.

En 622 commence le calendrier musulman, avec l'hégire. Le nouveau Prophète et ses partisans (Al Ansar) sont chassés de La Mecque par ses habitants qui refusent la nouvelle religion. Réfugié à Yathrib, devenue la ville du Prophète (*Medinat al Nabi* – Médine), Mahomet va mettre en place les structures normatives de l'islam. Par ailleurs, grâce à un remarquable jeu d'alliances, il rassemble dans un premier temps les forces nécessaires à la mise en œuvre d'opérations de guérilla, en multipliant les attaques dans le désert contre les caravanes qui assurent la richesse de La Mecque. Puis, n'ayant pu par une marche pacifique convaincre les Mecquois en 628/6, il organise une véritable armée qui, par une stratégie frontale de menace et de combat, réussit en 632/10 à conquérir pacifiquement La Mecque et obtenir la soumission des tribus arabes.

Galvanisés par cette victoire éclair qu'ils expliquent par la volonté d'Allah, les cavaliers arabes, sous la bannière du Prophète, vont conquérir en quelques dizaines d'années un empire immense. Il sera le berceau de la plus grande civilisation connue entre le VIII<sup>e</sup> et le XIV<sup>e</sup> siècle. C'est grâce à ses combattants que le monde musulman donne naissance à une nouvelle génération de scientifiques, de médecins, d'artistes et de philosophes. C'est grâce à sa puissance militaire que l'islam lance, dès le XI<sup>e</sup> siècle, une seconde dynamique de conversion, plus pacifique cette fois, en ayant recours au prosélytisme actif de ses marins et de ses commerçants. Dans une partie de l'imaginaire musulman, le rayonnement de l'islam, religion supérieure, va rester lié à la force de l'épée.

Après la mort de Mahomet, l'islam s'organise autour du respect absolu par l'*oumma* (communauté des croyants) de la *sunna* (tradition), qui se décompose en deux séries de textes sacrés :

— La révélation (*Al Qoran*) qui reprend, en 114 sourates, l'ensemble des enseignements divins transmis à Mahomet par l'archange Jibril. Le calife Othman fit compiler le Coran vers 680/58.

— Les témoignages (*hadith*) qui évoquent l'ensemble des pensées et des comportements du Prophète, rapportés, directement ou indirectement, par ses premiers compagnons. Leur rédaction est achevée définitivement au IX<sup>e</sup> siècle.

Ce corpus théologique a très rapidement fait l'objet d'interprétations déclarées incontestables qui ont permis de systématiser un modèle juridique défini par la *charia* (loi coranique). Rappelons également l'importance des jugements par analogie (*qiyas*) destinés à régler un problème à partir d'un fait semblable rapporté par le Coran ou les hadith, en précisant que les juges religieux (*mufti* ou *ouléma*) peuvent donner des jugements (*fatwa*) et disposent de leur jugement personnel (*ra'y*).

Les oulémas, spécialistes du Droit (*fiqh*) – qui est essentiellement en islam une réflexion sur les sources et leur interprétation –, deviendront vite un substitut au clergé, inexistant dans le monde sunnite. Leurs exercices engendreront au fil du temps la création de quatre écoles distinctes. L'école hanafite, inspirée par Abou Hanifa (mort en 716/150), de tendance ouverte, privilégie les raisonnements par syllogisme. L'école malikite, inspirée par Malik Ben Anas (mort en 795/179), s'est intéressée à l'utilité générale et à la coutume. L'école shafite, inspirée par Al Shafi (mort en 820/204), s'est tournée vers le consensus de la communauté des croyants (*ijma*). L'école hanbalite, inspirée par Ahmed Ben Hanbal (voir p. 297), plus rigoriste et puritaine, s'est singularisée par le refus de toute innovation à ce qu'il estimait être le fondement de l'islam.

L'islam se définit également par référence à une entité, celle de la communauté des croyants, qui abolit les frontières des États au profit d'un espace géopolitique appartenant au peuple de Dieu.

La vie des croyants est centrée sur le respect de cinq principes fondamentaux, les cinq piliers :

— L'unicité de Dieu, proclamée par le témoignage (*shahada*) qui certifie qu'« il n'y a de Dieu qu'Allah et Mahomet est son Prophète » (*La illah il Allah – Mohammad rasoul Allah*).

— La prière (*salat*), qui se fait cinq fois par jour, après s'être purifié et tourné vers La Mecque. Si cela est possible, celle du midi du vendredi, jour sacré, se fait en groupe, à la mosquée, le lieu où l'on se prosterne (*masjid*). Elle est alors conduite par le guide religieux (*imam*) devant les fidèles alignés au coude à coude.

— L'aumône aux pauvres (*zakat*), qui permet la recherche de la richesse, car Dieu prête aux hommes les biens terrestres tout en obligeant à la solidarité entre croyants.

— Le jeûne pendant le mois de ramadan (*saoum*). Absolu du lever au coucher du soleil, il favorise le regroupement familial, amical ou charitable lors des collations nocturnes et a une vraie fonction sociale.

— Le pèlerinage à La Mecque (*haj*), au moins une fois dans sa vie quand cela est matériellement possible. Le grand pèlerinage se fait chaque année à La Mecque entre le 8 et le 13 du 12e mois et permet le pardon des fautes. Le pèlerin, purifié, reçoit le titre de Haj ajouté à son nom. Le petit pèlerinage (*omra*) peut se faire, en privé, à n'importe quel moment.

Des dérogations sont cependant accordées à ceux qui vont être les vecteurs de la propagation de l'islam, les combattants, les marchands et les marins. Elles seront plus tard pour la mouvance jihadiste la justification, dans le contexte du combat contre les infidèles, d'actes traditionnellement considérés comme illicites par la sunna.

Enfin des prescriptions coraniques fixent l'ensemble des actes importants de la vie du musulman, comme sa naissance, sa circoncision entre 3 et 11 ans, son (ou ses) mariage(s), sa vie familiale, sa mort et sa succession.

## L'épopée des conquêtes arabes

En moins d'un siècle, les combattants de l'islam vont bâtir par la guerre un empire. Guerre de conquête ou guerre missionnaire ? En réalité, les deux sont mêlées. Les cavaliers musulmans, grâce au butin, acquièrent des richesses alors inconnues dans leurs tribus, mais en même temps ils convertissent les populations soumises à cette volonté d'Allah qui les rend invincibles.

Dès les premiers combats menés par Mahomet, les deux aspects de la lutte sont indissociables. Au printemps 624, le Prophète, à la tête de plusieurs centaines de cavaliers, attaque une caravane qui se dirige de Damas vers La Mecque, mais celle-ci reçoit le renfort d'un millier de soldats kharidjites. Pour galvaniser ses troupes, Mahomet annonce à ses fidèles que l'aide des anges va leur permettre la victoire et promet le paradis à ceux qui vont mourir au combat. Il s'attribue du même coup un cinquième du butin, qui sera divisé en trois parts : l'une pour lui-même, la seconde pour sa famille et la troisième pour les pauvres et les orphelins. Par ailleurs, Mahomet cherche plus à soumettre qu'à écraser l'adversaire. S'il fait massacrer en 627 la tribu juive des Banou Qoraidza qui a rompu son traité d'alliance, il prend, cinq ans plus tard, la ville de La Mecque sans effusion de sang. Notons cependant qu'en moins d'un an, il y interdira définitivement le polythéisme.

Juifs et chrétiens sont autorisés à conserver leurs coutumes sous certaines conditions (impôt payé au protecteur musulman, interdiction de bâtir des lieux de culte sans autorisation, impossibilité de porter des armes ou de monter chevaux et chameaux…). Mais le prosélytisme leur est refusé. Dans le même temps, tout manquement des musulmans à leur religion les condamne à une punition rigoureuse.

La mort du Prophète, en 632/10, frappe de stupeur la communauté musulmane, mais aussi ses proches compagnons qui doivent organiser dans l'urgence une succession non préparée. Ils décident de désigner, pour prendre son rang, un de ses premiers compagnons, capable d'incarner la poursuite de son œuvre, mais refusent qu'il soit issu de sa propre tribu. Le choix est ainsi porté sur Abou Bakr, beau-père de Mahomet, au détriment d'autres membres de sa famille qui entament une lutte de succession. Celle-ci est remportée par Abou Bakr qui voit en quelques mois consacrée sa nouvelle autorité de successeur (*khalifa*). Le nouveau calife possède, dans la continuité du Prophète, la plénitude des pouvoirs, sur les plans religieux et politique.

Trois des quatre premiers califes vont mourir assassinés, victimes de rivalités interislamiques. Après Omar et Othman, le quatrième calife élu est Ali, cousin et gendre de Mahomet, que nombre de musulmans avaient espéré voir succéder directement au Prophète. Il remporte en 656/34 la « victoire du chameau » contre les fidèles de la veuve de Mahomet, mais il est arrêté dans sa victoire par une demande de conciliation des guerriers kharidjites qui, pour appuyer la légitimité de leur démarche, ont attaché des corans à la pointe de leurs lances. Impressionné, Ali accepte l'arbitrage. Il est bientôt évincé par la ruse, avant d'être assassiné par un Kharidjite en 661/39. Son fils Hussein prend la tête des anciens fidèles de son père, qui se donnent l'appellation de chiites (de Chi'Ali – les partisans d'Ali). Il est battu à la bataille de Karbala en 680/58, par les troupes de Moawia, autre descendant du prophète qui s'était proclamé calife, dès 658/36, dans la ville sainte de Jérusalem, rebaptisée « La Sainte » (Al Qods), conquise 20 ans plus tôt.

La victoire des troupes de Moawia fonde la nouvelle dynastie des Omeyyades (651-750), qui, après avoir restauré par la force l'unité de l'islam, prend Damas pour nouvelle capitale de l'Empire. Un siècle plus tard, en 750, les Omeyyades sont renversés par Abou El Abbas, lui-même descendant d'Abbas, l'oncle du Prophète. Il crée en 750, au nom du « retour nécessaire » aux sources de l'islam, la nouvelle dynastie, plus rigide, des Abbassides et s'installe à Bagdad. Les divisions politiques internes vont bientôt apparaître. Dès le x$^e$ siècle, les Turcs seldjoukides, récemment islamisés, entament la conquête du Caucase, puis de l'Arménie et de l'Asie Mineure, devenue aujourd'hui la Turquie. Puis leurs successeurs ottomans exercent leur califat depuis Bursa, puis Byzance, l'actuelle Istanbul.

En réalité, l'affaiblissement des Abbassides signifiera la fin de l'unité géopolitique de l'islam, bientôt marquée par la coexistence dans les faits de plusieurs califats, tous cantonnés, sur un plan régional, au seul pouvoir politique. Mustapha Kemal, nouvel homme fort de la Turquie, soulignera, par l'abandon officiel du califat en 1924, la nature laïque et nationaliste de son régime.

L'implosion brutale de l'islam au XIV$^e$ siècle est d'abord due à la fulgurance de l'expansion musulmane.

En effet, dès 632/10, les armées musulmanes, sous la conduite d'Abou Bakr, puis d'Omar, avaient conquis d'abord l'Iran, puis l'Empire byzantin, affaibli par un long conflit avec les Perses et par les révoltes continuelles d'une partie de ses sujets. Souvent accueillis en libérateurs par les populations qu'ils soumettent, les cavaliers arabes avaient accompli, en moins de 70 ans, une conquête sur deux axes : au nord de l'Arabie sont annexées la Palestine, la Syrie, la Perse ainsi que l'Arménie ; à l'ouest, l'Égypte, la Libye, la Tunisie, la côte algérienne et le Maroc.

Grâce à l'aide de nouvelles troupes berbères fraîchement islamisées, la conquête de l'Espagne est entreprise en 711/89. L'élan invincible est alors arrêté en Europe méridionale quand les Sarrasins sont stoppés à Poitiers en 732/110. Les chrétiens espagnols entament en même temps la reconquête à partir des Asturies.

Cela n'empêche pourtant pas l'islam militaire d'achever son unité géographique en annexant les principales îles méditerranéennes : entre 820/198 et 857/235 sont conquises Chypre, la Crète, la Sicile, la Sardaigne, les Baléares et la Corse.

C'est vers 850/228 que va s'affiner la notion de *jihad,* terme formé, au départ, sur la racine arabe trilitère « *j'h'd'* » qui signifie « faire un effort ». De là vont découler deux notions différentes et pourtant complémentaires, le grand jihad et le petit jihad.

Le grand jihad est l'effort spirituel que doit faire tout musulman sur lui-même (finalement son pire ennemi) pour appliquer les règles de l'islam. Il est le devoir permanent de régénération de sa foi religieuse qui lui permet de se conduire en vrai croyant.

Le petit jihad est ensuite le devoir ponctuel de tout musulman de défendre – par les moyens dont il dispose : participation au combat, aide financière, encouragement... – sa religion quand elle est attaquée. Les réinterprétations successives du concept de petit jihad permettront l'émergence de la doctrine du salafisme combattant, d'où surgira dans les années 1970 la mouvance jihadiste internationale.

Or, l'élaboration du concept de jihad s'explique historiquement par le passage de quatre étapes successives :

De 610 à 632/10, alors que Mahomet proclame puis conduit l'islam, les révélations divines apportées par l'archange Jibril vont prendre graduellement un sens guerrier. L'affrontement est mesuré quand, avant l'hégire, Mahomet cherche par la parole à convaincre juifs et chrétiens de se convertir à la nouvelle religion. Les versets du Coran relatifs à cette époque sont marqués par la tolérance, sinon la compassion. Ils deviennent majoritairement bellicistes quand, après le départ à Médine, Mahomet engage le combat – bien souvent de façon particulièrement sanglante – contre les païens, puis les tribus juives et chrétiennes qui refusent la soumission.

Lors de la conquête militaire (de 632/10 à la fin du IXe siècle), la rédaction des hadith permet de justifier l'expansion par la guerre de l'islam qui, dernière des religions révélées, est appelée à diriger l'Univers.

Entre le IXe et le Xe siècle, une fois la conquête achevée, le monde musulman recherche un équilibre politique interne qui rend nécessaire la stabilité des rapports avec les pays voisins. Le jihad n'est plus offensif, il doit servir à renforcer l'unité du monde musulman. D'où l'évolution vers un petit jihad défensif, pour empêcher toute tentative des infidèles de porter atteinte aux acquis de l'islam.

Au XIe siecle enfin, si les périls extérieurs semblent maîtrisés, l'instabilité du monde arabo-musulman rend nécessaire le retour aux fondements de la religion. Le jihad s'interprète alors comme la défense contre ce qui porte atteinte à l'oumma et se marque alors d'abord par le combat intérieur du croyant contre ses propres faiblesses.

C'est à cette époque que s'élabore dans le monde musulman la théorie des « trois terres ». L'islam étant la vraie religion, l'oumma a vocation à répandre la volonté de Dieu sur l'ensemble de l'univers, soit par la conversion, soit par la force des armes. Les traités de paix conclus avec l'infidèle ne peuvent avoir dans ce cadre qu'une légitimité ponctuelle. Il ne s'agit que de trêves d'opportunité qui seront respectées ou rejetées en fonction des intérêts de l'oumma.

Le domaine de l'islam (*Dâr el Islam*) doit donc, à long terme, conquérir le territoire des infidèles, assimilé au domaine de la guerre (*Dâr el Harb*). Cependant, cette tâche s'avérant longue et difficile, les oulémas acceptent la coexistence avec les croyants des autres religions, à la condition que ceux-ci reconnaissent la suprématie de l'islam en se soumettant au paiement d'un tribut et au respect d'un certain nombre d'interdits. Ainsi apparaît une troisième entité territoriale, le domaine de la trêve (*Dar el Sulh*).

## La guerre sainte contre les croisés

La nouvelle configuration géopolitique des trois domaines n'est bien sûr pas acceptée par l'Occident, qui depuis quatre siècles subit la pression de l'islam. Alors que commence lentement la reconquista espagnole – achevée en 1492, année qui va par ailleurs marquer le début de l'expansion occidentale à l'Ouest –, les royaumes chrétiens restent soumis à leurs portes à la menace musulmane. Leurs querelles internes et la division de l'Église chrétienne entre Rome et Byzance empêchent cependant tout effort sérieux de reconquête, d'autant que les soldats ottomans dominent déjà les Balkans.

Pourtant, régulièrement, arrivent des demandes d'aide de chrétiens soumis au joug musulman : interdiction de pratiquer librement le culte, augmentation du tribut, destruction d'églises, mise en esclavage – voire extermination – de populations entières... provoquent l'indignation des chrétiens d'Occident.

Al Hakim, calife d'Égypte au début du XI$^e$ siècle, réprime violemment les chrétiens placés sous son autorité. Son successeur, Darazi, va faire raser des dizaines d'églises avant de détruire l'église byzantine construite sur le Saint-Sépulcre, où est bientôt édifiée la mosquée d'Al Qods. Le tombeau du Christ reste pourtant le lieu de vénération des pèlerins chrétiens qui, chaque année, font le voyage en Terre sainte. Ceux-ci sont d'ailleurs l'objet d'attaques de plus en plus fréquentes. En 1067, une caravane de 7 000 pèlerins allemands subit de telles attaques que seul moins d'un tiers d'entre eux réussit à rejoindre l'Europe. En même temps, les nouvelles conquêtes des Seldjoukides en Europe orientale, marquées par le massacre ou le servage des chrétiens locaux, menacent directement l'Église d'Orient.

En 1095, à la demande du patriarche de Byzance, le pape romain Urbain II appelle les chrétiens à la reconquête du tombeau du Christ. Va débuter la première croisade qui, guidée par Pierre l'Ermite, se solde par un échec sanglant. La deuxième croisade, menée par l'alliance de chevaliers européens et des troupes de Byzance, aboutit à la prise d'Antioche, puis de Jérusalem dès 1099. Comme dans les conquêtes arabes, la ferveur religieuse se mêle au lucre et à la sauvagerie. La libération du tombeau du Christ s'accompagne d'un véritable carnage. Godefroy de Bouillon, incarnation des règles de la chevalerie chrétienne, ne peut empêcher que ses troupes ne se livrent au massacre de la population de Jérusalem – musulmans et juifs confondus – et au pillage de leurs biens.

L'Église se réinstalle dans le berceau de ses origines et avant la fin du XI$^e$ siècle, peut s'appuyer sur trois territoires chrétiens : le royaume de Jérusalem, le comté de Tripoli et la principauté d'Antioche. Chypre est reprise en 1192. Mais dès la fin de la troisième croisade s'organise la reconquête musulmane. La chute de Saint-Jean-d'Acre sonne le glas de la présence chrétienne en Orient. La détermination des guerriers musulmans qui combattent sur leur territoire autant que les rivalités occidentales expliquent l'échec des six croisades suivantes. Le Moyen-Orient redevient terre d'islam. Il faudra attendre la colonisation européenne pour que cette domination soit à nouveau contestée. Suivra bien sûr la guerre de 1948, et la création de l'État d'Israël.

Le souvenir de la lutte contre les croisés – comme en continuité historique avec la lutte des premiers compagnons du Prophète – est toujours présent dans la mythologie de la mouvance jihadiste actuelle. C'est pendant les croisades que se forgent de nouveaux thèmes guerriers.

C'est en particulier celui du combattant de l'islam, magnifié par la figure d'un Saladin (1138-1193). Simple seigneur de guerre d'origine kurde, il devient par son habileté au combat le chef des armées du calife fatimide d'Égypte avant de renverser ce dernier par la ruse. Il conquiert la Syrie, restructure les armées de l'islam face à la puissante cavalerie chrétienne qu'il repousse aux confins de l'Orient. Soldat respecté par ses adversaires pour son courage et son équité, il crée le code guerrier d'une véritable chevalerie arabe. En 1192, il signe avec Richard le Conquérant un traité de paix dans lequel il s'engage à respecter les places fortes côtières des ordres chrétiens et à garantir la sécurité des pèlerins en route vers Jérusalem. Pour sceller cet accord qui marque la réconciliation de deux des religions révélées, il prend pour épouse une chrétienne, la propre sœur du roi Richard. Son autorité acquise dans le combat et dans la paix lui permet de réorganiser le califat en instaurant de nouvelles règles politiques et sociales, marquées par la création d'écoles et d'hôpitaux. Son modeste tombeau reste vénéré aujourd'hui à Damas. Il est situé à quelques mètres de la splendide mosquée des Omeyyades. Celle-ci avait été construite au XIe siècle sur les ruines d'une église chrétienne, comme le rappelle toujours, en son sein, la présence des reliques de Jean Baptiste.

Certains auteurs ont voulu voir dans la secte des Haschischins (les Assassin, voir 1re partie, p. 63 s.) une autre racine historique de la mythologie jihadiste. Cette secte s'est développée, entre le XIe et le XIIIe siècle, au sein de la communauté ismaélienne, une branche du chiisme présente essentiellement en Iran et en Syrie. Créé par Hassan As Sabbah surnommé le « Vieux de la Montagne », dans un Iran dominé par l'empire seldjoukide, l'ordre des Haschischins a sa place entière dans l'histoire de la violence politique, par l'exemple de ses adeptes prêts à subir le martyre dans l'accomplissement de leur foi fatimide, dissidence religieuse des ismaéliens.

C'est en fait à la suite d'un conflit dynastique au sein des Fatimides qu'Hassan As Sabbah crée en 1086 son propre ordre religieux qu'il dénomme la « nouvelle prédication » (*al dawah al jadidah*) et s'empare de la forteresse d'Alamût – le nid d'aigle – dans le nord de l'Iran. Ses partisans se désigneront tour à tour sous trois appellations : ceux qui enseignent (*talimmiyah*), ceux qui se sacrifient (*fidaiyyoun*) et ceux qui connaissent le

Mystère (*battiniyyah*). As Sabbah prétendait en effet détenir seul la vérité cachée et dénonçait tous les autres émirs musulmans comme des hypocrites que l'on devait tuer ou soumettre à rançon.

L'ordre était redouté pour sa puissance militaire, symbolisée par ses nombreuses places fortifiées. Mais il était surtout craint pour son efficacité à mener des assassinats ciblés.

Comme l'a écrit Khoskrokhavar (in *Les nouveaux martyrs d'Allah*), « les adeptes acceptaient de mourir pour la cause et en mettant à mort les personnes désignées, se savaient aussi condamnées. Faire mourir l'ennemi désigné par le Da'i et périr soi-même. Il s'agit d'une forme particulière de martyre. Ce qui impressionnait particulièrement les détenteurs du pouvoir seldjoukide en Iran, mais aussi les croisés en Syrie, était le dévouement indéfectible des disciples à la personne d'Hassan As Sabbah, le Da'i assistant de l'imam occulté, et ensuite à ses successeurs. L'adepte se donnait lui-même la mort... La secte était fondée sur un millénarisme qui promettait la fin des temps par l'instauration d'un pouvoir ouvrant la voie à la Résurrection. »

La légende veut qu'avant de commettre leur forfait, toujours à l'arme blanche et jamais au poison, les adeptes, généralement introduits depuis plusieurs mois dans l'entourage de leur victime, s'enivraient au haschisch. Là est d'ailleurs l'origine du mot « assassin ». Au total, plusieurs centaines d'hommes – dont trois califes, un vizir et un roi chrétien – tombèrent sous leurs coups. Saladin lui-même leur échappa de peu. Seule la conquête brutale des Mongols en vint à bout. Hulagu Khan, l'empereur tatar, allié pour l'occasion avec les chiites, captura et condamna à mort en 1220 le dernier grand maître des Haschischins, Rukn Al Din. Pour échapper à une extermination inéluctable, ce dernier avait peu auparavant proposé aux chrétiens une alliance, évoquant même la possibilité de se convertir.

La tentation était donc grande d'y voir un rapprochement avec les martyrs modernes du jihadisme. On constatera néanmoins que les Haschischins incarnent une forme sectaire du martyrat musulman en ce qu'ils espèrent par leur sacrifice participer à l'avènement d'un monde renouvelé. Le problème est différent aujourd'hui : Palestiniens du Hamas et kamikazes salafistes agissent d'abord par vengeance contre un monde impie tout en souhaitant acquérir par leur geste les félicités du paradis. C'est d'ailleurs au XXᵉ siècle avec l'Iranien Shariati (voir *infra*, p. 305) que l'islamisme radical accédera à une véritable conceptualisation du martyr combattant.

## Ibn Tamiya et les origines du salafisme

Dès le IX<sup>e</sup> siècle, le Syrien Ibn (autre écriture de Ben – fils de) Hanbal crée une nouvelle doctrine, le hanbalisme – dont on a vu qu'elle était devenue depuis une des quatre écoles juridiques de l'islam sunnite. Il prêche une application fondamentaliste des principes de l'islam, en insistant sur l'imitation rigoureuse des actes des *salaf* (les Anciens de Médine, terme désignant les premiers compagnons du prophète). C'est du hanbalisme que naîtra ultérieurement le salafisme (*salafiya*).

Ibn Hanbal a cependant omis de rappeler dans ses écrits que le modèle médinois du califat est totalement idéalisé au sens où il n'a pas survécu au quatrième successeur du prophète, le calife Ali. Cet oubli était d'ailleurs volontaire. Théologien de la dynastie omeyyade, Ibn Hanbal cherche à effacer les clivages historiques pour rassembler l'oumma autour du message transmis par le prophète. Aussi s'opposait-il à toute nouvelle interprétation de la sunna, considérée comme définitivement écrite, alors que d'autres oulémas contemporains autorisaient le recours à l'opinion personnelle.

Si Ibn Hanbal a figé la sunna par volonté de rassembler la communauté des croyants, certains de ses disciples ont eu une démarche plus restrictive. C'est le cas du Syrien Ibn Tamiya, né en 1263 et qui devait finir ses jours dans la prison de Damas en 1328. La pensée d'Ibn Tamiya est marquée par les craintes de son époque. L'unité de l'islam est alors en péril : à la menace croisée en Terre sainte a succédé l'invasion des musulmans mongols qui ont pillé Bagdad et interrompu le califat.

Ibn Tamiya, pour rassembler, dénonce donc dans toute forme originale de l'islam une hérésie. Le culte des saints, les pèlerinages aux tombes, les pratiques soufies, sont assimilées à des coutumes idolâtres. Il va déclarer apostat le peuple mongol, accusé de s'écarter, par ses actes impies, de la sunna.

Sa pensée politique est principalement contenue dans un opuscule d'une centaine de pages, *La politique au nom de la Loi divine pour établir le bon ordre dans les affaires du berger et du troupeau*. Le texte, dont certains extraits sont abondamment repris et commentés de façon restrictive par les théologiens jihadistes, définit les règles inspirées de la charia qui doivent gouverner les relations entre le prince (c'est-à-dire le détenteur de l'autorité politique) et ses sujets, dans une société musulmane.

Comme le rappelle Abdelwahab Meddeb (in *La maladie de l'islam*), « le radicalisme qui émane d'un tel livre comble l'attente des intégristes...

L'auteur fait des châtiments corporels ordonnés par le Coran le critère même du Droit… (il) fait de la guerre sainte un de ses thèmes privilégiés : il lui accorde la même importance que la prière et semble la situer au-dessus des quatre autres prescriptions… Pour en signifier la haute portée, il l'associe à l'image qui est censée représenter la religion : une colonne dont la base serait la soumission à Dieu, le fût la prière et le chapiteau le jihad. Il fait ainsi du combat contre l'infidèle l'une des deux fonctions du prince. À la fin de son manifeste, Ibn Tamiya conclut qu'en mettant les moyens de l'Empire (la capacité de l'argent et des armes) au service de la religion, l'islam parachève l'édifice religieux. »

Ajoutons, pour conclure, qu'il est le premier auteur musulman à oser s'interroger ouvertement sur le châtiment qui doit être infligé au chef politique qui a abandonné la voie de Dieu.

Considéré bien sûr comme subversif par les autorités, contesté par les oulémas, Ibn Tamiya a de son vivant, grâce à ses prêches violents et simplistes, rencontré un véritable succès auprès des classes marginales et des populations les moins instruites dans la religion musulmane. La situation n'a finalement guère évolué en six siècles.

## Ibn Wahhab et la genèse du fondamentalisme saoudien

Originaire du Nedj, Mahammed Ibn Abd Al Wahhab (1703-1792) va prolonger de façon sectaire la pensée d'Ibn Tamiya dans son territoire natal, la péninsule arabique.

Aucune innovation particulière n'éclaire les écrits de ce théologien, qui tire de ses origines ethniques sa légitimité autoproclamée à guider les vrais croyants dans les pas des compagnons du Prophète. Son principal écrit, *Pour le culte du Dieu unique*, est construit autour d'une profusion de citations, destinées à prouver au lecteur que sa pensée s'inscrit dans la tradition de la cité de Médine. À la différence d'Ibn Tamiya qui avait développé une pensée personnelle à partir des écrits d'Ibn Hanbal, le fondamentalisme d'Ibn Wahhab n'apporte rien à la science religieuse musulmane. Théoricien d'un nouveau puritanisme, il prône le retour à un islam « purifié de toutes ses scories et restauré dans sa rigueur première ». En découle l'excommunication (*takfir*) de tout musulman qui ne respecte pas les principes de l'islam originel mythifié et la condamnation des innovations religieuses, en particulier le soufisme.

La raison de son influence est ailleurs. Ibn Wahhab va lier son destin à la tribu des Saoud, apportant à leur volonté de dominer l'Arabie une caution incertaine mais nécessaire. Sous sa férule religieuse, les nouveaux wahhabites se répandent dans ce qui deviendra moins de deux siècles plus tard l'Arabie Saoudite. Il faudra plusieurs années aux mamelouks égyptiens pour venir à bout des nouveaux conquérants. Leur capitale Dar'ya, située au milieu du désert, ne tombe qu'en 1817.

Pacifiés pour un temps, les Saoud tenteront une nouvelle expédition, également infructueuse, au milieu du XIXᵉ siècle. La troisième tentative, commencée avec la prise de Riyad arrachée aux troupes ottomanes en 1902, réussira finalement au lendemain du premier conflit mondial. En 1932, les Saoud, après avoir rallié par la force ou par la négociation les tribus du désert, mettent fin aux prétentions hachémites sur la région en fondant l'Arabie Saoudite.

La fortune liée à l'exploitation du pétrole va faire de ce pays, sans autre atout que la présence des deux premiers lieux saints de l'islam, le modèle dominant du sunnisme. C'est le pétrodollar qui permettra la diffusion de la doctrine d'Ibn Wahhab, autorisant l'université de Médine à prétendre rivaliser avec Al Ahzar.

## L'apport de l'islamisme à la pensée anticolonialiste arabe : le développement du salafisme

Face à la conquête coloniale des pays islamiques par les puissances européennes – qui possèdent désormais le monopole des sciences et de la technique – un certain nombre de musulmans s'interrogent pour déterminer comment l'islam peut affronter les défis de la modernité.

Une importante dynamique de réflexion orale et écrite est lancée par des théologiens musulmans qui considèrent que l'affaiblissement de la communauté musulmane est dû à l'abandon de la pratique religieuse et à la décadence des mœurs des sociétés islamiques, en particulier parmi leurs classes dirigeantes. Le salut ne peut passer que par le réapprentissage strict de la foi des Anciens. Le renouveau de la doctrine salafiste va se définir par rapport à la restauration du califat et l'élaboration d'une nouvelle doctrine de justice sociale.

Le large débat sur la réforme (*islah*) rassemble un certain nombre de théoriciens, dont les derniers en date seront l'Algérien Ibn Badis et l'Indien Mohamed Iqbal, tous deux décédés en 1940.

Les premiers maîtres de cette école de pensée sont sans conteste, à la fin du XIX$^e$ siècle, le Persan Jamal Eddine Al Afghani (1839-1897) et l'Égyptien Mohamed Abduh (1849-1905), mais leur combat est anticolonialiste et non occidental. Les deux théologiens rejettent la domination politique et religieuse de l'Occident, non l'Occident lui-même.

Al Afghani n'est certainement pas un penseur obscur. Ses racines sont nombreuses et parfois paradoxales, comme son initiation vraisemblable à la franc-maçonnerie. Il se voulait d'abord un éveilleur de conscience pour ses frères en islam. À ce titre, il était persuadé que la vie dans le monde moderne exigeait des musulmans qu'ils changent leur mode d'organisation sociale tout en retrouvant, pour garder leur identité, le chemin des racines de leur religion. L'islam était donc compatible avec la modernité, mais l'islam ne pouvait accepter toute modernité.

Devenu jurisconsulte d'Égypte, Al Afghani devait publier des textes d'une grande tolérance, prudemment oubliés des exégètes radicaux : « [mon premier objectif] était de libérer la pensée des chaînes de l'imitation et comprendre la religion telle qu'elle était comprise dans la communauté avant les dissensions, de revenir dans l'acquisition du savoir religieux à ses premières sources et de les peser dans la balance humaine que Dieu a créée pour prévenir l'excès et la falsification de la religion... »

C'est en fait par les derniers travaux du Syrien Rashid Rida (1865-1935) que s'effectue la transition. Ce dernier, disciple de Mohamed Abduh, produira dans le mouvement réformiste induit par Al Afghani un raidissement certain de l'adéquation de l'islam avec la modernité, en introduisant la pensée d'Ibn Tamiya.

De même, s'il avait violemment combattu dans sa jeunesse le wahhabisme, qu'il considérait alors comme une déviation pernicieuse de l'islam, son jugement devait changer dans les dernières années de sa vie. Ce revirement était-il dû à la rage de voir sa terre tomber aux mains des infidèles ? Toujours est-il que Rida, dans sa volonté de rassembler l'oumma sur des idées simples pour combattre l'influence chrétienne, se fit, peu avant son décès, le chantre du wahhabisme. Il le présentera alors comme l'école religieuse la plus fidèle aux principes originels de la sunna, marqués par le califat, garant du respect de la volonté de Dieu dans la société des hommes.

Dans la revue *Al Manar*, Rida avait d'ailleurs écrit «... Nous avons usé nos plumes à force d'écrire que les malheurs des hommes ne peuvent être imputés à leur religion, mais aux innovations qu'ils y ont introduites et au fait qu'ils portent l'islam comme une fourrure à l'envers... »

## Hassan Al Banna et la naissance des Frères musulmans dans l'Égypte coloniale

Hassan Al Banna, instituteur égyptien né en 1906, est instruit par son père – soufi et diplômé de l'université Al Azhar – des principes panislamiques de Jamal Eddine Al Afghani. La conquête du trône d'Arabie Saoudite par Abdelaziz Ibn Seoud est un de ses modèles d'adolescent. C'est pendant ses études au Caire qu'il a ses premiers contacts avec le milieu de la Salafiya avant d'obtenir un poste d'instituteur en 1927.

En mars 1928, il fonde la Société des Frères musulmans (FM – *Al Ikhouan al Mouslimoun*), « association religieuse ayant pour but la commanderie du bien et la pourchasse du mal ». Vingt ans plus tard, le mouvement approche en Égypte les deux millions de fidèles et s'est propagé dans l'ensemble du monde musulman.

Brillant orateur, Al Banna sait exacerber le ressentiment de ses compatriotes à l'encontre de la présence britannique et attribue dans ses discours les malheurs de la communauté musulmane à la domination occidentale.

Construite comme une confrérie religieuse dont les membres doivent obéissance absolue au Guide (*murshid*), conseillé par une assemblée consultative (*Majlis al Choura*), la Société des FM devient rapidement un véritable mouvement politique structuré qui pratique le prosélytisme par le bas. C'est là qu'il démontre sa puissance, grâce au contrôle d'une multitude d'organisations impliquées dans le domaine social (structures caritatives, mosquées, dispensaires, associations étudiantes…).

Les FM prônent une réforme complète de la société dans laquelle la justice sociale serait assurée, non plus par la charité individuelle, mais par la prise en charge de l'aumône légale par l'État, qui en assurerait une équitable redistribution.

Les FM s'opposent à toute idéologie nationaliste (considérée comme un concept occidental) et appellent à la renaissance de l'oumma.

Mais le message aux fidèles est dénué de toute ambiguïté, comme le rappelle ce texte écrit dès les années 1930 : «… Vous n'êtes pas une société de bienfaisance, ni un parti politique, ni une organisation locale aux intérêts limités ! Non, vous êtes une âme nouvelle dans le cœur de cette nation pour lui donner la vie au moyen du Coran. Quand on vous demande ce que vous proposez, répondez que c'est l'islam… qui contient en lui le gouvernement et qui compte dans ses obligations la liberté. Si l'on vous dit que vous faites de la politique, répondez que l'islam ne connaît pas cette distinction. S'(ils) se dressent contre nous ou barrent la route à notre message, alors Dieu nous autorise à nous défendre contre (leur) injustice… »

C'est dans ce contexte qu'est créée, au sein de la confrérie, une branche armée, « l'organisation secrète » dont le commandement est confié à un intime d'Al Banna, Salah Achmaoui. Camouflée sous les atours du scoutisme musulman pour rassurer les autorités britanniques, elle devient rapidement une véritable structure armée. Ses membres combattront aux côtés des partisans du mufti de Jérusalem lors du soulèvement palestinien de 1936, puis aux côtés des forces arabes lors de la guerre de 1948.

Dans ce conflit, les Frères musulmans ont acquis l'expérience de la lutte armée. C'est pourquoi, inquiets de leurs capacités révolutionnaires, les autorités égyptiennes ordonnent le désarmement de ces milices islamistes. Ce qu'accepte d'ailleurs Al Banna, qui ne veut – ou ne peut – pas engager immédiatement un affrontement direct. Il prétendra d'ailleurs, pour freiner la répression contre son mouvement, que ce sont des Frères musulmans dissidents, marginalisés par l'échec du combat contre les juifs en Palestine, qui ont, en violation de ses ordres, mené des actions de guérilla contre les forces britanniques stationnées sur le canal de Suez. Mais, malgré ces dénégations, les charges s'accumulent sur la responsabilité d'Al Banna dans la violence politique dirigée contre le régime du roi Farouk.

Al Banna était-il, comme l'ont proclamé depuis ses héritiers, le guide religieux d'une organisation islamiste légaliste dont l'idéologie a suscité des vocations activistes dissidentes ? Ou plutôt, comme l'ont dénoncé ses adversaires, le chef déterminé d'une organisation révolutionnaire dotée, pour préparer sa victoire finale, de structures combattantes ? La vérité est, sans doute, entre les deux. À force d'ambiguïté, il devient en tout cas le bouc émissaire de tous les actes terroristes commis à l'époque. Les assassinats en 1948 d'un magistrat égyptien, de deux officiers britanniques et du Premier ministre égyptien ont été perpétrés vraisemblablement par des membres des FM.

Peu après le démantèlement de son organisation, dont près de quatre mille cadres sont arrêtés, Al Banna est assassiné le 12 février 1949. Ses partisans n'auront de cesse de dénoncer un complot des autorités égyptiennes.

### Haj Amin Al Husseini et le premier jihad palestinien dans les années trente

Après les accords Sykes-Picot qui autorisaient la création d'un foyer juif et légitimaient l'idéologie sioniste, les autorités britanniques se sont appuyées sur la dynastie hachémite tout en instaurant leur mandat sur la Palestine. Le mécontentement fut grand chez les Palestiniens, désormais convaincus de n'avoir échappé à la domination des Turcs que pour mieux subir celle des Anglais.

Ils étaient d'ailleurs d'autant plus convaincus de la duplicité de leurs nouveaux protecteurs que ceux-ci, ménageant la chèvre et le chou, avaient promis la direction du futur État indépendant aux deux communautés.

La résistance fut organisée sous la conduite de Haj Amin Al Husseini, qui, par sa fonction de grand mufi de Jérusalem, était la plus haute autorité religieuse de la troisième cité sacrée de l'islam. Sous son autorité avait été entreprise la restauration de la mosquée Al-Aqsa.

Au début des années trente, Al Husseini estima que le moment était favorable pour passer à l'action et forcer les nouveaux colons juifs à repartir vers leurs anciennes patries d'Europe de l'Est. Ses milices religieuses lancèrent des actions de guérilla bien organisées contre les premiers kibboutzim, tout en se livrant à des assassinats isolés. L'un des principaux chefs de guerre palestiniens tués en 1935 était un nommé Azzedine Al Qassim. Si la révolte était d'inspiration nationaliste, les premiers combattants palestiniens furent galvanisés par les appels au jihad lancés lors des prêches de leurs imams. Ceux d'Al Husseini citaient explicitement Ibn Tamiya et Ibn Wahhab, tout en faisant référence au combat contre les croisés.

Devant la fureur des assauts, les colons juifs durent abandonner Hébron en 1936, après avoir perdu une centaine des leurs. Mais leur nombre avait triplé en Palestine depuis 1920, atteignant le demi-million d'individus. L'armée britannique intervint alors contre les Palestiniens pour empêcher que ne se déclenche une véritable guerre. En 1941, Al Husseini, qui avait ordonné, au nom de l'islam, de poursuivre le combat jusqu'au départ des derniers colons, fut finalement expulsé en Irak. Il devait y semer la même subversion. Fin 1941, les services britanniques déjouèrent in extremis une tentative de coup d'État menée par des officiers nationalistes, téléguidés par Al Husseini et les services de l'Abwehr, dont ce dernier était devenu depuis des années l'agent d'influence.

Après avoir réussi à fuir en Iran, Al Husseini fut exfiltré à Berlin, où il devait devenir un remarquable vecteur de propagande auprès des populations musulmanes dont les territoires avaient été conquis par la Wehrmacht. Ses prêches, radiodiffusés en langue arabe, n'empêchèrent pas l'échec de l'Afrika Korps dans les déserts du Levant. Al Husseini a également participé directement à la création, au sein de la Waffen SS, de la division

« Hanschar » formée de près de douze mille musulmans combattant sous l'uniforme allemand.

Au lendemain de la défaite de 1948, Al Husseini, qui avait survécu à la chute du III<sup>e</sup> Reich, ne put créer un gouvernement en exil en Jordanie, en raison de l'application des accords secrets conclus par le roi Abdallah et le nouveau gouvernement israélien.

Aussi fut-il soupçonné d'être le commanditaire du meurtre du roi, abattu en 1951 par un activiste palestinien dans la mosquée d'Al-Aqsa, située dans Jérusalem-Est et sous mandat jordanien. Al Husseini reprit une fois de plus le chemin de l'exil, cette fois au Liban où il devait mourir en 1974. Cela faisait alors des années que l'activisme palestinien avait abandonné la bannière de l'islam au profit d'une idéologie laïque, d'inspiration marxiste-léniniste.

## Abou Al Ala Maududi et l'essor de l'islamisme radical dans le sous-continent indien

Abou Al Ala Maududi (1906-1980) naît aux Indes britanniques, lui aussi dans une famille d'inspiration soufie. Devenu journaliste, il se lance d'abord dans le combat politique. Percevant l'islamisme comme une idéologie dont la fonction est d'appréhender de manière globale la société et l'homme, il prône la nécessité d'une « révolution islamique » seule capable d'effacer les temps de l'ignorance (autre traduction de *Jahiliyya*) qui, après avoir frappé les sociétés préislamiques, affecte les sociétés musulmanes contemporaines.

Maududi fonde en 1941 le Jammat Islami (groupe islamique), mouvement proche des FM. Le Guide prend ici le titre d'Émir. Ce mouvement va peu investir le champ social au profit d'une démarche de prosélytisme par le haut. Il pratique un lobbying actif, et participe au jeu électoral.

Jouant l'entrisme dans les milieux intellectuels et l'administration, le JI va trouver de forts soutiens dans la jeune armée pakistanaise, dont la conviction nationaliste reste imprégnée de sentiment religieux. Il échouera cependant dans son projet de faire du Pakistan un État islamique.

Maududi inscrit l'ensemble du champ politique dans le domaine de Dieu. À partir de là, il dénonce l'ensemble des systèmes politiques – à commencer par la démocratie – car il ne voit de légitimité que divine. Il écrit ainsi (in *Al Jihad fil-islam*) : « Si l'homme est réaliste, il doit choisir la soumission à l'unique autorité qui exerce une véritable autorité, Dieu. Les chefs politiques, les monarques, les rabbins ou les prêtres ne peuvent jamais exercer une autorité politique de par eux-mêmes […] L'islam a prescrit que, par une lutte constante, si nécessaire par la guerre et l'effusion de sang, tous les gouvernements corrompus soient balayés. À leur place, l'on doit instaurer un système de gouvernement fondé sur la crainte de Dieu et établi d'après les lois qu'il a édictées, au détriment de tous les intérêts personnels, de classe ou de nation… »

Dès lors Maududi nie le droit à l'existence des sociétés autres que celles qui se conforment au modèle parfait de la cité islamique. Même s'il ne revendique pas systématiquement l'utilisation de la violence pour y parvenir, le tableau présenté au final prend l'inquiétante apparence totalitaire où ne resteront debout que les modèles musulmans.

Pour accéder à ce but, ses disciples n'auront pas les mêmes scrupules. Ils ne retiendront de leur maître que la vision d'une société idéale, dont le seul exemple reste celui du wahhabisme. Ils n'hésiteront pas alors à revendiquer le droit à la violence pour construire ou protéger de telles cités.

C'est par l'échange entre les théories d'Al Maududi au Pakistan et le prosélytisme wahhabite que se sont développées les madrassas deobandies pakistanaises, où la psalmodiation répétée des années durant du Coran a créé la génération des Talibans, à la fin des années 1980.

## L'influence paradoxale du chiite Ali Shariati sur le jihadisme sunnite

La scission majeure de l'islam avait eu lieu, on l'a dit plus haut, à la fin du VII$^e$ siècle après la bataille de Karbala. Les chiites fidèles à Ali et au califat originel recourent alors à la dissimulation pour pratiquer leur dogme malgré la répression des Omeyyades. Cette fidélité politique se transforme en autonomie religieuse. Elle entraîne rapidement la création d'une théologie et d'un droit propres. Les chiites attendent toujours le retour du douzième imam, l'imam caché, disparu en l'an 873 de l'ère chrétienne.

Un des principes mis en avant par les chiites pour se distinguer des sunnites est précisément la fonction de l'imam (*imamat*). Ali, en effet, est un imam avant d'être le calife. Notion fondamentale, car la fonction califale relève, à maints égards, du politique, donc du temporel, alors que l'imamat est par essence religieux.

Très marqué par l'influence de la Perse où il est devenu religion majoritaire (à la différence du monde musulman d'aujourd'hui, hormis l'Irak et Bahrein), le chiisme est troublé au XIIe siècle par un important débat théologique sur la notion de l'interprétation. Les mollahs traditionalistes estiment – comme certaines écoles sunnites – que les plus sages d'entre eux, les futurs *ayatollahs,* ont droit à l'interprétation. La suprématie religieuse de ces derniers permet la création d'un clergé autonome, doté d'importantes ressources financières obtenues par les dons obligatoires des fidèles.

Mais ce n'est qu'au milieu du XXe siècle que le chiisme voit apparaître un courant de pensée radical, sous l'autorité d'un laïc iranien, originaire d'une famille religieuse respectée, Ali Shariati (1933-1977). L'époque n'est pas fortuite, la pensée de Shariati est influencée par le marxisme-léninisme sur le double plan de la redistribution sociale et de la libération des masses. Dans la même ligne évolutive que les tenants de la théologie de la libération pour l'Église catholique, il va tenter d'adapter l'islam chiite à son temps par l'apport de thèmes majeurs de l'idéologie anti-impérialiste.

Violemment critiqué par les mollahs, Shariati suscite pourtant l'intérêt des jeunes classes intellectuelles de son pays, au lendemain de la victoire du futur chah d'Iran sur Mossadegh (1954), qui sonne le glas de l'opposition marxiste en Iran.

Ce renouveau radical du chiisme va ouvrir alors la voie à l'ayatollah Ruhollah Khomeyni. Figure marquante du centre religieux de Qom mais piètre innovateur théologique, celui-ci va imposer le premier modèle de théocratie religieuse dans le monde religieux contemporain. C'est au début des années 1970 que Khomeyni définit le principe du régime du « docteur de la loi » (*velayat-i fâtih*), qui redonne au chef religieux le pouvoir politique.

Considéré au départ avec bienveillance par une partie de la presse occidentale toujours prête à s'autoflageller, le régime des mollahs ne tarde pas à instaurer, dès la fin 1979, une véritable dictature. Il prépare en même temps la manipulation à l'extérieur des communautés chiites, par l'exportation du modèle du « Parti de Dieu » (*Hezbollah*), chargé d'exporter le modèle religieux de la « Révolution des déshérités », inspiré par Shariati.

Rapidement, la multiplication des actions terroristes et des assassinats politiques hors d'Iran provoque une nouvelle couverture médiatique sur le thème des « fous de Dieu » et des « combattants d'Allah ». Dès cette époque est évoquée l'idée d'une subversion islamiste qui viserait à régénérer les terres musulmanes et à frapper les pays occidentaux, héritiers des croisés.

Force est de constater, vingt ans plus tard, les limites de cette menace chiite radicale, en raison de trois éléments qui avaient été mal perçus à l'époque.

L'Iran n'a jamais eu de vocation mondialiste, mais régionaliste, bien qu'en dehors du Liban et des pays du Golfe il ait tenté des actions dures de prosélytisme (communautés chiites libanaises d'Afrique noire, diasporas marocaines…) ; son objectif majeur restait la suprématie face à l'Irak (population à majorité chiite) et le contrôle du Liban. Ces deux éléments entraîneront, avec le règlement du contentieux d'Eurodif et l'emprisonnement d'Anis Naccache, l'hostilité marquée jusqu'en 1989 à l'encontre de la France. D'autre part, l'Iran est un pays chiite, et les chiites ne représentent que 15 % de la population musulmane mondiale. Enfin, l'Iran est la patrie des Persans et non des Arabes.

Cependant la révolution islamiste en Iran a suscité une émotion extrême dans l'ensemble des pays musulmans et créé un modèle de société islamique radicale qu'ont repris à leur compte les sunnites. Ceux-ci sont alors devenus de plus en plus vindicatifs envers leurs dirigeants, marqués par la corruption, empêtrés dans un nationalisme étroit, incapables de faire décoller l'économie et surtout humiliés à trois reprises face à l'ennemi israélien qui occupe Al Qods depuis 1967.

Au final seul perdurera le Hezbollah libanais dont le cheikh Fadlallah a su construire l'autonomie. Plus de vingt ans après l'opération israélienne « Paix en Galilée » au Liban, qui a vu les populations chiites déplacées se retourner contre Tsahal, le parti de Dieu libanais a profondément évolué. Au début des années 1980, la nouvelle organisation clandestine s'était fait connaître au monde entier par l'efficacité de ses attaques terroristes. Vingt ans plus tard, le Hezbollah est un parti libanais à part entière, doté à la fois de représentants au parlement et d'une armée régulière. Mais s'il a réussi à persuader l'ennemi voisin de quitter le Liban Sud, c'est d'abord par sa capacité à frapper l'armée et la population israéliennes, grâce en particulier au recours nouveau à l'attentat suicide.

Or cette innovation stupéfiante du martyrat doit également beaucoup à la pensée de Shariati. Dans les traditions chiite et sunnite, le concept du martyre était jusque-là subordonné à celui de grand jihad. C'était en effet pour mener la guerre sainte que le musulman pouvait aller jusqu'à la mort dans la voie de Dieu. Le suicide – même pour frapper l'ennemi – restait un acte illicite qui privait le fidèle des félicités du paradis.

Shariati a évoqué deux modèles différents de martyrat.

D'un côté, il a rappelé l'exemple d'Hamzeh, l'oncle du prophète, mort en combattant à la bataille d'Ohod. Celui-ci est la représentation du héros musulman qui perd la vie dans l'accomplissement du jihad, pour participer de façon individuelle à la victoire de l'oumma. Il ne cherchait pas à mourir mais simplement à vaincre, même si pour cela il acceptait la mort. Hamzeh garde dans la mythologie musulmane le surnom de « prince des martyrs » (*seyyed al chahida*).

De l'autre, il modélise l'exemple de l'imam Hussein, fils d'Ali, qui, ayant été battu à la bataille de Karbala, refuse de rentrer vaincu chez lui et repart au combat, sans espoir d'y trouver autre chose que la mort. Celle-ci devient ainsi un accomplissement en soi. Shariati lui confère curieusement une dimension religieuse supérieure, d'autant plus que toute perspective immédiate de victoire est absente dans l'action.

Shariati écrira d'ailleurs dans un livre au titre clair, *Shahadat* (Martyre), que « la philosophie du moujahid, celui qui fait le jihad, n'est pas pareille à celle du martyr... le martyre au sens strict du terme est un commandement après le jihad, et le martyr entre en scène quand le moujahid a échoué. »

C'est cette conception du martyre qui inspirera les stratèges de la mouvance Al Qaida. Avant même les attentats du 11 septembre 2001, l'exemple sera donné par les auteurs de l'attaque suicide contre l'ambassade d'Égypte au Pakistan en 1995.

## L'élaboration, à la fin des années 1960, de mouvements fondamentalistes d'ampleur regroupant bourgeoisies traditionnellement pieuses et classes pauvres réislamisées

La période de l'après-Seconde Guerre mondiale, marquée par les conflits de décolonisation, est confisquée dans le monde musulman par la montée des nationalismes aux messages laïques. Leur échec quasi général va favoriser le développement de mouvements religieux de masse, caractérisés par le retour au fondamentalisme. Cette montée en puissance va d'ailleurs, après une période de répression, être encouragée par les régimes au pouvoir, soucieux de favoriser des politiques d'arabisation, de calmer les aspirations sociales ou de réduire les mouvements d'opposition marxistes.

C'est le cas au Maghreb dans les années 1970. La République de Boumediene, mais aussi la monarchie d'Hassan II – persuadés tous deux de contrôler leurs oulémas – accueillent de nombreux enseignants du Moyen-Orient, que leur appartenance aux branches locales des Frères musulmans rendait suspects aux régimes en place. Ceux-ci développeront dans l'école, puis dans l'université, les germes du fondamentalisme musulman, donnant naissance à une nouvelle génération d'intellectuels. Ils adopteront d'autant plus facilement l'idéologie fondamentaliste que, spectateurs de l'échec des régimes marxistes-léninistes, ils auront à cœur de trouver des réponses aux problèmes de leurs sociétés, correspondant plus à leurs racines identitaires.

La situation est semblable au Pakistan. Le nouveau régime putschiste du général Zia Al Haq cherche à asseoir son autorité en s'appuyant sur les principes religieux définis quelques années auparavant par Abou Al Ala Maududi, tout en donnant une teinte religieuse marquée à la question nationaliste du Cachemire. Une des premières mesures prises est la perception de la zakat par le système bancaire. Elle va provoquer la rupture avec la communauté chiite, qui traditionnellement confiait l'aumône musulmane au clergé des mollahs, inexistant chez les sunnites. En quelques années, les milices des deux bords vont se livrer une guerre sans merci, alors que les madrassas deobandies vont se voir attribuer une part majoritaire de la zakat.

Le phénomène est proche en Indonésie, pays dont les deux cents millions d'habitants sont à 95 % musulmans mais qui n'applique pas la charia. Après le coup d'État de 1965, Suharto favorise les mouvements fondamentalistes pour combattre la subversion communiste. Les milices, un temps encadrées par les forces spéciales de l'armée, serviront de viviers aux futurs mouvements de guérilla islamistes. Le mouvement est d'ailleurs général en Asie du Sud-Est, sous l'œil bienveillant des États-Unis.

Cette tendance qui se manifeste, au début des années soixante, au plan mondial va donner naissance à une nouvelle mouvance politique, revendicatrice et incontrôlable, celle des partis fondamentalistes musulmans. Celle-ci n'est pas homogène. Gilles Kepel (in *Jihad*) y voit très justement « l'alliance de la jeunesse urbaine pauvre – issue de l'explosion démographique du tiers-monde, de l'exode rural massif et qui a accès pour la première fois à l'alphabétisation – et de la bourgeoisie et des classes moyennes pieuses… Celles-ci sont les héritières des familles marchandes du bazar et du souk, marginalisées au moment de la décolonisation par… les dynasties qui s'emparent du pouvoir ou l'expression nouvelle des médecins, ingénieurs ou hommes d'affaires, partis travailler dans les pays pétroliers conservateurs, rapidement enrichis mais écartés du pouvoir politique… »

Incapables de répondre aux exigences de ces populations mais conscients des risques posés par l'exemple de la République islamique d'Iran, les régimes en place n'auront alors de cesse de rechercher la division de la mouvance islamiste, en dissociant ses différentes composantes. Dans ce sens, ils multiplieront les gages à l'égard de la bourgeoisie pieuse et des théologiens radicaux, tous proches des milieux conservateurs, pour mieux freiner la contestation des classes marginalisées, prêtes à toutes les dérives afin d'obtenir le droit à une existence convenable. Conséquence immédiate, en faisant le lit d'une islamisation fondamentaliste largement instrumentalisée par l'argent saoudien, les pays musulmans participeront à la contestation générale des valeurs importées d'Occident, en particulier la démocratie laïque.

Les régimes des pays musulmans ont réussi partout à empêcher que ne se matérialise le spectre d'une nouvelle révolution à l'iranienne. Mais à quel prix ! Les gages qu'ils ont donnés aux milieux musulmans conservateurs ont bien permis de séparer ces derniers des classes les plus pauvres. Mais ces dernières, dépourvues de tout projet d'avenir hors celui de la misère et de l'exclusion, sont devenues des proies faciles pour les manipulateurs de l'islamisme jihadiste.

## LA MOUVANCE JIHADISTE ÉGYPTIENNE ET LA MORT DU PHARAON

### Saïd Qotb et la rupture avec le respect de l'ordre établi

La matrice politique commune à Al Banna et Maududi, qui n'impliquait pas la lutte armée et pouvait déboucher sur une action réformiste, va être radicalisée par une nouvelle génération d'islamistes de nationalité égyptienne, issus par vagues successives de la tradition des Frères musulmans. Ceux-ci vont poursuivre l'œuvre des théologiens de l'islamisme radical pour déboucher sur l'islamisme activiste.

Saïd Qotb va rapidement s'affirmer comme le penseur d'un islamisme radical, nouvellement subversif, en affirmant que le passage à la violence radicale peut être une obligation religieuse pour lutter contre l'autorité politique quand cette dernière a perdu ses racines musulmanes.

Qotb (1906-1966), comme Hassan Al Banna, embrasse la profession d'instituteur qui est marquée à l'époque par un violent sentiment religieux et la haine du protecteur britannique. Il adhère rapidement à la société des Frères musulmans, où – dans l'ombre du Guide – il participe à la création d'un certain nombre d'écrits. Très tôt, il insiste – comme Maududi à la même époque – sur le concept de *Jahiliyya*, refusant tout compromis avec les régimes musulmans impies (*taghout*). Ceux-ci, devenus illégitimes puisqu'ils n'obéissent plus à la loi de l'islam, ne peuvent qu'être frappés d'excommunication (*takfir*).

Qotb poursuit ainsi la théorie de la contestation et du châtiment du prince, développée par Ibn Tamiya six siècles plus tôt, dont la référence était devenue un des critères de distinction entre les islamistes politiques et les radicaux. En déclarant infidèles les gouvernants, Qotb annonce l'appel à la guerre civile. Dès lors, le grand jihad n'est plus simplement l'obligation individuelle de protéger la communauté contre les infidèles, une fois que ceux-ci ont refusé l'appel sincère à la conversion, mais aussi le devoir individuel et impérieux de lutter contre les musulmans apostats.

C'est dans cette période – postérieure à l'assassinat d'Al Banna – que Qotb donne une impulsion dynamique et révolutionnaire à la pensée des Frères musulmans. C'est aussi l'époque où les responsables de l'organisation – qui poursuivent leurs activités dans une semi-clandestinité – s'associent à l'élan nationaliste des officiers libres. Une partie de l'ancienne « organisation secrète » est aux côtés des militaires putschistes quand ils destituent le roi Farouk pour lui substituer le général Neguib. Celui-ci, qui n'était pas membre du mouvement, est bientôt évincé par le colonel Gamal Abdel Nasser.

Ce dernier, fin observateur des rapports de force, a compris la menace que représentaient les Frères musulmans, adversaires acharnés du nationalisme laïque, incarné par le nouveau pouvoir militaire. Les Frères musulmans sont très rapidement surveillés, puis infiltrés avant que les autorités ne procèdent à de véritables coups de filet qui déciment l'organisation. Les militants sont arrêtés et astreints, sans vrai jugement, à de lourdes peines d'emprisonnement. Certains sont torturés, voire abattus sommairement.

En fait, les écrits de Qotb peuvent être regroupés en deux époques.

Celle de la liberté, marquée par des influences marxistes, avec un discours orienté vers l'action sociale. Elle coïncide avec la lutte contre le colonisateur et l'alliance avec les officiers libres, alors étrangers aux élites régnantes.

Celle de l'emprisonnement dans les geôles nassériennes, où Qotb va produire ses écrits les plus radicaux, marqués par la volonté de vengeance contre le régime qui le persécute. Il s'inscrit alors dans la continuité – parfois approximative – des idées d'Ibn Tamiya et de Maududi. Il rédige ainsi un commentaire révolutionnaire du Coran, d'où il ressort que tous les systèmes politiques qui ne relèvent pas de la souveraineté de Dieu (*Akkimiyyat*) renvoient à la Jahiliyya. C'est une condamnation sans appel du modèle de la démocratie occidentale bien sûr, mais aussi des régimes des États musulmans contemporains. En conséquence, leurs gouvernants sont des usurpateurs qui doivent être chassés ou éliminés. Ainsi, dans son introduction à la sourate « le butin » (*al anfal*), Qotb peut-il annoncer que «… le jihad n'est pas une guerre défensive comme le disent certains parmi les musulmans, elle est offensive… ».

La nouvelle stratégie de l'islam combattant est clairement définie dans *Signes de piste*, son plus célèbre ouvrage : «… Il nous faut mener la révolution totale, contre la souveraineté des créatures humaines… nous devons provoquer la rébellion totale en tous lieux de notre terre et la chasse aux usurpateurs… cela signifie la destruction du royaume de l'homme au profit du royaume de Dieu sur la terre… »

En 1964, l'annonce proclamée d'une amnistie générale des prisonniers ne fait que préparer une nouvelle épuration. Saïd Qotb, accusé d'avoir conspiré contre l'État, est pendu le 26 août 1966.

Le nouveau dirigeant des FM, Hassan Hudaybi, doit, pour assurer la survie de son organisation déjà très affaiblie par la répression, prendre officiellement ses distances avec celui qui en fut pourtant un des principaux théoriciens. Il dénonce à la fin des années 1960, et sous la pression des autorités égyptiennes, la pensée de Qotb dans une publication intitulée « Prédicateurs et non juges » (*Duwat La Qudat*). Les oulémas d'Al Ahzar sont conviés à émettre, dans le même temps, une fatwa établissant que les écrits de Qotb relevaient de l'hérésie.

L'anathème général, voulu par les autorités, est excessif. L'étude du corpus de Qotb, pourtant plus vaste, est relégué à la marginalité. De la mouvance des Frères musulmans, jusque-là unifiée, vont naître deux courants. Le premier poursuit le combat de l'islam en privilégiant l'appel à la conversion. Le second choisit l'engagement direct dans la violence politique. Là encore, la séparation n'est pas aussi claire que certains veulent bien le faire croire. La référence recherchée avec les choix du Prophète, avant et après l'hégire, reste dans ce domaine sous-jacente. En réalité, c'est bien du modèle des FM égyptiens que sont nées les deux familles du radicalisme islamique contemporain, l'une fondamentaliste, l'autre jihadiste, entre lesquelles les passerelles restent solides.

La majorité des Frères musulmans va rechercher prioritairement à restructurer l'organisation et ses branches internationales par la prédication et l'action non violente. L'influence des FM s'étend aujourd'hui à l'ensemble du monde islamique, mais aussi aux communautés musulmanes des pays infidèles. Leur message est-il pour autant pacifique ? La réponse doit être mesurée. Les propos rassurants d'un Tarik Ramadan, lettré musulman très au fait des coutumes occidentales mais aussi fidèle petit-fils d'Hassan Al Banna, ne doivent pas cacher l'appel à la radicalité des musulmans européens en quête d'identité et l'activité communautariste des structures européennes de l'organisation dont le siège est, bien sûr, londonien.

C'est du moule des FM que vont sortir des figures aussi déterminantes que le Jordanien d'origine palestinienne Abdallah Azzam (premier fédérateur au Pakistan de l'armée des moujahidin salafistes, à l'occasion du jihad contre les Soviétiques), l'Égyptien Ayman Al Zawahiri (chef en exil du Al Jihad égyptien et actuel numéro deux d'Al Qaida) ou le Saoudien Omar Bakri (fondateur du « mouvement des Immigrés » – *Al Mouhajiroun* – devenu en Grande-Bretagne une des voix médiatiques du soutien au combat du jihad international). Poursuivre la liste des noms serait fastidieux et d'ailleurs tous ceux cités seraient retrouvés dans les pages suivantes. Rappelons simplement la filiation de deux organisations islamiques avec les Frères musulmans : le *Hamas* dont on sait l'implication dans le jihad anti-israélien depuis la deuxième Intifada ; le *Hizb Ul Tahir* (Parti de la libération islamique – PLI), présent aujourd'hui en Europe du Nord aussi bien que dans les républiques musulmanes d'Asie centrale où ses différentes branches ont servi de viviers de recrutement aux groupes jihadistes.

Une minorité d'ultras va choisir par vagues successives le passage définitif à la seule violence politique. La première génération, égyptienne, se définira par l'appellation nouvelle de « Qotbistes ». Ainsi que l'énonce Alain Grignard (in *L'islam radical et sa présence en Belgique*) : «… l'attitude de ces mouvements clandestins qui se transforment en partis politiques ou groupes de pression politiques sera assimilée à une trahison. La pactisation avec le pouvoir en place sera dénoncée et les plus extrémistes feront dissidence afin de se constituer en groupuscules gardiens de la pureté révolutionnaire. Par un processus qui s'apparente à une distillation fractionnée, les groupements terroristes finiront par émerger. »

## La naissance des groupes jihadistes

*Abdeslam Faraj, théoricien de l'« obligation absente »,*
*fonde le groupe Al Jihad*

Qotb a ouvert la porte à une vision paroxystique : le jihad va devenir une obligation cardinale de l'islam comme les cinq piliers ; il doit être offensif et il s'applique même au combat contre des musulmans que leur méconduite assimile à des apostats (dont la seule condamnation est la mort).

Cette nouvelle interprétation est due à un autre Égyptien, Abdeslam Faraj. Ce dernier n'a pas, par ses connaissances religieuses, l'autorité spirituelle légitime pour poursuivre l'œuvre de Qotb. Faraj exerce en effet la profession d'électricien et n'a guère pour compétence théologique que l'apprentissage clandestin d'un engagement radical. C'est cette marginalité même qui assurera son succès auprès de la mouvance jihadiste.

Faraj ne prend sa dimension que dans le contexte particulier de la préparation à l'affrontement avec le pouvoir égyptien. Le président Anouar El Sadate, pourtant ancien Frère musulman, est considéré depuis la signature des accords de Camp David (1977) comme un gouvernant apostat. Les islamistes radicaux égyptiens l'ont d'ailleurs affublé du surnom évocateur de « Pharaon ». La civilisation de l'ancienne Égypte était en effet pour Qotb le symbole honni de la Jahiliyya.

Dans son ouvrage le plus célèbre et diffusé clandestinement, *L'obligation absente*, Faraj s'appuie sur l'interprétation tronquée des textes d'Ibn Tamiya pour affirmer que le jihad constitue en fait le sixième pilier de l'islam. Il élève ainsi au rang d'obligation religieuse, permanente et offensive, le devoir de rébellion armée face à un pouvoir politique infidèle. Il définit ainsi le passage de la contestation religieuse dans le domaine politique à la mise en œuvre d'actes de violence politique, qui aboutissent au terrorisme, ciblé puis aveugle.

Faraj, plus porté sur l'action que sur la théorie, va mettre en pratique ses thèses en créant le groupe jihadiste le plus déterminé d'Égypte, Al Jihad (au sens clair de « guerre sacrée »). Il sera exécuté le 8 avril 1982, après que des militaires militants de son organisation eurent assassiné Sadate.

Mais d'autres groupes clandestins avaient précédé Al Jihad.

## Le passage des groupes égyptiens de la contestation violente au terrorisme

Dès les années 1970 sont nés, autour de figures charismatiques, un certain nombre de groupuscules dont les actes violents, très médiatisés par la presse de l'époque, vont défrayer la chronique et susciter l'intérêt de nombreux jeunes Égyptiens, issus aussi bien de la bourgeoisie pieuse que des milieux sociaux défavorisés. Étudiants astreints au sous-emploi et déterminés à lutter contre la corruption des élites ou fellahs victimes de la paupérisation agricole et condamnés à l'exode rural vont se regrouper autour de structures différentes, selon leurs origines sociales et géographiques.

Historiquement apparaissent ainsi la Communauté des musulmans (CM – *Jamaat al Mouslimin*) de Mustafa Shukri, le Mouvement islamique de libération (MIL – *Al Harakat al Islamiya lil Tahrir*) de Salih Sirriya et les Groupes islamiques (GI – *Gamaat al Islamiya*) du cheikh Omar Abdel Rahman.

La Communauté des musulmans est plus connue sous le surnom caricatural dont l'a affublé rapidement la presse égyptienne : « *Takfir wal Hijra* » (Excommunication et Retrait). Mustafa Shukri, modeste ingénieur agricole des plaines pauvres du Sud égyptien, s'inspire en effet de l'attitude du Prophète quand il se replie à Médine. Il considère que ses contemporains, qui se prétendent musulmans mais ne consacrent pas leurs forces à la guerre sainte contre le pouvoir apostat, sont eux-mêmes des mécréants. Les vrais croyants, encore minoritaires, n'ont alors d'autre choix que de jeter l'anathème (*takfir*) sur le peuple égyptien qui accepte l'état de Jahiliyya et de se retirer (*hijra*) pour mieux lui faire la guerre.

Les premiers actes de guerre ordonnés par Shukri s'apparenteront plus à des actes de banditisme. Il faut des fonds pour financer les structures de l'organisation à laquelle adhèrent majoritairement des musulmans illettrés, issus des milieux paysans. Racket de riches fermiers ou de commerçants et vols généralement violents de membres de la communauté copte attirent l'attention des services de sécurité (*moukhabarat*) égyptiens qui arrêtent plusieurs militants du groupe. Pour obtenir leur libération, Shukri ordonne l'enlèvement de personnalités locales, dont des hommes politiques et des magistrats. Des affrontements ont lieu avec la police et l'un des otages est exécuté. Shukri est rapidement identifié et arrêté. Il est condamné à mort en 1974.

Le sobriquet « Takfir wal Hijra » (TWH) devait pourtant faire école par la suite – de façon d'ailleurs péjorative ou laudative selon qu'il est employé par ses détracteurs ou ses partisans – en désignant une branche particulière de la mouvance jihadiste combattante.

Certains des partisans de Shukri, après son exécution, vont émigrer en Algérie, où les autorités viennent de lancer une campagne d'arabisation et cherchent des professeurs. Ils y influenceront un mouvement algérien qui, sous la direction du docteur Ahmed Bouamra, prend la dénomination clandestine de TWH. De même, une deuxième vague de partisans de Shukri choisit l'exil en rejoignant dès 1980 au Pakistan, parmi les premiers, les structures jihadistes contre l'agresseur soviétique. Ils y donneront naissance à un TWH plus conforme aux règles jihadistes – car internationaliste –, qui sera violemment combattu par la mouvance salafiste.

Plusieurs dizaines d'Algériens, vétérans du jihad contre les Soviétiques, reviendront en Algérie porteurs de cette nouvelle idéologie dès la fin 1989, où ils apporteront un nouvel élan jihadiste au TWH algérien de Bouamra et compteront parmi les premiers partisans de la violence.

Après la création de l'état d'urgence, beaucoup de ces takfiris algériens fuiront en Europe. Ils y créeront de nombreux réseaux – mi-criminels, mi-jihadistes – démantelés par les polices locales entre 1993 et 2002. Leurs membres ont, pour la plupart, adhéré à cette nouvelle école de pensée, afin de bénéficier de la conduite tolérée (*ghanima*). Cette dérogation obscure permet en effet de commettre au nom du jihad des actes illicites contre les infidèles (vols, trafics, voire meurtre) à condition de redistribuer une part du butin à la cause.

Pour ajouter à la dimension particulière du TWH internationaliste – également dénommé Groupe des musulmans (*Gama'at al Mouslimin*) au sein de la mouvance salafiste, on rappellera que son dernier chef, l'émir Al Barkaoui, n'hésitera pas à s'autoproclamer calife en 1994, avant de devoir fuir le Pakistan pour l'Europe, devant l'hostilité des autres émirs jihadistes. Il y sera finalement marginalisé par Abou Kutada, leader idéologique de la mouvance jihadiste locale qui regroupera au final les derniers militants à la dérive du TWH.

Le Mouvement islamique de libération a essentiellement œuvré dans les milieux des officiers subalternes, qui avaient perdu leurs idéaux nationalistes au lendemain de la défaite de 1967. Il devait être décimé au lendemain de la mutinerie avortée de la garnison d'Héliopolis en 1974.

D'une certaine manière, son action devait être poursuivie par Al Jihad, qui avait rapidement recruté au sein d'unités militaires spécialisées. La plus célèbre de ces recrues est bien sûr le lieutenant-colonel Khaled Al Istambuli, qui devait planifier l'exécution du président Sadate, en pleine parade militaire, le 6 octobre 1981. Son frère, Tawfik, devait par la suite rejoindre la zone afghano-pakistanaise, où il allait s'intégrer à l'entourage proche d'Ayman Al Zawahiri, puis d'Oussama Ben Laden.

Le, ou plutôt les Gama'at Islamiya représentent sans doute le modèle le plus évolutif et le plus abouti du jihadisme égyptien. Ce sont au départ des associations d'étudiants qui jouent un rôle social fort dans les universités tout en pratiquant un réel prosélytisme. Location à prix modérés de chambres et transport gratuit par autobus attirent les jeunes étudiants, fragilisés par l'isolement universitaire, vers un islamisme militant, symbole de solidarité sociale. Les autorités encouragent discrètement leurs activités pour faire contrepoids aux syndicats marxistes. À la fin des années 1970, le mouvement, sous l'autorité d'Omar Abdel Rahman – diplômé d'Al Ahzar et surnommé le « cheikh aveugle » en raison de ses problèmes de cécité – est une organisation structurée disposant de dizaines de groupes autonomes. Ils sont dotés de moyens importants sur les plans matériel et financier (véhicules collectifs, locaux, imprimerie, dispensaires…).

Sadate, alors, n'était pas considéré avec hostilité car il avait pris garde de s'appuyer sur les milieux religieux – et en particulier sur Al Ahzar – pour faire échec aux tentatives de complot de la vieille garde nassérienne. Sous la première partie de son mandat, la religion fait une entrée en force dans la vie publique : code de la famille et statut de la femme sont modifiés conformément à la charia.

La situation change brutalement avec l'adhésion de Sadate au processus de paix avec Israël, mis en place sous la pression des États-Unis. On ne retient plus que la corruption du régime, le rapprochement avec l'Occident qui soutient Israël et les fastes d'un pouvoir qui laisse le peuple musulman dans la misère. Sadate devient « Pharaon ».

Les manifestations organisées par les GI sont réprimées avec brutalité. Leurs biens sont confisqués et leurs locaux fermés, provoquant la colère des étudiants qui voient du même coup disparaître de nombreux avantages sociaux. Nombre d'entre eux vont adhérer aux structures clandestines de la *Gamaat Al Islamiya* et se livrer à des actions de guérilla urbaines contre les symboles du pouvoir. Attentats et assassinats se succèdent. La dureté de la répression ne crée au final que de nouveaux martyrs.

Sadate, qui a perçu la nouvelle dimension de la menace, accepte d'autant plus volontiers la proposition américaine de soutenir le jihad afghan qu'il y voit la possibilité de se débarrasser des militants les plus radicaux en leur facilitant le départ vers le Pakistan. Il ne parvient pas cependant à inverser, dans son pays, le processus révolutionnaire qui provoque au final son assassinat devant les caméras de la presse internationale, lors de la commémoration militaire des premières victoires d'octobre 1973. Sa condamnation à mort, exécutée par des membres d'Al Jihad, avait été autorisée préalablement par une fatwa du GI, vraisemblablement rédigée de la main même d'Omar Abdel Rahman.

## Le passage au terrorisme aveugle et l'échec sanglant du jihadisme égyptien

La mort de Pharaon est la première grande victoire de la mouvance jihadiste. Elle inscrit en même temps dans le sang sa stratégie. Un pouvoir apostat vient pour la première fois de vaciller. Seule l'intervention des parachutistes égyptiens empêche les islamistes de garder le contrôle de la ville d'Assiout, qu'ils ont proclamée cité islamiste. C'est l'ensemble des régimes du Moyen-Orient, paralysés par l'échec du panarabisme et l'insuccès de tout décollage économique malgré la manne pétrolière, qui s'avère menacé à la fin 1981.

Le Syrien Hafez El Assad ne l'aura pas oublié quand, un an plus tard, il ordonne à ses troupes de reprendre à tout prix la ville de Hama, tombée aux mains des Frères musulmans locaux. Le chiffre des victimes est estimé entre 8 000 et 20 000 morts. De nouveaux martyrs pour la cause jihadiste.

Le nouveau chef de l'État égyptien, le général Hosni Moubarak, comprend que la répression – menée cependant d'une main de fer – n'est pas suffisante, d'autant qu'en 1982, l'envoi de quatorze mille soldats est nécessaire pour reprendre en six semaines le bidonville d'Imbaba en Haute-Égypte qui venait de s'autoproclamer « République islamique ». Il poursuit le projet de son prédécesseur de déplacer la revendication islamiste, en apportant un soutien direct aux moujahidin d'Afghanistan.

La plupart des chefs d'Al Jihad sont exécutés, et les seconds couteaux emprisonnés. Ceux-ci, à leur libération, choisiront pour la plupart de rejoindre le Pakistan. Ce sera le cas d'Ayman Al Zawahiri et de Mohamed Atef, respectivement chirurgien et officier de police, qui deviendront les chefs en exil d'une organisation combattante plus présente sur les jihads extérieurs que dans leur propre pays. Une grande partie des militants restés – ou revenus – sur place seront d'ailleurs arrêtés en août 1993 avant d'avoir pu commettre un attentat à la bombe contre le ministre de la Défense. Ce sont par contre vraisemblablement des vétérans afghans d'Al Jihad qui, le 3 février 1995, commettront le premier attentat suicide d'ampleur en frappant, à l'aide de deux véhicules, l'ambassade d'Égypte à Islamabad. Al Jihad est également responsable de la tentative d'attentat contre Moubarak, lors d'un voyage officiel à Addis-Abeba le 19 février 1995.

Les GI, curieusement, seront moins touchés, sans doute en raison de la dimension de l'organisation. Omar Abdel Rahman lui-même, après un long procès, ne sera pas condamné pour avoir écrit la fatwa qui avait légitimé l'assassinat de Sadate. Il partira en exil, entre autres en Arabie Saoudite et au Pakistan, avant de finir par demander, en 1990, l'asile politique aux États-Unis. Jusqu'à son arrestation dans ce pays, trois ans plus tard, il continuera, de l'extérieur, à guider les décisions des chefs égyptiens dans la lutte armée.

Malgré les purges au sein de l'armée, certains militaires restent sensibles aux thèses jihadistes. Des liens vont être tissés au Pakistan par certains officiers égyptiens avec les moujahidin afghans… mais aussi avec les volontaires arabes qu'ils sont chargés d'instruire au combat contre les Soviétiques. Le régime mettra longtemps à retrouver confiance dans son appareil de sécurité, hésitant ainsi à le positionner dans les régions où les GI disposent de soutiens. Les islamistes en profiteront pour renforcer leurs bases et procéder à de nouveaux recrutements, tout en tissant des relations utiles avec leurs homologues des pays voisins (Libye, Somalie, Yémen, Arabie Saoudite…).

Les premières cibles des GI vont être locales. D'un côté, s'attaquer aux infidèles, c'est-à-dire les coptes, qui sont victimes d'attaques contre les biens et les personnes ; de l'autre, frapper les symboles du pouvoir, en particulier ses représentants locaux, pour garantir la sécurité des zones tenues par les islamistes. Au début des années 1990, le cimetière du Caire n'est pas seulement le lieu d'existence de centaines de milliers d'exclus de la société égyptienne, il est devenu une vraie base arrière des GI, dans laquelle la police n'ose plus pénétrer.

Le début de cette décennie va voir pourtant la lente reconquête du terrain par l'appareil de sécurité égyptien. Les oulémas, conscients de la dangerosité des radicaux, vont d'ailleurs apporter leur soutien au pouvoir contre un rappel, insidieux mais réel, aux règles de l'islam. L'offensive va changer de camp. À force de neutralisations successives et en l'absence de réel soutien extérieur, les effectifs des cellules combattantes des GI diminuent de façon drastique. En 1996, le mouvement n'a plus de stratégie et les sept chefs historiques emprisonnés acceptent enfin de négocier la trêve. Le cheikh Abdel Rahman lui-même appellera de sa cellule américaine la fin des combats.

Cela explique pourquoi les dernières cellules actives des GI, dans un effort ultime et insensé pour faire plier le pouvoir, vont diriger leur terreur vers des cibles touristiques, poumon vital de l'économie égyptienne. Le 13 septembre 1997, des moujahidin attaquent à la grenade un bus de touristes, tuant neuf touristes allemands. Le 17 novembre, soixante-huit ressortissants occidentaux sont massacrés par balles et achevés à l'arme blanche sur le site de Louxor. Les assaillants sont dirigés par un vétéran afghan, Mehat Abdel Rahman, et l'opération a été vraisemblablement ordonnée d'Afghanistan par le chef de la branche extérieure, Rifai Taha. Les jihadistes égyptiens, qui viennent de condamner au chômage pour de longs mois des centaines de milliers d'Égyptiens, ont grillé leur dernière cartouche. Aucun attentat local n'a, depuis cette époque, été revendiqué par la mouvance islamiste.

Le combat des militants égyptiens, précurseurs de la mouvance moujahidine, avait cependant connu depuis les années 1980 un nouveau destin avec le soutien aux jihad extérieurs. Réfugié en Afghanistan à partir du milieu des années 1990, il devait s'associer ouvertement en 1998 au destin d'Al Qaida, dont il était depuis l'origine une poutre maîtresse.

## LA MATRICE AFGHANE : L'AIDE DES MOUJAHIDIN ARABES AU JIHAD CONTRE LES SOVIÉTIQUES

Le 24 décembre 1979, la prise de l'aéroport de Kaboul par les forces spéciales russes permet la conquête de l'Afghanistan par l'Armée rouge. Malgré les rivalités tribales, la résistance afghane s'organise et la communauté musulmane internationale va se mobiliser pour le soutien de la cause des moujahidin, qui bénéficieront rapidement de l'aide des États-Unis, avec le soutien logistique du Pakistan et financier de l'Arabie Saoudite.

Dans cette nouvelle stratégie indirecte, convergent déjà des intérêts différents. Les États-Unis, dans une nouvelle démarche de *containment* (endiguement), veulent stopper la nouvelle progression des deux leaders du front anti-impérialiste, l'URSS communiste et l'Iran chiite – nouvel ennemi extérieur depuis la chute du chah et la prise d'otages à l'ambassade américaine de Téhéran. Par contre, l'Arabie Saoudite, traumatisée par la prise d'otages effectuée à La Mecque par de jeunes sunnites contestataires lors du ramadan de 1979 (1 500 morts), décide d'encadrer la mouvance radicale sunnite pour contrôler ses jeunes fondamentalistes et prévenir leur manipulation par un Hezbollah pro-iranien. Elle est soutenue par les riches pétromonarchies conservatrices du Golfe, soucieuses de rehausser leur prestige dans la communauté musulmane. Enfin le Pakistan, dont l'adversaire traditionnel reste, sur son flanc oriental, l'Inde, pays allié de l'URSS, veut maintenir une zone tampon en Afghanistan sur sa frontière occidentale.

C'est au Pakistan qu'arrivent, parfois par des itinéraires compliqués, les volontaires arabes venus rejoindre les moujahidin afghans. Bien souvent, ils ont été aidés par les autorités de leur pays d'origine, fort satisfaites de se débarrasser d'opposants politiques actifs et potentiellement dangereux. Ils seront sans doute plus de 20 000 musulmans du Moyen-Orient et du Maghreb à rejoindre le soutien au jihad pendant la décennie 1980. La plupart auront été recrutés par des réseaux islamiques transnationaux, dirigés par des oulémas radicaux proches de la Ligue islamique mondiale et des fondations wahhabites. Ce sont ces dernières qui obtiendront de théologiens reconnus la rédaction des fatwas nécessaires à la licéité du soutien au jihad contre les Soviétiques.

Les gros bataillons viennent du Moyen-Orient : vraisemblablement 6 000 Saoudiens, 4 000 Égyptiens, 1 000 Yéménites mais aussi quelques centaines de Syriens ou de Jordaniens généralement d'origine palestinienne. Minoritaires sont les représentants du Maghreb : 2 000 Algériens et quelques centaines de Tunisiens, de Marocains ou de Libyens. On compte déjà quelques volontaires plus exotiques, en particulier quelques immigrés d'Occident, une poignée d'Indonésiens, de Malaisiens ou de Philippins et des Soudanais.

## La création du Makhtab Ul Khedamat

Pour accueillir, encadrer et former ces volontaires au combat, il était indispensable d'obtenir de l'argent en quantité importante et régulière. Les fonds nécessaires seront fournis par les autorités saoudiennes ou de riches donateurs privés. C'est à les réunir anonymement que serviront certaines ONG wahhabites, réorientées ou créées pour la circonstance. Encore fallait-il, dans un milieu d'intermédiaires et de trafiquants propre à tous les détournements, que les centaines de milliers de dollars qui circulaient discrètement soient gérés par des hommes de confiance.

La tâche fut acceptée par le Jordanien d'origine palestinienne Abdallah Azzam (1941-1979). Celui-ci était un ancien combattant de la guerre de 1967. Il avait rompu avec l'OLP, lui reprochant de sacrifier le combat contre Israël au profit de la subversion contre la royauté hachémite pour contrôler la Jordanie. Après le septembre noir de 1970, il avait obtenu un doctorat à l'université Al Ahzar avant d'enseigner la science coranique à l'Université islamique de Jedda. Il était ainsi devenu le responsable de l'éducation au sein de la Ligue islamique mondiale et entretenait de proches relations avec les dirigeants du Croissant-Rouge. Azzam, figure incontestée de l'islamisme combattant et religieux, allait créer à Peshawar une nouvelle structure dès 1984, à laquelle il allait donner une appellation neutre, le « *Makhtab Ul Khedamat Ul Mujahidin Ul Arab* » (MUKUB – « Bureau des services des combattants de Dieu arabes »), justifiée par le caractère clandestin de ses activités. Parmi ses cadres – essentiellement des Moyen-Orientaux mais aussi des Algériens –, Azzam avait imposé deux adjoints, Abou Tamin et Abou Sayyaf.

Pour seconder officiellement Azzam – et sans doute aussi pour le surveiller – le prince Faysal Al Turky, chef des services saoudiens, choisit alors le fils d'un riche entrepreneur proche de la famille royale, Oussama Ben Laden. Celui-ci, initié familialement au monde des affaires, était un pieux religieux qui venait d'interrompre sa formation d'ingénieur. Il avait en outre été l'élève d'Abdallah Azzam, mais aussi de Mohamed Qotb, le frère cadet de l'idéologue égyptien.

Rapidement le MUKUB s'était doté d'un véritable appareil de propagande, dont l'activité la plus visible était la parution régulière de la revue *Al Jihad*, rédigée en arabe. Elle allait servir de tribune à Abdallah Azzam. Dans un texte intitulé « Rejoignez la caravane ! » celui-ci présentera le combat moujahidin en Afghanistan comme une obligation individuelle pour tout musulman qui doit le financer s'il ne peut y participer : « Quand l'ennemi pénètre en terre d'islam, le jihad devient individuellement obligatoire… Aucune permission des parents n'est nécessaire… Donner de l'argent ne dispense personne du jihad physique quelle que soit la somme versée… Le jihad est une obligation à vie… »

Il obtiendra d'ailleurs la caution religieuse de huit oulémas de premier rang, comme le cheikh Biin Baz, futur grand mufti d'Arabie Saoudite, et le docteur Salah Abou Ismail, membre du Majlis al Choura des FM égyptiens. Il accueillera également régulièrement dans ses locaux de Peshawar des leaders charismatiques de la mouvance jihadiste, comme l'Égyptien Omar Abdel Rahman.

C'est dès cette époque qu'apparaît, dans les écrits d'Azzam, l'idée d'une armée internationale permanente du jihad : « Cette obligation ne cessera pas avec la victoire en Afghanistan et le jihad restera obligation individuelle jusqu'à ce que nous revienne toute terre qui était musulmane et que l'islam y règne à nouveau : devant nous, il y a la Palestine, Boukhara, le Liban, le Tchad, l'Érythrée, la Somalie, les Philippines, la Birmanie, le Yémen, Tachkent, l'Andalousie… » On notera qu'en tête des futurs jihads, Azzam place le combat palestinien, dont la première Intifada (1987) marquera le retour de la ferveur islamiste au premier plan du combat antisioniste.

## L'armée des volontaires arabes

Dans le même temps un véritable programme d'entraînement des militants est mis en place. La formation militaire est en réalité réduite au minimum : un peu d'instruction physique, du maniement d'armes et le tir de quelques rares cartouches… L'armement et le matériel doivent aller en priorité aux combattants afghans qui sont en nombre suffisant et connaissent parfaitement leur terrain. Aussi pour faire patienter les hommes, des cours de religion leur sont dispensés dans des structures rudimentaires, pour la plupart installées dans les camps qui accueillent deux millions de réfugiés afghans aux alentours de Peshawar. Les élèves sont d'ailleurs satisfaits car ils disposent de connaissances coraniques rudimentaires. Ils seront faciles à convertir à un catéchisme radical, où leur seront dispensés les enseignements rudimentaires mais galvanisateurs des théologiens du jihad.

Peu de volontaires participeront réellement aux opérations sur le sol afghan. Ceux-là serviront au départ de renforts à des maquis spécifiques, car les moujahidin afghans, dont peu sont alors sensibles au wahhabisme, considèrent avec méfiance ces étrangers exaltés qui invoquent le jihad. L'Organisation de la résistance afghane, dont le siège est à Peshawar, regroupe à cette époque sept partis principaux dont quatre sont ouvertement islamistes. Mais les volontaires seront essentiellement acceptés par les groupes pashtouns du *Hizb I Islami I Afghani* (HIA – Parti de l'islam d'Afghanistan) dirigé par Gulbuddin Hekmatyar, ou ceux du *Al Ittihad* (L'Unité de l'islam) fondé par le Dr Rasul Sayyaf. Un petit nombre sera intégré aux troupes du *Jamaat I Islami I Afghani* (JIA – Groupe islamique d'Afghanistan) du professeur Mohamed Rabbani, dont l'adjoint militaire est un Tadjik, le commandant Massoud.

Ces hommes – privilégiés ou plus motivés – connaîtront l'expérience du feu. Dans leurs rangs figurent les combattants arabes qui repousseront victorieusement une offensive soviétique dans la région du Paktar en février 1987. Les mêmes échoueront le mois suivant à prendre Jellelabad, mais leur pugnacité leur vaudra l'estime et la longue fidélité des moujahidin afghans. Les noms de ces combattants arabes deviendront rapidement célèbres chez les musulmans radicaux du monde entier. Parmi eux figurent

Oussama Ben Laden, les Égyptiens Mohamed Atef et Ayman Al Zawahiri, le Saoudien Ibn Khattab, le Jordanien Mohamed Al Maqdissi et le Philippin Abou Sayyaf. Tous ces noms feront, dix ans plus tard, les couvertures des médias internationaux.

Les autres resteront cantonnés à des tâches moins guerrières mais tout aussi nécessaires, telles que distribuer des vivres aux réfugiés, soigner les blessés ou acheminer armes et matériels jusqu'à la frontière afghane…

Mais tous participeront, loin de leurs foyers et dans des conditions matérielles difficiles de semi-clandestinité, à une aventure exaltante. Tous ont acquis la foi en un islam frustre et radical, un réseau relationnel et une aura de combattant. L'isolement, la solidarité partagée avec d'autres coreligionnaires aux cultures et aux expériences différentes feront le reste. Au-delà de leurs nationalités, ils auront le sentiment de se fondre dans une nouvelle communauté des guerriers d'Allah, proche de celle des compagnons du Prophète. Il n'y aura plus de Saoudiens, d'Égyptiens ou d'Algériens mais des moujahidin salafistes, l'avant-garde des guerriers de l'islam. Ils seront en même temps mis au contact d'un monde interlope où se mêlent trafiquants en tous genres, théologiens exaltés et agents des services de renseignements, en particulier ceux de l'Intelligence Inter Service pakistanais, très liés aux madrassas deobandies.

Ils en rapporteront également un mythe fondateur, mélange de faits réels et de légendes colportées. Les plus célèbres font état de l'invincibilité de certains moujahidin qui continuaient à avancer le corps percé de balles ou qui pouvaient disparaître devant l'ennemi ; d'autres évoquent la puissance d'Allah qui permettait aux combattants de stopper des chars en leur jetant de simples poignées de sable, immédiatement transformées en boules de feu… Toutes ces histoires rencontreront un succès certain, lorsque des années plus tard, les moujahidin arabes, de retour dans leurs communautés, les raconteront à des auditoires naïfs et fascinés. Mais leurs conteurs, auto-intoxiqués, croiront sincèrement avoir défait la puissance militaire russe, en oubliant le rôle de l'appui matériel occidental.

## La fin du jihad afghan

Après le retrait soviétique et sous la pression des services américains conscients d'avoir créé avec la matrice afghane une arme à double tranchant, les Pakistanais tentent de mieux contrôler les moujahidin arabes. La fin de la guerre voit ces derniers abandonnés par leurs anciens amis. Les soutiens américains et saoudiens se délitent. Leurs frères afghans se désintéressent de leur sort, plus préoccupés par le pillage de leur pays, la participation au trafic de l'opium et les affrontements interclaniques pour la conquête de Kaboul. Les volontaires arabes se voient alors, malgré eux, dans l'obligation de faire le choix entre trois itinéraires.

Les uns décident de revenir dans leur pays d'origine où, généralement, ils servent de fer de lance radical aux mouvements islamistes locaux, créant généralement des cellules clandestines pour préparer le jihad contre leurs autorités gouvernementales, jugées impies et corrompues. Les autres préfèrent partir dans les terres traditionnelles d'immigration de leurs ethnies, en particulier l'Europe. Pour certains d'entre eux, le prestige de leur réputation de moujahidin permet de convertir au salafisme des jeunes de la deuxième génération mal intégrés et en recherche d'identité. Les troisièmes choisissent de poursuivre le jihad international en apportant, à partir des camps de la frontière afghano-pakistanaise, un nouveau soutien logistique ou opérationnel aux moujahidin en lutte. La liste va rapidement s'agrandir : Algérie, Bosnie, Cachemire, Tchétchénie…

Mais dans le même temps, les chefs des volontaires arabes élaborent en secret l'avenir de l'armée internationale du jihad.

Certains auteurs prétendent que les responsables jihadistes sont restés unis jusqu'au bout derrière Azzam, en acceptant de poursuivre à long terme son projet d'appui aux musulmans opprimés pour reconstituer, de l'Andalousie aux Philippines, l'oumma ancestrale. Al Qaida aurait été ainsi créé afin de remplacer le MUKUB, devenu obsolète pour les nouveaux combats.

D'autres considèrent, avec Rohan Gunaratna, que le débat sur le nouveau projet jihadiste a provoqué la rupture entre Azzam, conscient de la dangerosité stratégique des conduites terroristes, et Oussama Ben Laden, convaincu par les Égyptiens d'Al Jihad, dont il était devenu très proche, de la nécessité de lancer d'abord le combat contre les régimes apostats.

La question n'a pas eu encore de réponse définitive. Le 24 novembre 1989, Abdallah Azzam meurt opportunément, en compagnie de ses deux fils, dans l'explosion de sa voiture à Peshawar. Certains y voient l'œuvre d'un Oussama Ben Laden, caractérisé par sa duplicité et soucieux de se débarrasser d'un maître encombrant et dépassé par les nouveaux enjeux du jihad. D'autres croient à la responsabilité de services arabes, décidés à éliminer le chef d'une armée de terroristes internationaux avant qu'il ne vienne porter la lutte dans leur pays. Abdallah Azzam devient en tout cas la figure emblématique de la mouvance moujahidine, musulman exemplaire tué dans la voie de ce jihad qu'il avait contribué à concrétiser. Il emporte certainement avec lui beaucoup de secrets au « paradis à l'ombre des épées ».

Mais au-delà de la naissance du mythe, l'avenir s'annonce sombre pour la mouvance moujahidine. Elle se disperse, tels les groupes d'anciens combattants qui, une fois passé le soulagement de la fin des combats, doivent affronter les pénibles réalités du retour à la vie civile et accepter le passage à l'anonymat.

Oussama Ben Laden, l'héritier officiel d'Azzam, rentre en Arabie Saoudite avec un projet que la conjoncture de l'époque ne lui permet pas de concrétiser dans l'immédiat. Les moujahidin salafistes les plus motivés ne peuvent que revenir à leurs anciens calendriers nationaux. Il ne faudra que sept ans pour reconstruire la matrice afghane, contre de nouveaux adversaires.

En attendant, ce sont les islamistes algériens, pourtant très minoritaires dans l'aide au conflit afghan, qui vont donner dès 1989 un élan supplémentaire à la dynamique du jihad. Ce nouveau combat débouchera sur une véritable guerre civile où seront rapidement franchies les limites de l'horreur.

LE JIHAD ALGÉRIEN ET SES CONSÉQUENCES POUR L'EUROPE

**La montée en puissance du FIS, nouveau corpus de l'islamisme algérien, et sa mise hors la loi**

En avril 1989 est légalisé le Front islamique du Salut (*Al Jabha Al Islamiya Al Inqadh* – FIS). Ce jeune parti islamiste, fondé en 1987 par Abassi Madani et Ali Belhaj, est alors financé essentiellement par l'Arabie Saoudite. Au-delà de l'influence extérieure des Frères musulmans, le projet du FIS est ambitieux : reproduire en régime sunnite le modèle de la révolution islamique en Iran. Dans ce but, il va pratiquer le respect apparent du jeu de la démocratie par le biais électoral. En même temps, ses cadres organisent d'intenses activités prosélytes afin de récupérer les suffrages d'une population traumatisée par la corruption du FLN, au pouvoir depuis vingt-sept ans, et les contrecoups socio-économiques de la crise pétrolière de 1985.

Deux courants coexistent au sein de la nouvelle organisation islamiste. Les jazaristes (algérianistes) souhaitent limiter leur combat aux frontières de l'Algérie. Les salafistes (internationalistes) considèrent que la future victoire des musulmans en Algérie n'est qu'une première étape, et qu'il faut collaborer dans le même temps avec les forces représentatives de l'oumma à l'extérieur. On retrouvera toujours cette distinction essentielle dans les rapports de forces au sein du jihad algérien.

En outre, au sein du FIS apparaît, dès ses origines, une tentation jihadiste qui mêle les extrémistes des deux courants. Ceux-ci se réunissent régulièrement dans une mosquée du quartier Belcourt à Alger, rebaptisée « Kaboul ».

La tendance jazariste de ces radicaux est formée d'anciens membres du Mouvement islamique armé (*Al Harakat Al Islamiya Al Moussalaha*). Le MIA est historiquement la première structure islamiste combattante algérienne. Elle a été fondée en 1984 par un ancien moujahid de la guerre d'indépendance, Mohamed Bouhali, qui se livre avec quelques compagnons à des attaques ciblées des symboles du pouvoir pour protester contre la corruption du régime apostat du FLN. Il privilégie d'ailleurs l'attaque des perceptions en prétendant redistribuer aux pauvres, acquérant en quelques mois dans le peuple algérien la stature d'un Robin des Bois musulman. Si Bouhali est finalement abattu fin 1987 par les forces de sécurité grâce à la trahison de l'un de ses proches, la plupart de ses complices avaient déjà été arrêtés deux ans plus tôt et incarcérés. Parmi eux figurait un jeune imam très antifrançais, Ali Belhaj, le fils d'un maquisard tué pendant la guerre d'Algérie. Il sera libéré comme les autres lors de l'amnistie de 1988.

La tendance salafiste est représentée par les vétérans afghans, revenus récemment au pays et qui rêvent d'être le fer de lance, par l'action armée, de la révolution islamiste algérienne. Certains se revendiquent même de l'idéologie takfirie.

C'est de ce lien conspiratif entre marginaux d'origines et de sensibilités religieuses différentes qu'émergeront certaines structures clandestines, qui se préparent au jihad avant même l'interruption du processus électoral de janvier 1992.

Parmi ces groupes figure un noyau de salafistes particulièrement déterminés qui a été créé à Alger-Ouest, dès la mi-1992, par une figure charismatique du jihad d'Afghanistan, Abdelhak Layada, alias Abou Adlane, et un caïd de quartier, Mohamed Allal, alias Moh Leveilley. Cette nouvelle structure, impatiente mais bien organisée, est formée principalement de vétérans afghans, de hittistes (ceux qui tiennent les murs, expression algéroise pour designer chômeurs et désœuvrés) et de petits délinquants. Cette bande donnera plus tard naissance au Groupe islamique armé (*Al Jamaa Al Islamiya Al Moussalaha* – GIA). Certains lui attribuent d'ailleurs la responsabilité, en juillet 1991, de l'attaque de la caserne d'El Guemmar, où, avec la complicité de militaires du poste, un groupe d'islamistes réussit à voler armes, munitions et explosifs. Le FIS dénonce déjà, quant à lui, une manipulation des services, héritiers de la Sécurité militaire algérienne.

Le FLN est totalement pris au dépourvu par le succès en mars 1991 du FIS aux élections municipales, où le parti musulman conquiert 55 % des mairies, dont celle d'Alger. Rapidement, les nouveaux élus prennent sur tout le territoire des mesures inquiétantes : obligation du port du voile, fermeture de cafés assimilés à des lieux de débauche, utilisation des moyens municipaux au profit des structures islamistes. Le pouvoir algérien tente de museler le FIS quand celui-ci, enivré par son récent succès, décide de multiplier les manifestations de rue. La répression, particulièrement violente, fait des dizaines de morts et se marque par la mise en détention, le 30 juin 1991, d'Abassi et de Belhaj. In extremis, les jazaristes l'emportent au congrès de Batna (dit congrès de la Fidélité) en août 1991 et maintiennent le cap du jeu électoral.

Au premier tour des élections législatives, fin décembre 1991, le FIS obtient 43 % des voix et peut se considérer comme le futur parti de gouvernement. La réponse des autorités, qui craignent une prise du pouvoir à l'iranienne, est quasi immédiate. Les généraux algériens démissionnent début janvier 1992, le président Chadli annule les élections et instaure l'état d'urgence.

En avril, le FIS est officiellement dissous alors que plusieurs milliers de ses cadres sont soit emprisonnés, soit placés en détention administrative dans les camps du Sud (In Menguel, In Salah, Bordj Omar Driss, El Homr, Ouargla et Tsabit). Leur absence poussera de nombreux militants, désorientés et inquiets de subir le même sort, à entrer dans la clandestinité. Certains restent en Algérie et rejoignent les premiers groupes armés. D'autres rejoignent l'Europe, où ils seront les futures chevilles ouvrières des réseaux de soutien.

## La structuration des mouvements armés

Dès la mi-1992 se constituent, sans aucune coordination d'ensemble, des structures combattantes. Certaines, comme le Mouvement pour un État islamique (*Al Harakat Inn Al Daoula Islamiya* – MEI salafiste) de Said Mekhloufi, sont basées en zone rurale et pratiquent une guérilla sporadique à l'image des Katibats FLN de la guerre d'indépendance. Les autres, comme le Front islamique pour le jihad armé (*Al Jabha Al Islamiya Lil Jihad Al Moussalah* – FIDA jazariste), se livrent à des activités ponctuelles de terrorisme (attentats aveugles ou ciblés), visant les représentants de l'État, en particulier les policiers et les gendarmes auxquels les armes sont volées. La situation est, à l'époque, très confuse, d'autant que des actes de délinquance, voire de manipulation, sont vraisemblablement commis sous couverture islamiste.

Début 1993 apparaît officiellement le GIA. Son sceau, identique à celui du HIA du chef de guerre fondamentaliste Gulbuddin Hekmatyar, montre bien la racine afghane de l'organisation combattante algérienne. Dès le début, le GIA, qui a bien compris que l'influence d'un groupe combattant se mesure à l'impact médiatique de ses actions, choisit des cibles aisées à atteindre et propres à frapper l'opinion (journalistes, intellectuels, femmes non voilées). Mais rapidement le GIA – sous la direction de son nouvel émir, le vétéran afghan Cherif Gousmi, alias Abou Abdallah Ahmed – décide de placer le combat sur le plan international, en cohérence avec l'idéologie salafiste.

La France est le premier pays visé. Dans un premier temps (enlèvement des époux Thévenot, septembre 93), le GIA ordonne aux ressortissants étrangers de quitter le territoire sous peine d'exécution. Les deux premières victimes seront françaises, des géomètres abattus à Sidi Bel-Abbès le 18 octobre 1993. Elles seront suivies de 200 autres, dont près de 60 Français.

Le 24 décembre 1994, le GIA va frapper pour la première fois à l'extérieur par la prise d'otages et le détournement de l'Airbus d'Air France (Alger-Paris) sur l'aéroport de Marignane. L'incapacité des preneurs d'otages à appliquer le plan prévu – 4 islamistes sont présents au lieu des 10 prévus initialement – facilite leur heureuse neutralisation par le GIGN. Leur tentative de repartir vers l'espace aérien parisien permet d'estimer que les terroristes algériens envisageaient au final d'écraser l'avion sur la capitale. Aucun explosif ne sera en effet trouvé à bord après la libération de tous les otages, hormis les trois abattus à l'aéroport d'Alger.

On remarquera cependant qu'aucun attentat suicide n'a été commis par la mouvance islamiste algérienne tant en Algérie qu'à l'extérieur, ni avant ni après cette opération – où les exigences exorbitantes des terroristes, la volonté probable d'écraser l'avion sur Paris et le combat à mort ont été vraisemblablement imposés par le mauvais déroulement de l'opération. L'attentat du 30 janvier 1995 contre le siège algérien de la Direction générale de la

Sécurité nationale (DGSN), qui a fait sans doute 150 morts, ne prévoyait pas dans le plan initial la mort du chauffeur du car.

Pourquoi la France a-t-elle été ciblée directement par le GIA ? Trois explications sont généralement avancées :

La France, en raison de l'héritage colonial, était un bouc émissaire traditionnel dans la société algérienne qui impute souvent la responsabilité de ses malheurs au supposé « parti de la France » (*Hizb Francia* – la version locale de notre parti de l'étranger).

Premier partenaire économique de l'Algérie et détenteur d'un tiers de la dette extérieure de ce pays, elle était considérée par la mouvance islamiste comme un allié politique, et donc militaire du gouvernement algérien.

Les services français avaient, depuis le début 1993, constaté que les jihadistes qui menaçaient en Algérie des citoyens français disposaient sur notre sol de relais logistiques, qui finançaient leur aide par la commission d'actes de droit commun (trafic de faux papiers, contrefaçon, extorsion de fonds, vols). La neutralisation des structures de soutien avait commencé dès octobre 1993. Le GIA avait décidé de les venger.

Mais en fait la principale raison était ailleurs. La France comptait environ trois millions d'individus liés directement à l'Algérie : 800 000 résidents légaux, sans doute près de 100 000 illégaux et deux millions de Français d'origine algérienne, généralement de double nationalité. Dans ce contexte, la France représentait une véritable caisse de résonance pour l'islamisme algérien qui pouvait y trouver des complicités, volontaires ou imposées. La campagne d'attentats de l'été 1995 (25 juillet – 14 octobre) est d'ailleurs précédée par l'assassinat à Paris, le 11 juillet, de l'imam Abdelbaki Sahraoui. Celui-ci, membre fondateur de l'ex-FIS, était hostile aux dérives du GIA, dont il dénonçait – en particulier lors de ses prêches du vendredi à la mosquée parisienne de la rue Myrha – l'action clandestine sur le territoire français.

## La fédération du jihadisme algérien autour du GIA en mai 1994

La stratégie médiatique du GIA, crédibilisée par le combat à l'extérieur, s'avère payante car elle permet le ralliement à cette organisation, en mai 1994 (communiqué du GIA dit de l'Unité), de toutes les structures combattantes algériennes. La seule organisation qui garde son indépendance est l'Armée islamique du Salut (AIS), considérée comme le bras armé de l'ex-FIS et qui se cantonne à des actions de guérilla contre les forces de sécurité.

Sous la conduite de Cherif Gousmi, puis, après sa mort en octobre 1994, de Jamel Zitouni, le GIA se structure en Algérie au sein de neuf régions, copiées sur le schéma des zones militaires. Forte de plus de 20 000 combattants expérimentés regroupés en katibats autonomes, l'organisation modifie sa stratégie. Elle délaisse les attaques contre les forces de sécurité pour se livrer à une stratégie de terrorisation des populations civiles (faux barrages sur les routes, attentats à la voiture piégée dans les centres urbains). Le GIA espère de cette manière forcer la collaboration de la population algérienne.

## Les réseaux extérieurs du GIA

Par ricochet, le GIA récupère rapidement l'ensemble des réseaux de soutien aux maquis algériens, principalement basés en Europe, où ils sont constitués majoritairement de jeunes d'origine maghrébine. Il peut également compter sur le soutien, en zone afghano-pakistanaise, d'Algériens liés aux structures moujahidines.

La principale base arrière du GIA est sans conteste la capitale de la Grande-Bretagne, surnommée par les islamistes eux-mêmes le « Londonistan ». Le Royaume-Uni est en effet devenu la terre d'asile privilégiée de nombreux militants islamistes, pourtant recherchés dans leurs pays pour activités terroristes. Beaucoup sont des vétérans afghans.

Autour de l'imam jordanien d'origine palestinienne Mahmoud Omar Othman, alias Abou Qutada – installé dans la mosquée pakistanaise de Finsbury Park, puis dans celle de Baker Street – se préparent aide financière et propagande. À ce titre, la revue *Al Ansar* (les partisans du Prophète), organe de presse bimensuel du jihad salafiste, va rapidement se consacrer au soutien principal du GIA. Abou Qutada y est secondé par deux autres vétérans d'Afghanistan, l'Espagnol d'origine syrienne Nasser Mustafa Setmarian, alias Abou Moussab, et le Britannique d'origine égyptienne Mustafa Kamel, alias Abou Hamza.

Dans ce contexte, la plupart des militants salafistes réfugiés en Europe (principalement Maghrébins et Égyptiens, mais aussi des Turcs) vont servir de mercenaires à l'organisation algérienne. Celle-ci est en effet devenue plus célèbre que le Al Jihad égyptien. Sa responsabilité dans l'assassinat spectaculaire en 1993 du président Mohamed Boudiaf – également exécuté par un militaire – ne peut par contre pas être sérieusement retenue, en dépit des accusations répétées des autorités algériennes.

Cette évolution transnationale et le lien avec la matrice afghane apparaissent clairement avec le démantèlement, en France et au Maroc, du réseau dit « de Marrakech ». Le 30 août 1994, deux touristes espagnols sont abattus lors d'un vol à main armée commis dans l'hôtel Atlas de Marrakech. L'enquête permet d'établir que quatre groupes composés essentiellement de Français d'origine marocaine, pour certains formés dans les camps de la zone afghano-pakistanaise, devaient commettre des actions armées au Maroc afin d'y déclencher la guerre sainte. Ils étaient dirigés par les Marocains Abdellilah Zyad et Mohamed Zinedine, deux anciens militants du Mouvement de la jeunesse islamiste marocaine (MJIM) qui, vétérans afghans, étaient passés au jihad autonome. Disposant au Maroc d'un réseau de complicités locales, les protagonistes avaient reçu leur armes d'Europe, grâce aux structures mises en place à partir de l'Allemagne et de l'Italie par l'ancien trabendiste (contrebandier) algérien Jamel Lounici, principal pourvoyeur en armement des maquis en Algérie. Les enquêtes allaient montrer l'ampleur des réseaux maghrébins de soutien sur le territoire français.

Le réseau de Jamel Lounici, spécialisé dans le trafic d'armes et de faux papiers, était d'ailleurs en étroite relation avec le groupe de soutien logistique de l'Algérien Mohamed Chalabi. Celui-ci était démantelé en région parisienne le 8 novembre 1994. Le 16 juillet précédent, six islamistes tunisiens, proches du Front islamiste tunisien (FIT) avaient été interpellés, à la gare de Perpignan, en possession d'armes, vraisemblablement destinées à l'Algérie, via le Maroc.

Dès 1995, la justice française lançait des enquêtes sur les filières de recrutement d'islamistes français à destination des structures d'entraînement jihadistes au Pakistan et en Afghanistan. En même temps, la collaboration policière permettait de détecter en Europe d'autres réseaux de soutien aux maquis algériens.

Ainsi, le 1er mars, la police fédérale belge démantelait à Bruxelles le réseau d'Ahmed Zaoui et de Djamel Belghomri, consacré à des tâches de propagande et de trafic d'armes. Il était établi que, par la suite, cette structure, majoritairement composée d'islamistes algériens proches du GIA, aurait dû servir de base de soutien à la future campagne d'attentats contre la France.

Le 13 juin suivant étaient interpellés les responsables de l'Institut culturel islamique (ICI) de Milan. Il s'agissait pour la plupart de réfugiés politiques égyptiens, militants en exil des GI. Véritable plaque tournante des réseaux salafistes en Europe, l'ICI jouait un rôle moteur dans l'aide aux moujahidin de Bosnie. Son ancien directeur, Anouar Chaabane, y avait d'ailleurs dirigé la brigade des volontaires arabes de Zenica, composée de plusieurs centaines de combattants d'origine essentiellement maghrébine. Abattu début 1995 dans un affrontement avec les forces croates, Chaabane avait été remplacé par un Algérien vétéran afghan, Lahcene Mokhtari, alias Abou El Maali. En septembre, c'était la structure de Jamel Lounici qui était démantelée à son tour à Milan, Naples et Rome.

Enfin, le 20 juin, la police française neutralisait trois nouveaux réseaux de soutien aux maquis algériens, aux ramifications européennes.

## La répression des structures européennes du GIA ne permettait pourtant pas d'empêcher en France la campagne d'attentats de l'été 1995

En juillet 1995, le GIA débutait une série d'opérations, portées directement sur le territoire français. Le 11 juillet était assassiné dans la mosquée Myrha (Paris 18ᵉ) l'imam Abdelbaki Sahraoui. À partir du 25 juillet (attentat de la station RER Saint-Michel) étaient commis 11 attentats en région parisienne et lyonnaise (13 morts et 180 blessés). Après l'identification et la mort du Français Khaled Khelkhal, le réseau était finalement démantelé le 1ᵉʳ novembre alors qu'il allait commettre un attentat à la voiture piégée sur le marché de Wazemmes (Lille).

Ce réseau était composé de trois groupes (situés à Paris, Lyon et Lille) formés de jeunes beurs d'origine algérienne. Ils étaient dirigés par deux émirs du GIA, vétérans afghans, Boualem Ben Saïd et Ait Ali Belkacem, venus d'Algérie sur l'ordre personnel de Jamel Zitouni.

Le 4 novembre était arrêté à Londres le coordinateur financier du réseau, Rachid Ramda. Celui-ci, réfugié politique algérien, était un collaborateur régulier de la revue *Al Ansar* et l'un des chefs du GIA pour l'Europe. Parvenait cependant à s'échapper Ali Touchent, alias Tarek. Ancien membre du réseau Zaoui en Belgique, il avait recruté depuis 1993 la plupart des membres du réseau, utilisés dans un premier temps à des activités de soutien logistique aux maquis algériens. Touchent sera abattu fin 1997 par les services de sécurité à Alger où il avait rejoint son groupe d'origine, le FIDA.

Était également neutralisée une structure jihadiste, plus autonome, qui préparait un attentat contre une raffinerie en région lyonnaise. Installée aux environs de Chasse-sur-Rhône, elle était dirigée par deux convertis, David Vallat et Joseph Jaime, un Français d'origine espagnole.

## La dérive sanglante du GIA

Fin 1995, l'émir national du GIA, Jamel Zitouni, alias Abou Abderahamane Amine, est au faîte de sa puissance : la population algérienne terrorisée envisage qu'il renverse le pouvoir dont les forces de sécurité semblent dépassées. Le GIA a montré qu'il pouvait frapper la terre impie des croisés et s'était ainsi assuré du soutien d'une nouvelle génération de sympathisants en Europe.

À l'extérieur, il dispose du soutien de la mouvance jihadiste internationale, comme le prouve le soutien d'Abou Qutada et de deux organisations salafistes combattantes, le Al Jihad égyptien et le Groupe islamique combattant libyen. Cette dernière s'était fait connaître au début de la même année, en revendiquant – par un communiqué de son leader Abou Abdallah Sadek, un autre vétéran afghan – un attentat qui aurait blessé le colonel Khadafi.

Ivre de cette nouvelle puissance, il décide de s'assurer une autorité absolue sur son organisation toujours constituée d'un conglomérat de structures armées aux idéologies dissemblables. Il lance alors des purges sanglantes contre ses éventuels rivaux. Salafiste qui n'a jamais quitté l'Algérie, Zitouni est le premier émir national du GIA qui n'a pas connu l'expérience du jihad contre les Soviétiques. Aussi fait-il d'abord éliminer ces émirs vétérans afghans dont il craint le charisme, puis des chefs jazaristes qui peuvent se targuer de leur qualité d'ancien imam. Il tentera par la suite de faire porter la responsabilité aux services algériens, avant de reconnaître les faits en tentant de se justifier par la légitime défense face à un pseudo-complot jazariste dirigé contre sa personne. Enfin, en mars 1996, il revendique la responsabilité de l'enlèvement des sept moines français de Tibhirine (sud d'Alger), qu'il fait décapiter quelques semaines plus tard.

## L'éclatement du Jihad algérien en Algérie

Début juillet 1996, Zitouni est abattu par des islamistes jazaristes de la Ligue islamique pour la prédication et le jihad (*Al Ittihad Al Islami Li Daawa Wal Jihad* – LIPJ), qui sous l'autorité de son émir Ali Benhajar a été la première structure du GIA à faire dissidence.

Son successeur, Antar Zouabri, alias Abou Talha, hérite d'une organisation affaiblie par les dissidences et va, pour maintenir sa crédibilité stratégique, développer les opérations de terreur psychologique à l'égard des populations civiles. Les massacres commencent alors dans les agglomérations isolées. Il sera finalement abattu par les forces de sécurité en novembre 2002. Aujourd'hui son adjoint Abou Anta ne dirige pas plus d'une centaine de fidèles aux comportements proches de la psychopathie.

Parmi les groupes dissidents du GIA qui poursuivent de façon autonome le jihad, réapparaissent d'abord des structures jazaristes. Ce sont principalement la Ligue islamique pour la prédication et le jihad (LIPJ) d'Ali Benhajar, le Mouvement islamique pour la prédication et le jihad (*Al Harakat Al Islamiya Li Daawa Wal Jihad* – MIPJ) de Mustafa Kertali, les Fidèles au Serment (*Al Baqoun Ala'l Ahd* – FS) du vétéran afghan Abou Jamil ou le Front islamique du jihad armé (FIDA) d'Abou Fida. Se détachent dans un second temps des structures salafistes qui prétendent incarner le vrai combat du GIA : à l'ouest principalement la katibat « la terreur » (*Al Hawal*) et à l'est le groupe d'Hassan Hattab, ancien émir de la 2ᵉ région du GIA (grande Kabylie). Tous se retrouvent assez rapidement engagés dans un combat fratricide contre leurs anciens compagnons du GIA qui les considèrent alors comme des apostats.

### La mouvance jihadiste européenne, qui se désolidarise du jihad algérien à la fin 1996, est à la recherche d'une nouvelle cause

Le 22 juin 1996, Abou Qutada, pourtant rédacteur non déclaré un an plus tôt de la fatwa infâme qui légalisait le meurtre de femmes et d'enfants, proclame dans un éditorial d'*Al Ansar*, en compagnie d'Abou Moussab Al Syri, sa rupture avec le GIA. Al Jihad égyptien et le GICL rompent également l'alliance en publiant un communiqué dans le même numéro d'*Al Ansar*.

Dès lors, les sympathisants du jihad algérien en Europe marquent leur défiance à l'égard du GIA qu'ils soupçonnent d'être soit dirigé par des psychopathes pratiquant un islam déviant, soit manipulé par les services algériens.

Ainsi, l'imam Abou Hamza Al Masri, qui poursuit seul la publication à Londres d'*Al Ansar* après le mois de juin, finit à son tour par rompre avec le GIA dès octobre. Il fonde alors une nouvelle association, « Supporters of Sharia » (les partisans de la loi islamique), fréquentée essentiellement par des islamistes d'origine pakistanaise ou bengalie. Celle-ci est dotée d'un site Internet du même nom, un des premiers exemples du nouveau vecteur de propagande qui par la suite allait être largement utilisé par la mouvance moujahidine.

Après quelques mois d'incertitude, les éléments les plus radicalisés – généralement des vétérans afghans ayant apporté un soutien à la cause bosniaque – vont considérer la victoire des Talibans comme le retour de l'ordre islamique en Afghanistan. Aussi vont-ils renouer rapidement des contacts avec la matrice afghane et remettre en activité les filières de recrutement de volontaires vers les camps de la zone afghano-pakistanaise. Le contrôle progressif de ces structures par les proches d'Oussama Ben Laden va favoriser le développement d'une nouvelle internationale islamiste, marquée par la présence de structures de formation en Afghanistan et l'entraide au profit des organisations combattantes du jihad.

À la même époque, deux événements majeurs en France vont montrer que l'origine de la menace évolue. L'attention justifiée portée au GIA a empêché que soit appréciée la dangerosité d'éléments marginaux venus d'autres mouvances jihadistes, celles des vétérans de Bosnie et d'Afghanistan.

Le 5 mars 1996 est démantelé le groupe de Roubaix, formé de militants salafistes vétérans du jihad bosniaque. Dirigé par deux Français convertis, Christophe Caze et Lionel Dumont, ce groupe, proche d'Abou Hamza en Grande-Bretagne et d'Abou El Maali en Bosnie, venait de perpétrer dans la région lilloise une série de vols à main armée particulièrement violents. Il avait également tenté de commettre un attentat à la voiture piégée à Lille le 4 mars, deux jours avant la tenue du sommet du G.7. Les suites de l'enquête permettront de neutraliser un réseau de soutien moujahidin, dirigé du Canada par l'Algérien Fateh Kamel et lié tant à l'Europe qu'à la Bosnie et à la zone afghano-pakistanaise.

Le 3 décembre 1996, un attentat est commis à Paris, à la station RER Port-Royal, provoquant la mort de quatre personnes dont une touriste canadienne et deux étudiants marocains. La piste apparaît claire pour les médias : le GIA venait d'envoyer une lettre de menaces relativement floues au président de la République française. Et une revendication hâtive au nom de l'organisation algérienne avait été lancée d'une cabine téléphonique, en banlieue parisienne. Rapidement, il apparaît pourtant que le GIA n'est pas impliqué dans la préparation de l'attentat. Au contraire, la proximité avec le procès du réseau de Marrakech qui débute le 12 décembre et la similitude opératoire avec l'attentat du 25 juillet 1995 sont autant d'éléments qui permettent d'estimer que l'attentat a été commis par des individus isolés, basés en Europe et proches de la mouvance moujahidine.

Ces événements montrent que la menace, jusque-là purement d'origine algérienne, devient multiforme. Elle est liée à la recherche de nouvelles causes par les sympathisants du jihad en Europe. L'expérience du jihad bosniaque est terminée depuis les accords de Dayton en décembre 1995. La réouverture progressive des camps d'entraînement moujahidins, permise par les Talibans en Afghanistan, va susciter un réel engouement. Celui-ci va provoquer la naissance d'une deuxième génération de volontaires arabes en Afghanistan, qui peu à peu se placera dans l'orbite d'Al Qaida (voir chapitre suivant).

En Europe, cependant, une minorité des anciens sympathisants du GIA reste fidèle au jihad algérien en recherchant le groupe qui puisse incarner l'idéal unitaire de mai 1994. Le choix se porte rapidement sur le GIA 2ᵉ région, dirigé par Hassan Hattab. Celui-ci veut incarner la continuité du GIA de Cherif Gousmi.

Dans ce but, Hattab va – lors d'une interview de vingt pages dans la revue salafiste *Al Jamaa* (le groupe) – justifier la validité stratégique des attentats contre la France. Néanmoins, ces propos guerriers ont pour principal objectif de ratisser large dans les anciens soutiens du GIA. Conscient de la faiblesse de son organisation, Hattab se gardera bien de tout nouvel aventurisme en Europe, où lui est nécessaire la survie de ses rares réseaux logistiques. Parmi eux figurent le groupe allemand d'Adel Mechat en Allemagne et celui d'Omar Saïki en France. Ceux-ci, qui se consacrent à des collectes de fonds et à la distribution de la propagande du GIA 2ᵉ région, sont démantelés pendant les opérations policières européennes avant la Coupe du monde de football en mai 1998. En octobre suivant, Hattab, soucieux de se démarquer du GIA à l'extérieur pour y obtenir de nouveaux soutiens, donne à son organisation la nouvelle dénomination de Groupe salafiste pour la prédication et le combat (GSPC).

## L'abandon du rêve jihadiste par la mouvance jazariste en Algérie

Les généraux algériens avaient-ils, depuis les émeutes d'Alger, pris conscience que la majorité des partisans du FIS n'étaient pas des islamistes convaincus, mais des citoyens désireux de changer de système ? Comme dans d'autres régimes arabes à l'époque, l'élite FLN avait confisqué à son seul profit les rêves de l'indépendance. Les promesses de Boumediene et de ses successeurs n'avaient pas apporté la redistribution des richesses pétrolières, mais seulement le chômage, la crise du logement et la volonté de modélisation ethnique ou linguistique. On évoque toujours le rêve impossible du beur de revenir vers une Algérie qu'il n'a jamais connue qu'à travers les histoires de ses parents. On omet de rappeler que l'espoir de beaucoup d'Algériens, pourtant élevés dans le culte des combattants de l'indépendance, était d'obtenir un visa pour la France.

La crise islamiste en Algérie est d'abord une crise sociale. Le pouvoir algérien ne pouvait pas apporter de solution, car celle-ci passait par la refonte du système et la perte des privilèges. La seule issue, dès lors, restait de fragmenter la nouvelle opposition populaire rassemblée autour des thèmes mobilisateurs de l'islam.

Depuis l'interruption du processus électoral, les autorités algériennes n'ont eu de cesse de rechercher la division de la mouvance islamiste. Cette stratégie explique le double langage d'un pouvoir sans réel projet politique ni économique. Jusqu'à la fin des années 1990, la gendarmerie algérienne, souvent détestée par la population, est restée dans ses casernes alors que le GIA paradait sans risque dans les villages. Au final, l'appareil de sécurité – fierté ou terreur du peuple algérien – s'est avéré pendant cette période d'une totale obsolescence. Cela n'occulte cependant pas le fait que plusieurs milliers de ses membres sont morts dans le combat contre le terrorisme.

Ce sont bien les exaltés du GIA qui ont commis les grands massacres, pas l'armée algérienne. Celle-ci n'est pas intervenue pour protéger la population, non parce qu'elle manipulait les jihadistes, mais parce que sa lourdeur la rendait d'abord incapable de réagir sans risque majeur. Les moujahidin qui ont commis les grands massacres de 1997-1998 intervenaient la nuit, sur un terrain reconnu, guidés par des complices, piégeant les accès pour empêcher toute intervention rapide. Des interventions de troupes héliportées auraient sans doute pu sauver certains villages, mais les quelques hélicoptères disponibles étaient occupés ailleurs ou ne pouvaient recevoir que tardivement les autorisations de vol accordées par un état-major trop centralisé. Le débat, d'ailleurs européen, du « qui tue qui ? » reste partisan.

Mais le manque de réactivité de l'appareil de sécurité, face aux exactions islamistes et aux obstacles physiques du terrain algérien, n'explique pourtant pas complètement sa faible propension à défendre au final des citoyens qui lui étaient hostiles. Car, depuis les années 1995, les citoyens légalistes se sont dotés de structures d'autodéfense relativement efficaces, les milices patriotes et les groupes de légitime défense. Restent par contre sans protection les populations proches de la mouvance islamiste dissidente du GIA. Méfiantes à l'égard des représentants de l'autorité, elles refusent tout contrôle. Privées de la protection des forces de sécurité, elles seront des cibles faciles pour le GIA, déterminé à se venger des dissidents en massacrant leurs proches.

En 1997, les combattants de l'AIS, mal équipés, exténués par cinq ans de guérilla et atterrés du dévoiement de leur jihad, se consacrent alors plus au combat contre le GIA qu'à la lutte contre le pouvoir. Tout espoir d'une nouvelle légalisation de l'ex-FIS est éteint. Par l'intermédiaire de l'Instance exécutive du FIS à l'étranger (IEFE) – qui joue en Allemagne, sous la direction de Rabah Kebir, le rôle improbable d'un gouvernement en exil –, l'AIS accepte de négocier pour protéger les familles de ses maquisards. En octobre, une trêve est signée, à laquelle se rallie discrètement l'ensemble des organisations combattantes jazaristes. L'étape finale se jouera avec la Concorde civile, mouture algérienne de la « paix des braves », proposée en 2000 par le président Bouteflika. Peu de combattants salafistes vont l'accepter, mais elle permettra de réinsérer la mouvance jazariste dans la société algérienne.

Le pouvoir algérien avait vu juste sur au moins un point. Le FIS avait au départ créé l'amalgame improbable entre les classes moyennes traditionnelles, majoritairement des commerçants et des enseignants – proches du jazarisme –, et les classes marginalisées – pour beaucoup des produits de l'exode rural – que leurs revendications utopiques poussaient naturellement vers le salafisme combattant. Ceux-ci n'avaient en réalité aucun projet de société commun, au-delà du fantasme d'une république islamiste algérienne. Huit ans de guerre civile avaient été nécessaires pour revenir au point de départ. La société algérienne en sortait exsangue et hébétée. Elle venait de perdre, pour rien, cent cinquante mille des siens.

## Le terrorisme résiduel

Depuis des années, les dirigeants successifs de l'Algérie avaient utilisé cette expression jusqu'à la vider de son sens. Car les groupes terroristes, pourtant comptabilisés régulièrement à moins de 1 500 combattants, ont poursuivi leur combat. Celui-ci a été utilisé pour travestir la réalité de l'Algérie contemporaine. L'islamisme combattant n'avait pourtant pas de responsabilité dans la révolte kabyle ou le mécontentement étudiant.

La situation semble cependant évoluer, alors que les attentats du 11 septembre ont permis au combat antiterroriste algérien d'acquérir une légitimité nouvelle et de ne plus être soupçonné de servir d'alibi au refus de toute réforme démocratique.

Le terrorisme a été chassé des villes algériennes. Les groupes responsables des quelques attentats commis, début 2001, à Alger au moyen d'engins explosifs artisanaux, ont été vite neutralisés, en l'absence de structures de soutien. Les chiffres mensuels des victimes du terrorisme ont été divisés par vingt en cinq ans, prouvant la nouvelle sécurité des campagnes.

Les quelques dizaines de survivants du GIA ne présentent plus de réelle menace sécuritaire et vivent terrés dans leurs derniers refuges des hauteurs de Médéa, à faible distance d'Alger.

Les maquis de l'Ouest algérien ont tenté de poursuivre le jihad de façon autonome, en refusant les propositions d'alliance d'Hassan Hattab. La plupart d'entre eux sont aujourd'hui réduits à des bandes criminelles, qui ne peuvent plus réussir que sur des hameaux isolés les quelques coups de main indispensables à leur survie. Un seul garde aujourd'hui une relative capacité opérationnelle, le Groupe des gardiens de la prédication salafiste (*Jamaa Al Houmate Al Daawa Al Salafiya*), qui dispose de quelques soutiens en Europe.

La seule organisation conséquente restait, début 2004, le GSPC qui avait finalement réussi à contrôler l'ensemble des structures combattantes de l'Est et du Sud algérien. Depuis 1999, la Grande Kabylie (fief traditionnel d'Hattab) était le siège de la 2$^e$ région, la Petite Kabylie celui de la 4$^e$ région, les Aurès celui de la 5$^e$ région. À la fin 1999, Hattab obtenait le ralliement de l'ancien émir GIA du Sud-Sahara (9$^e$ région), Mokhtar Belmokhtar. Celui-ci, vétéran afghan de la fin des années 1980, s'était après sa rupture avec Zitouni reconverti dans la contrebande d'armes et de cigarettes entre l'Algérie et le Sahel. Sa nomination à la tête d'une 9$^e$ région ressuscitée offrait au GSPC l'accès à une nouvelle route pour l'acheminement des armes et des émissaires extérieurs.

Cela permettait à Hassan Hattab, très conscient de son isolement sur le territoire algérien, de tenter de renouer avec la mouvance moujahidine. Les liens entre cette dernière et le jihad algérien avaient, on s'en souvient, été interrompus en 1996 en raison des excès du GIA. Le contact a été finalement rétabli à la fin 2000, grâce à d'anciens sympathisants du GIA en Europe qui s'étaient réinsérés à l'époque dans la mouvance salafiste basée en Afghanistan, avant de reconsidérer favorablement le modèle algérien du GSPC.

Le GSPC était en effet plus conforme que le GIA aux standards moujahidins. Hattab a toujours défendu un islam salafiste, en se préservant des dérives sanguinaires du GIA. Sa devise « ni trêve, ni réconciliation avec le pouvoir impie » a été respectée. Ses troupes se sont consacrées à des attaques de guérilla – parfois spectaculaires – contre l'armée et les milices algériennes, même si des civils soupçonnés d'être des informateurs ont été exécutés. Mais elles ne se sont livrées ni aux enlèvements de futures esclaves sexuelles (qualifiés de « mariage temporaire » par un théologien du GIA qui avait détourné le sens d'une vieille coutume chiite permettant au voyageur de satisfaire ponctuellement ses besoins charnels hors mariage), ni aux massacres de population, ni aux attentats aveugles.

Les premiers échanges n'ont finalement pas permis l'intégration réelle du GSPC au sein de la mouvance moujahidine. Les distances, mais surtout l'époque, trop proche du 11 septembre et de la destruction de la base afghane, ont eu raison d'un projet qui visait à desserrer l'étau des forces armées algériennes.

Depuis, le GSPC semble avoir subi des coups sévères. Le groupe de Belmokhtar, qui était à l'origine du projet avorté d'attaque du rallye Paris-Dakar-Le Caire, lors de son épreuve nigérienne en janvier 2001, a été depuis réduit. Les survivants – dont son chef – se sont réfugiés dans le *no man's land* sahélien constitué par l'est de la Mauritanie, le nord du Mali et celui du Niger.

C'est d'ailleurs dans cette zone qu'a eu lieu la détention surprenante d'une trentaine de touristes européens en 2003. Il semble bien que l'opération ait été décidée directement par le chef de la 5e région, Abderahmane, dont la volonté de remplacer Hattab à la tête du GSPC était de plus en plus manifeste.

Son succès partiel n'a, au final, rien changé. Hassan Hattab a été abattu, début octobre, lors d'une opération des forces armées algériennes en Kabylie.

# Al Qaida

## par Philippe Migaux

### LE COMBAT CLANDESTIN DE LA MOUVANCE MOUJAHIDINE : LA SRATÉGIE FÉDÉRATRICE D'AL QAIDA (1989-2001)

Tout et son contraire ont été affirmés sur l'origine du terme *Al Qaida* (« la base »). De la référence à un fichier informatique renfermant l'identité des vétérans arabes d'Afghanistan (la base de données) jusqu'au supposé quartier général *high tech* d'Oussama Ben Laden, enfoui sous les montagnes d'Afghanistan (la base secrète), dont les journaux américains avaient fourni, dans les premiers jours des opérations américaines d'octobre 2001, des plans aussi impressionnants qu'imaginaires.

Le nom, immédiatement médiatisé après les attentats d'août 1998, est resté longtemps mythique. Oussama Ben Laden avait d'ailleurs lui-même entretenu le mystère en s'abstenant de prononcer ce terme, avant les attentats du 11 septembre 2001. Les cadres de l'organisation l'évoquaient généralement dans leurs documents internes sous le terme volontairement neutre de « la société ».

C'est plus simplement à Abdallah Azzam que revient la paternité du nom. En 1988, à un moment où apparaissent les premiers signes du retrait soviétique d'Afghanistan, Azzam veut perpétuer l'armée des volontaires arabes qu'il a créée quatre ans plus tôt, en l'engageant dans une mission plus vaste, la reconquête du monde musulman (*cf.* « La matrice afghane », p. 320).

Pour cela, il faut une avant-garde, guerrière et permanente, qui sache guider l'oumma. Il la désigne sous le terme innovant d'*Al Qaida Al Sulbah*

(« la base solide »). C'est d'ailleurs le titre de son éditorial dans le numéro 41 de la revue *Al Jihad* (avril 1988) : «… Tout principe a besoin d'une avant-garde qui le porte plus loin et, tout en s'introduisant dans la société, accepte de lourdes tâches et d'énormes sacrifices. Aucune idéologie, céleste ou terrestre, ne peut se passer de cette avant-garde qui donne tout ce qu'elle possède, afin de lui assurer la victoire. Elle porte le drapeau tout le long d'un chemin difficile et sans fin, jusqu'au moment où elle atteint concrètement sa destination, puisque Allah veut qu'elle y parvienne. C'est Al Qaida Al Sulbah qui constitue cette avant-garde pour la société espérée… »

Il fixe d'ailleurs, quelques lignes plus loin, les huit principes moraux qui doivent guider la conduite des hommes pieux et déterminés qui constitueront cette « base solide » :

— Il faut sauter dans le feu des plus dures épreuves et dans les vagues des pires difficultés.

— Les chefs doivent partager avec leurs hommes les marches éprouvantes, la sueur et le sang…

— L'avant-garde doit s'abstenir des vils plaisirs du monde et supporter abstinence et frugalité qui sont sa marque distinctive.

— L'avant-garde doit réaliser le grand rêve de la victoire.

— Détermination et volonté sont nécessaires pour poursuivre la marche, aussi longue soit-elle.

— Trois provisions sont essentielles pour cette marche : la méditation, la patience et la prière.

— Deux règles doivent être respectées : la fidélité et le dévouement.

— Les complots qui se trament partout dans le monde contre l'islam doivent être déjoués.

La mort brutale d'Azzam à Peshawar prive la mouvance moujahidine d'un leader reconnu et victorieux qui avait su conceptualiser son idéologie et construire son bras armé. Ses meurtriers n'ont jamais été identifiés, laissant cours à toutes les hypothèses, de l'action d'un service arabe commandité par la raison d'État au règlement de comptes interne à la mouvance islamiste. Ce qui au final doit être retenu, c'est qu'en tuant Azzam, ses assassins introduisent Oussama Ben Laden, qui va donner une impulsion différente à Al Qaida et réorienter la stratégie jihadiste.

Rohan Gunaratna voit d'ailleurs dans le piégeage du véhicule d'Azzam, au mode technique terroriste très professionnel (engin explosif télécommandé à distance), la main des Égyptiens d'Al Jihad guidés par leur nouveau mentor, Oussama Ben Laden. Celui-ci, confiné dans l'ombre d'Azzam, n'aurait pu imposer ses vues, dans la période de l'après-jihad afghan. Oussama Ben Laden aurait été en effet convaincu par les Égyptiens d'Al Jihad de la nécessité de concentrer la lutte contre les pouvoirs musulmans corrompus et non sur la reconquête des anciennes terres de l'islam. La différence est essentielle car elle engageait Al Qaida, par la stratégie du retour au combat sur les sols nationaux, à adopter les techniques terroristes du modèle égyptien. Azzam, marqué par son expérience de la résistance palestinienne et qui avait alors violemment reproché à l'OLP en 1970 d'avoir abandonné le combat contre l'occupant sioniste au profit de la subversion contre le pouvoir hachémite en Jordanie, ne pouvait accepter que son organisation se dirige vers un nouveau Septembre noir.

### Le retour d'Oussama Ben Laden en Arabie Saoudite et la désignation du nouvel ennemi américain

Quoi qu'il en soit, attristé par la mort du père spirituel ou secrètement satisfait de la disparition du rival, Oussama Ben Laden rentre en Arabie Saoudite où il est accueilli avec les honneurs dus à un héros de l'islam. De nombreux articles de presse sont consacrés à sa personne ; ils annoncent les tee-shirts et les affiches recouverts de sa représentation en cavalier arabe – vêtu d'une simple robe blanche et armé de son AK 74 ou du sabre de l'islam – qui célébreront sa gloire, quelques années plus tard, dans tous les bazars d'Asie et du Moyen-Orient.

Le Makhtab Ul Khedamat en 1990 est devenu de l'extérieur une coquille vide, dont les activités ne sont plus financées par ses traditionnels bailleurs de fonds saoudiens et américains, depuis le départ des Soviétiques d'Afghanistan. Oussama Ben Laden aurait d'ailleurs dans les derniers mois, avec l'accord d'Azzam, procédé à d'importants mais discrets transferts de fonds, pour assurer l'autonomie financière future d'Al Qaida. Seraient dès cette époque intervenus certains banquiers du Moyen-Orient qui, poursuivant des liens d'affaires avec Oussama Ben Laden, allaient devenir la cible des investigations financières américaines après le mois d'août 1998.

Les représentations du MUK allaient en réalité discrètement perdurer, pendant quelques années, au sein de deux structures autonomes.

La première avait conservé l'infrastructure et les bureaux de Peshawar. Elle était dirigée par le cheikh Mohamed Youcef Abas, alias Abou Qassim, et comptait parmi ses membres dirigeants l'Égyptien Ayman Al Zawahiri.

Elle s'est alors consacrée au support logistique des structures moujahidines maintenues à la frontière pakistano-afghane qui allaient soutenir, conformément à la volonté d'Azzam, les nouveaux jihads du monde entier. Elle était également impliquée dans des activités à caractère humanitaire pour lesquelles elle recevait des fonds provenant en grande partie d'Arabie Saoudite. Ceux-ci transitaient par le Secours islamique mondial et la Muwafaq Foundation, dont il faut noter qu'ils allaient dans l'avenir servir de paravent à certaines activités d'Al Qaida. Cette branche disposait à l'époque de quatre bureaux principaux, en Afghanistan, au Pakistan, en Arabie Saoudite, mais aussi en Iran. Cette dernière représentation était dirigée par des proches de Gulbuddin Hekmatyar, qui restait en 1989 le principal soutien afghan d'Oussama Ben Laden.

La deuxième, plus connue sous le nom de « la Maison des martyrs » (*Bait Ul Shohada*), était installée à Islamabad. Poursuivant la publication de la revue *Jihad* de façon plus irrégulière, elle était dirigée par deux Jordaniens d'origine palestinienne, Mahmoud Said Salah Azzam, alias Abou Adil, le propre neveu d'Abdallah Azzam, et Abou Aris, jordano-palestinien, ancien adjoint d'Azzam. Tous deux devaient entretenir des relations plus conflictuelles avec Oussama Ben Laden. Un de leurs proches n'était autre que l'Algérien Boudjemah Bunnua, alias Abdallah, gendre d'Abdallah Azzam. Cette structure devait être fermée en 1995 par les autorités pakistanaises, qui la soupçonnait d'avoir facilité la fuite de Ramzi Youssef des États-Unis vers le Pakistan et d'avoir apporté une aide aux auteurs de l'attentat contre l'ambassade d'Égypte. Ses activités se repliaient alors en Afghanistan. La parution de *Jihad* était alors interrompue. Bunnua s'installait fin 1995 en Grande-Bretagne. Il venait de séjourner de longs mois en Bosnie, au contact étroit de la Revival Society of Islamic Heritage (RSIH – Société pour la renaissance de l'héritage islamique), ONG wahhabite koweïtienne, qui éditait la publication *Al Forqan*, très prisée des militants fondamentalistes.

Oussama Ben Laden, d'Arabie Saoudite, reste en contact avec les héritiers du MUK qui assureront la continuité des opérations pendant la formation d'Al Qaida. Il tente d'ailleurs de maintenir, par divers relais, le contact avec les plus motivés de l'ancienne armée des volontaires arabes. Mais après des années de présence en Afghanistan, il s'acclimate difficilement au retour sur sa terre où règnent à ses yeux la corruption et l'hypocrisie. Son prestige lui permet de nouer d'utiles relations dans les milieux religieux – en particulier à Médine – qui sont très critiques à l'égard de la famille saoudienne. Au début très proche du palais royal dont son père, le Yéménite Mohamed Ben Laden, avait été jusqu'à sa mort un invité de marque régulier, Oussama Ben Laden s'en éloigne rapidement. Des mises en garde discrètes lui sont alors adressées par l'intermédiaire de proches ou de membres de sa famille.

C'est dans ce contexte qu'intervient l'invasion du Koweït par l'armée irakienne en 1991. Le régime saoudien, qui ne dispose pas de réelle force armée, est immédiatement menacé. Oussama Ben Laden, convaincu d'avoir battu l'Armée rouge en Afghanistan, propose alors aux autorités saoudiennes de leur apporter l'aide des moujahidin arabes pour affronter les divisions blindées irakiennes. Oussama Ben Laden s'oppose, en effet, à la présence de troupes chrétiennes sur le sol saoudien ; or c'est là que sont situés deux des principaux lieux saints de l'islam, La Mecque et Médine, alors que le troisième, Al Qods, est occupé par Israël depuis 1967.

Bien sûr, plus d'un demi-million de soldats de l'alliance internationale, principalement des Américains, s'installent sur le territoire saoudien. C'est pour Oussama Ben Laden une humiliation insupportable subie par tous les vrais musulmans. La terre du Prophète est souillée par les infidèles. Oussama Ben Laden voit dans la présence américaine une double agression : l'occupation de l'Arabie Saoudite par les soldats impies prouve la volonté de l'Amérique de piller les richesses du pays sous prétexte de les protéger. Les États-Unis qui ont humilié les musulmans deviennent ainsi leurs principaux adversaires, car ils sont responsables de la corruption des dirigeants saoudiens et de leur apostasie.

## L'exil au Soudan et la construction de la « base solide »

Oussama Ben Laden, comme le Prophète lors de son départ à Médine, choisit l'exil et se réfugie à Khartoum (Soudan) où il est accueilli par Hassan Al Tourabi, qu'il a connu au Pakistan. Ce dernier, éminence grise du nouveau pouvoir, est le secrétaire général de la Conférence populaire arabe et islamique (CPAI). Celle-ci apporte un soutien officiel aux mouvements islamistes politiques, tout en prodiguant une aide clandestine aux organisations islamistes combattantes. Le Soudan est au début des années 1990 un foyer d'activisme certain, à la frontière d'un monde arabe instable et d'une Afrique noire gangrenée par la corruption, la stagnation économique et les conflits ethniques.

Sur place, Oussama Ben Laden dispose d'une importante fortune et de nombreux appuis. Il crée des infrastructures routières et immobilières modernes pour l'État soudanais. En échange, celui-ci ferme les yeux sur ses activités occultes. Oussama Ben Laden peut monter enfin la « base solide » pour les moujahidin. Il engage dans le même temps des relations étroites avec les organisations islamistes combattantes voisines, présentes dans la corne de l'Afrique, en particulier l'Unité de l'islam somalienne et l'Armée islamique d'Aden-Abyane au Yémen.

Mais ces activités semi-clandestines inquiètent les monarchies du Golfe, l'Arabie Saoudite en tête. Elles prennent, dans l'urgence, conscience de la menace que représente pour leur équilibre interne la création d'une armée du jihad dont les troupes se préparent à l'affrontement avec les régimes musulmans corrompus. Car la nouvelle base soudanaise est à la porte du Moyen-Orient et de ses champs pétrolifères.

La propagation de l'idéologie d'Al Qaida au sein des populations radicales au Moyen-Orient devient un risque palpable, d'autant que la dénonciation par Oussama Ben Laden de l'occupation impie et des pouvoirs apostats reçoit l'approbation de moins en moins discrète de certains milieux religieux. Ce sont d'ailleurs des théologiens radicaux et de riches hommes d'affaires saoudiens qui encouragent, avec l'appui d'Oussama Ben Laden en 1994, la formation d'un véritable mouvement politique d'opposition à la famille royale, le « Comité du conseil et de la réforme ». Les responsables locaux du mouvement sont rapidement emprisonnés par les moukhabarat saoudiens et le Comité s'installe à Londres. Son violent discours local, relayé en Arabie Saoudite par des prêches dans les mosquées, participe à la montée en puissance d'un courant, informel mais déterminé, de contestation générale du régime. Modèle religieux et politique incontournable du monde musulman, le régime saoudien, miné par la corruption et par son alliance avec les États-Unis, est directement menacé sur son territoire, alors que la santé déclinante du roi Fahd, qui ne délègue qu'une partie de son autorité à l'énergique prince Abdallah, entraîne des querelles de succession au sein du palais.

Oussama Ben Laden, qui s'est vu geler ses avoirs saoudiens et retirer sa nationalité en février 1994, fait savoir aux quelques intermédiaires saoudiens avec lesquels il reste discrètement en contact que tout compromis sur la présence américaine est exclu. Sa rupture est consommée avec les dirigeants moyen-orientaux, qui multiplient alors, avec l'appui des États-Unis, les pressions sur le Soudan pour tenter de l'isoler.

Oussama Ben Laden expliquera dans des interviews ultérieures que l'existence d'Al Qaida au Soudan – marquée à l'époque par la présence de plusieurs milliers de ses moujahidin – est alors d'autant plus menacée qu'il a été la cible directe de deux tentatives d'assassinat, qu'il estime téléguidées par les services saoudiens. Dès lors, il peut justifier son combat par la légitime défense. Dans sa fatwa d'août 1996, il indiquait qu'« il ne faut pas oublier que le peuple musulman a souffert l'agression et les injustices infligées par l'alliance des croisés et des sionistes, au point que le sang des musulmans est devenu ce qui a le moins d'importance dans le monde d'aujourd'hui. Leur sang a été répandu en Palestine, en Irak et au Liban. Des massacres ont eu lieu au Tadjikistan, en Birmanie, au Cachemire, en Assam, aux Philippines, à Fatani, en Ogaden, en Somalie, en Érythrée, en Tchétchénie et en Bosnie-Herzégovine, qui font frissonner tout le corps et ébranlent la conscience. Tout cela, le monde l'a vu, mais n'a pas réagi aux atrocités. Le peuple musulman s'est alors réveillé… »

Des périls auxquels il dit avoir échappé, Oussama Ben Laden conservera le souci de la prudence et de la dissimulation. Jamais avant le 11 septembre 2001 il ne se risquera à proclamer sa responsabilité dans les combats qu'il appelle pourtant de ses vœux dans des déclarations régulières. Il se réjouira officiellement à chaque attentat mais niera systématiquement. Certains écrivains y ont vu l'influence de la dissimulation chiite, inspirée sans doute – comme plus tard le thème du martyre – par les écrits de l'Iranien Shariati.

## Le retour aux sources fondatrices : le développement en Afghanistan de la Base solide et son rôle moteur dans la mouvance afghane

La livraison aux autorités françaises du terroriste vénézuélien Illitch Ramirez Sanchez (dit Carlos), qui coulait une retraite paisible à Khartoum après s'être converti à l'islam, renforce la conviction d'Oussama Ben Laden que sa sécurité ne peut plus être assurée au Soudan. Un rapide examen de la scène mondiale lui fait comprendre que malgré les affrontements interclaniques, l'Afghanistan reste le dernier abri possible pour les militants salafistes, d'autant qu'ils bénéficient toujours de bases arrière au Pakistan, tant dans les villes (en particulier Karachi et Peshawar) qu'au sein des camps de réfugiés (en particulier celui de Jalozaï à proximité de la frontière afghane). Enfin, les militants salafistes sont, pour la plupart, considérés avec sympathie par les Talibans qui progressent dans leur conquête du territoire. Dans un entretien avec un journaliste américain, Oussama Ben Laden évoquera plus tard la tranquillité des montagnes d'Afghanistan en la comparant aux déserts de son enfance. Il sous-entendait que le terrain escarpé, le climat rigoureux, l'immensité des distances et la parole donnée des Pashtouns étaient devenus les meilleurs garants de sa sécurité.

En Afghanistan, la situation a évolué depuis le départ d'Oussama Ben Laden, sept ans plus tôt. Les factions tribales qui s'affrontent pour le contrôle du territoire, tout en poursuivant la destruction de leur pays par les exactions et les pillages, sont soumises depuis 1994 à l'offensive du mouvement des Talibans (étudiants en religion). Ceux-ci sont des fils de réfugiés afghans, éduqués dans les madrassas deobandies. Les services pakistanais, sous l'œil bienveillant des autorités saoudiennes et américaines, ont facilité la création – comme cela avait été fait dix ans plus tôt pour les volontaires arabes – d'une nouvelle armée musulmane chargée de rétablir la sécurité intérieure en Afghanistan.

À son arrivée en mai 1996 à Kaboul, Oussama Ben Laden est accueilli par Gulbuddin Hekmatyar, qui avait repris le contrôle d'une partie des activités du MUKUB à la mort (dans un attentat) en 1999 de son fondateur, Abdallah Azzam. Resté le principal interlocuteur des « combattants arabes », Hekmatyar, qui vient de conclure un accord avec son traditionnel ennemi le commandant Massoud, s'apprête à prendre la charge de Premier ministre.

Le 26 août, Oussama Ben Laden lance d'Afghanistan sa première fatwa, dernier avertissement adressé aux forces américaines de quitter l'Arabie Saoudite (texte en annexe).

La seconde offensive des Talibans permet la prise de Kaboul le 27 septembre. Hekmatyar fuit en Iran avec ses fidèles. Dès lors, Oussama Ben Laden se rapproche des Talibans, et suggère un rapprochement avec l'Iran chiite contre l'ennemi commun, l'impérialisme américain.

Les Talibans, placés sous la nouvelle autorité d'un vétéran de la guerre contre les Soviétiques, le mollah Omar, disposent du contrôle de 80 % du territoire et de la confiance de la population, qui espère que l'application de la charia permettra la fin du brigandage et des exactions. Mais les Talibans manquent d'argent et de cadres technico-administratifs. C'est ce qu'offre Oussama Ben Laden, vétéran charismatique et chef moujahidin aux connaissances religieuses établies.

Début 1997, les Talibans vont autoriser la réouverture des camps d'entraînement pour les volontaires arabes, en favorisant leur contrôle par les proches d'Oussama Ben Laden (majoritairement des Saoudiens et des Yéménites) auxquels se sont ralliés la plupart des militants égyptiens, sous la conduite d'Ayman Al Zawahiri. Dans le même temps ils profitent directement de l'arrivée d'une partie des nouveaux volontaires qui, entre les stages militaires dans les camps et les sessions d'apprentissage religieux dans les madrassas, participent directement au combat contre les forces de l'Alliance du Nord.

Enfin un subtil tissu d'alliances – entre positions honorifiques, liens de mariage, fonctions administratives, apports financiers et participations aux trafics – se met en place entre les Talibans et la mouvance d'Oussama Ben Laden. Celui-ci est membre du Conseil supérieur des Talibans, le mollah Omar est introduit à une fonction honorifique au sein du Majlis al Choura d'Al Qaida.

## Le début d'un nouveau jihad, coordonné contre les États-Unis

L'organisation interne d'Al Qaida est modifiée au début 1998, pour mieux mettre en œuvre le plan d'attaque contre les États-Unis, qui maintiennent leurs troupes sur le sol saoudien. Cette structure simple sera copiée par la suite par la majorité des mouvements jihadistes.

L'émir, Oussama Ben Laden, est officiellement nommé par le Majlis al Choura, formé des membres les plus expérimentés d'Al Qaida. Dans la réalité, ceux-ci sont tous des intimes d'Oussama Ben Laden, qui veille à un équilibre, sous son autorité, des différents courants et des nationalités représentées. Les membres les plus importants sont bien sûr les Égyptiens Mohamed Atef, Ayman Al Zawahiri et Abdel Rahman Rajab.

Plusieurs comités, dirigés par un émir, sont responsables devant le Majlis al Choura d'un domaine spécifique d'activités : l'entraînement et les opérations, les finances, les questions théologiques, les communications, la propagande...

Le 2 février 1998, Oussama Ben Laden lance une deuxième fatwa enjoignant « à tout musulman de tuer des Américains, militaires ou civils, et de s'approprier leurs biens » (document en annexe). Cette fatwa institue le Front islamique mondial de lutte contre les juifs et les chrétiens (FIMLJC). S'y associent divers mouvements extrémistes, dont Al Jihad et le GI égyptien, le Mouvement des partisans du Prophète (*Harakat Ul Ansar*) pakistanais – jusque-là concentré sur le jihad au Cachemire – et le Mouvement de la guerre sacrée (*Harakat Al Jihad*) bangladais.

Différentes actions armées avaient déjà été, depuis 1993, commises contre les intérêts des États-Unis. Elles n'avaient pas bien sûr à l'époque été revendiquées par Al Qaida, mais portaient déjà la marque de ses complices égyptiens, saoudiens, somaliens, voire pakistanais.

Le 26 février 1993 est commis l'attentat à la voiture piégée, dans le parking du World Trade Center à New York. Les artificiers avaient couplé l'engin explosif avec des produits cyanidés, mais un mauvais calcul de charge avait empêché les produits toxiques, brûlés dans la déflagration, de se répandre.

À travers l'implication d'islamistes aux profils aussi différents que le cheikh Omar Abdel Rahman et le Pakistanais élevé au Koweït Ramzi Youssef, il apparaît que les réseaux issus de la matrice afghane mêlent des individus de toutes nationalités déterminés à frapper au cœur même du dispositif de leurs adversaires. L'arrestation de Ramzi Youssef en 1995 à Manille a montré d'ailleurs qu'il avait envisagé sur place deux projets d'assassinats, dirigés contre le pape Jean-Paul II et le président Clinton, et qu'il finalisait un nouveau projet terroriste de grande ampleur, la destruction dans un délai court de douze avions de transport civil international. Une répétition en mode réel avait d'ailleurs provoqué la mort d'un citoyen japonais, tué le 24 décembre 1994 par l'explosion d'un engin explosif, déposé par Ramzi Youssef dans un avion des Philippines Airlines qui reliait Manille à Tokyo.

En juin sont arrêtés aux États-Unis huit islamistes, dont cinq Soudanais qui préparaient des attentats contre les sièges de l'ONU et du FBI ainsi que dans des tunnels routiers. En septembre, le Pakistanais Mir Aimal Kansi abat trois agents de la CIA devant le quartier général de Langley. Il ne sera interpellé qu'en 1997 au Pakistan.

À l'extérieur des États-Unis, les intérêts américains avaient été également visés.

En Somalie, dix-huit membres des Forces spéciales étaient tués à Mogadiscio, le 18 août 1993, lors d'une opération américaine visant à la capture de proches du général Aidid. À cette époque, les troupes de ce dernier auraient été entraînées par des cadres de l'organisation somalienne « l'Unité de l'islam » (*Al Ittihad Al Islamiya*). Celle-ci recevait la visite régulière de l'Égyptien Mohamed Atef. La justice américaine a d'ailleurs condamné Oussama Ben Laden pour sa responsabilité dans l'attaque des troupes américaines.

Au Koweït, dix-sept militants islamistes étaient arrêtés le 15 avril 1993, alors qu'ils préparaient un attentat pour la visite de l'ancien président George Bush.

Au Pakistan, deux diplomates américains étaient abattus le 8 mars 1995, alors qu'ils circulaient en voiture dans les rues d'Islamabad. On a déjà indiqué que le 19 novembre suivant, un attentat à la voiture piégée serait commis, également dans la capitale pakistanaise, contre l'ambassade égyptienne. L'opération était à l'époque revendiquée par trois groupes égyptiens, Al Jihad, la GI et une structure inconnue, le Groupe de la justice internationale, qui, par fax, avait exigé la libération d'Omar Abdel Rahman et du cheikh Talaat Fouad Kassem, arrêté en 1995 en Croatie puis extradé en Égypte.

En Arabie Saoudite, un attentat à la voiture piégée contre le National Guard Building à Riyad provoquait, le 13 novembre 1995, la mort de sept militaires américains. L'opération est revendiquée par le « Groupe islamique pour le changement et les partisans de Dieu ». Les services de sécurité locaux interpellaient quatre Saoudiens, vétérans afghans, qui étaient rapidement exécutés. Le 25 juin 1996, les forces armées américaines stationnées à la base de Khobar, située à proximité de Dahran, étaient victimes d'un attentat par camion suicide qui faisait dix-neuf morts. Les investigations, orientées par les enquêteurs saoudiens vers une piste chiite, n'ont pas abouti à l'époque. Dans une interview accordée à CNN, le 13 mai 1997, Oussama Ben Laden avait pourtant tranquillement déclaré : « J'ai le plus grand respect pour ceux qui ont fait cet acte. C'est un grand honneur auquel je regrette de ne pouvoir prétendre… »

C'est dans la continuité de ces actions brutales que la branche égyptienne du FIMLJC, nouveau paravent d'Al Qaida, allait préparer plusieurs opérations simultanées dirigées contre des ambassades américaines.

Le 28 juin 1998, les autorités albanaises extradaient vers l'Égypte plusieurs militants d'Al Jihad, dirigés par le vétéran afghan Sayd Salama, qui préparaient un attentat contre l'ambassade des États-Unis à Tirana. C'est grâce à cette capture que le gouvernement égyptien pourra organiser, à grand renfort médiatique, les procès du « réseau des Albanais » qui marquent la fin d'Al Jihad en Égypte. Mais le 7 août, Ayman Al Zawahiri indique, par communiqué, qu'il « a bien reçu le message des Américains et qu'il va leur répondre dans le seul langage qu'ils comprennent : celui de la violence ». Le 8 août, deux attentats suicides sont commis contre les ambassades américaines de Nairobi (Kenya) et Dar es-Salam (Tanzanie), causant

224 morts dont 7 américains. L'attentat est revendiqué par une organisation inconnue, l'Armée islamique de libération des lieux saints (AILLS).

Les auteurs sont en fait majoritairement des Égyptiens, aidés par des Soudanais, des Yéménites, des Somaliens et des Comoriens. Un petit groupe de Libyens, proche du GICL et dirigé par le dénommé Abou Anes, a planifié l'opération. Le réseau disposait de complicités en Europe, en particulier en Italie et en Grande-Bretagne. Dans ce contexte, et sur demande américaine, était interpellé à Londres Khaled Al Fawaz, responsable du « Comité pour la réforme » et vieille connaissance d'Oussama Ben Laden.

En 1999, Al Qaida préparait d'Afghanistan plusieurs attentats d'envergure destinés à frapper à nouveau les États-Unis, mais aussi leurs alliés. À ce titre, les intérêts français avaient également fait l'objet de repérages extérieurs, en particulier sur des installations militaires situées au Sénégal et à Djibouti. Toutes ces opérations, exécutées par des groupes extérieurs liés à la mouvance moujahidine, allaient pourtant échouer.

Le 12 août, l'interception par la police allemande de détonateurs envoyés de Bosnie permettait l'arrestation du Saoudien Salim, considéré comme le responsable des réseaux financiers d'Al Qaida en Europe.

Le 3 décembre était démantelé en Jordanie un groupe de vétérans afghans dénommé « l'Armée de Mahomet » (*Saif Mohamed*) dirigé par l'imam jordanien d'origine palestinienne Mohamed Al Maqdissi. Ce groupe projetait de commettre des attentats contre les intérêts israéliens et américains à Amman. Il était en contact étroit avec Abou Qutada à Londres et avec la mouvance afghano-pakistanaise, en particulier Zine Abedine Abou Zoubeida, déjà connu pour son rôle dans le recrutement et la formation des volontaires moujahidins. Un des responsables du réseau, le Jordanien Khalil Al Deek, était arrêté au Pakistan et extradé en Jordanie.

Le 14 décembre, l'Algérien Ahmed Ressam était interpellé à la frontière américano-canadienne alors qu'il transportait soixante kilos d'explosif artisanal et des détonateurs de fortune, destinés à l'exécution d'un attentat dans l'aéroport de Los Angeles.

Dans le même temps, les investigations internationales perturbaient l'activité de structures de soutien situées dans des zones considérées jusque-là comme sûres. Des pays occidentaux comme le Canada ou l'Australie, voire des États islamistes comme la Malaisie et le Pakistan, prenaient conscience de la menace salafiste. Au Pakistan, les opérations de contrôle des services de sécurité – effectuées en dépit des réticences internes – obligeaient les moujahidin à déplacer leurs structures, largement implantées depuis vingt ans dans la ville de Peshawar, pour se replier soit vers d'autres villes pakistanaises, en particulier Karachi, soit en Afghanistan.

Un nouvel itinéraire passant par l'Iran était alors mis en œuvre pour les volontaires à destination de l'Afghanistan : Téhéran, Qom, Mechat, avant de franchir la frontière afghane pour Mazar I Charif et Kaboul.

Jusque-là marginalisés face aux structures de la mouvance d'Al Qaida formées essentiellement de Moyen-Orientaux (Saoudiens, Yéménites, Égyptiens), les réseaux maghrébins prenaient une importance nouvelle car ils étaient seuls capables d'effectuer des opérations en Europe, où la clandestinité des Moyen-Orientaux est difficile.

## L'unité de la mouvance jihadiste est réalisée autour de la stratégie mise en place par Al Qaida contre les États-Unis

Fin 2000, une série de réunions est organisée entre les responsables d'Al Qaida et les différents chefs de réseaux moujahidins. Les différents protagonistes décident de mener des actions contre leurs adversaires communs, chacun restant maître des objectifs et des moyens – tout en pouvant compter sur l'appui des autres structures. La mouvance moujahidine se ralliait ainsi aux projets d'Oussama Ben Laden.

Il n'en résultait cependant pas la création d'une organisation hiérarchique pyramidale. Oussama Ben Laden n'a pas tenté ouvertement d'imposer son autorité, mais s'est rendu incontournable en Afghanistan. Son charisme personnel et son expérience ancienne, ses liens avec les oulémas radicaux d'Arabie Saoudite, sa puissance financière sont respectés. Stratège prudent, on l'a vu, il refuse de cautionner des massacres comme il ne revendique jamais les attentats commis. Il se positionne, au final, moins comme un guide que comme un messager. N'affichant aucune ambition personnelle, entouré de moujahidin expérimentés au sein du Majlis al Choura d'Al Qaida, il exhorte au jihad, seul capable d'instaurer le califat et de regrouper la communauté musulmane dans une seule entité politico-religieuse. Il n'hésite pas dans le même temps à développer une stratégie de communication qui le fera mieux connaître dans le monde entier, utilisant même le relais privilégié des médias américains, tout en fidélisant sa relation avec des journalistes musulmans. Enfin, même si sa stratégie vise toujours prioritairement la péninsule arabique à travers les menaces adressées aux Américains, il diffuse un message salafiste très pur en appelant au soutien de l'ensemble des musulmans opprimés : islamistes asiatiques ou tchétchènes, en passant par le peuple palestinien.

Surtout, les proches d'Oussama Ben Laden contrôlent les camps d'entraînement. Les volontaires sont mieux recrutés et placés individuellement (généralement au sein de groupes d'une trentaine de personnes) dans des stages progressifs, allant d'une instruction militaire de base à des formations spécialisées comme l'apprentissage de poisons, l'utilisation des composants électroniques dans la mise en œuvre d'engins explosifs ou les techniques de clandestinité. Entre chaque entraînement, les moujahidin rejoignent des « maisons d'accueil » (*beit*) regroupant généralement les individus par origine ethnique, ou effectuent des formations religieuses. Les volontaires pour les opérations suicides sont généralement recrutés pendant les premiers entraînements militaires à l'occasion de réunions de propagande animées par des responsables de la mouvance ; d'autres sont sélectionnés directement pour des projets précis en raison de leur profil opérationnel (nationalité, compétences techniques, relationnel local). L'entraînement final dure près d'un an. Ceux qui l'ont accompli sont devenus des combattants efficaces, appartenant à une nouvelle caste. Ils ont d'ailleurs pour la plupart connu l'expérience du feu, en ayant combattu aux côtés des Talibans contre l'Alliance du Nord.

Les structures d'entraînement sont réorganisées. Mieux cloisonnées, elles se professionnalisent avec l'arrivée d'une nouvelle génération d'instructeurs aguerris, majoritairement yéménites, dont l'âge dépasse rarement la trentaine. Tous disposent de nouveaux manuels d'instruction, qui forment un total de plusieurs milliers de pages disponibles sur disquettes, puis sur CD-Rom intitulés « l'encyclopédie du jihad ». L'ensemble mêle des traductions de guides d'instruction militaire occidentaux et des chapitres spécifiques rédigés par des instructeurs moujahidins confirmés. Début 2000, l'encyclopédie du jihad était disponible sur différents sites Internet, mis en place dans le monde entier à travers des relais compliqués, par des moujahidin visiblement très compétents en informatique.

Une fois formés, certains des volontaires s'installent sur place, soit en faisant venir leur famille ou en se mariant avec des Afghanes. Ils participent alors à l'encadrement des nouveaux volontaires. D'autres regagnent les pays du jihad ou participent à des missions opérationnelles. Mais la majorité rejoignent leur pays d'origine où ils forment des cellules « dormantes » chargées d'apporter un soutien logistique en attendant que leur soit donné l'ordre de préparer ou de participer.

C'est le cas en Europe, considérée jusque-là comme un terrain d'activités où les réseaux moujahidins restructurés se consacrent à quatre missions :

— la montée en puissance du recrutement de volontaires, repris dès 1997, pour les camps de formation militaire (principalement l'Afghanistan, mais aussi ponctuellement les Philippines ou le Yémen) ;

— l'achat de matériels spécifiques (ordinateurs, matériel de communication, médicaments, vêtements adaptés…) pour les groupes combattants dans les pays du jihad, tout particulièrement la Tchétchénie ;

— l'obtention de ressources financières importantes par des actes criminels relevant de la moyenne délinquance organisée (trafics de faux documents et de fausse monnaie, escroqueries à la carte de crédit falsifiée ou clonée, trafic de stupéfiants, cambriolages, voire vols à main armée…) ;

— le soutien logistique à des opérationnels moujahidins transitant en Europe dans le cadre d'actions opérationnelles.

À partir de 2000, l'Europe devient également un théâtre d'opérations.

Déjà, on l'a écrit, dans les années antérieures, des militants marginalisés mais ayant été proches de la mouvance moujahidine avaient de façon autonome préparé des attentats contre la France. Ils considéraient pouvoir agir sans instruction particulière, car leur démarche s'inscrivait dans le sens du jihad. Il n'était donc plus nécessaire que de nouvelles fatwas soient lancées. C'est vraisemblablement en raison de leur ancienne implication dans des structures proches du GIA que ces individus avaient ciblé notre pays, toujours considéré comme l'ennemi extérieur principal des vrais musulmans.

Ainsi, le 3 décembre 1996, un attentat est commis à Paris à la station de métro RER Port-Royal. La proximité avec le procès du réseau de Marrakech, qui débutait le 12 décembre, et la similitude opératoire avec l'attentat du 25 juillet 1995 permettaient d'estimer que l'attentat pouvait avoir été commis par des individus isolés, basés en Europe et proches de la mouvance moujahidine.

La situation était plus claire avec la neutralisation, le 5 mars à Bruxelles, du groupe dirigé par le Français vétéran afghan Farid Melouk et l'Algérien Mohamed Chaouki Badache, alias Abou Qassim (ancien cadre du MUK à Peshawar de 1992 à 1995). Ce groupe, qui préparait un attentat en France lors de la Coupe du monde de football, se livrait également à un trafic de faux documents dans le cadre d'envoi de volontaires, principalement marocains, vers les camps afghans.

L'implication de la mouvance moujahidine dans des attaques contre l'Europe apparaissait le 24 décembre 2000, quand la police allemande interpellait quatre Algériens vétérans afghans à Francfort. Ceux-ci étaient en possession d'armes et d'un engin explosif dont la fabrication était enseignée dans les camps afghans. La découverte d'une cassette vidéo montrant des repérages vers et dans la ville de Strasbourg permet d'estimer que le groupe se préparait à commettre un attentat, vraisemblablement sur notre territoire, avant le 1er janvier 2001.

L'enquête sur le groupe de Francfort allait permettre, en identifiant les contacts qu'il avait établis depuis quelques mois, de détecter une grande partie des réseaux moujahidins présents en Europe. Les polices européennes allaient procéder à leur neutralisation, ignorant qu'en même temps, la mouvance Al Qaida préparait la plus importante opération terroriste jamais commise sur le territoire américain.

En Grande-Bretagne, le 28 février, l'Algérien Abou Doha était arrêté pour son rôle logistique dans l'affaire Ressam. En Italie, la structure italienne du Groupe combattant tunisien (*Jamaa Al Mouqatila Al Tounsia* – GCT) dirigée par le vétéran afghan et bosniaque Sami Ben Khemaïs Essid, est neutralisée le 4 avril à Milan. En Belgique était établi le rôle central au sein du GCT du groupe du Tunisien Tarek Maaroufi. Ce sont en particulier deux de ses proches qui allaient perpétrer, le 9 septembre 2001, l'assassinat du commandant Massoud. Ils étaient alors recommandés comme journalistes auprès de l'Alliance du Nord par l'Observatoire islamique d'information (Islamic Observation Center), structure londonienne de propagande islamiste dirigée par l'Égyptien Youssef Al Fikri, condamné par contumace depuis dix ans dans son pays pour son rôle au sein des GI. En Allemagne, où les militants islamistes vivaient jusque-là dans une relative tranquillité, étaient lancées d'importantes opérations judiciaires. Elles allaient être, quelques mois plus tard, renforcées par les enquêtes sur l'aide apportée par le groupe de Hambourg au réseau des pilotes de Mohamed Atta.

Enfin, en juillet, l'arrestation à Dubaï du Franco-Algérien Jamel Beghal permettait de détecter un projet d'attentat suicide préparé d'Afghanistan par Zine Abedine Abou Zoubeida, vraisemblablement contre l'ambassade américaine à Paris.

Toutes ces actions participaient du plan d'envergure décidé par l'ensemble des émirs de la mouvance moujahidine lors des réunions organisées par Oussama Ben Laden et ses proches. Ces émirs ignoraient cependant tout du projet central fomenté par Al Qaida : frapper l'Amérique sur son propre territoire en l'humiliant d'une double façon symbolique, par le choix d'objectifs incarnant sa puissance et par l'utilisation détournée de matériels américains.

Préparé dans le plus grand secret pendant plus d'un an, ce projet avait été mis au point en Afghanistan sous la direction personnelle d'Oussama Ben Laden. Celui-ci avait confié les différentes étapes de la mise en œuvre de l'opération à des cellules choisies pour leur efficacité et leur discrétion, réparties en Asie, en Europe et en Amérique du Nord.

## Le combat ouvert de la mouvance moujahidine : le changement de stratégie depuis le 11 septembre 2001

Le 11 septembre 2001, à 8 h 45, le vol n° 11 d'American Airlines, qui avait quitté Boston en direction de Los Angeles, s'est écrasé sur la tour nord du World Trade Center de New York. À 9 h 05, le vol n° 175 d'United Airlines, qui suivait le même itinéraire, s'est écrasé sur la tour sud du World Trade Center. À 9 h 39, le vol n° 77 d'American Airlines, qui avait quitté Washington pour Los Angeles, s'est écrasé sur le Pentagone. À 10 h 00, le vol n° 93 d'United Airlines, qui avait quitté Newark (New Jersey) pour San Francisco, s'est écrasé dans le comté de Somerset (Pennsylvanie) ; la révolte des passagers – ou l'action de la chasse américaine – a seule empêché que ne soit atteinte une quatrième cible, vraisemblablement la Maison-Blanche.

Près de 3 000 personnes ont été tuées. En plus des victimes américaines, des ressortissants de 79 nations différentes, dont deux Français, ont perdu la vie dans ces attentats qui ont provoqué des dégâts s'élevant à sept milliards de dollars.

L'enquête a montré la remarquable organisation du réseau. Chacun des quatre appareils avait été détourné par un groupe d'au moins quatre terroristes, qui pour la plupart avaient effectué ensemble, avant l'action, des vols de reconnaissance. Au moins six des dix-neuf auteurs avaient suivi une formation de pilote aux États-Unis. Certains d'entre eux s'étaient déjà rendus aux États-Unis au cours de l'année 2000. Tous étaient arrivés ou revenus dans ce pays entre avril et août 2001.

Une lettre écrite en arabe, retrouvée dans un bagage non embarqué sur le vol AA 11, a permis de mieux comprendre l'état d'esprit des kamikazes. Rédigée par le chef du réseau, le Saoudien Mohamed Atta, elle mélange versets du Coran et instructions opérationnelles, illustrant de façon saisissante l'efficacité et la détermination des auteurs de l'opération.

« Le travail de chacun et celui du groupe, faits pour la vénération du Prophète, n'ont qu'un seul but… La fin est proche et le paradis promis est à portée de main… Vous devez prier Dieu dès que vous serez à bord de l'avion car tous ceux qui prient Dieu gagneront. Vous faites cela pour Dieu. Comme le Prophète tout-puissant l'a dit, une action au nom de Dieu est meilleure que tout ce qui se trouve sur la terre et que la terre elle-même… Dès que vous vous trouverez à bord et que vous vous installerez dans votre siège, vous vous souviendrez de ce que nous vous avons dit auparavant et vos pensées se tourneront vers Dieu… Voici venue l'heure où vous allez rencontrer Dieu… Quand vous commencerez à agir, frappez fort en héros, car Dieu n'aime pas ceux qui ne terminent par leur mission… La nuit avant la commission de votre geste… vous devrez vous rappeler que vous devez oublier (votre vie passée) et obéir… car vous aurez à faire face à une situation grave et la seule façon possible d'agir sera l'application stricte des ordres… Dites-vous que vous êtes obligés de le faire. Soyez attentifs à vos bagages, vos vêtements, au couteau et à tout ce qui vous est nécessaire : vos documents d'identification, votre passeport et tous vos papiers. Vérifiez que votre arme est en place, car vous en aurez besoin lors de l'action… »

Le bilan des quatre attentats commis aux États-Unis le 11 septembre 2001 montre l'acuité stratégique d'Al Qaida. Les États-Unis ont bien été directement touchés sur des cibles à haute teneur symbolique dans la plus meurtrière attaque terroriste jamais réalisée.

L'extraordinaire succès de cette opération est dû principalement aux choix de trois facteurs : le recours au suicide (martyre) des auteurs ; le cloisonnement des différentes équipes impliquées dans la préparation et la mise en œuvre ; l'utilisation d'avions de ligne comme des vecteurs de destruction de masse.

Par la ruse, Al Qaida a su rattraper la puissance technologique américaine. Les avions détournés sont devenus les missiles de la mouvance moujahidine. L'équilibre des forces est rétabli entre l'islam et le monde infidèle. Al Qaida peut infliger aux États-Unis la même terreur que ceux-ci ont infligée au monde musulman. Les quatre bombes volantes qui s'écrasent en septembre 2001 sur le sol américain effacent l'affront des dizaines de missiles de croisière et de Tomahawk qui ont frappé l'Afghanistan et le Soudan en septembre 1998.

Tout, dans l'attaque du 11 septembre, a une dimension symbolique. Le choix du World Trade Center n'est pas seulement motivé par la volonté de frapper l'arrogante icône de la puissance économique américaine ou d'annoncer le déclenchement d'une guerre globale – c'est-à-dire visant l'ensemble des intérêts de l'ennemi –, il est aussi la perpétuation de la première opération moujahidine réalisée sur le territoire américain, huit ans plus tôt.

Al Qaida a concentré son effort sur son projet principal contre les États-Unis, celui des pilotes. En même temps, elle a téléguidé un certain nombre d'autres actions secondaires, moins élaborées. Face aux profils opérationnels des dix-neuf kamikazes, tous moyen-orientaux, du 11 septembre, ceux du Français Jamel Beghal ou du Britannique Richard Calvin Reid apparaissent plus ternes. Les premiers ont été choisis pour leur intelligence et leur compétence, les seconds pour leur capacité à voyager, sans attirer l'attention, grâce à leurs vrais passeports européens.

Mais le rôle des seconds continuait celui des premiers. Le but des projets de l'immédiat après-11 septembre était de perpétuer l'onde de terreur en créant des échos multiples. Ce que n'avaient pas compris un grand nombre des commentateurs de l'époque, traumatisés par les attentats américains, c'est qu'Al Qaida n'avait pas les capacités nécessaires pour reproduire dans l'immédiat des actions similaires.

Oussama Ben Laden a d'ailleurs reconnu, dans un enregistrement vidéo diffusé dès octobre 2002, qu'il n'avait envisagé que la destruction d'une partie des tours, celle supérieure aux points d'impact des avions. Avec son habileté habituelle, il évoquait alors l'effondrement final du World Trade Center comme la preuve de l'intervention divine.

Le 11 septembre n'annonce donc pas l'hyperterrorisme, c'est-à-dire un monde dans lequel vont se produire à nouveau des attentats toujours plus terrifiants. Il persuade simplement la communauté non musulmane qu'elle doit vivre dans un monde hanté par la crainte permanente de ces attentats. Excellent stratège de la guerre psychologique, Oussama Ben Laden frappe les États-Unis sur leurs arrières pour les affaiblir à long terme, car il ne peut les attaquer frontalement.

Mais en même temps, le 11 septembre montre que la stratégie élaborée par Al Qaida pendant les années 1990 était arrivée à son point de rupture. En se découvrant officiellement dans l'enregistrement précité, pour la première fois de son histoire, Al Qaida se pose en adversaire résolu de l'ensemble de la communauté internationale. Persuadé d'avoir battu l'armée soviétique grâce à l'aide de Dieu, Oussama Ben Laden croit-il vraiment pouvoir grâce à elle défaire l'ensemble des armées infidèles ? Cette vision est sans doute celle d'un grand nombre des émirs d'Al Qaida, murés dans leurs certitudes forgées à l'isolement des montagnes d'Afghanistan. Mais Oussama Ben Laden est plus lucide et plus retors. S'il accepte d'être identifié, pourchassé et à long terme éliminé – donc d'une certaine manière en imposant à lui-même et à son organisation le martyrat des pilotes kamikazes –, c'est qu'il escompte que ce sacrifice servira d'élément déclencheur à une nouvelle étape du jihad, celui des masses.

## La nécessité pour Al Qaida d'adopter une nouvelle stratégie au début du troisième millénaire

*Les attentats du 11 septembre ont montré d'abord l'échec de la stratégie de la mouvance moujahidine à déterminer un projet politique capable de succéder à l'action terroriste*

L'échec de la stratégie moujahidine du jihad des réseaux est établi par quatre faits :

Aucun État salafiste n'avait pu être établi en vingt ans de lutte. Le jihad n'avait pas réussi à s'imposer, que ce soit en Algérie, en Bosnie, en Tchétchénie, au Kosovo ou en Ouzbékistan. Les États islamistes, au départ sympathisants – en particulier le Soudan, le Pakistan et l'Arabie Saoudite – avaient fini par réduire leur soutien à la mouvance moujahidine devant les pressions américaines.

Le régime des Talibans, de plus en plus isolé dans la communauté internationale, n'avait pas réussi à contrôler l'ensemble de son territoire. L'assassinat, dans ce contexte, du commandant Massoud correspondait à un véritable loyer, payé par la mouvance moujahidine au régime afghan.

La grande majorité des projets d'actions armées avaient échoué, alors que les groupes moujahidins, encore divisés par des rivalités, suivaient localement des stratégies différentes : attentats commis en Algérie, opérations de guérilla à la limite du banditisme lancées aux Philippines, combats urbains des islamistes tchétchènes à Groznyï, opérations suicides perpétrées dans la corne de l'Afrique ou aide logistique des structures « dormantes » dans les pays occidentaux, correspondaient à des logiques et des agendas différents. Les connexions entre les multiples structures moujahidines, autour d'Al Qaida, devaient plus leur maintien à des liens entre individus qu'à une quelconque organisation pyramidale.

Les groupes opérationnels se savaient enfin de plus en plus surveillés par les services de sécurité internationaux, alors que les réseaux financiers faisaient l'objet d'enquêtes depuis les attaques de 1998 contre les ambassades américaines en Afrique.

À cet effet on notera que la quasi-totalité des structures locales trouvaient, grâce aux activités de délinquance plus qu'aux collectes des sympathisants, l'autosuffisance financière. Non seulement celle-ci permettait le financement des actions, mais une partie était directement envoyée à la mouvance mouja-hidine. Oussama Ben Laden, qui avait investi d'importantes sommes d'argent dans ses projets soudanais et afghan, n'était pas (ou plus) ce « milliardaire terroriste » décrit avec fascination par les médias occidentaux.

### Le passage à une nouvelle dimension du jihad

En frappant l'hyperpuissance américaine et en revendiquant son action, Oussama Ben Laden mettait en jeu la survie d'Al Qaida, même s'il avait su préparer la mise à l'abri de ses structures.

Le projet de Ben Laden est très proche de la doctrine terroriste élaborée au XIX$^e$ siècle par les socialistes révolutionnaires russes : un groupe armé commet des attentats dans un pays stable. La répression lancée par les autorités frappe le peuple. Ce peuple adopte une démarche révolutionnaire sous la conduite du groupe armé.

Action-répression-révolution : le schéma est identique si l'on considère que le groupe armé est Al Qaida ; les autorités sont celles – corrompues – des pays musulmans, des États-Unis et de leurs alliés ; le peuple est la communauté des musulmans.

Le projet de donner au jihad une dimension planétaire grâce à l'implication des populations musulmanes est-il crédible ? Il n'a jamais réussi dans ses formes précédentes. La riposte occidentale est restée mesurée. Les États musulmans ont pris conscience d'être les premières victimes potentielles de l'islamisme radical sunnite. Al Qaida a subi des pertes sévères. Les populations musulmanes n'ont pas basculé, même si une partie considère que la guerre en Irak et le soutien à Israël dans le conflit palestinien correspondent à une forme parallèle de terrorisme d'État et reste fascinée par Oussama Ben Laden.

### Le passage à la guerre globale

Certains auteurs voient dans l'attentat de Bali le début de la guerre terroriste globale qu'aurait alors déclenchée Al Qaida en s'attaquant à l'économie occidentale. C'est omettre que, depuis les années 1980, les groupes Al Jihad et GI avaient privilégié les cibles touristiques pour affaiblir le pouvoir égyptien. C'est oublier que le premier attentat jihadiste commis sur le territoire des États-Unis visait déjà une des tours du World Trade Center, expression de la puissance américaine mais également symbole économique.

Dans un opuscule paru après le 11 septembre, *Les cavaliers sous la bannière du Prophète : méditations sur le mouvement du Jihad*, Ayman Al Zawahiri fixait d'ailleurs trois objectifs aux opérations futures :

— Infliger le maximum de dommages à l'ennemi, quel qu'en soit le coût en termes de temps et d'effort, car c'est le seul langage que l'ennemi comprenne.

— Se concentrer sur les opérations suicides, car elles sont les plus efficaces quant aux dégâts causés à l'ennemi et les moins coûteuses en termes de pertes pour les moujahidin.

— Choisir les cibles, comme les armes et les modes opératoires, pour que leur destruction ait un impact sur la structure de l'ennemi et place la lutte dans sa véritable dimension.

Hormis celles du World Trade Center et de Bali, les opérations jihadistes se sont toujours inscrites dans une stratégie de terrorisation des masses plus que dans celle du terrorisme de massacre. On y verra sans doute davantage l'explication d'un manque de moyens que celle d'une morale de combat. Oussama Ben Laden, lors de plusieurs interviews, avait indiqué que le jihad devait se doter des mêmes armes de destruction massive que l'adversaire américain.

Reste que la grande majorité des attaques depuis le 11 septembre s'est limitée à des procédures conventionnelles, rendues nécessaires par la clandestinité des opérations et la rusticité des moyens du jihad. Un examen plus attentif permet cependant de constater qu'ils s'inscrivent tous dans une véritable cohérence stratégique.

Al Qaida cherche à terroriser avec des moyens somme toute modestes. Les objectifs sont donc choisis pour surprendre l'adversaire. Or l'Occident, devenu trop riche, a beaucoup de points faibles. Les moujahidin, qui n'ont aucune chance de réussir une attaque directe contre les dispositifs de l'adversaire, vont donc rechercher l'élément spectaculaire qui affaiblira le moral de ses ennemis et galvanisera celui de ses sympathisants. La guerre d'Al Qaida et de ses affidés est toujours d'abord psychologique.

Dans ce cadre, force est de constater que si la mouvance moujahidine n'a pas réalisé les prédictions catastrophistes que certains persistent à ânonner depuis deux ans, elle a su faire preuve d'une redoutable puissance imaginative. D'une certaine manière, elle connaît mieux le monde infidèle que celui-ci ne l'appréhende. Plus que l'ampleur des blessures qu'elle pourra infliger, sa capacité à surprendre encore dans l'avenir témoignera de son état de santé.

Cette nouvelle forme de guerre a nécessité en premier lieu l'élaboration d'une vraie politique de communication – vraisemblablement conduite par le Koweïtien Suleyman Abou Gayth, vétéran bosniaque et tchétchène nommé porte-parole d'Al Qaida en août 2001.

Face aux capacités d'interception du monde occidental, Al Qaida a dû se réadapter à des modes de communication plus rustiques. Téléphones satellites ou communications Internet – même par modes cryptés – ont été limités le plus possible au profit de procédures plus lentes mais plus sûres, comme l'utilisation des courriers humains.

De la même manière, pour empêcher la détection de ses nouvelles positions, la mouvance moujahidine a dû se séparer de l'efficace outil de propagande qu'elle avait organisé autour de sites Internet, multiples et changeants. Face à la machine médiatique occidentale, l'organisation allait utiliser les mêmes armes en se servant du canal de médias arabes, à commencer par la chaîne télévisée Al Jazira. Ses flashes d'information allaient être guettés par les organes de presse occidentaux qui allaient retransmettre en temps réel les moindres menaces islamistes. Celles-ci prenaient du même coup une importance disproportionnée aux yeux de l'opinion publique. Le calcul n'était pas nouveau : pendant des années, groupes combattants égyptiens puis algériens avaient transmis leurs communiqués aux journaux arabes installés à Londres, comme *Al Watan Al Arabi*.

Cassettes vidéo et enregistrements audio, communiqués via des itinéraires clandestins, allaient diffuser dans le monde entier les messages d'Al Qaida, identifiés régulièrement comme émanant de ses chefs, même si la datation annoncée ne pouvait être toujours vérifiée. Les menaces contre de nouveaux pays, tels la Grande-Bretagne, la France, l'Italie, le Canada, l'Allemagne ou l'Australie, et la revendication régulière d'attentats ont eu un impact psychologique d'autant plus fort qu'Al Qaida s'est bien gardée de pratiquer la forfanterie. Son objectif, en tentant d'effrayer le monde infidèle par la menace au nom de l'islam, reste une fois de plus de forcer le monde musulman – convaincu ou victime de l'opprobre – au conflit de civilisation.

## Le repositionnement de la mouvance moujahidine

*Du 11 septembre 2001 au 6 octobre 2002, la menace moujahidine s'est concentrée sur la zone afghano-pakistanaise*

Les forces d'Al Qaida présentes en Afghanistan ont paru pendant les opérations militaires s'effondrer rapidement. Sous-équipées, mal encadrées, généralement regroupées par origine ethnique, les unités de moujahidin afghans ne disposaient pas des infrastructures modernes décrites par les médias occidentaux. Ils n'ont pas tenu, pour la plupart, la promesse de mourir en martyrs. Beaucoup ont péri sous les bombardements ou dans les règlements de comptes afghans, quelques centaines d'autres ont été internés dans le camp américain de Guantanamo. Mais la plupart d'entre eux ont réussi à disparaître.

Pourtant les structures de repli traditionnelles de la mouvance avaient semblé à l'époque neutralisées. La plupart des pays d'accueil avaient rapidement, à l'image du Pakistan, effectué un revirement politique brutal et, soit rallié l'alliance internationale, soit officiellement accepté de nettoyer leur territoire. Les forces spéciales yéménites avaient procédé à de véritables opérations militaires pour neutraliser l'armée islamique d'Aden-Abyane. Le GNT et les chefs de clan somaliens, sous l'œil attentif de l'Éthiopie voisine et des Américains, avaient annoncé contrôler Al Ittihad Al Islamiya. Quant aux autorités de Bosnie, elles avaient fait arrêter plusieurs dizaines de moujahidin et déchu de leur nationalité bosniaque quelques centaines d'autres.

La saisie d'avoirs bancaires et la réaction des milieux financiers avaient perturbé les réseaux traditionnels de transfert d'argent de la mouvance, d'autant que la communauté internationale, sous l'égide de l'ONU, élaborait une nouvelle législation internationale pour combattre le terrorisme.

Seule certitude : privée de la matrice afghane, la mouvance a été dispersée et ne dispose plus aujourd'hui d'un ensemble géopolitique cohérent, capable de fournir formation et asile. Dans l'immédiat, aucun État au monde ne semble capable de fournir aux réseaux moujahidins des facilités proches de celles de l'Afghanistan. Enfin, l'action efficace de la coalition antiterroriste menée par les États-Unis, trop prompts par la voix de leur président à lancer la désastreuse expression de « croisade du Bien contre le Mal », se voyait renforcée par la création de pactes régionaux.

Malheureusement, le temps a montré que la mouvance moujahidine était restée vivante. La majorité des chefs de la mouvance avaient survécu aux attaques aéroterrestres sur le sol afghan. Des itinéraires d'exfiltration avaient été planifiés de longue date vers de nouvelles zones sécurisées. Al Qaida disposait de réelles complicités dans les sept zones tribales du Pakistan. Celles-ci pouvaient d'autant moins être contrôlées par les autorités pakistanaises qu'elles n'avaient pas pleine confiance dans leurs forces de sécurité.

En un an, la mouvance s'est repositionnée géographiquement de façon discrète. Les principaux chefs de la mouvance se sont réfugiés sur un premier axe, formé du Pakistan et de l'Iran où ils disposaient de réseaux d'influence anciens. Les chefs opérationnels et leurs proches lieutenants se sont regroupés sur un deuxième axe, formé du croissant géographique bien connu associant Géorgie, Turquie, Syrie, États du Golfe, Malaisie et Indonésie. Les cellules moujahidines dormantes restaient implantées sur un troisième axe, principalement en Europe et en Asie, voire sur le continent nord-américain.

Pendant cette période, les combats de la mouvance moujahidine se sont poursuivis dans les régions traditionnelles du jihad (Algérie, Tchétchénie, Cachemire, guérillas asiatiques…), mais fort peu d'attentats ont été lancés par Al Qaida. Tous n'ont comme d'habitude pas réussi. Ils ont fait au total moins de deux cents victimes. Cependant, la plupart des attentats commis par la mouvance moujahidine se sont rattachés, pour l'essentiel, au Pakistan, soit parce qu'ils avaient été commis sur place, soit parce qu'ils y avaient été préparés. Tous ces projets présentaient d'ailleurs les mêmes caractéristiques : moyens classiques, mis en place par des individus déterminés, contre des cibles médiatiques au repérage aisé, en utilisant le mode désormais classique de l'action suicide.

Au Pakistan, plusieurs attaques sanglantes – à l'arme automatique et à la grenade – ont visé les communautés chrétiennes. Cependant les attentats les plus importants se sont produits à Karachi, métropole de seize millions d'habitants, où les réseaux d'Al Qaida avaient développé leurs activités depuis vingt ans. Début janvier était enlevé puis égorgé le journaliste américain Daniel Pearl ; le 11 mai, l'attentat de l'hôtel Sheraton tuait quatorze passants dont onze Français de la Direction des constructions navales ; le 14 juin, l'explosion d'une voiture devant le consulat américain provoquait la mort d'une trentaine de civils pakistanais… Dans tous ces cas, mal résolus par la justice pakistanaise, l'implication d'éléments d'Al Qaida était envisagée.

D'autres étaient organisés à partir du Pakistan, vraisemblablement sous la direction personnelle de Khaled Cheikh Mohamed, considéré comme le maître d'œuvre du 11 septembre et qui devait être arrêté en 2002, peu après d'autres responsables de premier plan, en particulier le Jordanien Zine Abedine Abou Zoubeida et le Yéménite Ramzi Bin Al Shib.

Le 22 décembre 2001, le Britannique Richard Calvin Reid, porteur de chaussures piégées à la pentrite, échouait à faire exploser en vol un avion d'American Airlines reliant Paris à Miami. Il avait auparavant bénéficié, lors de son retour en Europe, de l'assistance de réseaux pakistanais consacrés jusque-là au soutien du jihad cachemiri.

Le 11 avril 2002, sur l'île de Jerba, le Tunisien Nizar Naouar commettait un attentat suicide contre la plus vieille synagogue d'Afrique (dix-neuf morts). L'opération était revendiquée par l'Armée islamique de libération des lieux saints (AILLS), comme lors des deux attentats contre les ambassades de Nairobi et Dar es-Salam en août 1998.

Le 23 juin 2002, au Maroc, trois ressortissants saoudiens étaient interpellés alors qu'ils préparaient des attentats par bateau suicide contre les navires de guerre américains et britanniques au large de Gibraltar.

## À partir du 6 octobre 2002, Al Qaida a franchisé son action : la menace est devenue planétaire

### Le Maghreb

La problématique de l'islamisme combattant au Maghreb a été largement développée dans le chapitre précédent. On ajoutera simplement que, si la situation sécuritaire s'est améliorée dans une Algérie encore très traumatisée, les attentats de Casablanca du 9 juin 2003 ont totalement surpris au Maroc, montrant que la menace pouvait prendre des formes nouvelles.

Ils ont fait apparaître un phénomène dont la dangerosité n'avait pas encore été prise en compte : la radicalisation d'islamistes isolés, séduits localement par un discours jihadiste transmis grâce à des émissaires extérieurs de la mouvance moujahidine et des cellules dormantes formées de vétérans afghans.

### Le Moyen-Orient

Les populations du Moyen-Orient n'ont pas cédé aux tentations radicales dans l'après-11 septembre et la situation semblait sous contrôle fin 2002, malgré l'évidente persistance de structures clandestines. En 2003, alors que l'espoir d'un règlement de la question palestinienne s'évanouissait une nouvelle fois, deux événements majeurs ont entraîné une nouvelle déstabilisation.

Le premier est bien sûr la guerre déclenchée en Irak, qui a suscité dans le monde islamique une forte réprobation. La mauvaise gestion de l'après-guerre, marquée par la radicalisation chiite et la multiplication des attentats, dont certains seraient commis par des moujahidin infiltrés, a créé un nouveau foyer de tension régional.

Le second est la grave crise du régime saoudien, de plus en plus contesté par sa base et considéré avec suspicion par ses alliés occidentaux. Après avoir nié pendant des années la présence de groupes locaux liés à Al Qaida – plusieurs attentats contre des ressortissants britanniques avaient ainsi été qualifiés par les services de police de « règlements de comptes entre trafiquants d'alcool » –, les autorités, sévèrement mises en cause par le Congrès américain dans le rapport sur les causes des attentats du 11 septembre, avaient fini par réagir en procédant à des interpellations d'oulémas radicaux et de militants islamistes. Visiblement pas assez vite : le 4 juin et le 9 novembre 2003, des attaques suicides de grande ampleur contre des bâtiments d'habitation faisaient à Riyad respectivement 42 et 38 morts, dont des civils occidentaux.

Reste aussi latente la menace islamiste locale manifestée contre des régimes jusque-là stables. C'est le cas en particulier de la Jordanie et de la Syrie, deux pays encore fragilisés par une succession récente du pouvoir.

### Le monde occidental

En Europe, l'engagement massif de troupes britanniques dans les combats en Afghanistan a fait de la Grande-Bretagne le premier adversaire européen d'Al Qaida. Avant même la France, restée pourtant, pour des raisons historiques, l'objectif premier des moujahidin maghrébins.

L'état-major d'Al Qaida, conscient que les autorités anglaises durcissaient leur attitude vis-à-vis des groupuscules islamistes actifs sur leur territoire, aurait d'ailleurs envisagé de commettre un attentat contre le parlement britannique en faisant s'y écraser un avion détourné à partir d'un aéroport londonien. Cette opération, qui aurait dû être commise par des islamistes pakistanais, en simultanéité avec celle du réseau des dix-neuf pilotes aux États-Unis, aurait été finalement annulée.

Quoi qu'il en soit, la décision de frapper l'Angleterre, coupable de s'être dressée contre la présence moujahidine au « Londonistan », a été annoncée dès le 12 novembre 2001, dans un message attribué à Oussama Ben Laden. L'hostilité de la mouvance moujahidine ne fera d'ailleurs que se renforcer avec l'implication britannique dans la deuxième guerre du Golfe.

Mais dès le début de 2003, la menace avait été concrétisée, sur le sol britannique, par l'échec d'une série d'opérations armées, allant des mini-attaques biologiques à la ricine jusqu'au projet de lancement d'un missile artisanal contre un avion à l'aéroport d'Heathrow.

Cela explique pourquoi, incapable de frapper la Grande-Bretagne sur son territoire, Al Qaida a choisi d'attaquer ses intérêts en Turquie. Le 19 novembre, deux véhicules suicides détruisaient à Istanbul le consulat général et une banque britanniques, faisant dix-neuf victimes. Deuxième réelle démonstration de force de la mouvance moujahidine en Turquie, cette opération prouvait la détermination d'Al Qaida. Elle établissait en même temps l'incapacité de la mouvance moujahidine à frapper directement le continent européen. En décidant de porter le combat dans un pays frontalier qui lui servait de base arrière, elle sacrifiait pour l'avenir ses réseaux logistiques qui opéraient dans une relative tranquillité depuis des années.

Cela confirme d'ailleurs que la menace jihadiste contre l'Europe vise en premier lieu ses intérêts à l'extérieur. En particulier ses expatriés et ses touristes.

C'est le cas de la France qui, si elle a pu, depuis l'attentat du 3 décembre 1996, prévenir tous les projets terroristes jihadistes contre son territoire, a été touchée à plusieurs reprises hors de ses frontières : deux résidents et un touriste à Jerba le 11 avril 2001 ; un marin au large du Yémen, le 6 octobre 2002 ; quatre touristes à Bali le 12 octobre suivant ; onze techniciens à Karachi le 5 mai 2002 ; trois expatriés à Casablanca le 9 juin 2003… Hormis le cas de l'attentat de Karachi, où les personnels français de la DCN semblent avoir été choisis en raison de la faiblesse de leur dispositif de sécurité, les autres victimes françaises n'étaient pas spécifiquement visées en raison de leur nationalité et apparaissent plus comme des cibles d'opportunité.

Nouvelle évolution également, le fait pour les groupes jihadistes de choisir leurs objectifs occidentaux en fonction de critères régionaux. La Jamaa Islamiya a privilégié les cibles australiennes (132 victimes dans l'attentat de Bali) et avait même recruté, via les camps afghans d'Al Qaida, des Australiens convertis pour monter sur zone des réseaux opérationnels.

Ce schéma était d'ailleurs en place depuis les années 1990 en Europe avec le recrutement de jeunes beurs dans les camps afghans. Il est apparu en décembre 2001 aux États-Unis, avec la capture dans les montagnes afghanes d'un moujahid américain, le converti John Walker Lindh. Celui-ci a été depuis condamné pour trahison à vingt ans d'emprisonnement.

Sur le continent américain, les enquêtes ont montré que le réseau des dix-neuf pilotes avait agi quasiment seul. Depuis, d'autres cellules moujahidines ont été démantelées aux États-Unis (groupes de Detroit et de Chicago, Jose Padilla), mais elles étaient de petite taille et ne semblaient pas encore être passées en phase opérationnelle. Là encore, sans l'avantage de la surprise, Al Qaida s'est avérée incapable de frapper à nouveau.

Le seul attentat commis d'ailleurs aux États-Unis a été le fait d'un adolescent déséquilibré, quelques jours à peine après le 11 septembre. Celui-ci, lors de leçons de pilotage aérien, avait précipité son appareil sur un immeuble d'Atlanta, après avoir proclamé par radio de façon incohérente son soutien à Oussama Ben Laden.

## L'Asie centrale

Les Républiques musulmanes du Caucase, nées de l'éclatement de l'URSS, avaient rapidement vu apparaître au début des années 1990 des groupes islamistes radicaux. Un certain nombre de leurs chefs avaient paradoxalement servi sous l'uniforme soviétique en Afghanistan contre les moujahidin.

Dès 1994, Al Qaida aurait installé à Bakou (Géorgie) une structure de soutien aux musulmans azéris qui se battaient contre les troupes arméniennes pour le contrôle du Haut-Karabakh. Plusieurs centaines de vétérans arabes du jihad contre les Soviétiques auraient même combattu sur place, en unité constituée, jusqu'aux accords de paix de 1994.

C'est dès 1991 qu'un ancien général de l'armée de l'air soviétique, Joukar Doudaiev, avait déclaré l'indépendance de la République de Tchéchénie, dont il avait été élu président le 29 octobre. Soutenu par le parti de la Voie islamique (*Hizb Ul Tahir*), branche tchétchène des Frères musulmans, Doudaiev avait choisi comme commandant militaire Shamil Bassaiev, un vétéran afghan qui avait été proche d'Oussama Ben Laden.

La première guerre de Tchétchénie commence en 1994. Début 1995, plusieurs centaines de moujahidin – dont des vétérans azéris et bosniaques – étaient rangés aux côtés des irréguliers tchétchènes contre les forces russes. Leur chef, le Saoudien Ibn Khattab, avait combattu aux côtés d'Oussama Ben Laden lors de la bataille de la « tanière du Lion » en 1987. Il devenait rapidement le chef des opérations de Bassaiev. En juin 1995 ce dernier, à la tête d'un commando tchétchène, lançait un raid en Russie qui aboutissait à la spectaculaire prise d'otages de Boudionnosvk. Le 31 août 1996, les accords de Khasaviourt mettaient un terme aux hostilités.

Ibn Khattab, désireux de poursuivre le jihad dans le Caucase, favorisait alors le développement de la guérilla islamiste en Ingouchie et au nord de l'Ossétie. De nombreux volontaires locaux partaient se former dans les nouveaux camps d'Afghanistan.

Ne parvenant pas à remporter d'avantages décisifs dans les républiques voisines, Bassaiev et Ibn Khattab tentaient une incursion au Daghestan, le 7 août 1999. Surtout, entre les 4 et 16 septembre suivants, 300 civils russes étaient tués dans cinq attentats à l'explosif contre des immeubles d'habitation, commis successivement à Bouïnarsk, Moscou et Volgodansk. Ces actions, non revendiquées, étaient attribuées par Moscou aux « bandits tchétchènes ». Un mois plus tard l'intervention directe de l'armée russe marquait le début de la deuxième guerre de Tchétchénie.

La brutalité des combats, marquée par des exactions de la part des deux camps, frappait particulièrement les populations civiles dont un grand nombre se réfugiait en Géorgie. Comme à l'époque de l'Afghanistan, le monde musulman apportait son soutien au peuple tchétchène, en particulier grâce à l'action des ONG islamiques. C'est sous le couvert de certaines d'entre elles, comme l'Organisation internationale de secours islamique (International Islamic Relief Organization – IIRO), qu'Al Qaida apportait un soutien total aux forces d'Ibn Khattab. Le jihad tchétchène succédait au jihad afghan.

Cela explique pourquoi Ibn Khattab, dans un texte de septembre 1999 intitulé « L'Europe : nous en sommes encore au début du jihad dans cette région », pouvait écrire : «… L'Occident et le reste du monde accusent Oussama Ben Laden d'être aujourd'hui le principal mécène et l'organisateur de ce qu'ils appellent le terrorisme international. Mais en ce qui nous concerne, il est notre frère dans l'islam, il a des connaissances, il consacre sa fortune et sa personne au service d'Allah… Ce que disent les Américains est faux. C'est une obligation pour tous les musulmans de s'entraider pour la victoire de notre religion. Oussama Ben Laden est l'un des principaux érudits du jihad et l'émir des moujahidin du monde entier. Il a lutté pendant des années contre les communistes en Afghanistan et il participe à présent à la lutte contre l'impérialisme américain. »

C'est à cette époque qu'arrivaient en Géorgie, sous couvert d'actions humanitaires pour les réfugiés tchétchènes, quelques dizaines de moujahidin arabes. Ils s'installaient au milieu des camps dans la vallée de Pankisi. Celle-ci avait été choisie par les autorités géorgiennes pour regrouper les réfugiés tchétchènes, car les populations locales, les Kistes, étaient eux-mêmes des descendants de migrants tchétchènes, arrivés au XIXe siècle.

Si la présence de structures moujahidines permettait de ventiler le jihad tchétchène en favorisant un approvisionnement logistique extérieur, l'aide directe des volontaires arabes aux guérilleros tchétchènes est restée somme toute limitée. Ceux-ci, dans l'ensemble, se sont mal adaptés aux conditions climatiques locales. Surtout, de type ethnique différent des Tchétchènes et ne parlant pas la langue, ils ne pouvaient se dissimuler que difficilement au milieu de la population, à la différence des moujahidin locaux.

Par contre, ils allaient jouer un rôle majeur dans le développement des actions de banditisme, en particulier les enlèvements d'étrangers, dont un certain nombre auraient été détenus dans la vallée de Pankisi.

En Tchétchénie même, le chef religieux de islamistes, le cheikh Amar, tentait d'organiser l'aide étrangère. Responsable local d'une ONG wahhabite déjà très active en Bosnie, la fondation Al Haramein, il avait obtenu la caution religieuse de théologiens du Moyen-Orient. Les fonds reçus permettaient d'ailleurs de développer des outils de propagande, dont des journaux et un site Internet, « la voix du Caucase », qui prônaient la création d'un émirat islamique pour le nord de la région.

Malgré l'aide financière provenant du Golfe, la répression allait venir à bout des islamistes tchétchènes, dont les systèmes de communication étaient brouillés par les forces russes. Celles-ci multipliaient bombardements et ratissages, avec l'aide de forces tchétchènes loyalistes. Bassaiev était amputé d'un pied, à la suite d'un tir d'artillerie. Ibn Khattab mourait, quelques mois plus tard, vraisemblablement victime d'un empoisonnement.

Le 23 octobre 2002, des islamistes tchétchènes bardés d'explosifs – parmi lesquels figuraient un certain nombre de veuves ou de sœurs de « martyrs » – et commandés par Mousar Baraiev, prenaient en otage huit cents personnes dans un théâtre de Moscou pour exiger le retrait des troupes russes. L'intervention des forces spéciales russes, qui utilisaient des gaz de combat, entraînait l'exécution de 41 membres du commando mais aussi la mort de plus d'une centaine d'otages.

La Géorgie, sous la pression des États-Unis, allait alors procéder au bouclage de la vallée de Pankisi, dernier point d'approvisionnement des moujahidin tchétchènes. C'est d'ailleurs au milieu des camps de réfugiés qu'auraient trouvé refuge, pendant un temps, les sept cents boïvikis (combattants) de l'émir Roussan Guelaiev, qui avaient échoué fin 2001 à lancer le combat islamiste en Abkhazie. Y était également présent le réseau du Jordanien d'origine palestinienne Abou Moussab Al Zarkawi, qui avait installé quelques structures d'entraînement pour former les volontaires au combat contre les Russes. Ne pouvant pénétrer en Tchétchénie, plusieurs de ses cadres, spécialistes en explosifs et en produits chimiques, allaient décider de retourner en France et en Grande-Bretagne pour y porter le jihad.

L'échec de ces deux groupes européens (*cf. infra*, « L'avenir de la mouvance islamiste ») précédait la fin de la filière tchétchène. Une partie des autres structures du réseau d'Abou Moussab Al Zarkawi, installée dans le Kurdistan iranien auprès des moujahidin du groupe « les partisans de l'islam » (*Al Ansar Al Islam*), était neutralisée dès les premiers bombardements américains de février 2003. On peut cependant supposer que certains des rescapés participent activement aux opérations suicides menées contre les Américains en Irak, aux modes opératoires étrangement similaires à ceux de la mouvance moujahidine.

La situation reste cependant tendue dans les républiques musulmanes du Caucase, où pourraient être réfugiés de nombreux vétérans afghans, malgré les opérations préventives finalement menées par les forces de sécurité contre les groupes jihadistes locaux. Mais la situation sécuritaire de l'Asie centrale reste à moyen terme particulièrement liée à l'évolution du jihadisme en Asie du Sud.

## L'Asie du Sud

La persistance de l'insécurité en zone afghano-pakistanaise est manifeste : les sommes considérables fournies en papier dollar aux beaux jours de la victoire éclair américaine n'ont pas rendu les Talibans plus perméables aux valeurs de la démocratie. Si les opérations militaires ont été menées de façon efficace en Afghanistan, la reconstruction du pays a été gérée, une fois de plus, à l'économie.

Hamid Karzaï – qui avait échappé à la mort le 7 septembre 2002 – ne dirigeait toujours, début 2004, que la ville de Kaboul. Et encore, cela n'était possible que grâce à la présence de l'International Security Afghanistan Forces (ISAF) et à l'action des ONG. Administration, fiscalité, éducation, services publics, transports… presque tout reste à reconstruire. On a surestimé la faiblesse des Talibans parce qu'ils avaient soudain disparu. Ils étaient tout simplement, leurs armes cachées, redevenus des Pashtouns. Ont-ils oublié pour autant l'idéologie qui avait assuré leur pouvoir avant l'arrivée des Américains ? Il est plus vraisemblable qu'ils attendent le départ de ces derniers.

Dans l'intervalle, ils s'occupent. En participant, par exemple, aux trafics qui rongent à nouveau le pays, en particulier celui de l'opium. La récolte de 2002 était estimée à 4 100 tonnes. Un chiffre record pour l'Afghanistan, dix mois à peine après la reprise de la production du pavot.

Kaboul n'est toujours pas à l'abri des attentats. Depuis la mi-2003, des attaques isolées mais d'ampleur réelle montrent que Talibans et « Afghans arabes » n'ont pas disparu du paysage et souhaitent toujours participer au jihad. L'impénétrabilité de la zone tribale (où les solidarités traditionnelles pashtounes ont résisté à tous les occupants étrangers) et la question du Cachemire sont toujours des facteurs non résolus de la crise du sous-continent indien, dont l'Afghanistan reste le maillon le plus instable.

Cette crise régionale, dont l'existence est antérieure à la partition sanglante de 1947, a renforcé l'islamisation radicale – principalement d'influence deobandie – au Pakistan. Les tensions qui se manifestent aujourd'hui dans ce pays participent en même temps d'une nouvelle forme du « grand jeu » entretenu dans la région, depuis fort longtemps, par les rivalités locales et les influences étrangères.

Les organisations combattantes pakistanaises se partageaient entre deux types de jihad avant le 11 septembre : le conflit au Cachemire et le combat – qualifié localement de « sectaire » – contre les chiites. Pour former leurs sympathisants, des liens avaient été tissés avec Al Qaida. Lorsque, à partir d'août 2001, le président Pervez Moucharraf a courageusement mis hors la loi ces organisations, il a du même coup provoqué la création de groupes clandestins qui se sont prioritairement consacrés à une troisième forme de jihad, celui du soutien à la mouvance moujahidine.

Il n'est pas fortuit que, comme on l'a vu, tous les attentats commis entre le 11 septembre 2001 et le 6 octobre 2002 se soient produits ou aient été conçus au Pakistan, ni qu'y aient eu lieu ensuite les principales arrestations de chefs opérationnels d'Al Qaida. Affaibli par la crise avec l'Inde – prompte à dénoncer les racines pakistanaises des attentats commis à New Delhi et à Mumbai –, Moucharraf a vu se développer l'opposition légale islamiste. Il n'a pu encore s'assurer la fidélité de son appareil de sécurité. Il a échappé à plusieurs attentats. C'est beaucoup pour le dirigeant d'un pays en pleine crise économique, que les réalités internationales ont obligé à changer brutalement d'alliance.

## L'Afrique noire

On oublie souvent qu'un tiers des sept cents millions d'habitants de l'Afrique noire sont musulmans. C'est dans la corne de l'Afrique que l'influence jihadiste s'est le plus rapidement manifestée grâce à l'appui fourni par Hassan Al Tourabi, au début des années 1990, à une dizaine d'organisations radicales d'Érythrée, d'Ouganda et de Somalie.

En février 1998, Abul Bara Salman, émir adjoint du Groupe de la guerre sacrée d'Érythrée (*Jamaat Al Jihad Eritrea)* pouvait affirmer que « [...] la stratégie islamiste dans la corne de l'Afrique tient en plusieurs points : l'effort du jihad et de la prédication ; l'éducation des populations musulmanes contre les complots chrétiens [...] ; la vigueur des pays arabes face au danger juif ; les efforts du jihad palestinien [...] ».

Le groupe combattant le plus puissant de la région reste sans doute Al Ittihad Al Islamiya, qui avait fourni un soutien important aux attaques du 7 août 1998 contre les ambassades américaines. C'est très vraisemblablement ce mouvement qui a rédigé le 9 août 1998 – au nom d'une apocryphe Armée islamique de libération du peuple du Kenya – le communiqué de revendication de l'attentat de Dar es-Salam, en précisant que « le combat contre les États-Unis et leurs alliés, les juifs d'Israël, est un combat à mort. Avant l'attentat de Nairobi nous avions mis en garde les musulmans d'éviter tout lieu où se trouvaient des Américains... Nous menons le jihad en tous lieux et à tous moments... » L'organisation somalienne a également été impliquée dans la réalisation du double attentat commis le 28 novembre 2002 à Mombasa.

Des menaces étaient apparues à la fin des années 1990 en Afrique du Sud, avec la radicalisation d'un groupe islamiste, le Pagad. Celui-ci semble avoir été neutralisé en 1999, après la perpétration d'un attentat à la bombe dans le restaurant *Planet Hollywood* du Cap.

La situation apparaît beaucoup plus préoccupante en Afrique centrale, depuis que les douze provinces du Nord – à majorité musulmane – ont voté l'application de la charia, malgré l'opposition du gouvernement fédéral. Plusieurs milliers de chrétiens ont été assassinés lors d'émeutes, dans l'indifférence de la communauté internationale. C'est dans cette région que se trouvent les deux centres salafistes de Kano et de Katsina, qui ont joué un rôle actif dans les trafics d'armes subsahariens au profit des groupes combattants algériens. Les islamistes nigérians entretiennent des liens étroits – où l'appel au jihad se mêle à la contrebande – avec des structures qui apparaissent en plein essor sur un croissant géographique allant du Tchad à la Mauritanie. On notera que c'est dans cette région qu'ont eu lieu deux opérations menées par le GSPC algérien, la tentative d'attaque du rallye Paris-Dakar-Le Caire en janvier 2001 et la prise d'otages d'une trentaine de touristes européens en mars 2003.

## L'Asie du Sud-Est

C'est en 1995, avec l'arrestation du Pakistanais Ramzi Youssef à Manille, que sont apparus les premiers signes de la présence d'Al Qaida en Asie du Sud-Est. Dès cette époque, le Saoudien Mohammad Jamal Khalifa avait mis en place aux Philippines un holding financier au profit d'Al Qaida. Il allait permettre de financer les activités des groupes islamistes locaux pour les relier à la mouvance moujahidine. Khalifa n'est pas un simple homme d'affaires saoudien, il est aussi un vétéran du jihad contre les Soviétiques. Il est surtout le propre beau-frère d'Oussama Ben Laden.

L'Asie du Sud-Est, dès les années 1990, est pour Al Qaida, depuis son fortin afghan, une base arrière commode. Une zone de repos, où l'on peut recruter de nouveaux volontaires, collecter des fonds, obtenir des fatwas ou acquérir faux papiers et technologie. La forte présence touristique – en particulier de Proches-Orientaux – et l'inefficacité des systèmes sécuritaires minés par la corruption et la bureaucratie en font un lieu de passage – voire de séjour – discret.

C'est aussi pour Al Qaida une terre de repli. Dès 1997, l'organisation sait que sa stratégie de dissimulation – menacer, frapper, applaudir mais ne pas revendiquer – ne pourra être menée à long terme, et elle envisage de se replier en Asie du Sud-Est quand tombera le régime des Talibans. Il faut pour cela nouer des alliances, et les moujahidin asiatiques formés dans les camps afghans sont chargés à leur retour de messages pour les chefs de leurs groupes locaux – dont certains sont d'ailleurs des vétérans du jihad contre les Soviétiques. Il faut créer de futurs centres d'entraînement aux techniques d'explosifs, et Al Qaida envoie des instructeurs dispenser leur science de l'acte terroriste, en particulier dans le domaine de la fabrication et de la mise en œuvre d'engins artisanaux. Les routes vers l'Afghanistan, via le Pakistan ou l'Iran, sont plus surveillées, on envoie certains des nouveaux volontaires se former dans les camps philippins du MILF à Mindanao. L'un d'entre eux, le Français Claude Cheik Boulanouar, est d'ailleurs interpellé en décembre 1999 à l'aéroport de Manille alors qu'il tente d'embarquer avec du cordeau détonant dissimulé dans son sac à dos. Le premier attentat moujahidin en Asie du Sud-Est aurait d'ailleurs été commis dès 1997 dans l'île de Mindanao par deux moujahidin arabes, alors détachés par Al Qaida comme instructeurs auprès du MILF.

L'islamisme combattant en Asie du Sud-Est tire ses racines d'une organisation musulmane clandestine apparue en Indonésie au lendemain de la

Seconde Guerre mondiale, le Darul Islam (Unité de l'islam) Son but était avant tout l'indépendance face aux colonisateurs, mais pour donner naissance autour de l'islam – présent dans la région depuis le XIV$^e$ siècle – à une république regroupant les populations musulmanes de la région : l'Indonésie, la Malaisie, le sud de la Thaïlande (région pattani) et le sud des Philippines (archipel de Mindanao). Le futur État devait être régi par la charia et unifier l'oumma (communauté des croyants) locale, mais il n'était pas alors fait mention, dans le projet du Darul Islam, de volonté de conquête envers les non-musulmans.

Deux de ses dirigeants, les Indonésiens Abdallah Sungkar et Abou Bakar Bashir, recherchés par les autorités de leur pays pour activités subversives, se réfugient en Malaisie en 1985 où ils fondent un courant islamiste, proche du wahhabisme, qui prône le jihad pour arriver au Darul Islam. Ils conçoivent à cette fin d'unifier les différents conflits locaux qui opposent des populations musulmanes à des chrétiens ou aux pouvoirs centraux.

Quelques dizaines de leurs disciples – indonésiens et malais principalement – font, au milieu des années 1990, le voyage en zone afghano-pakistanaise où ils se forment aux pratiques de l'islamisme combattant. Les élèves vont, sinon dépasser les maîtres, du moins les convaincre de légitimer une dynamique nouvelle, proche de celle de la matrice moujahidine basée en zone afghane et dont les relais idéologiques se situent, une fois encore, au Pakistan et en Arabie Saoudite.

À son retour en Indonésie en 1999, Abou Bakar Bashir devient le chef incontesté de la nouvelle *Jamaa Islamiya* (JI – Groupe islamique), organisation clandestine transrégionale visant à imposer le Darul Islam par le jihad. En même temps, il crée tout à fait ouvertement le Mouvement des moujahidin indonésiens (MMI), organisation fondamentaliste activiste qui va inspirer l'action des milices religieuses et servir de vivier aux recruteurs de la JI.

Abou Bakar Bashir, en dépit de ses prêches incendiaires en faveur du jihad, de sa proclamation salafiste et de sa sympathie affichée pour Oussama Ben Laden, reste cependant un idéologue, non un combattant. C'est à son disciple de quinze ans, Riduane Isamuddin, alias Hambali, membre du Majlis al Choura de la JI, qu'il va déléguer le soin de construire la branche militaire de l'organisation.

Celle-ci est immédiatement concentrée sur trois *mantiqis* (zones d'action). La première regroupe Singapour, la Malaisie et le Sud de la Thaïlande : terre des richesses du futur État islamique, elle est aussi le lieu de fondation de la JI et abrite le quartier général clandestin de la branche armée. La deuxième zone, en raison de la présence ancienne des structures du Moro Islamic Liberation Front (MILF – Front Moro de libération islamique), est une terre d'entraînement. La troisième, l'Indonésie, doit devenir dès lors la terre de combat.

Ce dernier pays, où l'agenda des guérilleros musulmans reste marqué par les priorités des conflits locaux (Atje, Moluques, Célèbes), n'est pas prêt à agir seul. Hambali tente, au cours de plusieurs réunions clandestines en Malaisie et en Thaïlande, d'unifier les modes de combat dans un sens transrégional. Des militants philippins du MILF ou d'Abou Sayyaf, des Malaisiens du KMM (*Kampulan Mujahidin Malaysia* – Mouvement des moujahidin de Malaisie), des guérilleros indonésiens des Célèbes, des Moluques ou de Java, des Birmans du Front Rohinga et des Thaïlandais de l'ethnie pattani participent à la création d'une structure de coordination, le *Rabitat-ul-Mujahidin* (Ligue des combattants de Dieu), vraisemblablement en compagnie d'émissaires de la mouvance afghano-pakistanaise.

Les premiers projets prévus en Indonésie (attentats contre des prêtres et assassinat de la future présidente Suhartoputri, alors Premier ministre) n'aboutiront pas. Fait déjà partie des protagonistes l'Indonésien Amrozi qui deviendra l'un des organisateurs du triple attentat de Bali. Au même moment, les moujahidin malaisiens du KMM entament une série de hold-up et d'attaques de casernes pour se procurer finances et explosifs, nécessaires à la réalisation de futurs attentats ; ils réussissent même l'assassinat d'un député, Joe Fernandez, jugé trop proche des milieux chrétiens.

C'est bien en Indonésie que va débuter le jihad de la JI. Le 24 décembre 2000, près de soixante engins explosifs déflagrent contre des lieux de culte chrétiens à Java, tuant une quarantaine de civils, dont des religieux. Le 16 août 2001, l'explosion d'une voiture piégée à Jakarta blesse l'ambassadeur des Philippines et provoque la mort de trois de ses proches. Aucun de ces attentats n'est revendiqué. Là encore, la similitude est grande avec la stratégie d'Al Qaida.

Mais la mouvance moujahidine asiatique n'a pas son expérience. L'arrestation en Malaisie, fin 2000, d'un des chefs de la JI, l'Indonésien Abou Jibril, permet d'identifier Hambali, qui dirige directement de Kuala Lumpur la mantiqi 1. Celui-ci s'enfuit en janvier 2001 au Pakistan, où de nouvelles instructions lui sont données, vraisemblablement par Khaled Cheikh Mohamed.

Hambali est l'architecte du projet d'attentat contre Bali. Le choix de la « cible molle » est parfait : l'île, peuplée d'hindouistes, est un site touristique pour Occidentaux. Les Australiens, bêtes noires des fondamentalistes indonésiens depuis l'indépendance du Timor-Oriental, y sont particulièrement nombreux.

Le triple attentat est un plein succès opérationnel. Un tiers seulement des 1 100 kg d'explosifs artisanaux contenus dans la voiture piégée détonent devant la discothèque Sari, détruisant tout dans un rayon de 100 mètres. Le premier attentat, commis quelques minutes plus tôt à trois cents mètres de distance dans le bar Paddy, avait incité la foule à se regrouper autour du lieu de la seconde explosion. 202 cadavres, dont ceux de 88 Australiens, seront identifiés. Le troisième attentat, qui ne provoque que des dégâts matériels à faible distance du consulat des États-Unis, est vraisemblablement la signature antiaméricaine de l'opération.

Rapidement, l'évidence d'un double attentat suicide et la découverte d'un téléphone portable dans deux des systèmes de mise à feu – technique enseignée dans les camps d'Afghanistan – font privilégier la piste d'un groupe local lié à Al Qaida.

La neutralisation du réseau, en quelques semaines, permet de comprendre la dimension régionale de la JI. Il apparaît alors clairement que l'Asie du Sud-Est est devenue pour Al Qaida une zone stratégique de premier plan. Pousser à la contestation armée une partie des 300 millions de musulmans d'Asie est un projet d'autant plus séduisant que partout dans les zones traditionnelles de jihad sont alors démantelées des cellules opérationnelles et interpellés des responsables de premier plan.

L'attentat commis à Jakarta le 5 août 2003 apparaît *a posteriori* comme un échec. L'auteur de l'acte suicide ne parvient pas à franchir les contrôles de sécurité et explose à trop grande distance pour toucher les structures de l'hôtel Mariott. Sur les douze morts, dix sont des Indonésiens musulmans, ce qui prive le kamikaze du statut de shahid.

L'organisation régionale revendique pourtant, à cette occasion, pour la première fois sa responsabilité. Là encore, la similitude est frappante avec la stratégie d'Al Qaida de l'après-11 septembre. Le but vraisemblable est d'obtenir que le procès d'Abou Bakar Bashir – qui s'ouvre le 10 août pour son implication dans les attentats de 2000 en Indonésie – se solde par une condamnation lourde qui soulève la colère des fondamentalistes asiatiques. La réponse de la justice indonésienne est mesurée et pragmatique. L'idéologue vieillissant n'est condamné qu'à quatre ans de prison pour sa responsabilité intellectuelle dans la stratégie violente de la JI. Le message de mise en garde est clair pour les sympathisants de la mouvance moujahidine, alors que la population indonésienne rejette dans son ensemble la violence de l'organisation et de ses structures légales.

Le 11 août, l'annonce – par le président Bush lui-même – de l'arrestation d'Hambali en Thaïlande est un revers majeur pour la stratégie jihadiste en Asie du Sud-Est. Cette capture est d'ailleurs l'aboutissement d'une série d'opérations qui ont permis de neutraliser au Cambodge une structure logistique, l'association Al Quran (le Livre sacré) et de démanteler en Thaïlande un groupe opérationnel, la Jamaa Salafiya (Groupe salafiste), qui préparait localement des attentats contre cinq ambassades et trois sites touristiques.

Début septembre 2003, l'arrestation du trésorier de l'organisation, Tawfik Rafke, permet de prévenir un nouveau projet d'attentat et d'identifier un groupe de cadres en fuite d'Indonésie.

La menace reste présente en Asie du Sud-Est. L'Indonésie, mais aussi les Philippines, restent toujours le maillon faible du dispositif sécuritaire. La Thaïlande, hier terre d'accueil clandestin, vient d'effectuer une entrée remarquée dans le combat antiterroriste alors que son potentiel touristique la désigne comme une cible d'avenir. La Malaisie et Singapour, bien protégés dans leurs frontières, sont inquiets des menaces contre leurs intérêts à l'étranger. Enfin le Cambodge et la Birmanie, voire le Viêt-nam et le Laos, pays où figurent d'importants sites fréquentés par les Occidentaux, apparaissent comme de nouvelles terres de refuge pour les jihadistes en fuite.

# L'avenir de la mouvance islamiste

par Philippe Migaux

## LA MONTÉE EN PUISSANCE DE GROUPES JIHADISTES LOCAUX ET AUTONOMES

Les opérations militaires en Afghanistan ont permis un acquis majeur dans la lutte contre le terrorisme islamiste. Elles ont établi que la communauté internationale ne pouvait admettre l'existence de zone grise sous contrôle jihadiste. Car le pays des Talibans – unique manifestation territoriale du projet moujahidin – avait une triple fonction pour la mouvance : base de formation, quartier général et zone de repos – comme la matrice libanaise l'avait été pour le terrorisme révolutionnaire international dans les années 1980.

C'est dans le seul Afghanistan des Talibans qu'ont pu être produits en nombre conséquent les guerriers expérimentés du salafisme. Ceux-ci sont donc amenés dans le temps, faute de voir apparaître de nouvelles générations passées par le même moule, à se raréfier puis à disparaître. Si leur sacrifice peut inciter au ralliement de nouveaux sympathisants, ces derniers n'ont plus, depuis la fin 2001, la possibilité d'acquérir la cohésion et la stature opérationnelle de leurs aînés.

L'exemple des cinq attentats de Casablanca, en juin 2003, a montré que des émirs locaux, même sans autre référence qu'un passé criminel et de vagues connaissances coraniques, pouvaient – sans attirer l'attention des services de sécurité – recruter, former et convaincre de passer à l'action suicide une poignée de jeunes marginaux. La fin, par le martyre, d'une vie sans espoir assure ainsi la certitude du paradis.

Dans un texte de propagande intitulé « Les raisons du jihad », Al Qaida évoquait en 1999 huit motivations principales pour recruter de nouveaux volontaires : « La volonté que cesse la domination des infidèles, le besoin de nouveaux moujahidin, la peur des flammes de l'enfer, la volonté d'accomplir son devoir en répondant à l'appel de Dieu, l'exemple des compagnons du Prophète, le désir de donner à l'islam une base solide, la protection des opprimés, la recherche du martyre... »

D'autres éléments peuvent contribuer à cet engagement ultime : l'ego d'abord, car le martyrat dans un engagement communautaire permet à un exclu de valoriser enfin l'image qu'il a ou qu'il veut donner de lui. La promesse des soixante-douze houris n'est sans doute pas non plus absente dans des communautés marquées dès l'enfance par la frustration sexuelle. La soif de vengeance, le souci d'assurer à ses proches la reconnaissance matérielle ou morale de la communauté sont également de puissants moteurs psychologiques...

Tous ces éléments ont d'ailleurs été exploités depuis des années de façon très méthodique par le Hamas palestinien pour procéder à une politique à long terme de sélection et de recrutement de leurs martyrs. La stratégie israélienne d'élimination sélective des cadres de l'organisation terroriste palestinienne n'a pas permis de tarir le nombre des volontaires. Le cheikh Ahmed Yassine a même dû intervenir personnellement pour durcir les conditions de recrutement, en limitant par exemple l'accès des femmes.

Mais ce schéma d'autogénération, marqué par la volonté de vengeance et lié aux souffrances de l'histoire palestinienne, peut-il être transféré à long terme dans d'autres communautés musulmanes ? Vraisemblablement pas, d'autant que seules les structures du Hamas ont acquis une réelle capacité d'encadrement et de formation de leurs volontaires, permise par le succès de leur outil de propagande au sein d'une population fragile et sympathisante. Les martyrs des banlieues déshéritées du monde sunnite ne laissent pas derrière eux de modèle, ni ne contribuent au bien-être moral ou matériel de leurs proches.

Le candidat au martyre n'a certes besoin, pour passer à l'acte, que d'une formation limitée et d'un accompagement total, dont les formes relèvent généralement du lavage de cerveau. On touche ici à des comportements qui s'apparentent aux limites ultimes du conditionnement sectaire. Encore faut-il qu'il reste une secte pour en reproduire l'expérience. La répression qui frappe les survivants neutralise bien souvent émirs, recruteurs et instructeurs des cellules islamistes locales. Le modèle des volontaires au suicide spontané semble, dans les conditions présentes, ne pouvoir que s'éteindre à moyen terme. Il n'en reste pas moins particulièrement dangereux à court terme.

## LES MENACES NRBC

L'évocation régulière de menaces terroristes d'ampleur avec des moyens nucléaires, radiologiques, bactériologiques ou chimiques (NRBC) n'a été pour l'instant que très marginalement concrétisée. Aucun projet n'a, en tout cas, été mené à bien. Force est de rappeler que si, peut-être d'ici à quelques années, l'évolution de la science, des techniques et de la communication peut permettre l'accès des milieux subversifs à ces techniques, ce n'est pas encore le cas à ce jour.

La problématique fondamentale du terrorisme NRBC reste en effet celle du vecteur d'emploi. Comment utiliser le poison ? Sous un mode liquide, gazeux, pulvérulent ? Se pose alors le problème du conditionnement et celui de la diffusion. Les moujahidin ont pu acquérir quelques notions scientifiques, entretenues par la consultation de manuels ou de sites Internet, mais aucune menace d'ampleur ne semble posée par les chimistes de la mouvance. Leurs expériences relèvent pour l'instant essentiellement du bricolage malsain.

Passons rapidement sur le nucléaire, rien ne permet d'envisager la possession de matières fissiles par la mouvance moujahidine. Pour le radiologique, on évoque généralement le cas de l'ancien délinquant d'origine portoricaine José Padilla, chargé par Al Qaida de construire une bombe sale (déchets associés à un engin explosif conventionnel). Encore faut-il rappeler qu'il a été arrêté à son retour sur le territoire américain, alors qu'il n'avait aucune connaissance sérieuse sur le sujet.

Quant au biologique, des recherches sur l'utilisation de substances de ce type ont bien été développées en Afghanistan par différents responsables de la mouvance moujahidine, en particulier le Jordanien Abou Moussab Al Zarkawi (ancien responsable du camp d'Herat) et l'Égyptien Abou Khabbab (ancien responsable d'une structure de formation au camp de Derunta et dont des cassettes vidéo d'expérimentation sur des animaux ont été découvertes par les forces spéciales américaines). Un projet opérationnel a été mis en œuvre par les membres de la « filière tchétchène », qui avaient produit en Grande-Bretagne de la ricine (poison obtenu par décantation de la graine de ricin) avant d'être interpellés en janvier 2003. Le stock constitué n'a pas été retrouvé, mais la dimension artisanale du laboratoire indique que seules de très faibles quantités avaient été produites. Le poison, mortel par suffocation, ne permet pas d'antidote ? Certes, mais, le projet du groupe était d'enduire des poignées de portes avec le produit pour obtenir la contamination par contact épidermique. Selon les spécialistes, il apparaît peu probable qu'ait pu être obtenu un effet létal.

Dans le domaine chimique, un exemple plus sérieux a été donné par le groupe français de la « filière tchétchène », interpellé en décembre 2002 en région parisienne. Le projet, qui visait sans doute des objectifs russes en France, était plus abouti. Tout était rassemblé pour construire un explosif sophistiqué auquel les moujahidin comptaient coupler de la poudre de cyanure que l'explosion aurait diffusée. À condition que – comme dans le cas du premier attentat en 1993 contre le World Trade Center – l'explosion n'ait pas grillé le produit chimique. On peut envisager que la poudre diffusée ait pu être inhalée par les survivants de l'explosion ou les membres des équipes de premier secours. Il est difficile d'établir si les conséquences auraient pu être mortelles en milieu aéré. Mais il est évident que la diffusion d'images de personnes infectées, même toussant dans les décombres d'un attentat, auraient eu un effet désastreux sur l'opinion publique.

Car le problème de la menace NRBC est essentiellement d'ordre psychologique. Sujet mal connu, il déclenche donc un sentiment diffus de terreur irraisonnée. C'est d'ailleurs la raison pour laquelle les médias s'en sont emparés, de façon souvent irresponsable, dès le lendemain du 11 septembre. Loin d'éduquer la population, la plupart des sujets traités n'ont réussi qu'à l'inquiéter. D'autant que la menace évoquée à l'époque – l'envoi aux États-Unis de missives contenant de la poudre d'anthrax – n'a pas au final été reliée à la mouvance moujahidine. La presse occidentale a par contre vraisemblablement donné d'excellents sujets de réflexion aux éléments les plus perturbés de la mouvance moujahidine.

Reste que deux exemples connus viennent rappeler la difficulté, pour un groupe terroriste, de monter une opération chimique. Sur les onze morts par inhalation de gaz sarin lors de l'attentat commis dans le métro de Tokyo en 1995, plusieurs étaient en fait des membres de la secte Aum. Le seul exemple récent de massacre chimique lors d'un acte terroriste est paradoxalement celui de la centaine d'otages du théâtre de Moscou, gazés sans discernement par les forces d'intervention, en même temps que les terroristes tchétchènes.

Revenons au sens commun. Un attentat NRBC entrerait tout à fait dans la catégorie des actes de terreur spectaculaires prônés par Ayman Al Zawahiri. Mais ils relèvent de modes d'attentat très compliqués en raison des difficultés de mise en œuvre de tels produits. Les engins explosifs artisanaux sont plus abordables en termes de fabrication et d'emploi.

Un exemple significatif peut encore être trouvé dans l'inquiétude manifestée par les services américains au lendemain du 11 septembre à l'encontre de risques d'attaques sur des centrales nucléaires. Les opérations réussies depuis par la mouvance, loin de toucher des sites très sécurisés, ont au contraire frappé des cibles plus communes – essentiellement des lieux publics ou d'habitation – et relativement faciles d'accès.

## LE TERRORISME MARITIME

Jusqu'à l'aube du XXI⁰ siècle, le terrorisme maritime est resté marginal. Son principal exemple restait celui du détournement, en septembre 1984, de l'*Achille Lauro* par des Palestiniens, membres de la force 17 du Fatah. Le mode opératoire (dissimulation des terroristes parmi les touristes du bâtiment de croisière, ciblage des passagers de confession juive ou de nationalité israélienne, recherche de négociations avec les autorités israéliennes, volonté d'audience médiatique…) montrait d'ailleurs que cette innovation soudaine n'était que la transposition dans le domaine maritime de la traditionnelle pratique du détournement aérien qui avait permis à la lutte armée palestinienne de se faire connaître (puis reconnaître) de l'opinion publique internationale. L'issue difficile de l'opération (assassinat d'un vieillard handicapé, de nationalité américaine et de confession juive ; interpellation des auteurs par les forces américaines avant leur libération discrète par les autorités italiennes…) avait dissuadé par la suite les groupes terroristes de recourir à ce mode d'action compliqué.

On rappellera également que le groupe Abou Nidal avait en 1988 revendiqué la responsabilité d'un attentat à la bombe conventionnel, qui avait causé la mort de neuf passagers, sur un bateau grec d'excursion côtier, le *City of Poros*.

De même que la piraterie, le terrorisme maritime exige des compétences spécifiques. En particulier que les auteurs soient des marins, capables selon les cas de réaliser des opérations de base telles qu'aborder, contrôler, voire manœuvrer le bâtiment visé. Les groupes terroristes de la génération des années 1970 à 1990 étaient formés de seuls terriens.

La menace devait évoluer avec les Tigres tamouls du LTTE, qui réussissaient le 23 octobre 2000 une opération magistrale. Quatre canots blindés, porteurs d'explosifs, parvenaient de nuit à s'introduire dans la base navale de Trincomalee, détruisant un navire sri-lankais et en endommageant un

387

second. 24 personnes étaient tuées lors de l'opération, dont les attaquants. À la même époque, le Hamas palestinien, soucieux d'augmenter sa crédibilité opérationnelle, avait préparé une opération analogue, avec moins de succès cependant. Le 7 novembre, le bateau suicide explosait prématurément à proximité des côtes israéliennes avant d'avoir pu toucher sa cible.

Déjà, en février, le Moro Islamic Liberation Front (MILF – Front Moro de libération islamique) – dont peu d'observateurs soupçonnaient à l'époque les liens concrets avec Al Qaida – avait réussi à attaquer, au large des Philippines, le bateau *Our Lady Mediatrix* qu'il mettait hors d'usage tout en tuant une quarantaine de membres d'équipage.

Tous ces faits étaient à l'époque passés quasi inaperçus. L'heure n'était pas à la dimension planétaire du terrorisme. Et l'attention internationale avait été focalisée sur l'attaque suicide, le 12 octobre 2000, contre la frégate *USS Cole*, dans le port d'Aden. L'importance des dommages – 17 morts, 40 blessés et le bateau hors d'usage – avait pourtant plus attiré l'attention que l'aspect novateur de l'opération. Celle-ci avait été réalisée par un groupe moujahidin yéménite, très proche d'Al Qaida, l'Armée islamique d'Aden-Abyane.

Les actes de terrorisme maritime s'inscrivent parfaitement dans la dimension de la guerre globale théorisée dans « Les cavaliers sous la bannière du Prophète ». L'attaque surprise contre un bateau ou un port entraînerait des répercussions psychologiques et économiques majeures. Les ports sont des maillons vitaux de l'économie mondiale, et frapper le secteur maritime provoquerait des effets en chaîne dans de nombreux pans de l'industrie et des services.

Dans un des manuels d'entraînement de la mouvance jihadiste, le *Mujahidin Ki Lalkaar* (Cri de guerre des combattants de Dieu), un des chapitres est consacré à l'attaque de bateaux : «... Un navire de guerre peut être immobilisé en plaçant 1,2 kg d'explosifs sur l'axe de propulsion ; 1,3 kg supplémentaire peut détruire le moteur... 4 kg contre le bas de la coque peuvent le couler... »

L'opération contre l'*USS Cole* n'était d'ailleurs pas un coup d'essai. Dès mai 1998, suite à la visite pendant trois jours dans le port d'Aden d'un bateau américain, le *USS Mount Vernon*, l'Armée islamique d'Aden-Abyane avait préparé une action. Le 3 janvier 2000, une première tentative avait échoué, le canot suicide ayant coulé en quelques minutes en raison du poids excessif d'explosifs fixé à l'avant.

Depuis le 12 octobre, d'autres projets ont été planifiés, que la chance, l'impréparation des moujahidin ou l'efficacité des services de sécurité ont pu empêcher.

En Asie, le KMM, très proche de la Jamaa Islamiya (JI) et dont certains membres étaient des vétérans afghans, avait envisagé dès 2000 une attaque contre un bateau américain en escale dans un port malais. La cellule singapourienne de la JI avait prévu, à partir de la même année, plusieurs opérations successives contre la marine américaine et les installations navales de Singapour.

En juin 2002, les services marocains interpellaient les trois ressortissants saoudiens qui préparaient des attaques suicides, avec de petits bateaux chargés d'explosifs, contre des bâtiments de guerre américains ou britanniques au large de Gibraltar.

Le 6 octobre 2002, l'Armée islamique d'Aden-Abyane réussissait à frapper, par un nouveau canot suicide, le pétrolier *Limbourg*. On peut noter la mauvaise préparation de l'affaire : un seul marin tué, le bâtiment non coulé, deux communiqués successifs de revendication pour admettre au final que les kamikazes avaient raté la cible principale, un vaisseau de guerre américain positionné à proximité… On doit aussi considérer le résultat surdimensionné de l'opération, marqué par l'affolement des marchés boursiers et l'inquiétude des milieux pétroliers.

Ces éléments justifient que l'on prenne en compte très sérieusement la menace terroriste maritime de la mouvance Al Qaida, qui dispose en Asie du Sud-Est et dans le golfe d'Aden – d'ailleurs principales zones de piraterie dans le monde – d'alliés fidèles aux compétences maritimes établies. On rappellera d'ailleurs le succès médiatique de l'affaire des otages de Jolo qui avait auréolé, en juin 2000, le groupe jihadiste Abou Sayyaf.

Le 11 septembre 2001, des vecteurs du transport aérien ont été transformés en missiles air-sol à grande capacité destructrice. Aussi convient-il d'apporter un soin particulier à la surveillance des navires, vecteurs du transport maritime, qui peuvent être à leur tour transformés en outils d'action terroriste. D'autant qu'à la menace à court terme des dégâts causés à l'objectif visé (navire ou port) peut s'ajouter celle des effets à long terme des dégâts causés à l'environnement.

La dangerosité des petits canots est aujourd'hui bien connue : bas sur l'eau, ils peuvent échapper aux radars de surface ; par mer forte, ils peuvent être inobservables jusqu'à faible distance ; mobiles, ils peuvent résister aux tirs des armes de défense du bâtiment (quand celui-ci en possède). Le LTTE a montré dans les années récentes comment, en raison de la discrétion et de la rapidité de ce vecteur d'attaque, des bâtiments légers, équipés efficacement en charges explosives et manœuvrés par des équipages entraînés, pouvaient se transformer en torpilles suicides quasiment impossibles à arrêter.

La dangerosité des bâtiments de fort tonnage s'inscrit dans un autre registre : en raison de leur taille et de leur poids, l'arrêt de ces bâtiments est délicat, même si des coups précis leur sont portés dans des endroits vitaux. Virer et stopper sont des manœuvres qui s'inscrivent sur des longueurs de plusieurs milles nautiques.

On s'attardera cependant sur le détournement d'un bateau pour s'approprier sa cargaison, son équipage ou ses passagers. Outre que ceux-ci constituent un remarquable capital de négociation, ils représentent un excellent bouclier humain que l'on peut utiliser comme leurre si la capture du bâtiment n'est que le prélude d'une opération suicide. Difficile d'intercepter, voire de couler un navire se dirigeant à pleine allure vers un port, s'il contient des otages bien visibles sur le pont.

## Vers une recherche d'alliance avec l'islamisme palestinien

La haine entre extrémistes palestiniens et israéliens est marquée de part et d'autre par la mémoire du sacrifice des ancêtres. Pour les islamistes palestiniens, influencés par le Hezbollah chiite, c'est le symbole de la mort d'Hussein en 669/47 à la bataille de Karbala. Encerclé par des troupes bien supérieures, il refuse de se rendre et part vers la décapitation au combat, en compagnie de soixante-douze de ses proches. Pour les sionistes, c'est le souvenir entretenu au fil des siècles de Massada, ville fortifiée dans laquelle les derniers Zélotes et leurs familles, assiégés par les légions romaines, préféreront se suicider plutôt que de se rendre.

Le Mouvement de la résistance islamique (*Harakat Al Moukawama Al Islamiya* – dont l'acronyme arabe Hamas se traduit par « ferveur ») est issu de la branche palestinienne des Frères musulmans, qui par ses activités sociales contrôlait l'université et la majorité des mosquées de Gaza au milieu des années 1980. Lors de la première Intifada, le Hamas se développe sous l'impulsion du cheikh Ahmed Yassine, qui dans ses prêches répète l'adage « quand se ferment toutes les portes, s'ouvrent celles d'Allah ». Cette montée en puissance bénéficie d'ailleurs de l'accord tacite des autorités israéliennes, soucieuses d'affaiblir l'OLP et les structures combattantes de la Force 17 – branche armée du Fatah – et du Front populaire de libération de la Palestine qui, malgré l'élimination d'Abou Jihad, apparaissent toujours opérationnelles.

La dénonciation de la corruption des dirigeants de l'OLP, l'aide sociale fournie par les associations religieuses, la ferveur du message religieux font rapidement du Hamas la première force politique de Gaza. La poursuite de L'Intifada, marquée par l'augmentation des morts chez les lanceurs de pierres, permet la fusion du nationalisme palestinien et de l'islam radical. En 1990 est créée une branche militaire, chargée de « lancer la lutte, œuvrer à la destruction de l'État d'Israël, concurrencer l'OLP sur son terrain et favoriser la victoire de l'islam ». Elle reçoit le nom d'un des premiers martyrs de l'islamisme palestinien, Azzedine Al Qassim, tué en 1935 dans le combat contre les colons juifs.

Parmi les tâches confiées à la brigade figure la chasse aux espions israéliens. Cheikh Yassine est condamné en 1991 à la prison à perpétuité pour avoir fait exécuter quatre Palestiniens soupçonnés d'être des informateurs. Mais en 1997, l'échec d'une opération du Mossad – l'assassinat du responsable du Hamas en Jordanie – oblige Israël à libérer Yassine. Une de ses premières actions est d'appeler à la résistance islamique pour la Palestine : « La seule solution au problème palestinien est le jihad. »

Commence alors, avant même la seconde Intifada de juin 2000, la stratégie de terreur des attentats suicides, sur le thème : « Les avions d'Israël peuvent nous frapper avec leurs bombes, nous frapperons plus fort Israël avec nos bombes humaines ! » Et les soldats israéliens qui patrouillent dans Gaza voient apparaître sur les murs une nouvelle inscription : « L'occupation tue. » Depuis le début de la deuxième Intifada, en juin 2000, le Hamas a développé une stratégie d'alliance nouvelle avec l'autre composante islamiste du combat palestinien, le Jihad islamique. Cette organisation, plus réduite et qui pourrait disposer de soutiens en Syrie et en Iran, a adopté une stratégie de terreur qui s'inspire de celle du Hezbollah. Elle recrute d'ailleurs certains de ses volontaires parmi les Arabes israéliens et pratique les attaques suicides simultanées.

Pourtant, jusqu'au 11 septembre 2001, le jihad palestinien s'est avéré complètement autonome de la mouvance moujahidine. Le recrutement local, la formation rapide de miliciens ou de kamikazes ne justifiaient pas le passage par les camps d'Afghanistan, et les enfants de l'Intifada étaient alors peu préoccupés du jihad afghan. En juin 2000, les services de sécurité israéliens arrêtaient pourtant deux Palestiniens vétérans afghans qu'ils soupçonnaient de préparer un attentat suicide pour le compte du Hamas. L'un d'entre eux, Hindawi, était le fils du chef de la police palestinienne d'Hébron. Il avait été recruté au Liban en 1998, par des moujahidin d'une organisation moujahidine locale, *Al Osbat Al Ansar* (Le combat des compagnons du Prophète) ; quelques mois plus tard, il avait suivi l'entraînement au camp afghan de Khalden.

L'annonce des attentats contre les États-Unis avait provoqué dans les territoires palestiniens des manifestations de joie telles que le président Arafat s'était précipité pour donner son sang – sous l'œil des médias internationaux – pour les victimes américaines. La blessure de l'allié d'Israël ne pouvait pourtant que réjouir les plus radicaux des Palestiniens.

Depuis, Al Qaida a constamment cherché à affirmer le soutien de son jihad à la cause antisioniste, pour chercher de nouveaux recrutements auprès de sympathisants de la cause palestinienne.

La revendication par Al Qaida de l'attentat de Jerba, commis non contre un objectif lié au pouvoir impie, mais contre une synagogue, montre qu'Al Qaida a choisi par opportunité de diversifier ses cibles. On rappellera d'ailleurs que Richard Calvin Reid, auteur le 22 décembre sur un vol Paris-Miami d'une tentative d'attentat suicide à la chaussure piégée, avait été l'été précédent envoyé en Israël et en Égypte pour effectuer des repérages afin de préparer des attentats ultérieurs. Dans ce contexte il paraît évident que la mouvance avait dès 2002 pour objectif nouveau d'exploiter au sein des populations musulmanes le sentiment antiaméricain lié aux menaces de guerre contre l'Irak ou au soutien à la politique du Likoud israélien.

À Mombasa (Kenya), le 28 novembre, un attentat suicide à la voiture piégée était commis contre un hôtel où séjournaient des touristes israéliens (quinze morts dont les trois kamikazes et trois victimes israéliennes). Au même moment un avion de ligne d'El Al échappait à un double tir de missiles peu après son décollage de l'aéroport local. Cet attentat revendiqué par une organisation inconnue, l'Armée de Palestine, est vraisemblablement le premier commis par Al Qaida contre des objectifs spécifiquement israéliens. Les deux missiles utilisés, des SAM 7 de fabrication russe, étaient du même lot que celui utilisé en mai 2002 lors d'un tir raté contre un avion militaire américain en Arabie Saoudite. Cette tentative d'attentat avait déjà été attribuée à l'époque à Al Qaida.

Les quatre attentats commis à Casablanca, le 9 juin 2003, visaient la communauté sépharade. Le but était à l'évidence de briser sa longue cohabitation avec le peuple marocain. Le mobile était identique lors des attentats commis le 15 novembre suivant à Istanbul contre deux synagogues. Ils ont d'ailleurs été immédiatement revendiqués au nom d'Al Qaida et d'un groupuscule islamiste local, le Front islamique des combattants de l'islam.

Enfin, on notera que deux jeunes citoyens britanniques, d'origine pakistanaise, se sont rendus en Israël pour commettre un attentat suicide contre un snack-bar de Tel-Aviv en mars 2003. L'action a été immédiatement revendiquée par le Hamas. Deux ans plus tôt, les deux martyrs auraient emprunté vraisemblablement le chemin des camps afghans et du soutien au jihad cachemiri. Il existe donc aujourd'hui de nouvelles passerelles entre les sympathisants de la mouvance moujahidine et ceux de l'Intifada palestinienne qui, de plus en plus, se sentent instinctivement membres de la même oumma combattante. Le Hamas a jusqu'ici toujours concentré ses coups sur Israël. Ses cellules sympathisantes présentes dans le monde entier – y compris aux États-Unis – s'étaient jusque-là cantonnées à des activités de propagande et de collecte de fonds. L'une d'entre elles a visiblement commencé une nouvelle tâche de recrutement.

## LE RISQUE D'UNE ALLIANCE AVEC LE RADICALISME CHIITE

On ne peut oublier que la France, désignée alors sous le terme de « petit satan », a été la cible privilégiée du chiisme jihadiste au début des années 1980.

Depuis le début de la guerre civile au Liban, la France cherchait, en raison des liens historiques avec ce pays, à se poser en partenaire incontournable, et son action diplomatique avait été renforcée par la présence d'un détachement français, placé sous le drapeau de l'ONU, au sud du territoire. L'entrée des forces syriennes, sous couvert de la « force arabe de dissuasion », était donc accueillie avec inquiétude par la France qui voyait se profiler l'annexion pure et simple du Liban par le régime d'Hafez El Assad, soucieux de régner sur l'ensemble du territoire jadis géré par le protectorat français. C'est dans ce contexte difficile qu'était intervenu le meurtre de l'ambassadeur de France à Beyrouth, le 4 septembre 1981.

Pourtant certains observateurs, dès cette époque, considéraient que le meurtre n'avait pu être réalisé sans la complicité au moins passive des services iraniens, qui venaient d'établir un *statu quo* avec leurs homologues syriens. Si la milice Amal était l'instrument de la puissance syrienne, les Iraniens pouvaient former le Hezbollah dans la plaine de la Bekaa.

Dans un Liban déchiré par les combats, l'Iran va chercher un vecteur d'influence déterminant. L'écho disproportionné donné par la presse internationale à l'enlèvement du doyen de l'université américaine de Beyrouth va inciter le Hezbollah à développer cette forme particulière de terrorisme. Agissant sous couvert de noms d'emprunt – « Jihad islamique » ou « Organisation de la justice révolutionnaire » –, les jihadistes libanais vont, en six ans, enlever ou faire enlever de nombreux ressortissants occidentaux, dont treize Français. L'un d'entre eux, le sociologue Michel Seurat, décédera en captivité.

Parallèlement à ce terrorisme publicitaire réalisable avec des moyens limités, mais dont l'écho médiatique grise les refugiés chiites des faubourgs ouest de Beyrouth, le Hezbollah va développer une stratégie plus offensive. Après les massacres de Sabra et Chatila commis par les Phalanges libanaises, quatre puissances occidentales envoient des troupes pour assurer le retour de Beyrouth à la paix. Après les soldats israéliens, les militaires occidentaux deviennent les cibles des combattants chiites. Le 23 octobre 1983 à l'aube, deux explosions secouent Beyrouth. On relève les corps de 58 parachutistes français et de 241 marines américains. Les Américains repartent bientôt. L'Occident a perdu la face.

Deux ans plus tard, les services iraniens porteront le combat sur le sol français. Le Comité de soutien aux prisonniers politiques arabes (CSPPA) commet, entre le 1er décembre 1985 (magasin des Galeries Lafayette) et le 17 septembre 1986 (magasin Tati de la rue de Rennes) quinze attentats à l'explosif qui provoquent la mort de treize personnes. La partie française du réseau, une poignée de Maghrébins dirigés par le Tunisien converti Foued Ali Salah, est neutralisée le 21 mars 1987.

C'est lors de son exil soudanais qu'Oussama Ben Laden, surmontant l'éternel conflit avec les chiites au nom du combat contre l'ennemi commun des musulmans, aurait noué des contacts étroits avec le Hezbollah libanais. Suite à l'échec de l'attentat contre le World Trade Center, il aurait envoyé des instructeurs d'Al Qaida se former aux techniques d'attentat à l'explosif dans un camp libanais du Hezbollah.

Selon les déclarations de l'Égyptien Ali Mohammed, cadre d'Al Qaida jugé à New York en 2000, Oussama Ben Laden aurait d'ailleurs rencontré à plusieurs reprises le planificateur supposé des deux attentats commis à Beyrouth le 23 octobre 1983, Imad Mughniyey. Cet ancien cadre palestinien du Fatah était devenu le responsable des opérations du Hezbollah, sous l'autorité directe du cheikh Fadlallah. Il aurait inspiré à Al Qaida la technique des attentats suicides au camion piégé.

Les bonnes relations – facilitées par l'entremise d'Hassan Al Tourabi – d'Al Qaida avec des membres influents du jihadisme iranien, devaient se poursuivre discrètement. Oussama Ben Laden n'avait d'ailleurs pas hésité à intervenir directement auprès du Conseil supérieur des Talibans pour demander la fin des combats fratricides contre les chiites afghans. Fin 1999, il faisait exécuter d'importants travaux routiers à la frontière afghano-iranienne, s'attirant de nouvelles amitiés dans l'administration iranienne toujours dominée par les ultras.

Cela explique pourquoi une partie des chefs d'Al Qaida a pu s'exfiltrer discrètement en Iran, dans les moments les plus durs des opérations américaines en Afghanistan. Oussama Ben Laden pouvait d'ailleurs s'y appuyer sur les structures de son ancien frère d'armes, Gulbuddin Hekmatyar, réfugié dans ce pays depuis sa fuite de Kaboul. Si les autorités iraniennes ont toujours nié entretenir des liens avec Oussama Ben Laden, il est clair que des membres influents des milieux radicaux ont oublié les querelles schismatiques pour apporter – par fraternité œcuménique, haine de l'ennemi occidental ou vénalité – une aide discrète mais réelle au repositionnement d'Al Qaida.

Des informations de presse ont d'ailleurs fait état d'arrestations massives en Iran de militants moujahidins par les services iraniens inquiets de possibles rétorsions américaines. Le 30 juin 2003 était ainsi annoncée l'arrestation en Iran d'éléments de premier rang comme Ayman Al Zawahiri, le Saoudien Abou Ali Gaith – porte-parole de l'organisation –, ou Saad, le fils aîné d'Oussama Ben Laden. L'Iran s'est contenté de nier.

Dans ce contexte, la tragique tournure prise par les événements de l'après-guerre en Irak ne peut qu'inquiéter. Les autorités américaines, qui avaient éludé leur responsabilité dans les massacres commis contre la communauté chiite à la fin de la première guerre du Golfe, ne s'attendaient en 2003 ni à son hostilité, ni à sa capacité à se réorganiser aussi rapidement autour d'un clergé souvent très fondamentaliste. Les assertions mensongères d'une collusion entre Al Qaida et le pouvoir irakien, et leur savant amalgame avec la pseudo-menace d'armes irakiennes de destruction massive, se sont finalement retournés contre leurs auteurs. Oussama Ben Laden a appelé à soutenir les musulmans d'Irak en février 2003.

Son message semble avoir été entendu. De nombreux moujahidin semblent avoir rejoint, depuis la fin des combats, les rescapés d'Al Ansar Al

Islam. Et pour beaucoup d'observateurs, les attentats suicides spectaculaires réussis contre les intérêts occidentaux – comme la destruction du siège de l'ONU à Bagdad, le 6 octobre 2003 ou l'attaque des casernements de l'armée italienne, le 7 novembre suivant – pourraient bien avoir été commis par la mouvance moujahidine. Les mêmes envisagent déjà dans l'avenir la possibilité d'une alliance avec des radicaux chiites, désireux de créer une république islamique d'Irak.

## CONCLUSION

La menace de la mouvance moujahidine reste très forte à court terme en raison de la survie de ses responsables et de la présence dans le monde de cellules « dormantes », formées de vétérans afghans efficaces et déterminés.

Si la majorité des opérations armées lancées depuis le 11 septembre ont toutes été effectuées selon des schémas traditionnels visant, par des moyens divers, des objectifs au repérage aisé, les attentats commis depuis le 6 octobre montrent la capacité des réseaux jihadistes à répondre à toute nouvelle démarche d'Al Qaida, en frappant – soit en coordination, soit par imitation – des cibles choisies avec opportunité dans les centres stratégiques de l'adversaire, en tentant de développer des modes opératoires nouveaux.

Cette montée en puissance de la menace s'inscrit dans un contexte international porteur pour Al Qaida : l'absence de solution politique dans le conflit israélo-palestinien, l'enlisement américain en Afghanistan puis en Irak et l'écho des mises en alerte répétées dans les sociétés occidentales constituent pour la mouvance moujahidine un succès. Cela lui permet, en annonçant un peu vite l'échec américain dans sa lutte contre le terrorisme, d'espérer trouver dans l'avenir de nouveaux soutiens au sein des sympathisants des mouvements anti-impérialistes ou de la cause palestinienne.

Pourtant, la fin de la matrice afghane, l'éparpillement des structures, la difficulté d'utiliser des moyens de communication sûrs en temps réel et l'ampleur des enquêtes internationales laissent envisager à moyen terme la déstructuration de la mouvance moujahidine qui, en commettant les attentats du 11 septembre, s'est mise en rupture de ban de la communauté internationale.

Mais la menace de l'islam jihadiste doit être prise en compte à long terme. À l'islamisme radical des réseaux moujahidins, Al Qaida espère toujours faire succéder l'apparition d'un islamisme radical de masse, fondateur de nouvelles structures armées.

Il est donc nécessaire de rappeler que si l'islam est une composante à part entière du monde contemporain, l'islamisme radical est une des principales manifestations actuelles de l'éternelle révolte des exclus – que ces derniers soient les victimes de l'exclusion ou aient choisi le retrait – contre les nantis. Les partisans du salafisme combattant sont bien, en ce sens, des héritiers de la lutte anti-impérialiste.

Cette mouvance menace d'abord l'islam, dont la grande majorité des fidèles n'aspire qu'à vivre une « religion de tolérance », selon la célèbre formule de Voltaire. La lutte contre la mouvance moujahidine ne pourra réussir que par une collaboration étroite et respectueuse des souverainetés avec les pays de l'islam. Dans ce cadre, il faut cesser d'entretenir l'amalgame entre les groupes jihadistes et les partis islamistes modérés.

Accepter l'islamisme politique, certes, mais réduire l'islamisme radical, car l'angélisme n'est plus de mise dans le nouvel ordre mondial. Les principes de l'oumma musulmane doivent s'intégrer progressivement dans le système juridique international, marqué par le respect des droits de l'homme et de la démocratie pluraliste.

Si, au nom du droit des peuples à disposer d'eux-mêmes, le dialogue est nécessaire avec l'islam politique dont les vecteurs restent importants dans une partie du monde, toute négociation est exclue avec l'islamisme activiste. Simple question de bon sens marquée par la légitime défense. Le terrorisme islamique doit être combattu avec l'ensemble des moyens de l'État de droit.

Le plus sûr moyen de neutraliser le terrorisme est de l'affronter. Encore faudra-t-il par la suite l'empêcher de réapparaître. Il reste nécessaire de donner aux peuples de l'islam un avenir d'où aient disparu la misère, l'analphabétisme et la corruption. Car c'est de ce terreau que naissent toujours les groupes terroristes.

# Les opérations suicides : entre guerre et terrorisme

### par François GÉRÉ

Le sacrifice meurtrier consiste pour un être humain à se donner volontairement la mort en tuant d'autres êtres humains. Cet acte se produit dans deux cadres : la guerre ouverte et déclarée où des combattants réguliers prennent pour cibles des soldats, ennemis en uniformes, ou des matériels et installations marquées des drapeaux, insignes et autres oriflammes de désignation et de reconnaissance ; les conflits non déclarés, parfois civils, parfois interethniques ou interconfessionnels. Indifférenciables du reste de la population, les attaquants suicides sont susceptibles de s'en prendre soit à des objectifs militaires, soit à des populations et des lieux, sans discrimination.

Cette distinction fort simple permet de procéder à une différenciation utile pour démêler entre l'opération suicide de guerre (les kamikazes japonais) et l'opération suicide terroriste (des agents du système Al Qaida ou de certaines organisations islamistes palestiniennes).

Bien entendu, comme on va le voir, en raison d'interférences, des zones d'incertitude subsistent. Mais les critères que l'on vient de présenter permettent d'effectuer un tri efficace en vue de la définition, la préparation et l'exécution de toute stratégie qui prétendrait contrer et défaire le recours à l'arme du suicide meurtrier.

L'OBJET : QU'EST-CE QUE LES VOLONTAIRES DE LA MORT ?

## Présence des opérations suicides[1]

À la charnière du millénaire, les attentats suicides marquent d'une empreinte nouvelle, sombrement éclatante, les conflits du monde. C'est pourquoi, en mal de référence, on a parfois évoqué l'apocalypse. L'écroulement des tours de Manhattan a constitué une métaphore efficace qui pénètre la mémoire collective.

Mais les attentats suicides n'ont attendu ni le 11 septembre 2001, ni même les dernières années du siècle en Palestine pour s'introduire en tant qu'arme stratégique dans les guerres de notre planète.

Il est vrai qu'en très peu de temps – depuis l'été 2000 – le phénomène a connu une accélération qui fera date dans l'histoire. Israël, Palestine, crochet sur Manhattan et Washington, ensuite Russie, Tchétchénie, Irak, Arabie Saoudite, Pakistan où l'année 2003 s'achève avec l'échec d'un double attentat suicide contre le général Moucharraf, chef de l'État.

Une contagion gagne le monde parcourant un axe des crises centré sur un parallèle qui va de la Bosnie jusqu'au Cachemire avec des pénétrantes sur le golfe Persique et la mer Rouge.

Certes il ne s'agit ni des mêmes hommes ni des mêmes buts, mais demeure identique le même procédé : un être humain s'est fait arme pour tuer d'autres êtres humains.

L'attentat suicide constitue un phénomène transhistorique, transnational, transculturel. Il traverse le temps et les espaces. S'il est constant, il n'est pas régulier. Ici il apparaît puis s'efface. Là il resurgit en d'autres lieux pour d'autres causes.

Déjà marqué par une spectacularité exceptionnelle, le phénomène a connu une amplification médiatique considérable. Il est présenté souvent comme un acte terroriste, tandis que certains y voient une arme de guerre. Il faut, une fois de plus, s'entendre sur les termes qui font l'objet d'une contestation.

---

1. Voir carte « Géopolitique des opérations suicides depuis un quart de siècle », p. 591.

## Qualification du phénomène

Si les moyens de caractérisation sont très pauvres, ce n'est pas par hasard. Le phénomène dépasse l'entendement ordinaire, le langage balbutie. La plupart du temps, on parle de kamikaze parce qu'il s'agit du seul cas d'opération suicide véritablement célèbre en raison de son caractère spectaculaire. L'attentat du 11 septembre 2001 a renforcé cette analogie en raison de l'utilisation de l'avion comme vecteur de l'attaque. Le gouvernement japonais s'est empressé de protester – en vain – contre une assimilation qui pose la question de la différence entre guerre et terrorisme. Cette référence analogique correspond plus à un vide de la pensée qu'à une véritable analyse.

On rencontre donc, pêle-mêle, des expressions telles que « *suicide-bombing* », « bombes humaines », « *Lebenbombe* », « *suicide terrorism* ».

« Islamikaze » est une expression récemment forgée par un bon spécialiste du terrorisme, Raphael Israeli, qui le justifie ainsi : « Les attaquants suicides islamistes ne sont pas des suicidaires… ils se rapprochent des kamikazes par la motivation, l'organisation, l'idéologie et l'exécution de leur tâche. » Il est bien exact que ce suicide est altruiste et procède du service d'une cause tenue pour infiniment supérieure à la vie humaine individuelle. Mais la comparaison s'arrête là. Les pilotes japonais faisaient la guerre en frappant des navires de guerre américains. Ils pratiquaient le sacrifice guerrier dans la tradition du *seppuku* qui elle-même relève d'un code de l'honneur guerrier qui vise à priver l'ennemi de la gloire de la victoire.

Pour désigner les praticiens du sacrifice meurtrier nous avons choisi de leur donner le nom de « volontaires de la mort ». Pourquoi cette préférence ? En raison d'une référence historique que complète l'approche philosophique.

L'histoire, c'est la première guerre du Viêt-nam. Cette expression a été employée par les militaires français en Indochine qui découvrirent l'action meurtrière d'individus qui se jetaient avec un cyclo-pousse à la terrasse des cafés ou devant un commissariat et, surtout, ces colonnes qui pénétraient les postes fortifiés en faisant sauter les mines, en éventrant les réseaux de barbelés.

En philosophie de l'action, la volonté se définit comme la tension de l'esprit vers la réalisation d'un but. Le volontaire est celui qui, ayant compris et intériorisé la valeur de ce but, choisit la voie de l'action. Quittant la contemplation, il « s'engage » dans un effort de transformation de l'état des choses.

La notion de suicide meurtrier s'ajuste exactement à la nature de l'acte : se tuer en mettant à mort des adversaires pour obtenir une transformation favorable du rapport des forces matérielles et morales au sein du conflit.

## Étapes de l'évolution de ce système d'armes

Quelle que soit sa pérennité dans le temps et l'espace, le sacrifice meurtrier connaît des périodes de latence parfois longues. Il existe aussi des plages géographiques de tranquillité qui ignorent ce phénomène. Il ne fait guère de doute que cette forme d'action stratégique a connu deux périodes dans son développement. La première correspond à l'introduction de l'explosif chimique moderne, singulièrement de la dynamite et de ses dérivés, sous des volumes compatibles avec la puissance de transport du vecteur humain dans des conditions de dissimulation. L'explosif transforme-t-il l'attitude ? Certes pas. En revanche, il permet de se tuer *à coup sûr*.

Avant, il fallait s'en remettre à la fureur de l'ennemi. L'explosif résout un problème technique. On peut être blessé, torturé, manipulé, échangé, retourné. Qui sait jamais dès lors que la vie continue, imprévisible dans l'imbrication des desseins contradictoires des acteurs multiples. Dissipant l'aléatoire, la mort volontaire met fin à ces incertitudes.

Inventeur de la dynamite, M. Nobel a donc régénéré l'arme suicide, tombée en désuétude et somme toute peu utilisée en raison d'une efficacité simplement convenable. Avec les armes blanches, il n'est guère besoin de se tuer. L'explosif change incontestablement la situation technico-tactique. Aussi, allant plus loin dans l'avenir, il importe de se demander si d'autres avancées dans le domaine des techniques de l'armement ne pourraient pas, à terme faire de l'homme une charge infiniment plus mortelle. Cela pose la question de l'association entre l'attaquant suicide et les armes de destruction massive qui pourrait bien devenir l'un des cauchemars du XXIᵉ siècle.

La seconde période tient au retour de l'idéologie sacrificielle dans le monde musulman. On peut considérer que le point de départ est le chiisme iranien, révolutionnaire, exalté, expansif sinon expansionniste.

La contagion a produit des métastases dynamiques dans un monde islamique qui ne se réduit plus à son cœur moyen-oriental, arabo-persique. L'islam représente une force culturelle en expansion dans ce qu'il était convenu d'appeler le tiers-monde. Il rayonne. Il s'exprime, surtout il dispose d'un facteur d'influence puissant : le soutien caritatif. Au cœur de cette structure qui n'est ni agressive, ni pacifique, des idéologies conquérantes font du recours à la violence un élément de stratégie de conquête et de prise de pouvoir. Pour combien de temps ? Nul ne saurait le dire. À ceci près qu'une génération a passé parvenant à produire une deuxième génération de rebelles, convaincus de la valeur légitime du sacrifice meurtrier. Parier sur son auto-extinction rapide paraît aussi hasardeux que prématuré.

## HIER ET AUJOURD'HUI : DU SACRIFICE SPONTANÉ À LA STRATÉGIE CONCERTÉE

### Hier

#### *La tradition antique*

Elle se fonde sur l'existence de l'esclavage, structure qui détermine la pensée du conflit. Le prisonnier devient une « chose » défaite de son humanité.

Dans son fameux *Discours à la nation allemande* de 1807, Fichte invoquera les ancêtres germains qui préféraient la liberté dans la mort plutôt qu'une vie de soumission. Tel est en effet le dilemme antique : la liberté ou la mort. Le refus de l'esclavage et l'honneur guerrier forment le cadre. Les juifs sont venus y ajouter une dimension nouvelle proprement religieuse, liée au monothéisme.

Les juifs zélotes étaient sans nul doute des terroristes empreints d'un sentiment de résistance où se mêlaient la haine à l'égard de l'occupant romain et la recherche d'une transformation sociale révolutionnaire « messianique », si l'on peut risquer cet « ana » -chronisme de la société juive. Lorsque sur le marché de Nazareth, le zélote tranche d'un coup de « sica » la gorge d'un Romain ou d'un Juif compromis avec l'autorité occupante, il prend rarement la fuite. Il demeure pour témoigner de son acte. Cette pétrification sur le lieu du meurtre a valeur d'abandon de la vie. Cette attitude se retrouve tout au long de l'histoire des volontaires de la mort. Elle caractérise le comportement des Assassins au XIIᵉ siècle.

Qui étaient ces malheureux insurgés de Massada ? Les suicidés de la forteresse vaincue ne tuent personne. Ils n'ont pas même tenté une ultime sortie vouée à un carnage par les mains de l'ennemi. C'est cela la profonde et tragique étrangeté de leur acte. Volonté de faire soi-même, à coup sûr, sans hasard, le travail libérateur de la mort, en commençant par les faibles, femmes, enfants et vieillards. Nul Romain ne périt dans le suicide collectif de Massada. Certes, le suicide est altruiste mais sa portée n'est pas stratégique.

L'authentique suicidaire meurtrier de la tradition hébraïque est Samson. Réduit à l'esclavage, à cette négation de l'homme, le texte biblique le crédite d'un « contrat » avec Dieu : « Rends-moi pour une dernière fois ma force surhumaine et je détruirai tes ennemis. » Si Dieu accepte le marché, il légitime la mort suicidaire de Samson. On accède là à l'essence du sacrifice, un échange, un don et contre-don garanti par la croyance en ce Dieu que l'on met de son côté dans l'abandon de la foi. *In God we trust.*

Le sacrifice de Samson et l'auto-extermination de Massada sont devenus des symboles rassembleurs de la volonté de persévérance dans l'être (que l'on opposera à la volonté de mort mais pour une même fin, l'affirmation de son existence propre, contestatrice de l'autre qui la conteste, du moins le croit-on de chaque côté) de l'État d'Israël. Ils servent exemplairement de référence à la suggestion d'un objet caché : l'arme nucléaire. Sans avoir jamais reconnu sa possession, l'État hébreu assume une posture dite d'ambiguïté délibérée. Il n'y a pas de raison de détenir cette arme mais, si elle s'avérait indispensable, elle pourrait être là, tel Samson, pour exterminer l'ennemi et épargner au peuple juif, métaphore de Massada, la destruction ultime. Courts-circuits dans une histoire anachronisée, métaphores hasardeuses, sans doute. N'y retrouve-t-on pas la dimension magique du rituel du sacrifice et de la « *devotio* » ? L'anachronisme a ses vertus, semble-t-il, pour rendre compte d'individus et d'organisations dont la perception du temps peut obéir à des représentations originales, déviantes, bref non conformes à la linéarité occidentale dominante.

## La *devotio* : le dévouement infectieux

De toutes les civilisations antiques, Rome est sans doute celle qui accorde au suicide la valeur la plus élevée. Loin d'être condamné, il apparaît au contraire comme une libération, annonciatrice de l'affirmation d'une liberté individuelle face à la mort, qu'elle soit imposée par le prince ou par cet autre maître qu'est le temps.

Au combat, elle s'exprime dans le rituel de la *devotio*.

Selon Tite-Live, la bataille qui oppose les Romains à la coalition des Samnites et des Gaulois Sénons en 295 av. J. C. tourne mal. L'aile gauche romaine est débordée. Le fracas des chars gaulois est parvenu à semer la panique dans la cavalerie romaine. Les animaux trahissent les hommes, la déroute commence, le massacre est proche. Alors Publius Decius « ordonne au pontife Marcus Livius... de lui dicter les formules par lesquelles il se dévouerait, lui et les légions ennemies pour l'armée du peuple romain. Alors il usa, pour se dévouer, de la prière et de l'attitude par lesquelles son père, Publius Decius, avait demandé à être dévoué au bord du Véséris pendant la guerre contre les Latins. Après les prières solennelles, il ajouta « qu'il poussait devant lui la peur et la fuite, le massacre et le sang, les colères des dieux du ciel et des dieux des enfers ; qu'il allait frapper d'un affreux envoûtement les enseignes, les traits, les armes de l'ennemi ; que le lieu qui verrait sa perte verrait aussi celle des Gaulois et des Samnites ». Il s'agit d'un acte magique-stratégique visant à inverser le cours de la bataille.

La *devotio* apparaît comme un rite magique et, indiscutablement, de magie noire parce qu'elle s'accompagne de pratiques d'envoûtement. Le rituel comporte deux phases.

D'abord, le sacrifiant, par une invocation, attire sur lui les puissances infernales. Il les oblige, en échange de sa vie, à se faire présentes et potentiellement actives. Dès lors il transforme sa personne en « arme de destruction massive », objet maléfique, infecté (Tite-Live utilise le terme *infectio*) d'une malfaisance qu'il va jeter sur l'ennemi. Il se fait « machine infernale » qui va contaminer l'ennemi. « À partir de ce moment, suggère Tite-Live, il ne fut plus guère possible de reconnaître que le combat répondît à des ressorts humains. Les Gaulois, et surtout le groupe qui entourait le corps du consul, avaient pour ainsi dire perdu l'esprit et lançaient sans résultat des traits inutiles ; certains étaient inertes et ne songeaient ni à combattre, ni à fuir[1]. » Pétrification. Nous retrouverons souvent cette étrange situation psychique qui se traduit en une sorte de tétanisation des énergies physiques.

Le rituel de la *devotio* constitue une pratique de nécromancie par laquelle « un général, pour sauver son armée en se substituant à elle, se voue aux dieux infernaux et cherche la mort au milieu des ennemis, contraints pour ainsi dire d'achever ce sacrifice de substitution et en même temps contaminés par son contact maudit[2] ».

## Moyen Âge - Renaissance : l'intemporalité des sectes

La faiblesse du pouvoir des États, la décadence relative de son relais, la puissance spirituelle du christianisme ont favorisé le développement des sectes « hérétiques ».

---

1. Tite-Live, *Première décade*, Livre X, chapitre 28.
2. Jean Bayet, *Histoire de la religion romaine*, p. 134, Payot, 1969.

Comparées aux nombreuses sectes de l'islam, les sectes chrétiennes n'ont pas été en reste, tant s'en faut. Il n'est pas inutile de le rappeler. Au Moyen Âge et dans les débuts de la Renaissance, les sectes pullulent dans une ambiance de mort, de fin du monde, de mépris de l'ici-bas, favorable au suicide.

Nous ne reviendrons pas sur la secte des Assassins. L'assassin n'est suicidaire qu'à la limite, dans la mesure où il ne cherche pas à fuir une fois son acte commis. Néanmoins, il présente en positif comme en négatif des caractéristiques intéressantes pour la pleine compréhension du volontaire de la mort. La première est la totale obéissance au chef. La seconde est la réflexion stratégique de haute qualité sur la détermination de la cible ; la troisième concerne la préparation soigneuse de l'action. Quant à la quatrième, elle relève d'une action précoce de guerre psychologique contre les Assassins : leur désignation comme fumeurs ou mâcheurs (?) de haschich vise à les présenter comme des rêveurs irresponsables et finalement impuissants. Ainsi ces esprits « fumeux » allaient-ils jusqu'au bout de leur acte dans un état d'irresponsabilité et d'aliénation de la conscience.

À l'évidence, toutes les sectes ne sont pas suicidaires. Seules certaines d'entre elles envisagent leur propre suicide ou, comme le fit la secte Aum, des actions meurtrières contre leur ennemi. Toutefois, nombre d'entre elles considèrent le moment de l'avènement, de la parousie dans une ambiance eschatologique. Il en résulte un rapport à la mort volontaire très particulier. En tant que tels, les VM ne forment pas exactement une secte, mais plutôt un groupe en retrait, délibérément isolé, qui tend à constituer une élite en raison de son exceptionnel rapport à la mort.

Ainsi finit-on par trouver, à la croisée, des ambiances très voisines, des comportements et des pratiques similaires qui, traversant les âges, suggèrent une intemporalité. La notion d'histoire tout comme celle de progrès sont étrangères ou rejetées. Elles sont dépassées en raison d'une translation du territoire de l'ici-bas, vers l'au-delà. Cette fusion du temps humain et de l'intemporalité divine est illustrée par les cathares qui, au XIIe siècle, pensent retrouver une autre conception du monde et des temps régis par l'apocalypse.

Ce phénomène peut être tenu pour récurrent dans la plupart des sectes ou des organisations sectariennes. Il se retrouve chez les anabaptistes de Münster au début du XVIe siècle : même renversement du temps et de l'ordre existant. « Ana-baptiste », on remonte vers la source, le mythe de l'origine pour refaire la créature... À quoi s'ajoute un corrélat sauvage : l'établissement immédiat du nouveau royaume de Dieu. On change toutes les règles, on retrouve les sacrements primitifs dans une sorte de débauche archaïque. Surviennent les difficultés, les rivalités, les disputes. Rapide, la solution est toute trouvée : le massacre ou le suicide collectif. Pourquoi ? Parce qu'il faut en finir avec le présent et le futur non pas pour revenir en arrière, mais pour faire advenir l'origine pure, la non-temporalité, l'éternité. L'anabaptiste brûle, ravage, massacre et se suicide pour abolir toute histoire.

Court-circuit dans le temps : à quoi prétend le salafisme si ce n'est au retour à l'origine mythique d'une pure parole prophétique. Tradition dans laquelle s'inscrit explicitement Ben Laden et consorts qui entendent avec la restauration du califat ramener l'histoire à l'instant $t°$ de l'origine parfaite, la parole du prophète. En même temps, dira-t-on, cela implique une stratégie de prise du pouvoir ici-bas. Même si ce pouvoir est tenu pour matériellement futile et ne prend son sens qu'au regard de la finalité spirituelle. Car telle est l'impasse logique de telles entreprises qui ne peuvent, dès lors qu'elles agissent, s'affranchir de la tyrannie du temporel.

Il existe un rapport puissant entre les idéologies sectaires et le suicide. Le sectarisme correspond rarement au sacrifice meurtrier : soit on tue autrui en se préservant pour assurer la gestion des temps nouveaux, de la post-révolution, post-chaos, ou bien on embrasse l'apocalypse par un suicide communautaire.

Cela posé, le mode de création et de fonctionnement de la secte fournit des indications précieuses pour mieux comprendre la logique et la dynamique des authentiques volontaires de la mort (VM) : leur formation, leur relation au chef, leur rapport au temps et à la cause. La secte constitue un monde en réduction, introverti, paranoïaque, potentiellement suicidaire. Le nihilisme russe apparaît comme un des aboutissements de cette machinerie fatale.

Dès 1850, la société russe est comme investie par un mal contagieux dont témoigne précocement l'œuvre de Tourgueniev, *Pères et fils*. C'est sur ce terreau que poussent ces personnalités contrefaites que sont Ichoutine, Karakozov et, plus connu, Netchaïev.

Le catéchisme révolutionnaire *(voir l'article d'Yves Ternon)* proclame :

« Le révolutionnaire est un homme condamné d'avance. Il ne doit rien avoir de personnel : ni intérêts, ni sentiments, ni même un nom. Tout, en lui, doit s'absorber dans une seule passion : la révolution. Il doit briser tous les attachements de parenté, d'amitié, d'amour. Il n'étudiera que les sciences qui peuvent servir à son œuvre destructrice : la physique, la chimie, la médecine, et surtout la science vivante de la psychologie humaine. »

Que réclame Netchaïev ? Une arme physique doublée d'un outil de guerre psychologique. Le commissaire politique formateur des VM vietnamiens accomplit son vœu.

Finalement, le problème le plus intéressant posé par le nihilisme est d'ordre moral. Ce mouvement révolutionnaire pose le problème de l'indiscrimination, fondé sur une notion autoproclamée de responsabilité collective d'un groupe, d'une ethnie, d'une classe sociale, etc., qui ne cesse de hanter les adeptes de la propagande par le fait qu'illustre, en France, l'acte d'un Henry qui tape « dans le tas » (*voir l'article d'Olivier Hubac*).

D'un côté, le nihilisme se veut froidement réaliste, purement « machiavélien ». En ce sens, il constitue l'authentique généalogie du léninisme qui dénonça au nom du sens de l'histoire le moralisme des socialistes-révolutionnaires, avant de les liquider eux-mêmes.

Il procède d'une grande ambiguïté qui cache mal un pharisaïsme opportuniste. « En avant vous autres ! » Le militant est appelé à donner sa vie en massacrant l'ennemi de classe. Mais le dirigeant, lui, reste à l'abri. Ichoutine, fondateur d'une société dénommée « l'Enfer », fixe aux militants les règles de fonctionnement suivantes : « On tirera au sort celui des membres qui accomplira l'action… sitôt l'attentat commis, l'exécutant devra s'empoisonner. »

Lance-t-on la bombe ou se fait-on sauter avec elle ?

Il existe deux raisons pour se faire sauter avec sa bombe : s'assurer de la cible mais aussi s'assurer que c'est elle seule qui est victime et qu'aux alentours des innocents ne périront pas. Ce suicide-là est presque un duel auquel l'assaillant (lui seul !) prescrit des règles et des interdits qui conjuguent l'efficacité opérationnelle et la morale. Son sacrifice reste pur.

La cause bute devant la cible. Tout n'est pas permis en l'absence de Dieu comme au nom de Dieu : l'homme reste responsable de son semblable.

On se sacrifie aussi pour infliger le plus de dommages possible à l'ennemi. Ce fut le cas des *Haluzzenmädeln* (jeunesse juive sioniste et socialiste) lors de la bataille du ghetto de Varsovie, au printemps 1943. Ces jeunes militantes, armées de grenades soigneusement dissimulées, s'approchaient de groupes d'Allemands, notamment là où se trouvaient des officiers. Parvenues à très courte distance, elles faisaient exploser leurs grenades. Elles ne les jetaient pas de loin, comme un fantassin ordinaire, mais se détruisaient délibérément en même temps que le groupe compact des ennemis. Surprise, proximité, précision. Les nazis comprirent, qui désormais tirèrent de loin, à distance de sécurité, y compris sur les femmes[1].

### Existe-t-il une tradition asiatique ?

Nous progressons dans le temps vers les premières explications de l'utilisation de l'arme VM. Le conflit doit être intense et le groupe qui se sent menacé doit disposer d'un fonds culturel marqué par le sens et la tradition vivace du sacrifice. Faute de quoi, en dépit de l'infériorité militaire et du péril encouru, nul ne pensera à recourir à une telle stratégie. À l'aube de la Seconde Guerre mondiale, le conflit Chine-Japon, précocement engagé, puis l'affrontement avec les États-Unis, enfin la guerre de libération nationale et communiste contre les Français en Indochine font apparaître le recours systématique à cette stratégie.

### La noire apothéose kamikaze

On oscille entre l'incompréhension brutale à l'égard d'une tradition hâtivement rapportée au « hara-kiri » et la pitié à l'égard de ces malheureux sacrifiés pour une cause perdue par de hideux militaristes à la recherche d'une ultime parade contre la défaite.

La tradition sacrificielle du guerrier imprègne les fibres profondes de la société japonaise. C'est par un penchant naturel de la pensée stratégique que le suicide organisé apparaît comme une riposte efficace au déferlement de la supériorité matérielle des États-Unis. Une société qui se sent en péril répond par les voies de son identité, donc de la tradition. Tel était l'avis de l'amiral Onishi qui, préconisant depuis plusieurs mois d'adopter la tactique de l'attaque suicide aérienne, profite de l'occasion et prend alors l'initiative le 19 octobre 1944, trois jours avant la bataille de Leyte (Philippines). Mais le désastre final prive désormais le Japon de sa puissance aéronavale. La voie est libre et l'adversaire se rapproche inexorablement du Japon. L'idée du suicide hantait les esprits. Déjà en juillet 1944, l'îlot de Saïpan rappelle tragiquement Massada. Elle s'était accompagnée du suicide de centaines de colons japonais. Tandis que les officiers s'éventraient, femmes et enfants se jetèrent dans la mer du haut des falaises escarpées pour échapper aux « barbares ».

---

1. K. Mozarczyk, *Entretiens avec le bourreau*, pp. 187-188, Le Seuil, 1977.

Ainsi l'Aéronavale reçoit-elle l'autorisation de créer « l'Unité spéciale d'attaque par choc corporel » (*Taiatari tokubetsu Kogekitai*, raccourci en *Tokkotai*).

Il importe de s'attarder sur l'importance des moyens. Ce sont incontestablement les plus importants jamais mis en œuvre dans le cadre de la stratégie du sacrifice meurtrier et jamais rien de comparable en dimension, en diversité, en sophistication technique n'a été entrepris. Cela seul suffit à singulariser l'entreprise japonaise insérée dans un affrontement de grande dimension.

Les Oka, moins bien connus, constituent un exemple de ce que fut la radicalité de l'action militaire dans ce domaine.

L'expression *Jinrai oka Butaï,* « fleur de cerisier des Dieux du tonnerre », désigne les engins d'attaque suicide de la marine, du type 11 : sorte de planeur largué par un bombardier. Il emporte plus d'une tonne d'explosif très puissant (trinitro-anisol) propulsé sur la cible par trois missiles à carburant solide, à la vitesse de 570 miles, soit un peu plus de 900 km/h.

En janvier 1945, l'unité spéciale disposait de 160 pilotes volontaires et d'une réserve permettant de reformer les effectifs. Le volontariat humain l'emportait largement sur les moyens matériels disponibles. Mise au point et testée durant l'automne 1944, une première série fut embarquée sur le plus grand porte-avions du monde, *Shinano*, de 70 000 tonnes. Mais trois semaines plus tard, en novembre, les quatre torpilles d'un sous-marin américain envoient par le fond le bâtiment avec ses 50 Oka. C'est seulement le 21 mars 1945 que le premier essai au combat eut lieu. Or l'échec est total, non pas en raison du mauvais fonctionnement du système mais parce que les quinze bombardiers Mitsubishi G4M2$^e$ (« *bettys* ») furent descendus par la chasse américaine avant même d'avoir pu approcher à distance de cible, soit environ 20 km. Certes, l'engin était effectivement capable de distancer en vitesse les intercepteurs *Hellcats* de l'US Navy, mais son porteur restait trop lourd et trop lent à 320 km/h. Dès lors que son approche était détectée, il constituait une cible facile.

## 1950 : les Unités viêt-minh

Les unités spéciales formées par l'armée populaire constituent le groupe numériquement le plus important, même s'il n'existe pas de statistiques officielles.

La tactique d'assaut du Vietminh reposait sur le procédé classique de la colonne dense, de plusieurs centaines d'hommes sur deux ou trois rangs de front. Cela suppose de concentrer l'attaque sur un point du dispositif de défense adverse dont la largeur est relativement réduite, soit une vingtaine de mètres au plus. Grâce à un travail acharné de sape, les unités parvenaient à quelques dizaines de mètres des positions adverses. Il restait toutefois à franchir le périmètre défensif hérissé de barbelés, parsemé de mines. La préparation d'artillerie avait entre autres pour fonction de démanteler ce réseau de défenses passives. Mais d'importants fragments demeuraient encore susceptibles de ralentir la progression de la colonne prise sous le feu adverse. Il fallait donc achever de dégager la largeur du couloir pour mener la charge humaine des fantassins. Telle était la mission des VM. Pour y parvenir, ils disposaient d'un matériel éprouvé qui avait fait ses preuves depuis plusieurs années.

Le bengalore est un instrument bien connu des sapeurs depuis la Première Guerre mondiale. Il se compose d'une série de tubes d'acier s'emboîtant les uns dans les autres en sorte que l'on peut faire progresser le tuyau au sein des défenses adverses tout en restant à couvert. Une roquette est alors introduite et mise à feu. Elle va exploser au milieu des barbelés et autres chevaux de frise qui protègent les fortifications ennemies. Le Vietminh ne disposant pas de ce matériel en avait adapté le principe. Il avait imaginé de placer les charges à l'extrémité de très longs bambous que portaient jusqu'au point utile des hommes qui s'exposaient directement au feu de la défense et entraient dans le périmètre où des mines avaient généralement été posées. En outre, la détonation de la charge portée à bras d'homme exposait celui-ci à recevoir tous les éclats de ferraille propagés par l'explosion dans un périmètre excédant la longueur du bambou. La mort était donc certaine et le déclenchement de l'arme était bien provoquée par son porteur. Toutes les conditions sont réunies pour pouvoir parler d'une mort volontaire au service d'une cause. Sans doute le soldat ne tuait pas l'ennemi directement. Il contribuait à son anéantissement en favorisant l'action de ses camarades qui suivaient immédiatement. Difficile dans ce cas d'introduire une véritable nuance au niveau de l'intention.

Les effectifs de ces unités suicides semblent avoir été importants. Leur estimation basse est de l'ordre de 20 000 hommes. Le renouvellement des effectifs devait être important, eu égard à la consommation élevée dans les assauts. Mais la RDV n'a jamais fourni de statistiques. On ne sait rien non plus sur le taux de pertes dans un assaut.

On peut se demander dans quelle mesure cette tactique procédait d'une authentique « faiblesse » devant les capacités militaires françaises. À Diên

Biên Phu, Giap dispose de la supériorité sur le théâtre. A-t-il donc besoin de lancer à l'assaut des fortifications françaises des unités suicides alors que le patient et continu pilonnage de son artillerie lourde finirait par hacher les défenses françaises ? Non. Ces unités se lancent dans la mort parce que telle est devenue la tactique de combat. Les VM ont perdu tout statut d'exception, c'est, dans la bataille qui s'engage, une arme, au même titre que n'importe quel obus. Plus tard, le culte du héros se chargera dans le cadre de la société politiquement organisée de donner sa place efficace à chaque VM.

## Aujourd'hui

Pourquoi prendre 1980 comme apparition, épiphanie du sacrifice meurtrier ?

Il est incontestable que le retour au Proche et au Moyen-Orient d'un chiisme militant, exalté, révolutionnaire a redonné au sacrifice altruiste et au martyre un dynamisme inconnu depuis longtemps.

### Le courant chiite : Iran et Liban

Où commence « aujourd'hui » ? En 1979, quand le chiisme réintroduit la dimension sacrificielle.

La pratique iranienne du VM permet de distinguer entre le *martyre de masse* et le *martyre individuel* : le VM (de masse) grégaire pour des opérations militaires de grande ampleur sur de vastes théâtres au service d'une stratégie militaire et le VM qui servira à des opérations ponctuelles, au service d'un conflit tout aussi radical mais de configuration différente au Liban, en Palestine.

Le VM produit un effet proportionnel à la dimension et à la valeur stratégique du théâtre d'opérations. Plus ce théâtre est vaste, plus se dilue l'impact de l'action. Les VM palestiniens bénéficient de l'étroitesse de l'espace et des effets de concentration-répercussion psychologique.

Pour contrer l'Irak et mener de vastes contre-offensives, le régime iranien – qui s'était empressé de liquider les véritables compétences militaires – improvisa. Ainsi furent créés les « *bassidje* », autrement dit « volontaires organisés ». Il s'agissait de jeunes gens d'une quinzaine d'années. En principe, ils ne pouvaient s'engager dans l'armée (la limite se situant à 18 ans), organisme sérieux, plutôt bien organisé et peu disposé à être touché par le souffle de l'Esprit révolutionnaire. De leur côté, les familles cherchaient à s'opposer à l'enrôlement de leurs enfants.

Non sans mal, Khomeyni leva cet obstacle juridique, démontrant à nouveau, s'il en était besoin, les ressources de l'argumentation théologienne.

Une fois de plus se vérifie que la manipulation psychologique des adolescents constitue un instrument essentiel. Il permet de disposer des masses, au service de la révolution, quelle qu'en soit la nature. Prompte à la révolte, la jeunesse sert aussi de réserve pour répondre aux situations de danger militaires extrêmes : dynamisme, enthousiasme, exaltation, libido sont disponibles au service de la cause. Reste à savoir contrôler, encadrer, diriger, ce qui n'est pas d'une importance moindre.

Dans cette optique, Khomeyni chercha délibérément à instaurer et répandre une culture du martyre dans l'ensemble de la société iranienne.

« Les martyrs sont le symbole de la force de l'Iran », proclamaient les immenses panneaux de propagande plantés le long des larges boulevards des villes iraniennes. Et les homélies des mollahs promirent les plus parfaites récompenses dans l'au-delà. Auparavant, ces thèmes n'avaient jamais fait l'objet d'une prédication systématique. La religion – qui fournit un corpus disponible – est orientée stratégiquement pour un besoin politique nouvellement arrêté. Le pouvoir religieux, récemment installé, adaptait la religion aux circonstances avec un opportunisme authentiquement révolutionnaire et patriotique. Nombreux furent alors les docteurs de la foi qui désapprouvèrent ces interprétations. Mais ils n'eurent pas l'occasion de s'opposer, sauf en exil, et à leurs risques et périls.

En l'absence de besoin militaire, on peut se demander si le développement de l'arme VM ne constitue pas un élément de contrôle du pouvoir du chef et du système de gouvernement qu'il fait fonctionner. Khomeyni avait-il militairement besoin des *bassidje* ? On a déjà posé la question, s'agissant du Vietminh en 1954.

L'invasion du Liban en 1982 par l'armée israélienne (opération dite « Paix en Galilée ») a achevé de précipiter les populations entre les mains des factions radicales chiites parce qu'elle apparaissait comme la confirmation des principaux thèmes de propagande diffusés par ces groupes. Fragilisés spirituellement, traumatisés par l'invasion, les habitants devinrent le terreau naturel de l'islamisme, prêt à fournir des contingents de volontaires de la mort.

Cette organisation, encore embryonnaire, profite de « l'invasion » du Liban par la force d'interposition multinationale composée d'Américains, de Français et d'Italiens qui prend position à Beyrouth fin septembre 1982, mais doit partir après les attentats suicides de 1983. Deux attaques suicides firent 300 morts chez les militaires américains et français.

Cela constitua une *première victoire*, politique pour l'essentiel, qui prend progressivement une dimension militaire. Car le Hezbollah parvient ainsi à se doter d'une base permanente au Liban-Sud et d'une infrastructure complète dont le niveau militaire reste modeste. Il dispose de relais à travers tout le pays. En dépit du soutien de l'Iran, il est toléré par la Syrie parce qu'il entretient un second front contre Israël, laissant à Damas le soin de la zone du Golan. De plus, le lien à Téhéran, en pleine guerre, renforce l'isolement de l'Irak dont l'agressivité inquiète constamment le président Assad.

Ainsi doté, le Hezbollah peut organiser la formation, l'entraînement et les cérémonies de toutes sortes qui consacrent les VM en tant qu'arme d'élite.

Les stations de radio, les studios de télévision du Hezbollah lui permettent de fonctionner comme un micro-État. Cette stratégie médiatique contribue à diffuser la gloire des martyrs à travers le Proche-Orient.

Toutefois sa capacité militaire reste celle d'une force de guérilla, sans moyens militaires lourds, ce qui n'est pas forcément plus mal. Il déjoue ainsi l'action de l'armée israélienne.

Dans ce contexte intervient une *deuxième victoire*.

C'est en effet au Liban-Sud que l'armée israélienne enregistre ses pertes les plus élevées dans une guerre d'usure où le Hezbollah, avec l'arme VM, joue à plein des effets asymétriques. Moralement, les troupes israéliennes sont en position de faiblesse.

D'un côté, on préserve au maximum le soldat hébreu, capital précieux, de l'autre on envoie à la mort par dizaines des êtres humains, apparemment heureux de ce sort. Mal préparé psychologiquement, le soldat israélien qui continue à vivre sur un complexe de supériorité à l'égard de médiocres combattants arabes, ne comprend plus les données de l'affrontement. Virtuellement, il perd pied alors même que rien n'a entamé sa supériorité matérielle.

Le départ des forces israéliennes du Liban-Sud en juillet 2000 dans un pareil contexte est apparu comme une prime militaire, politique et symbolique à l'arme VM, confirmant l'effet premier produit par le départ des Américains en 1983. Le Hamas et tous les mouvements palestiniens méditent la leçon.

*Palestiniens*

Attirant l'essentiel de l'attention, les attentats palestiniens sont plus décrits qu'expliqués. Pourquoi avoir choisi cet outil ? pourquoi en avoir fait un instrument majeur à partir de la seconde Intifada de 2000 ?

Depuis 1967 s'est développé un mouvement idéologique : la célébration du combattant national palestinien, le « fedayin ». Après septembre noir (1970) les mouvements palestiniens laïques, parfois même marxistes-léninistes, se radicalisent. Des unités spéciales sont créées qui prennent la mort pour référence et emblème. Il ne s'agit pas de se suicider mais de marquer une résolution dans l'action qui implique un mépris absolu pour sa propre vie dont on fait le sacrifice *a priori*.

Le fond existe donc. Mais il se transforme plus tard en stratégie délibérée par récupération de la notion de martyre par des courants religieux comme le Hamas. En fait, cette mutation idéologique prendra un peu moins de vingt ans, soit une génération dans ces pays à taux de fécondité élevée où l'on commence à combattre très précocement, un peu comme on va à l'école. Elle se fonde sur un double constat d'échec : la lutte menée au nom du nationalisme et de la révolution sociale n'a pas connu le succès promis, et le rapport de force militaire demeure constamment défavorable. La recherche de la parité conduit au désastre. L'asymétrie militaire extrême exige le recours à des formes de lutte exceptionnelles. Paradoxalement, la création d'une autonomie palestinienne disposant de forces de police légèrement armées a renforcé le sentiment d'infériorité des Palestiniens.

Pour les Palestiniens, le choix de l'arme VM est donc de niveau stratégique bien plus que tactique. Il semble que ce soit non des idéologues mais des hommes de guerre, comme Yahya Ayyash (du Hamas) et Fahti Shiqaqi (du Jihad) qui se trouvent à l'origine d'une réflexion stratégique sur l'utilité des « opérations-martyres ». Leurs arguments se fondent sur l'efficacité opérationnelle. Ils pensent précision, coût-efficacité, capacité de destruction, impact psychologique d'attentats vraiment réussis.

Entre avril 1994 et juillet 1997, les attaques suicides du Hamas et du Jihad font un peu plus de 150 morts israéliens. Entre avril 1994 et avril 2002, 96 volontaires de la mort ont fait 334 morts et environ 2 700 blessés chez les Israéliens, civils et militaires confondus, 53 sont attribuables au Hamas, 28 au Jihad. La nouveauté est l'entrée en lice du groupe du Fatah dénommé « brigades des martyrs d'Al-Aqsa ». Référence religieuse à la sainte mosquée de Jérusalem, haut lieu de l'islam, mais tout autant à la « provocation » attribuée à Ariel Sharon, peu avant son élection, le 28 septembre 2000. Elle montre qu'une organisation laïque comme le Fatah s'est vue dans l'obligation de ne pas négliger la dimension religieuse et de concurrencer le Hamas sur son propre terrain. La logique d'un affrontement radicalisé qui laisse les Palestiniens seuls face à la puissance de l'armée israélienne conduit le Fatah à reconsidérer la valeur de l'arme, aux plans opérationnel et politico-psychologique.

Cette évaluation de la situation stratégique peut être attribuée à l'un des principaux responsables de l'organisation des forces de maintien de l'ordre de l'Autorité palestinienne, Marwan Barghouti, arrêté en avril 2002. Dès 1998, il avait mis en place des petits groupes paramilitaires (*Tanzim*). L'épreuve de force d'octobre-novembre 2000 s'était révélée militairement désastreuse pour les Palestiniens. Sur les 280 victimes répertoriées figuraient 250 d'entre eux. Le constat est donc général : l'affrontement conventionnel asymétrique conduit à un intolérable déséquilibre des pertes. Il n'est pas possible de compenser l'asymétrie matérielle qui se répercute sur les taux de pertes.

Alors quelle stratégie de remplacement, et avec quelles armes ? La réponse est venue, d'autant plus puissante que le retrait final de l'armée israélienne du Liban-Sud a été perçu, plus à tort qu'à raison, comme une victoire du Hezbollah et comme un gage de succès des techniques de combat qu'il utilisait, notamment l'attentat suicide.

Le recours aux attentats suicides s'est incontestablement révélé positif en termes de coût-efficacité. L'intensification des opérations durant l'année 2002 a conduit le gouvernement israélien à durcir ses ripostes en combinant une stratégie de décapitation très ciblée et d'autre part des ripostes massives indifférenciées, notamment contre les maisons dans les zones palestiniennes. Il est pratiquement impossible de déterminer les raisons précises de l'accalmie de 2003. Elle correspond en partie à un essoufflement des Palestiniens durement touchés et à une contestation interne de la validité de cette stratégie totale. Mais en corrélation intervient l'épisode « Premier ministre, Abou Mazen ». La tentative de substitution d'un Premier ministre à l'autorité du président Arafat a créé une période de latence qui semble correspondre à un cessez-le-feu permettant à chacun de reconstituer son dispositif (Palestiniens) ou de pousser plus avant sa stratégie séparatiste et la décapitation des réseaux (Israéliens).

En l'absence de toute solution politique durable, la reprise des opérations suicides tend à se confirmer sans que l'on sache véritablement quel en est aujourd'hui l'objectif précis…

## L'originalité des Tigres noirs tamouls

Le recours aux VM s'inscrit dans un conflit entamé en 1975, très circonscrit régionalement mais très meurtrier, en ce sens il relève de la haute intensité.

Le LTTE (Tigres tamouls) prétend pouvoir disposer d'environ 15 000 combattants dont 2 000 à 3 000 femmes. L'armée cinghalaise comprend quelque 20 000 hommes qui incluent une *Special Task Force*, entièrement formée par des mercenaires britanniques. Les effectifs de la marine s'élèvent à 3 000 personnes.

La minorité tamoule peut compter sur le soutien de l'Inde du Sud (Tamil Nadu) dont il n'est coupé que par un détroit de 40 km. Le Tamil Nadu sert de base arrière, selon une tradition de stratégie classique. Les camps d'entraînement autour de Madras permettent à la guérilla d'atteindre un niveau de compétence élevé. Un autre facteur favorable tient à ce que le mouvement tire ses ressources de l'aide d'une diaspora disséminée en Asie (Malaisie, Thaïlande), Australie et dans quelques pays européens, notamment le Royaume-Uni.

Le succès du LTTE repose donc sur l'existence d'une organisation efficace, encadrant toute la population tamoule, y compris la diaspora, très active de par le monde. Le chef suprême du LTTE est Valupilaye Prabhakaran qui, pour tenir le peuple tamoul et imposer son pouvoir dictatorial, a eu recours à tous les instruments de pouvoir des tyrans efficaces.

Il donne à ses forces une qualité et des moyens techniques de haut niveau qui contrastent avec la rusticité des forces régulières sri-lankaises. La préparation des champs de mines et les zones de feux d'artillerie sont calculées précisément par guidage GPS de manière à pouvoir attirer les forces ennemies dans les zones les plus meurtrières.

Les affrontements du Sri Lanka s'insèrent dans un contexte d'une extrême férocité. Fréquemment, les Tamouls ont été brûlés vifs par leurs adversaires. Ce radicalisme suggère une exécration de l'ennemi tendant à l'extermination.

L'importance du feu relève aussi d'un fonds culturel. C'est l'instrument par excellence de la destruction. On ne relèvera jamais assez combien le meurtre est aussi un acte culturel : ici on brûle, là on égorge avec le couteau pour le mouton ou pour le porc. La haine n'est pas si inventive qu'on le croit parfois. Cette dimension est occultée dans l'examen des antagonismes intercommunautaires. La sexualité joue un rôle essentiel aussi bien dans la volonté d'humiliation de l'ennemi que dans le désir de vengeance. Le viol fait partie des traumatismes ou des angoisses phobiques qui motivent les jeunes femmes tamoules qui entrent dans les Tigres ou même les Tigres noirs.

Prabhakaran a développé une stratégie intégrale qui combine la guérilla, le terrorisme et le recours aux VM. L'originalité dans ce domaine tient à deux phénomènes : le recours aux femmes et aux nageurs et nageuses de combat suicide.

Le premier élément est lié à un souci de déstabilisation systématique de l'État cinghalais, de ses structures de pouvoir civiles et militaires. Les VM frappent à la tête, dans une tradition de lutte politique violente classique. Le suicide procède de la recherche de la précision au regard de la cible. Il y a clairement discrimination.

Le second élément suggère une préoccupation de stratégie militaire destinée à permettre à la guérilla de n'être pas coupée de sa base arrière sur le continent indien. Le détroit qui sépare le nord de Ceylan du Tamil Nadu est fort étroit : quelques dizaines de kilomètres. La marine sri-lankaise pouvait donc couper la ligne de communication en interdisant tout passage. La mission des nageurs suicides est de neutraliser cette interdiction en attaquant les bâtiments sri-lankais. Cette méthode rappelle les essais de torpilles humaines japonaises, elles-mêmes inspirées des tentatives désastreuses de sous-marins de poche italiens en 1941-1943. Dans le cas tamoul, on constate l'efficacité de cette tactique. Le point fort en est la qualité du renseignement. Le commandement tamoul connaît les mouvements des unités adverses et peut monter les opérations suicides au bon endroit et au bon moment. Le recours à l'arme VM procède d'une stratégie asymétrique, les Tamouls ne disposant pas de navires permettant d'affronter la marine sri-lankaise, aussi limitée soit-elle. Le ciblage et la situation se rapprochent singulièrement de la situation nippone. Toutefois, le rapport de potentiels n'est pas aussi distendu et l'évolution de la situation stratégique semble justifier, au plan strictement opérationnel, le recours ciblé à ces opérations suicides.

### Les « septembristes » et le système Al Qaida

Dans un domaine aussi complexe, il convient de se garder de tout juge-ment assertif et de présenter les faits avec la plus grande précaution. La véri-table connaissance est elle-même l'objet d'un traitement politique qui au mieux consiste à rechercher le meilleur bénéfice de l'information dont on parvient à disposer. L'invasion de l'Irak par les États-Unis et leurs alliés ne l'a que trop démontré.

Les hommes de Septembre sont les produits d'une longue tradition de turbulences politico-idéologiques dans le monde arabe qui remonte à la création des Frères musulmans par Hassan Al Banna en 1928 et du *Jamaa Islamiya* fondé en 1941 par Abou Al Ala Maududi.

La maturation se concrétise par l'assassinat du président Anouar El Sadate le 8 avril 1982, mais déjà elle a accouché d'un phénomène plus ori-ginal parce qu'il est déterritorialisé : la migration de combattants volontaires islamistes vers le champ de bataille afghan occupé par les Soviétiques.

Jusque-là il n'est pas question de suicide. Certes l'esprit de sacrifice est exalté et la pensée se fait sombre : les exécuteurs de Sadate appartiennent au groupe *Takfir wal Hijra* (Anathème et Exil), thèmes qui sont fortement pré-sents dans le discours de Ben Laden. La déterritorialisation des combattants et de leurs chefs – ce que les Occidentaux traduisent par internationalisation des réseaux terroristes – est présentée comme « l'hégire » du prophète, début d'une errance et du calendrier musulman.

Les opérations suicides n'ont guère occupé de place durant la guerre d'Afghanistan. Il existe maints exemples de moujahidin qui ont sacrifié leur vie, mais la conception, la planification et l'exécution systématique de telles actions n'ont pas été relevées. *Cette absence mérite réflexion* sachant que les groupes chiites liés à l'Iran sont déjà présents sur le terrain et que les sun-nites n'hésiteront pas à adopter cet instrument quelques années plus tard. Une explication s'impose : le rapport des forces, même asymétrique en faveur des Soviétiques, ne paraît pas si défavorable qu'il exige ce type d'action. Le terrain est favorable, la population, globalement acquise, au moins dans son hostilité à l'occupant, l'argent est généreusement fourni par les services américains et les armes affluent par le Pakistan. La victoire et l'effondrement final de l'Union soviétique bouleversent les données tant politiques que stratégiques.

La base territoriale et populaire afghane perd de sa nécessité, en dépit de relations plutôt positives avec les Talibans. Mais islamistes ou pas, les

« légionnaires arabes » constituent un corps étranger dans le système tribal afghan. Sans doute le régime de Kaboul abrite-t-il des camps d'entraînement d'Al Qaida, mais il se méfie d'un excès de puissance militaire susceptible de menacer leur fragile prédominance. Reste que ces camps permettent la formation de combattants « polyvalents » capables de mener une guerre régionale contre l'Alliance du Nord de Massoud et Dostum ou bien des actions terroristes lointaines, pouvant comporter la dimension du suicide.

L'équipe formée par Oussama Ben Laden et Ayman Al Zawahiri reflète la complexité et la perplexité de la direction en ces années charnières pour l'orientation du mouvement islamiste combattant. Apparaissent clairement deux composantes et deux héritages : les Saoudo-Yéménites et les Égyptiens. Les chefs hésitent sur leur implantation. Ben Laden est attiré par le Soudan où Hassan al Tourabi prétend implanter un État théologique fondé sur la charia. L'expérience tourne court. Faut-il alors rechercher une implantation sur les territoires de l'Asie centrale ex-soviétique à partir de l'Afghanistan ? Enfin, l'essence même du mouvement ne réside-t-elle pas dans sa lutte mondiale contre les occupants de la terre de l'islam : les Juifs et les Américains ?

Or l'affrontement direct avec la puissance militaire américaine a conduit également à éprouver à juste titre un sentiment de faiblesse que seul pouvait partiellement compenser l'effet spectaculaire des opérations suicides. Ce qui était perdu en force réelle devait se rééquilibrer par la puissance impressionniste du sacrifice meurtrier.

La planification très méticuleuse du 11 septembre devait répondre à cette surprenante application de la stratégie asymétrique.

La surprise reste à discuter. Car précédents et signaux n'ont pas manqué. Le premier attentat contre le World Trade Center en 1993 suggérait bien l'existence d'une volonté d'introduire le conflit au cœur des États-Unis jugés responsables d'une agression contre l'Islam. Le cheikh aveugle Omar Abdel Rahman était-il l'inspirateur d'une forme nouvelle, radicale de jihad ? Toutefois, la conception de l'attentat ne suggérait pas le suicide. Aussi les services de police n'ont pas vraiment regardé dans cette direction.

Les indicateurs continuaient cependant de s'allumer.

Une opération aérienne suicide avait été envisagée en décembre 1994, lorsque le GIA détourna un Airbus d'Air France assurant la liaison Paris-Alger. L'avion posé à Marseille fut pris d'assaut par le GIGN. Le complot prévoyait de détruire au-dessus de Paris l'avion et les 280 passagers de manière à créer un effet spectaculaire de terreur et d'apocalypse. En mars 1995, un groupe du GIA dénommé « Phalange des signataires par le sang » tue 45 personnes dans un attentat suicide utilisant une voiture remplie d'explosifs contre le commissariat d'El Biar, à Alger. Mais là encore, on reste dans un espace confiné.

De même des actions suicides imputables à des islamistes venus de la péninsule arabique se produisirent à plusieurs reprises contre des bases ou des forces américaines. D'abord Khobar Towers, base de l'USAF, en juin 1996 aux environs de Dahran en Arabie Saoudite. Puis les attentats contre les ambassades américaines de Dar es-Salam et Nairobi en 1998 utilisent des voitures piégées, placées à proximité des immeubles visés. Elles ne sont pas humainement guidées sur cibles. Le résultat est un carnage déplorable pour les auteurs. Les victimes font partie de la foule qui passait par là.

Le destroyer américain *USS Cole* est attaqué dans le port de Sanaa au Yémen en octobre 2000, cette fois par une vedette suicide. L'organisation est attribuée à Tawfiq Ben Attash. Des actions comparables se produisent après le 11 septembre. Une vedette frappe le pétrolier français *Limbourg* en septembre 2002. L'attentat contre un hôtel de Mombassa au Kenya en novembre 2002, fréquenté par des touristes israéliens, est réalisé par un véhicule qui aurait été occupé par trois attaquants, ce dont il est permis de douter, la redondance ayant ses limites.

Ce catalogue d'attentats suggère que l'attaque suicide ne constitue pas forcément l'outil nécessaire. Il ne procéderait donc pas d'un impératif religieux privilégiant le sacrifice mais d'un opportunisme opérationnel ou bien encore de la disponibilité en attaquants suicide. Ces attentats ne sont pas revendiqués ou de manière très vague. Derrière cet anonymat, il faut donc rechercher la personnalité de ces hommes. Que pensent-ils et que veulent-ils ?

Mohammed Atta, chef de l'opération du 11 septembre, n'est pas immédiatement un produit des écoles coraniques (madrassas) pour adolescents désœuvrés. C'est au sein du monde universitaire, plutôt avancé, sur des campus américains, européens que se produit l'étincelle spirituelle qui conduit à l'engagement. Comment ces hommes ont-ils été sélectionnés, par rapport à quels autres qui auraient pu faire l'affaire ? Depuis combien de temps les avait-on préparé au martyre ?

Parallèlement, un autre facteur, la relation familiale, joue encore un rôle essentiel dans la motivation et le recrutement. L'arrestation en mars 2003 du principal organisateur du 11 septembre, Khaled Cheikh Mohamed, permet de se faire une idée plus précise des hommes de Septembre. Lui-même âgé de 38 ans, il est né au Pakistan. Tôt émigré au Koweït, il part faire ses études d'ingénieur au collège Chowan en Caroline du Nord, études interrompues pour rejoindre les combattants islamistes d'Afghanistan vers 1985. Il semble être l'oncle de Ramzi Youssef, l'un des instigateurs de l'attentat de 1993 contre le World Trade Center, emprisonné depuis 1995.

Le personnage avait un niveau d'éducation relativement élevé, notamment dans le domaine technique, fréquentait depuis longtemps les États-Unis et était un familier du transport aérien. Ce dernier facteur explique-t-il le choix de l'avion ?

En apparence le vecteur – l'avion – et la technique, s'écraser sur une cible, rapprochent les septembristes des kamikazes. Là s'arrête toute comparaison et toute référence. Le pilote japonais considérait qu'il frappait l'ennemi par un acte de guerre auquel des civils n'étaient nullement mêlés. Quant aux septembristes, leur inspiration vient d'ailleurs.

Certes, les attaquants suicide de la mouvance saoudo-égyptienne avaient utilisé tous les moyens, voitures et vedettes. L'idée de l'attaque par avion était rampante, au moins depuis 1995, époque de la conception par des islamistes de Bosnie du plan « *Bojinka* » qui visait au détournement simultané de 17 avions civils, voués à l'écrasement final sur de grandes agglomérations.

### Les nouveaux champs d'action : Tchétchénie, Irak

La prise de Groznyï par les forces russes qui marque la fin officielle de la seconde guerre de Tchétchénie en 2000 n'a évidemment pas mis un terme aux activités des indépendantistes islamistes. Elle leur a cependant porté un coup assez rude pour que les chefs de guerre doivent se contenter d'actions de guérilla plus ponctuelles et choisissent de recourir aux opérations suicides soit en Tchétchénie, soit encore pour porter des coups au cœur même du territoire russe. La prise d'otages du théâtre de Moscou en octobre 2002 n'était que le prélude à toute une série d'actions suicides perpétrées en général par des femmes durant l'année 2003, faisant plus de deux cents morts. Le retentissement médiatique a été faible. À ce stade, il est difficile d'évaluer l'efficacité de cette stratégie. Mais le phénomène présente en soi des caractéristiques intéressantes. Tout d'abord, il confirme l'existence d'une filière islamiste tchétchène à caractère terroriste susceptible de recourir à ce type d'actions. Quand on sait qu'une branche a été neutralisée en région parisienne en 2003 alors qu'elle préparait des attentats (classiques) contre des intérêts russes en France, force est de constater que des opérations suicides pourraient affecter n'importe quel État européen et que nul ne peut se considérer comme sanctuarisé. La fermeté du président Poutine en octobre 2002 n'a eu aucune valeur d'exemple. Cent vingt citoyens russes ont péri en raison de l'utilisation d'un toxique chimique très virulent, fortement concentré par les forces spéciales russes. Cette attitude de fermeté payée à un prix élevé n'a pas produit d'effet dissuasif. Il est apparu que face à un ennemi impitoyable la prise d'otages n'était pas efficace et que mieux valait chercher à implanter la terreur à Moscou et dans ses environs en cherchant à faire le plus de morts possible, de manière indiscriminée. En dehors d'une logique de massacre mutuel, il est difficile de distinguer les contours d'une issue politique.

L'apparition des attentats terroristes et des attaques suicides en Irak et en Arabie Saoudite constitue le phénomène le plus marquant de l'année 2003. Les opérations antiaméricaines en Irak présentent une grande hétérogénéité tant d'origine que de moyens. Il est permis de penser que des volontaires arabes islamistes aient été accueillis en Irak avant même le début de l'attaque américaine. Il est également concevable que la porosité des frontières résultant de la disparition des forces régulières irakiennes aient permis l'infiltration de combattants islamistes capables de mener des opérations suicides. Cela suppose l'existence d'une infrastructure clandestine préalable permettant d'assurer la logistique de ces attaques qui ne s'improvisent pas. Si les ressources humaines sont abondantes et si les explosifs constituent une denrée largement répandue sur l'ensemble du pays, l'organisation d'attentats ciblés visant à isoler politiquement l'envahisseur et à le démoraliser exige un minimum d'encadrement et de préparation.

Le même raisonnement vaut pour l'Arabie Saoudite qui jusqu'en 2002 avait été épargnée. Pour les stratèges du système Al Qaida, ce pays constitue très probablement un des objectifs stratégiques majeurs. Bien que les liens restent plus puissants et plus solides qu'on ne le suggère un peu étourdiment, la relation avec les États-Unis a été fragilisée par le 11 septembre. De son côté, la monarchie saoudienne ne peut plus se permettre de poursuivre le double jeu mené depuis une génération entre le soutien au salafisme dans le monde musulman et l'alliance privilégiée avec les États-Unis. Une crise de régime est ouverte, qui donne tout leur sens aux attentats de l'année 2003. Riyad devient, au plan stratégique, une véritable *hard target*. Eu égard à l'implantation et à la popularité de l'islamisme violent, les volontaires de la mort pourrait bien trouver là le terrain et la cible parfaite pour leurs futurs sacrifices.

## LES STRUCTURES : IDÉOLOGIE ET STRATÉGIE

### L'idéologie

*Pourquoi ?*

Si le sacrifice n'imprègne pas toutes les sociétés humaines, il fait incontestablement partie de la tradition militaire. L'expression « sacrifice suprême » appartient encore au vocabulaire de la guerre classique. On se tue pour sauver ses camarades de combat. On se porte volontaire pour des actions de retardement d'où l'on sait n'avoir pratiquement aucune chance de réchapper. On refuse de se rendre. De Léonidas aux Thermopyles jusqu'aux guerres du XX$^e$ siècle, la liste est longue et la tradition forte de ce sacrifice altruiste.

La philosophie de l'arme VM excède le sacrifice guerrier car elle repose sur un paradoxe logique : d'une part c'est un suicide altruiste, mais d'autre part il requiert une négation absolue de l'être humain, de soi et de l'autre. Ce nihilisme intégral procède d'une double réification. Le volontaire de la mort accepte de se transformer en arme, en chose explosive intelligente. Ce choix crée une première entrée dans le domaine de la mort. Il a renoncé à sa vie, figurant désormais dans le « stock » disponible pour les opérations à venir planifiées et organisées par ses chefs. La seconde réification est celle de la cible humaine. L'adversaire est traité comme une chose, un animal nuisible, sans sexe, sans âge et sans visage : le non-soi, l'ennemi. L'indiscrimination repose sur cette indifférence absolue qui confère souvent au discours des VM un calme effrayant.

Sont-ce les mêmes raisons que celles qui conduisent un groupe à recourir au terrorisme ordinaire ? Sans doute. Mais qu'est-ce qui vient en plus ? L'échange meurtrier : ma vie *contre* la leur !

Nous n'entendons pas traiter ici des causes supérieures et des finalités suprêmes. Elles ne diffèrent pas lorsqu'il s'agit soit de guerre, soit de terrorisme. Ces finalités sont, pour résumer d'un mot très adéquat : la CAUSE. Elle prend des noms et des formes différents selon les temps, les lieux, les conflits et les hommes. Elle se nomme Patrie, Empereur, Révolution, Allah, etc. Ce qui est important dans le cas du sacrifice meurtrier est de savoir pour quoi et plus précisément en échange de quoi un être humain accepte de donner sa vie pour détruire celle d'autres humains. Qu'est-ce qui le pousse à ce volontariat fatal ?

Devant ce phénomène, les explications superficielles abondent. Elles procèdent d'une incompréhension totale, d'une indignation maladroite ou – ce qui vaut déjà mieux – d'un dessein délibéré de déconsidérer l'attaquant suicide. À ce déni de leur humanité, de toute humanité, les agressés répondent par un déni de rationalité, parfois même miséricordieux à l'égard de leurs agresseurs : ce sont des fous, des drogués, des misérables décérébrés par un lavage de cerveau perpétrés par les vrais criminels que sont leurs chefs qui les abusent en faisant miroiter des récompenses concrètes dans un au-delà de délices inaccessibles dans leur (très) bas monde.

Enfin, il existe une version compatissante : le désespoir causé par la misère, la frustration, les sévices infligés par l'ennemi. Les psychiatres mentionnent l'effet traumatisant sur de jeunes enfants de scènes de violence exercée contre le père ou un frère aîné par « l'ennemi ».

Les exigences d'une opération sérieuse excluent que le VM se trouve sous l'emprise d'un produit susceptible d'aliéner ce qui fait toute sa valeur, à savoir la compréhension de la situation et l'adaptation. Un euphorisant peut permettre de surmonter des résistances physiques. Là s'arrête le recours à la drogue.

Indiscutablement le VM est animé par une exceptionnelle intériorisation de la cause. Il voue à l'ennemi une haine assez intense pour cesser d'être personnelle. Les deux facteurs conjugués produisent cette réification qui ouvre la voie à l'indiscrimination de cible. La motivation est entretenue et renforcée lors de l'instruction par le chef. Elle est développée un peu plus par l'effet de dynamique de groupe. Sans doute, une fois formé, le VM donne-t-il un sentiment d'étrangeté psychologique, y compris pour ses proches. Il est « initié » et participe d'une autre dimension. Mais cet état n'est que le résultat de sa décision volontaire de se faire arme. La motivation primordiale est à chercher plus en amont.

Sitôt que l'on comprend la notion de suicide altruiste, on est forcé d'abandonner l'explication par le désespoir (la logique du suicidaire égoïste) et de lui substituer une logique inverse, celle de l'espérance de gain.

Contrairement au suicidaire commun dont l'acte est purement égoïste, le VM n'est pas un désespéré. Au contraire. C'est un « joueur » tragique mû par la conviction que de son sacrifice meurtrier sortira une situation meilleure pour la cause et pour sa communauté d'appartenance.

L'espérance de gain constitue donc le moteur du phénomène VM, à la croisée entre psychologie individuelle et stratégie collective.

Mais quels gains ? Entendons-nous bien. Certainement pas de gains matériels dans l'au-delà, sous forme de ripailles et de délices lubriques transgressant tous les interdits d'ici-bas. Croit-on sérieusement que l'islamisme propose comme récompense l'envers carnavalesque de la charia ? S'il existe une littérature sur les délices du Paradis, elle ne saurait être prise au pied de la lettre.

## Qui ? Sociopsychologie des chefs et des personnels

Il existe deux catégories de chefs : les inspirateurs et les instructeurs.

Les premiers sont lointains, entourés d'une révérence tragique. Ils incarnent et disent la cause. Les seconds sont les formateurs de proximité, les formateurs du corps du VM.

Ils créent une chaîne continue, constamment relayée, qui met en condition le VM. Le Viêt-minh disposait d'instructeurs politiques (*cân-bô*) sur le modèle du commissaire politique bolchevik. En parallèle, il existait des formateurs spécialisés pour ce type d'opération.

Les chefs viennent rarement de milieux défavorisés, bien au contraire. Ils appartiennent en général à la frange privilégiée des sociétés du tiers-monde en développement depuis deux à trois générations. Intelligents, très instruits, ils se répartissent entre les professions libérales, médecins, enseignants, et la caste sacerdotale. À mesure que le temps passe, leur statut de « révolutionnaires professionnels » gomme cette appartenance originelle, sans vraiment la faire disparaître. Saïd Qotb, un des principaux inspirateurs de Ben Laden et Al Zawahiri[1], constitue l'exemple d'une frustration intellectuelle à l'égard de l'Occident qui engendre le sentiment agressif d'une incompatibilité foncière entre les deux cultures fondée sur la peur de la perte d'identité. On est en droit de se demander si l'hostilité anticoloniale qui frappa le Royaume-Uni et la France entre 1920 et 1960 n'est pas remplacée par une hostilité antiaméricaine (transfert de négation vers la puissance dominante). Nombre d'islamistes violents ont en effet effectué une « traversée américaine ».

---

1. Se reporter à l'exposé de Philippe Migaux.

L'origine sociale des exécutants présente une très grande hétérogénéité. Plus l'usage présente un caractère massif (Iran, Vietnam…) plus l'origine sociale est modeste et le niveau d'éducation bas. Les Tamouls, les Palestiniens, les septembristes font appel à toutes les classes sociales. On constate un pourcentage élevé d'étudiants qui, loin d'être de rudimentaires produits des écoles coraniques, disposent d'un véritable bagage universitaire, scientifique ou technologique. Beaucoup ont voyagé, connaissent le monde occidental. Bien évidemment le niveau global de la société se répercute sur le recrutement. La pauvreté de la société tchétchène détermine la rusticité des combattants en général, des VM en particulier.

L'évolution récente met en évidence l'hétérogénéité dans tous les domaines. Systématique chez les Tigres noirs tamouls, la présence des femmes se généralise, en Palestine et en Tchétchénie. La mouvance islamiste ne répugne nullement à recruter les femmes. Encore aujourd'hui une femme suscite (un peu) moins de méfiance. Pourtant les motivations sont aussi fortes que chez les hommes.

L'importance du *lien* entre chefs et exécutants présente un caractère fondamental. C'est ce lien qu'il convient de défaire pour mener une lutte efficace. Pour qui prétend contrer l'action suicide, il importe d'entrer au cœur de cette relation, de comprendre de quoi elle est faite. Il ne faut pas craindre les interprétations psychologiques les plus complexes pour découvrir tous les ressorts cachés.

Les chefs qui appellent au sacrifice meurtrier se singularisent au sein de la cohorte nombreuse des dirigeants politiques dont les organisations recourent au terrorisme.

Hier, l'amiral Onishi, aujourd'hui Valupilaye Prabhakaran (Tigres tamouls) ou le cheikh Nasrallah (Hezbollah) font l'objet d'un culte de la personnalité qui s'avoue plus ou moins.

La prestation de serment joue un rôle important. Elle signe le choix décisif. Cette parole donnée au chef, cet engagement que connaît bien la psychologie de la soumission volontaire[1], consacre la transformation de l'homme en arme.

Figure terrifiante (qui produit un effet de contre-terreur) de père archaïque, le chef devient également le garant du contre-don de la communauté : il assure le développement du culte des héros et martyrs. Il en célèbre les

---

1. Psychologie de la soumission et de l'engagement dont l'avatar ultime, en mode dégradé, n'est autre que la publicité. Cet aspect de la manipulation est longuement analysé dans François Géré, *La guerre psychologique*, Economica, 1997.

rituels, organise l'économie funèbre d'une mémoire entretenue en vue de la reproduction du stock de futurs VM. Les écoles deviennent le vecteur d'une édification qui incite à l'imitation du martyr exemplaire. Les cimetières réservés honorent les VM. Ainsi la communauté vit-elle avec ses morts, toujours présents, dans une sorte de douleur aménagée, devenue tolérable. Les enfants sont fiers du père ou du frère aîné et, qui sait, de la sœur. Une culture s'installe dont les sociétés occidentales sont devenues ignorantes.

*La formation* combine la préparation morale et l'entraînement opérationnel.

## L'entraînement : exemplarité, imitation, émulation

Chez les Viêt-minhs, les Tigres noirs, les Palestiniens, on constate toujours une période plus ou moins longue de réclusion qui va permettre au groupe d'être instruit (par un imam, un commissaire politique) mais aussi de créer cette dynamique indispensable pour fondre le volontariat individuel dans le creuset du vouloir collectif. Cette retraite favorise l'émulation qui, au nom de la cause, saisit chaque individu pour l'inciter à une compétition « sub-lime » : tuer plus d'ennemis, détruire une cible plus payante, etc. Cet enthousiasme exalté permet d'oublier la mort, d'entrer dans une autre dimension psychique, au-delà de la vie biologique. Alors naît l'impatience du passage à l'action, perçu comme un accomplissement.

Comme tout dressage militaire, l'entraînement a pour objet de maîtriser le corps, et de contrôler l'esprit. En effet, pour mener à bien l'opération suicide, il est indispensable de surmonter deux niveaux d'obstacles, ceux-là mêmes qui font l'humanité de l'homme : son corps et la conscience de son « semblable », son sentiment d'appartenance à l'espèce humaine, cette communauté.

Intervient d'abord la réaction naturelle du corps.

Les troupes les plus aguerries, les plus motivées, les plus imprégnées du code de l'honneur ne résistent pas indéfiniment à un bombardement intensif prolongé. Il en va simplement de la résistance du corps, indépendamment de toute imagination. La peur est aussi et surtout une protestation physiologique.

C'est à ce niveau qu'un euphorisant, très léger, peut s'avérer utile. Il calme le corps qui risque de se cabrer au dernier moment et de se refuser à la volonté. Il devrait aller sans dire que la conduite d'une opération suicide exige une parfaite lucidité. C'est la raison même du choix du VM : la souplesse de l'intelligence adaptative, de la compréhension de situation qui va permettre de mener jusqu'à son terme l'action, ou bien, si nécessaire de modifier le plan initial, voire même de renoncer et de remettre à une autre tentative.

Puis il faut prendre en compte le sursaut moral, le spasme de l'humanité.

Tuer autrui n'est pas un acte facile dès lors que la haine personnelle ou la haine de proximité font défaut. Un être humain inconnu, anonyme renvoie à des images trop familières, à commencer par soi-même. C'est là qu'intervient la formation idéologique ultime qui vise à réifier l'ennemi et à annihiler tout sentiment de communauté humaine.

### La planification

Dans les organisations bien structurées qui disposent de territoires « libérés », c'est-à-dire de bases arrière, relativement abritées, la formation est lente, le montage de l'opération soigneux prend du temps. Comme toute opération militaire sérieuse, il est précédé par :
— le recueil du renseignement ;
— la définition de mission ;
— la préparation de l'action : reconnaissance de cible et, parfois, répétition.

La qualité de la cible au regard de l'objectif stratégique conduit à une durée de préparation de plusieurs mois : attaque d'un navire dans le détroit du Tamil Nadu ou attaque des Twin Towers et du Pentagone.

Les Palestiniens ont improvisé dans l'urgence d'un affrontement direct, presque au jour le jour, avec l'armée israélienne. Alors que, depuis 1996, le Hamas prenait le temps de préparer les actions dans une perspective stratégique de niveau politique, il lui a fallu faire de la riposte tactique à caractère militaire. Le Jihad islamique et les Brigades des martyrs d'Al-Aqsa ont dû adopter la même démarche. L'enjeu essentiel de l'initiative a été déplacé.

### La logistique

Son importance varie selon les contextes. Globalement, elle reste simple, sauf dans le cas japonais dont la sophistication s'élevait à la mesure de l'effort de guerre japonais, encore considérable même sur son déclin. Pour la plupart des cas, on peut parler de rusticité : des explosifs faciles à fabriquer ou à se procurer, portés en ceinture, éventuellement des véhicules. C'est à cette aune que se mesure l'intérêt stratégique de l'arme VM.

## La stratégie générale : asymétrie et coût-efficacité

Pourquoi ce recours au sacrifice meurtrier ? Qu'apporte-t-il que ne saurait procurer une arme ordinaire employée avec subtilité ? Les réponses sont multiples et doivent être considérées à plusieurs niveaux :

— Au niveau stratégique, elle résout au moins partiellement le déséquilibre des potentiels.

— Au niveau logistique, c'est une arme utile, efficace, peu chère, facilement renouvelable.

— Au niveau tactique, elle est efficace parce qu'elle repose sur l'intelligence humaine.

C'est l'arme du plus faible qui a de surcroît le sentiment d'une agression qui pourrait lui valoir une très grave défaite mettant en danger sa communauté d'appartenance, humaine, territoriale, spirituelle. Le volontaire de la mort constitue une riposte d'ultime recours dans le cadre d'une situation stratégique caractérisée par une asymétrie fondamentale entre les adversaires. Elle constitue un compensateur d'infériorité militaire : « Si nous avions possédé des armes classiques permettant de lutter contre l'envahisseur israélien, l'instrument du martyre eût été illégitime. C'est la nécessité qui autorise le recours aux opérations de martyre », déclare en 1999 le cheikh Malek Wehbe, porte-parole du Hezbollah. Les chefs religieux islamistes sont parfaitement clairs sur ce point : leur action s'insère dans un ordre de valeurs différent qui induit des stratégies différentes. Le chiisme retrouve sa tradition lorsque ses mollahs et ses ayatollahs considèrent que l'actuel ordre du monde n'est pas acceptable. « Nous ne combattons pas selon les règles du monde existant », ajoute Moustapha Chamran, autre responsable du Hezbollah. « Nous rejetons ces règles. »

Le second avantage de l'arme VM, c'est un rapport coût/efficacité globalement favorable.

Cette notion contribue à la détermination de la valeur d'un système d'arme. Or, c'est bien de cela qu'il s'agit : sélection, formation, équipement, opération, rendement sur cible. Le VM est cet objet dont on apprécie la valeur au regard des objectifs stratégiques. Un peu trop rapidement on apprécie un rendement spectaculaire.

On doit distinguer entre l'*efficacité stratégique* qui est l'achèvement du but dans la guerre et l'*efficacité opérationnelle* qui est le taux de réussite en termes de gains et de pertes par rapport à une mission ou une série de missions. Encore faut-il avoir procédé à la bonne définition de la mission, en choisissant les bonnes cibles. L'efficacité stratégique est évidemment fonction de la réussite opérationnelle mais en partie seulement. En effet entrent en compte tous les autres éléments constitutifs de l'emploi de l'arme ainsi que l'ensemble des événements affectant le conflit. De plus, il faut tenir compte de l'évolution des réactions et ripostes de l'adversaire.

Par exemple, on sait mesurer l'efficacité opérationnelle des kamikazes.

Le nombre des pilotes formés a approché les 7 000. Selon l'historien Ikuhito Hata, 3 400 périrent. 1 035 furent utilisés dans la seule bataille d'Okinawa. Entre le 25 octobre 1944 (bataille de Leyte) et le 11 janvier 1945 (Okinawa) 300 navires américains furent atteints, 34 coulèrent. La cible est atteinte dans moins d'un cas sur huit. À Leyte, avec 424 avions et 500 hommes le Japon neutralise 18 navires dont un porte-avions léger, le *Saint-Lô* et un porte-avions d'escorte (résultats très faibles au regard des campagnes sous-marines allemandes dans la bataille de l'Atlantique).

Les amiraux Nimitz et Halsey reconnurent après la bataille des Philippines qu'un kamikaze sur quatre avait touché sa cible, mais le ratio pour un navire coulé était de 33. Il est confirmé que 26,8% touchent un navire, 2,9% réussissent à couler un navire. Par la suite, l'efficacité opérationnelle ne cesse de se dégrader.

La guerre Iran-Irak a fait environ 800 000 morts. La guerre civile en Algérie – qui est loin d'être terminée – a largement dépassé la centaine de milliers de victimes. Par rapport à ces hécatombes le nombre des morts liés aux opérations des VM semble dérisoire. Ce n'est pas la guerre, tout au plus une fraction parfois infime dans le cas des Japonais (que sont les 3 500 par rapport aux 140 000 morts d'Hiroshima en août 1945, au bombardement de Tokyo de mars 1945, 300 000 victimes). Au regard des pertes américaines subies le 6 juin 1944 sur Omaha Beach, les victimes d'une attaque kamikaze représentaient un regrettable incident… guère plus.

Du côté des pertes en VM proprement dites, le tableau est contrasté.

Les Vietnamiens, les Japonais et les *Bassidje* iraniens ont fourni les contingents suicides les plus importants précisément parce que l'arme se trouvait insérée dans une guerre classique de grande dimension. Comparativement, le nombre des VM palestiniens reste modeste. Il était sensiblement équivalent aux Tigres noirs tamouls (environ deux cent cinquante) jusqu'à la brutale croissance de 2002. Ces chiffres prennent une valeur différente en fonction de leur étalement dans le temps. La pratique tamoule s'étale dans la durée (plus de dix années) ; celle des Palestiniens, plus récente, a connu une intensification spectaculaire à partir de l'été 2001.

En termes d'efficacité opérationnelle, les actions VM palestiniennes ont obtenu de très bons résultats.

Le taux de pertes entre Israéliens et Palestiniens de 1987 à 1993 était de 6,7 Palestiniens pour 1 Israélien (1 162 contre 174). Dans les premiers mois de la seconde Intifada, le taux s'abaisse à 5,3. À partir du printemps 2001, le recours systématique aux VM transforme la situation, le taux s'abaisse à 1,7, puis à 1,5 à la fin de l'été.

## Efficacités comparées

VM japonais : plusieurs milliers d'hommes et d'avions, des explosifs encore très disponibles, du carburant. Efficacité trop limitée au niveau stratégique.

====================

VM vietnamiens : plusieurs dizaines de milliers d'hommes et des explosifs en petite quantité, fabrication aisée, bonne qualité, bons résultats stratégiques et tactiques.

=======================

VM iraniens : des dizaines de milliers de jeunes volontaires, sans armement spécifique. Bonne efficacité dès lors que l'on néglige le coût humain.

================

VM tamouls : quelques centaines, bonne préparation, bonne qualité du matériel, très bonne efficacité.

============

VM chiites libanais (Hezbollah) : quelques centaines, bonne planification, logistique simple, armement rudimentaire. Très bonne efficacité.

================

VM palestiniens : quelques centaines, en accroissement rapide, dotés de moyens rudimentaires, de proximité. Résultats incertains.

================

VM « septembristes » issus du système Al Qaida : plusieurs milliers, moyens rudimentaires, bonne logistique. Efficacité inégale. Un coup spectaculaire, de dimension exceptionnelle qui ne préjuge en rien du résultat final.

================

VM tchétchènes : quelques centaines, un potentiel humain important, des moyens rudimentaires. Résultat final très incertain.

Le coût varie selon les situations. Un kamikaze japonais coûtait très cher : carburant, formation au pilotage militaire, vecteur de qualité, charge explosive. Un VM vietminh, iranien, tamoul ou palestinien ne coûte rien au regard des aviateurs japonais.

Le ratio correspond à la mise en œuvre de l'arme humaine par rapport à la cible. Aujourd'hui il s'agit d'un effet militaire mais aussi psychologique, donc très politique, dimension que les Japonais n'ont jamais véritablement atteinte.

Quel avantage par rapport à la voiture piégée ? La soudaineté, la surprise, la précision, la capacité de pénétration sur la cible. Guidé par un homme, le vecteur peut exploser non pas « devant ou à côté » mais « dans ». Intervient enfin le facteur psychologique de l'action-martyre que célébreront les partisans tandis que l'adversaire, lui, doit encaisser le choc moral de cette démonstration de volonté absolue.

À ce stade, il n'existe pas de réponses à cette question, y compris pour les services chargés de comprendre pour mieux ajuster la protection et la riposte.

Il existe des niveaux de réflexion et des différences de qualités selon les lieux et les cibles.

La discothèque de Bali (voiture piégée) reste un objectif limité : on fait ce que l'on peut là où l'on est. La volonté de nuisance, certainement commune, et d'intensité se décline en capacités d'action, en intelligence de conception. Al Qaida, système international, n'intègre évidemment pas des chefs également brillants et des réseaux également efficaces. Les insuffisances sont nombreuses. Ces vulnérabilités sont mal perçues, sous-estimées par les observateurs extérieurs qui privilégient la puissance-spectacle. De là à conclure à un affaiblissement tendanciel, c'est aller trop vite.

Les Occidentaux ne voient que leurs propres réactions. Ils négligent le sentiment négatif des populations locales peu soucieuses de payer le tribut des voitures piégées qui massacrent les passants en épargnant les ambassades. Croit-on que les familles des victimes de Nairobi et de Dar es-Salam à l'été 1998 aient allègrement absous les auteurs de ces attentats grossiers ?

Toutefois, les services spécialisés font la différence.

Il se pourrait bien que la planification ne soit pas toujours aussi rigoureuse et que le choix résulte parfois de l'occasion que l'on peut saisir.

On frappe une cible simplement parce que l'on a des informations sur elle.

L'arme étant disponible, le planificateur d'une opération suicide se fonde aussi sur le renseignement dont il peut disposer et qui, soudain, offre une opportunité. Il existe deux catégories d'action : à planification longue sur des cibles fixes, de très haute valeur, et des actions bien plus rustiques et circonstanciées prenant en compte des cibles d'opportunités. Les VM servent mieux les premières, mais s'il existe un vivier disponible pour une opération simple, pourquoi pas une opération VM ?

## En finir ?

C'est comme prétendre en finir avec l'humanité, en raison du caractère consubstantiel. Et cependant, on ne saurait ni tolérer ni demeurer passif.

Contrer, c'est d'abord, et en urgence, réduire l'efficacité opérationnelle. C'est ensuite, sur le long terme, supprimer la légitimité idéologique.

En prenant pour fondement la notion de cible, dans sa dimension matérielle et surtout morale, on recherchera à développer plusieurs modes d'action : protéger physiquement et contre-attaquer.

Protéger, c'est rendre l'opération suicide toujours plus difficile à mener et de moins en moins payante.

Contre-attaquer, c'est détruire les bases, l'infrastructure. Ce peut être la décapitation de dirigeants et d'instructeurs. Les représailles sur les populations et les biens ont pour effet de souder un peu plus le lien entre les chefs et les ressources populaires.

Il importe aussi de rechercher une dissuasion en amont.

Dans la mesure où le VM est guidé par une espérance de gain, il convient de tout faire pour que la situation résultant de son action apparaisse comme inchangée et même détériorée au regard de celle qui préexistait. Il importe de donner finalement à penser qu'il y a plus à perdre qu'à gagner et que l'objectif ne peut être atteint de cette manière.

Il est frappant de constater que tous les systèmes idéologiques, pour peu que les circonstances paraissent l'exiger, sont capables de développer une argumentation légitimant n'importe quelle action au prétexte de la fin justifiante.

Il est donc possible de disqualifier idéologiquement par une entreprise de délégitimation. Elle passe par la critique des méthodes au regard de la cause.

Ce travail ne peut évidemment être mené que de l'intérieur en suscitant le doute sur la légitimité des opérations suicides. Il suppose que l'on brise toutes les velléités de respect pour le « martyre » qui tue sans discrimination.

Le traitement de long terme n'est pas économique, il est politique et idéologique.

La lutte porte sur les valeurs, et en particulier celle de la vie dans les sociétés modernes. La décision du volontariat à la mort n'autorise guère la futilité à l'égard de la relation à la vie. L'étourderie et le rejet qui caractérisent les sociétés occidentales en rupture avec le sacré et le symbolique créent une vulnérabilité fondamentale à laquelle les technologies de sécurité ne parviendront jamais à répondre.

Pour rejeter le VM, il faut aussi entendre son message et comprendre son défi. Il prétend que sa mort a plus de poids que notre vie et que le sacrifice de l'homme vaut mieux que l'homme. Ne plus pouvoir répondre sur ce terrain constituerait une défaite aux conséquences imprévisibles mais assurément très graves.

Aujourd'hui en plein développement, l'arme VM, stade suprême du terrorisme, ne disparaîtra pas rapidement.

Les voies et moyens de la stratégie sont encore au stade de l'invention.

# Les États-Unis face au terrorisme

par Arnaud Blin

Pourquoi un chapitre spécial sur les États-Unis ? Après tout, d'autres pays, comme la Grande-Bretagne ou la France ont été confrontés au terrorisme depuis beaucoup plus longtemps que les États-Unis et d'une manière beaucoup plus constante. Néanmoins, depuis le 11 septembre 2001, l'Amérique est devenue l'épicentre de la lutte antiterroriste internationale. Plus généralement, le monde désormais se définit, qu'il le veuille ou non, par rapport aux États-Unis. Comme le dit Pierre Hassner : « Si naguère, on se déterminait par rapport à l'URSS, à la Chine et au socialisme, c'est bien par rapport aux États-Unis, au capitalisme, ou à la modernisation et à la mondialisation – dont ils semblent à la fois l'incarnation et les bénéficiaires – que l'on prend aujourd'hui position[1]. » Unique superpuissance – ou, si l'on préfère, « hyperpuissance » –, les États-Unis ont troqué depuis ce jour l'uniforme de soldat (de la guerre froide) dont ils avaient eu du mal à se défaire après 1991, pour l'habit du croisé, pourfendeur du terrorisme (anti-occidental). L'Amérique n'est jamais aussi motivée que lorsqu'elle s'investit de la mission quasi divine de lutter contre les « forces du mal ». Après celles du communisme, elle s'oppose aujourd'hui avec acharnement à celles du terrorisme. Comment réagit-elle, pourquoi, et dans quelle perspective ? Ce sont ces questions auxquelles nous tenterons de répondre ici.

Mais d'abord, retraçons brièvement l'histoire des États-Unis et du terrorisme. Contrairement à une idée reçue qui était très largement répandue

---

1. Pierre Hassner, *La Terreur et l'Empire. La violence et la paix II*, Paris, Le Seuil, 2003, p. 149.

durant les années 1980 et 1990, et même encore aujourd'hui après les attentats du 11 septembre, les États-Unis n'ont pas été complètement épargnés par le phénomène durant le cours de leur histoire, même si l'on peut dire que le terrorisme n'avait pas eu, jusqu'à présent, un impact significatif sur la vie politique et sociale des États-Unis.

## LES PREMIÈRES CONFRONTATIONS

Comme beaucoup de mouvements de libération nationale, l'Américain dut recourir aux armes pour se libérer du joug colonial. Néanmoins, ce fut un acte de provocation, celui du *Boston Tea Party* (trois navires britanniques furent dépouillés de leur cargaison de thé qui fut jetée à la mer), qui déclencha les hostilités contre l'Angleterre et non un acte terroriste. L'impact fut le même que l'aurait été celui d'un attentat mais, pour l'Histoire, l'Amérique ne fut jamais terroriste. Ses Pères fondateurs non plus. Lors d'un échange devant l'Assemblée des Nations unies en 1974 (13 et 21 novembre), Yasser Arafat compara son action à celle des révolutionnaires américains, ce à quoi le délégué des États-Unis, outragé par une telle comparaison, lui répondit qu'« il n'y eut aucune victime, d'aucun côté, d'une politique délibérée de terreur. Ceux qui modelèrent notre nation et combattirent pour notre liberté ne succombèrent jamais à l'excuse facile que la fin justifie les moyens[1]. » L'action des Bostoniens était spontanée et elle suffit à déclencher la guerre d'indépendance. Mais qui peut affirmer avec certitude que les Pères fondateurs n'auraient jamais, dans des circonstances différentes, eu recours à l'arme du terrorisme ?

Quoi qu'il en soit, il ne fallut pas attendre longtemps après la guerre d'indépendance pour que les États-Unis d'Amérique se voient confrontés à un problème qui n'était pas sans relation avec le phénomène terroriste. Les historiens n'ont pas pour habitude de qualifier l'action des Barbaresques en Méditerranée d'acte terroriste. Strictement parlant, l'objectif des pirates barbaresques était économique avant d'être politique. Au service de roitelets dictatoriaux, les navires barbaresques avaient pour mission de rançonner les bateaux étrangers qui naviguaient en Méditerranée. La technique était celle de la terreur : les pirates massacraient et prenaient les pas-

---

1. Voir Albert Parry, *Terrorism, From Robespierre to Arafat*, New York, Vanguard Press, 1976.

sagers de certains navires en otages afin que les autres obtempèrent et payent leur tribut pour naviguer en paix. Commanditée par les États, la pratique avait pris une telle ampleur qu'elle relevait désormais de la politique, les États rançonneurs traitant directement avec les États rançonnés. Cela n'était pas tout à fait du terrorisme, mais la technique n'était pas sans rappeler celle employée par les terroristes d'aujourd'hui, surtout si l'on se réfère aux actes terroristes commandités par des États. Coïncidence : Tripoli pratiquait déjà la technique, comme elle le fera deux siècles plus tard avec le colonel Kadhafi. Au tournant du XIXe siècle, la jeune Amérique était déjà victime de centaines d'attentats à l'encontre ses navires de commerce. Elle décida de réagir. Ce fut sa première intervention d'envergure à l'étranger. C'est à cette occasion que Washington se dota d'une force navale et, sous l'impulsion de Thomas Jefferson, que les États-Unis engagèrent tous les moyens possibles pour se défaire du fléau. Après plusieurs tentatives infructueuses, la marine américaine contribuait à débarrasser la Méditerranée d'une menace qui empoisonnait les navigateurs depuis plusieurs siècles.

L'intérêt de cet épisode n'est pas tant de comparer les techniques employées par les barbaresques à celle des terroristes contemporains que d'analyser la réaction américaine à cette occasion. Notons d'ailleurs que cet épisode oublié de l'histoire américaine a connu un regain d'intérêt aux États-Unis après l'intervention en Afghanistan de 2001 qui fit suite aux attentats. À l'époque de l'intervention en Méditerranée, les États-Unis étaient une nation insignifiante à l'écart d'un échiquier géopolitique complètement dominé par l'Europe : ce n'est pas un hasard si à la même époque Napoléon Bonaparte bradait le tiers de l'espace américain (du pays actuel) pour aider à financer ses campagnes européennes. Le gouvernement américain, lui, décida de s'engager à fond dans une campagne militaire onéreuse là où les Européens préféraient négocier au couppar coup avec les dictateurs barbaresques. Mais Jefferson avait déjà compris ce que ses successeurs mettront plus d'un siècle à assimiler, à savoir que les intérêts de l'Amérique ne se limitent pas au territoire national. Cette intervention hors du continent américain était exceptionnelle. Il faudra attendre le début du XXe siècle pour que les États-Unis, sous l'impulsion de Theodore Roosevelt, s'engagent à nouveau en dehors de leur sphère d'influence, et le XXIe siècle pour que Washington décide de s'attaquer au terrorisme avec la masse de sa puissance militaire et l'assurance de sa supériorité technologique. Mais, pour la première fois, ou presque, les

États-Unis sont frappés sur leur propre territoire, jugé inviolable jusque-là.

Si l'Amérique n'a vraiment pris conscience de la menace terroriste qu'après 2001, elle fut confrontée à diverses reprises au terrorisme sur son propre territoire. À la fin du XIX<sup>e</sup> siècle, les États-Unis connurent aussi leur « ère des attentats », bien que celle-ci fût beaucoup moins dynamique qu'en Europe à la même époque. La vague terroriste avait résulté de la conjonction de plusieurs éléments. L'afflux d'immigrés européens, d'abord, permit le transfert d'idées et d'idéologies du Vieux Continent au nouveau. Ensuite, l'industrialisation engendra un syndicalisme qui adopta parfois une ligne politique violente. Enfin, dans une société fascinée par la technologie, l'invention de la dynamite représenta pour certains un moyen de revendication au service des laissés-pour-compte de la société – certains iront même jusqu'à affirmer que la dynamite est un instrument de la démocratie qui place tout le monde sur un pied d'égalité. À cela, il faut ajouter un événement considérable dont il est difficile de mesurer l'impact à long terme sur la société américaine : la guerre de Sécession (1861-1865). Cette guerre, la première de l'ère industrielle, fut d'une sauvagerie inconnue depuis la guerre de Trente Ans. Elle fut symbolisée notamment par la campagne dévastatrice orchestrée contre les populations du Sud par le général Sherman (Nord) dont l'objectif était d'anéantir chez l'adversaire la volonté de résister. Cette opération fit date et annonça les stratégies psychologiques du XX<sup>e</sup> siècle et la montée aux extrêmes de la violence dans la guerre. Après la guerre, dans le sud des États-Unis, des organisations comme le Ku Klux Klan organisèrent au niveau local des petites campagnes de terreur dont le degré de violence était proportionnel à la déception d'avoir perdu la guerre. Agissant hors la loi, vêtus de draps et de cagoules, les membres du Ku Klux Klan prirent pour cibles les communautés minoritaires, les Noirs bien sûr, mais aussi les catholiques. Au même moment, le phénomène du tyrannicide connut aux États-Unis un certain succès avec l'assassinat de plusieurs présidents dont Abraham Lincoln, tué au lendemain de la guerre. Mais les motivations des assassins n'étaient pas liées à des objectifs politiques précis ni à la volonté d'orchestrer une campagne terroriste. Le phénomène du « tyrannicide » fut une constante dans l'histoire des États-Unis, le dernier attentat en date étant celui dirigé contre Ronald Reagan. Parmi les nombreux attentats réussis ou non contre des présidents américains, un seul fut orchestré par un groupe organisé, contre Harry Truman en 1950 (par des extrémistes portoricains). Reste le cas Kennedy, mais jusqu'à preuve du contraire l'attentat de Dallas fut commis par un homme agissant seul, et ne fut en aucun cas la machination d'un groupe terroriste.

Avant les années 1980-1990, lorsque les États-Unis furent confrontés à deux sources terroristes – internes et externes, avec d'une part des mouvements d'extrême droite autochtones et d'autre part le terrorisme islamiste – ils connurent deux épisodes terroristes relativement sérieux. Le premier eut lieu durant les années 1870-1890 dans les milieux ouvriers des grandes métropoles de la côte est et du *Middle West* avec pour toile de fond l'activisme anarchiste importé d'Europe. La seconde vague succéda à la première au tournant du siècle et perdura jusque vers 1920. Elle eut pour théâtre l'Ouest américain et fut le fait encore une fois d'individus appartenant aux mouvements syndicalistes. Eux aussi étaient souvent liés à la mouvance anarchiste. Compte tenu de la menace, le mouvement anarchiste fut étouffé par les autorités américaines qui interdirent l'appartenance à de tels mouvements. L'exécution en 1927 de deux émigrés italiens, Nicola Sacco et Bartolomeo Vanzetti, choqua l'opinion publique internationale. Les deux anarchistes, condamnés pour meurtre en 1921, dans le cadre d'une attaque à main armée, sans qu'aucune preuve tangible de leur culpabilité ait été établie, furent sacrifiés par les autorités américaines comme symboles d'une terreur anarchiste, la « terreur rouge », qu'ils entendaient radicalement annihiler. De fait, l'anarchisme américain avait vécu. L'Amérique allait bientôt avoir d'autres adversaires beaucoup plus coriaces.

La première vague de terreur s'inscrivit dans une logique implacable de lutte des classes avec d'un côté les syndicats ouvriers, de l'autre les patrons. Le capitalisme sauvage émergeait avec force à cette époque et la friction entre exploitants et exploités était à son comble. C'était aussi l'heure de l'urbanisation, avec l'émergence des grandes métropoles comme Chicago, New York ou Philadelphie. En un mot, c'était une révolution. Comme toutes les révolutions, celle-ci produisit son lot d'affrontements et de violences avec des grèves massives et des émeutes sanglantes. C'est dans ce contexte que se créa en Pennsylvanie une organisation secrète de mineurs irlandais, les *Molly Maguires*. Actifs durant la décennie qui suivit la fin de la guerre civile (1865-1875), les *Molly Maguires* lancèrent une campagne de terreur, en utilisant diverses techniques dont les incendies criminels et l'assassinat à destination du patronat, qui fit plusieurs victimes dont des policiers. L'*establishment* réagit avec vigueur et après un travail minutieux de police, les dirigeants furent capturés et condamnés par la justice. Les *Molly Maguires* disparurent rapidement mais leur exemple inspira d'autres groupes et mouvements des deux côtés de l'Atlantique. Même Bakounine forma le projet de venir observer de près la situation américaine (en 1874), mais il dut renoncer à ce plan pour raisons de santé. Johann Most, dont nous avons parlé antérieurement, émigra de son côté en 1882 et se fit le porte-parole de l'activisme anarchiste à travers sa revue, *Freiheit*. Très actif, Most réussit à créer un petit noyau de partisans actifs et résolus. Avec deux d'entre eux, Albert Parsons et August Spies, ils créèrent à Pittsburgh en 1883 « l'Internationale noire », officiellement l'*International Working People's Association* (qui tint son siège à Chicago). Favorisée par une économie chaotique, l'« Internationale noire » connut un certain succès dans les nombreuses réunions organisées à travers le pays par ses dirigeants. Les anarchistes américains firent la une des journaux, vilipendés la plupart du temps pour leurs « activités anti-américaines », concept que l'on retrouvera à plusieurs reprises dans l'histoire des États-Unis, y compris durant l'épisode maccarthyste.

L'épisode de *Haymarket Square* à Chicago en 1886, symbolise à tout jamais la terreur anarchiste de cette époque. Lors d'une grève d'ouvriers au début du mois de mai, un policier tira sur la foule, tuant un homme et faisant plusieurs blessés. Outragé, August Spies prit sa plume et rédigea un éditorial incendiaire dans la revue anarchiste *Alarm*. Le titre de l'éditorial appelait à la révolte : « Vengeance ! Travailleurs, aux armes ! » (*Revenge ! Workingmen, to Arms !*). Un rassemblement était organisé le 4 mai près de *Haymarket Square*, réunissant environ trois mille personnes. Alertée, la police était venue en force avec près de deux cents hommes. Une bombe fut lancée sur la police. Celle-ci riposta en tirant sur la foule, provoquant les manifestants. On compta une douzaine de morts au moins, dont sept policiers. Le pays tout entier fut choqué par cet incident relayé par les grands organes de presse qui émergeaient à cette époque. Les autorités décidèrent de réagir en force et arrêtèrent une dizaine de responsables dont Spies et Parsons qui, condamnés à mort, furent exécutés le 11 novembre 1887. Johann Most, absent des lieux, ne fut pas appréhendé mais son heure avait sonné. Une nouvelle génération d'activistes anarchistes émergeait avec à sa tête deux immigrés russes, Emma Goldman et Alexander Berkman.

L'incident de *Haymarket* n'avait pas pour autant tempéré les tensions entre ouvriers et patronat. À Pittsburgh, capitale de l'acier où l'un des grands capitaines d'industrie de cette époque, Andrew Carnegie, avait fait son immense fortune, un affrontement entre ouvriers grévistes et forces de l'ordre avait provoqué, le 6 juillet 1892 à l'usine d'Homestead, la mort d'une dizaine de personnes. À la suite de l'incident, l'État de Pennsylvanie rétablit l'ordre et brisa le mouvement de grève en envoyant huit mille miliciens sur les lieux. Furieux, Alexander Berkman décida d'intervenir. Le 23 juillet, il s'introduisit dans le bureau du très influent Henry Clay Frick, bras droit d'Andrew Carnegie – et grand collectionneur d'art –, qui avait organisé la répression de la grève. Armé d'un pistolet, Berkman tira plusieurs balles à bout portant. Miraculeusement, Frick réchappa à l'attentat, sans séquelles durables. Berkman, dont l'action fut fustigée par Most, fut condamné à vingt-deux ans de prison. Il sera relâché en 1906, après une campagne médiatique en sa faveur.

Entre-temps, le 6 septembre 1906, un autre président américain, William McKinley, était victime d'une tentative d'assassinat (il mourut le 14 septembre), par un sympathisant anarchiste, Leon Czolgoscz, admirateur d'Emma Goldman et de Johann Most. La loi de 1894 interdisait aux ressortissants étrangers anarchistes d'émigrer aux États-Unis mais ne pouvait empêcher des Américains de nourrir des sympathies pour la pensée anarchiste. Czolgoscz, d'origine polonaise, était né sur le territoire américain et il n'appartenait à aucun mouvement. Son action, bien que souscrivant à une logique terroriste, demeurait un acte isolé dont il était le seul responsable (il en eut l'idée après l'assassinat d'Umberto 1er). Néanmoins, cet acte eut des conséquences importantes sur la politique américaine et même internationale puisque le vice-président de McKinley, Theodore Roosevelt, prit son siège à la Maison Blanche et entraîna son pays dans une toute nouvelle direction afin qu'il joue les premiers rôles sur la scène politique internationale. Depuis Jefferson, l'Amérique avait évolué de manière considérable mais en retrait du monde. Désormais, elle avait un président à la mesure de sa puissance. Le temps de l'isolement était révolu. Celui de la révolte anarchiste ouvrière aussi, ou presque. Dans les grandes villes américaines de l'Est, l'anarchisme violent des bakouninistes faisait place à un anarchisme pacifique.

Désormais, c'est sur la côte ouest que les syndicats ouvriers allaient recourir eux aussi aux techniques terroristes. Dans l'Ouest, l'impact de la pensée révolutionnaire importée d'Europe était moins forte que dans l'Est, du fait que les immigrants de fraîche date n'avaient pas encore traversé le pays. Néanmoins, la pensée anarchiste n'était pas inconnue et nombre de syndicalistes se déclaraient anarchistes, eux aussi. Si l'organisation politique de ces mouvements terroristes n'était pas très développée, en revanche les hommes qui décidèrent de passer à l'action connurent quelques succès retentissants sur le plan médiatique. En 1905, Harry Orchard (connu aussi sous le nom d'Albert Horsley), syndicaliste de la *Western Federation of Miners,* organisait l'assassinat d'une figure politique de l'Idaho, perpétré à l'aide d'un engin explosif. Capturé par les autorités, il accusa, sans preuves à l'appui, des dirigeants de son syndicat d'avoir trempé dans l'affaire, dont le trésorier, un certain William Haywood, sympathisant anarchiste qui terminera ses jours en Union soviétique. En 1910, un autre attentat très médiatisé fit une vingtaine de mort à Los Angeles où une bombe explosa dans les bureaux du quotidien *The Los Angeles Times* dont le directeur était ouvertement hostile aux syndicats ouvriers. Parmi les responsables se trouvaient deux frères, John et James Mac Namara, le premier étant trésorier d'un syndicat, le *Bridge and Structural Iron Workers'Union*. En 1916, c'est dans une autre grande ville californienne, San Francisco, qu'un nouvel attentat à l'explosif provoquait la mort de dix personnes. Un autre syndicaliste, Thomas Mooney, était accusé, ainsi que son acolyte, Warren Billings, délinquant déjà emprisonné pour avoir possédé de la dynamite. Cet épisode n'est pas sans rappeler celui qui aura lieu à Oklahoma City quelques décennies plus tard.

En 1920, à New York cette fois, une explosion à la Banque J.P. Morgan fit trente-quatre victimes sans qu'on connaisse l'origine de l'attentat. Il provoqua enfin une vive réaction de la part du gouvernement américain qui fit arrêter des milliers d'activistes et n'hésita pas à déporter ceux qu'il considérait comme les plus dangereux vers l'Union soviétique, dont Emma Goldman et Alexander Berkman (qui s'empressèrent de quitter le pays alors en pleine phase de liquidation des anarchistes). Une fois de plus, le gouvernement américain avait réagi avec vivacité, n'hésitant pas à bafouer les droits de l'homme dont le président Wilson s'était fait le champion peu de temps auparavant. En 2001, les autorités n'agiront pas autrement en créant le camp d'internement de Guantanamo.

## LA NOUVELLE GAUCHE

Après cette période de la « peur rouge », l'Amérique fut beaucoup moins exposée aux attentats terroristes. Il n'y eut plus que quelques actions isolées. La Dépression, la Seconde Guerre mondiale puis la guerre froide occupaient désormais le pays et ses dirigeants. On oublia ces périodes de troubles qui avaient émaillé l'histoire de l'Amérique. Il faudra attendre les années soixante pour que le terrorisme resurgisse aux États-Unis. Cette fois-ci, ce sont des mouvements extrémistes issus de la « Nouvelle Gauche » qui vont recourir à la violence terroriste. Idéologiquement, ces mouvements se réclamaient en majorité de la pensée marxiste (léniniste, trotskiste, maoïste). Trois événements vont influencer cette mouvance politique : la lutte pour les droits civiques dont le président Lyndon Johnson avait fait l'une de ses priorités, la guerre du Vietnam, qui drainait une opposition de plus en plus forte, et l'expérience des guerres de libération nationale dont le combat inspira certains groupes comme celui des *Black Panthers*. L'époque était celle de l'ouverture politique (avec Kennedy), sociale (la révolution sexuelle) et culturelle (la « contre-culture »). Comme toujours, la Californie était à l'avant-garde de l'évolution culturelle de l'Amérique. Les campus des grandes universités, à commencer par celui de Berkeley, représentaient des terrains fertiles pour l'activisme politique de la Nouvelle Gauche. C'est en Californie que bon nombre de groupuscules vont naître et opérer, comme la *Symbionese Liberation Army* (SLA), qui, avec une douzaine de membres seulement, organisa plusieurs attentats meurtriers. La S.L.A. fut responsable du coup médiatique le plus notoire de cette période avec l'enlèvement de l'héritière du magnat de la presse Randolph Hearst, Patty Hearst, qui rejoignit le camp de ses kidnappeurs. Il y eut également le groupe, le *Student for a Democratic Society* dont un petit noyau décida d'opérer dans la clandestinité, et les *Weathermen*, responsables de multiples attentats à la bombe. Ces derniers firent parler d'eux au tournant des années soixante et soixante-dix mais sans véritablement peser sur la politique américaine, bien que leur objectif principal fût de faire exploser la société pour engendrer une révolution.

Les années soixante crevèrent l'abcès du problème racial aux États-Unis avec le mouvement des droits civils dont le révérend Martin Luther King, assassiné en 1968, fut le porte-drapeau. Il était logique que des mouvements radicaux émergent de cette lutte et c'est ainsi que fut créé le mouvement des *Black Panthers* en 1966. Ils envisageaient le combat des Noirs américains comme une guerre de libération anticoloniale dans une perspective de lutte des classes. À l'origine, les *Panthers* n'étaient pas nécessairement engagés sur la voie du terrorisme mais le mouvement se radicalisa avec le temps, au fur et à mesure que ses faiblesses apparaissaient au grand jour. Avant d'avoir pu réellement peser sur les événements l'organisation s'effondra sous le double effet de ses propres carences et de l'action brutale menée contre elle par les autorités américaines. Au bout du compte, il ne resta pas grand-chose de ces mouvements qui s'évaporèrent très rapidement. Une fois encore, l'idéologie radicale de gauche avait démontré ses limites dans une société où sa portée, pour diverses raisons, a toujours été circonscrite. À nouveau, l'État américain avait su écraser la révolte dans l'œuf, sans lésiner sur les moyens. Il est vrai que l'Amérique nixonienne (Richard Nixon accéda à la Maison Blanche en 1968 et fut réélu en 1972), avec un chef d'État, nourri dans la lutte anticommuniste, n'allait pas se laisser ébranler par une poignée de mouvements sans envergure.

Le terrorisme, aux États-Unis, fut dès lors le fait d'individus isolés qui, la plupart du temps à l'aide d'explosifs, commirent des attentats pour des raisons diverses, souvent d'ordre personnel. Le plus célèbre d'entre eux, Ted Kaczynski (longtemps connu comme « *The Unabomber* »), connut une certaine notoriété grâce aux lettres piégées qu'il envoya pendant près de deux décennies à des victimes choisies au hasard. Il finit après avoir tué 17 personnes par être dénoncé par son frère en 1997. À l'instar des groupes des années soixante et soixante-dix, cet ancien professeur de l'université de Berkeley, retiré dans une cabane en bouleau, céda au désir de voir publier son long « manifeste » néoluddite[1], ce qui entraîna sa perte. En effet, les grands quotidiens finirent par le publier, et son frère en reconnut l'auteur, dont les motivations étaient probablement autant personnelles qu'idéologiques.

## LES NOUVEAUX TERRORISTES

La transition entre l'époque de la révolution sexuelle et de la contre-culture et celle de l'argent roi des années quatre-vingt témoigne d'un revirement à cent quatre-vingts degrés des activités terroristes américaines. Désormais, ce furent les mouvements d'extrême-droite qui s'approprièrent l'arme du terrorisme. Cette nouvelle forme de terrorisme culminera en 1995 avec l'explosion le 19 avril du *Murrah Building* à Oklahoma City. Avec 168 victimes, ce sera de loin l'attentat terroriste le plus meurtrier de l'histoire du pays, avant le 11 septembre 2001.

---

1. Comme les luddites anglais du XIXᵉ siècle, Kaczynski voyait dans la technologie la source de tous les maux.

Les nouveaux terroristes américains, qui perdurent jusqu'à ce jour, ont plusieurs origines. D'un côté, on trouve parmi eux des marginaux, opposés à toute forme de pouvoir étatique et qui s'inscrivent dans la tradition libertaire, mais d'une façon radicale, violente et caricaturale. Ces individus ou ces groupuscules sont souvent proches également des « milices privées » antigouvernementales et des organisations chargées de défendre « le droit de porter des armes » (*The right to bear arms*). La très puissante *National Rifle Association,* ne s'est jamais lassée de déclarer haut et fort qu'il s'agit d'un droit constitutionnel (sans mentionner le contexte dans lequel ce droit fut inscrit dans la constitution). Sans réelles attaches idéologiques, cette mouvance est souvent attirée par les théories racistes véhiculées par divers groupes allant des néo-nazis au Ku Klux Klan (qui comprend une multitude de clans rivaux).

De l'autre côté, on trouve des mouvements terroristes d'extrême droite. Ceux-là sont proches de la mouvance chrétienne de droite, celle qui a ardemment soutenu George W. Bush durant l'élection de 2000. L'extrême droite chrétienne a une longue histoire et elle a alimenté bon nombre de *Hate Groups* (groupes de haines) au cours des deux derniers siècles, à commencer par les *Know-Nothings,* déjà actifs avant la guerre de Sécession dans leur combat contre les catholiques (généralement irlandais) et qui précédèrent avec quelques décennies d'avance leurs homologues du Ku Klux Klan. Ces *nativists* anti-immigrés ont fait place aux *survivalists* d'aujourd'hui dont les représentants les plus radicaux se sont réfugiés dans les grands États du Nord-Ouest comme l'Idaho ou le Montana pour fuir tout ce qu'ils détestent : les villes, les Noirs, les Asiatiques, les juifs, les immigrés, les catholiques. Depuis toujours, l'extrême droite chrétienne puise sa source idéologique dans certains passages précis de la Bible et tout particulièrement dans les écrits prophétiques qui lui servent, par exemple, à justifier la virulence de ses positions antisémites.

Les nouveaux terroristes fondamentalistes, contrairement aux marginaux, se sont focalisés sur une cause précise : la condamnation de l'avortement. La décision de la cour suprême (22 janvier 1973), dans le cadre de l'affaire *Roe versus Wade* (appelée communément « Roe-Wade »), de permettre l'avortement durant le premier trimestre de la grossesse fut le point de départ d'un important mouvement de contestation dont la forme la plus radicale rejoint le terrorisme. De manière générale, les marginaux sont issus de milieux populaires et ruraux alors que les *anti-abortionists* appartiennent plutôt aux classes moyennes éduquées. Les deux groupes ont pratiqué le terrorisme dans les années 1980 et 1990, avec un certain succès médiatique. Durant les deux premières décennies de leurs activités terroristes, les groupes anti-avortement ont causé près de cent incendies criminels, fait exploser une quarantaine de bombes, attaqué une centaine de victimes (principalement le personnel médical de cliniques pratiquant l'avortement et les patients de ces cliniques) et tué sept personnes. Les groupes marginaux ont été beaucoup moins actifs mais l'attaque d'Oklahoma City a frappé le public américain plus que n'importe quel autre attentat avant 2001. Le procès du principal responsable, Timothy Mac Veigh, un ancien *marine* décoré qui fut condamné à mort en 1997 et exécuté le 11 juin 2001, fit l'objet d'une vaste couverture médiatique.

## LA CONFRONTATION AVEC LE TERRORISME INTERNATIONAL

La décennie des années 1980 commença pour les Américains avec la prise d'otages en Iran, qui permit à Ronald Reagan d'accéder à la Maison-Blanche, et se termina avec l'effondrement du communisme européen dont Reagan s'autoproclama le grand architecte. Entre-temps, l'intervention de l'Union soviétique en Afghanistan donna l'occasion à Washington de prendre sa revanche sur l'échec vietnamien en soutenant les mouvements de résistance afghan. C'est à cette occasion que prit racine l'arbre qui allait fournir un peu plus tard les fruits empoisonnés d'un terrorisme dont les instigateurs étaient déterminés à faire trembler l'Amérique. Un certain Oussama Ben Laden faisait partie des pions utilisés par Washington pour harceler l'Union soviétique. La confrontation avec l'URSS atteignait alors son paroxysme : les politiques pensaient à aujourd'hui, parfois à demain, pratiquement jamais à après-demain.

Les années Reagan étaient celles de l'optimisme. Elles succédaient au marasme des années soixante-dix qui furent marquées par la crise interne du Watergate et par une série d'humiliations successives, dont celles du Vietnam et de l'Iran. L'Amérique voulait tourner la page. Elle avait élu un homme qui incarnait l'optimisme volontaire des jeunes années de la République. À l'époque, rares étaient les observateurs qui prenaient la menace terroriste au sérieux. C'était une affaire qui touchait la veille Europe mais, à leurs yeux, les États-Unis avaient toujours été protégés par l'insularité, du moins pour ce qui concernait le terrorisme international et transnational. Pour quelle raison cette situation aurait-elle changé ? En tout état de cause, mieux valait se concentrer d'abord sur les choses sérieuses, comme la victoire sur les Soviétiques. Les hommes de Reagan étaient des vétérans chevronnés de la guerre froide. C'est en termes d'affrontement bipolaire qu'ils réfléchissaient et agissaient. On retrouvera certains d'entre eux auprès de George W. Bush, engagés cette fois dans une autre guerre, celle contre le terrorisme.

Les signes avant-coureurs d'une menace terroriste venue de l'extérieur commencèrent à se faire sentir. George Shultz, secrétaire d'État de Reagan, fut l'un des premiers dirigeants américains à comprendre qu'une menace sérieuse se profilait à l'horizon et qu'il serait préférable de la juguler quand il en était encore temps. Mais ce visionnaire ne fut guère écouté. Comme toujours, le travail de prospective était fourni par les romanciers qui commençaient déjà à cette époque à envisager divers scénarios catastrophes impliquant terroristes et armes de destruction massive, comme par exemple Tom Clancy, auteur de *best-sellers* et spécialiste de questions militaires, dans *Sum of All Fears*. Ils seront relayés par les instituts de recherche qui prendront très au sérieux cette forme de terrorisme. Dans les années 1990, les fonds publics alloués à la lutte antiterroriste iront en grande partie aux projets d'étude sur le terrorisme de destructions massive, au détriment du travail de terrain contre le terrorisme « classique ». C'est d'ailleurs l'une des raisons de l'incapacité des services de renseignement à prévoir les événements de 11 septembre. Mais l'administration Reagan, puis celle du second président Bush entretinrent la conviction ou le fantasme que l'Amérique était parvenue à un stade politique, économique et technologique lui permettant de se doter d'un bouclier infranchissable. Un projet de bouclier nucléaire fut envisagé sous Reagan puis remis au goût du jour sous George W. Bush. La stratégie antiterroriste américaine dès sa conception tablait sur la supériorité incontestée des États-Unis dans le domaine de la technologie militaire. C'est ce schéma qui succéda à la vénérable politique d'endiguement (*containment*) du bloc communiste ayant servi de doctrine à Washington depuis les débuts de la guerre froide. C'est celui-là même qui produisit la « stratégie de la guerre préemptive » que Washington dévoila dès le lendemain des attentats de 2001 (mais qui était en gestation depuis la chute de l'URSS en 1991) et au sein de laquelle figure la « guerre contre le terrorisme » déclarée par l'administration Bush.

On eut l'impression, en 2001, que Washington découvrait subitement la mesure de la menace terroriste. Pourtant, les signes avant-coureurs avaient été nombreux au cours des deux précédentes décennies. Durant les années

1980, plusieurs attentats importants avaient touché de plus ou moins près l'Amérique, parmi lesquels le bombardement d'une caserne de *marines* à Beyrouth, le détournement du vol TWA 847, le détournement du paquebot *Achille Lauro*, les massacres des aéroports de Rome et de Vienne, l'explosion d'une discothèque de Berlin-Ouest fréquentée par les GI. Ailleurs, on recensait plus d'une centaine d'attentats terroristes ayant touché des citoyens américains[1]. C'est à Beyrouth (23 octobre 1983) que les États-Unis avaient payé le plus lourd tribut avec 241 morts, quelques mois après qu'un camion suicide eut explosé devant l'ambassade américaine, faisant 63 morts dont 17 américains. Les attentats sur les ambassades américaines, qui allaient se multiplier au fil des années, permettaient aux terroristes de s'attaquer à l'État américain sans avoir à pénétrer sur son territoire. Pour le public américain et les médias, ces attaques n'eurent jamais l'impact d'un attentat contre des civils sur le territoire américain. C'est pourquoi, malgré la multiplication du nombre d'attentats contre des Américains ou contre des intérêts américains à l'étranger, l'Amérique ne fut guère affectée sur le plan psychologique jusqu'au 11 septembre 2001. Le territoire semblait inviolable.

Néanmoins, face à cette nuisance, les dirigeants de Washington ne pouvaient durablement rester les bras croisés. Or, le terrorisme des années 1980 était en partie un terrorisme impliquant des États qui commanditaient des groupes terroristes. C'était une aubaine pour Washington qui, de par la culture stratégique américaine, était beaucoup plus à l'aise face à des États que lorsqu'il fallait combattre des irréguliers ou, pire, des éléments nébuleux. De plus, à cette époque, le syndrome du Vietnam était encore très présent. Dès lors que le problème à résoudre était lié à un pays, la solution paraissait accessible. Reagan, le grand communicateur, comprit parfaitement cette équation. Le 8 juillet 1985, il désignait les cinq pays comme « membres d'une confédération d'États terroristes » : l'Iran, la Corée du Nord, Cuba, le Nicaragua, la Libye. On parlera après d'« États voyous » (*Rogue States*), dont la liste est un plus peu longue, puis quinze ans plus tard, avec George W. Bush, d'un « Axe du mal » (Corée du Nord, Iran, Irak). À cette époque, au milieu des années 1980, Muammar Kadhafi était dans le collimateur américain, comme le sera plus tard Saddam Hussein (lui-même un moment « allié » avec les États-Unis dans le cadre de la politique anti-iranienne.)

---

1. David C. Wills recense 126 attentats entre 1981 et 1989. Voir David C. Wills, *The First War on Terrorism, Counter-Terrorism Policy during the Reagan Administration*, Lanham, MD, Rowman and Littlefield, 2003, pp. 7-10.

C'est une autre constante de la politique américaine que de vouloir désigner un adversaire et de le diaboliser comme un démon. Le combat contre cet adversaire devient alors une lutte d'inspiration biblique opposant les forces du bien aux forces du mal. Cet adversaire, peut être Hitler, Staline, le politburo soviétique, le communisme. En somme, les forces de l'Axe de la Seconde Guerre mondiale associées à celles incarnée par l'Empire du mal (expression de Reagan) durant la guerre froide : donnèrent le fameux « Axe du mal » du second Bush. À certaine époque, le colonel Kadhafi faisait bien pâle figure comme incarnation du mal. Cependant les médias se chargèrent de diaboliser le monstre alors que Washington attendait avec impatience l'occasion de riposter contre le terrorisme en portant une attaque contre le dirigeant libyen. Le 5 avril 1986, une bombe explosait à Berlin dans une discothèque *La Belle Disco*, faisant deux cents blessés et deux morts dont un soldat américain (et une turque). Une fois le lien établi entre l'attentat de Berlin et Tripoli, Washington organisait une offensive contre le dictateur libyen.

Le 14 avril (la nuit du 15 en Libye), avec le soutien de la Grande-Bretagne (et sans celui de la France[1]), Washington lançait ses bombardiers F-111 depuis des bases anglaises avec une liste de cibles désignées, dont le QG de Kadhafi. Deux heures après l'attaque, le président Reagan apparaissait sur les ondes des télévision américaines : « Nous croyons que cette action *préemptive* contre ses installations ne va pas seulement diminuer les capacités du colonel Kadhafi à exporter la terreur ; cela lui donnera aussi les motivations et les raisons de changer son comportement criminel[2]. » Sur plusieurs plans, l'opération réussit. Ce fut d'abord un fameux coup médiatique avec la retransmission *ad nauseam* du bombardement – prises sommaires depuis les bombardiers – sur toutes les chaînes de télévisions. L'attaque contribue à tempérer les ardeurs du colonel Kadhafi qui se fit beaucoup plus discret. Enfin la plus grande victoire liée à cet événement était la démonstration faite par le gouvernement de Washington à ses alliés européens qu'il pouvait mener seul une action, même sur leur terrain. Avec

---

1. Sollicité par le gouvernement américain par l'intermédiaire du général Vernon Walters, le président François Mitterrand jugea que l'attaque ne serait pas suffisamment décisive pour empêcher Kadhafi de continuer sa politique de nuisance. Jacques Chirac, premier ministre, était également opposé à une participation quelconque de la France à cette opération. Sur toutes les tractations qui eurent lieu entre les États-Unis et l'Europe, voir *ibid.*, pp. 187-212.

2. « *We believe that this preemptive action against his terrorist installations will not only diminish Colonel Kadafi's capacity to export terror; it will provide him with incentives and reasons to alter his criminal behavior.* » *Ibid.*, p. 211.

le recul, on s'aperçoit que la modeste attaque de 1986 avait déjà fixé les paramètres de la stratégie antiterroriste américaine que l'entourage du second Bush, composé d'un nombre élevé d'anciens collaborateurs de Reagan, mit en œuvre après le 11 septembre 2001. Parmi ces paramètres, figurent l'idée de lier un acte terroriste à un État (au régime taliban, à Saddam Hussein), l'idée qu'une riposte militaire massive est une solution au problème terroriste, la notion de guerre préemptive, la volonté américaine d'agir seul si nécessaire.

Malgré la réussite de l'attaque contre Kadhafi, il est difficile d'affirmer que cette offensive eut un impact significatif dans le domaine de la lutte globale contre le terrorisme transnational, celui-ci s'amplifiant durant les années 1990. Deux événements vont contribuer à l'essor du terrorisme transnational : l'effondrement de l'Union soviétique en 1991, qui mit un terme à la guerre froide, et l'éclosion d'un foyer terroriste important à partir de l'Afghanistan, soutenu notamment par un milliardaire saoudien, Oussama Ben Laden. Mais l'évolution du terrorisme n'alla pas dans le sens prévu par les experts américains (dont le nombre grandit subitement au tournant des années 1990) qui se focalisèrent, dans leur grande majorité, sur la connexion entre le terrorisme et la haute technologie, celle-ci étant désormais beaucoup plus accessible à travers les transferts d'armes et de technologie des anciennes républiques soviétiques, à commencer par la Russie.

Les années 1990, aux États-Unis, furent celles du renouveau clintonien. Élu en 1992, le jeune démocrate d'Arkansas, Bill Clinton, incarnait la résurrection du mythe Kennedy. John F. Kennedy avait marqué la régénérescence de la société américaine en tournant la page sur la rigidité des années 1950. Bill Clinton tournait une autre page, celle de la guerre froide, dont George H. Bush avait écrit les dernières lignes. L'Amérique était prête à passer à autre chose. L'économie, un moment affaiblie, reprenait du souffle après avoir fait dérailler la campagne de Bush, pourtant tout auréolé de sa victoire dans la guerre du Golfe contre Saddam Hussein. On parlait relativement peu du terrorisme, en ce début des années 1990. Évidemment, les vendeurs d'angoisse agitaient toujours leur drapeau devant la menace virtuelle du terrorisme de destruction massive ou encore du « cyber-terrorisme » sans toutefois convaincre l'opinion publique ou les dirigeants politiques. L'ennemi semblait ailleurs, dans une Chine en pleine ascension économique, par exemple. De toute manière, Clinton envisageait les relations internationales autrement, privilégiant les relations économiques par rapport aux relations politiques. C'était la politique de l'élargissement (du modèle américain de la démocratie) et de l'ouverture (des marchés internationaux). Le terrorisme international ou transnational était tout au plus une nuisance, comme la criminalité organisée ou la drogue, dont le « narcoterrorisme » colombien (le financement de la guérilla colombienne par la production de cocaïne) était la forme la plus violente.

Pourtant, le terrorisme transnational allait pénétrer subrepticement sur le territoire américain avec l'attentat du 26 février 1993, déjà sur le World Trade Center. Cet attentat à l'explosif à demi manqué provoqua la mort de cinq personnes et fit des centaines de blessés dans l'une des tours jumelles. Les autorités arrêtèrent un suspect, le cheikh Omar Abdel Rahman, qui avait travaillé avec les services secrets américains lors de la guerre d'Afghanistan. Curieusement, après l'émotion populaire initiale, la réaction américaine ne fut pas aussi forte qu'on aurait pu l'imaginer pour ce qui constituait une première dans l'histoire des États-Unis. Paradoxalement, l'attentat au gaz sarin dans le métro de Yokohama en 1995 marqua plus les esprits que l'attaque sur New York. Cet attentat, qui resta sans lendemain, déclencha pourtant une réaction importante chez les responsables antiterroristes américains qui voyaient là, non sans raison, le début d'une nouvelle ère dans l'histoire du terrorisme.

Pourtant, c'est bien du côté des islamistes, et particulièrement de Ben Laden, qu'il fallut se tourner. Ben Laden commença à faire parler de lui en 1996 lorsqu'il lança une *fatwa* contre les États-Unis dans laquelle il appelait « ses Frères musulmans » à tuer les citoyens américains : « La décision de tuer les Américains et leurs alliés – civils et militaires – est un devoir individuel pour tout musulman qui peut le faire dans n'importe quel pays où cela est possible. » Le 27 juin de cette année-là, un camion explosif dirigé contre une base américaine en Arabie Saoudite provoquait la mort de dix-neuf Américains et faisait plusieurs centaines de blessés. Ben Laden était désigné comme responsable par Washington. Deux ans plus tard, le 7 août 1998, deux attentats à la voiture piégée contre les ambassades américaines du Kenya et de Tanzanie faisaient 224 morts, dont douze Américains. Cette fois-ci, Washington décidait de riposter en organisant des frappes aériennes sur des cibles désignées au Soudan et en Afghanistan. L'opération fut un fiasco à partir du moment où il apparaissait que les services de renseignement avaient mal discerné la nature des sites ciblés. En tout état de cause, l'attaque aérienne ne résolvait en rien le problème de la menace terroriste.

Une fois de plus, Washington réagissait avec ses moyens de sa haute technologie pour résoudre un problème réclamant avant tout des ressources humaines sur le terrain. Les services de renseignement américains, alors peu efficaces ou peu écoutés depuis la fin de la guerre froide à la suite d'une malheureuse série de scandales, révélaient au grand jour les limites de leurs capacités dans la lutte antiterroriste, en particulier dans le contexte international. Deux ans plus tard, le 12 octobre 2000, les réseaux Ben Laden récidivaient par l'attaque d'une vedette remplie d'explosifs lancée sur un vaisseau américain ancré dans le port d'Aden, l'*USS Cole*. Ce nouvel attentat provoquait la mort de dix-sept marins américains. Les hommes de Ben Laden avaient déjà commencé à préparer les attentats contre New York et Washington.

## LE CHOC DU 11 SEPTEMBRE ET LA RÉPONSE DES ÉTATS-UNIS

Rappelons brièvement les événements du 11 septembre 2001. Quatre avions de ligne américains sont détournés par dix-neuf pirates de l'air appartenant aux réseaux Ben Laden. Deux avions percutent les tours jumelles du World Trade Center, un troisième explose sur le Pentagone, siège du ministère de la Défense. Le quatrième appareil, peut-être destiné à la Maison-Blanche ou au Capitole, s'écrase en Pennsylvanie. Au total, trois mille personnes périssent dans l'attaque, en grande majorité lors de l'effondrement des deux gratte-ciel new-yorkais dont la structure métallique a fondu dans les incendies causés par l'explosion des deux avions (des long-courriers choisis parce qu'ils étaient remplis de kérosène). En termes médiatiques – l'attaque étant retransmise en direct dans le monde entier – en termes symboliques – avec le centre financier et l'appareil militaire de l'Amérique touchés au cœur, et en termes statistiques (le nombre de victimes) – on parle désormais de « méga-terrorisme » – les attentats du 11 septembre constituent le plus gros succès jamais enregistré par un groupe terroriste. Psychologiquement, l'Amérique et une grande partie du monde, surtout occidental, sont indéniablement sous le choc.

Pour les terroristes islamistes, il s'agissait de déséquilibrer par un coup de force spectaculaire un Occident qui lui apparaissait moralement, corrompu par sa quête matérialiste. La stratégie des islamistes comprenait d'autres objectifs, contre Israël par exemple, ou contre la plupart des régimes des pays musulmans et, en théorie du moins, cette stratégie formait un tout cohérent. L'interprétation du monde d'Al Qaida paraît caricaturale. Mais les mouvements terroristes ont besoin d'idéaux forts et sont toujours subjectifs lorsqu'il s'agit de formuler des analyses sur l'état du monde et sur son avenir. Les Occidentaux aussi ont leur part de responsabilité dans l'élaboration de théories plus ou moins convaincantes, mais toujours provocantes, sur le déclin de l'Occident. Des doctrines sur le déclin des États-Unis de Paul Kennedy et d'Emmanuel Todd aux théories de Samuel Huntington, sur *le choc des civilisations*, et de Robert Kagan, sur la faiblesse de l'Europe, le grand public peut aisément trouver des raisons de s'inquiéter sur l'avenir de la civilisation occidentale[1].

Le 11 septembre l'Amérique était prise au dépourvu. Mais malgré le choc collectif, Washington élabora immédiatement une liste d'options stratégiques lui permettant de riposter. Parmi celles-ci, et dès le lendemain des attentats, figurait une offensive contre l'Irak dont rien, pourtant, n'indiquait qu'il fût impliqué dans l'attaque terroriste. Finalement, la ligne modérée de Colin Powell, le secrétaire d'État, prévalut et la Maison Blanche organisa une opération de grande envergure contre l'Afghanistan où le régime taliban abritait les réseaux d'Al Qaida et ses camps d'entraînement. La première réaction, pourtant, était révélatrice d'une certaine atmosphère. À terme, les partisans de l'offensive contre Saddam Hussein allaient imposer leur vision et finir par obtenir leur guerre en Irak.

Élu à l'arraché à la suite d'une élection contestable, George W. Bush avait la réputation d'un poids léger lorsqu'il pénétra dans le bureau ovale de la Maison Blanche au début de l'année 2001. Pour compenser son inexpérience, Bush s'était entouré d'une solide équipe de vétérans animée par de fortes convictions et impatiente de rattraper le temps, perdu à leurs yeux, par Bill Clinton qui n'avait pas su exploiter la supériorité des États-Unis, à la suite de l'effondrement de l'Union soviétique. Avec une grande majorité d'activistes de droite (à l'exception de Colin Powell et de Condolezza Rice, conseillère à la sécurité), ceux qu'on allait désigner comme les « faucons »

---

1. Paul Kennedy, *Naissance et déclin des grandes puissances*, Paris, Odile Jacob, 1989 ; Emmanuel Todd, *Après l'empire, essai sur la décomposition du système* américain, Paris, Gallimard, 2002 ; Samuel Huntington, *Le choc des civilisations*, Paris, Odile Jacob, 1998 ; Robert Kagan, *La puissance et la faiblesse, les États-Unis et l'Europe dans le nouvel ordre mondial*, Paris, Plon, 2003. Paul Kennedy part d'une analyse historique sur le déclin des grandes puissances alors qu'Emmanuel Todd fait une prospective historique à partir de données économiques et démographiques. La thèse relativement complexe d'Huntington, qui part d'un constat politique sur la situation actuelle, a souvent été réduite par ses (nombreux) critiques au titre de son ouvrage. La thèse la sommaire est celle de Kagan, dont les options idéologiques transparaissent dans son analyse.

de l'Amérique voulaient à tout prix (re) mettre le pays sur orbite en exploitant sa supériorité et sa puissance. Dès leur entrée en fonctions, les faucons affichaient plus ou moins ouvertement quelques-uns de leurs objectifs : augmenter les budgets de défense afin de permettre à l'appareil militaire de réaliser la révolution technologique tant espérée ; construire au plus vite un système de bouclier antinucléaire ; repenser la stratégie globale des États-Unis sur de nouvelles bases ; s'attaquer au problème de la prolifération des armes de destruction massive ; en finir avec Saddam Hussein après la guerre « inachevée » du Golfe (où Bush père avait décidé de retirer ses troupes avant de faire tomber le régime baassiste).

Dans la plupart des cas, ces objectifs allaient, réclamer un sérieux travail de persuasion politique, en particulier auprès du Congrès, ce dernier détenant les clefs des caisses publiques. De fait, la partie était loin d'être gagnée. Les premiers pas du président Bush furent hésitants. Mais, en l'espace de vingt-quatre heures, la situation changeait radicalement. George W. Bush trouvait une opportunité unique de marquer la politique américaine de son empreinte, son entourage ayant eu l'intelligence et la présence d'esprit de saisir la balle au bond, dans un moment d'extrême tension. Il n'est pas étonnant que certains observateurs aient vu dans les attentats du 11 septembre une manipulation orchestrée tant l'attentat était, politiquement une « divine surprise » dont les conséquences étaient considérables. En tout état de cause, si la Maison Blanche n'avait rien à voir avec les attentats, elle sut admirablement tirer profit de ses effets.

Désormais, l'Amérique avait une stratégie : la « guerre contre le terrorisme ». Celle-ci avait l'avantage d'être compréhensible, de ne souffrir d'aucune ambiguïté morale, et de correspondre à la fois à la culture politique américaine (l'idée de la mission) et aux instincts de George W. Bush, homme qui, comme Reagan, fonctionnait principalement selon ses convictions et son instinct[1]. Le 20 septembre, George W. Bush fit une déclaration qui plaçait cette guerre dans un schéma manichéen en parfait accord avec la culture politique américaine et qui démontrait l'ambition hégémonique de Washington : « Chaque nation, dans toutes les régions, doit désormais prendre une décision. Soit vous êtes avec nous, soit vous êtes avec les terroristes. À partir de ce jour, toute nation qui continue de protéger ou de soutenir le terrorisme sera considérée par les États-Unis comme un régime hostile. » La guerre contre le terrorisme allait surtout permettre à la branche extrémiste de

---

1. Voir l'analyse de Pierre Hassner, *op. cit.*, pp.194-195.

l'administration, à commencer par les chefs du Pentagone, Donald Rumsfeld et Paul Wolfowitz, de remporter le bras de fer qui l'opposait à la ligne modérée incarnée par Colin Powell. Celui-ci, de son côté, était plutôt en faveur d'une politique de coopération internationale tablant sur la primauté de la diplomatie, en quelque sorte dans la lignée de la politique réaliste pratiquée naguère par Henry Kissinger. La victoire initiale de Powell, avec la décision de mener campagne en Afghanistan, allait paradoxalement se retourner contre lui.

En effet, la guerre punitive contre le régime taliban fut contre toute attente une réussite incontestable de l'armée américaine. Alors qu'on annonçait un nouveau Vietnam ou un *remake* du désastre soviétique des années 1980, l'armée américaine, grâce à son aviation et ses forces spéciales, aidée au sol par les troupes d'opposition au régime taliban, se débarrassa en quelques semaines d'un des régimes les plus rétrogrades de la planète. L'organisation Al Qaida, sans être éliminée, essuyait un sérieux revers alors que son chef, disparaissait. Ce succès eut pour effet de galvaniser les faucons qui virent dans ce succès militaire – la reconstruction de l'après-guerre fut moins concluante – un tremplin leur permettant de mettre sur orbite la vision stratégique qu'ils entendaient bien imposer à la Maison Blanche, au pays, et au monde.

En effet, depuis le 11 septembre, les fonds alloués à la défense, et à la lutte antiterroriste, y compris à la sécurité intérieure étaient revus largement à la hausse. La Maison Blanche procéda à une réorganisation centralisée du contre-terrorisme qui déboucha entre autres sur la création du *Department of Homeland Security*. Surtout, les faucons obtenaient là les moyens de leurs ambitions, tout en profitant d'un soutien populaire inébranlable, et sans être bloqués par une opposition politique restée silencieuse. Seuls les âpres combats internes contre les modérés au sein du gouvernement pouvaient entraîner une remise en question. Colin Powell était de plus en plus isolé. Il perdit définitivement la partie lorsque certains alliés, à commencer par la France, lui coupèrent l'herbe sous le pied lors des échanges diplomatiques ayant trait à la décision d'envahir l'Irak.

Par un tour de passe-passe dont les politiques ont le secret la Maison Blanche avait réussi à convaincre l'opinion publique que la guerre contre le terrorisme passait nécessairement par le renversement du régime irakien. Washington dans la tradition américaine, se proposa de résoudre le problème par la force militaire. Cette fois-ci, contrairement à l'épisode Kadhafi, la preuve était à faire. Néanmoins, comme Washington avait lié dans sa vision stratégique le problème du terrorisme à celui de la prolifération des armes de destruction massive, elle était parvenue à vendre l'idée que la production clandestine de telles armes par les Irakiens (interdites par les termes de la Convention des Nations unies après la guerre du Golfe) équivalait à des activités terroristes. Restait à prouver que Saddam Hussein avait effectivement tenté de développer depuis 1991 de telles armes malgré l'interdiction de l'ONU. Sans que rien ne soit démontré, l'attitude générale du dictateur irakien pouvait laisser supposer qu'il avait effectivement tenté de développer ce type d'armes. Le rapport des experts de l'ONU était suffisamment ambigu pour laisser libre cours à diverses interprétations et Washington laissait entendre que des preuves laissaient soupçonner les activités illégales du chef d'État irakien. C'était suffisant pour déclencher une opération que certains attendaient depuis une dizaine d'années.

En réalité, la double menace du terrorisme et des armes de destruction massive ne fut qu'un prétexte pour éliminer un ennemi qui était depuis longtemps dans le collimateur des États-Unis, en particulier des républicains proches de la famille Bush. La tête stratégique de la mouvance néoconservatrice de l'administration Bush, Paul Wolfowitz, numéro deux du Pentagone, avait émis l'idée d'un changement de régime en Irak dès 1992. En fait, Wolfowitz avait repris un ancien concept reaganien, celui de l'action préemptive, et en avait fait l'axiome de base de sa nouvelle stratégie. L'âge de la préemption remplaçait celui de la dissuasion. Désormais, la notion théorique de guerre préemptive ou préventive se confondait dans la pratique avec la guerre contre le terrorisme entamée après le 11 septembre. Mais cette vision allait bien au-delà d'une guerre préemptive. C'était une manière d'asseoir la suprématie américaine et de transformer les États-Unis en une puissance hégémonique incontestée durant les décennies à venir.

À cet effet, Wolfowitz proposa d'intervenir au Moyen-Orient et de promouvoir dans la région, une zone démocratique de paix et de libre-échange favorable aux États-Unis. Mélange de réalisme et d'idéalisme, dans la plus pure tradition américaine, cette proposition partait du principe qu'une fois la démocratie installée en Irak, celle-ci allait faire tache d'huile pour finalement transformer la région. Ce schéma présentait de nombreux avantages. Le régime de Saddam Hussein était un régime impopulaire et affaibli qui ne pourrait résister à une offensive de l'armée américaine. L'exploitation à long terme des champs pétrolifères irakiens fournirait un plus grand degré d'indépendance par rapport à l'Arabie Saoudite dont la fiabilité en tant qu'allié était depuis le 11 septembre prise en défaut. Cette solution aurait aussi, à terme, un effet bénéfique sur le conflit israélo-palestinien. Enfin, une telle résolution semblait fournir les moyens de combattre à la fois le terrorisme islamiste et la menace des armes de destruction massive.

On connaît la suite. Au printemps 2003, les forces coalisées, essentiellement américaines et britanniques, se débarrassaient rapidement du régime de Saddam Hussein qui n'offrit pratiquement aucune résistance – le dictateur déchu fut lui-même arrêté par l'armée américaine quelques mois plus tard. On ne découvrit aucune arme de destruction massive et la légitimité de l'intervention trouva une échappatoire dans une justification morale, la destitution d'un dictateur et l'instauration d'un régime démocratique, principes qui n'avaient guère été mentionnés lors de la prise de décision. Néanmoins, l'administration Bush continua à interpréter – et à vendre au public – la guerre en Irak comme l'une des pierres angulaires de la guerre contre le terrorisme. Après que la fin de la guerre fut plus ou moins déclarée (« la fin des opérations majeures »), Washington connut beaucoup plus de difficultés à réaliser le second volet de sa stratégie, gagner la paix en Irak et installer son relais démocratique. L'avenir dira dans quelle mesure l'intervention en Irak aura servi la guerre contre le terrorisme.

Après avoir complètement occulté la menace terroriste, les États-Unis ont, après 2001, complètement modifié leurs positions pour faire du terrorisme la base de leur vision stratégique pour le XXI$^e$ siècle. Sur le territoire national, de nombreuses mesures de sécurité ont été prises, notamment des contrôles très stricts (aéroports, bâtiments publics). Le contrôle des frontières s'est resserré, notamment au niveau de la délivrance de visas. Des immigrants jugés suspects ont été mis en détention. Sur le plan de l'organisation du contre-terrorisme, l'administration a tenté de centraliser l'appareil de contrôle et de commandement de la lutte antiterroriste tout en essayant de réformer la vaste bureaucratie du renseignement (« *The Intelligence Community* »), qui était miné par des luttes internes. Washington, et les États de l'Union, ont aussi donné à la Justice des moyens supérieurs pour agir dans son domaine.

Il est difficile de mesurer à quel point toutes ces dispositions ont aidé à endiguer la menace terroriste. Elles ont, en tous les cas, rendu la vie quotidienne des Américains et des visiteurs un peu moins facile, tout en menaçant d'attenter aux libertés civiles et aux droits de l'homme. Dans ce domaine, la décision d'interner des prisonniers soupçonnés d'activités terroristes sur la base cubaine de Guantanamo (qui comptait 660 individus provenant de 42 pays, en majorité des anciens des camps d'Al Qaida capturés durant la guerre en Afghanistan) a soulevé beaucoup de questions. Mais la création de cette zone « extra-légale » n'est pas le seul point d'ombre. Le *Patriot Act,* voté après le 11 septembre, permet au gouvernement d'obtenir des informations privées sur des individus dont rien ne prouve qu'ils s'adonnent à des activités terroristes, avec tous les abus que cela implique[1].

À l'extérieur, la guerre contre le terrorisme a fourni au gouvernement américain une opportunité de se lancer sur de nouvelles pistes mais avec d'anciens repères. La stratégie de préemption postule que le nouvel ennemi est, comme au temps du communisme, une entité centralisée, avec des objectifs plus ou moins définis, de préférence un État ou un groupe d'États. Ce postulat présente un double problème. D'une part, la menace terroriste, de toute évidence, ne peut être uniquement liée aux activités d'un État. D'autre part, la liste noire des États taxés de terroristes n'est pas forcément dressée selon des critères objectifs. À l'Irak dont il n'est pas évident qu'il ait soutenu Al Qaida, on peut opposer le Pakistan et l'Arabie Saoudite, dont la politique équivoque n'empêche pas qu'ils restent des alliés de l'Amérique. C'est là tout le paradoxe d'une politique dont les objectifs déclarés sont en décalage avec les objectifs réels. En dépit de tout, il s'agit d'une démocratie, à la merci de l'opinion publique et, sur-tout, d'une élection. Or, les ambitions hégémoniques des néoconservateurs sont fondamentalement opposées d'un point de vue philosophique mais également pratique aux valeurs démocratiques que l'Amérique prétend véhiculer. C'est le phénomène que Raymond Aron avait déjà perçu dans le contexte de la lutte contre l'Union soviétique[2]. Or, dans le cadre de la « guerre contre le terrorisme », ce paradoxe est encore plus apparent dès lors que la menace représentée par le terrorisme transnational, et interna-tional, est en fin de compte sans commune mesure avec celle que repré-sentait l'Union soviétique. On se souvient des paroles de Franklin Roosevelt : « La seule chose dont nous ayons à avoir peur est la peur elle-même. » Parmi les libertés fondamentales que Roosevelt prétendait défen-dre figurait la « liberté contre la peur ». Il semble que la défense de cette liberté au nom du combat contre le terrorisme ait donné carte blanche au

---

1. Voir Harold Hongju Koh, « Rights to Remember, » *The Economist*, November 1st 2003, pp. 24-26.

2. Raymond Aron, *République impériale : les États-Unis dans le monde, 1945-1972*, Paris, Calmann-Lévy, 1973. Voir aussi Hassner, *op. cit.*, pp. 160-161.

gouvernement américain pour s'aventurer dans des eaux troubles, à la fois sur le territoire américain et à l'extérieur. Une autre figure de l'histoire des États-Unis, Benjamin Franklin, avait pourtant prévenu que « ceux qui abandonnent la liberté essentielle pour obtenir un peu de sécurité temporaire ne méritent ni l'une ni l'autre ».

# Le nouveau visage d'Al Qaida : La menace du terrorisme islamiste après le 11 septembre

## par Rohan Gunaratna

Deux ans après le 11 septembre, Al Qaida est-il toujours « le fer de lance de l'islam » ? Depuis cette date, Al Qaida a-t-il perdu son rôle d'avant-garde ? Depuis l'intervention de la coalition dirigée par les États-Unis, Al Qaida a perdu sa capacité de planifier, préparer et exécuter des opérations au niveau de celle du 11 septembre. Bien que les capacités matérielles et humaines de cette organisation aient souffert, sa détermination à commettre des attentats n'a nullement diminué. Al Qaida a compensé son rôle tradition-nel a) par un travail encore plus étroit avec les groupes islamistes ayant les mêmes façons de penser que lui et b) par la propagation vigoureuse de son idéologie de jihad mondial.

Ce qui frappe le plus dans l'évolution d'Al Qaida après le 11 septembre est sa confiance intacte dans les mouvements islamistes locaux et régionaux dans le monde pour qu'ils fassent avancer ses objectifs. Ces partis politiques islamistes, ces groupes terroristes et de guérilla situés en Asie, en Afrique, au Moyen-Orient et dans le Caucase conservent leur contrôle sur leurs cel-lules opérationnelles et de soutien en Amérique du Nord, en Europe et en Australie. Dès avant le 11 septembre, le Centre antiterroriste de la CIA avait défini, très justement, Al Qaida comme un « réseau de réseaux », mais au niveau opérationnel, Al Qaida n'a véritablement développé sa structure de « réseau des réseaux » qu'après le 11 septembre. Plutôt que Al Qaida en tant que tel, l'Al Qaida de l'après 11 septembre – le nouveau Al Qaida – est devenu un réseau de groupes influencés par Al Qaida. La contribution la plus durable d'Al Qaida pour alimenter la capacité sur le long terme du terrorisme est la création d'un cadre de combattants qui œuvrent avec les mouvements islamistes du monde entier. Au cours des quinze dernières années, Al Qaida a créé une menace, qui est mondiale et qui lui survivra certainement.

Al Qaida compense en partie ses pertes en travaillant étroitement avec les groupes qui lui sont associés, comptant sur eux pour lui fournir des sanctuaires, pour entraîner les nouvelles recrues et conduire des opérations. Mais surtout, Al Qaida est en train de devenir une idéologie – un état d'esprit. En se transformant en une structure idéologique robuste bien que moins opérationnelle, Al Qaida a augmenté sa capacité de survie. Pour compenser la réduction de sa capacité opérationnelle, Al Qaida a fortement investi dans une propagande soutenue, qui inspire et mobilise une communauté musulmane plus vaste ainsi que d'autres mouvements islamistes pour qu'ils se joignent à la lutte contre les États-Unis et leurs alliés. Dans les faits, le nouveau rôle d'Al Qaida consiste davantage à faire avancer sa mission traditionnelle par des moyens non militaires en utilisant les mass médias, tout particulièrement les nouvelles technologies de communication. Depuis l'intervention en Afghanistan, en octobre 2001, de la coalition dirigée par les États-Unis, les effets électrisants des déclarations régulières de Oussama Ben Laden et de Ayman Al Zawahiri, retransmises par des médias audio, vidéo et imprimés, ont trouvé une résonance particulière dans le monde musulman, surtout depuis l'intervention américaine en Irak en avril 2003. Al Qaida estime qu'il ne peut soutenir la lutte contre les États-Unis et leurs alliés qu'en construisant une base de soutien large et solide dans l'ensemble du monde musulman, y compris dans sa diaspora et dans les communautés immigrées. En continuant à politiser et à radicaliser les musulmans par la diffusion de sa propagande, Al Qaida cherche à accroître son réservoir de recrues et de sympathisants, indispensables pour la continuité des programmes du jihad repris par des groupes multiples.

### Le contexte

Depuis le 11 septembre 2001, Al Qaida a subi de formidables pertes. Néanmoins, le robuste milieu islamiste dans lequel opère Al Qaida lui a permis de compenser ses pertes humaines – membres capturés et tués – et ses pertes matérielles – avoirs saisis et fonds gelés. Bien plus, ayant formé dans ses camps en Afghanistan plusieurs dizaines de milliers d'islamistes venus du monde entier pour en faire des maquisards et des terroristes, Al Qaida a construit une profondeur stratégique suffisante pour sécréter dans le monde le soutien et les recrues nécessaires. Dès le début, bien doté et bien financé, Al Qaida a investi dans la création d'un encadrement de combattants faisant preuve d'un engagement absolu, prêts à tuer et à mourir au nom de la religion. Qu'ils vivent en Occident ou en Orient, les partisans et les sympathisants d'Al Qaida croient en sa maxime souvent répétée : « Le devoir de tout musulman est de faire le Djihad. »

## AL QAIDA APRÈS LE 11 SEPTEMBRE

Aujourd'hui, Al Qaida connaît une période de transition. Il a temporairement perdu sa base d'implantation – l'Afghanistan – et son hôte, le Mouvement islamique des Talibans, le parti qui avait pris la tête de l'Émirat islamique d'Afghanistan. Plus important, la mort ou la capture de la plupart de ses dirigeants opérationnels, de ses membres et de ses partisans clés ont mis à mal son efficacité opérationnelle. Malgré le démantèlement de son infrastructure opérationnelle et de formation en Afghanistan, Al Qaida s'adapte en cherchant à établir des bases ailleurs et, de ce fait, demeure une menace sérieuse, immédiate et directe pour ses ennemis. Bien que, partout dans le monde, l'infrastructure matérielle et humaine d'Al Qaida ait souffert, son réseau à travers le monde, constitué de multiples strates, a conservé une profondeur suffisante pour planifier, préparer et exécuter des opérations, soit directement, soit par le truchement des groupes qui lui sont associés. En pénétrant idéologiquement et physiquement un certain nombre de conflits régionaux dans le monde, où prennent part des musulmans, Al Qaida en a détourné les objectifs qui n'étaient souvent que séparatistes, pour en faire des conflits plus globaux. Périodiquement, pour faire connaître sa présence tant à sa base de militants qu'à ses ennemis, il a attaqué des cibles symboliques, stratégiques et marquantes dans toutes les régions du monde. Sa capacité à survivre est largement due à la souplesse de sa structure en réseau, à la diversité de sa composition et à son idéologie universelle. Pour contrer et déjouer la menace croissante qui pèse sur lui, Al Qaida lui-même s'est transformé structurellement, stratégiquement et géographiquement. Al Qaida est mondial quant à sa portée, qui s'étend de l'Asie au Canada ; il est multinational dans sa composition, allant des Ouïgours du Xin Jiang aux Hispaniques américains ; de ce fait, il jouit de capacités variées, d'un accès à des ressources, et peut avoir de multiples modes opératoires. Il n'y a pas de manuel standard pour lutter contre Al Qaida. Ainsi donc, ce n'est qu'avec une approche et une stratégie globales qu'on pourra détruire efficacement un groupe comme celui-ci. Il s'agit là d'une condition préalable.

Malgré les efforts mondiaux pour détecter, désorganiser, casser et détruire Al Qaida, le groupe n'a survécu que parce que sa présence se retrouve partout et que le réseau décentralisé d'Al Qaida travaille avec des groupes ayant le même mode de penser. À la suite de l'action soutenue des États-Unis, de leurs alliés et de leurs amis en Afghanistan et au Pakistan, le noyau d'Al Qaida, ses organisateurs d'attentats, ses formateurs, ses financiers, ses agents et autres experts se sont déplacés vers les zones sans lois d'Asie, du Moyen-Orient, de la Corne de l'Afrique et du Caucase. La trajectoire des opérations d'Al Qaida après le 11 septembre démontre sa capacité à durer. L'action soutenue des États-Unis et de leurs alliés en Afghanistan et au Pakistan montre qu'Al Qaida a une infinie capacité à se transformer. Dans les mois à venir, Al Qaida va se fragmenter, se décentraliser, se regrouper dans les zones sans lois du monde, travailler avec des groupes ayant la même idéologie, choisir une gamme plus étendue de cibles, viser des cibles économiques et des centres peuplés, et mener la plupart des attaques dans les pays du Sud. Le groupe sera certainement gêné pour lancer des attaques coordonnées et simultanées contre des cibles stratégiques, symboliques ou représentatives en Occident, mais Al Qaida et ses équivalents régionaux attaqueront en Asie, en Afrique, au Moyen-Orient et même en Amérique latine, région où ce groupe n'a qu'une présence limitée. Malgré la capture ou la mort prévisibles du noyau de ses avant-derniers dirigeants, l'idéologie du jihad universel contre l'Occident d'Al Qaida, inculquée aux musulmans politisés et radicalisés, cimentera leur soutien à Al Qaida.

Tandis que les organisateurs des attaques resteront au Pakistan et en Iran, ses agents et ses messagers feront des allers-retours pour coordonner les noyaux d'Al Qaida dans des zones sûres comme le Yémen, la Somalie, le Bangladesh, les Philippines et la Tchétchénie. Pour faire sentir sa présence, Al Qaida s'appuiera de plus en plus sur son réseau mondial de groupes terroristes pour frapper ses ennemis en Asie du Sud-Est, en Asie méridionale, dans la Corne de l'Afrique, au Moyen-Orient et au Caucase. Déjà les attentats au Kenya, en Indonésie, en Inde, au Pakistan, au Koweït, et au Yémen ont eu pour but de compenser la perte et le manque d'espace et d'occasions pour opérer en Occident. Ses agents travaillent en ce moment avec le Jemmah Islamiya (JI : Asie du Sud-Est), El Ithihad El Islami (Corne de l'Afrique), El Ansar Mujahidin (Caucase), le Groupe des combattants tunisiens (Maghreb), le Jayash-e-Mohammad (Asie du Sud), le Groupe salafiste pour la prédication et le combat (GSPC, Afrique du Nord, Europe et Amérique du Nord) et d'autres groupes islamistes que Al Qaida a entraînés et financés au cours de la dernière décennie. Comme Al Qaida a un très petit nombre de cellules en Occident, le groupe opérera à travers le GSPC et le Taqfir Wal Hijra – deux groupes qu'il a infiltrés en Europe et en Amérique du Nord. Avec le transfert de la technologie et de l'expertise terroristes du centre vers la périphérie, les attaques par les groupes associés à Al Qaida constituent une menace comparable à celle d'Al Qaida.

Dans l'environnement actuel, les groupes terroristes continueront à recruter et à envoyer en mission leurs membres et leurs partisans vivant en Occident pour soutenir et perpétrer des attentats. À l'exception de l'attentat à la bombe de l'immeuble fédéral en Oklahoma en 1995, presque tous les attentats terroristes majeurs commis en Occident ont été le fait de membres de la diaspora et des activistes des communautés immigrées. Le coordinateur du 11 septembre, Ramzi bin al Shibh et les pilotes suicides étaient des immigrants vivant en Occident. Comme, jusqu'au 11 septembre, les groupes terroristes étrangers basés en Amérique du Nord, en Europe occidentale et en Australie ne constituaient pas une menace directe et immédiate pour la sécurité occidentale, ces gouvernements-hôtes toléraient leur présence et leurs activités. Même après le 11 septembre, étant donné les réticences de l'Europe, du Canada et de l'Australie à démanteler les réseaux de soutien aux terroristes, les organisations terroristes ont continué à cibler les communautés immigrées pour le recrutement et le soutien. Outre les groupes ayant pignon sur rue, ceux qui servent de couverture et ceux des sympathisants d'Al Qaida, d'autres groupes islamistes politisent, radicalisent et mobilisent avec vigueur leurs immigrés et leur diaspora. Assif Mohammed Hanif, 21 ans, et Omar Khan Sharif, 27 ans, deux bombes humaines britanniques du Derbyshire, Royaume-Uni, mais d'origine asiatique, se sont infiltrés en Israël et ont attaqué un night-club, le Mike's, le 30 avril 2003. Tandis que Hanif se faisait exploser, tuant deux musiciens et un serveur et blessant 60 personnes, le dispositif de Sharif n'est pas parvenu à exploser. Au cours des 31 mois de soulèvement en Israël, l'attentat à la bombe par Hanif a été le premier attentat suicide exécuté par un étranger. Similairement, en Asie, le premier attentat suicide qui avait pris pour cible l'Assemblée d'État à Shrinagar au Cachemire était le fait d'un musulman britannique d'origine asiatique lui aussi. Les communautés d'immigrés demeurent vulnérables à la pénétration idéologique d'Al Qaida qui y recrute et reçoit leur soutien financier. Malgré l'accentuation de la surveillance gouvernementale, les segments, privés de droits électoraux, des communautés immigrées dans les pays occidentaux continuent à s'identifier aux luttes de leurs pays d'origine. Tant que les gouvernements-hôtes ne développeront pas une meilleure compréhension de la menace et ne cibleront pas la propagande terroriste, ses outils et ses idéologues, la menace persistera de l'intérieur même de l'Occident.

Bien que les attentats en Amérique du Nord, en Europe, dans l'Australasie et en Israël demeurent une priorité pour Al Qaida, les mesures et les contre-mesures occidentales de sécurité ont rendu coûteuse et difficile pour ce groupe l'organisation d'une opération sur le sol occidental. Cependant, Al Qaida et les groupes qui lui sont associés attaqueront des cibles occidentales hors de l'Occident, là où la sécurité est largement entre les mains de gouvernements étrangers. Al Qaida trouve moins coûteux d'opérer dans les régions de l'Asie, de l'Afrique et du Moyen-Orient où les mesures de sécurité sont défaillantes. De ce fait, la plupart des attentats se produiront contre des cibles occidentales situées globalement dans le Sud comme celui qui a eu lieu en Arabie Saoudite. Tout en focalisant sur des cibles occidentales, Al Qaida continuera à mener des opérations contre les dirigeants et les régimes musulmans soutenant la « guerre ou la terreur » dirigée par les États-Unis. La sécurité physique de la royauté saoudienne, des dirigeants pakistanais et afghans, respectivement les présidents Moucharraf et Karzaï, demeurera particulièrement vulnérable et leurs régimes se trouveront confrontés à de graves défis politiques dans les années à venir.

Rendre les cibles gouvernementales plus difficiles à atteindre déplacera aussi la menace. Ainsi Al Qaida avait planifié des attentats contre des cibles diplomatiques américaines à Bangkok, Singapour, Kuala Lumpur, Phnom Penh, Hanoi et Manille, contre l'Institut américain de Taiwan et le consulat américain de Surabaya en septembre 2002, mais la présence bien visible des mesures de sécurité amena le groupe à envisager des cibles « molles ». Bien que ce ne soit pas toujours vrai, rendre les cibles plus difficiles à atteindre produit des résultats mais, comme le monde en a été le témoin horrifié, les contre-mesures amènent les terroristes à être inventifs et innovateurs. Comme les traditionnels véhicules bourrés d'explosifs étaient une non-option pour ouvrir une brèche dans le périmètre de sécurité renforcée des sites les plus marquants de l'Amérique, Al Qaida a été forcé de développer une capacité d'attaque par voie aérienne. Similairement, le fait de renforcer la sécurité des cibles militaires et diplomatiques dans le Sud-est asiatique a poussé le Jemmah Islamiyiah à choisir pour cibles des lieux de distraction comme Bali. En fait, les contre-mesures gouvernementales ont accentué la vulnérabilité des centres de population et des cibles économiques. À mesure que s'affaiblissent les groupes islamistes, ils s'attaqueront vraisemblablement à des cibles « molles », tuant des populations civiles, si possible en grand nombre. Comme il est difficile d'empêcher les attentats à la bombe contre des lieux publics, les civils et les infrastructures civiles demeureront les cibles les plus vulnérables aux attaques terroristes dans l'immédiat, le moyen et le long terme.

Sécuriser les cibles terrestres et l'aviation transférera la menace vers des cibles maritimes, particulièrement le commerce maritime. Comme tout incident aérien attire une attention particulière, Al Qaida assigne une haute priorité au terrorisme qui prend l'aviation pour objectif. Étant donné la difficulté de pirater un avion pour le jeter contre une cible, Al Qaida investira de plus en plus dans des attaques à distance en utilisant des missiles portables sol-air (SAM). Si on ne prend pas des contre-mesures immédiates et appropriées pour s'attaquer au réseau de bateaux d'Al Qaida, les SAM contrôlés par Al Qaida et qui sont entreposés dans la zone Pakistan – Cachemire – Afghanistan, dans la péninsule arabique et dans la Corne de l'Afrique, se retrouveront en Asie orientale, en Europe et peut-être même en Amérique du nord.

La nature de la menace d'Al Qaida a nettement changé depuis le 11 septembre. En comparaison, la menace de l'après 11 septembre contre les États-Unis et leurs alliés est devenue fragmentée et diffuse. Bien que le groupe n'ait pas les moyens de mettre à exécution des attentats spectaculaires, il possède un réseau clandestin pour transférer des experts, des messages et de l'argent à des groupes associés. Toutes les informations vont dans le même sens : Al Qaida n'a pas déserté les 1 230 kilomètres de frontière entre l'Afghanistan et le Pakistan, et sa direction est activement et vigoureusement en train de donner des objectifs à ses membres et d'idéologiser ses groupes associés. Depuis le centre de l'Afghanistan et du Pakistan, les experts techniques d'Al Qaida, de même que ses financiers, ses organisateurs d'attentats et ses agents de renseignement se tournent vers les zones anarchiques d'Asie, du Caucase, de la Corne de l'Afrique, des Balkans et du Moyen-Orient, élargissant le périmètre du conflit. Les groupes régionaux tels le Jemmah Islamiyah et les groupes locaux – comme l'Armée islamique Aden-Abyane – fournissent une plate-forme à Al Qaida pour planifier, préparer et exécuter des opérations contre des cibles occidentales et contre les pays musulmans favorables à l'Occident. Par exemple, l'attentat contre le pétrolier français *Limbourg* a été organisé par Al Qaida en coopération avec l'Armée islamique Aden-Abyane. Similairement, l'attentat à la bombe de Bali a été monté par le Jemmah Islamiya, travaillant avec des experts d'Al Qaida. De même, au Pakistan, une douzaine d'attentats a été fomentée par Al Qaida par le truchement d'individus, membres du Jaish-e-Mohommed, du Lashkar-i-Jhangvi, du Harakat-ul-Jihad-i-Islami, de Lashkar-e-Tayyaba et de Harakat-ul-Mujahidin. La décentralisation d'Al Qaida, qui travaille avec des islamistes et d'autres groupes dans le monde, devient un démultiplicateur de forces. Dans les années à venir, il est vraisemblable que Al Qaida – qui a une longue histoire en matière de fourniture d'experts, de formateurs et de fonds à d'autres groupes – opérera efficacement et effectivement par l'entremise de ses associés.

Aujourd'hui, Al Qaida conduit deux types d'attaques – des attentats isolés et des attaques par vagues. Pour obtenir un maximum d'impact et d'effet, Al Qaida préfère lancer des attaques par vagues. La première série organisée par Al Qaida après le 11 septembre a eu lieu en octobre et en novembre 2003, quand Al Qaida a lancé cinq attaques, avec le concours de l'Armée Islamique des Abayan au Yémen, du Jemmah Islamiyah en Indonésie (Groupe islamiste), du Ansar Moudjahidin en Tchétchénie (les Partisans des Soldats de Dieu), du Shurafaa al-Urdun (Les Honorables de Jordanie), de Al Ittihad Al Islami (l'Union islamique). Un bateau suicide destiné à un navire de guerre américain a été lancé contre le supertanker français *Limbourg* au large de Mukalla, au Yémen, le 6 octobre ; des terroristes ont tué deux marines américains, qui étaient en exercice, à Failaka au Koweït, le 8 octobre ; une série d'attentats suicides a eu lieu à Bali, Indonésie, le 12 octobre 2003 ; une prise d'otage a été organisée dans un théâtre de Moscou le 24 octobre ; un fonctionnaire de l'USAID, Lawrence Koley, a été assassiné à Amman, Jordanie, le 28 octobre ; il y a eu aussi l'attentat suicide contre l'hôtel Kikambala Paradise appartenant à un Israélien et l'attaque par un missile sol-air de l'avion israélien Arkia 582 le 28 novembre.

Après une année de silence, en octobre 2002, Al Qaida a donné des justifications coraniques, juste avant de perpétrer ces attentats multiples et coordonnées au Moyen-Orient et en Asie. Les attentats au Yémen, au Koweït et en Jordanie montrent la capacité d'Al Qaida et des groupes qui lui sont associés de fonctionner, y compris là où des mesures de sécurité ont été prises pour les prévenir. Des groupes islamistes de Tchétchénie et de Thaïlande ont également mené des opérations terroristes, respectivement en Russie et dans le sud de la Thaïlande.

La seconde vague de l'après 11 septembre a pris pour cible Riyad, Casablanca, la Tchétchénie et Karachi en mai 2003. Pour démontrer que le groupe avait conservé toute sa souplesse en matière de menace, Al Qaida a coordonné l'attentat de Riyad avec ses groupes associés pour qu'il corresponde avec le timing des attentats à la bombe en Afrique du nord, au Caucase et en Asie.

## Moyen-Orient : frapper au cœur

Pour ceux qui croyaient qu'Al Qaida était mort, l'attentat de Riyad du 12 mai 2003 a prouvé qu'il demeure une menace importante pour les mois sinon pour les années à venir.

Alors que la très forte réaction saoudienne réduira vraisemblablement la menace sur le court terme, elle va accroître le soutien de la population à Al Qaida sur le long terme. À moins que l'Arabie Saoudite ne réforme le système éducatif du pays, Oussama Ben Laden, le héros populaire des Saoudiens opposés à la Maison royale, restera le symbole de leur résistance.

Hors du Moyen-Orient, les membres d'Al Qaida sont concentrés dans la Corne de l'Afrique, le Caucase (Tchétchénie et gorges de Pankisi en Géorgie) et en Asie. Dans la communauté internationale du renseignement, le talon d'Achille a toujours été l'Afrique, particulièrement la Corne.

Outre l'Afghanistan et le Pakistan, on retrouve la présence d'éléments d'Al Qaida dans toute l'Asie. Par exemple, des membres d'Al Qaida s'infiltrent régulièrement au Cachemire et au Bangladesh en Asie du Sud. En plus du Moyen-Orient, s'agissant de régions, la Corne de l'Afrique et l'Asie du

Sud-Est constituent les plus grands défis. Bien avant que le centre de gravité du terrorisme se soit déplacé du Moyen-Orient vers l'Asie, au début des années 1990, les groupes moyen-orientaux étaient déjà actifs en Asie du Sud-Est.

## L'Asie du Sud-Est : un nouveau théâtre

Parmi les deux douzaines de groupes terroristes islamistes actifs en Asie du Sud-Est, le JI représente la menace la plus grande. Environ 400 membres du JI ont été formés par Al Qaida et se trouvent en Asie du Sud-Est. À l'exception de l'Afghanistan et du Pakistan, l'Asie du Sud-Est est l'asile de la plus grande concentration de membres actifs formés par Al Qaida de toutes les régions concernées. La présence de 240 millions de musulmans, de démocraties émergentes, de gouvernements corrompus, de dirigeants faibles, et l'absence de sécurité, font que l'Asie du Sud-Est est devenue le nouveau centre pour les activités d'Al Qaida.

## Les démocraties libérales : l'Amérique du Nord, l'Europe, l'Australasie

L'examen de l'infrastructure opérationnelle et de soutien des terroristes dans le monde révèle que les démocraties libérales offrent des conditions idéales aux groupes terroristes étrangers pour installer leurs réseaux de soutien en Occident. Pour que le terrorisme fleurisse, il est indispensable qu'il y ait des terroristes qui fassent les attentats et des non-terroristes qui leur apportent leur soutien. Pour vaincre le terrorisme, il faut que ces deux catégories deviennent elles-mêmes des cibles. Au cours des deux dernières décennies, en Occident, des groupes terroristes asiatiques, proche-orientaux et latino-américains ont ouvert des bureaux officiels ou créé des cellules clandestines pour diffuser leur propagande, lever des fonds, former des spécialistes, se procurer et transporter du matériel. Par exemple, l'Australie est devenue le foyer de plusieurs groupes terroristes étrangers : le Hamas palestinien, le Hezbollah libanais, les moujahidin tchétchènes, le Parti des travailleurs du Kurdistan (Turquie), l'Euzkadi Ta Azkatasuna (Espagne), les Tigres pour la Libération de l'Eelam Tamil (Sri Lanka), le

Babbar Khalsa International (Inde), et la Fédération internationale de la jeunesse sikh (Inde), ainsi que des factions dissidentes de l'Armée républicaine irlandaise. Les groupes terroristes étrangers diffusent de la propagande terroriste, recrutent, lèvent des fonds, procurent et transportent les technologies depuis l'Occident pour perpétrer des actes terroristes ailleurs. Comme ces groupes ne représentaient pas de menace directe et immédiate pour les pays-hôtes, les agences de sécurité et de renseignement occidentales qui surveillent ces groupes n'ont pas démantelé leur infrastructure leur permettant de diffuser leur propagande, de ramasser des fonds, de s'approvisionner en matériels et de les transporter. Le résultat est que plusieurs terroristes, leurs partisans et leurs sympathisants ont infiltré la société et même parfois les gouvernements occidentaux. Ces groupes terroristes étrangers ont utilisé les ressources collectées en Occident pour attaquer des pays cibles du Sud.

Outre la mise en place de cellules d'Al Qaida, ce groupe a aussi coopté les dirigeants de deux réseaux européens : le Taqfir Wal Hijra et le Groupe salafiste pour la prédication et le combat. Ces deux réseaux, qui agissent en Europe et à un degré moindre en Amérique du Nord, représentent maintenant une menace importante pour la sécurité de l'Occident. Ils sont grossis par les immigrants d'Afrique du Nord et, d'un point de vue idéologique, sont alimentés par les développements des pays où se mène le jihad, particulièrement leurs pays d'origine. De même que l'Europe a constaté que se déversait chez elle le terrorisme venu du Moyen-Orient, les évolutions constatées dans le Sud-Est asiatique ont accru les menaces contre l'Australie, la Nouvelle-Zélande et leurs intérêts outremer. L'Australie a été la cible d'Al Qaida depuis 1999 mais certains événements en 2000 ont accentué cette menace. Par exemple la participation sans réserve de l'Australie à la coalition dirigée par les États-Unis à la campagne anti-terroriste en Afghanistan en octobre 2001, et la réaction de colère des musulmans australiens ; la déclaration de Ben Laden début novembre 2001 dans laquelle il affirmait que l'Australie avait conspiré pour diriger une croisade contre la nation islamique afin de démembrer le Timor-Oriental en novembre 2001, etc. Une grenade a été lancée à partir d'une motocyclette dans le jardin de l'École internationale d'Australie à Jakarta en novembre 2001 ; de gros pétards ont été violemment jetés contre l'ambassade d'Australie à Jakarta en novembre 2001 ; un Arabe d'Al Qaida conduisant un camion suicide rempli d'explosifs avait projeté de détruire la Haute Commission australienne à Singapour, début 2002. Les interrogatoires de détenus et de prisonniers talibans et d'Al Qaida en Afghanistan, au Pakistan, au Camp Delta et aux États-Unis, ont révélé que des musulmans australiens entraînés au Camp Farouk en Afghanistan et ailleurs avaient pour tâche de mener des opérations terroristes contre des cibles australiennes.

L'autre raison pour laquelle la menace terroriste s'amplifie en Australie est que plusieurs groupes terroristes de son environnement immédiat – surtout les Philippines, l'Indonésie et la Malaisie – ont accru leurs activités chez eux et à l'étranger. En outre, une demi douzaine de groupes qui ont des liens avec Al Qaida, perçoivent l'Australie comme un ennemi. Pour renforcer la sécurité dans la région Asie-Pacifique, l'Australie et le Sud-Est asiatique doivent absolument améliorer leur coopération. Jusqu'à Bali, il y a eu incontestablement en Australie. une très piètre compréhension de la menace. Le malaise de l'Australie provient du fait que ce pays n'a qu'une connaissance très limitée de la région Asie-Pacifique, et une grave carence concernant l'étude de la culture, de la politique et de l'économie de ses voisins.


## Afghanistan – Pakistan – Iran


À la suite de l'intervention américaine en Afghanistan en octobre 2001, Oussama Ben Laden demanda au gros des membres d'Al Qaida de retourner dans leurs pays respectifs et d'attendre des instructions. Ceux qui avaient été repérés dans leurs pays par les services de sécurité et de renseignements furent priés de rester au Pakistan. Les dirigeants opérationnels d'Al Qaida Abu Zubaidah et Khalid Cheikh Mohammad s'installèrent au Pakistan et coordonnèrent la campagne terroriste dans le monde jusqu'à leur arrestation, respectivement en mars 2002 et mai 2003. Après l'arrestation de Tawfik bin Attash, le successeur de Khalid Cheikh Mohammad, Oussama Ben Laden fit de son chef de la sécurité Seif Al-'Adel le nouveau chef des opérations en avril 2003. Les opérations de mai 2003 ont été exécutées par Seif Al-'Adel, ancien officier de l'armée égyptienne, devenu par la suite membre du Jihad islamique égyptien. Après avoir combattu l'armée soviétique en Afghanistan, il avait rejoint Al Qaida puis s'était formé avec le Hezbollah au Sud-Liban. Seif Al-'Adel a été rejoint pour l'opération de Riyad par un autre membre influent, Abou Khaled, et par le fils de Oussama Ben Laden, Sa'ad

Ben Laden, garde du corps du dirigeant d'Al Qaida. Bien que l'étendue du parrainage de l'Iran ne soit pas claire, les chefs des opérations qui ont coordonné l'attentat à la bombe de Riyad et ont envoyé des experts à Casablanca (Maroc) pour conseiller le Assirat al-Moustaquim, étaient basés en Iran. Compte tenu de la perte d'un grand nombre de dirigeants et d'agents d'Al Qaida au Pakistan, Al Qaida regarde de plus en plus du côté de l'Iran. Le groupe islamiste irakien, le Ansar al-Islami, autre associé d'Al Qaida, opère aussi sur la frontière Iran-Irak.

La communauté internationale a gravement échoué à reconstruire l'Afghanistan alors qu'elle devait transformer ce pays ravagé par la guerre en un État moderne du XXI$^e$ siècle. Al Qaida s'est réinventé lui-même en Afghanistan en travaillant avec les Talibans du mollah Omar et le Hezbi-e-islami de Gulbuddin Hekmatyar. De même, Al Qaida continue de travailler avec le Sipai Sahaba, le Lashkar-e-jenghvi, le Lashkar-e-Toiba, le Jaysh-e-Mohamed, le Harakat-ul-Mujahidin et de nombreux autres groupes pakistanais. Compte tenu des forces de sécurité américaines et de la communauté du renseignement qui ciblent le centre nerveux d'Al Qaida en Afghanistan-Pakistan, Al Qaida se décentralisera encore davantage. Tandis que ses organisateurs d'attentats resteront au Pakistan et dans son voisinage immédiat, ses agents feront des allers-retours pour coordonner les noyaux d'Al Qaida dans le Sud. Pour faire sentir sa présence, Al Qaida comptera de plus en plus sur son réseau mondial terroriste de groupes partageant son idéologie, dans le Sud-Est asiatique, en Asie du Sud, dans la Corne de l'Afrique, au Moyen-Orient et au Caucase, pour frapper ses ennemis. Déjà, ils ont cherché, avec les attentats au Kenya, en Indonésie, en Inde, au Pakistan, au Koweït et au Yémen à compenser la perte et le manque d'espace et d'opportunités pour opérer en Afghanistan. Avec le transfert de technologie et d'expertise du centre vers la périphérie, les attentats perpétrés par les groupes associés à Al Qaida créeront une menace aussi grande que Al Qaida lui-même.

Tout en menant le jihad dans le monde entier, Al Qaida voit en même temps son influence s'amplifier sur les groupes séparatistes musulmans, actifs sur leurs propres territoires. Il est inquiétant de voir que les islamistes cherchent à « détourner » les ressources des ethnonationalistes. Les gouvernements ne peuvent pas faire grand-chose pour arrêter cette tendance. Que ce soit dans le Moroland aux Philippines, à Aceh en Indonésie, à Pattini en Thaïlande, au Cachemire, en Inde-Pakistan ou en Tchétchénie, en Russie, les conflits sécessionnistes musulmans ont été pénétrés à des degrés divers par des groupes islamistes. Soit par émulation, soit par contact direct, les factions, les groupuscules ou les groupes principaux qui entrent dans la catégorie des séparatistes, sont en train d'apprendre d'Al Qaida son savoir-faire, ses techniques et sa tactique. Al Qaida ne s'est pas souvent lancé dans les enlèvements, les prises d'otages ou les assassinats, mais dans ses camps en Afghanistan et ailleurs, tout ceci a été enseigné à plusieurs dizaines de milliers de jeunes. Même avant le 11 septembre, on avait observé que Al Qaida avait cherché à développer des alliances avec des groupes musulmans non islamistes. Rabitat-ul Mudjahidin est une alliance entre des groupes séparatistes, musulmans ou islamistes, des Philippines, d'Indonésie, de Malaisie, du Myanmar et de Thaïlande. La Thaïlande, surtout les provinces de Bangkok et de Narathiwat, est un havre sûr pour le Jemmah Islamiyah, mais aussi pour nombre d'autres groupes : l'Organisation unie de libération Pattani (PULO) créée en 1967, la nouvelle PULO, formée en 1995, le Barisan Revolusi Nasional Malayu Pattani (BRN) formé en 1960, le Gerakan Mudjahidin Islam Pattani (GMIP) formé en 1986 et le Bersatu (Unité) formé en 1997. Dans le GMIP, il y a des membres qui, comme Wae Ka Raeh, ont été entraînés en Afghanistan et ont combattu pour Al Qaida. Malgré les succès du gouvernement thaï qui a mis fin aux violences sécessionnistes dans les années 1980, il y a eu une reprise en 2001. Le 29 octobre 2002, une série d'incendies volontaires et d'attentats à la bombe se sont produits dans le sud de la Thaïlande.

## LA MENACE IDÉOLOGIQUE

Plus que son organisation, c'est l'idéologie d'Al Qaida qui constitue une menace permanente. Même si Al Qaida peut encore monter des opérations, compte tenu des pressions croissantes qui s'exercent sur lui, Al Qaida deviendra d'abord une idéologie. Comme Al Qaida dépend de plus en plus de ses groupes-frères pour mener des actions, d'autres groupes islamistes deviendront comme Al Qaida. Ainsi, Mas Salamat Kasthari, chef de la Jemmah Islamiyah (JI) de Singapour, avait projeté de détourner un avion d'Aeroflot à Bangkok pour le faire s'écraser sur l'aéroport international Changi à Singapour en 2002. La tactique qui consiste à transformer un avion en arme est sans conteste une invention d'Al Qaida. Au cours de son interrogatoire, quand on lui a demandé pourquoi il avait choisi de détourner un avion d'Aeroflot, il a répondu que le JI avait décidé de donner une leçon à la Russie parce qu'elle tuait des civils en Tchétchénie. Bien plus, le massacre de 202 civils à Bali par ce même groupe ne correspondait en rien au caractère des Asiatiques du Sud-Est. L'Asie du Sud-Est n'avait jamais connu auparavant d'attaque terroriste ayant entraîné des victimes en masse. De même, l'attentat commis par le JI à Bali a été le premier attentat suicide perpétré par un terroriste d'Asie du Sud-Est. Au cours de la décennie passée, le JI et d'autres groupes islamistes associés ont été très fortement influencés par Al Qaida.

Traditionnellement, Al Qaida dont les agents étaient mieux entraînés, plus expérimentés et fortement motivés, voulait se réserver les cibles plus difficiles, particulièrement des objectifs stratégiques et laisser à ses groupes-frères les cibles tactiques ou plus faciles. Al Qaida s'étant décentralisé, ses agents travaillent étroitement à un niveau tactique avec les autres groupes. Résultat : les attentats commis par les groupes associés à Al Qaida sont de plus en plus meurtriers. C'est ce qu'ont démontré les attentats de Bali en 2002 et de Casablanca en 2003, qui ont été aussi meurtriers que s'ils avaient été commis par Al Qaida lui-même. Avec les groupes associés à Al Qaida qui constituent maintenant une menace aussi sérieuse qu'Al Qaida, le théâtre de la guerre va s'élargir. Les agences gouvernementales de sécurité et de renseignement vont être obligées de surveiller les technologies, les tactiques et les techniques d'un très grand nombre de groupes.

Bien que de très fortes pressions s'exercent sur les États-Unis pour qu'ils quittent l'Arabie Saoudite, ils devraient y rester car se retirer après les récents attentats serait perçu comme une défaite par leurs opposants. Néanmoins, la visibilité des États-Unis au Moyen-Orient, leur aide à Israël, leur présence continue en Irak vont générer des réactions de toute nature de la part des islamistes, aussi bien des groupes terroristes que des partis politiques. Particulièrement à la suite de l'intervention des États-Unis, de leurs alliés et de la coalition en Afghanistan, le 7 octobre 2001, l'Irak est devenu une base attrayante pour Al Qaida. Les islamistes ont désespérément besoin d'un nouveau théâtre pour former des islamistes psychologiquement et physiquement entraînés pour la guerre.

## Succès et échecs

*Bien que taxé par les États-Unis de « guerre contre le terrorisme », c'est en fait contre une idéologie radicale que le combat est mené, idéologie qui a produit une jeunesse musulmane prête à tuer et à mourir, et de riches musulmans prêts à la soutenir quitte à subir la prison. Pour la nébuleuse Al Qaida – le Front islamique mondial pour le jihad contre les juifs et les croisés – il s'agit d'une lutte contre une civilisation. En réalité, il s'agit d'une lutte entre la vaste majorité de musulmans modérés et un infime pourcentage de musulmans radicaux. Ce n'est pas un choc de civilisations mais un choc à l'intérieur des civilisations – une lutte qui doit essentiellement être menée au sein même du monde musulman.* Tandis que les conséquences immédiates (1-2 ans) sont prévisibles, les conséquences à moyen (5 ans) et long terme (10 ans) d'une lutte militaire contre une campagne essentiellement idéologique restent incertaines. Tout montre que l'islamisme, que ce soit en Turquie, au Pakistan, en Malaisie ou en Indonésie, se déplace de la périphérie vers le centre. L'intervention américaine en Irak a avivé l'hostilité idéologique qui multiplie la force, la taille et la vie des partis politiques islamistes et des groupes terroristes.

Le plus grand échec de la coalition dirigée par les États-Unis a été son incapacité à neutraliser le noyau directeur tant d'Al Qaida que du Mouvement islamique des Talibans. Tandis que le chef taliban, le mollah Mohammad Omar, se prépare à mener des opérations de guérilla prolongée contre les forces de la coalition en Afghanistan même, les opérations terroristes dans le monde, y compris en Afghanistan, sont coordonnées par Oussama Ben Laden et son représentant, qui est aussi son principal stratège et successeur désigné, le Docteur Ayman Al Zawahiri. De multiples sources, y compris la CIA, révèlent que Ben Laden et Al Zawahiri sont tous deux en vie. Bien plus, Zawahiri fait référence à l'attentat suicide de la plus ancienne synagogue d'Afrique du Nord, à Djerba, Tunisie, qui a fait 21 morts dont 14 touristes allemands le 11 avril 2002 et à l'assassinat de 14 techniciens navals dont 11 Français, qui travaillaient sur un projet de sous-marin au large de l'hôtel Sheraton à Karachi, Pakistan, le 9 mai 2002.

## Changement de tendances

Pour compliquer la tâche de ses ennemis, Al Qaida a constamment innové en matière de tactique militaire, de méthodes financières, et de techniques de propagande, au cours de l'année 2002. Al Qaida – qui s'était surtout attaqué à des cibles stratégiques avant le 11 septembre – opère maintenant sur le spectre tout entier, ciblant à la fois des objectifs stratégiques et des objectifs tactiques. Bien que l'Occident ait bloqué 150 millions de dollars d'argent terroriste dans les quatre mois qui ont suivi le 11 septembre, compte tenu de la transformation des pratiques financières d'Al Qaida, seuls quelque 10 millions de dollars ont été saisis. En ciblant le système bancaire officiel, le réseau bancaire souterrain qui échappe à toute réglementation (hawala) s'est développé. Depuis que les mosquées, les madrassa, les centres communautaires et caritatifs qui distribuaient la propagande islamiste sont menacés, Al Qaida compte de plus en plus sur Internet.

Avec l'adaptation des terroristes à la menace posée par les autorités gouvernementales chargées d'appliquer la loi, les autorités, les agences gouvernementales pour la sécurité et le renseignement accentuent leur pénétration avec des moyens humains et techniques. Les capacités à traquer les terroristes, à déjouer et à désorganiser leurs opérations s'accroissent. Par exemple, une équipe d'Al Qaida qui voyageait dans son véhicule dans la province de Marib, au Yémen du Nord, a été attaquée le 4 novembre 2002 par le feu d'enfer d'un missile projeté d'un drone Predator sans équipage, et contrôlé par la CIA. L'attaque a tué Ali Senyan al-Harthi, alias Qaed Senyan al-Harthi, alias Abou Ali, cerveau de l'opération contre l'USS Cole et dirigeant clé d'Al Qaida pour la région. Pour affronter la menace actuelle, le Pentagone a augmenté ses capacités en matière de renseignement et la CIA a augmenté ses capacités paramilitaires. Dans un avenir prévisible, le renseignement humain et les forces d'intervention clandestines resteront au cœur du combat contre des organisations secrètes et hautement motivées comme Al Qaida. Il est indispensable pour les Américains d'augmenter les échanges en matière de renseignements, particulièrement avec leurs homologues moyen-orientaux et asiatiques. Traditionnellement, les États-Unis étaient réticents à partager leurs informations de haut niveau, surtout leurs sources, avec le monde musulman. Cela a changé depuis le 11 septembre de façon insuffisante.

Si on veut battre Al Qaida, il est primordial que les États-Unis changent leur conception selon laquelle ils dirigeraient une « guerre contre le terrorisme ». Malgré la campagne de la coalition mondiale dirigée par les États-Unis, l'alliance que constitue en fait Al Qaida – le Front mondial islamique pour le jihad contre les juifs et les croisés – est parvenue à réparer les dommages causés à son infrastructure opérationnelle et d'appui. Comme aucun effort international sérieux n'a été fait pour contrer l'idéologie islamiste (la croyance que « le tout premier devoir d'un musulman est de faire le jihad ») le robuste milieu islamiste continue à fournir des recrues et un soutien financier aux groupes islamistes dans le monde pour remplacer les pertes humaines et celles en matériel. Pour le dire crûment, le taux de production d'islamistes est supérieur à celui de leurs morts ou de leurs prisonniers. Dans la boîte à outils du contre-terrorisme, le puissant message selon lequel Al Qaida n'a rien de coranique mais est tout à fait hérétique n'a pas été intégré. Tel qu'il est, le modèle que propose Al Qaida de l'islam trouve un soutien populaire parmi les musulmans politisés et radicalisés. Comme aucun effort n'est fait pour aller à l'encontre de cette idéologie de l'extrémisme, la campagne militaire contre Al Qaida, même si elle est poursuivie résolument et sans relâche, prendra sans aucun doute des décennies. Le « profond réservoir de haine et le désir de revanche » (Brian Michael Jenkins) ne disparaîtra pas, à moins que les États-Unis ne commencent à penser au-delà des seules dimensions d'un contre-terrorisme militaire et financier.

La communauté internationale doit chercher à établir un niveau de tolérance zéro aux activités de soutien au terrorisme. La tragédie du 11 septembre, Bali, Moscou, Riyad, Casablanca et plusieurs autres attentats démontrent que les terroristes contemporains ne font pas de distinction. De la même façon que les terroristes ne reconnaissent ni ne respectent les frontières ethniques, religieuses ou nationales, le terrorisme, où qu'il soit basé, doit être combattu. Il n'y a pas de répit possible avec ceux qui cherchent à faire avancer leur buts et leurs objectifs politiques par la violence. Comme l'Indonésie, les pays qui trouvent des excuses, tolèrent ou ne parviennent pas à prendre de sévères mesures contre le terrorisme seront touchés par lui. Il ne s'agit pas que des pays du Sud ; même des pays du Nord se sont montrés complaisants dans leur lutte contre le terrorisme. Dans les quatre mois qui ont suivi le 11 septembre, les gouvernements occidentaux ont gelé 150 millions de dollars américains d'argent terroriste en Europe et en Amérique du Nord, ce qui montre l'ampleur de la fortune terroriste dans les démocraties libérales. Si les réseaux de soutien à Al Qaida ont souffert aux États-Unis, ses activités de propagande, de recrutement et de levées de fonds continuent encore en Europe. Malgré les efforts pour les en empêcher, une partie des musulmans des communautés immigrées d'Afrique du Nord, d'Europe occidentale et d'Australasie, ainsi que les communautés territoriales du Moyen-Orient et d'Asie continuent à apporter leur soutien à Al Qaida et à d'autres groupes islamistes. Comme l'Europe n'a pas subi d'attentat à grande échelle, les Européens ne perçoivent pas Al Qaida comme une menace grave. Conclusion : les activités de soutien aux islamistes continuent en Europe occidentale. Avec la menace qui s'accroît, les gouvernements et leurs opinions publiques qui ne prennent pas au sérieux les informations concernant cette menace vont avoir à en souffrir.

GÉRER LA MENACE

Al Qaida a eu l'avantage pendant dix ans. Un mois après la destruction des cibles diplomatiques américaines en Afrique de l'Est (août 1998) la communauté du renseignement américaine ne connaissait même pas le nom correct du groupe d'Oussama Ben Laden. Pourtant, au cours des deux années écoulées, la communauté du renseignement américaine a appris à beaucoup mieux comprendre son principal ennemi – Al Qaida. La tragédie du 11 septembre a donné tout pouvoir au Centre antiterroriste de la CIA pour développer cette organisation combien nécessaire et, plus important, modifier son mode de penser pour partir à la chasse d'Al Qaida. Grâce surtout au debriefing des détenus, l'Occident comprend aujourd'hui bien mieux qu'auparavant la menace qu'il affronte. Le gouvernement américain et tout particulièrement la communauté chargée de la sécurité et du renseignement ont appris à un rythme rapide. La collecte et l'analyse aussi bien à la CIA qu'au FBI se sont remarquablement améliorées. Par exemple, immédiatement avant les attentats au Yémen, au Koweït et à Bali, la CIA et le FBI ont alerté les agences homologues amies, et le Département d'État des États-Unis a lancé des alertes au niveau mondial. L'Occident, avec ses homologues du Moyen-Orient et d'Asie, n'a commencé à combattre sérieusement Al Qaida qu'après le 11 septembre. La stratégie globale de l'Occident pour contrecarrer la menace globale que représente Al Qaida commence à prendre forme, lentement mais fermement. De même qu'il a contenu la menace soviétique dans la seconde moitié du XX$^e$ siècle, il développera l'organisation et la doctrine qui permettront de

481

contenir la menace islamiste. Avec des efforts soutenus pour cibler le cœur et l'avant-dernière direction de ce groupe, il est très probable que les dirigeants d'Al Qaida du niveau de Oussama Ben Laden, du Dr Ayman Al Zawahiri et même du chef des Talibans, Mollah Omar, seront capturés ou plus vraisemblablement tués. Néanmoins, le terrorisme islamiste survivra à Al Qaida et l'islamisme en tant qu'idéologie persistera dans un avenir prévisible.

La lutte globale contre le terrorisme sera menée par l'Occident et le Japon – les nations riches et influentes ayant la plus grande résistance. Avec la diffusion de la menace terroriste, la présence politique, militaire, économique et diplomatique américaine grandira et son influence se déploiera mondialement dans les mois et les années à venir. C'est un long combat qui devra se mener sur tous les fronts par des acteurs multiples à travers de nombreux pays. Pour assurer le succès de la campagne, la communauté internationale doit rester concentrée sur son objectif : détruire Al Qaida, et rester engagée à reconstruire l'Afghanistan, le Pakistan et désormais l'Irak. Les nations occidentales doivent dépasser le stade de la rhétorique pour arriver à des actions concrètes, apporter les ressources nécessaires, et construire un modèle moderne d'État-nation pour le monde musulman, dans ces pays. Protéger Karzaï d'Afghanistan et Moucharraf du Pakistan – les deux dirigeants les plus menacés au monde – est d'une importance capitale. Plusieurs tentatives d'assassinats contre ces dirigeants, organisées par Al Qaida et ses groupes associés, ont échoué. L'aide internationale à leurs régimes, pour développer politiquement et économiquement leurs pays respectifs et invertir dans le public, est la clef pour réduire l'espace d'intervention des islamistes et répondre au défi qu'ils posent lorsqu'ils en appellent continuellement aux marginalisés politiques et économiques.

À la veille de l'intervention américaine en Afghanistan, Oussama Ben Laden avait déclaré à juste titre que la lutte allait au-delà d'Al Qaida. La guerre de propagande d'Al Qaida depuis le 11 septembre, spécialement après l'intervention américaine en Irak, a connu une escalade. Avec la prolifération des sites Internet d'Al Qaida et de ses partisans – dont un grand nombre ne sont pas connectés opérationnellement à Al Qaida mais le sont idéologiquement – le soutien à l'idéologie d'Al Qaida s'accroît peu à peu.

La forte érosion de l'infrastructure physique et en personnel d'Al Qaida peut transformer ce mouvement en un état d'esprit qui engendrera des terroristes individuels mais aussi des organisations terroristes qui lui succéderont. Pour éviter ce danger bien réel, la réponse idéologique à Al Qaida et à l'islamisme en tant que doctrine ne doit pas être considérée comme une tâche secondaire.

Traduit de l'anglais par Juliette MINCES

Quatrième partie

# Les écrits de la terreur

# Littérature et terrorisme

# Alfred de Musset, *Lorenzaccio* (1834)

Lorenzaccio *fut publié en 1834 dans la* Revue des deux mondes *(sous le titre* Un spectacle dans un fauteuil*). Écrite dans le contexte politique tumultueux de 1830, cette pièce pose le problème du tyrannicide. L'histoire se situe au XVIᵉ siècle dans une Florence corrompue où règne le tyran Alexandre de Médicis. Son cousin, Lorenzo, décide d'assassiner le duc afin que la cité recouvre la liberté. Néanmoins, cette quête entraîne Lorenzo vers son autodestruction sans que la ville soit libérée. La scène suivante oppose Lorenzo à Philippe Strozzi. Ce dernier incarne l'honnê-teté et la vertu mais aussi le manque d'initiative et la paralysie politique. S'il approuve le meurtre d'Alexandre, il ne tentera rien pour aider Lorenzo. Lorenzac-cio est joué pour la première fois en 1896, près de trente ans après la mort de Mus-set, avec Sarah Bernhardt dans le rôle de Lorenzo.*

PHILIPPE. Que veux-tu dire ?

LORENZO. Prends-y garde, c'est un démon plus beau que Gabriel. La liberté, la patrie, le bonheur des hommes, tous ces mots résonnent à son approche comme les cordes d'une lyre ; c'est le bruit des écailles d'argent de ses ailes flamboyantes. Les larmes de ses yeux fécondent la terre, et il tient à la main la palme des martyrs. Ses paroles épurent l'air autour de ses lèvres ; son vol est si rapide que nul ne peut dire où il va. Prends-y garde ! Une fois dans ma vie, je l'ai vu traverser les cieux. J'étais courbé sur mes livres – le toucher de sa main a fait frémir mes cheveux comme une plume légère. Que je l'aie écouté ou non, n'en parlons pas.

PHILIPPE. Je ne te comprends qu'avec peine, et je ne sais pourquoi j'ai peur de te comprendre.

LORENZO. N'avez-vous dans la tête que cela – délivrer vos fils ? Mettez la main sur la conscience. – Quelque autre pensée plus vaste, plus terrible, ne vous entraîne-t-elle pas, comme un chariot étourdissant, au milieu de cette jeunesse ?

PHILIPPE. Eh bien ! oui, que l'injustice faite à ma famille soit le signal de la liberté. Pour moi, et pour tous, j'irai !

LORENZO. Prends garde à toi, Philippe, tu as pensé au bonheur de l'humanité.

PHILIPPE. Que veut dire ceci ? Es-tu dedans comme au dehors une vapeur infecte ? Toi qui m'as parlé d'une liqueur précieuse dont tu étais le flacon, est-ce là ce que tu renfermes ?

LORENZO. Je suis en effet précieux pour vous, car je tuerai Alexandre.

PHILIPPE. Toi ?

LORENZO. Moi, demain ou après-demain. Rentrez chez vous, tâchez de délivrer vos enfants – si vous ne le pouvez pas, laissez-leur subir une légère punition – je sais pertinemment qu'il n'y a pas d'autres dangers pour eux, et je vous répète que, d'ici à quelques jours, il n'y aura pas plus d'Alexandre de Médicis à Florence, qu'il n'y a de soleil à minuit.

PHILIPPE. Quand cela serait vrai, pourquoi aurais-je tort de penser à la Liberté ? Ne viendra-t-elle pas quand tu auras fait ton coup, si tu le fais ?

LORENZO. Philippe, Philippe, prends garde à toi. Tu as soixante ans de vertu sur ta tête grise ; c'est un enjeu trop cher pour le jouer aux dés.

PHILIPPE. Si tu caches sous ces sombres paroles quelque chose que je puisse entendre, parle ; tu m'irrites singulièrement.

LORENZO. Tel que tu me vois, Philippe, j'ai été honnête. J'ai cru à la vertu, à la grandeur humaine, comme un martyr croit à son Dieu. J'ai versé plus de larmes sur la pauvre Italie, que Niobé sur ses filles.

PHILIPPE. Eh bien, Lorenzo ?

LORENZO. Ma jeunesse a été pure comme l'or. Pendant vingt ans de silence, la foudre s'est amoncelée dans ma poitrine ; et il faut que je sois réellement une étincelle du tonnerre, car tout à coup, une certaine nuit que j'étais assis dans les ruines du Colisée antique, je ne sais pourquoi je me levai ; je tendis vers le ciel mes bras trempés de rosée, et je jurai qu'un des tyrans de ma patrie mourrait de ma main. J'étais un étudiant paisible, et je ne m'occupais alors que des arts et des sciences, et il m'est impossible de dire comment cet étrange serment s'est fait en moi. Peut-être est-ce là ce qu'on éprouve quand on devient amoureux.

PHILIPPE. J'ai toujours eu confiance en toi, et cependant je crois rêver.

LORENZO. Et moi aussi. J'étais heureux alors, j'avais le cœur et les mains tranquilles ; mon nom m'appelait au trône, et je n'avais qu'à laisser le soleil se lever et se coucher pour voir fleurir autour de moi toutes les espérances humaines. Les hommes ne m'avaient fait ni bien ni mal, mais j'étais bon, et, pour mon malheur éternel, j'ai voulu être grand. Il faut que je l'avoue, si la Providence m'a poussé à la résolution de tuer un tyran, quel qu'il fût, l'orgueil m'y a poussé aussi. Que te dirais-je de plus ? tous les Césars du monde me faisaient penser à Brutus.

PHILIPPE. L'orgueil de la vertu est un noble orgueil. Pourquoi t'en défendrais-tu ?

LORENZO. Tu ne sauras jamais, à moins d'être fou, de quelle nature est la pensée qui m'a travaillé. Pour comprendre l'exaltation fiévreuse qui a enfanté en moi le Lorenzo qui te parle, il faudrait que mon cerveau et mes entrailles fussent à nu sous un scalpel. Une statue qui descendrait de son piédestal pour marcher parmi les hommes sur la place publique, serait peut-être semblable à ce que j'ai été, le jour où j'ai commencé à vivre avec cette idée : il faut que je sois un Brutus.

PHILIPPE. Tu m'étonnes de plus en plus.

LORENZO. J'ai voulu d'abord tuer Clément VII. Je n'ai pu le faire parce qu'on m'a banni de Rome avant le temps. J'ai recommencé mon ouvrage avec Alexandre. Je voulais agir seul, sans le secours d'aucun homme. Je travaillais pour l'humanité ; mais mon orgueil restait solitaire au milieu de tous mes rêves philanthropiques. Il fallait donc entamer par la ruse un combat singulier avec mon ennemi. Je ne voulais pas soulever les masses, ni conquérir la gloire bavarde d'un paralytique comme Cicéron. Je voulais arriver à l'homme, me prendre corps à corps avec la tyrannie vivante, la tuer, porter mon épée sanglante sur la tribune, et laisser la fumée du sang d'Alexandre monter au nez des harangueurs, pour réchauffer leur cervelle ampoulée.

PHILIPPE. Quelle tête de fer as-tu, ami ! quelle tête de fer !

LORENZO. La tâche que je m'imposais était rude avec Alexandre. Florence était, comme aujourd'hui, noyée de vin et de sang. L'empereur et le pape avaient fait un duc d'un garçon boucher. Pour plaire à mon cousin, il fallait arriver à lui, porté par les larmes des familles ; pour devenir son ami, et acquérir sa confiance, il fallait baiser sur ses lèvres épaisses tous les restes de ses orgies. J'étais pur comme un lis, et cependant je n'ai pas reculé devant cette tâche. Ce que je suis devenu à cause de cela, n'en parlons pas. Tu dois comprendre que j'ai souffert, et il y a des blessures dont on ne lève pas l'appareil impunément. Je suis devenu vicieux, lâche, un objet de honte et d'opprobre – qu'importe ? ce n'est pas de cela qu'il s'agit.

PHILIPPE. Tu baisses la tête, tes yeux sont humides.

LORENZO. Non, je ne rougis point ; les masques de plâtre n'ont point de rougeur au service de la honte. J'ai fait ce que j'ai fait. Tu sauras seulement que j'ai réussi dans mon entreprise. Alexandre viendra bientôt dans un certain lieu d'où il ne sortira pas debout. Je suis au terme de ma peine, et sois certain, Philippe, que le buffle sauvage, quand le bouvier l'abat sur l'herbe, n'est pas entouré de plus de filets, de plus de nœuds coulants, que je n'en ai tissé autour de mon bâtard. Ce cœur, jusques auquel une armée ne serait pas parvenue en un an, il est maintenant à nu sous ma main ; je n'ai qu'à laisser tomber mon stylet pour qu'il y entre. Tout sera fait. Maintenant, sais-tu ce qui m'arrive, et ce dont je veux t'avertir ?

PHILIPPE. Tu es notre Brutus, si tu dis vrai.

LORENZO. Je me suis cru un Brutus, mon pauvre Philippe ; je me suis souvenu du bâton d'or couvert d'écorce. Maintenant je connais les hommes, et je te conseille de ne pas t'en mêler.

[...]

LORENZO. Je te fais une gageure. Je vais tuer Alexandre ; une fois mon coup fait, si les républicains se comportent comme ils le doivent, il leur sera facile d'établir une république, la plus belle qui ait jamais fleuri sur la terre. Qu'ils aient pour eux le peuple, et tout est dit. – Je te gage que ni eux ni le peuple ne feront rien. Tout ce que je te demande, c'est de ne pas t'en mêler ; parle, si tu le veux, mais prends garde à tes paroles, et encore plus à tes actions. Laisse-moi faire mon coup – tu as les mains pures, et moi, je n'ai rien à perdre.

PHILIPPE. Fais-le, et tu verras.

LORENZO. Soit – mais souviens-toi de ceci. Vois-tu, dans cette petite maison, cette famille assemblée autour d'une table ? ne dirait-on pas des hommes ? Ils ont un corps, et une âme dans ce corps. Cependant, s'il me prenait envie d'entrer chez eux, tout seul, comme me voilà et de poignarder leur fils aîné au milieu d'eux, il n'y aurait pas un couteau de levé sur moi.

PHILIPPE. Tu me fais horreur. Comment le cœur peut-il rester grand, avec des mains comme les tiennes ?

LORENZO. Viens, rentrons à ton palais, et tâchons de délivrer tes enfants.

PHILIPPE. Mais pourquoi tueras-tu le duc, si tu as des idées pareilles ?

LORENZO. Pourquoi ? tu le demandes ?

PHILIPPE. Si tu crois que c'est un meurtre inutile à ta patrie, pourquoi le commets-tu ?

LORENZO. Tu me demandes cela en face ? Regarde-moi un peu. J'ai été beau, tranquille et vertueux.

PHILIPPE. Quel abîme ! quel abîme tu m'ouvres !

LORENZO. Tu me demandes pourquoi je tue Alexandre ? Veux-tu donc que je m'empoisonne, ou que je saute dans l'Arno ? veux-tu donc que je sois un spectre, et qu'en frappant sur ce squelette... *(Il frappe sa poitrine)* il n'en sorte aucun son ? Si je suis l'ombre de moi-même, veux-tu donc que je rompe le seul fil qui rattache aujourd'hui mon cœur à quelques fibres de mon cœur d'autrefois ? Songes-tu que ce meurtre, c'est tout ce qui me reste de ma vertu ? Songes-tu que je glisse depuis deux ans sur un rocher taillé à pic, et que ce meurtre est le seul brin d'herbe où j'aie pu cramponner mes ongles ? Crois-tu donc que je n'ai plus d'orgueil, parce que je n'ai plus de honte, et veux-tu que je laisse mourir en silence l'énigme de ma vie ? Oui, cela est certain, si je pouvais revenir à la vertu, si mon apprentissage du vice pouvait s'évanouir, j'épargnerais peut-être ce conducteur de bœufs – mais j'aime le vin, le jeu et les filles, comprends-tu cela ? Si tu honores en moi quelque chose, toi qui me parles, c'est mon meurtre que tu honores, peut-être justement parce que tu ne le ferais pas. Voilà assez longtemps, vois-tu, que les républicains me couvrent de boue et d'infamie ; voilà assez longtemps que les oreilles me tintent, et que l'exécration des hommes empoisonne le pain que je mâche. J'en ai assez de me voir conspué par des lâches sans nom, qui m'accablent d'injures pour se dispenser de m'assommer, comme ils le devraient. J'en ai assez d'entendre brailler en plein vent le bavardage humain ; il faut que le monde sache un peu qui je suis, et qui il est. Dieu merci, c'est peut-être demain que je tue Alexandre ; dans deux jours j'aurai fini. Ceux qui tournent autour de moi avec des yeux louches, comme autour d'une curiosité monstrueuse apportée d'Amérique, pourront satisfaire leur gosier, et vider leur sac à paroles. Que les hommes me comprennent ou non, qu'ils agissent ou n'agissent pas, j'aurai dit tout ce que j'ai à dire ; je leur ferai tailler leurs plumes, si je ne leur fais pas nettoyer leurs piques, et l'Humanité gardera sur sa joue le soufflet de mon épée marquée en traits de sang. Qu'ils m'appellent comme ils voudront, Brutus ou Erostrate, il ne me plaît pas qu'ils m'oublient. Ma vie entière est au bout de ma dague, et que la Providence retourne ou non la tête en m'entendant frapper, je jette la nature humaine à pile ou face sur la tombe d'Alexandre – dans deux jours, les hommes comparaîtront devant le tribunal de ma volonté.

PHILIPPE. Tout cela m'étonne, et il y a dans tout ce que tu m'as dit des choses qui me font peine, et d'autres qui me font plaisir. Mais Pierre et Thomas sont en prison, et je ne saurais là-dessus m'en fier à personne qu'à moi-même. C'est en vain que ma colère voudrait ronger son frein ; mes entrailles sont émues trop vivement. Tu peux avoir raison, mais il faut que j'agisse ; je vais rassembler mes parents.

LORENZO. Comme tu voudras, mais prends garde à toi. Garde-moi le secret, même avec tes amis, c'est tout ce que je te demande.

## Joseph Conrad, *L'agent secret* (1907)

*L'agent secret est considéré comme le premier grand roman d'espionnage. Il prend comme point de départ un fait divers réel, l'attentat de l'Observatoire de Greenwich au cours duquel un Français, Martial Bourdin, explosa avec sa bombe devant l'observatoire en 1894. C'était la grande époque des attentats où s'affrontaient les terroristes, souvent proches du mouvement anarchiste, la police et aussi les fameux agents provocateurs. C'est cette partie à trois qui forme la trame de ce drame psychologique où le héros du roman, le vulnérable Verloc, est manipulé par une ambassade étrangère. Ce passage révèle admirablement la dimension psychologique du phénomène terroriste. Le secrétaire d'ambassade, Vladimir, cherche une cible susceptible de traumatiser la nation anglaise par un attentat que Verloc sera chargé d'organiser.*

Et M. Vladimir développa son idée de tout son haut, avec dédain et condescendance, démontrant en même temps un degré d'ignorance sur les objectifs réels, les idées et les méthodes du monde révolutionnaire qui remplit le silencieux M. Verloc d'une consternation intérieure. M. Vladimir confondait les causes et les effets d'une manière dépassant ce qui pouvait être excusable ; il confondait les propagandistes les plus distingués avec d'impulsifs lanceurs de bombes ; il tenait pour acquise l'existence d'une organisation là où il ne pouvait y en avoir ; il parlait un moment du Parti socialiste révolutionnaire comme d'une armée parfaitement disciplinée, où la parole des chefs était incontestée, et à un autre moment comme s'il s'était agi de la plus molle association de brigands aux abois qui ait jamais campé dans une gorge de montagne. À un moment, M. Verloc avait ouvert la bouche afin de protester mais il avait été arrêté par une grande main blanche et élégante qui s'était levée. Très vite, il était devenu tellement atterré qu'il ne pouvait même plus protester. Il écoutait, figé par la terreur, dans une position qui ressemblait à une immobilité produite par une attention profonde.

« Une série d'attentats, continua M. Vladimir calmement, exécutés ici même dans ce pays, pas seulement *planifiés* ici – ça ne serait pas suffisant –, on ne s'en soucierait pas. Vos amis pourraient incendier la moitié du continent sans influencer le moins du monde l'opinion publique de ce pays en faveur d'une législation répressive universelle. »

M. Verloc se racla la gorge, mais le cœur lui manqua et il ne dit rien.

« Ces attentats n'ont pas besoin d'être particulièrement sanguinaires », poursuivit M. Vladimir, comme s'il faisait une communication scientifique, « mais ils doivent être suffisamment frappants. Il faut qu'ils soient dirigés contre des édifices par exemple. Quel est le fétiche du moment que toute la bourgeoisie reconnaît – hein, M. Verloc ? »

M. Verloc ouvrit ses mains et commença à hausser légèrement les épaules. « Vous êtes trop paresseux pour réfléchir », fut le commentaire de M. Vladimir sur ce geste. « Faites attention à ce que je dis. Le fétiche du moment n'a rien à voir avec la royauté ni avec la religion. Donc le palais et l'église doivent être laissés tranquilles. Vous comprenez ce que je dis, M. Verloc ? »

Le désarroi et le mépris de M. Verloc trouvèrent une issue lorsqu'il essaya de prendre un ton assuré.

« Parfait. Et les ambassades ? Une série d'attentats sur les diverses ambassades », commença-t-il ; mais il ne put soutenir le regard froid du premier secrétaire qui le scrutait.

« Vous pouvez être facétieux à ce que je vois », observa ce dernier nonchalamment. « Très bien. Ça peut égayer vos discours dans les congrès socialistes. Mais cette pièce n'est pas le lieu pour ça. Il serait infiniment plus prudent pour vous d'écouter avec attention ce que je dis. Étant donné que vous allez être appelé à fournir des faits et non plus des histoires sans queue ni tête, vous avez intérêt à assimiler ce que je prends la peine de vous dire. Le fétiche sacro-saint d'aujourd'hui est la science. Pourquoi n'essayez-vous pas de faire en sorte que vos amis s'attaquent à cette institution hautaine à la tête de bois, hein ? Ne fait-elle pas partie de ces institutions qui doivent être balayées avant que ne s'installe le F.P. ? »

M. Verloc ne dit rien. Il avait peur d'ouvrir la bouche et qu'un grognement ne s'en échappe.

« C'est cela que vous devez essayer. Un attentat contre une tête couronnée ou un président est d'une certaine façon sensationnel, mais pas autant qu'auparavant. Désormais, il est entré dans la conception générale qu'on se fait de l'existence de tous les chefs d'État. C'est presque conventionnel – surtout depuis qu'autant de présidents se sont fait assassiner. Maintenant, prenons un attentat contre – disons une église. Suffisamment horrible à première vue, sans aucun doute, mais pas aussi efficace qu'un esprit ordinaire pourrait le penser. Quel que fût son caractère révolutionnaire et anarchiste à l'origine, il y aurait toujours assez d'imbéciles pour donner à cet attentat le caractère d'une manifestation religieuse. Et cela nous détournerait de la signification inquiétante et particulière que nous voulons donner à cet acte. Un attentat meurtrier contre un restaurant ou un théâtre présenterait le même inconvénient en suggérant qu'un tel acte est dénué de passion politique ; ou qu'il est le fait de l'exaspération d'un homme affamé, ou qu'il s'agit d'un acte de revanche sociale. Tout ça est complètement dépassé ; ce n'est désormais plus du tout instructif en tant que leçon pratique sur l'anarchisme révolutionnaire. N'importe quel journal a des phrases toutes prêtes pour décrire ce genre d'événement. Je vais maintenant vous expliquer mon point de vue sur la philosophie de la bombe ; le point de vue que vous prétendez servir depuis onze ans. Je vais essayer de parler sans dépasser votre niveau intellectuel. Les sensibilités des gens de la classe que vous attaquez vont vite s'affaiblir. La propriété leur paraît une chose indestructible. Vous ne pouvez pas compter sur leurs émotions, soit de pitié, soit de crainte, pendant très longtemps. Pour qu'un attentat à la bombe ait une influence sur l'opinion publique, il faut qu'il aille au-delà des intentions de vengeance ou de terrorisme. Il doit être purement destructif. Il doit être cela et rien que cela sans qu'on puisse le soupçonner d'avoir quelque autre objet. Vous autres anarchistes devez être tout à fait clairs sur votre absolue détermination à faire table rase de toute la création sociale. Mais comment faire entrer cette notion incroyablement absurde dans la tête de la classe moyenne sans risque d'erreur ? C'est ça la question. En dirigeant vos coups sur quelque chose qui est en dehors des passions ordinaires de l'humanité, voilà votre réponse. Bien sûr, il y a l'art. Une bombe dans la National Gallery ferait un certain bruit. Mais ça ne serait pas assez sérieux. L'art n'a jamais été le fétiche de ces gens. C'est comme casser quelques carreaux aux fenêtres de l'arrière d'une maison. Pour que son propriétaire fasse vraiment attention, il faut au moins essayer de soulever son toit. Il y aurait bien évidemment des gens pour se mettre à crier, mais qui ? Des artistes – des critiques d'art et autres – des personnes sans importance. Personne ne fait attention à ce qu'ils disent. Mais il y a le savoir – la science. N'importe quel imbécile avec une petite situation y croit. Il ne sait pas pourquoi mais il pense que ça compte. C'est le sacro-saint fétiche. Tous ces foutus professeurs sont des gauchistes dans l'âme. Laissez-les croire que leur grande statue de bois doit partir aussi, et laisser place à l'avenir du prolétariat. Un hurlement de tous ces idiots d'intellectuels est certain de faire avancer les travaux du congrès de Milan. Ils écriront aux journaux. Leur indignation serait au-dessus de tout soupçon, aucun gain matériel étant ouvertement en jeu, et cela mettrait en alarme l'égoïsme entier de la classe sur laquelle on doit faire impression. Ils croient que d'une manière mystérieuse, la science est à l'origine de leur prospérité matérielle. Ils le croient réellement. Et l'absurdité féroce d'une telle démonstration les affectera beaucoup plus profondément que la mutilation d'une rue entière ou d'un théâtre remplis de gens de leur espèce. À cela, ils peuvent toujours répondre : « Oh, c'est juste la haine d'une classe. » Mais que dire d'un acte d'une férocité destructive tellement absurde qu'il est incompréhensible, inexplicable, presque impensable ; en fait, dément ? La folie par elle-même est véritablement terrifiante, parce qu'on ne peut la maîtriser par la menace, par la persuasion, par la corruption. De plus, je suis un homme civilisé. Jamais je ne songerais à vous commander d'organiser un simple massacre, même si je m'attendais à ce qu'il produise de bons résultats. Mais je n'escompte pas d'un massacre qu'il produise les résultats espérés. Le meurtre nous accompagne constamment. C'est presque une institution. La démonstration doit être dirigée contre le savoir – la science. Mais toute science ne fera pas l'affaire. L'attaque doit avoir l'absurdité choquante d'un blasphème gratuit. Comme les bombes sont votre moyen d'expression, cela serait vraiment puissant si quelqu'un pouvait balancer une bombe sur les mathématiques pures. Mais c'est impossible. J'ai essayé de vous instruire ; je vous ai exposé la haute philosophie de votre utilité, et je vous ai suggéré des arguments utiles. L'application pratique de mon enseignement *vous* intéresse en particulier. Mais à partir de l'instant où j'ai entrepris de vous entretenir, j'ai aussi accordé une certaine attention aux aspects pratiques de la question. Que pensez-vous d'une tentative contre l'astronomie ? »

Depuis un moment déjà, l'immobilité de M. Verloc à côté du fauteuil évoquait un état d'abattement proche du coma – une sorte d'insensibilité passive interrompue par de légères convulsions, du genre qu'on peut observer sur un chien victime d'un cauchemar sur un tapis devant la cheminée. Et c'est précisément avec un grognement hésitant, comme celui d'un chien, qu'il répéta le mot :

« Astronomie. »

*(Traduit par Arnaud Blin.)*

## Jean-Paul Sartre, *Les mains sales* (1948)

*Les mains sales pose le problème de l'engagement politique, celui du passage à l'acte, et de ses conséquences, c'est-à-dire les mêmes thèmes qu'abordait Musset dans* Lorenzaccio. *Mais ici, l'action se situe dans le monde contemporain des années 1940, durant la Seconde Guerre mondiale, avec pour toile de fond la révolution marxiste. Ce texte aborde habilement le thème des confrontations idéologiques, alors que se profile l'affrontement de la guerre froide, et leur lien avec les aspects psychologiques d'une action politique. Comme la plupart des textes littéraires touchant au problème du terrorisme, la trame de cette pièce tourne autour d'un assassinat.*

HUGO. Il n'y a qu'un seul but : c'est de faire triompher nos idées, toutes nos idées et rien qu'elles.

HOEDERER. C'est vrai : tu as des idées, toi. Ça te passera.

HUGO. Vous croyez que je suis le seul à en avoir ? Ça n'était pas pour des idées qu'ils sont morts, les copains qui se sont fait tuer par la police du Régent ? Vous croyez que nous ne les trahirions pas, si nous faisions servir le Parti à dédouaner leurs assassins ?

HOEDERER. Je me fous des morts. Ils sont morts pour le Parti et le Parti peut décider ce qu'il veut. Je fais une politique de vivant, pour les vivants.

HUGO. Et vous croyez que les vivants accepteront vos combines ?

HOEDERER. On les leur fera avaler tout doucement.

HUGO. En leur mentant ?

HOEDERER. En leur mentant quelquefois.

HUGO. Vous... vous avez l'air si vrai, si solide ! Ça n'est pas possible que vous acceptiez de mentir aux camarades.

HOEDERER. Pourquoi ? Nous sommes en guerre et ça n'est pas l'habitude de mettre le soldat heure par heure au courant des opérations.

HUGO. Hoederer, je... je sais mieux que vous ce que c'est que le mensonge ; chez mon père tout le monde se mentait, tout le monde me mentait. Je ne respire que depuis mon entrée au Parti. Pour la première fois j'ai vu des hommes qui ne mentaient pas aux autres hommes. Chacun pouvait avoir confiance en tous et tous en chacun, le militant le plus humble avait le sentiment que les ordres des dirigeants lui révélaient sa volonté profonde, et s'il y avait un coup dur, on savait pour quoi on acceptait de mourir. Vous n'allez pas...

HOEDERER. Mais de quoi parles-tu ?

HUGO. De notre Parti.

HOEDERER. De notre Parti ? Mais on y a toujours un peu menti. Comme partout ailleurs. Et toi, Hugo, tu es sûr que tu ne t'es jamais menti, que tu n'as jamais menti, que tu ne mens pas à cette minute même ?

HUGO. Je n'ai jamais menti aux camarades. Je... À quoi ça sert de lutter pour la libération des hommes, si on les méprise assez pour leur bourrer le crâne ?

HOEDERER. Je mentirai quand il faudra et je ne méprise personne. Le mensonge, ce n'est pas moi qui l'ai inventé : il est né dans une société divisée en classes et chacun de nous l'a hérité en naissant. Ce n'est pas en refusant de mentir que nous abolirons le mensonge : c'est en usant de tous les moyens pour supprimer les classes.

HUGO. Tous les moyens ne sont pas bons.

HOEDERER. Tous les moyens sont bons quand ils sont efficaces.

HUGO. Alors, de quel droit condamnez-vous la politique du Régent ? Il a déclaré la guerre à l'URSS parce que c'était le moyen le plus efficace de sauvegarder l'indépendance nationale.

HOEDERER. Est-ce que tu t'imagines que je la condamne ? Il a fait ce que n'importe quel type de sa caste aurait fait à sa place. Nous ne luttons ni contre des hommes ni contre une politique mais contre la classe qui produit cette politique et ces hommes.

HUGO. Et le meilleur moyen que vous ayez trouvé pour lutter contre elle, c'est de lui offrir de partager le pouvoir avec vous ?

HOEDERER. Parfaitement. Aujourd'hui, c'est le meilleur moyen. *(Un temps.)* Comme tu tiens à ta pureté, mon petit gars ! Comme tu as peur de te salir les mains. Eh bien, reste pur ! À qui cela servira-t-il et pourquoi viens-tu parmi nous ? La pureté, c'est une idée de fakir et de moine. Vous autres, les intellectuels, les anarchistes bourgeois, vous en tirez prétexte pour ne rien faire. Ne rien faire, rester immobile, serrer les coudes contre le corps, porter des gants. Moi j'ai les mains sales. Jusqu'aux coudes. Je les ai plongées dans la merde et dans le sang. Et puis après ? Est-ce que tu t'imagines qu'on peut gouverner innocemment ?

HUGO. On s'apercevra peut-être un jour que je n'ai pas peur du sang.

HOEDERER. Parbleu : des gants rouges, c'est élégant. C'est le reste qui te fait peur. C'est ce qui pue à ton petit nez d'aristocrate.

HUGO. Et nous y voilà revenus : je suis un aristocrate, un type qui n'a jamais eu faim ! Malheureusement pour vous, je ne suis pas seul de mon avis.

HOEDERER. Pas seul ? Tu savais donc quelque chose de mes négociations avant de venir ici ?

HUGO. N-non. On en avait parlé en l'air, au Parti, et la plupart des types n'étaient pas d'accord et je peux vous jurer que ce n'étaient pas des aristocrates.

HOEDERER. Mon petit, il y a malentendu : je les connais, les gens du Parti qui ne sont pas d'accord avec ma politique et je peux te dire qu'ils sont de mon espèce, pas de la tienne – et tu ne tarderas pas à le découvrir. S'ils ont désapprouvé ces négociations, c'est tout simplement qu'ils les jugent inopportunes ; en d'autres circonstances ils seraient les premiers à les engager. Toi, tu en fais une affaire de principes.

HUGO. Qui a parlé de principes ?

HOEDERER. Tu n'en fais pas une affaire de principes ? Bon. Alors voici qui doit te convaincre : si nous traitons avec le Régent, il arrête la guerre ; les troupes illyriennes attendent gentiment que les Russes viennent les désarmer ; si nous rompons les pourparlers, il sait qu'il est perdu et il se battra comme un chien enragé ; des centaines de milliers d'hommes y laisseront leur peau. Qu'en dis-tu ? *(Un silence.)* Hein ? Qu'en dis-tu ? Peux-tu rayer cent mille hommes d'un trait de plume ?

HUGO, *péniblement*. On ne fait pas la Révolution avec des fleurs. S'ils doivent y rester...

HOEDERER. Eh bien ?

HUGO. Eh bien, tant pis !

HOEDERER. Tu vois ! tu vois bien ! Tu n'aimes pas les hommes, Hugo. Tu n'aimes que les principes.

HUGO. Les hommes ? Pourquoi les aimerais-je ? Est-ce qu'ils m'aiment ?

HOEDERER. Alors pourquoi es-tu venu chez nous ? Si on n'aime pas les hommes on ne peut pas lutter pour eux.

HUGO. Je suis entré au Parti parce que sa cause est juste et j'en sortirai quand elle cessera de l'être. Quant aux hommes, ce n'est pas ce qu'ils sont qui m'intéresse mais ce qu'ils pourront devenir.

HOEDERER. Et moi, je les aime pour ce qu'ils sont. Avec toutes leurs saloperies et tous leurs vices. J'aime leurs voix et leurs mains chaudes qui prennent et leur peau, la plus nue de toutes les peaux, et leur regard inquiet et la lutte désespérée qu'ils mènent chacun à son tour contre la mort et contre l'angoisse. Pour moi, ça compte un homme de plus ou de moins dans le monde. C'est précieux. Toi, je te connais bien, mon petit, tu es un destructeur. Les hommes, tu les détestes parce que tu te détestes toi-même ; ta pureté ressemble à la mort et la Révolution dont tu rêves n'est pas la nôtre : tu ne veux pas changer le monde, tu veux le faire sauter.

HUGO, *s'est levé*. Hoederer !

HOEDERER. Ce n'est pas ta faute : vous êtes tous pareils. Un intellectuel, ça n'est pas un vrai révolutionnaire ; c'est tout juste bon à faire un assassin.

HUGO. Un assassin. Oui !

JESSICA. Hugo !

*Elle se met entre eux. Bruit de clef dans la serrure. La porte s'ouvre. Entrent Georges et Slick.*

## Albert Camus, *Les justes* (1949)

*Albert Camus situe l'action de cette pièce en Russie en 1905. Un groupe de terroristes appartenant au groupe socialiste-révolutionnaire organise un attentat à la bombe contre le grand-duc Serge. « Tous les personnages, dit l'auteur, ont réellement existé et se sont conduits comme je le dis. » Camus évoque « ces grandes ombres, leur juste révolte, leur fraternité difficile, les efforts démesurés qu'elles firent pour se mettre en accord avec le meurtre ». Les justes furent représentés pour la première fois le 15 décembre 1949. Maria Casarès jouait le rôle de Dora Doulebov, Serge Reggiani celui d'Ivan Kaliayev. Ce sont ces deux personnages qui figurent dans la scène suivante où il est question de l'assassinat et du passage à l'acte.*

KALIAYEV. Je suis triste. J'ai besoin d'être aimé de vous tous. J'ai tout quitté pour l'Organisation. Comment supporter que mes frères se détournent de moi ? Quelquefois, j'ai l'impression qu'ils ne me comprennent pas. Est-ce ma faute ? Je suis maladroit, je le sais...

DORA. Ils t'aiment et te comprennent. Stepan est différent.

KALIAYEV. Non. Je sais ce qu'il pense. Schweitzer le disait déjà : « Trop extraordinaire pour être révolutionnaire. » Je voudrais leur expliquer que je ne suis pas extraordinaire. Ils me trouvent un peu fou, trop spontané. Pourtant, je crois comme eux à l'idée. Comme eux, je veux me sacrifier. Moi aussi, je puis être adroit, taciturne, dissimulé, efficace. Seulement, la vie continue de me paraître merveilleuse. J'aime la beauté, le bonheur ! C'est pour cela que je hais le despotisme. Comment leur expliquer ? La révolution, bien sûr ! Mais la révolution pour la vie, pour donner une chance à la vie, tu comprends ?

DORA, *avec élan.* Oui... *(Plus bas, après un silence.)* Et pourtant, nous allons donner la mort.

KALIAYEV. Qui, nous ? Ah, tu veux dire... Ce n'est pas la même chose. Oh non ! ce n'est pas la même chose. Et puis, nous tuons pour bâtir un monde où plus jamais personne ne tuera ! Nous acceptons d'être criminels pour que la terre se couvre enfin d'innocents.

DORA. Et si cela n'était pas ?

KALIAYEV. Tais-toi, tu sais bien que c'est impossible. Stepan aurait raison alors. Et il faudrait cracher à la figure de la beauté.

DORA. Je suis plus vieille que toi dans l'Organisation. Je sais que rien n'est simple. Mais tu as la foi... Nous avons tous besoin de foi.

KALIAYEV. La foi ? Non. Un seul l'avait.

DORA. Tu as la force de l'âme. Et tu écarteras tout pour aller jusqu'au bout. Pourquoi as-tu demandé à lancer la première bombe ?

KALIAYEV. Peut-on parler de l'action terroriste sans prendre part ?

DORA. Non.

KALIAYEV. Il faut être au premier rang.

DORA, *qui semble réfléchir.* Oui. Il y a le premier rang et il y a le dernier moment. Nous devons y penser. Là est le courage, l'exaltation dont nous avons besoin... dont tu as besoin.

KALIAYEV. Depuis un an, je ne pense à rien d'autre. C'est pour ce moment que j'ai vécu jusqu'ici. Et je sais maintenant que je voudrais périr sur place, à côté du grand-duc. Perdre mon sang jusqu'à la dernière goutte, ou bien brûler d'un seul coup, dans la flamme de l'explosion, et ne rien laisser derrière moi. Comprends-tu pourquoi j'ai demandé à lancer la bombe ? Mourir pour l'idée, c'est la seule façon d'être à la hauteur de l'idée. C'est la justification.

DORA. Moi aussi, je désire cette mort-là.

KALIAYEV. Oui, c'est un bonheur qu'on peut envier. La nuit, je me retourne parfois sur ma paillasse de colporteur. Une pensée me tourmente : ils ont fait de nous des assassins. Mais je pense en même temps que je vais mourir, et alors mon cœur s'apaise. Je souris, vois-tu, et je me rendors comme un enfant.

DORA. C'est bien ainsi, Yanek. Tuer et mourir. Mais, à mon avis, il est un bonheur encore plus grand. *(Un temps. Kaliayev la regarde. Elle baisse les yeux.)* L'écha-faud.

KALIAYEV, *avec fièvre.* J'y ai pensé. Mourir au moment de l'attentat laisse quelque chose d'inachevé. Entre l'attentat et l'échafaud, au contraire, il y a toute une éter-nité, la seule peut-être, pour l'homme.

DORA, *d'une voix pressante, lui prenant les mains.* C'est la pensée qui doit t'aider. Nous payons plus que nous ne devons.

KALIAYEV. Que veux-tu dire ?

DORA. Nous sommes obligés de tuer, n'est-ce pas ? Nous sacrifions délibérément une vie et une seule ?

KALIAYEV. Oui.

DORA. Mais aller vers l'attentat et puis vers l'échafaud, c'est donner deux fois sa vie. Nous payons plus que nous ne devons.

KALIAYEV. Oui, c'est mourir deux fois. Merci, Dora. Personne ne peut rien nous reprocher. Maintenant, je suis sûr de moi.

*Silence.* Qu'as-tu, Dora ? Tu ne dis rien ?

DORA. Je voudrais encore t'aider. Seulement...

KALIAYEV. Seulement ?

DORA. Non, je suis folle.

KALIAYEV. Tu te méfies de moi ?

DORA. Oh, non, mon chéri, je me méfie de moi. Depuis la mort de Schweitzer, j'ai parfois de singulières idées. Et puis, ce n'est pas à moi de te dire ce qui sera diffi-cile.

KALIAYEV. J'aime ce qui est difficile. Si tu m'estimes, parle.

DORA, *le regardant.* Je sais. Tu es courageux. C'est cela qui m'inquiète. Tu ris, tu t'exaltes, tu marches au sacrifice, plein de ferveur. Mais dans quelques heures, il faudra sortir de ce rêve, et agir. Peut-être vaut-il mieux en parler à l'avance... pour éviter une surprise, une défaillance.

KALIAYEV. Je n'aurai pas de défaillance. Dis ce que tu penses.

DORA. Eh bien l'attentat, l'échafaud, mourir deux fois, c'est le plus facile. Ton cœur y suffira. Mais le premier rang... (*Elle se tait, le regarde et semble hésiter.*) Au premier rang, tu vas le voir...

KALIAYEV. Qui ?

DORA. Le grand-duc.

KALIAYEV. Une seconde, à peine.

DORA. Une seconde où tu le regarderas ! Oh ! Yanek, il faut que tu saches, il faut que tu sois prévenu ! Un homme est un homme. Le grand-duc a peut-être des yeux compatissants. Tu le verras se gratter l'oreille ou sourire joyeusement. Qui sait, il portera peut-être une petite coupure de rasoir. Et s'il te regarde à ce moment-là...

KALIAYEV. Ce n'est pas lui que je tue. Je tue le despotisme.

DORA. Bien sûr, bien sûr. Il faut tuer le despotisme. Je préparerai la bombe et en scellant le tube, tu sais, au moment le plus difficile, quand les nerfs se tendent, j'aurai cependant un étrange bonheur dans le cœur. Mais je ne connais pas le grand-duc et ce serait moins facile si, pendant ce temps, il était assis devant moi. Toi, tu vas le voir de près. De très près...

KALIAYEV, *avec violence.* Je ne le verrai pas.

DORA. Pourquoi ? Fermeras-tu les yeux ?

KALIAYEV. Non. Mais Dieu aidant, la haine me viendra au bon moment, et m'aveuglera.

*On sonne. Un seul coup. Ils s'immobilisent. Entrent Stepan et Voinov.*
*Voix dans l'antichambre. Entre Annenkov.*

ANNENKOV. C'est le portier. Le grand-duc ira au théâtre demain. (*Il les regarde.*) Il faut que tout soit prêt, Dora.

DORA, *d'une voix sourde.* Oui. (*Elle sort lentement.*)

KALIAYEV, *la regarde sortir et d'une voix douce, se tournant vers Stepan.* Je le tuerai. Avec joie !

## Fédor Dostoïevski, *les démons* (*Les possédés*) (1871/1872)

*Les démons[1] s'inspire de l'épisode Netchaïev qui marqua l'histoire de la Russie, et l'histoire du terrorisme, durant la seconde moitié du XIXᵉ siècle. En fixant l'action principale du roman autour des agissements de ce terroriste à la croisée des chemins entre les mouvements populistes, anarchistes et nihilistes, Dostoïevski règle ses comptes avec les divers courants politiques et culturels qui, venus d'Occident, ont à ses yeux pourri le noyau culturel de la Russie au XIXᵉ siècle. Mais Netchaïev prendra sa revanche sur l'écrivain en exerçant ultérieurement une influence profonde sur Lénine.*

« M'étant consacré entièrement à l'étude de l'organisation de la société de l'avenir qui doit remplacer la nôtre, reprit Chigaliov, je suis arrivé à cette conviction que tous les créateurs de systèmes sociaux, depuis les temps les plus reculés jusqu'à nos jours, ont été des rêveurs, des conteurs de sornettes, des sots, qui se contredisaient eux-mêmes et ne comprenaient rien aux sciences naturelles et à cet étrange animal qu'on appelle l'homme. Platon, Rousseau, Fourier ne sont que des colonnes d'aluminium ; ils sont bons, tout au plus, pour les moineaux et non pour les hommes. Or comme les formes sociales de l'avenir doivent être fixées précisément maintenant, quand enfin nous sommes tous décidés à passer à l'action sans plus hésiter, je propose mon système d'organisation du monde. Le voici, déclara-t-il en frappant son cahier. Je voulais vous exposer mon livre aussi succinctement que possible ; mais je vois qu'il me faudra y joindre encore quantité d'explications verbales. Mon exposé exigera donc au moins dix soirées d'après le nombre des chapitres de mon livre. (Il y eut quelques rires.) De plus, je dois vous prévenir que mon système n'est pas complètement achevé. (Nouveaux rires.) Je me suis embrouillé dans mes propres données et ma conclusion se trouve en contradiction directe avec l'idée fondamentale du système. Partant de la liberté illimitée, j'aboutis au despotisme illimité. J'ajoute à cela, cependant, qu'il ne peut y avoir d'autre solution du problème social que la mienne. »

Les rires augmentaient ; mais c'étaient les jeunes surtout qui riaient, les non-initiés, pour ainsi dire ; quant à Mme Virguinsky, à Lipoutine et au professeur boiteux, leurs visages exprimaient un certain dépit.

« Si vous-même n'avez pu réussir à parachever votre système et si vous vous trouvez de ce fait réduit au désespoir, qu'y pouvons-nous faire, nous autres ? observa prudemment l'un des officiers.

– Vous avez raison, monsieur l'officier, répondit d'un ton tranchant Chigaliov, et tout particulièrement en employant ce terme de désespoir. Oui, j'étais acculé au désespoir. Et cependant, impossible de dire autre chose que ce que je dis dans mon livre ; il n'y a pas d'autre issue. On ne trouvera rien d'autre. C'est pourquoi, sans perdre de temps, je m'empresse d'inviter l'assistance à écouter la lecture de mon livre pendant dix soirées et à me dire ensuite ce qu'elle en pense. Si vous refusez de m'écouter, alors il ne nous reste plus qu'à nous séparer, les hommes pour retourner à leurs bureaux, et les femmes à leur cuisine. Car si vous repoussez mon système,

---

1. Nous avons repris le titre *Les démons*, qui figure dans la traduction de la Pléiade due à Boris de Schlœzer, parce qu'il rend plus fidèlement le titre original que *Les possédés*.

vous ne trouverez pas d'autre solution, vous n'en trouverez aucune. Ayant perdu votre temps, vous serez immanquablement obligés d'y revenir. »

On commença à s'agiter. « Est-il fou ? » demandèrent quelques voix.

« Ainsi donc, conclut Liamchine, il s'agit en somme du désespoir de Chigaliov, et toute la question est de savoir s'il doit ou non désespérer ?

– Le désespoir de Chigaliov est une question personnelle, déclara le collégien.

– Je propose de voter pour savoir jusqu'à quel point le désespoir de Chigaliov présente un intérêt général et s'il vaut la peine d'écouter son livre, lança gaiement un officier.

– Il ne s'agit pas de cela, intervint le professeur boiteux. Il avait d'ordinaire en parlant un léger sourire moqueur, de sorte qu'on ne savait pas très bien s'il plaisantait ou parlait sérieusement. Non, messieurs, il ne s'agit pas de cela. M. Chigaliov s'est voué trop entièrement à sa tâche, et, en plus, il est trop modeste. Je connais son livre. Pour résoudre définitivement la question sociale, il propose de partager l'humanité en deux parts inégales. Un dixième obtiendra la liberté absolue et une autorité illimitée sur les neuf autres dixièmes qui devront perdre leur personnalité et devenir en quelque sorte un troupeau ; maintenus dans une soumission sans bornes, ils atteindront, en passant par une série de transformations, à l'état d'innocence primitive, quelque chose comme l'Éden primitif, tout en étant astreints au travail. Les mesures préconisées par l'auteur pour dépouiller les neuf dixièmes de l'humanité de leur volonté et les transformer en troupeau au moyen de l'éducation, sont extrêmement remarquables ; basées sur les données des sciences naturelles, elles sont parfaitement logiques. On peut ne pas accepter certaines de ses conclusions, mais il est impossible de nier l'intelligence et les connaissances de l'auteur. Il est regrettable que, vu les circonstances, nous ne puissions pas lui accorder les dix soirées qu'il réclame, car nous entendrions certainement bien des choses intéressantes.

– Est-il possible que vous preniez au sérieux cet homme qui, ne sachant que faire de l'humanité, en réduit les neuf dixièmes en esclavage ? demanda non sans inquiétude Mme Virguinsky au boiteux. Il y a longtemps qu'il me paraissait suspect.

– Vous parlez de votre frère ? s'enquit le boiteux.

– Encore les liens du sang ! vous moquez-vous de moi ?

– Et puis, travailler pour les aristocrates et leur obéir comme à des dieux, c'est une lâcheté, fit l'étudiante indignée.

– Ce que je propose n'est pas une lâcheté, mais le paradis, le paradis terrestre, et il ne peut y en avoir d'autre, conclut Chigaliov avec autorité.

– Et moi, s'écria Liamchine, au lieu d'organiser le paradis terrestre, si je ne savais que faire des neuf dixièmes de l'humanité je les ferais sauter et ne laisserais en vie qu'une poignée de gens instruits qui se mettraient à vivre paisiblement conformément aux principes scientifiques.

– Il faut être un bouffon pour parler ainsi ! protesta la jeune fille.

– C'est un bouffon, en effet, mais il est utile, lui murmura Mme Virguinsky.

– Peut-être bien serait-ce la meilleure solution du problème, intervint Chigaliov en se tournant vivement vers Liamchine. Vous ne savez certainement pas que vous venez de dire une chose très profonde, monsieur le plaisantin. Mais comme votre idée est presque irréalisable, il faut bien se contenter du paradis terrestre puisqu'il faut l'appeler ainsi.

– Que de bêtises ! laissa échapper comme par mégarde Verkhovensky sans lever la tête et tout en continuant de se tailler les ongles d'un air tout à fait indifférent.

– Pourquoi des bêtises ? intervint aussitôt le boiteux comme s'il n'eût attendu que le moment propice pour attaquer Piotr Stépanovitch. Pourquoi des bêtises ? L'amour de M. Chigaliov pour l'humanité est quelque peu fanatique ; mais rappelez-vous que Fourier, Cabet surtout, et même Proudhon se sont montrés partisans de certaines solutions des plus despotiques et, à première vue, fantaisistes. M. Chigaliov est peut-être même plus raisonnable qu'eux. Je vous assure qu'après la lecture de son livre, il est presque impossible de ne pas admettre certaines de ses idées. Il s'est peut-être moins éloigné du réalisme que les autres, et son paradis terrestre est presque le vrai paradis, celui-là même après lequel les hommes aspirent, l'ayant perdu, si tant est qu'il ait jamais existé.

– Je prévoyais bien que j'entendrais quelque chose de ce genre, grommela de nouveau Verkhovensky.

– Permettez ! s'écria le boiteux de plus en plus enragé, de nos jours parler et discuter de l'organisation future de l'humanité est devenu presque une nécessité pour tous les gens qui réfléchissent. Durant toute sa vie Herzen ne s'est occupé que de cela, et je sais de source certaine que Bélinsky passait des soirées entières à discuter avec ses amis de la question sociale en fixant les moindres détails, les détails de « cuisine », pour ainsi dire, de la société future.

– Il y en a même qui en sont devenus fous, observa le major.

– En discutant, il est possible d'arriver à un résultat quelconque, et cela vaut toujours mieux que de garder le silence en posant au dictateur, fit d'une voix sifflante Lipoutine, se risquant enfin à ouvrir l'attaque.

– En disant que tout cela n'était que des bêtises, je n'avais nullement en vue Chigaliov, proféra nonchalamment Verkhovensky. Voyez-vous, messieurs, ajouta-t-il en levant un peu les yeux, à mon avis tous ces livres, Fourier, Cabet, le « droit au travail », les idées de Chigaliov, tout cela ressemble aux milliers de romans qui paraissent tous les jours : un passe-temps esthétique ! Je comprends que, vous ennuyant dans cette petite ville, vous vous amusiez à noircir du papier.

– Permettez ! reprit le boiteux en s'agitant sur sa chaise. Nous ne sommes que des provinciaux, il est vrai, et, par conséquent, dignes de pitié ; mais à notre connaissance, il ne s'est encore rien passé dans le monde de si sensationnel et il n'y a donc pas lieu pour nous de nous lamenter sur notre ignorance. Des proclamations d'origine étrangère nous invitent à réunir nos efforts dans le but de tout détruire, vu que quoi qu'on fasse pour guérir la société on n'y arrivera jamais, tandis qu'en tranchant cent millions de têtes on simplifie la situation et l'on est plus sûr de franchir le fossé. Idée excellente, certes, mais tout aussi irréalisable que celle de Chigaliov que vous traitez si dédaigneusement !

– Tout cela est très bien, mais je ne suis pas venu ici pour discuter, laissa tomber négligemment Piotr Stépanovitch et il rapprocha la bougie comme s'il ne se doutait même pas de la gaffe qu'il venait de commettre.

– Il est regrettable, il est très regrettable que vous ne soyez pas ici pour discuter, et c'est dommage aussi que vous soyez en ce moment si absorbé dans votre toilette.

– Que vous fait ma toilette ?

– Il est aussi difficile de trancher cent millions de têtes que de transformer le monde par la propagande ; peut-être même est-ce plus difficile encore, surtout en Russie, observa Lipoutine se risquant de nouveau.

– Tous les espoirs maintenant reposent sur la Russie, dit un officier.

– Oui, il paraît qu'on fonde sur elle de grandes espérances, répliqua le boiteux. Nous savons qu'un doigt mystérieux a désigné notre charmante patrie comme étant de tous les pays le plus capable d'accomplir cette grande œuvre. Mais voici ce que je vous ferai observer : au cas où le problème social est résolu graduellement par la propagande, j'y gagne toujours quelque chose : d'abord, la possibilité de bavarder agréablement, et ensuite la récompense dont le gouvernement futur reconnaîtra les services que j'aurai rendus à la cause sociale. Tandis que dans le cas d'une solution immédiate, si l'on coupe cent millions de têtes, personnellement qu'y gagnerai-je ? En propageant de telles doctrines on risque d'avoir la langue coupée.

– La vôtre le sera sûrement, dit Verkhovensky.

– Vous voyez bien. Et comme dans les circonstances les plus favorables vous ne pourriez achever ce massacre en moins de cinquante, ou, mettons, trente ans, car il ne s'agirait pas de moutons et peut-être bien que les victimes ne se laisseraient pas faire, ne vaudrait-il donc pas mieux plier bagage et émigrer quelque part au loin, sur quelque île tranquille pour y finir ses jours en paix ? Croyez-moi ! – il frappa la table du doigt – votre propagande ne fera qu'encourager l'émigration, rien de plus. »

Il triomphait. C'était une des fortes têtes de la province. Lipoutine souriait d'un air entendu. Virguinsky paraissait assez abattu ; les autres suivaient la discussion avec un vif intérêt, tout particulièrement les dames et les officiers. Tout le monde se rendait compte que l'agent des cent millions de têtes était acculé, et l'on attendait la fin.

« Je dois dire que vous venez d'émettre une idée assez juste, bredouilla d'un ton encore plus indifférent et même avec un certain ennui Verkhovensky. Émigrer, l'idée est excellente. Et cependant, en dépit des désavantages évidents que vous pressentez, les soldats qui embrassent notre cause se font chaque jour plus nombreux ; on se passera de vous. Il s'agit d'une nouvelle religion appelée à remplacer l'ancienne, il s'agit d'une chose importante, c'est pourquoi le nombre de nos soldats augmente. Mais vous, émigrez. Et vous savez, je vous conseille de vous installer non pas dans quelque île tranquille, mais à Dresde. D'abord, cette ville n'a jamais connu les épidémies ; or, étant un homme cultivé vous devez certainement craindre la mort ; ensuite, ce n'est pas loin de la frontière russe, de sorte qu'on pourra plus facilement vous envoyer vos revenus de votre patrie bien-aimée ; puis, cette ville est remplie de ce qu'on appelle des trésors artistiques ; or vous êtes un esthète, un ancien professeur de littérature, je crois. Enfin, vous y aurez sous la main une véritable Suisse en miniature : ceci, c'est pour l'inspiration poétique, car vous faites des vers sans doute. Bref, un trésor dans une tabatière. »

Il y eut des mouvements divers ; les officiers s'agitèrent sur leurs chaises. Encore un moment, et tout le monde se mettait à parler à la fois ; mais le boiteux mordit à l'appât :

« Non, peut-être n'abandonnerons-nous pas la Cause commune ! C'est à voir...

– Quoi ! vous accepteriez d'entrer dans notre groupe si je vous le proposais ? » lança soudain Verkhovensky, et il déposa les ciseaux sur la table.

Tous tressaillirent. L'énigmatique personnage se démasquait brusquement. Il avait même osé parler du « groupe ».

« Celui qui se considère comme un honnête homme ne peut faillir à sa tâche, répondit le boiteux non sans gêne, mais...

– Permettez, il ne s'agit pas de *mais* maintenant, l'interrompit Piotr Stépanovitch d'un ton impérieux. Je vous déclare, messieurs, qu'il me faut une réponse claire et nette. Je comprends parfaitement qu'étant venu ici et vous ayant réunis, je vous dois moi-même des explications (encore une révélation inattendue), mais il m'est impossible de vous en donner tant que j'ignore votre état d'esprit. Laissant de côté les paroles inutiles – car on ne peut discourir encore trente ans comme on l'a déjà fait trente ans durant – je vous demande ce que vous préférez : la méthode lente, c'est-à-dire les romans sociaux et le règlement sur le papier des destinées de l'humanité, mille ans à l'avance, tandis que le despotisme avalera les bons morceaux qui vous tombent dans la bouche et que vous refusez, ou bien une solution rapide quelle qu'elle soit, qui vous déliera les mains et permettra à l'humanité de s'organiser elle-même, en toute liberté, et non sur le papier, mais en fait ? « Cent millions de têtes ! » crie-t-on. Ce n'est qu'une métaphore, peut-être. Et quand bien même ce n'en serait pas une ? Tandis qu'on rêve et qu'on noircit du papier, ce n'est pas cent millions, c'est cinq cents millions de têtes que dévorera le despotisme. Remarquez aussi que vous ne guérirez pas un incurable en dépit de toutes vos ordonnances ; au contraire, si vous tardez, il finira par nous infecter tous et par contaminer les jeunes forces sur lesquelles on pourrait encore compter ; ce sera notre perte à tous. Je vous accorde qu'il est très agréable de se répandre en paroles libérales et éloquentes, tandis que l'action présente certains risques... Du reste, je ne suis pas orateur ; je suis venu ici pour vous faire une communication, aussi je demande à l'honorable société de déclarer tout simplement, sans aller aux voix, ce qui l'amuse davantage : patauger dans le marécage à une allure de tortue ou le traverser à toute vapeur.

© Gallimard, 1955, pour la traduction.

*Textes choisis par Arnaud Blin.*

# Manifestes, discours et théorie (I)

## Edward Saxby, *Killing no Murder* (1657)
## (Pamphlet anonyme contre Cromwell)

Il nous appartient tout particulièrement d'amener ce monstre devant la justice, puisqu'il a fait de nous des instruments de sa vilenie, ce qui nous vaut d'être détestés et maudits tout comme lui par tous les hommes de bien. Les autres n'ont que leur liberté à défendre, mais nous devons en plus défendre notre honneur. Nous avons engagé le peuple à le suivre, nous sommes portés garants de lui auprès du peuple, et il doit attendre de nous que nous le punissions, ne pouvant le faire lui-même. Ce que le peuple endure et qui passera à la postérité nous sera reproché : car nous seuls, sous le regard de Dieu, avons le pouvoir d'abattre ce Dragon que nous avons créé. Et si nous ne l'abattons pas, l'humanité tout entière dira de nous que nous avons approuvé toutes ses vilenies, et que nous sommes responsables de celles à venir. Devons-nous supporter un roi qui se conduit en tyran, devons-nous souffrir ce tyran affirmé ? Nous, qui avons résisté au lion qui nous attaquait, devons-nous céder face au loup qui nous menace ? S'il n'existait aucun remède à cette situation, nous pourrions nous exclamer : « *Utinam te potius (Carole) retinuissemus quam hunc habuissemus, non quod ulla sit optanda servitus, sed quod ex dignitate Domini minus turpis est conditio servi* » ; nous préférerions avoir encore à te supporter (Charles) plutôt que de ployer sous le joug de ce vil tyran. Non pas que nous désirions être mis dans des fers, mais que la qualité du maître améliore parfois la condition de l'esclave.

Si nous considérons avec raison ce que notre devoir, nos engagements et notre honneur exigent de nous, ce que notre sécurité et notre intérêt nous ordonnent, il serait irresponsable, tant par la raison que par la vertu, de laisser cette vipère en vie. Tout d'abord parce qu'il sait que nous sommes les seuls à pouvoir le blesser et qu'il fera donc tout ce qui est en son pouvoir pour se prémunir de nous. Il sait à quel point il s'est comporté avec nous de manière fausse et perfide et craindra toujours notre vengeance, qu'il sait mieux que quiconque avoir méritée.

Enfin, il connaît nos principes et à quel point ils sont contraires au pouvoir arbitraire par lequel il entend gouverner et doit donc raisonnablement penser que nous, qui avons déjà risqué nos vies contre la tyrannie, continuerons de le faire, si nous en avons l'opportunité.

Ces considérations le persuaderont aisément de se prémunir de nous si nous ne l'en empêchons pas et ne nous prémunissons pas de lui. Il lit dans sa profession de foi. « *Chi diviene patron* », etc. : celui qui se rend maître d'une cité habituée à la liberté et ne la détruit pas, celui-là s'expose à être détruit par elle. Et nous pouvons lire, du même auteur, en qui nous croyons, qu'il saurait saisir les occasions de détruire ceux qui n'auront pas assez d'esprit et de courage pour se prémunir eux-mêmes.

Pour ce qui est de nous, nous ne devons pas nous attendre à ce qu'il fasse confiance à ceux qu'il a provoqués et craints. Il tentera de nous abattre, à moins que nous ne le frappions. C'est une règle que les tyrans observent quand ils sont au pouvoir de ne pas trop s'appuyer sur ceux qui l'ont aidé à l'obtenir. Et il est dans leur intérêt de ne pas le faire car ceux qui sont les auteurs de sa fortune, conscients de leur propre mérite, se montrent un peu trop hardis envers lui et peu empressés de le servir. Ils pensent que tout ce qu'il peut faire pour eux leur est dû et en attendent davantage ;

et lorsque leurs espoirs sont déçus (et il est impossible de les satisfaire jamais), leur déception les rend mécontents et leur mécontentement les rend dangereux. Les tyrans suivent donc l'exemple de Dionysos qui utilisait dit-on ses amis comme des bouteilles : quand il en avait besoin, il les gardait près de lui, mais quand il n'en avait plus la nécessité et que le passage en était encombré, il les faisait pendre.

Pour conclure cet article passablement long : Que chaque homme à qui Dieu a donné la sagesse et le courage soit certain que son honneur, sa sécurité, son propre bien, celui de son pays et le devoir qu'il a envers sa génération et l'humanité, lui ordonnent de libérer le monde de cette infection par tous les moyens. Ne laissons pas d'autres nations nous considérer avec mépris en restant immobiles et en bouchant nos oreilles, en nous laissant aller au découragement et au désespoir pour ne pas recouvrer notre liberté et continuer de nous battre jusqu'à ce que nous l'ayons obtenue, soit par la mort de ce monstre, soit par la nôtre. Ce brave Sindercombe a fait preuve d'une grandeur d'âme digne de la Rome ancienne. S'il y avait vécu, son nom figurerait avec ceux de Brutus et Caton et des statues lui seraient dédiées, comme à eux.

Mais je ne me montrerai pas assez dur envers nous, malgré le manque de générosité que notre esclavage nous laisse, pour penser qu'une telle vertu n'est pas récompensée par des monuments, même en notre sein. Il existe, dans chaque âme vertueuse, des statues dédiées à Sindercombe. Quand nous lisons les élégies à ceux qui sont tombés pour le pays ; quand nous admirons ces grands exemples de magnanimité qui ont défié la cruauté des tyrans ; quand nous louons leur intransigeance et le fait que ni la corruption ni la terreur ne sont parvenues à leur faire trahir leurs amis ; c'est ainsi que nous érigeons des statues à Sindercombe et gravons son nom sur des monuments où tout ce qui peut être dit sur cette âme grande et noble constitue une juste épitaphe. Bien que le tyran l'ait fait étouffer, de crainte que le peuple n'empêche son meurtre au grand jour, il ne pourra jamais étouffer son souvenir ni sa propre vilenie. Son poison n'était qu'un misérable artifice qui n'en impose qu'à ceux qui ne comprennent pas les coutumes des tyrans et ne peuvent s'habituer, si tant est que cela soit possible, à sa cruauté et sa duplicité. Il peut bien enlever la stèle de la tombe de Sindercombe et s'il désire que l'on sache comment il est mort, y faire envoyer l'oreiller et la couette sous lesquels Barkstead et son bourreau l'ont étouffé. Mais pour conclure : Ne laissons pas à ce monstre le loisir de se croire en sécurité parce qu'il s'est débarrassé d'un grand homme : il peut compter sur le fait que « *longus post illum, sequitur ordo idem petentium decus* ».

Il existe une longue liste de personnes, y compris parmi ses soutiens, qui désirent faire partie de ceux qui délivreront le pays. Et ils savent fort bien par quel biais ils y parviendront. Son lit, sa table, sont dangereux ; et il aura besoin d'autres gardes pour le défendre contre les siens. La mort et la destruction le poursuivent où qu'il aille : elles le poursuivent partout, sont ses compagnes de voyage et lui tomberont dessus sous la forme d'hommes en armes. Le danger se tapit dans ses repères secrets, un feu mal éteint pourrait le consumer ; la maladie guette en son tabernacle. Il devra fuir l'acier de l'épée et un arc de fer le transpercera pour avoir oppressé et abandonné les pauvres, pour avoir violemment pris pour lui une maison qui n'est pas sienne. Nous devons être certains, tout comme lui, que cela va se produire bientôt : car le triomphe du malin est court et la joie de l'hypocrite ne dure qu'un temps. Même si Son Excellence monte au ciel et que sa tête atteigne les nuages, il sera mort pour l'éternité, comme son propre fumier. Et ceux qui l'auront connu diront : où est-il ?

## Karl Heinzen, *Le meurtre*
(*Die Evolution*, Biel, février-mars 1849)

## I

Nous devons appeler un chat un chat. La vérité doit jaillir, qu'elle soit terrible ou agréable, qu'elle revête la blanche robe de la paix ou celle rouge de la guerre. Soyons francs et honnêtes, rejetons le voile et exprimons clairement quelle est la leçon qui nous est administrée chaque jour par des actes et des menaces, le sang et la torture, les canons et les gibets des princes et des combattants de la liberté, des Croates et des démocrates : le meurtre est le principal agent du progrès dans l'histoire.

Les égoïstes commencent à tuer et sont bientôt imités par les penseurs. Quoi qu'ils fassent, ces partis s'exposent sans cesse à tuer ou être tués et l'*ultima ratio* de chacun est la disparition pure et simple de ses opposants.

Cet art de faire disparaître ses ennemis a été désigné sous une grande variété de noms. Dans un pays, on les met à mort « légalement » par un exécuteur et l'on appelle cela la peine de mort. Dans un autre pays, on attend tapi dans l'ombre avec des stylets et l'on appelle cela un assassinat ; ailleurs, on organise cette disparition à grande échelle et on lui donne le nom de guerre. Examinées au grand jour, ces différentes appellations apparaissent pour ce qu'elles sont : superficielles ; car que je sois exécuté, assassiné ou taillé en pièces, le résultat est le même. Je suis envoyé dans l'autre monde et ce départ vers l'autre monde était le but de mes ennemis. Aucune personne rationnelle et ayant l'esprit clair ne peut accepter cette distinction de façade rendant tantôt acceptables et tantôt condamnables ces différentes façons de se débarrasser de ses adversaires. Ces distinctions s'appuient sur des fictions légales ou théologiques et ne changent en rien les faits qui, dans chaque cas, se résument à faire disparaître ses adversaires.

Nous maintenons que, conformément aux principes fondamentaux d'humanité et de justice, l'assassinat volontaire d'un autre être humain est un crime contre l'humanité, que nul n'a le droit, sous quelque prétexte que ce soit, de détruire la vie d'un autre et que toute personne qui tue quelqu'un ou le fait tuer est tout simplement un meurtrier. Mais contre nos ennemis, leurs bourreaux et leurs soldats, leurs lois de « haute trahison » et leur inquisition, leurs canons et leurs fusils modernes, leurs shrapnels et leurs fusées à la Congreve, nous n'aboutirons à rien avec notre humanité et nos idéaux de justice ; nous contenter d'affirmer qu'un inquisiteur ou un général est un meurtrier de la même espèce qu'un bandit ou un partisan ne doit nous servir qu'à nous convaincre que nous pouvons disposer de lui de manière tout à fait « légale ».

Ayons donc le sens pratique, appelons-nous meurtriers comme nos ennemis le font, débarrassons ce grand outil historique de la répulsion morale qui y est accolée, et demandons-nous si nos ennemis peuvent se réclamer d'un privilège particulier dans le domaine du meurtre. Si le meurtre est toujours un crime, il est donc interdit à tous ; si ce n'est pas un crime, il est permis à tous. Une fois surmontée l'idée que le meurtre est un crime en soi, il ne reste plus qu'à croire en la justesse de sa lutte contre l'ennemi et à s'assurer des moyens de s'en débarrasser. La simple logique comme l'étude des faits historiques suscitent en nous cette conclusion. Nous ne désirons commettre *aucun* assassinat, *aucun* meurtre, mais si nos ennemis ne sont pas du même avis, s'ils peuvent justifier le meurtre et aller jusqu'à s'en octroyer le privilège, la nécessité nous force à le lui disputer ; et le pas n'est pas grand qui sépare cette nécessité de l'action de Robespierre, qui condamna à l'échafaud des centaines de milliers de personnes pour le bien de l'humanité.

Nous considérons comme un principe fondamental, enseigné par nos ennemis, que le meurtre, individuel ou en masse, est une nécessité, un instrument inévitable pour atteindre un but historique. Considérons à présent cette question sous différents angles, afin de déterminer quand l'utilisation de cet instrument sanglant est justifiée et quand elle ne l'est pas.

Écoliers, nous avons été émus et excités par l'histoire de ces deux jeunes héros, Harmodios et Aristogiton, qui assassinèrent le tyran Hipparque. Ceux qui nous racontaient cette histoire, et nous présentaient cet assassinat comme un fait glorieux, étaient les instituteurs du roi, des individus qui exhalaient la moralité, la loyauté et la crainte de Dieu par tous leurs pores. Nous ne les avons jamais entendus dire que Harmodios et Aristogiton étaient des « assassins odieux », des « anarchistes », des « agitateurs », etc. Ni que la victime, Hipparque, était un « dirigeant légitime », une « personne sacrée », etc. Ni qu'au lieu de l'assassiner, ils auraient dû le renvoyer par des « moyens constitutionnels ». Que pouvons-nous en conclure ?

Tous les écoliers du pays récitent un poème du pourtant très estimé Schiller et qui, au tout début, évoque un « assassin » qui « surprend un tyran », avec « une dague cachée sous sa cape », puis fait du tyran un ami de l'assassin. Que devons-nous en conclure ?

Mucius Scaevola se glissa dans le camp du roi Porsenna avec l'intention d'assassiner un ennemi de sa patrie. Il tua par erreur le secrétaire de Porsenna. Il fit alors savoir à Porsenna que 300 autres Romains avaient juré avec lui de le tuer. Dans tous les livres d'histoire et les écoles, Scaevola est loué comme un héros et personne n'est scandalisé par le fait que 300 autres Romains étaient prêts à prendre sa place. Que devons-nous en conclure ?

Un des principaux adversaires du grand César, et l'un de ses assassins, n'est autre que Brutus, aimé à ce point tendrement de César qu'il semble l'avoir pris pour fils adoptif. Personne ne s'est indigné du fait que ce républicain a refoulé tout sentiment et toute gratitude pour devenir un assassin, voire un parricide ; au contraire, royalistes, moralistes, républicains et « anarchistes » le considèrent toujours comme un des plus grands hommes de l'histoire et « le dernier des Romains ». Que devons-nous en conclure ?

Dans l'Antiquité païenne, le meurtre d'un tyran était juste, honorable et du devoir de chacun, et aucun des instituteurs du roi ou professeurs de notre ère chrétienne ne contesterait ce point. Que devons-nous en conclure ?

Prenons des exemples de l'histoire plus récente.

Sand assassina le traître Kotzebue avec une dague au lieu de le supprimer d'un trait de plume. Les réactionnaires le montrèrent du doigt, tandis que les libéraux regrettèrent qu'il ait risqué sa vie pour tuer un homme dont la personne et la position ne justifiaient pas une telle mesure. Que devons-nous en conclure ?

Un jeune Allemand, du nom de Statz (sic), tenta d'assassiner Napoléon mais fut maîtrisé et désarmé. Ce jeune homme fut loué pour sa tentative et son nom serait sans doute un des plus célèbres en Allemagne s'il était parvenu à ses fins en plongeant sa dague dans le corps d'un des hommes les plus puissants de l'histoire. Que devons-nous en conclure ?

À Francfort-sur-le-Main, deux députés, Lichnowski et Auerswald, furent assassinés. Les partis réactionnaires et constitutionnels dans leur ensemble s'en indignèrent avec force et les autorités centrales mobilisèrent la moitié du continent pour mettre la main sur les assassins. À Vienne, un autre député, Robert Blum, fut assassiné par les séides de Windischgrätz, et le pouvoir central se borna à quelques enquêtes préliminaires qui ne débouchèrent sur rien. Si Robert Blum avait été un prince allemand au lieu d'un député allemand, le « parlement national » aurait demandé aux autorités centrales de déclarer la guerre à l'Autriche. Que devons-nous en conclure ?

À Francfort, ce sont le prince Lichnowski et le comte Auerswald qui ont été assassinés. À Vienne, ce n'était que Robert Blum, un homme du peuple. Dans le premier cas, le parti réactionnaire s'indigna et cria haro sur les « anarchistes ». Lorsqu'une quête fut organisée pour les descendants de M. Auerswald, les marques de sympathie provenant de ce riche parti se résumèrent à une bien maigre somme. Le second meurtre causa un tel chagrin au sein du parti du député que des services funéraires furent tenus dans des centaines d'églises et que sa famille devint rapidement riche. Que devons-nous en conclure ?

Voici quelques conclusions que nous pouvons tirer, sans contredit, de ces faits :

1. Il semble que l'histoire juge avant tout un assassin sur ses motivations. L'histoire ne semble pas condamner le meurtre lui-même.

2. Il semble que la réaction morale au meurtre soit fonction des intérêts de ceux qui y réagissent, ce qui était regardé comme une vertu par les Anciens serait regardé comme un crime à notre époque bien policée. Aucun des professeurs qui traduisent si gaillardement les exploits meurtriers des Grecs anciens ne recommande la traduction dans les faits de ces exploits.

3. Le comportement courageux du meurtrier semble être autant considéré que la réussite de l'action elle-même.

4. Il semble que le meurtre ne soit justifié que lorsqu'il frappe une victime dont l'élimination signifie la disparition d'un représentant ou d'un soutien d'un pouvoir pernicieux.

5. Il semble que seuls les « vulgaires voleurs » comme les « vulgaires assassins » finissent sur le gibet, tandis que les gros poissons s'en tirent sans encombre.

6. Il semble que seul le parti de la liberté ait des martyrs, les partis réactionnaires n'ont que des instruments.

Nous sommes conduits à des conclusions similaires lorsque nous considérons les meurtres de masse, les meurtres organisés que l'on appelle guerre. Autrefois, les plus justes avaient le droit avec eux, mais ils ont dû l'abandonner aux plus forts. Autrefois, l'idéal était le facteur déterminant, remplacé aujourd'hui par l'intérêt personnel. Autrefois, la justice était l'arbitre, aujourd'hui, ce sont les partis. Autrefois, les idées étaient décisives, aujourd'hui, c'est l'utilité. Le meurtre organisé, ou guerre, est accepté comme une nécessité en soi. C'est un outil, comme un couteau, et la question posée est celle de son adéquation à telle ou telle fin, et celle de savoir si elle parviendra ou pas à l'atteindre.

Ce que nous voyons donc pratiquement, une fois l'idée de meurtre acceptée, est que la question morale n'a plus de fondement, que la légalité semble sans objet et que la politique seule semble être encore d'actualité. Le but est-il atteint ? C'est la seule question que vous qui cultivez et organisez le meurtre nous autorisez à nous poser en nous forçant à accepter votre théorie du meurtre.

Il est possible que le meurtre ne soit pas seulement une nécessité historique mais aussi physique. Il est possible que l'atmosphère ou que la croûte terrestre aient besoin d'une certaine quantité de sang humain pour satisfaire ses besoins chimiques ou autres. Quand bien même ce besoin existerait, personne ne parviendrait à nous convaincre que le sang des aristocrates y est moins adapté que celui des démocrates. Il n'existe pas de loi de la physique qui indique que les défenseurs des droits de l'homme doivent donner leur part de quota pour satisfaire les besoins de sang de la nature. Nous devons alors nous demander si le temps n'est pas venu – ou ne va pas venir – où nous serons suffisamment forts pour exiger certaines choses de nos ennemis. Il semble qu'il est dans la nature des partis démocratiques dans leur ensemble de présenter des additions particulièrement salées pour apurer les dettes accumulées au fur et à mesure par les autres partis. La Révolution française est une démonstration de la forme que peut prendre ce solde, avec un gigantesque nombre de morts et qui, à en croire les signes, préfigure ce que sera la révolution européenne. Le parti réactionnaire n'a jamais eu d'objection aux assassinats et en a encore moins aujourd'hui. « Ai-je les moyens de perpétrer ces meurtres et atteindront-ils leur but ? » C'est la seule question que la réaction se soit jamais posée.

Quelle réponse pouvons-nous faire à cette question ? En Allemands consciencieux que nous sommes, nous demandons à nos professeurs en quoi nous serions plus criminels qu'Harmodios, Mucius ou Brutus en nous débarrassant d'un Metternich, d'un Nicolas, d'un Windischgrätz ou d'un Ferdinand de Naples ? En d'autres termes, si nous avions envoyé dans l'autre monde plusieurs individus responsables du meurtre et de la torture de plusieurs millions de personnes, si nos professeurs nous parlaient le langage des Grecs et des Romains, ils devraient nous dire : demandez-vous jusqu'où vont votre courage et votre sens du sacrifice. Mais s'ils nous parlent en allemand, ils appelleront la police. Comment sortir de ce dilemme ?

Nos ennemis vont nous venir en aide. Avec leur violence homicide, nos ennemis nous démontrent que le meurtre est le principal instrument du progrès historique et que l'art le plus digne d'éloge de notre siècle est celui d'assassiner son prochain. Ferdinand bombarde Naples, Radetsky assassine les Lombards, Windischgrätz monte une attaque sur Vienne, Jelacic permet à ses Croates de se rouler dans les entrailles de ses victimes, « Olim le Grand » maintient tous ses meurtriers en place et le tsar se tient en retrait avec ses centaines de milliers de petits camarades assoiffés de sang. Aucun de ces hommes ne recule à l'idée de détruire des villes entières, ruiner des pays, faire assassiner les meilleurs des hommes, massacrer les innocents, violer les femmes, empaler les enfants, bref, raviver la bestialité et la barbarie des temps anciens pour sauver quelques couronnes et bafouer les droits de l'homme. Et nous ?

Les inventions vont de pair avec le développement dans d'autres sphères. Nos ennemis, avec leurs moyens de destruction de masse, stimuleront ces inventions qui rivaliseront avec les armées d'aujourd'hui comme agents de destruction. Le plus grand bénéficiaire de l'humanité sera celui qui trouvera le moyen de permettre à quelques hommes d'en annihiler des milliers. Quand nous apprenons qu'un convoi de personnes jugées complices d'assassinat a déraillé par suite d'une explosion de cordite ; que des bombes ont été placées sous les pavés pour que des compagnies entières d'envahisseurs barbares soient mises en pièces dès leur arrivée ; que peut-être des containers remplis de poison, se dispersant dans l'air, peuvent retomber sur des régiments et les détruire en entier ; que des chambres souterraines pleines de cordite peuvent détruire des villes, tuant leurs 100 000 esclaves meurtriers : ces méthodes nous montrent à quelles extrémités le parti de la liberté en est réduit par la masse du parti des barbares. Avoir un cas de conscience à assassiner des réactionnaires démontre un manque total de résolution. Ils sèment la destruction partout où ils le peuvent, nous obligeant ainsi à leur répondre en tant que défenseurs de la justice et de l'humanité. Kossuth était un homme d'énergie, mais il ne faisait pas assez preuve d'invention et surtout, il ne se fiait pas suffisamment à la cordite.

Même si nous devons faire sauter la moitié d'un continent et faire couler des flots de sang pour anéantir le parti des barbares, nous ne devons pas avoir le moindre scrupule à le faire. Celui qui ne donne pas joyeusement sa vie en sachant qu'il fera ainsi descendre des millions de barbares au cercueil n'a pas dans la poitrine un cœur républicain.

## II

Dans mon dernier article, j'ai écrit que « le plus grand bénéficiaire de l'humanité sera celui qui trouvera le moyen de permettre à quelques hommes d'en annihiler des milliers ».

Le parti démocratique dans son ensemble devrait faire ce qu'il faut pour y parvenir. Nous sommes certainement d'accord pour dire que le meurtre, sous ses formes passives ou actives, est une chose inévitable ; et quand le seul choix que nous ayons est soit d'être tué pour défendre la liberté, soit de tuer pour elle, il est difficile d'imaginer qu'un démocrate pourrait avoir à ce point des sentiments humains envers les barbares qu'il placerait de lui-même sa tête sur le billot. Il n'y a donc pas de doute à avoir sur la route à suivre. Nous ne devons nous préoccuper que de la manière de l'emporter dans ce combat mortel qui va bientôt commencer (ou a déjà commencé) avec le parti de la barbarie. Jusqu'à présent, le parti de la barbarie s'est montré bien supérieur à nous dans l'utilisation du meurtre. Le meurtre est le principal objet de leurs études depuis des siècles. Ils ont entraîné et organisé des centaines de milliers de laquais assassins. Ils disposent de tels instruments de meurtre et de tels moyens de destruction que, sans être Archimède (et à condition que le « da mihi punctum » ait été rempli), on pourrait priver l'astronomie de l'étude de quelques planètes exquises et autres étoiles. Tout ce que la nature, la science, l'art, l'industrie, le zèle, l'avarice et la soif de sang ont pu produire ou inventer est à la disposition du parti des barbares pour détruire et assassiner le parti humain, celui de la liberté. Le sang est leur alpha et leur oméga, il est leur fin et leur moyen, leur délice et leur vie, leur rêve, leur idéal, leur seul et unique principe. Qu'il en soit ainsi : sang pour sang, meurtre pour meurtre, destruction pour destruction. L'esprit de la liberté doit prendre sa juste mesure, faire montre de sa réelle vigueur et s'il sombre, doit se faire destructeur.

On a souvent affirmé que le parti de la liberté ne se soucie pas du nombre, que son principe à lui seul assure son triomphe, qu'il finira par l'emporter sur ses ennemis, aussi puissants soient-ils, etc. On cite les cas des Grecs, des Suisses, des Hollandais. Ces exemples nous sont rabâchés depuis des siècles pour nous consoler et nous donner de l'espoir. À mon avis, ces miettes d'espoir ne font que renforcer notre indécision et notre superstition. Il est bien sûr aussi certain que le progrès l'emportera sur la réaction comme le printemps qui l'emporte sur l'hiver ; mais la vérité de cette affirmation ne répond pas à la myriade de questions telles que : où ? comment ? et dans combien de temps ? Ces variables sont importantes et cruciales, car elles peuvent décider que pour des siècles, les lois du progrès ne riment à rien, tandis qu'avec quelques coups de pistolet, quelques canons et un peu de cordite, cette loi pourrait s'appliquer pour ces mêmes personnes et pour ces mêmes siècles.

Aussi, cette vague croyance dans la force morale et la victoire finale du parti de la liberté sur celui de la barbarie n'est qu'un soporifique, un instrument d'autodestruction. Le bon sens recommande de ne pas accepter une loi interdisant de se défendre face à certaines attaques jusqu'à ce que le couteau des meurtriers soit sous notre gorge ; tout comme il refuserait d'accepter une loi ordonnant aux pères de se laisser tuer afin que leurs fils apprennent à se défendre ; tout comme il refuserait d'accepter une loi interdisant de tirer plus d'un coup de feu vers l'ennemi quand il en tire dix ; tout comme il refuserait d'accepter une loi ordonnant de se servir de lances à eau pour combattre un ennemi qui se bat avec du poison et des armes à feu. Tout comme il refuserait d'accepter une loi ordonnant à chacun de croire une réconciliation possible avec un ennemi dont la nature est rétive à tout accord de paix et dont le principe même d'existence est qu'il ne s'améliorera jamais. C'est pourquoi, une fois encore, je dis que nous devons répondre au sang par le sang, au meurtre par le meurtre, à la destruction par la destruction.

Ceux qui mettent en avant la supériorité qualitative de la minorité des progressistes sur la majorité des réactionnaires peinent à voir à quel point les circonstances et la lutte ont changé. Un fusil a bien plus de courage qu'un millier de combattants de la liberté, et les shrapnels ou la mitraille ne se soucient pas de savoir s'ils déciment une troupe de Spartiates ou de Thébains, un corps de confédérés ou de Hongrois. Auparavant, avant que le système des armées permanentes ne soit mis en place, avant que le courage et la force physique ne soient remplacés par de simples instruments de meurtre, avant qu'il soit possible pour des lâches de semer la destruction à une très longue distance, avant que le coût d'équipement des armées ne coûte au peuple plus de la moitié de ses revenus, avant que la possession des armes et l'entraînement à leur maniement n'ait atteint un tel déséquilibre, au temps où l'on pouvait se battre d'homme à homme et les yeux dans les yeux, en ce temps-là, il était possible pour un petit groupe d'hommes motivés par l'esprit de la liberté et par un courage né du désespoir, de vaincre avec aisance une force supérieure de laquais assassins, qui n'agissaient qu'en suivant les ordres d'un despote. Aujourd'hui, les circonstances ont changé. Il est certain que la force spirituelle guidant les combattants est toujours importante et qu'à égalité de moyens de destruction, un corps de combattants de la liberté mettrait en déroute une troupe équivalente de mercenaires d'un despote. Mais la supériorité des barbares en

     Organisation
     Entraînement
     Nombre
     Moyens de destruction

est, comme presque toutes les batailles récentes l'ont montré, si forte qu'il est simplement ridicule d'affirmer que cette supériorité peut être contrebalancée par l'esprit du combattant de la liberté et la justesse de sa cause.

Nous devons être plus pragmatiques que nous ne le sommes, être plus résolus, plus énergiques et plus imprudents. Cet « esprit de la liberté » doit s'habituer aux dagues et au poison et la « bonne cause » doit se pencher sur les arcanes du pouvoir et de la cordite.

Le but de notre étude doit être l'élimination de la supériorité du parti des barbares en inventant de nouvelles méthodes d'assassinat, permettant d'annuler l'avantage numérique des masses organisées par le biais d'instruments de destruction qui

1. peuvent être manipulés par un petit nombre de personnes ;
2. font plus de dégâts et tuent le plus grand nombre de personnes prises pour cibles.

Le parti des barbares possède des manufactures d'armes lui permettant de produire des canons, des fabriques de poudre permettant d'en produire, et est parfaitement libre de mettre ses canons en batterie et d'y glisser de la poudre. Nous n'avons rien de tout cela. Nous n'avons pas d'argent pour acheter des canons, et si nous en avions, nous ne pourrions les montrer à l'air libre : il suffirait de quelques policiers pour nous en priver. Le premier des problèmes est donc de savoir s'il est possible d'inventer des instruments qui peuvent être fabriqués sans être vus, être transportés sans attirer l'attention, être manipulés sans grands efforts et qui soient, pour finir, aussi efficaces que de gros canons.

Le parti des barbares dispose de shrapnels, de fusées à la Congreve, etc. Ces instruments ne sont utiles ou pratiques que pour annihiler des masses d'individus. Une fusée lancée au milieu d'un groupe d'une centaine de personnes peut tuer une centaine de personnes ; lancée sur un seul homme elle le manquera à coup sûr et dans le cas hautement improbable où elle le toucherait, ne tuerait que lui, malgré son potentiel de destruction. Ne serait-il pas possible dès lors de créer une sorte de missile qu'un homme pourrait projeter dans un groupe de quelques centaines d'hommes en les tuant tous ? Nous avons besoin d'instruments de destruction qui ne seront d'aucune utilité aux masses barbares cherchant à tuer quelques individus, mais donneront à ces quelques individus le pouvoir terrifiant de pouvoir menacer la sécurité de milliers de barbares. Nos capacités d'invention doivent donc tendre vers la concentration, l'homéopathie pour ainsi dire, la préparation de substances dont les potentiels de destruction ont été mis au jour par la physique et la chimie, et résoudre le problème de l'utilisation de ces substances, d'une manière qui minimise leur coût, les rend faciles à transporter et réduit les efforts nécessaires à leur propulsion. S'il était par exemple possible de tirer avec un simple fusil dans les rangs serrés d'une armée avec les effets dévastateurs du shrapnel ou de la mitraille, une douzaine de partisans démocrates pourraient commettre plus de dégâts qu'une batterie d'artillerie barbare, et l'organisation à grande échelle et l'accumulation d'instruments de mort, qui donnent au parti barbare sa supériorité, seraient en un instant rendues inutiles.

N'étant pas plus un chimiste qu'un sergent artificier ou un artilleur, je ne suis pas à même de savoir si les problèmes posés par une invention de ce genre sont ou pas insurmontables ; mais au vu de ce que le potentiel inventif des hommes est déjà parvenu à réaliser, je pense qu'ils ne le sont pas. Ces révolutionnaires qui, tels les

Italiens, les Polonais ou les Hongrois, n'ont pas de problèmes de fonds, devraient mettre le prix pour y parvenir. Le succès ne devrait pas tarder.

Mais à côté de ces nouvelles inventions, nous avons également désespérément besoin de nous montrer fermement résolus, cette ferme résolution qui permet de se préparer à s'opposer au système barbare de violence et de meurtre avec tous les moyens qui permettraient de le détruire. Au début de la guerre de Hongrie, les Hongrois commencèrent à utiliser des boulets à chaînes et le sensible Windischgrätz protesta contre cette inhumaine violation des conventions de la guerre. Les Hongrois déclarèrent qu'ils s'en sépareraient bien volontiers si Herr Windischgrätz était prêt à leur fournir quelques batteries de fusées à la Congreve. Qu'il est naïf pour des barbares professionnels, qui tirent tout leur plaisir et leur honneur de l'assassinat de masse, d'en appeler à l'humanité et aux conventions de la guerre lorsque leur adversaire tente de combler son infériorité en utilisant de nouvelles armes, plus efficaces. Pour Herr Windischgrätz, myrmidon du despotisme, il n'est pas contraire à « l'humanité » d'incendier Vienne et d'ordonner que les Hongrois soient écrasés. Mais pour les Hongrois qui défendent une juste cause, l'utilisation de boulets à chaînes, pour tenter d'empêcher les assassins croates d'envahir leur territoire, est contraire aux « conventions de guerre ». Quelles protestations Herr Windischgrätz n'a-t-il pas faites lorsque les Hongrois empoisonnèrent la viande avant de quitter la Raab ! Pour être franc, le seul regret que j'aie dans cette affaire provient du fait que quelques milliers de ces animaux sauvages qui se nomment eux-mêmes Croates et sauveurs du despotisme autrichien n'en aient pas mangé des quantités suffisantes pour en crever. Il est à mon avis « plus honteux » et « plus immoral » d'empoisonner quelques milliers de rates que quelques milliers de ces Croates. Si les Croates et leurs maîtres ne veulent pas être empoisonnés ni pris pour cibles par des boulets à chaînes en Hongrie, il existe un moyen fort simple de l'éviter : laisser le peuple hongrois en paix et ne pas attenter à ses droits. Mais s'ils violent ces droits et s'approchent des Hongrois avec des intentions meurtrières, les Hongrois ont l'autorité et le devoir d'utiliser tout moyen nécessaire pour atteindre leur but, qui est la destruction d'un ennemi supérieur en nombre, en organisation, et en instruments de mort. Les Hongrois seraient bien plus en sécurité s'ils avaient utilisé des moyens un peu moins humains et avaient plus régulièrement violé les « conventions de la guerre ». Il en est de même pour les Italiens. Les révolutionnaires doivent créer une situation où les barbares craignent pour leur vie à tout instant du jour et de la nuit. Ils doivent penser que chaque gorgée d'eau, chaque bouchée de nourriture, chaque lit, chaque buisson, chaque pavé sur la chaussée, chaque chemin et chaque chantier, chaque trou dans le mur, chaque ardoise, chaque botte de paille, chaque tuyau, chaque bâton, chaque épingle peut les tuer. Pour eux, comme pour nous, que la peur soit le héraut et la mort le bourreau ! Le meurtre est leur devise ? Que le meurtre soit leur réponse ! Le meurtre est leur besoin ? Que le meurtre soit leur dû ! Le meurtre est leur argument ? Qu'il devienne leur réfutation !

Le parti des barbares européens ne nous a pas laissé d'autre choix que de nous dévouer à l'étude du meurtre et au raffinement de l'art de tuer à son point culminant. Récemment, les Autrichiens ont proclamé publiquement qu'ils venaient d'inventer des « ballons de la mort » qu'ils entendaient utiliser pour mettre le feu à Venise. Personne ne s'y est opposé au nom de la morale ou de l'humanité. Mais le grand monde, si « humain » et si « moral », sera certainement pris de convulsions devant l'insistance d'un révolutionnaire à proclamer que le parti de la liberté doit faire face aux intentions meurtrières du parti des barbares par le meurtre lui-même.

Le chemin vers plus d'humanité devra passer par le zénith de la barbarie. Nos ennemis ont érigé ce principe en loi de la politique et nous devons donc nous conformer à leur « loi », à leur « cheminement constitutionnel » ou bien être enterrés et notre liberté avec nous.

## Mikhaïl Bakounine, *Révolution, terrorisme et banditisme*
(publié à Genève en 1869)

Le banditisme est un des modes de vie les plus honorables qui soient au sein de la Russie. Depuis l'établissement du pouvoir moscovite, il est la représentation de la protestation désespérée du peuple contre cet infâme ordre social, perfectionné sur le modèle occidental et encore consolidé par les réformes de Pierre le Grand et par les quelques concessions à la liberté accordées par Alexandre. Le bandit est le héros du peuple, son défenseur, son sauveur. Il est l'implacable ennemi de l'État et de l'ordre tant social que civil établi par l'État. Il se bat jusqu'à la mort contre la civilisation aristocratique des *Chinovniks* et le clergé gouvernemental.

Sans se pencher sur la nature profonde du bandit, personne ne pourra comprendre l'histoire du peuple russe. Sans comprendre cette nature, on ne pourra comprendre la vie du peuple russe : il ne se soucie pas des souffrances immémoriales du peuple. Il s'est donné corps et âme à ses ennemis, ceux qui soutiennent la suprématie de l'État.

Car le bandit russe est par nature cruel et impitoyable ; mais cette puissance gouvernementale qui a engendré ce type de bandits et qui les pousse à l'action n'est pas moins cruelle et impitoyable. La cruauté du gouvernement a engendré la cruauté du peuple et l'a rendue nécessaire et presque naturelle. Mais entre ces deux cruautés, il existe une grande différence : la première a pour but la destruction complète du peuple tandis que la seconde vise à le libérer.

Depuis la fondation des États moscovites, l'organisation du banditisme russe n'a pas faibli. En elle subsiste le souvenir de l'humiliation du peuple ; à elle seule, elle démontre la passion, la vitalité et la force du peuple. La fin du banditisme en Russie ne pourrait signifier que l'extinction complète du peuple ou sa complète liberté.

En Russie, le bandit est le seul véritable révolutionnaire : un révolutionnaire sans belles phrases, sans rhétorique apprise dans les livres, un révolutionnaire implacable, infatigable, indomptable et réaliste, un révolutionnaire social issu du peuple, sans concepts politiques ni statut social... En cette époque où le monde de la paysannerie semble dormir d'un sommeil dont il ne se réveillera pas, assommé par le lourd fardeau de l'État, le monde des bandits de grands chemins continue sa lutte désespérée et livre des batailles en attendant que les villages russes se réveillent. Et si ces deux rébellions, celle des bandits et celle des paysans, devaient s'unir, la révolution populaire se produirait. Les mouvements de Stenka Razine et de Pougatchev n'étaient rien d'autre que cela.

À présent, la rivière souterraine du banditisme coule sans entrave de Petersbourg à Moscou, de Moscou à Kazan, de Kazan à Tobolsk, des mines de l'Altaï à Irkoutsk et Nerchinsk. Les voleurs, dispersés à travers la Russie, dans les forêts, les villes et les villages, et les captifs au sein des innombrables prisons de l'Empire forment un monde inséparable et fermement soudé, le monde de la révolution russe. Il n'y a qu'ici qu'existe depuis longtemps un authentique complot révolutionnaire. Tous ceux qui désirent ardemment comploter en Russie et veulent que la révolution populaire se produise... se fraieront un chemin jusqu'à ce monde... L'heure de la révolte générale approche !... les villages ne sont pas endormis ! Non ! ils sont en rébellion. De tous les coins de l'Empire les grognements, les plaintes et les menaces se font entendre. Au Nord, à l'Est, dans les provinces baltes, des soulèvements populaires significatifs se sont déjà produits. Sous les baïonnettes des soldats, le sang du peuple a continué de couler, plus fort qu'avant. La patience du peuple a atteint ses limites ; mourir de faim n'est pas plus difficile que mourir sous les baïonnettes et les balles. Le peuple ne se rendormira plus jamais et le nombre de soulèvements isolés va grandir. Le nombre de ceux qui vont fuir dans les forêts va lui aussi aller en grandissant ; le monde des bandits est réveillé et sur le pied de guerre encore une fois... Les anniversaires de Stenka Razine et de Pougatchev se rapprochent, qui nous permettront d'honorer la mémoire des défenseurs du peuple... Tous doivent prendre les armes pour ces célébrations...

Quelle est réellement notre tâche ?

Nous devons suivre le chemin que nous indique à présent le gouvernement qui nous rejette de ses académies, ses universités et ses écoles ; mes frères, plongeons comme un seul homme au sein du peuple, du mouvement populaire, des paysans et bandits révoltés, et en maintenant notre camaraderie ferme et véritable, nous unirons les révoltes isolées des paysans en une révolution bien organisée et irrésistible...

Même si les seules activités que nous reconnaissons sont celles causes de destructions, nous devrions nous accorder sur le fait que ces activités pourraient prendre des formes multipliées jusqu'à un degré extraordinaire. Le poison, la dague, le nœud coulant, et bien d'autres ! Dans cette lutte, tous les moyens sont sanctifiés par la révolution. Le champ est donc ouvert !... Les victimes sont éliminées par l'indignation non dissimulée du peuple ! Que tous les esprits vifs et honnêtes, après des siècles de déchéance, fassent preuve de courage pour le renouveau de la vie ! Lugubres soient les derniers jours de la sangsue sur le corps politique ! Des lamentations de peur et de remords se feront entendre dans toute la société. Des écrivains implorants voudront rédiger des pamphlets lyriques. Devrons-nous les écouter ?... D'aucune façon ! Nous devons demeurer impassibles face à ce tumulte et ne pas nous compromettre avec ceux appelés à périr. Ils appelleront cela du terrorisme !... Ils lui donneront un nom qui résonne ! Fort bien, cela ne nous importe pas. Nous nous moquons de leur opinion. Nous savons qu'il n'est pas en Europe une seule personne qui mène une vie de bourgeois bien tranquille, et qui puisse nous montrer honnêtement du doigt sans être forcée à l'hypocrisie. N'attendons rien de la littérature contemporaine, toute en dénonciation et en flatterie, ni de la littérature vénale, toute en bestialité et ragots. Les intérêts de la science appliquée contemporaine actuelle sont les mêmes que ceux du tsar et de la capitale, qui les sert exclusivement. Exclusivement, car jusqu'à présent, il n'est pas une découverte qui ait été utilisée pour le bien du peuple : elles sont toutes exploitées, soit par de nobles gentilshommes, des dilettantes ou des faiseurs d'argent, ou pour augmenter le pouvoir de l'armée. Aucun des talents inventifs des universitaires n'est tourné vers les besoins du peuple. C'est pourquoi les intérêts de cette science appliquée ne sont pas davantage les nôtres. Devrions-nous alors parler des sciences sociales ? Qui ne connaît pas une dizaine de noms de personnes chères exilées en Sibérie ou ailleurs pour avoir voulu restaurer les droits de l'homme en les évoquant avec sincérité et conviction ? Leurs discours ardents, respirant la foi et l'amour, ont été interrompus par la force brute...

La génération présente doit à son tour produire une force brute inexorable et fouler sans relâche le chemin de la destruction. Les esprits vigoureux et non corrompus des jeunes doivent comprendre qu'il est bien plus humain d'étrangler des dizaines voire des centaines d'individus haïssables plutôt que de se joindre à eux pour accomplir des actes *légaux* de meurtre, en torturant et martyrisant des millions de paysans. Voici les actes qu'accomplissent ensemble nos *Chinovniks*, nos étudiants, nos prêtres et nos marchands, en un mot tous ceux qui possèdent une quelconque stature et oppressent ceux qui n'ont rien !

Que tous les jeunes esprits sains se dédient désormais à la cause sacrée de l'extirpation du mal, de la purification et du nettoyage du sol de la Russie par le feu et l'épée, et s'unissent fraternellement avec ceux qui feront de même à travers l'Europe.

# Sergueï Netchaïev, *Le catéchisme révolutionnaire* (1869)

### Principes par lesquels le révolutionnaire doit être guidé

1. Le révolutionnaire est un homme condamné. Il n'a pas d'intérêts propres, pas de liaisons, pas de sentiments, pas d'attaches, pas de biens et pas même de nom. Tout en lui est absorbé par un seul et unique intérêt, une seule pensée, une seule passion : la révolution.

2. Tout au fond de son être, non seulement en paroles mais aussi en actes, il a rompu tout lien avec l'ordre établi et le monde cultivé dans son ensemble, avec ses lois, ses propriétés, ses conventions sociales et ses principes éthiques. Il est un ennemi implacable de ce monde, et s'il continue d'y vivre, c'est pour mieux le détruire.

3. Le révolutionnaire exècre les doctrines et a rejeté les sciences ordinaires, les laissant aux générations futures. Il ne connaît qu'une seule science, la science de la destruction. À cette fin, et à cette fin seule, il étudiera la mécanique, la physique, la chimie et peut-être la médecine. À cette fin, il étudiera jour et nuit la science vivante : le peuple, ses caractéristiques, son fonctionnement et tout ce qui constitue le présent ordre social à tous les niveaux. Son seul et unique objectif est la destruction immédiate de cet ordre ignoble.

4. Il méprise l'opinion publique. Il exècre et abhorre l'éthique sociale existante dans toutes ses manifestations et expressions. Pour lui, est moral tout ce qui peut permettre le triomphe de la révolution. Est immoral et criminel tout ce qui se trouve en travers de son chemin.

5. Le révolutionnaire est un homme dévoué, impitoyable envers l'État et l'ensemble de la société éduquée et privilégiée ; il ne doit pas attendre d'elle la moindre pitié. Entre elle et lui existe, qu'elle soit déclarée ou non déclarée, une guerre incessante et sans fin. Il doit se préparer à supporter la torture.

6. Dur envers lui-même, il doit être dur envers les autres. Toutes les émotions tendres ou efféminées de connivence, d'amitié, d'amour, de gratitude et même d'honneur doivent être refoulées en lui par une passion froide et entêtée pour la cause révolutionnaire. Il n'est pour lui qu'un seul délice, une seule consolation, une récompense et une gratification : le succès de la révolution. Jour et nuit, il ne doit avoir qu'une seule pensée, un seul but : la destruction sans merci. Dans sa poursuite froide et infatigable de ce but, il doit être prêt à mourir lui-même et à détruire de ses propres mains tout ce qui pourrait l'empêcher.

7. La nature du véritable révolutionnaire ne laisse pas de place pour le romantisme, le sentimentalisme, l'extase ou l'enthousiasme. Elle ne laisse pas davantage de place à la haine personnelle ou à la vengeance. La passion révolutionnaire, qui doit devenir pour lui le mode de pensée courant, doit à tout moment être combinée au plus froid calcul. En tout instant et endroit, il ne doit pas être ce que lui dictent ses inclinations personnelles, mais ce que l'intérêt général de la révolution commande.

8. Le révolutionnaire respecte ses amis mais ne chérit que celui qui s'est montré dans les faits comme aussi révolutionnaire que lui. L'étendue de cette amitié, de cette dévotion et d'autres obligations envers son camarade n'est déterminée que par leur degré d'utilité au travail pratique de complète destruction révolutionnaire.

9.   La nécessité de la solidarité entre révolutionnaires est évidente. Elle est constitutive de la vigueur du travail révolutionnaire. Les camarades révolutionnaires ayant le même degré de compréhension révolutionnaire et de passion devraient, autant que possible, discuter ensemble des choses importantes et prendre des décisions unanimes. Mais même en mettant au point un plan échafaudé de la sorte, chaque homme doit autant que possible ne compter que sur lui-même. En accomplissant une série d'actes de destruction, chaque homme doit agir par lui-même et ne recourir aux conseils et à l'aide de ses camarades que si cela est nécessaire à l'accomplissement du plan.

10.   Chaque camarade devrait avoir sous ses ordres plusieurs révolutionnaires des deuxième et troisième catégories, c'est-à-dire des camarades qui ne sont pas complètement initiés. Il doit les regarder comme des portions d'un fonds commun du capital révolutionnaire placées à sa disposition. Il doit dépenser ses portions du capital avec parcimonie, tentant à chaque fois d'en tirer le maximum de bénéfice. Il doit se regarder lui-même comme un capital consacré au triomphe de la cause révolutionnaire ; mais comme un capital dont il ne peut disposer librement sans le consentement de la compagnie entière des camarades initiés.

11.   Lorsqu'un camarade a des ennuis, le révolutionnaire, quand il décide ou pas de l'aider, ne doit pas prendre en compte ses sentiments personnels mais le bien de la cause révolutionnaire. Il doit donc peser, d'un côté l'utilité du camarade, et de l'autre la quantité d'énergie révolutionnaire qui devrait être dépensée pour sa délivrance, et doit décider laquelle a le plus de poids.

12.   L'admission d'un nouveau membre, qui s'est illustré non en paroles mais en actes, ne peut être le fait que d'un accord unanime.

13.   Le révolutionnaire vit dans le monde de l'État, des classes et de la soi-disant culture, et n'y vit que parce qu'il croit à sa destruction complète et rapide. Il n'est pas révolutionnaire s'il ressent de la pitié pour quoi que ce soit en ce monde. S'il en est capable, il doit envisager l'annihilation de sa situation, d'une relation ou de toute personne faisant partie de ce monde ; tout et tous doivent lui être également odieux. Cela est difficile s'il possède une famille, des amis et des êtres chers en ce monde ; il ne peut être révolutionnaire s'ils peuvent arrêter sa main.

14.   Tout en visant à une implacable destruction, le révolutionnaire peut et doit parfois vivre au sein d'une société en prétendant être ce qu'il n'est pas. Le révolutionnaire doit s'infiltrer partout, au sein des classes basses et moyennes, dans les maisons de commerce, les églises, les manoirs des riches, le monde de la bureaucratie, de l'armée, de la littérature, de la 3e section (la police secrète) et même au palais d'Hiver.

15.   Cette société infecte doit être découpée en plusieurs catégories. La première comprend tous ceux qui doivent être immédiatement condamnés à mort. La société doit rédiger une liste de ces personnes condamnées, fonction de leur relative menace exercée à l'encontre d'une progression harmonieuse de la cause révolutionnaire, et pour permettre leur élimination.

16.   Pour établir ces listes en fonction des raisons énoncées plus haut, il convient de ne pas se laisser guider par les actes individuels de traîtrise commis par la personne, ni même par la haine qu'elle provoque au sein du peuple. Ces traîtrises et cette haine peuvent toutefois s'avérer utiles, puisqu'elles incitent à la rébellion populaire. On doit se fonder sur le service que la mort de l'individu pourrait rendre

à la cause révolutionnaire. C'est pourquoi ceux qui doivent être annihilés en premier sont les individus particulièrement dangereux pour l'organisation révolutionnaire, et dont la mort soudaine et brutale effraiera le gouvernement et, le privant de certains de ses représentants les plus intelligents et énergiques, diminuera sa force.

17. La deuxième catégorie recouvre ceux à qui un répit temporaire est accordé, uniquement afin que leur comportement bestial ne pousse inévitablement le peuple à la révolte.

18. À la troisième catégorie appartient le troupeau des personnalités de haut rang ou des personnages qui ne sont pas distingués par leur intelligence particulière ou leur énergie mais qui, par leur position, sont prospères et jouissent de leurs connexions, leur influence et leur pouvoir ; ils doivent être pris la main dans le sac et confondus et, quand nous aurons découvert suffisamment de leurs sales petits secrets, nous en ferons nos esclaves. Leur pouvoir, leur influence, leurs connexions, leur richesse et leur énergie constitueront notre inépuisable maison du trésor et une aide efficace à nos entreprises variées.

19. La quatrième catégorie comprend les personnes ambitieuses politiquement et les libéraux de différentes nuances. Nous pouvons conspirer avec eux, en suivant leur programme, et prétendre les suivre aveuglément, alors que nous prenons leur contrôle, que nous révélons tous leurs petits secrets et les compromettons à un tel point qu'ils soient irrémédiablement impliqués et puissent être employés pour semer le désordre au sein de l'État.

20. La cinquième catégorie est composée des doctrinaires, des conspirateurs, des révolutionnaires, tous ceux qui s'adonnent aux vaines péroraisons, en public ou sur le papier. Ils doivent être continuellement incités et poussés à rédiger de violentes déclarations poussant à l'action, de manière à ce que, dans leur majorité, ils disparaissent sans laisser de trace et que les intérêts des vrais révolutionnaires s'en trouvent quelque peu accrus.

21. La sixième et importante catégorie est celle des femmes. Elles doivent être réparties en trois catégories. Premièrement, ces femmes frivoles et sans cervelle que nous pouvons utiliser comme les troisième et quatrième catégories d'hommes. Deuxièmement, les femmes ardentes, talentueuses et dévouées, mais qui ne nous ont pas rejoints parce qu'elles n'ont pas encore atteint une compréhension réelle, pratique et dénuée de passion de la révolution : ces femmes doivent être utilisées comme les hommes de la cinquième catégorie. Finalement, les femmes qui sont en complète adéquation avec nous, ont été pleinement initiées et acceptent notre programme dans son intégralité : nous devons regarder ces femmes comme le plus précieux de nos trésors, dont l'assistance nous est indispensable.

## Nikolaï Morozov, *La lutte terroriste*
(publié à Genève en 1880)

Quel est le sort manifeste qui attend cette nouvelle forme de lutte révolutionnaire que l'on pourrait appeler « révolution terroriste » ?

Pour donner une réponse plus ou moins positive à cette question, il convient d'examiner les significations de ce mouvement et ses conditions.

Les choses étaient comme suit : à la tête du pays, se trouvait le gouvernement tout-puissant, avec ses espions, ses prisons, ses canons et ses millions de soldats et de fonctionnaires volontaires et serviles qui savaient ou ignoraient ce qu'ils représentaient. C'est contre ce gouvernement que tous les soulèvements nationaux et toutes les tentatives ouvertes de révolution de la jeunesse ont échoué. C'est un gouvernement qui dirigeait le pays d'une main de fer et pouvait, d'un simple geste de son chef, détruire des dizaines de milliers de ses adversaires déclarés. Contre cette organisation, l'intelligente jeunesse russe regroupa, par désespoir, une poignée de personnes, d'un nombre insignifiant, mais dont l'énergie et le caractère insaisissable étaient incroyablement forts. La lutte révolutionnaire, spontanée et active, se concentrait en ce petit groupe. À la pression de son adversaire tout-puissant, il opposait un secret impénétrable.

Ce petit groupe ne craignait pas les nombreux espions de l'ennemi, puisqu'il se protégeait lui-même par la façon de mener la lutte ; les révolutionnaires n'avaient pas besoin de s'entourer d'un grand nombre de personnes étranges issues du petit peuple et ceux qu'ils se choisissaient comme camarades au sein de leurs petits groupes étaient déjà testés et dignes de confiance. La 3e section (de la police secrète) sait comment un petit nombre des membres de ces groupes est tombé aux mains du gouvernement grâce au travail des espions gouvernementaux.

Le groupe révolutionnaire n'a pas peur des baïonnettes et de l'armée gouvernementale, puisqu'il n'a pas à affronter dans son combat ces forces aveugles et insensibles qui frappent ceux qu'on leur ordonne de frapper. Cette force n'est redoutable que contre les ennemis déclarés. Contre les ennemis secrets, elle est totalement inutile.

Le vrai danger tient à l'imprudence de certains révolutionnaires, qui peut entraîner la perte de membres de l'organisation, même si cette perte n'est que temporaire. Des éléments issus d'un meilleur segment de la société, hostiles au gouvernement, produiront de nouveaux membres qui continueront à travailler pour la cause.

Le groupe révolutionnaire est immortel, car ses méthodes de lutte deviennent une tradition et s'enracinent dans le peuple.

L'assassinat secret devient une arme terrible dans les mains d'un tel groupe de personnes. « La "volonté malveillante", provenant toujours du même camp, a encore une fois fait preuve de ses ressources et nul n'est à l'abri de ses assauts. » Voilà comment les journaux russes ont décrit un nouvel attentat sur la personne du tsar. Il est vrai que les ressources humaines sont illimitées.

Personne n'aurait pu croire avant le 19 novembre que malgré toutes les mesures policières il serait possible de dynamiter les voies ferrées lors du retour du train du tsar de Livajda. Avant le 19 novembre, nul n'aurait pu croire que les conspirateurs puissent pénétrer au sein du château du tsar. Mais la lutte terroriste a cet avantage qu'elle peut agir à l'improviste et trouver des méthodes et des biais que nul ne peut anticiper.

Tout ce dont la lutte terroriste a besoin est un petit nombre d'hommes et de gros moyens matériels.

Cela représente réellement une nouvelle forme de lutte.

Elle remplace, par une série d'assassinats ciblés, qui touchent toujours leur cible, les grands mouvements révolutionnaires, qui voient les individus se dresser les uns contre les autres en raison des incompréhensions et voient une nation tuer ses propres enfants, tandis que l'ennemi du peuple les contemple depuis son abri sûr et s'assure que les membres de l'organisation sont annihilés. Le mouvement ne punit que ceux qui sont responsables des actes maléfiques. Pour cette raison, la révolution terroriste n'est qu'une forme de révolution.

Dans le même temps, elle est la forme la plus commode de révolution.

Utilisant des forces insignifiantes, elle a l'opportunité d'entraver tous les efforts de la tyrannie, qui semblait imbattable jusqu'alors.

« N'ayez pas peur du tsar, n'ayez pas peur des dirigeants despotiques, car ils sont faibles et impuissants face aux assassinats aussi soudains que secrets » : c'est le message qu'elle délivre à l'humanité.

Tel est le message du mouvement qui prend forme actuellement en Russie. Jamais dans l'histoire des conditions aussi idéales n'ont été réunies pour créer un parti révolutionnaire et pour le succès de telles méthodes de lutte.

Lorsqu'une nouvelle série de sociétés terroristes émergera en Russie à côté des groupes de terroristes déjà existants, et lorsque ces groupes se rencontreront dans la lutte, ils s'uniront dans une organisation commune. Si cette organisation débute ses activités contre le gouvernement, et pour peu que les deux années de lutte des terroristes de Russie aient laissé quelque impression sur notre jeunesse, ne doutons pas que les jours de la monarchie et de la force brute sont comptés. Un boulevard sera ouvert aux activités socialistes en Russie.

Le mouvement terroriste de Russie se distingue également sur un autre point que nous autres, ses contemporains, avons à peine remarqué, mais qui a d'importantes significations. Ce point peut à lui seul changer la donne dans l'histoire de la lutte révolutionnaire.

La haine contre l'oppresseur national a toujours été forte dans l'humanité et, à de nombreuses reprises, des individus désintéressés ont tenté d'assassiner celui qui personnifiait cette violence, au prix de leur vie. Or, chacune de ces tentatives les vit périr. L'acte de justice contre la tyrannie avait été accompli, mais il avait reçu son châtiment.

Dans le silence de mort des témoins désespérés, le billot sanglant du bourreau s'avançait, un sacrifice humain était offert à l'idole de la monarchie et la Némésis nationale devait à nouveau baisser sa tête à peine levée. La satisfaction momentanée née de l'accomplissement de cet acte de grande justice était effacée par la mort d'un homme généreux et désintéressé. L'idée même de l'assassinat du tsar s'est finalement transformée en une chose terrible et tragique à la fois. Elle est bien plus l'expression du désespoir menant au suicide désintéressé que celle de la lutte à mort contre l'oppression… Cela a montré au peuple quelles terribles souffrances morales et quelle insupportable et lente agonie l'assassin du tsar avait dû endurer avant de mettre un terme à son existence en accomplissant son geste…

Le tsar savait que de tels héros magnanimes étaient peu nombreux et, une fois remis du choc, continua son règne de violence.

La lutte terroriste contemporaine n'a rien à voir avec cela. La justice suit son cours, mais ceux qui la rendent demeurent en vie. Ils disparaissent sans laisser de traces et peuvent continuer à combattre l'ennemi, à vivre et à travailler pour la cause. De tristes sentiments ne viennent pas ternir la tentative de restauration de la dignité humaine.

La lutte fut celle du désespoir et du sacrifice de soi ; voici venir celle de la force contre la force, de l'égal contre l'égal ; la lutte de l'héroïsme contre l'oppression, du savoir et de l'éducation contre les baïonnettes et les gibets.

À présent, la lutte n'évoque plus pour le peuple le désespoir et le sacrifice. Elle lui parle de la puissance de l'amour de la liberté, qui peut faire d'un homme un héros et donner au peuple une force gigantesque pour accomplir des exploits surhumains.

Les tsars et les despotes qui oppressent la nation ne peuvent plus vivre paisiblement dans leurs palais. Le vengeur masqué leur fera savoir, par une explosion assourdissante, que leur heure est venue et les despotes, dérangés en plein milieu de leur dessert, sentiront la terre se dérober sous leur pied au son de la musique et des cris effrayés d'une foule innombrable…

[…] La lutte terroriste est possible, aussi bien face à la force absolue que face à la force brutale et constitutionnelle, en Russie comme en Allemagne. La force brute et le despotisme se concentrent régulièrement dans un petit groupe de personnes, bien souvent dans une seule personne (Bismarck, Napoléon) et cessent avec son échec ou sa mort. Ces individus devraient être détruits au tout début de leur carrière, qu'ils soient choisis par une armée ou un plébiscite. La route largement ouverte aux ambitieux désireux d'accroître leur pouvoir doit être rendue dangereuse et difficile à emprunter par les terroristes antigouvernementaux. Ainsi, les volontaires se feront moins nombreux. En Russie, où la force brute et le despotisme font partie de la tradition dynastique, l'emploi de la terreur est devenu bien plus complexe et il est possible que l'assassinat de plusieurs personnalités et du tsar lui-même soit nécessaire. Toutefois, les terroristes qui, depuis deux ans, combattent le gouvernement, avec le seul soutien de la force de leurs convictions, ont montré que, sans clarifier les objectifs de leur lutte, elle a de bonnes chances de réussir, même dans ce royaume du despotisme. Le succès du mouvement terroriste est inévitable si le futur de la lutte terroriste n'est plus le fait d'un groupe séparé mais d'un idéal, qui ne peut être détruit par des individus. Alors, pour remplacer ces combattants qui périront, de nouveaux combattants et de nouveaux révolutionnaires apparaîtront jusqu'à ce que le but du mouvement soit atteint.

Le but du mouvement terroriste de notre pays ne doit pas uniquement se concentrer sur le démantèlement du despotisme russe actuel. Le mouvement doit rendre la lutte populaire, historique et grandiose. Il doit enraciner dans le peuple les méthodes de la lutte de telle manière que toute nouvelle apparition de la tyrannie sera combattue par de nouveaux groupes d'individus issus des meilleurs éléments de la société, et que ces groupes détruiront l'oppression par une suite d'assassinats politiques. « Tout homme a le devoir de tuer un tyran et aucune nation ne peut enlever ce droit à un seul de ses citoyens », a dit Saint-Just lors du procès de Louis Capet. Ces mots devraient servir de slogan pour la violence et les luttes futures.

Rien ne nous permet de supposer que nous ne trouverons pas les éléments nécessaires à ce genre de lutte. La dévotion à l'idéal, l'héroïsme et le désintéressement n'ont pas disparu de l'humanité durant les plus sombres périodes de l'histoire, lorsqu'il semblait que l'oppression allait écraser les dernières lueurs de vie et la conscience du peuple. La lueur a brillé secrètement dans le cœur du pays et s'est échappée ici et là, comme la révolte de Guillaume Tell, la conjuration des Égaux de Babeuf ou celle des Décembristes[1].

La lutte massive et spontanée contre l'oppression a, à travers l'histoire, marché de conserve avec une autre lutte qui, bien qu'inconsciente et moins systématique, a été continue et inconciliable. Cet autre mouvement s'est fait jour grâce au grand nombre de tentatives d'assassinat. Chaque siècle, cette lutte devient plus énergique et plus active et jamais les tentatives d'attentat contre la vie du tsar n'ont été aussi nombreuses que ces trente dernières années. Voici les faits cachés liés à la lutte souterraine depuis 1848, sans prendre en compte de nombreux assassinats et tentatives d'assassinat d'hommes d'État en Russie et en Amérique : tentative d'attentat contre le comte de Modène, contre un prince prussien et contre la reine Victoria, blessure sérieuse de l'empereur François-Joseph sur les bastions de Vienne, tentative contre Victor Emmanuel, assassinat de Ferdinand III de Parme, tentative contre la reine d'Espagne, blessure par baïonnette de Ferdinand de Naples, assassinat par balle de la reine de Grèce, assassinat du prince Michel de Serbie, tentative contre Humbert, deux tentatives contre le roi Alfonso durant son court règne, quatre contre Guillaume de Prusse dont deux l'ont grièvement blessé, six tentatives contre Napoléon III de toutes les manières possibles, six autres contre Alexandre II, dont une a été découverte juste à temps.

Toutes ces actions, exécutées continuellement et sans relâche à une période où la lutte terroriste n'avait pas encore été érigée en système, démontrent que la supposition selon laquelle ces actions pourraient cesser dans le futur, lorsque la terreur aura des fondations rhétoriques, est sans fondement.

Une autre de ces raisons rend cette supposition peu probable : nous savons que toute lutte historique, tout mouvement historique, a tendance à chercher les points faibles. Tous les rejetons des mouvements qui changent de pratique se brisent sur les obstacles qui se dressent sur leur chemin. La lutte terroriste, qui frappe au point le plus faible du système en place, sera manifestement acceptée par tous. Un jour viendra où les tentatives non coordonnées actuelles se mêleront en un large courant auquel nul despotisme ou force brute ne pourra résister. La tâche des terroristes russes actuels est de fixer théoriquement et de systématiser pratiquement cette forme de lutte révolutionnaire, qui est appelée à durer. L'assassinat politique ne sera plus alors qu'une expression de ce riche et solide courant.

Nous connaissons l'importance de l'influence des idées sur l'homme. Dans la lointaine Antiquité, ces idées ont fait émerger le christianisme et, par le feu et la croix, ont prédit la quasi-liberté dans le monde. Durant la période sombre et calme du Moyen Âge, elles ont été responsables des croisades et ont attiré pendant des années de nombreuses personnes dans les plaines sèches et stériles de Palestine. Ces cent dernières années, elles ont rassemblé les mouvements révolutionnaires et socia-

---

1. Conspiration contre Nicolas Ier, en 1825.

listes, et les champs d'Europe et d'Amérique se sont couverts du sang des nouveaux combattants de la liberté et de l'humanité.

Lorsqu'une poignée d'individus aura émergé pour représenter la lutte de la nation tout entière et triomphera de ses millions d'ennemis, l'idée de la lutte terroriste ne mourra pas, pour peu qu'elle apparaisse clairement au peuple et lui prouve son intérêt pratique. Chaque acte de violence donnera naissance à de nouveaux vengeurs, chaque tyran créera lui-même ses Soloviev et ses Nobiling. Ainsi, l'existence même du despotisme et de la monarchie sera rendue impossible.

Il sera de plus assez aisé pour les révolutionnaires-terroristes, une fois qu'ils auront vaincu, de rediriger leurs efforts à la préparation d'une révolution sociale pour la nation tout entière. Les idées des révolutionnaires seront alors ancrées dans la mémoire des masses et chaque manifestation de violence (de la part du gouvernement) verra l'avènement de nouveaux groupes terroristes. Nul ne saura où ces groupes ont disparu, ni d'où ils venaient.

Les terroristes russes ont deux tâches importantes :

Ils doivent clarifier théoriquement les concepts de la lutte terroriste, qui est différemment comprise par différents peuples. Tout en prêchant le socialisme, prêcher la lutte future est essentiel au sein de ces classes de population, où la propagande est toujours possible malgré des conditions défavorables. Cela peut être accompli car ces classes, par habitude comme par tradition, sont proches du parti révolutionnaire. Ce n'est qu'alors que la lutte sera alimentée par un nouvel afflux de cette population, et ces forces sont nécessaires pour une lutte longue et déterminée.

Le parti terroriste devrait montrer l'utilité pratique des moyens qu'il emploie. Le parti devrait provoquer la désorganisation, la démoralisation et la chute finales du gouvernement pour le punir de ses actes de violence contre la liberté. Cela ne sera accompli que par un système de punition efficace, mis au point par les terroristes. Ce système doit affaiblir le gouvernement et le rendre incapable de prendre la moindre mesure de restriction des libertés de pensée ou d'empêcher la réalisation d'actions ayant pour but le bien-être national.

En accomplissant ces deux tâches, le parti terroriste fera de son moyen de lutte un moyen traditionnel et détruira la possibilité d'un retour du despotisme.

Le futur montrera si les terroristes contemporains s'acquitteront de leur tâche. Nous sommes néanmoins convaincus que le mouvement terroriste surmontera les obstacles qui se dressent sur son chemin ; le triomphe de la cause montrera à tous ses opposants que le mouvement terroriste a su prendre la mesure de la réalité d'aujourd'hui, qui place cette forme de lutte au premier plan.

## G. Tarnovski, *Terrorisme et routine* (Genève, 1880)

La révolution terroriste est une manifestation aiguë de l'anormalité des relations sociales en Russie. Elle en est la « corrélation directe ». En d'autres termes, cette anormalité est la cause du terrorisme.

Au sujet de sa signification et de son importance, même notre auteur (Dragomanov) ne se déjuge pas ; il ne reconnaît pas sa signification sociale, tout en ne niant pas son sens politique.

Réalisez-vous, M. Dragomanov, que dans ce domaine, il est grand temps de cesser d'accorder tant d'importance aux titres des manuels scolaires et de cesser de regarder la vie publique comme découpée en catégories, séparant d'un côté les types politiques et de l'autre la vie sociale ?

Vous demandez quelle signification peut avoir la mort de quelques têtes couronnées dans l'annihilation de l'esclavage social ? Nous ne savons pas si votre question n'est issue que de votre routine de jeu avec les mots ou si vous la pesez correctement, mais du point de vue du progrès social, la question est sans objet. Lorsque la complète libération sociale de l'humanité est en jeu, la liberté politique, telle que nous l'avons définie, et la république, sont des pas essentiels sans lesquels rien ne peut être accompli. C'est le seul point de vue métaphysique de la question ; l'existence de vampires couronnés, de rois et de tsars n'est pas une chose anodine.

Lorsque l'on parle de légitime défense et de défense publique (terrorisme), on évoque cette dernière comme « secrète », espérant ainsi la salir. Kovalsky s'est défendu contre les malfaisants et les voleurs, les armes à la main ; comme il est aisé de s'en rendre compte, il n'est pas possible d'avoir deux opinions à ce sujet. Certains en ont pourtant tiré des généralisations et espèrent frapper les autres participants et pas Kovalsky seul. Ces personnes ont décidé de frapper un coup sur le système même du crime dans lequel la Russie est empêtrée. Elles ont donc rendu leur point de vue public. « Ceci », dites-vous, « est sale ».

Selon vous, la nécessaire défense d'un individu isolé est digne d'éloges. Mais vous affirmez également que l'opinion publique interdit à la nation le droit à sa propre défense.

Voici ce que nous avons à vous dire cette fois-ci, M. Dragomanov.

Les terroristes, ces défenseurs du peuple, ont le droit d'ignorer l'opinion publique qui « interdit toujours » la défense du peuple. Cette opinion est celle des Alexandre II, des Totleben, des Tolstoï, de personnes dont les intérêts sont hostiles au peuple. Que leur « opinion » se dresse contre les terroristes, voilà qui est bien naturel. Et le fait que vous soyez incapable de renoncer aux vues de cette « société » et que vous décidiez de regarder les terroristes à travers leurs lunettes morales est très, très triste.

À propos des attaques sur les aspects moraux du terrorisme, laissez-nous dire quelques mots. Supposons que vous, M. Dragomanov, viviez « dans les grises profondeurs du passé ». Tournons-nous vers une révolte patriotique, et prenons celle dirigée par Mucius Scaevola. N'est-ce pas un bel, un héroïque exploit, si éloigné des disputes morales qu'il est cité en exemple dans les livres scolaires ?

Mais nous sommes hélas liés à un présent plus prosaïque. Sous nos yeux, une bande de rustres improductifs exploite la pauvre et l'affamée Russie, se répandant en folie meurtrière sur un sol maculé du sang des meilleurs des hommes. À sa tête, le tsar, sans cœur ni raison, qui s'est fait un devoir d'étouffer tous ceux qui font signe de vie. La défense de la vie publique est passée dans les mains d'individus qui ont décidé de débarrasser la Russie de son tyran, quel qu'en soit le prix. Que répondez-vous à cela ? « C'est immoral », dit votre article. Un cas est donc digne d'éloges et l'autre, parfaitement identique, est répugnant ? Il n'est « répugnant » que parce qu'il n'est « pas accepté », n'est immoral que parce qu'il se produit sous vos propres yeux dans des circonstances où vous êtes habitué au principe restrictif du statu quo.

Non, M. Dragomanov : si le but principal de votre œuvre est de préserver une « innocence » de cet ordre, vous ne devriez pas vous aventurer dans les sphères de la politique et de la libération nationale. Voici d'autres buts, fondés sur un autre principe. Pour le bien de la patrie, nous devons sacrifier ce mode de vie étranger et cesser de regarder avec dégoût notre propre mode de vie. Ici, celui qui prend sur lui-même le courage d'apprécier des faits historiques tels qu'une révolution, qu'elle soit des masses ou terroriste, doit être capable de renoncer à la morale conventionnelle et se hisser jusqu'aux lois naturelles de justice et de morale. Et de ce point de vue de haute justice, toute révolution, comme moyen de libérer le peuple, est morale, forcément morale puisqu'elle donne au peuple la possibilité de vivre selon un mode de vie moral.

La morale est inconcevable sans liberté. Sous la pression du despotisme s'épanouissent la sujétion, l'hypocrisie et la vénalité. Il n'y a pas et ne peut y avoir de morale, puisqu'il n'existe pas de choix personnel ni de possibilité d'autodétermination. Ce type de développement social et de bien-être national provient d'une révolution réussie. Et c'est du point de vue social que la morale augmente la liberté de la société, son développement et son bénéfice matériel. Tout ce qui est hostile à ces principes est immoral et voué à la destruction, par toute personne qui raisonne. Et cela n'est pas tout.

Chaque membre d'une société doit, au nom de cette même morale, faire en sorte que les souffrances endurées par le peuple lors d'une révolution soient réduites au minimum et qu'elles ne se produisent pas en vain, ce qui veut dire que la révolution devrait atteindre son objectif de la manière la plus étendue qui soit. Plus encore, elle devrait anéantir la possibilité même que se répètent dans le futur ces actes qui ont été la cause des souffrances du peuple. De ce point de vue, il convient de ne pas oublier que les pas vers la liberté n'ont été et ne sont franchis dans l'histoire que face aux excès de la tyrannie et dans la continuité du mouvement. Par conséquent, ce n'est que dans ce mouvement que le peuple peut parvenir à se protéger des empiétements du despotisme. Voici les bases qui permettent d'estimer la moralité de la révolution. Et si nous comparons, par exemple, la révolution populaire (sur laquelle vous vous étendez plus avant) comme moyen d'atteindre la liberté politique, à la révolution terroriste, avec son système de meurtres politiques, il n'est pas difficile de se convaincre de la forme la plus appropriée.

Durant une révolution populaire, la meilleure force de la nation, ses soldats, périt, tandis que les mêmes malfaisants observent placidement la conduite de la bataille et, au dernier moment, détalent comme Louis-Philippe, ou demeurent en place, se font doux comme des agneaux, mais attendent la première opportunité pour se changer en loups et reprendre leurs actions de plus belle. Parfois la réalité rejoint l'essence même du tragi-comique : le sang des innocents se répand dans les rivières et les résultats sont de plus en plus minces, au fur et à mesure que le sang continue de couler et que les gens se lassent.

La révolution terroriste n'a rien à voir avec cela. Même si quelques innocents doivent en souffrir, comme les soldats lors de l'explosion au palais d'Hiver, leur mort n'est qu'un simple *casus belli*. Le terrorisme dirige ses coups contre les véritables auteurs du mal. Lorsque les souffrances du peuple auront pris fin, la signification de la révolte se cristallisera : elle deviendra plus intelligible à l'opinion publique et enseignera au peuple la haine du despotisme. Le gouvernement nous aide lui-même : comme il en a l'habitude, il intensifie ses vaines atrocités, qui le desservent, mais qui sont l'instrument que ces sauvages incontrôlables et sans cervelle utilisent en ce genre de circonstances.

Comme tout ce qui est nouveau et sans précédent, la révolution terroriste perturbe la société au début, mais la majorité de la société comprend son utilité. Cette confusion initiale se change en huées et en colère dirigée contre le despote et finit par provoquer de la sympathie pour la révolution. Son issue est quasi certaine ; elle ne dépend plus que de l'esprit et de l'énergie de ceux qui la pratiquent...

## Johann Most, *Conseils aux terroristes*

I.   L'attaque est la meilleure forme de défense (in *Freiheit*, 13 septembre 1884).

Puisque nous pensons que l'action de propagande est utile, nous devons être préparés à accepter toutes les conséquences qu'elle implique.

Tout le monde sait à présent, par expérience, que si le tir ou l'explosion frappent avec précision, si l'attentat est parfaitement exécuté, ses effets de propagande seront d'autant plus grands.

Les conditions prérequises du succès sont la préparation méthodique, la confusion de l'ennemi visé et l'aplanissement de tous les obstacles se dressant entre celui qui est chargé de l'acte et l'ennemi.

Le coût induit par ce type de mesures est, d'une manière générale, assez considérable. On peut même se demander si la condition de succès d'une telle action ne dépend pas de la capacité des moyens financiers à surmonter les difficultés. De nos jours, l'argent ouvre un grand nombre de portes que l'on ne pourrait briser avec une barre de fer. Le tintement persuasif des pièces rend les hommes aveugles et idiots. Le pouvoir du compte en banque prévaut contre tous les oukases.

Un homme démuni d'argent ne peut pas facilement s'introduire dans la « haute société » sans être lui-même « suspect », être placé sous surveillance et, soit être arrêté sommairement, soit être tout du moins empêché de mener à bien ses projets révolutionnaires. Par contraste, en se montrant élégant et « distingué », le même homme peut circuler librement et de manière inaperçue dans ces cercles où il doit effectuer quelques reconnaissances et pourra peut-être porter le coup décisif ou mettre en marche quelque machine infernale dissimulée à l'avance dans un endroit bien caché.

Aussi, si certains camarades sont inspirés par de telles idées, s'ils prennent la décision de risquer leur vie pour accomplir un acte révolutionnaire, et si, réalisant que les contributions des travailleurs ne sont qu'une goutte d'eau dans l'océan, ils confisquent les biens qui permettent d'accomplir leur action, leurs actes sont, à notre avis, parfaitement corrects et aucunement anormaux.

Nous sommes en fait fermement convaincus qu'il est impossible de monter la moindre opération avant que les fonds nécessaires n'aient été confisqués au préalable à l'ennemi.

C'est pourquoi toute personne qui, tout en approuvant une opération contre un représentant de cette « guilde des voleurs » moderne, désapprouve la manière dont ses fonds sont réunis, se rend coupable de la plus grossière inconsistance. Aucun de ceux qui considèrent l'action comme juste ne peut être offensé par la manière d'acquérir les fonds pour l'accomplir, car il ne serait qu'un homme qui apprécie sa vie tout en maudissant sa naissance. Refusons d'entendre encore des idioties telles que « l'indignation morale » face au « vol » et au « larcin » ; dans la bouche des socialistes, cette sorte de verbiage est le charabia le plus stupide qui soit. Depuis des années et des années, le peuple est dépouillé de tout, à l'exception du strict minimum vital. Celui qui veut agir dans l'intérêt du prolétariat et contre ses ennemis doit se mêler aux voleurs et escrocs privilégiés pour leur prendre tout ce qu'il peut ou ce qui a été créé par les travailleurs, et l'utiliser de manière appropriée. Dans ce cas, nous ne parlons donc pas de vol ni de larcin, mais exactement du contraire.

Ceux qui, par conséquent, condamnent le financement des opérations par les biais que nous venons d'indiquer condamnent également les actes révolutionnaires individuels ; ceux qui répugnent à de tels actes manquent de sérieux, se trompent eux-mêmes en se donnant le nom de révolutionnaires, démotivent les pionniers du prolétariat les plus actifs et les plus décidés, se prostituent avec le mouvement des travailleurs et ne sont en fait, lorsqu'on les regarde en pleine lumière, rien de plus que des chiens de garde.

De plus, toute action « illégale », qu'elle soit une action préparatoire ou plus directement révolutionnaire, peut aisément avoir des conséquences imprévues, car c'est sa nature même de survenir dans les moments les plus critiques.

Il suit de notre argumentation que ces conséquences secondaires (le hasard) ne peuvent être séparées de l'action elle-même, et jugées selon des critères propres.

Par exemple, si un révolutionnaire, alors qu'il s'apprête à accomplir un acte de vengeance similaire ou de confisquer des biens pour accomplir un tel acte (argent, armes, poison, explosifs, etc.), se retrouve face à un individu s'y opposant et que cela mette le révolutionnaire gravement en danger, il n'a pas seulement le droit, du strict point de vue de la légitime défense et de l'instinct de survie, de détruire qui que ce soit pouvant le trahir en intervenant, mais il a également le devoir, pour le bien de la cause qu'il défend, de balayer cet obstacle inattendu de son chemin.

II.   Quand le peuple sera-t-il « prêt » pour la liberté ? (in *Freiheit*, 15 novembre 1884).

« Pas encore, loin s'en faut ! » C'est ce que les chiens de garde ont répondu dans le monde entier depuis des lustres. Aujourd'hui, les choses ne sont ni meilleures ni pires de ce point de vue, car des individus, tout en partageant ce sentiment, se comportent comme s'ils agissaient pour le plus grand bonheur de l'humanité.

Il est facile de comprendre que tel prince héritier ou tel autre puisse déclarer que le peuple n'est pas « prêt » pour la liberté ; après tout, s'il disait le contraire, il ne ferait que montrer à tous son inutilité et signerait par là son propre arrêt de mort.

De la même façon, à moins de nier leur propre droit à l'existence, aucun aristocrate, bureaucrate, avocat ou mandarin du gouvernement, ni même la « loi », ne peut admettre que le peuple puisse être « prêt ». Nous connaissons bien sûr le proverbe qui veut que le monde n'est dirigé qu'avec une dose minime de sagesse ; mais aussi stupides ces fainéants de l'État soient-ils, ils ont assez de jugeote pour réaliser qu'un peuple fait pour la liberté cessera bientôt de se plier à leur esclavage.

Tous les prêcheurs cléricaux et littérateurs dont l'existence ne tient qu'à leur statut de gardiens du peuple et qui se donnent donc du mal pour embrouiller le cerveau humain avec leurs fadaises sur la Bible ou le Talmud, leurs journaux hypocrites et leur théâtre minable, leurs romans sophistes et orduriers, leurs falsifications de l'histoire et leur camelote philosophique, en bref, avec leurs foutaises quelle que soit leur forme, trouveront toujours quelque chose à dire sur « l'immaturité » du peuple.

Les gros bonnets et autres gras philistins qui, alors que la bêtise se lit sur leur visage, se croient, dans leur position d'exploiteurs parasites et de voleurs protégés par l'État, aussi heureux dans cet état de non-liberté que des porcs sur leur fumier, se frottent naturellement les mains et font montre de leur approbation satisfaite lorsque leurs porte-parole, déclamant du haut de leurs pupitres, lutrins, chaires et podiums, cherchent à prouver au peuple qu'il n'est pas prêt pour la liberté et qu'il doit donc être pillé, rançonné et tondu.

L'homme de la rue a quelque chose du singe ou du perroquet. Ce qui explique pourquoi des centaines de milliers d'entre eux vont, répétant jusqu'à ce que mort s'ensuive, ce que ces professionnels du bourrage de crâne ont proclamé. Nous sommes trop stupides pour être libres ! Hélas, que nous sommes stupides, stupides vraiment !

Cela est parfaitement compréhensible. Mais ce qui demeure incompréhensible, c'est que certains qui se font les avocats du prolétariat colportent ce vieux tuyau percé de « l'impréparation » du peuple et de l'impossibilité résultante de lui donner accès à cette liberté.

Est-ce de l'ignorance ou un crime délibéré ?

Laissons ces gens s'exprimer librement : ils montrent clairement et distinctement, dans leurs discours comme dans leurs écrits, que :

– les conditions mêmes de la société moderne conduiront à la destruction de celle-ci ;

– l'une des plus terribles conséquences du système actuel est la détérioration grandissante de la situation d'un grand nombre d'individus, leur épuisement physique et leur démoralisation spirituelle ;

– à l'état d'esclavage actuel doit succéder un état de liberté.

En d'autres termes, ils nous disent ceci : dans le premier cas, que la société actuelle se dirige tout droit vers l'effondrement, dans le second, que le peuple est inexorablement et de plus en plus misérable (donc de moins en mois prêt pour la liberté) au fur et à mesure que la situation persiste.

Alors, quand de tels philosophes, avec de telles assertions, s'exclament en des tons émouvants que le peuple n'est pas « mûr » pour la liberté, ils ne peuvent que concéder, conformément à leur propre doctrine, que cette « préparation » ira de plus en plus en faiblissant.

Cela veut-il dire que ces individus sont incapables de suivre le fil de leur pensée jusqu'au bout, du fait établi jusqu'à sa conclusion ? Si tel était le cas, ils ne seraient que des crétins et, dans le meilleur des cas, pas assez « mûrs » pour servir d'éducateurs du peuple. Mais peut-être savent-ils pertinemment ce que leur logique a d'imparfait et ont-ils l'intention, pour tromper le peuple, de la faire tenir sur des béquilles ? Si tel était le cas, ils ne seraient que des chiens de garde criminels.

— « Attendez ! » crie quelqu'un pour prendre la défense de ces personnes. « Nous avons trouvé un moyen de contrecarrer les effets dégradants du capitalisme et de préparer le peuple à la liberté. Nous *éclairons*. »

La belle affaire ! Mais qui vous a dit que la vitesse où les choses évoluent vous laissera assez de temps pour répandre votre soi-disant lumière de manière systématique ? Vous ne croyez pas vous-même à ce genre de prodiges.

Alors, que voulez-vous ?

Nous provoquons ; nous répandons le feu de la révolution et incitons le peuple à la révolte de toutes les manières possibles. Le peuple a toujours été « prêt » pour la liberté ; il lui a seulement manqué le courage de la réclamer pour lui-même.

Nous sommes convaincus que la nécessité est, et demeure, le facteur prépondérant de la lutte pour la liberté et que des centaines de milliers d'hommes et de femmes feront un jour leur apparition sur la scène et combattront pour la liberté sans avoir entendu notre appel aux armes ; et nous ne demandons pas mieux que de construire, en entraînant ceux qui sont en état de se lever, des écluses qui seront à même de diriger le flot de lave de la révolution sociale dans les canaux adéquats.

Comme lors de chaque cataclysme social précédent, la « préparation » du peuple se révélera dans toute sa majesté le moment venu ; ni avant, ni après.

Et alors, comme toujours, il apparaîtra que ce ne sont pas ces théoriciens et ces « illuminés » timides qui donneront à la société vacillante des fondations solides, mais ces forces miraculeuses qui se dresseront, comme sorties de terre au moment suprême où l'on a besoin d'elles. Les simples enfants de la nature se dresseront d'un coup pour emprunter des voies que nul philosophe dans le monde n'aurait pu s'imaginer, quand bien même il aurait vécu cent ans. La préparation à la liberté est alors étayée de la manière la plus étonnante qui soit.

L'affirmation par tout socialiste que le peuple n'est pas « prêt » pour la liberté n'est donc qu'une monstrueuse idiotie.

Quiconque ne compte pas parmi les exploiteurs se plaint que les autres sont plus privilégiés que lui. Où que ce soit, il est évident que le peuple ne se satisfait pas de son sort. Et s'il ne sait pas encore avec quoi remplacer le système actuel, il le découvrira au moment où quelque chose pourra être entrepris en ce sens. C'est à dire : *maintenant*.

III. L'action comme propagande (in *Freiheit*, 25 juillet 1885)

Nous avons dit une centaine de fois, voire plus, que lorsque les révolutionnaires modernes passent à l'action, ces actions importent autant que le retentissement qu'elles peuvent avoir. Nous ne prêchons donc pas seulement l'action elle-même, mais aussi l'action comme outil de propagande.

C'est une chose extrêmement simple, ce qui ne nous empêche pas de rencontrer, encore et encore, et même à proximité du centre de notre parti, des individus qui ne peuvent ou ne veulent pas la comprendre. Nous en avons eu une illustration parfaite lors de la récente affaire Lieske…

Notre question est la suivante : quel est le but des menaces anarchistes, œil pour œil, dent pour dent, si elles ne sont pas suivies d'effets ?

Peut-être que cette clique de « la loi et l'ordre » et ces chiens de garde à la Rumpff doivent être éliminés dans un coin sombre, afin que personne ne sache ce qu'il est advenu d'eux et pourquoi ?

Cela pourrait être une façon d'agir, mais pas de l'action comme propagande.

La force du cri de vengeance des anarchistes est d'être proclamé assez fort et distinctement pour que tous puissent entendre ceci : celui-ci ou celui-là doit mourir pour telle ou telle raison ; et qu'à la première opportunité qui se présente pour mettre la menace à exécution, cette charogne soit véritablement expédiée dans l'autre monde.

C'est ce qui est arrivé à Alexandre Romanov, à Messenzoff, à Soudeikine, à Bloch et à Hlubeck, à Rumpff et aux autres. Une fois une telle action accomplie, il convient que le monde l'apprenne *des révolutionnaires*, afin que chacun en connaisse la raison.

L'impression désastreuse que cela peut produire est montrée par la façon dont les réactionnaires ont continuellement tenté de maquiller les actions des révolutionnaires ou de les présenter avec un autre éclairage. Cela a souvent été possible en Russie, particulièrement en raison de la façon dont y est contrôlée la presse.

Pour parvenir au succès le plus complet possible, immédiatement après l'attentat, et particulièrement dans la ville ou il s'est produit, des affiches devraient être collées pour expliquer les raisons de cet acte, de manière à en tirer le plus grand bénéfice possible.

Lorsque cela n'a pas été fait, c'est bien souvent qu'il valait mieux ne pas impliquer le nombre de participants nécessaire ; ou que l'on manquait d'argent. C'était alors le rôle naturel de la presse anarchiste de glorifier et expliquer ces actes à la première occasion. Adopter une attitude d'indifférence à l'égard de ce type d'action aurait été, de sa part, apparenté à une trahison parfaitement idiote.

*Freiheit* a toujours poursuivi cette politique. Ce n'est qu'une sorte d'envie cireuse et insipide qui pousse ces démagogues, qui nous moquent en criant « Allez-y, allez-y donc ! », à condamner notre comportement en la matière comme criminel, en tous lieux.

Cette tribu misérable sait bien qu'aucune action entreprise par les anarchistes ne peut avoir de retentissement si les organes dont c'est la responsabilité ne s'en font pas un écho adéquat et ne la portent à la connaissance du peuple.

Et c'est cela, par-dessus tout, qui met en rage les réactionnaires.

IV.   La question de l'armement (in *Freiheit*, 27 mars 1886).

Si l'on suggère l'acquisition de fusils, on peut être certain de se voir accoler l'étiquette de « vieux machin » par les ultraradicaux, puisque les revolvers sont « plus maniables ». Si l'on suggérait l'inverse, nul doute que l'autre camp chanterait un hymne à la gloire du fusil.

Si l'on est incliné à considérer les mérites de ces deux armes et à se montrer équitable, parions à cent contre un que quelqu'un s'avancera pour affirmer que les armes à feu sont dépassées et nous vanter les mérites de la dynamite.

Cet explosif sera alors accepté par tous et sera recommandé avec enthousiasme de tous côtés, de par le fait même que les revolvers, les fusils et la dynamite valent mieux que la dynamite seule. Quel tollé cela provoque-t-il ! La dynamite est, elle aussi, obsolète, nous dit une rumeur mystérieuse, qui nous parle d'autres choses ; et ces nouvelles inventions miraculeuses tombent les unes après les autres, jusqu'à ce que nous entendions finalement parler de fusils à tirer dans les coins.

Nous pensons qu'ils devraient aller raconter ce genre de fadaises aux fusiliers marins et nous pourrions peut-être nous permettre de sourire face à ces enfantillages si la question n'attirait pas autant l'attention.

La conséquence immédiate de ces chamailleries et disputes est que certains qui pourraient autrement s'armer ne s'arment pas du tout. Elles anéantissent également la foi en certains types d'armes et frustrent ainsi les énergies de nombreux camarades armés. Elles conduisent enfin à la plus désastreuse confusion.

Tout le charabia inutile consacré à cette question devrait être combattu avec vigueur, dès qu'il est prononcé et en tous lieux. Ce que l'on devrait plutôt faire, au lieu de subir des débats assez idiots pour faire se plier de rire les ennemis du prolétariat, est de la propagande pour tous les types d'armes. Dans ce domaine aussi, laissons les préférences et les talents de chacun s'exprimer librement !

Au lieu de proclamer vaniteusement que tel ou tel qui ne se procure pas telle ou telle arme n'est qu'un abruti, nous devrions nous réjouir que les membres du prolétariat s'arment, tout simplement.

Ne sont-ils pas arrogants ces individus qui se bouchent le nez devant les travailleurs « jouant au parfait petit soldat et au tireur d'élite », puisque nous savons qu'il n'en est rien, que ces propos ne sont qu'un tissu de mensonges et qu'ils ne doivent pas nous faire croire que l'exercice et l'entretien d'un sentiment de fraternité d'armes sont ridicules ou triviaux…

On entend souvent dire que lorsque l'heure de la bataille approchera, le peuple se saisira des armes dont il a besoin. Sûrement, ou plutôt peut-être ! Peut-être, d'un autre côté, que la réquisition des armes ne se fera pas si aisément. Dans tous les cas, et ceci est presque sûr, une cinquantaine ou une centaine d'individus bien armés et bien entraînés auront moins de mal à s'emparer d'un arsenal et à s'assurer que les armes tombent dans de bonnes mains qu'une foule de personnes, quelle que soit sa taille, qui se sont rassemblées au hasard et n'ont que leurs mains nues pour combattre.

La possession d'armes ne constitue, de surcroît, que la moitié du travail ; il faut aussi savoir les utiliser. Il est facile de tirer, mais beaucoup plus dur de toucher quelque chose.

On a accordé jusqu'ici trop peu de crédit à ce fait et nombreux sont les révolutionnaires qui ont payé de leur vie d'avoir ouvert le feu sur un représentant de « la loi et l'ordre » sans s'être entraînés au tir au préalable.

Car, que ce soit avec un fusil ou un revolver, il faut un certain temps pour sentir une arme. Chaque arme possède ses propres caractéristiques, qui doivent être étudiées et respectées. En utilisant la première arme à feu lui tombant sous la main, même le plus exercé des tireurs d'élite ne sera pas capable d'atteindre des degrés de succès identiques à ceux obtenus avec son arme habituelle, dont il connaît tous les secrets.

Il en est de même pour les explosifs modernes, la dynamite, etc.

De nombreux incidents (en Angleterre notamment) ont montré à quel point on peut se rendre ridicule quand on ne sait pas se servir efficacement de ces substances. La pratique, encore une fois, doit venir après l'étude.

Il est possible qu'en ce moment les révolutionnaires actifs ne soient qu'une infime minorité, comparés à la population dans son ensemble, mais cela ne signifie pas pour autant qu'il est inutile actuellement de leur fournir des armes et un entraînement approprié, sur le seul principe qu'ils sont aujourd'hui incapables de penser même déclarer la guerre à ce monde hostile. Au contraire, leur ferme résolution doit combler par la qualité ce qui manque en quantité.

L'armée du prolétariat doit être constituée de tireurs d'élite ; chaque homme devrait être assez expérimenté pour pouvoir frapper sa cible à toutes les distances couvertes par son arme et faire de chaque tir un coup dans le mille.

Alors que la majorité des individus chargera contre les parasites de la bourgeoisie, le tireur d'élite révolutionnaire doit se poster en attente pour pouvoir abattre un officier ennemi ou tout autre opposant de poids pour chaque coup qu'il tire.

*Textes choisis par Arnaud Blin.*

# Manifestes, discours et théorie (II)

# Bhagwat Charan, *La philosophie de la bombe*[1]

Les événements récents, et particulièrement la résolution du Congrès sur la tentative d'attentat du 23 décembre 1929, ainsi que les écrits de Gandhi qui suivirent dans le journal *Young India* montrent que le Congrès national indien, en accord avec Gandhi, a lancé une croisade contre les révolutionnaires. Un grand nombre de critiques à leur égard émane de la presse et de la plate-forme. Quel dommage qu'ils aient tous été, délibérément ou par ignorance, mal représentés et mal compris. Les révolutionnaires ne fuient pas les critiques ni l'attention que porte l'opinion à leurs actions. Ils les prennent plutôt comme une chance de faire comprendre, à ceux qui le veulent véritablement, les principes de base du mouvement révolutionnaire et les hautes et nobles idées qui sont sa source vivace d'inspiration et de force. Espérons que cet article aidera l'opinion publique à connaître les révolutionnaires tels qu'ils sont et empêchera qu'on les prenne pour ce que des personnes intéressées et ignorantes voudraient qu'ils soient.

Évoquons tout de suite la question de la violence et de la non-violence. Nous pensons que l'utilisation même de ces termes est une grave injustice pour les deux partis, car ils n'expriment pas correctement les idéaux de chacun. La violence est la force physique au service de l'injustice, et ce n'est pas ce que veulent les révolutionnaires. D'un autre côté, ce qui est généralement considéré comme de la non-violence est en réalité la théorie de la force de l'âme appliquée à l'obtention de droits personnels et nationaux en endurant des souffrances et en espérant rallier votre adversaire à votre point de vue. Lorsqu'un révolutionnaire croit que certaines choses sont justes, il les demande, les exige, se bat pour elles et désire les obtenir de toute son âme, supporte les plus grandes souffrances pour elles, se tient prêt au plus grand des sacrifices pour les atteindre et applique à cet effort toute la force physique dont il est capable. Vous pouvez utiliser tous les mots que vous voulez pour qualifier cette méthode, mais ne pouvez la qualifier de violente, car ce serait un outrage à la définition de ce mot dans les dictionnaires. La *Satyagraha* est l'insistance pour la vérité. Pourquoi ne désirer l'acceptation de cette vérité que par la force d'âme ? Pourquoi ne pas y ajouter la force physique ? Alors que les révolutionnaires veulent acquérir l'indépendance de toutes leurs forces, physique comme morale, les avocats de la résistance passive voudraient que nous bannissions la force physique. La question n'est donc pas de savoir si vous êtes violents ou non violents, mais si vous avez la force mentale et physique ou la force mentale seule.

Les révolutionnaires pensent que la délivrance de leur pays passera par la révolution. La révolution qu'ils espèrent et à laquelle ils travaillent sans cesse ne prendra pas uniquement la forme d'un conflit armé entre le gouvernement étranger et ses soutiens et le peuple, elle entraînera l'avènement d'un nouvel ordre social. La révolution sonnera le glas du capitalisme, des distinctions de classe et des privilèges. Elle produira une nation libre. Elle donnera naissance à un nouvel État, une nouvelle société. Surtout, elle établira la dictature du prolétariat et bannira pour toujours les parasites sociaux des sièges du pouvoir politique.

Les révolutionnaires voient déjà se profiler la révolution dans l'impatience de la jeunesse et son désir de se débarrasser du carcan mental et des superstitions religieu-

---

1. Manifeste du HSRA, diffusé illégalement dans diverses parties de l'Inde en janvier 1930.

ses qui l'oppriment. Au fur et à mesure que la jeunesse sera imprégnée de la psychologie de la révolution, elle aura une meilleure compréhension du carcan national et développera une soif inextinguible de liberté jusqu'à ce que, dans un élan légitime, la jeunesse en furie ne commence à tuer les oppresseurs. C'est ainsi que le terrorisme est né dans ce pays. C'est une phase nécessaire et inévitable de la révolution. Le terrorisme n'est pas la révolution, mais la révolution est incomplète sans terrorisme. Cette thèse peut être étayée par l'analyse de n'importe quelle révolution dans l'histoire. Le terrorisme instille la peur dans le cœur des oppresseurs, apporte un espoir de revanche aux masses opprimées. Il donne courage et confiance aux hésitants, abolit la malédiction de la race assujettie aux yeux du monde, car il est la preuve la plus convaincante de la faim de liberté d'une nation. Ici, en Inde, comme dans d'autres pays auparavant, le terrorisme se développera en révolution et la révolution en indépendance, sociale, politique et économique...

Gandhi a appelé les individus raisonnables à retirer leur soutien aux révolutionnaires et à condamner leurs actions afin que nos patriotes égarés, manquant de substance pour entretenir leur violence, en réalisent la futilité et le grand tort que les activités violentes ont causé à chaque fois. Qu'il est facile et commode pour un homme de parler d'individus égarés, de dire d'eux qu'ils sont déraisonnables et de demander qu'ils ne soient plus soutenus mais condamnés afin que, isolés, ils soient forcés de suspendre leurs activités, quand il a la confiance d'une partie influente de l'opinion. Quel dommage que Gandhi ne comprenne pas et ne veuille pas comprendre la psychologie révolutionnaire malgré sa longue expérience de la vie publique. C'est une chose précieuse et chère à tous. Si un homme devient révolutionnaire, il chemine avec sa vie au creux de sa main, prêt à la sacrifier à tout instant, et pas par plaisir. Il ne sacrifie pas sa vie parce que quelqu'un dans l'assistance est de bonne humeur et lui crie « bravo ». Il la sacrifie, guidé par sa conscience et sa raison. Un révolutionnaire croit par-dessus tout à la raison. Il ne s'incline que face à elle seule. Aucune injure ni condamnation, même émanant du meilleur des meilleurs, ne peut le détourner de son but. Penser qu'un révolutionnaire pourrait abandonner son idéal si l'opinion publique se détournait de lui et cessait de l'approuver est pure folie. De nombreux révolutionnaires sont déjà montés sur l'échafaud et ont donné leur vie pour la cause, sans se soucier des malédictions que les agitateurs constitutionnels faisaient pleuvoir sur eux. Si vous souhaitez voir les révolutionnaires cesser leurs activités, raisonnez avec eux honnêtement. C'est la seule et unique façon de faire. Pour le reste, ne laissons pas le doute s'installer chez quiconque : un révolutionnaire est la dernière personne sur terre à se soumettre aux brimades.

Nous saisissons cette opportunité pour en appeler à nos concitoyens, aux jeunes, aux ouvriers et paysans et à l'intelligentsia révolutionnaire, de faire un pas et de nous rejoindre derrière la bannière de la liberté. Établissons un nouvel ordre social dans lequel l'exploitation économique et politique sera impossible. Au nom de ces hommes et femmes courageux qui acceptent volontairement de mourir pour que leurs descendants aient une vie meilleure, qui ont travaillé dur et sans relâche et ont péri pour le peuple, les désaffamés (sic) et les millions d'exploités en Inde.

Nous demandons à chaque patriote de prendre ce combat très au sérieux. Ne laissons personne jouer avec la liberté de la nation, qui est sa vie même, en faisant des expériences psychologiques comme la non-violence et autres nouveautés. Notre esclavage est notre honte. Quand serons-nous assez courageux et assez sages pour être capables de nous en libérer nous-mêmes ? Que valent notre grand héritage, notre civilisation et notre culture si nous ne nous respectons pas assez pour devoir nous plier… aux ordres d'étrangers et rendre hommage à leur roi et à leur drapeau ?

Il n'est pas un crime que la Grande-Bretagne n'ait commis en Inde. Une mauvaise administration délibérée a fait de nous des indigents et nous a saignés à blanc. Comme race et comme peuple, nous sommes déshonorés et insultés. Nous devons avoir notre vengeance, la juste vengeance du peuple contre le tyran. Nous ne ferons pas de quartier et n'en demandons pas. Nous mènerons notre guerre jusqu'au bout ; à la victoire ou à la mort. Vive la révolution !

## *La lutte pour la liberté par l'IRA provisoire* (anonyme, 1972)

Pour être franc, la pose sélective de bombes à Belfast, Derry et dans d'autres villes de l'Ulster occupé sert la stratégie de l'IRA. Ce sont des actes de guerre légitimes, les cibles choisies étant des casernes de la police ou de l'armée, des avant-postes, des bureaux des douanes, des bâtiments officiels et administratifs, des transformateurs électriques et des pylônes, certains cinémas, hôtels, clubs, salles de bal et pubs qui prodiguent un certain confort et de la relaxation aux forces britanniques ; sont également visées les cibles économiques, comme les usines, firmes, magasins (parfois déguisés en coopératives), détenues pour tout ou partie par des financiers ou des compagnies britanniques et qui, d'une manière ou d'une autre, contribuent au bien-être des troupes d'invasion de Sa Majesté, ainsi que, dans certains cas, les résidences de personnes connues pour accueillir ou être en liaison avec des espions ou des agents provocateurs, tels que les SAS, MRF et SIB. À de nombreux points de vue, cette campagne rappelle celle menée par la Résistance française durant la Deuxième Guerre mondiale.

Dans tous les cas, les équipes de poseurs de bombes de l'IRA envoient des avertissements, bien que ces avertissements soient parfois intentionnellement cachés ou retardés par l'armée britannique, afin de pouvoir faire le maximum de publicité sur le dos des blessés et des tués dans leur guerre de propagande contre l'IRA. En aucun cas la guérilla n'a violé cette « règle de l'avertissement », ce qui contraste avec les méthodes « sans avertissement » utilisées par les bandes unionistes et les agents provocateurs britanniques.

L'*Abercorn Restaurant*, le *McGurk's Bar*, le *Benny's Bar* et plus récemment le *McGlades Bar* sont des exemples effrayants de ce dernier type de plastiquages instantanés. Ils présentent naturellement moins de risques pour les artificiers en termes de sécurité personnelle et diminuent les chances d'être appréhendé. En plus de donner des avertissements, l'IRA revendique la responsabilité de toutes ses actions militaires, même si cela doit avoir des retombées défavorables pour la popularité du Mouvement républicain ; L'*EBNI* et *Donnegal Street* en sont des exemples classiques. Au fur et à mesure, la presse a appris à reconnaître la véracité des déclarations du Bureau de publicité des républicains irlandais, alors que les prospectus de propagande de l'armée britannique, leurs différentes versions de mêmes incidents et leurs flagrantes dissimulations de preuves ont sérieusement écorné leur crédibilité.

Les effets de la campagne de plastiquage de l'IRA peuvent être mesurés de différentes manières. Premièrement, elle a sapé les racines mêmes du moral de l'ennemi, confinant et clouant un grand nombre de troupes et de véhicules blindés dans les centres des agglomérations, relâchant ainsi la pression gigantesque exercée sur les zones nationalistes. En termes de pertes financières directes (dégâts structurels, biens et outillage), de désorganisation de la production industrielle et, pis encore peut-être, en éloignant les investissements de capitaux étrangers, les bombes de l'IRA ont frappé la Grande-Bretagne à son point le plus sensible : sa poche.

L'Angleterre a toujours trouvé que ses infortunés soldats étaient pour ainsi dire sacrifiables et remplaçables jusqu'à un certain point, mais elle a toujours gardé un œil sur les dépenses publiques. Toute paix accordée par l'octroi de la liberté aux colonies en rébellion contre Londres n'a été conclue que par un calcul : le coût de l'occupation. Depuis 1969, la facture des combats, qui s'élève au minimum à

500 millions de livres, n'est pas passée inaperçue en Grande-Bretagne où les récents sondages ont montré que plus de 54 % des gens ordinaires souhaitaient un retrait immédiat des troupes.

Près de 1 500 soldats ont déjà quitté l'Irlande du Nord pour toujours. Dans de nombreux cas, les causes de décès inscrites sur les certificats adressés aux proches des soldats tués au combat ont été maquillées en accidents de la route, dans une vaine et odieuse tentative de truquer les chiffres et de ne pas montrer un taux de pertes trop important. Soudainement, l'Irlande du Nord est devenue le Viêt-nam de l'Angleterre. Sachant que la volonté de vaincre d'un peuple soulevé ne peut être battue par la force brute ni même par un rapport de forces démesuré, les plus éclairés des hommes politiques britanniques ont vu la lumière et s'accordent avec le fameux dicton de Wolfe Tone : « Coupez la connexion ! »

La Grande-Bretagne a, elle aussi, souffert d'autres pertes que les dégâts des bombes et la perte de ses personnels. Son prestige et sa crédibilité dans l'opinion publique mondiale et le monde de la finance ont été sévèrement ébranlés ; sa duplicité et son sens sélectif de la justice ont été exposés à la vue de tous ; son désir puéril de « s'accrocher aux derniers vestiges de l'Empire » l'a marquée comme une nation récidiviste, vulnérable psychologiquement, instable et mentalement immature. Ces considérations ne sont pas passées inaperçues au sein des nations du Marché commun, et particulièrement la France et Monsieur Pompidou. Le problème irlandais de l'Angleterre est de son fait, et est à présent perçu comme une tache par la nouvelle capitale : Bruxelles. Peu à peu, Londres perd de son importance.

# Ulster : le contre-terrorisme[1]

Nous acceptons que la presse du monde entier soit lasse du bruit et de la vision de l'Ulster, lasse de notre orgie de destruction, lasse de nos rancœurs et de nos brutalités. Alors, dites-vous, en quoi devrions-nous être intéressés par les délires d'autojustification d'une bande de protestants extrémistes ? Une bande d'individus fondus dans le rôle des « balourds » dérangés, des « sales types » de l'histoire, des bigots étroits d'esprit de l'Ulster, qui sont la cause de tous les problèmes actuels ?

On a écrit des monceaux de papier à notre sujet ces quatre dernières années, notre rôle dans les affaires est présenté par la presse de manière biaisée et tous les commentaires à notre sujet s'appuient sur ces suppositions :

Que nous sommes bornés. Que nous sommes fanatiques. Que nous sommes identiques à l'IRA. Que nous haïssons tous les catholiques. Que nous sommes des fascistes répressifs et « d'extrême droite ». Qu'il est impossible de discuter avec nous.

Au vu de tout ce qui a été écrit sur les Écossais-Irlandais d'Irlande du Nord, on pourrait penser que quelqu'un aurait pu comprendre quelle vérité se cache derrière tout cela. La véritable cause de ce carnage, la véritable cause de cette haine. Nous pensons que vous, la presse, n'avez rien fait de cet ordre, et qu'il est grand temps pour vous de le faire ; car nous pensons que, tout du moins, vous nous devez une possibilité de nous exprimer. Pour une fois.

Cela fait bien longtemps que notre gouvernement, compétent quoique partisan, se trouve pris sous le feu d'un mouvement des droits civiques dont, convenons-en, les plaintes étaient loin d'être toutes injustifiées. Dans le rôle de sainte Bernadette, se présenta alors un petit bout de femme, aux talents oratoires indéniables, et avec un passé de pauvreté. Comme la presse aimait cette petite dame, la montrant sautillant gaiement dans son jardin, au fur et à mesure que ses victoires sur les unionistes répressifs et injustes faisaient les gros titres.

C'est vous, la presse, qui avez fait de cette fille une héroïne et vous portez une lourde part de responsabilité dans ce qui s'ensuivit. Les bouffonneries répressives, maladroites et déplacées de nos dirigeants vous ont confortés dans votre idée qu'elle et ses associés avaient raison et nous tort. Les B-Specials, les réactions de nos forces de police et la soi-disant embuscade de Burntollet vous ont radicalisés, ce qui nous radicalisa par retour, et le sort en était jeté.

Il est regrettable que vous ne lisiez pas vos livres d'histoire, car la réalité y est inscrite, répétée encore et encore, à la manière d'un enregistrement. Nous sommes une race hybride, descendant d'hommes qui ont colonisé l'Écosse depuis l'Irlande au Vᵉ siècle, et avons colonisé l'Irlande depuis l'Écosse au XVIIᵉ siècle. Notre existence en Écosse était loin d'être placide, mais ressemblait au paradis comparée à notre vie en Irlande. Depuis quatre siècles, nous n'avons connu que révoltes, meurtres, destruction et répression. Nous avons à maintes reprises volé au secours de la couronne britannique, pour être systématiquement trahis dans les vingt années suivantes par un nouveau gouvernement britannique. Ce qui se produit aujourd'hui nous rappelle des événements qui se sont produits aux XVIIᵉ, XVIIIᵉ et XIXᵉ siècles.

---

1. Déclaration du Groupe extrémiste protestant, Sunday World, 9 juin 1973.

Nous ne sommes pas très doués pour la propagande ni pour louer nos vertus ou admettre nos fautes. Nous ne faisons que conserver notre point de vue, incliner la tête, et prier pour tous ceux qui vont encore mourir ces cinquante prochaines années.

Graduellement, nous nous sommes toutefois rendu compte que cette fois-ci, d'autres facteurs interviennent dans ce conflit séculaire entre les Écossais-Irlandais et les Irlandais-Irlandais ou, si vous préférez, entre les protestants et les catholiques.

Les politiciens britanniques ont pris pour habitude de nous laisser tomber, ce que nous appelons une trahison. Les catholiques tentant par ailleurs de nous submerger, nous sommes pris entre deux feux. Anglais de deuxième catégorie, demi-Irlandais, nous pouvons le supporter et même davantage, mais comment devrions-nous espérer vaincre le mouvement révolutionnaire mondial qui fournit en armes et entraîne l'IRA, sans parler des conseils qu'il reçoit en termes de publicité, de promotion et d'expertise ?

Nous ne disposons pas de fonds en provenance d'Irlandais sentimentalement dérangés vivant en Amérique et utilisant l'argent du capital pour planter ici les graines du communisme. Nous n'avons pas le soutien tacite du gouvernement d'Irlande du Sud et nous ne sommes pas davantage soutenus par le peuple britannique, étant jugés sans intérêt.

Nous sommes trahis, calomniés, et nos familles vivent dans la peur perpétuelle et la misère. Nos soi-disant alliés nous considèrent comme une nuisance et nous sommes dos au mur, risquant l'extinction, d'une manière ou d'une autre. Il est temps de prendre garde, car les habitants de l'Ulster qui se retrouvent dans cette position se battent sans faire de quartier, jusqu'à la mort, la leur ou celle de leurs ennemis.

Nous voudrions vous rappeler quelques faits majeurs : chez les Russes qui nous condamnent, des millions de personnes vivent dans des camps de travail et leur gouvernement est le plus grand tueur de masses depuis Adolf Hitler. Edward Kennedy, le nageur nocturne de Martha's Vineyard[1], est moralement moins en mesure de critiquer son lapin de compagnie que nous. Le dirigeant de la Libye est un fanatique dangereux. Si le gouvernement unioniste d'Irlande du Nord était corrompu, il est blanc comme neige à côté de celui de John Mary Lynch[2]. Si la presse aime les scandales, qu'elle se penche sur les fortunes personnelles des ministres de la République de Lynch. Des fortunes faites sur des intuitions divines d'autorisations futures. Si les protestants du sud de l'Irlande sont si satisfaits, pourquoi voit-on leur nombre diminuer et personne ne s'en plaindre ?

Si le gouvernement d'Irlande du Sud veut de nous, il doit gagner nos cœurs plutôt que de nous considérer comme les perdants hostiles d'une guerre d'attrition terroriste qu'ils soutiennent tacitement. Les ordres des politiciens leur lient les mains derrière le dos. L'opinion publique britannique dit : « Renvoyez les soldats à la maison. » Nous disons : « Renvoyez les politiciens et les officiers à la maison et laissez-nous les soldats et les armes – ou pourquoi ne pas renvoyer les soldats à la maison

---

1. Edward Kennedy avait eu un accident de voiture sur l'île de Martha's Vineyard. Sa voiture était tombée d'un pont et sa passagère était morte noyée tandis qu'il omettait de prévenir la police. Comme beaucoup d'Américains d'origine irlandaise, Edward Kennedy était assez proche de l'IRA. (NDT.)

2. Premier ministre irlandais. (NDT.)

et nous laisser les armes afin que nous vous envoyions l'IRA en caisses et en petites boîtes de conserve, comme celles des *baked beans* ? »

Les politiciens qui décident de nos vies depuis l'Angleterre ne nous comprennent pas. Ils empêchent l'armée de nous défendre correctement et nous empêchent de nous défendre nous-mêmes. Nous n'aimons pas ces hommes à faces molles, aux yeux vitreux et aux accents extravagants…

Nous sommes loin d'être parfaits. Nous ne nous regardons pas toujours les yeux dans les yeux, mais l'heure est venue pour les Écossais-Irlandais d'Ulster de repenser leurs actions futures. Le bain de sang pourrait rapidement devenir une réalité, et vous qui nous en avez accusés pourriez le précipiter injustement sur des personnes innocentes n'ayant pas su faire preuve d'assez de bon sens pour éviter de donner le pouvoir à des individus qui ont été élevés pour détruire notre mode de vie.

Vous avez fait d'une petite salope adultérine une sainte révolutionnaire, appelé un prêtre fanatique et défroqué à la voix doucereuse un modéré, et vous avez donné à une organisation terroriste toute la publicité nécessaire. Ce n'est pas un dirigeant *irlandais* qui a dit que nous devrions tous mourir sous les bombes, mais un de ces Anglais dérangés, masqué sous un faux nom et sans origine irlandaise d'aucune sorte. Nous, Écossais-Irlandais, nous battons pour survivre. Nous pensons avoir subi de grands torts et pensons que vous devriez suivre les événements des prochains mois avec une grande *attention*.

## Menahem Begin, *La révolte*

Au début de la révolte, nous divisâmes l'Irgoun en un certain nombre de sections, en plus des divisions administratives et géographiques habituelles :

AR Armée de la révolution ;

UC Unités de choc ;

FA Forces d'assaut ;

FPR Force de propagande révolutionnaire.

Nous voulions donc quatre sections. Mais la réalité est plus forte que toutes les décisions d'un groupe de combat. L'AR n'existait que théoriquement. Elle devait servir de réserve, englobant tous les soldats qui ne se trouvaient pas dans les trois autres sections. Mais cela ne marcha jamais. Les nouveaux venus ne faisaient qu'y passer et, après avoir reçu leur entraînement sommaire, étaient transférés à l'une des autres sections. Elle ne possédait ni soldats ni officiers propres. Elle ne connut son heure de gloire que lorsqu'elle se souleva contre les envahisseurs arabes, quand chaque membre de l'Irgoun fut enrôlé dans une unité de l'armée régulière : section, peloton, compagnie, bataillon.

Les Unités de choc ne furent jamais vraiment mises sur pied. Ce n'était qu'un nouveau nom pour une unité qui existait avant la révolte. Elle était alors appelée – par ceux qui en connaissaient l'existence – la « Section rouge » ou l'« Escouade noire ». L'idée qui la sous-tendait était très intéressante. C'était celle de Yaacob Meridor. Il considérait que la lutte pour la libération requérait des hommes spécialement entraînés à combattre dans les zones arabes, en Eretz Israël comme dans les pays arabes. Les hommes sélectionnés étaient donc braves et basanés. Ils recevaient leur instruction militaire et leurs leçons en arabe. La composition de la « Section rouge » devait donc rester secrète, même pour les autres membres de l'Irgoun. C'était les « clandestins des clandestins », mais cela ne marcha pas. L'idée était osée, mais son application causa un grand nombre de difficultés, dont certaines n'étaient pas drôles. Soudainement, les meilleurs hommes, et parmi eux des officiers, quittaient ainsi l'Irgoun. Les membres loyaux qui avaient accompagné l'Irgoun à travers ses démêlés, s'interrogeaient et ne comprenaient pas : « Lui, un déserteur ? » Et le déserteur ajoutait l'injure à l'outrage. Non content de déclarer avec fracas qu'il n'avait plus rien à faire avec l'Irgoun, il la maudissait et l'insultait. Ce comportement étrange de personnes autrefois dévouées et d'officiers importants portait un grave coup au moral des combattants. Il était impossible d'expliquer, ni même d'entrevoir, la vérité. Malgré cela, ces faux déserteurs ne furent pas suivis par de vrais. Nos gars étaient rassérénés par le principe que nous gardions dans nos cœurs. Untel et untel étaient partis ? tel ou tel autre avait déserté ? Quelle importance ? Vous, les soldats, aviez décidé de remplir votre mission historique sans vous soucier de ce que l'on pouvait dire de votre mission, que ce soient vos adversaires ou vos amis d'hier, vos camarades ou vos officiers. En tant que soldats de la liberté, votre commandant suprême était la cause elle-même.

L'affaire de la « Section rouge », bien qu'ayant débuté dans le chagrin, se termina dans la joie et l'allégresse. Quand la révolte débuta, tous les déserteurs réapparurent dans leurs unités. C'était une nouvelle surprise, heureuse cette fois-ci. Hier encore, untel insultait l'Irgoun en long, en large et en travers, et il était à présent officier en première ligne ? Certains durent se frotter les yeux. Des amitiés se reformèrent. Le moral remonta.

Dans la « Section rouge », il y avait d'excellents combattants et presque tous ressemblaient à des Arabes. Certains juifs ashkénazes d'Europe ne sont pas moins basanés (et le sont parfois plus) que le plus pur séfarade. Les deux seuls membres de l'unité que je connus personnellement venaient de Lodz, en Pologne. Il est vrai que bon nombre des combattants de l'Unité de choc venaient de l'Est. Voici l'origine de cette histoire, particulièrement mise en avant par la presse britannique de l'« Escouade noire » de l'Irgoun, soi-disant composée exclusivement de Yéménites. Cette légende fut largement entretenue par certains politiciens juifs. Voulant nous rabaisser, ces gentlemen chuchotaient ou criaient bien haut que l'Irgoun entière était exclusivement composée de Yéménites. Nos ennemis répandaient des légendes sur les « Yéménites noirs » d'un côté et sur « l'écume de l'Europe de l'Est » de l'autre, afin de nous railler. Quel dommage que nos opposants politiques juifs aient repris à leur compte cette propagande raciste tant appréciée par les antisémites de l'entre-deux-guerres ! Les nazis avaient l'habitude de dire : « Les juifs ne sont peut-être pas tous communistes, mais tous les communistes sont juifs. » Certains sionistes disent de nous : « Tous les Yéménites ne sont pas membres de l'Irgoun, mais tous les membres de l'Irgoun sont Yéménites. »

C'est inexact. Dans les Unités de choc comme dans les autres divisions de l'Irgoun, les membres viennent de toutes les communautés et de toutes les classes. Nous avons des gens de Tunis et de Harbin, de Pologne et de Perse, de France et du Yémen, de Belgique et d'Irak, de Tchécoslovaquie et de Syrie ; nous avons des natifs des États-Unis et du Bokhara, d'Angleterre, d'Écosse, d'Argentine et d'Afrique du Sud, et surtout de l'Eretz Israël. Nous sommes le melting-pot de la nation juive en miniature. Nous ne demandons jamais ses origines à quiconque : nous n'exigeons que la loyauté et les compétences. Nos camarades des communautés orientales se sentent chez eux à l'Irgoun. Personne ne fait montre d'un quelconque air de supériorité à leur égard ; ils ont ainsi pu être aidés à se libérer du complexe d'infériorité qui pouvait être le leur. Ils étaient nos frères d'armes et c'était assez. Ils pouvaient atteindre les plus hauts degrés de responsabilité et les ont atteints. Chlomo Lévi, premier chef d'état-major de la révolte, était séfarade. Son frère, « Uzi », en rentrant de sa prison en Érythrée, devint le commandant de la région de Tel-Aviv et commanda des milliers d'hommes jusqu'à sa mort héroïque, lors de la bataille décisive de Jaffa. Shimshon, commandant de région à Haïfa avant qu'il ne soit livré aux autorités militaires britanniques, venait de Perse. Il y avait un Gédéon à Jérusalem, qui dirigea l'opération historique contre le QG de l'armée d'occupation et le fit avec beaucoup de bravoure et de fermeté. Il était séfarade. Deux des hommes qui montèrent sur l'échafaud, Alkoshi et Kashani, étaient des séfarades. Cette « tache » que nos ennemis et opposants tentent d'utiliser pour nous affaiblir, nous nous en enorgueillissons. Des individus qui ont été humiliés et avilis sont devenus de fiers combattants dans nos rangs, des hommes et des femmes libres et égaux, hérauts de la liberté et de l'honneur. Des statistiques ? Nous n'avons jamais compté de cette manière. Mais je pense être proche de la vérité si je dis que dans les différentes sections de l'Irgoun, il y avait entre 25 % et 35 % de séfarades. Dans les Unités de choc, en raison de l'accent mis sur les peaux mates, la proportion était peut-être plus grande ; peut-être entre 40 et 50 %.

Les membres des Unités de choc effectuèrent les premières opérations de la révolte, mais leur existence séparée ne se justifiait pas de manière pratique. Au fur et à mesure que la lutte continuait, les Unités de choc furent réunies aux Unités d'assaut et devinrent les célèbres Forces d'assaut de l'Irgoun, qui frappèrent les plus rudes coups à l'oppresseur et furent les principales responsables de sa désagrégation en Eretz Israël. Des quatre sections que nous avions organisées, n'en demeuraient plus que deux : les Forces d'assaut et la Force de propagande révolutionnaire. Entre elles, un conflit permanent : chaque membre de la FPR voulait être transféré à la FA et aucun membre de la FA ne voulait partir à la FPR.

Ce n'était pas le seul conflit au sein des clandestins. Un mouvement de combat clandestin est un véritable État en miniature : un État en guerre. Il possède son armée, sa police, ses tribunaux. Il dispose des pouvoirs exécutifs d'un État. Surtout, il a droit de vie et de mort non sur des individus mais sur des générations entières.

Dans les ministères et les différents cabinets d'un gouvernement, comme dans les sections et divisions d'un mouvement clandestin, la coopération et les querelles apparaissent, dues à la nature humaine elle-même. Les commandants de régions n'appréciaient pas « l'autonomie » accordée aux Unités de choc puis aux Forces d'assaut. « Nous », disaient les commandants de régions, « nous effectuons tout le travail dans les zones sous notre commandement. Nous savons quelles armes sont en notre possession (ou manquent). Nous connaissons nos gens. Pourquoi ne pourrions-nous pas être chargés de la préparation des batailles et des batailles elles-mêmes ? » Cet argument semblait logique. Mais la réplique du commandant des Forces d'assaut ne l'était pas moins : « Les batailles », disait-il, « ont souvent dû être préparées à la va-vite. Le commandant de région est un chargé de famille nombreuse. Il est préoccupé par des tas de problèmes organisationnels. Nous ne pouvons être certains d'être efficaces qu'en ayant des contacts directs avec les officiers opérationnels locaux. »

Il n'était pas facile de trancher entre les deux, d'autant que chaque parti ne cherchait qu'à trouver les meilleurs moyens de poursuivre la lutte. Au bout d'un moment, j'avais le sentiment d'être le juge qui, ayant déclaré aux deux plaignants que chacun avait raison, répondait à sa femme qui lui demandait comment une telle chose était possible : « Tu as aussi raison, mon amour ! »

Cette dispute sur l'autonomie accordée aux Forces d'assaut se déroulait au même moment qu'une autre dispute sur l'autonomie, qui ne fut pas accordée : nos services secrets ne cessèrent de réclamer plus d'autonomie. Cette section fit un excellent travail pendant la lutte. Tandis que les Forces d'assaut travaillaient l'ennemi avec du fer et du plomb, les services secrets le combattaient avec leurs cerveaux. Notre victoire sur les forces gouvernementales dépendait pour une large part de nos services secrets, de leurs révélations, de leurs informations et de la ceinture de sécurité qu'ils avaient bâtie, laborieusement et avec beaucoup de bon sens, autour des combattants clandestins. Leurs membres, dirigés par Michael, représentant puis successeur de Yoel, désiraient atteindre de meilleurs résultats et pensaient pouvoir les atteindre si on leur donnait un peu plus de liberté d'action. Ils citaient régulièrement l'exemple de nombreux pays dans lesquels les services secrets et le contre-espionnage sont, sous la responsabilité directe du gouvernement.

Grâce à la compréhension et à la tolérance dont firent preuve tous nos camarades, nous parvînmes à surmonter ces querelles intestines qui provenaient de la division des tâches entre de nombreuses personnes et de leur désir de réussir. Il n'est pas exagéré de dire que dans la clandestinité, nous avons tous acquis une certaine habitude du fonctionnement de l'État, avec ses lumières et ses zones d'ombre, ses vertus et ses défauts. Nous surmontâmes les problèmes interdépartementaux mais nous ne parvînmes jamais à mettre fin à la sainte querelle opposant les Forces d'assaut à la Force de propagande révolutionnaire.

## Josaphat Harkabi, *La doctrine du Fatah*[1]

Ce n'est pas un hasard si la troisième brochure du Fatah, intitulée « La révolution et la violence, route vers la victoire », est un précis sélectif du livre de Frantz Fanon *Les damnés de la terre*. L'influence de Fanon se manifeste dans d'autres écrits du Fatah, surtout à propos de l'impact psychologique d'Israël sur les Arabes et de la transformation que leur lutte armée opère sur les Palestiniens. « Violence », « lutte violente », « vengeance » sont des expressions courantes dans la littérature du Fatah. Le lecteur de ces textes est projeté dans un monde de haine froide et est poussé à une vengeance inextinguible.

La violence est décrite comme nécessaire pour balayer le colonialisme, car entre les colonialistes et les colonisés, la contradiction est telle que la coexistence est impossible. L'un des deux doit disparaître. (La description du conflit israélo-arabe à la fois comme un conflit sans fin et une lutte à mort est fréquente dans les publications arabes.) Un tel conflit est une « guerre d'annihilation d'un des rivaux, soit la mort de l'entité nationale, soit celle du colonialisme... les colonisés seront libérés de la violence par la violence. » La « révolution palestinienne » est un événement à ce point cataclysmique qu'elle ne peut être achevée que par la violence.

La violence libère le peuple de ses défauts et de ses angoisses. Elle lui inocule à la fois le courage et un mépris de la mort. La violence a un effet thérapeutique, purifie la société de ses maladies. « La violence purifiera les individus du venin, dégagera les colonisés de leur complexe d'infériorité et rendra le courage à nos compatriotes. » Dans un mémorandum adressé aux journalistes arabes, le Fatah déclara : « Faire exploser notre révolution au sein des territoires occupés (c'est-à-dire Israël, puisque le texte a été rédigé avant la guerre des Six-Jours) est une cure pour toutes les maladies de notre peuple. »

L'appel à la violence comme purgatif met également en lumière certains défauts qui doivent être rectifiés, ainsi qu'un désir d'exorciser le grand nombre des erreurs. L'appel à la violence peut aussi avoir la fonction de donner une satisfaction cathartique, se substituant à la véritable action.

La violence, indique le Fatah, aura une influence unificatrice sur le peuple, et en fera une nation. Elle poussera les individus hors de la petitesse de leur ego et les rendra imbus de l'émotion liée à la réalisation d'œuvres collectives, le carnage produira une expérience qui les liera. Ainsi, la « territorialité » (la fragmentation en différents États arabes) imposée par l'impérialisme et les chefs arabes, soutenue par habitude au sein des sociétés, prendra fin.

La lutte, à côté de ses buts politiques, aura comme effet secondaire un impact important sur ses participants. C'est une « lutte créative » (*Nidalia Khallaqa*). Violence, révolution, activisme, « bataille de la vengeance », « lutte armée », tous s'unissent dans une vision apocalyptique d'une agression juste et héroïque, cherchant à se venger d'Israël...

Les passages de la littérature du Fatah qui examinent les phases de la lutte sont difficiles à lire. La terminologie du Fatah et ses formulations peuvent apparaître ésotériques et jargonnantes. Mais ce qui peut sembler encore plus ennuyeux pour le lecteur qui n'est pas versé dans ce vocabulaire est le caractère trop général et abstrait

---

1. Décembre 1968.

du débat. Il est fait d'une mixture de terminologie influencée par la littérature marxiste, tentant d'interpréter les événements de manière rationnelle, ainsi que d'accents mythologiques exprimés dans des figures de style telles que l'« ignition » ou la « détonation » d'une révolution, et laisse le lecteur perplexe quant aux moyens nécessaires à son avènement.

Les étapes révolutionnaires symbolisent l'expansion des cercles de ceux impliqués par la révolution ou la guerre. L'étape numéro 1 est la formation de l'avant-garde révolutionnaire. Elle est accomplie par « le mouvement de l'assemblée révolutionnaire des volontés conscientes de revanche ». « Le membre de l'avant-garde révolutionnaire se distingue par son intuition révolutionnaire. » Sa tâche est de « découvrir la lame de fond de la société, pour son propre bien et pour l'utilité pour l'action et le mouvement, puis de comprendre quels obstacles entravent son mouvement en accord avec la logique historique ». Ainsi, « l'avant-garde révolutionnaire est faite des humains interagissant de manière positive avec la réalité (de sa situation), et s'élève par sa conscience jusqu'à ce qu'elle se libère de l'emprise du réel, afin d'atteindre le dépassement de cette réalité par une autre, différant radicalement dans ses valeurs et caractéristiques. Pour prendre un exemple concret, la réalité du peuple palestinien est fragmentée, défigurée et corrompue et montre des signes de stagnation. Toutefois, malgré cette stagnation et cette immobilité, le sens de l'histoire impose l'existence d'un courant de vitalité au sein du peuple palestinien, tant que l'homme palestinien chérit la vengeance sur cette réalité. Alors que ce désir de vengeance augmente, le courant de vitalité coagule en une avant-garde révolutionnaire. »

La deuxième étape est la formation de l'Organisation révolutionnaire. En son sein, l'avant-garde révolutionnaire obtient une mobilisation psychologique des masses palestiniennes en stimulant son désir de revanche, jusqu'à ce que « le désir constructif révolutionnaire embrasse tous les Arabes palestiniens ». Elle est donc appelée l'étape de l'embrassade révolutionnaire (*Al-Shumul al-Thauri*). L'endoctrinement des masses ne précédera pas l'étape de la lutte armée mais sera accompli par elle. « Ceux qui poussent à l'établissement d'une conscience nationale avant le début de la lutte armée se trompent… Inéluctablement, la lutte armée et la conscience des masses avanceront main dans la main et feront sentir aux masses leur personnalité active et restaureront la confiance. » L'avant-garde galvanisera les masses par son exemple et ses sacrifices lors des actions de guérilla.

Les publications du Fatah affirment que les masses arabes sont dépositaires d'une force gigantesque. Elles sont des « volcans endormis », sont « l'instrument » le plus important de la lutte. Cette capacité explosive doit être activée et cette tâche est attribuée à l'avant-garde.

Le succès de la révolution dépend de la coopération entre l'avant-garde et les masses. « La révolution de par sa composition a une direction et une base, nécessite la mise en place d'une interaction consciente entre la base, c'est-à-dire les masses, et la direction, afin d'assurer le succès de la révolution et sa poursuite. »

La troisième étape est la formation du Front arabe de soutien. Le soutien populaire à la « révolution palestinienne » doit être assuré dans tous les pays arabes afin de sauvegarder des bases arrière dans les pays arabes, et comme moyen de pression sur les gouvernements arabes, afin qu'ils ne mollissent pas dans leur aide à la révolution palestinienne pour poursuivre leurs intérêts personnels. Le Front arabe de soutien s'exprime ainsi à deux niveaux, populaire et gouvernemental. Le soutien populaire est utilisé comme moyen de pression sur les gouvernements arabes. Dans les mêmes publications, le développement global de la révolution est divisé en deux étapes majeures : la première, Organisation et Mobilisation, appelée ailleurs Phase de maturation révolutionnaire, comprend les étapes susmentionnées. La deuxième étape est appelée Explosion révolutionnaire (*Marhalatal-Tafjir al Thauri*). Cette étape d'Explosion révolutionnaire est décrite par un langage coloré : « Les masses haineuses et vengeresses se ruent sur la route de la révolution d'une manière pressante et véhémente, comme des forces torrentielles brûlant tout sur leur passage. » Durant cette étape, la « tempête de la vengeance » frappera sans retenue. Toutefois, l'avant-garde doit assurer la discipline des masses pour empêcher la violence de s'emballer. « La volonté de révolution obéira à son cerveau bien ordonné. »

Si la première étape est préparatoire, la deuxième est la plus intéressante. Malheureusement, sa description par le Fatah est plutôt rudimentaire. Même la question du moment de son déclenchement n'est pas claire. Le Fatah précise : « Nos opérations dans le territoire occupé ne pourront atteindre l'étape de la révolution voulue que lorsque tous les groupes palestiniens seront polarisés autour de la révolution. » Le Fatah ambitionne de devenir le principal dirigeant de tous les Palestiniens, prouvant que les autres mouvements, qui ne se sont pas agrégés autour de l'avant-garde révolutionnaire elle-même, sont artificiels et « contrefaits ». Ainsi l'étape de la révolution ne sera franchie que lorsque le Fatah aura mobilisé *tous* les Palestiniens.

## Plate-forme du Front populaire
## de libération de la Palestine (FPLP)

1.    La guerre conventionnelle est celle de la bourgeoisie. La guerre révolutionnaire est celle du peuple.

La bourgeoisie arabe a mis sur pied des armées qui ne sont pas préparées à sacrifier leurs intérêts propres, ni à risquer leurs privilèges. Le militarisme arabe est
devenu un appareil pour opprimer les mouvements révolutionnaires socialistes au
sein des États arabes, tout en proclamant dans le même temps son opposition à
l'impérialisme. Sous le couvert de la question nationale, la bourgeoisie a utilisé ses
armées pour renforcer son pouvoir bureaucratique sur les masses, et pour empêcher
les ouvriers et paysans d'acquérir du pouvoir politique. Jusqu'à présent, elle a requis
l'aide des ouvriers et paysans sans les organiser et sans développer une idéologie
prolétarienne. La bourgeoisie nationale se hisse habituellement au pouvoir par des
coups d'État et sans s'appuyer sur les masses ; dès qu'elle tient le pouvoir, elle renforce sa position bureaucratique. Grâce à l'application systématique de la terreur,
elle est capable de parler de révolution tout en interdisant tous les mouvements
révolutionnaires et en arrêtant tous ceux qui militent pour une action révolutionnaire.

La bourgeoisie arabe a utilisé la question de la Palestine pour empêcher les masses arabes de voir leur propre intérêt et leurs problèmes domestiques. La bourgeoisie
a toujours concentré les espoirs de victoire hors des frontières, en Palestine, de
manière à préserver ses intérêts de classe et ses positions bureaucratiques.

La guerre des Six-Jours de 1967 a montré l'inanité de la théorie bourgeoise de
la guerre conventionnelle. La meilleure stratégie pour Israël est de frapper vite.
L'ennemi n'a pas les moyens de mobiliser ses armées dans la durée car cela aug-
menterait sa crise économique. Il dispose d'un soutien complet de l'impérialisme
américain et doit pour cette raison livrer des guerres courtes. Aussi, pour notre peuple pauvre, la meilleure des stratégies sur le long terme est une guerre populaire.
Notre peuple doit surmonter ses faiblesses et exploiter celles de l'ennemi en mobi-
lisant les Palestiniens et les autres peuples arabes. L'affaiblissement de l'impérialisme et du sionisme dans le monde arabe exige qu'une guerre révolutionnaire soit
menée pour les affronter.

2.    La guérilla comme forme de pression pour une « solution pacifique ».

La lutte de Palestine est une partie du mouvement de libération arabe et de libération du monde. La bourgeoisie arabe et l'impérialisme mondial tentent d'imposer
une solution pacifique au problème palestinien, mais cette suggestion ne fait que
promouvoir les intérêts de l'impérialisme et du sionisme, met en doute l'efficacité
de la guerre populaire comme instrument de libération et a pour objet la préservation des relations entre la bourgeoisie arabe et le marché impérialiste mondial.

La bourgeoisie arabe craint d'être isolée de ce marché et de perdre son rôle de
médiateur du capitalisme mondial. C'est pourquoi les pays arabes producteurs de
pétrole ont abandonné le boycott contre l'Occident (institué après la guerre des Six-
Jours) et c'est pourquoi McNamara, patron de la Banque mondiale, était prêt à leur
faire crédit.

Lorsque la bourgeoisie arabe milite pour une solution pacifique, elle milite en fait pour le profit qu'elle peut tirer de son rôle de médiateur entre le marché impérialiste et son marché intérieur. La bourgeoisie arabe n'est pourtant pas opposée à l'activité de la guérilla, et va parfois jusqu'à l'aider ; mais uniquement parce que cette présence de la guérilla est un moyen de faire pression pour une solution pacifique. Tant que la guérilla n'est pas clairement associée à une classe et à une politique clairement définies, elle ne peut résister à l'application de cette solution pacifique ; mais le conflit entre les guérillas et ceux qui militent pour une solution pacifique est inévitable. C'est pourquoi la guérilla doit veiller à transformer ses actions en une guerre populaire avec des objectifs définis.

3. Pas de guerre révolutionnaire sans théorie révolutionnaire.

La faiblesse principale d'un mouvement de guérilla est l'absence d'une idéologie, qui pourrait illuminer l'horizon des combattants palestiniens et incarner les étapes d'un programme politique militant. Sans idéologie révolutionnaire, la lutte nationale demeure enfermée dans ses besoins matériels et pratiques. La bourgeoisie arabe est préparée à une satisfaction limitée des besoins de la lutte nationale, tant qu'elle respecte les limites fixées par la bourgeoisie. Une illustration parfaite en est l'aide matérielle que l'Arabie Saoudite offre au Fatah, tandis que le Fatah affirme qu'il n'interviendra pas dans les affaires internes des pays arabes.

Puisque la majorité des mouvements de guérilla n'ont aucune arme idéologique, la bourgeoisie arabe peut décider de leur sort. Aussi, la lutte du peuple palestinien doit être soutenue par les ouvriers et paysans, qui combattront contre toute forme de domination impérialiste, sioniste ou bourgeoise arabe.

4. La guerre de libération est une guerre de classe guidée par une idéologie révolutionnaire.

Nous ne devons pas ignorer les problèmes de notre lutte, en disant que notre lutte est nationale et pas une lutte de classe. La lutte nationale est le reflet de la lutte des classes. La lutte nationale est une lutte territoriale et ceux qui la livrent sont les paysans qui ont été chassés de leurs terres. La bourgeoisie est toujours prête à diriger ce genre de luttes, espérant ainsi prendre le contrôle du marché intérieur. Si la bourgeoisie parvient à faire passer le mouvement national sous son emprise, ce qui renforce sa position, cela peut mener le mouvement, sous le prétexte d'une solution pacifique, à pactiser avec le sionisme et l'impérialisme.

Aussi, le fait que la lutte de libération est essentiellement une lutte des classes montre la nécessité pour les paysans et ouvriers de jouer un rôle primordial dans le mouvement de libération nationale. Si les élites bourgeoises prennent ce rôle, la révolution nationale tombera, victime des intérêts de classe de ses dirigeants. C'est une erreur de commencer par dire que la lutte contre le sionisme demande une unité nationale, car cela montre que l'on ne comprend pas la réelle structure de classe du sionisme.

La lutte contre Israël est avant tout une lutte de classe. La classe opprimée est donc la seule capable d'affronter le sionisme.

5. Le principal champ de notre lutte révolutionnaire est la Palestine.

La bataille décisive est celle de Palestine. La lutte populaire armée en Palestine peut être menée seule, avec des armes simples, afin de ruiner l'économie et la machine de guerre de l'ennemi sioniste. La vivacité de la lutte populaire en Palestine dépend bien plus de l'agitation et de l'organisation des masses que des actions frontalières dans la vallée du Jourdain, même si ces actions sont importantes pour la lutte palestinienne.

Lorsque les organisations de guérilla ont débuté leurs actions dans les zones occupées, elles ont dû faire face à une répression militaire brutale des forces armées du sionisme. Ces organisations n'ayant pas d'idéologie révolutionnaire ni de programme, elles ont cédé aux demandes d'autoprotection et se sont repliées en Transjordanie. Leurs activités sont devenues des actions frontalières. La présence d'organisations de guérilla en Jordanie permet à la bourgeoisie jordanienne et à ses agents secrets d'écraser ces organisations lorsqu'elles ne servent plus à promouvoir une solution pacifique.

6. Révolution dans les deux Jordanies.

Nous ne devons pas négliger la lutte en Transjordanie, car cette terre est bien plus liée aux Palestiniens que tous les autres pays arabes. Le problème de la révolution en Palestine est connecté de manière dialectique au problème de la révolution en Jordanie. Une suite de complots entre la monarchie jordanienne, l'impérialisme et le sionisme l'a démontré.

La lutte en Transjordanie doit prendre la bonne voie, celle de la lutte des classes. La lutte palestinienne ne doit pas être utilisée comme un moyen pour soutenir la monarchie jordanienne, sous le masque de l'unité nationale, et la principale urgence en Jordanie est la création d'un parti marxiste-léniniste, disposant d'un programme clair permettant d'organiser les masses et de leur permettre de mener la lutte nationale et de classes. L'harmonie de la lutte entre les deux régions doit être obtenue en coordonnant les organes dont la tâche est de garantir des réserves en Palestine et de mobiliser les paysans et soldats dans les territoires frontaliers.

*C'est de cette façon seule qu'Amman pourra devenir un Hanoi arabe : une base pour les révolutionnaires combattant en Palestine.*

# Abraham Guillen, *La guérilla urbaine et les tupamaros*[1]

*Théoricien de valeur, qui fut entre autres « conseiller » des Tupamaros en Uruguay, Abraham Guillen a critiqué la stratégie du mouvement bien avant sa chute.*

Il faut porter au crédit des guérillos uruguayens d'avoir été les premiers à opérer dans la jungle de béton d'une métropole capitaliste, à se maintenir pendant la première phase d'une guerre révolutionnaire grâce à des tactiques et à une organisations efficaces et à tenir en échec la police et l'armée pendant un temps considérable... Par ses défaites comme par ses victoires, le Mouvement de libération nationale (Tupamaros) a contribué à fournir un modèle de guérilla urbaine – avec les grandes villes comme épicentre d'une lutte entre capitalisme et socialisme – qui a déjà laissé sa marque dans l'histoire contemporaine. Les leçons qu'on peut tirer de l'action des Tupamaros peuvent se résumer en plusieurs points.

1. *Front fixe ou front mobile ?* Lorsqu'il manque aux guérilleros urbains un large soutien, par suite d'une aversion pour la révolution ou parce que leurs actions ne répondent pas directement aux revendications populaires, ils doivent assurer leur propre infrastructure clandestine par la location de maisons ou d'appartements. En se cantonnant de cette manière dans un lieu fixe, les Tupamaros ont perdu à la fois leur mobilité et leur sécurité qui sont deux conditions nécessaires de la stratégie de guérilla. Pour éviter l'encerclement et la destruction résultant de perquisitions systématiques, les guérilleros doivent renoncer aux bases urbaines fixes et choisir de vivre séparés tout en combattant ensemble.

2. *Mobilité et sécurité.* Si les guérilleros urbains louent des maisons pour leurs commandos, ils risquent de laisser une trace que ne manquera pas de suivre la police qui contrôle chaque mois tous les enregistrements de locations. Dans le cas où la plupart de leurs locaux seraient prêtés, ils devront, en règle générale, éviter de construire des souterrains ou des refuges qui augmenteraient leur dépendance locale. Pour conserver leur mobilité et une importante marge de sécurité, ils doivent s'éparpiller dans la population qui leur est favorable. Des guérilleros qui luttent ensemble puis se dispersent dans une grande ville sont difficiles à découvrir par la police. Quand des rafles sont opérées dans une zone ou un quartier, les combattants sans base fixe peuvent se déplacer vers un quartier voisin. Une telle mobilité devient impossible lorsqu'ils comptent trop sur les maisons louées ou sur les refuges que leur offrent les sympathisants à leur domicile – autre importante erreur stratégique que commirent les Tupamaros.

3. *Arrière-garde importante ou modeste ?* Les guérilleros urbains qui développent une large infrastructure dans de nombreuses maisons en location commettent une erreur du point de vue non seulement militaire mais aussi économique et logistique. En effet, une arrière-garde importante nécessite un budget mensuel relativement élevé, et les considérations économiques et financières tendent alors à éclipser les questions politiques. Par suite de l'insuffisance de locaux, les guérilleros ont une prédisposition à élever à des postes de commandement ceux qui acceptent de prêter

---

1. Extrait de *Estrategia de la guerilla urbana*, Montevideo, 1971.

leur logement… Lorsque la possession d'une grande maison, d'une grande ferme ou exploitation facilite la promotion au rang de cadre, les guérilleros s'exposent aux tendances bourgeoises. Lorsque, pour se couvrir, ils s'appuient non plus sur les combattants mais sur les propriétaires, alors la guérilla urbaine devient l'affaire d'une minorité armée qui ne réussira jamais à mobiliser de cette façon la majorité de la population.

4. *Infrastructure logistique*. Bien qu'un front mobile soit préférable à un front fixe, il se trouve des circonstances où ce dernier est inévitable. C'est le cas pour le montage, le réglage et la transformation des armes. Ces fronts fixes, peu nombreux et dispersés, doivent rester cachés aux guérilleros eux-mêmes ; ils ne doivent être connus que des quelques personnes qui y travaillent, de préférence une par front, pour éviter que les forces de répression ne les découvrent. Pour des raisons de sécurité, il est recommandé de ne pas fabriquer d'armes mais d'en faire faire les différentes pièces séparément dans divers établissements légaux, pour ensuite les monter dans les ateliers clandestins.

Il est dangereux de se servir d'un front fixe comme logement et entrepôt de vivres, de médicaments et d'armes. Si les guérilleros sont appelés à agir à intervalles réguliers, ils doivent vivre comme tout le monde et se réunir seulement au moment et au lieu indiqués. Les maisons qui servent de logements pour les combattants ou de refuges ont tendance à immobiliser les guérilleros et à les exposer aux risques d'encerclement et de destruction. Les Tupamaros, qui avaient cantonné nombre de leurs commandos dans des quartiers fixes, s'exposèrent en 1972 à des arrestations en masse ; ils perdirent une grande partie de leurs armes et du matériel qui s'y rapportait, et furent contraints d'aller cacher leur équipement militaire à la campagne.

Afin d'exercer un contrôle sévère sur leurs sympathisants et de les maintenir dans une discipline militaire stricte, les Tupamaros devaient les loger ensemble. Ils les utilisaient cependant rarement dans les opérations militaires, qu'elles aient lieu séparément ou de façon simultanée, ce qui était le signe d'un manque de préparation stratégique. Si les guérilleros urbains ne peuvent continuellement disparaître et réapparaître dans la population d'une grande ville, c'est qu'il leur manque les conditions politiques requises pour faire une révolution, pour créer un état de crise sociale par la destruction de l'ordre public. Malgré l'efficacité qu'ils montrèrent dans la première phase d'une guerre révolutionnaire où le principe est d'attaquer et de disparaître, les Tupamaros n'ont pas réussi à développer la stratégie de l'escalade en utilisant de plus grandes unités à des intervalles plus fréquents dans le but de paralyser le régime en place.

5. *Héros, martyrs et vengeurs*. Dans une guerre révolutionnaire, toute action de guérilla qui nécessite d'être expliquée au peuple est politiquement inutile : elle doit être en elle-même significative et convaincante. Tuer un simple soldat en représailles contre l'assassinat d'un guérillero, c'est s'abaisser au même niveau politique qu'une armée réactionnaire. Il vaut mieux, et de loin, faire de ce dernier un martyr et s'attirer ainsi la sympathie des masses plutôt que de perdre ou de neutraliser l'appui populaire par des tueries absurdes sans but politique évident. Pour gagner une guerre populaire, il faut agir en conformité avec les intérêts, les sentiments et la volonté du peuple. Une victoire militaire ne sert à rien si elle n'a pas une signification politique convaincante.

Dans un pays où la bourgeoisie a aboli la peine de mort, il est dangereux de condamner à mort même les ennemis les plus haïs du peuple. Des oppresseurs, des traîtres et des informateurs se sont condamnés eux-mêmes avant que les guérilleros ne le fassent ; il serait impolitique de faire publiquement étalage de leurs crimes dans le but de créer un climat de terreur, d'insécurité et d'indifférence pour les droits humains fondamentaux. Une armée populaire qui recourt à la violence inutile, qui n'est pas un symbole de justice, d'équité, de liberté et de sécurité ne peut gagner l'appui du peuple dans la lutte contre une tyrannie déshumanisée.

Les « prisons du peuple » des Tupamaros firent plus de mal que de bien à la cause de la libération nationale. La prise d'otages dans le but d'un échange contre des prisonniers politiques a un succès populaire immédiat ; mais informer le monde de l'existence de « prisons du peuple », c'est inutilement mettre l'accent sur un système de répression parallèle. On ne peut servir aucun objectif utile par un langage politiquement si aliénant [...].

6. [...] Dans leur tentative de créer un État dans l'État au moyen de colonnes de guérilleros très disciplinées, de quartiers secrets, de « prisons du peuple », d'arsenaux clandestins et d'une importante infrastructure logistique, les Tupamaros sont devenus des professionnels trop militarisés et isolés des masses urbaines. Leur organisation ressemble plus à un pouvoir parallèle contestant le pouvoir légal, à un micro-État qu'à un mouvement des masses.

7. *Stratégie, tactique et politique.* Si les tactiques adoptées sont efficaces mais que la politique et la stratégie qui leur correspondent sont erronées, les guérilleros ne peuvent pas vaincre. Si une succession de victoires tactiques incitait à poursuivre un objectif stratégique impossible à atteindre, alors une grande victoire tactique pourait conduire à une défaite stratégique encore plus grande.

L'enlèvement du consul brésilien Días Gomide et celui de l'agent de la CIA Dan Mitrione, sont des exemples de réussites tactiques des Tupamaros. Mais, lorsqu'ils exigèrent en échange la libération d'une centaine de guérilleros, ils se trouvèrent devant un gouvernement uruguayen obstiné, décidé à ne pas perdre la face complètement. Voilà un exemple de tactique réussie qui servait un objectif stratégique impossible à atteindre. En se voyant contraints d'exécuter Mitrione parce que le gouvernement refusait d'accepter leurs conditions, les Tupamaros non seulement ne réussirent pas à accomplir leur objectif politique mais virent l'étiquette nouvelle d'« assassins » – véhiculée par les média hostiles – modifier leur image politique.

Les Tupamaros auraient mieux fait de noter les déclarations de Mitrione et de les communiquer à la presse. La population aurait suivi les épisodes de sa confession avec plus d'intérêt que les interminables feuilletons. Il aurait fallu établir un dossier complet confirmant les liens que Mitrione confessa entretenir avec la CIA et l'envoyer à Washington au sénateur Fulbright. L'incident une fois révélé au Congrès, l'opération contre la CIA aurait apporté aux Tupamaros l'appui du monde entier. Le prestige du gouvernement uruguayen une fois entamé par cette publicité, on aurait pu demander à la presse du pays de publier un manifeste des Tupamaros expliquant leurs objectifs dans l'affaire Mitrione. Il aurait ensuite fallu commuer la condamnation à mort de celui-ci par égard pour ses huit enfants mais à condition qu'il quitte le pays. Une telle attitude face au refus du gouvernement de négocier avec les guérilleros aurait assuré aux Tupamaros la sympathie de beaucoup. Plus encore que la guerre conventionnelle, la guerre révolutionnaire est une forme de politique exécutée par des moyens violents.

Dans l'affaire de Días Gomide, les Tupamaros perdirent une occasion de mettre politiquement dans l'embarras le gouvernement brésilien. Ils n'auraient jamais dû laisser la situation atteindre le point où son épouse, en essayant de réunir les fonds nécessaires pour payer la rançon, apparut comme un symbole d'amour et de fidélité devant le monde entier. Chaque cruzeiro qu'elle recueillait était une voix contre les Tupamaros et, indirectement, contre les guérilleros brésiliens. En échange de Días Gomide, qui était un homme d'une importance considérable pour le régime militaire, les Tupamaros auraient dû exiger la publication d'un manifeste dans la presse brésilienne, qui aurait pu faire mention des points suivants : dénonciation des « brigades de la mort » comme instrument officieux de la dictature brésilienne ; revendication d'élections directes, libres et secrètes ; législation de tous les partis politiques dissous par le régime militaire ; restitution des droits politiques aux anciens chefs et exilés brésiliens, y compris Quadros, Kubitschek, Brizola, Goulart, et même des réactionnaires tels que Lacerda ; dénonciation de la censure de la presse ; et demande de libération des prêtres.

Par une telle réplique politique, la guerre révolutionnaire aurait pu être exportée au Brésil. Il ne faut pas circonscrire étroitement les actions de guérilla quand elles peuvent avoir des répercussions régionales et internationales.

*(Traduit par Annick Pélissier.)*

*Textes choisis par Arnaud Blin.*

# Les islamistes

## Hassan Al-Banna, *De la doctrine des Frères musulmans* (années 1940)

Nous croyons que les doctrines et les enseignements de l'islam sont universels et gouvernent les affaires des hommes dans ce monde et dans le prochain. Ceux qui croient que ces doctrines et ces enseignements ne s'appliquent qu'aux questions spirituelles et au culte religieux sont dans l'erreur, car l'islam est à la fois... la religion et l'État, l'esprit et le travail, le Livre et le sabre...

Les Frères (musulmans) pensent, par-dessus tout, que les fondements et les sources de l'islam proviennent du livre d'Allah (le Coran) (qu'il soit béni et loué) et de la Sunna du Prophète (que la paix et la bénédiction d'Allah soient sur lui) ; si la nation s'y fie, elle ne s'écartera pas de son chemin.

Les Frères musulmans croient également que l'islam, en tant que religion universelle, régit toutes les affaires humaines, s'applique à toutes les nations et à tous les peuples, en tous temps et en tous lieux...

C'est pourquoi l'islam a toujours pu tirer bénéfice de tous les systèmes et régimes qui ne contredisent pas ses lois et principes fondamentaux.

De nombreuses personnes demanderont : les Frères musulmans ont-ils l'intention d'utiliser la force pour parvenir à leurs fins ? Les Frères musulmans pensent-ils à une révolution générale contre l'ordre social et politique en Égypte ?...

Je réponds à ceux-là que les Frères musulmans n'utiliseront la force qu'en dernier recours, et après que la foi et l'unité auront été établies. (Mais) s'ils utilisent la force, ils le feront de manière honorable et franche et donneront des avertissements...

Un autre groupe de personnes dira : le programme des Frères musulmans prévoit-il la prise du gouvernement ? Les Frères musulmans ne veulent pas du pouvoir pour eux-mêmes ; s'ils parviennent à trouver une personne capable de porter ce fardeau et remplir les tâches de gouvernement en accord avec un programme fondé sur l'islam et le Coran, ils seront ses soldats, ses aides et ses soutiens. Mais s'ils ne trouvent pas un tel homme, alors la prise du pouvoir est dans leur programme et ils feront tout ce qui est possible pour faire tomber un gouvernement qui ne remplirait pas les commandements d'Allah...

Les Arabes sont le noyau des gardiens de l'islam... l'unité des Arabes est un prérequis essentiel pour la restauration de la gloire de l'islam, le rétablissement de l'État musulman et sa consolidation. C'est pourquoi il est du devoir de chaque musulman de soutenir l'unité arabe et de travailler à son renouveau...

Il est vrai que l'islam est une foi religieuse, un culte rendu, mais il est aussi patriotique et nationaliste... En tant que tel, l'islam ne reconnaît donc pas de frontières géographiques ni de distinctions de nationalités ou de races, mais considère les musulmans comme membres d'une seule et même nation et la patrie de l'islam comme un seul et même territoire, quelle que puisse être son étendue et aussi loin que soient les pays qui le composent... Il devrait donc être évident que les Frères musulmans doivent respecter leur propre nationalisme, le nationalisme égyptien, qui constitue le fondement premier du renouveau qu'ils espèrent. Le soutien au nationalisme arabe vient après et constitue le deuxième maillon du mouvement de renouveau ; pour finir, ils veulent établir une ligue islamique, qui constituerait la meilleure structure pour une future patrie musulmane élargie. Précisons encore que les Frères désirent le bien de l'humanité tout entière et en appellent à l'unité, qui est l'objet et le but de l'islam.

## Ayatollah Ruhollah Khomeyni, *L'islam n'est pas une religion de pacifistes* (1942)

Le *jihad* musulman est une lutte contre l'idolâtrie, les déviances sexuelles, le pillage, la répression et la cruauté. La guerre lancée par les conquérants (non-musulmans) a au contraire pour but de promouvoir la luxure et le plaisir bestial. Ils ne se soucient pas que des pays soient rayés de la carte et de nombreuses familles se retrouvent sans logis. Mais ceux qui étudient le *jihad* savent que l'islam veut conquérir le monde entier. Tous les pays conquis par l'islam ou conquis par lui dans le futur se verront accorder le salut éternel. Car ils vivront sous la [Loi de Dieu]…

Ceux qui ne connaissent rien à l'islam prétendent que l'islam désapprouve la guerre. Ceux qui disent cela sont sans cervelle. L'islam dit : tuez les incroyants comme ils vous tueraient tous. Cela veut-il dire que les musulmans doivent s'asseoir et attendre d'être dévorés par les incroyants ? L'islam dit : tuez-les (les non-musulmans), passez-les au fil de l'épée et dispersez leurs armées. Cela veut-il dire que nous devons reculer et attendre que les non-musulmans nous dominent ? L'islam dit : tuez pour servir Allah ceux qui voudraient vous tuer ! Cela veut-il dire que nous devons nous rendre à l'ennemi ? L'islam dit : le bien n'existe que grâce à l'épée et dans l'ombre de l'épée ! Les hommes ne doivent se montrer obéissants qu'envers l'épée ! L'épée est la clé du paradis, qui n'est ouvert qu'aux guerriers saints !

Il existe des centaines d'autres psaumes du Coran et de hadith (les paroles du Prophète) qui appellent les musulmans à vénérer la guerre et à combattre. Cela veut-il dire que l'islam est une religion qui empêche les hommes de faire la guerre ? Je crache sur les simples d'esprit qui osent l'affirmer.

## Saïd Qotb, *Paver la route* (1955)

Ceux qui disent que le *jihad* est utilisé principalement pour défendre la « patrie de l'islam » diminuent la grandeur du mode de vie islamique…

Bien sûr, la défense de la « patrie de l'islam » est une défense des croyances islamiques, du mode de vie islamique et de la communauté islamique. Mais la défense n'est pas le but ultime du mouvement islamique du jihad ; elle n'est qu'un moyen d'établir l'autorité divine en son sein pour que la patrie devienne le quartier général du mouvement de l'islam, qui doit ensuite être propagé à la surface de la terre et vers l'ensemble de l'humanité, puisque cette religion s'adresse à toute l'humanité et que son champ d'action est la terre tout entière…

Il existe de nombreux obstacles à l'établissement du règne d'Allah sur terre, comme le pouvoir des États, les systèmes sociaux et les traditions et, en général, le mode de vie humain. L'islam n'utilise la force que pour faire sauter ces obstacles, afin que ne se tienne pas de mur entre l'islam et chaque être humain et qu'il puisse s'adresser à leur cœur et à leur esprit en les détachant de ces obstacles matériels et les laisser libres de l'accepter ou de le rejeter…

Aujourd'hui, nous sommes entourés par la *Jahiliyya*. Sa nature est identique à celle de la première période de l'islam et est peut-être un peu plus profondément ancrée. Notre environnement dans son ensemble, les croyances et les idées des individus, les habitudes et l'art, les règles et les lois sont *Jahiliyya*, à un point tel que nous considérons la culture islamique, les origines de l'islam, la philosophie de l'islam et même la pensée de l'islam comme des constructions de la *Jahiliyya* ! Aussi, les vraies valeurs islamiques n'entrent jamais dans nos cœurs, nos esprits ne sont jamais illuminés par les concepts islamiques, et aucun groupe d'individus n'émerge en notre sein qui égale en valeur les premières générations de musulmans…

Pour l'islam, le but du jihad est d'assurer la complète liberté pour chaque homme dans le monde en le libérant de la servitude envers les autres hommes, afin qu'il puisse servir Allah, qui est unique et n'a pas d'associés. C'est ce qui a motivé les premiers musulmans à se battre pour Allah. Si on leur avait demandé « pourquoi vous battez-vous ? », ils n'auraient pas répondu « mon pays est en danger ; je me bats pour sa défense » ou « les Perses et les Romains nous ont attaqués » ou « nous voulons étendre notre territoire et obtenir plus de richesses ». Ils auraient répondu ce qu'ont répondu chacun séparément Rabi ibn Amer, Huzaifa ibn Muhsin et Mughira ibn Sh'uba à la question du général perse Rustum trois jours avant la bataille de Qadisiyya (qui mit fin à l'empire des Perses sassanides) : « Pourquoi êtes-vous venus ? » La réponse fut identique : « Allah nous envoie pour délivrer ceux qui le veulent de la servitude des hommes afin qu'ils servent Allah seulement, pour les amener de l'étroitesse de ce monde vers les vastes étendues de l'au-delà et de la tyrannie des religions vers la justice de l'islam. Allah a envoyé un messager dans ce but, afin qu'il instruise ses créatures de la sorte. À celui qui accepte son mode de vie, nous tournons le dos et lui rendons son pays, et nous nous battons aux côtés de ceux qui se soulèvent jusqu'au martyre ou à la victoire. »

L'islam doit naturellement se défendre face à ses agresseurs. L'existence même de l'islam comme déclaration universelle de la souveraineté d'Allah et de la libération de l'homme de ses servitudes envers tout autre qu'Allah, son attachement à l'organisation d'un mouvement avec de nouveaux dirigeants à la place de l'actuelle Jahili et ses efforts pour créer une communauté distincte et permanente fondée sur l'autorité divine et la soumission envers le seul dieu, Allah, sont autant de raisons pour que l'actuelle Jahili se dresse contre lui pour se sauvegarder en détruisant l'islam. Il apparaît donc clairement que la communauté musulmane nouvellement organisée va devoir organiser sa défense. Que nous trouvions ou pas cette situation au goût de l'islam n'a aucune importance : elle nous est imposée. Il est naturel que deux systèmes ne puissent coexister très longtemps. L'islam n'a d'autre choix que de se défendre contre l'agression.

Mais un autre fait important demeure. De par sa nature profonde, l'islam libère l'homme de la servitude envers un autre qu'Allah et ce où qu'il se trouve. Il ne peut être contenu par des barrières géographiques ou raciales, car ce serait laisser l'humanité aux mains du Mal, du Chaos et dans la servitude envers d'autres seigneurs qu'Allah.

Certains ennemis de l'islam peuvent trouver pratique de ne pas attaquer l'islam, tant qu'il ne menace pas leurs frontières géographiques, ne dérange pas l'ordre établi et ne propage pas son message de liberté universelle sur leur territoire. Mais l'islam ne peut accepter cet état de fait qu'à la condition qu'ils s'acquittent de la *jizya* (l'impôt payé par les non-musulmans seuls), ce qui garantira qu'ils ouvriront leurs portes à l'islam et ne mettront pas d'obstacles à sa propagation au sein du pouvoir...

Il y a une grande différence entre ce concept de l'islam et la vision d'un islam confiné à ses frontières géographiques et raciales et n'agissant qu'en cas d'agression. Dans ce dernier cas, tout son dynamisme propre est perdu.

## Bizham Jazani, *La lutte armée en Iran* (1973)

La principale forme d'amateurisme au sein du mouvement armé.

1. Ignorer les conditions objectives nécessaires à l'épanouissement du mouvement révolutionnaire ; considérer le rôle de l'avant-garde en dehors de son contexte ; répandre l'idée que le sacrifice spectaculaire de certains membres de cette avant-garde va immédiatement (ou très rapidement) obtenir le soutien des masses, voire encourager leur participation active dans la lutte, est de l'amateurisme. Ces conceptions de la lutte armée doivent être remplacées par une compréhension marxiste de la dynamique de la société et du mouvement révolutionnaire en général. Aujourd'hui, nous vivons une période où tous les facteurs sont ligués contre la révolution. Croire que tous ces facteurs pourraient être changés par un seul facteur, le rôle de l'avant-garde (une avant-garde dans sa forme la plus rudimentaire en l'occurrence) constitue une approche non scientifique de la société et du mouvement. Persister dans ces théories est dénier le rôle des masses au sein du mouvement. Dénier aux masses leur rôle dans le mouvement, bien que les coupables s'en défendent avec véhémence, est la principale forme d'amateurisme.

2. Ne payer que peu d'attention à la théorie révolutionnaire, ne se concentrer que sur les aspects pratiques, l'action limitée et sur les problèmes tactiques tout en ignorant les questions stratégiques sont des formes d'amateurisme. En refusant de reconnaître qu'un guérillero est un individu qui accomplit une mission à caractère militaire armé principalement de la théorie révolutionnaire ; en ne payant que peu ou pas d'attention aux études politiques et en tentant d'exploiter à la va-vite l'excitation causée par une action révolutionnaire et en souhaitant transformer immédiatement quiconque se joint au mouvement en exécutant parfait ; en s'imaginant que la théorie révolutionnaire ne porte que sur des questions tactiques et de la littérature à sensation, nous ne faisons que révéler nos tendances à l'amateurisme, ce qui se reflète dans le mouvement révolutionnaire dans son ensemble.

3. Une insistance absolue sur une certaine forme de tactiques armées pour la guérilla urbaine, en restant dogmatiques sur ces tactiques et en sous-estimant la valeur d'autres tactiques à côté des tactiques armées, n'est qu'une forme d'amateurisme. Accorder trop d'attention aux tactiques sensationnelles et ne pas prêter attention aux tactiques qui augmentent le soutien physique des masses pour le mouvement, peut aliéner les masses au mouvement et entraîner la défaite du mouvement.

Trop d'attention accordée au rôle du fedayin qui, avec de constantes références aux « martyrs », occulte l'absence du soutien des masses, et la croyance que le sacrifice suffit à faire naître la révolution, sont des aspects de l'amateurisme.

4. Une méconnaissance des forces potentielles, ne voyant la lutte qu'au sein des limites imposées par ces forces existantes, utilisant des tactiques qui ne peuvent que les satisfaire, refusant les véritables forces révolutionnaires parce qu'elles repoussent le début de la lutte à une date ultérieure sont des phénomènes déviationnistes. Les organisations marxistes-léninistes sont promptes à succomber à la tentation d'écarter les particularismes idéologiques afin de mettre la main sur les forces

offertes par certaines sections de la petite bourgeoisie. Ces actes peuvent effectivement couper l'organisation du prolétariat. Cela veut donc dire qu'elles doivent agir
avec des forces limitées et ignorer les forces potentielles grâce auxquelles la révolution peut triompher ; voilà une autre forme d'amateurisme.

5. Des expressions de fatigue dans la lutte, des démonstrations d'impatience
lorsque la lutte traîne, des plaintes adressées aux masses qui peuvent virer au pessi-
misme à leur égard sont des formes d'amateurisme. Employer des tactiques vengeresses pour faire oublier l'absence d'un mouvement de masse et faire des demandes
répétées à chacun des membres de faire de plus en plus de sacrifices pour combler
ce vide n'est que la conséquence naturelle de la même chose. Ne faire qu'examiner
les questions tactiques pour y trouver les causes de la défaite, expliquer les défauts
fondamentaux du mouvement en ne regardant qu'une partie du portrait d'ensemble,
et se blâmer pour les insuffisances du mouvement, est encore de l'amateurisme.

6. Sous-estimer l'ennemi, se satisfaire de nos mines réjouies par quelques victoires, exagérer le pouvoir des uns et ignorer celui des autres qui font face aux cliques en
poste et à l'impérialisme est une forme encore plus développée d'amateurisme qui
nous empêche de poursuivre notre effort pour rechercher de nouvelles tactiques, cor-
riger les anciennes et reconnaître nos défauts.

7. Les tendances à l'amateurisme peuvent également apparaître dans de nombreux autres aspects de notre travail. Par exemple, dans notre compréhension et
notre évaluation des réels potentiels de différents individus et leur entraînement
politique et idéologique, dans notre discipline morale et notre conduite personnelle
et collective.

Les tendances déviationnistes petites-bourgeoises, qui se manifestent sous la
forme d'attitudes gauchistes et pseudo-révolutionnaires, risquent de nous séparer de
ces individus honnêtes qui rejoignent le mouvement. Elles peuvent nous mener à
l'hypocrisie et à la fausse humilité et nous empêcher d'effectuer notre entraînement
idéologique fondamental.

Voici les principales formes des tendances à l'amateurisme dans les groupes et
les organisations attachés au mouvement armé. Les organisations les moins expéri-
mentées sont les plus exposées aux dangers de ces tendances. Certaines formes de
gauchisme attirent un grand nombre de marxistes inexpérimentés, et il est vrai que
le « gauchisme » est une « maladie infantile » du mouvement de la classe ouvrière.
Les camarades qui prescrivent l'ordonnance fatale du gauchisme pour guérir de soi-
disant « tendances droitières », et qui ne constituent que des encouragements à ces
dérives, sont les plus dangereux des amateurs.

Une lutte déterminée contre l'opportunisme, quelle que soit sa position, savoir
reconnaître les tendances déviationnistes et leur mener une guerre opportune, ainsi
qu'une défense sobre de la politique et de l'idéologie révolutionnaire sont les principales tâches des groupes et éléments attachés à la classe ouvrière. Ne pas y parvenir équivaut à laisser le sort du mouvement être scellé par des événements futurs
imprévisibles…

La lutte armée est appelée à grandir, malgré les hauts et les bas inévitables qui
sont naturels pour chaque mouvement. Les organisations urbaines de guérilla vont
s'étendre et la lutte armée prendra des dimensions plus importantes et une forme

plus efficace. Malgré cela, les obstacles suivants peuvent empêcher cette forme de lutte de devenir un mouvement de masse :

·a.   Les tactiques de guérilla urbaine sont extraordinairement compliquées. Dans une telle lutte, chaque combattant devra être un commando entraîné. Une connaissance complète des méthodes de lutte contre la police – des méthodes qui deviennent de plus en plus complexes – couplée à une très grande mobilité doit être acquise par chaque combattant. Les ouvriers et le prolétariat urbain manquant d'entraînement sont incapables d'utiliser de telles tactiques. L'utilisation de ces tactiques est également pleine de dangers pour un intellectuel ordinaire.

Dans une guérilla urbaine, il n'est pas possible d'accepter des volontaires parmi les ouvriers et espérer que quelques camarades expérimentés pourront les commander. Un commandant dans une telle situation a des possibilités limitées pour guider ses hommes, qui requièrent des ordres à toute heure de la journée quelles que soient leurs tâches. Dans une telle lutte, chaque homme joue un rôle décisif en se protégeant lui et ses frères d'armes. La grande masse des individus se transforme soudainement en armée de masse. Les faits susmentionnés réduisent donc leur participation efficace à une guérilla urbaine.

b.   Même les plus grandes villes du pays ont une capacité limitée à permettre des activités de guérilla. Une force de guérilla à Téhéran, qui est une ville exceptionnellement étendue, ne peut accueillir plus de quelques centaines de combattants, entre deux et trois mille si nous incluons les unités auxiliaires. Si nous observons la manière dont une guérilla urbaine opère, nous réaliserons que ces chiffres représentent une force immense et correspondent au maximum de troupes pour une ville. Les opportunités offertes par une ville pour les actions militaires et les cachettes sont telles que les actions de deux groupes peuvent déborder les unes sur les autres ou causer d'autres problèmes aux autres groupes, les privant d'espace de manœuvre face aux opérations de *search & destroy* de l'ennemi ; la poursuite des activités de guérilla risque donc de devenir précaire. Dans cette situation, l'extension des activités joue donc en notre défaveur. Ceux qui s'imaginent que les habitants des villes rejoindront les organisations de guérilla urbaine par milliers, voire par dizaines de milliers ne se font pas, hélas, une idée bien précise des masses ; ils ne comprennent pas non plus les caractéristiques de nos luttes. Ce sont ces gens que l'on entend parfois murmurer l'existence de zones libres dans les régions urbaines. Les unités de guérilla urbaine et leurs réserves (c'est-à-dire les sympathisants) sont constituées d'éléments conscients et progressistes. Les masses, malgré leur taille et leur qualité immenses, sont incapables de prendre part à une lutte urbaine armée.

c.   Les intellectuels sont mieux préparés que les ouvriers et que les autres prolétaires pour prendre part à cette lutte. C'est pourquoi les principales forces des guérillas urbaines sont composées d'intellectuels révolutionnaires. Cette composition, avec une augmentation de la représentation des ouvriers, sera maintenue à travers les étapes suivantes de la lutte.

À côté de ces limites et de ces défauts, la lutte armée offre les possibilités suivantes dans les zones rurales et montagneuses.

À la campagne, des éléments ruraux ordinaires peuvent prendre part à la lutte et, une fois entraînés par des cadres expérimentés, participer à des actions directes. Il n'y a pas d'obstacle à l'entrée de masses rurales dans des unités de combat, et si nous envoyons des unités de guérilla urbaine dans les zones rurales, c'est parce que les populations rurales ne sont pas militairement prêtes. Les fermiers, mais aussi les paysans et d'autres éléments urbains peuvent s'engager dans la lutte armée rurale et développer leurs potentialités dans une telle lutte.

Les limites de la lutte armée dans les villes et son expansion en dehors ne contredisent pas le rôle premier des zones urbaines durant la première étape. Durant cette étape, les villes ont de nombreux avantages sur les zones rurales. Ces avantages ont été répertoriés et démontrés par le mouvement avec des résultats considérables. Ces limites de la lutte urbaine et la possibilité de meilleures opportunités dans les zones rurales sont analysées en relation avec la transformation de la lutte armée en mouvement de masse...

Aussi, les réalités de la situation actuelle se présentent de deux manières essentielles.

La première est que, parallèlement à l'expansion de la lutte armée, les masses urbaines vont devenir plus actives en s'impliquant dans les mouvements économiques et politiques, dont la continuation dépendra de l'expansion de la lutte armée. La seconde est que la lutte armée va devenir un mouvement de masse dans les zones rurales. Avec l'expansion et le développement de la lutte armée dans les zones rurales, les masses rejoindront la lutte. Aussi, nous devrions à l'avenir (dès la fin de la première phase et tout au long de la deuxième) voir l'augmentation des protestations économiques et politiques des populations urbaines. Leur expansion résulte de l'augmentation des contradictions sociales et de l'effet qu'aura la lutte armée sur ces contradictions pour les raviver...

## Ayatollah Ruhollah Khomeyni, *Discours à l'école théologique de Feyziyeh* (24 août 1979)

L'islam a grandi dans le sang. Les grandes religions des précédents prophètes et la capitale religion de l'islam, tout en brandissant d'une main les livres saints pour guider le peuple, brandissent des armes dans l'autre. Abraham... tenait d'une main les livres des prophètes, et dans l'autre, une hache pour écraser les infidèles. Moïse, l'interlocuteur de Dieu... tenait dans une main le Pentateuque et dans l'autre une lance, qui fit mordre aux Pharaons la poussière de l'ignominie, une lance qui avalait les traîtres, tel un dragon.

Le grand prophète de l'islam tenait dans une main le Coran et dans l'autre une épée ; une épée pour écraser les traîtres et le Coran pour guider le peuple. Ceux qui pouvaient être guidés l'étaient par le Coran, qui les menait, mais ceux qui ne pouvaient être guidés et complotaient, l'épée s'abattait sur eux.

Nous avons été prodigues de notre sang et eu de nombreux martyrs. L'islam a donné du sang et des martyrs.

Nous n'avons pas peur de donner des martyrs... Quoi que nous donnions pour l'islam est insuffisant. Nos vies ne valent rien. Laissez ceux qui voudraient nous voir malades croire que nos jeunes ont peur de la mort ou du martyre. Le martyre est un héritage qui nous vient des prophètes. Ceux qui craignent la mort sont ceux qui pensent qu'après la mort, vient le néant. Nous, qui considérons la vie après la mort comme bien plus sublime que celle-ci, que pouvons-nous craindre ? Seuls les traîtres ont peur. Les serviteurs de Dieu n'ont pas peur. Notre armée, notre gendarmerie, nos gardiens n'ont pas peur. Les gardiens qui ont été tués... ont atteint la vie éternelle...

Ces gens qui veulent la liberté, qui veulent que nos jeunes soient libres, écrivent avec effusion sur la liberté de nos jeunes. Quelle liberté désirent-ils ?...

Ils veulent que des casinos soient ouverts, que des bars soient ouverts, que les lieux de débauche soient ouverts, que les drogués à l'héroïne soient libres, que les fumeurs d'opium soient libres. Ils veulent que les mers [référence aux bains mixtes] soient ouvertes pour tous les jeunes.

Nos jeunes doivent être libres de faire ce qu'ils veulent. De se livrer à toutes les formes de prostitution qu'ils désirent. C'est ce que veut l'Occident. Leur but est d'émasculer notre jeunesse, qui pourrait se lever contre eux. Nous voulons que notre jeunesse quitte les bars et rejoigne les champs de bataille.

Nous voulons sortir nos jeunes de ces [salles de cinéma] qui ont été créées pour les corrompre, et les prendre par la main pour les placer en des endroits où ils peuvent servir la nation. Cette liberté que ces gens désirent est la liberté dictée par les puissants, et soit nos écrivains ne le savent pas, soit ce sont des traîtres...

## *Déclaration de Ben Laden* (1996, extraits)

Aujourd'hui a commencé le jihad au nom de Dieu afin d'expulser l'ennemi [les troupes américaines stationnées en Arabie Saoudite] qui occupe la terre des deux Lieux saints. En raison du déséquilibre entre nos forces armées et celles de l'ennemi, nous devons adopter le moyen le plus approprié, c'est-à-dire le recours à des unités légères et rapides agissant dans le plus grand secret. J'ai un message très important à transmettre aux jeunes de l'islam en cette époque difficile. Les jeunes – que Dieu les protège – ont brandi l'étendard du jihad contre l'alliance américano-israélienne qui occupe les Lieux saints de l'islam. Ils sont les meilleurs descendants des plus grands de nos ancêtres. Nos jeunes croient au paradis après la mort. Ils savent que s'ils luttent contre vous, les États-Unis, leur récompense sera le double de ce qu'elle serait s'ils luttaient contre un ennemi autre que les peuples du Livre [les juifs et les chrétiens]. Leur seul but est d'aller au paradis en vous tuant. Un infidèle, un ennemi de Dieu tel que vous, ne peut pas se retrouver dans le même enfer que l'homme pieux qui l'exécute. Lorsqu'on les menace en disant : « Les tyrans vous tueront », ils répondent : « Ma mort est une victoire. Je n'ai pas trahi le roi, mais lui a trahi notre foi en laissant entrer dans le saint pays l'espèce humaine la plus abjecte. » Depuis plus de dix ans, nos jeunes portent des armes sur leurs épaules en Afghanistan et jurent à Dieu qu'ils continueront, aussi longtemps qu'ils vivront, à porter les armes contre vous jusqu'à ce que – si Dieu le veut – vous soyez expulsés, vaincus et humiliés. Ces jeunes sont différents de vos soldats. Votre problème sera de convaincre vos troupes de combattre, alors que notre problème sera de retenir nos jeunes et de les faire patienter jusqu'à ce que vienne leur tour de se lancer dans le combat et d'accomplir leur mission. Ces jeunes sont dignes de louanges. Nos jeunes savent que seuls le jihad et les explosions pourront effacer l'humiliation endurée par les musulmans depuis l'occupation de leurs Lieux saints. Ils savent que celui qui n'est pas tué mourra de toute façon, et que la mort la plus honorable est d'être tué en combattant dans la voie de Dieu.

## Cheikh Mohamed Sayyed Tantawi[1], *Les attentats suicides sont de la légitime défense* (8 avril 1997)

[Tantawi vient de dire que le fait que les Palestiniens soient forcés à effectuer des attentats suicides démontre la gravité de l'injustice qui leur est faite.] Que peut faire un homme quand l'injustice grandit et qu'il ne trouve personne pour l'en protéger ? Il est alors contraint à la légitime défense de son âme, de son honneur et de sa terre… [Je n'ai] pas d'autre choix que d'implorer nos frères en Palestine de se défendre, de défendre leurs droits, leur terre et leur honneur. Je leur dis : « Défendez-les avec tous les moyens jugés légitimes par l'islam et une éthique noble sans agresser ni faire de tort à quiconque. »

[Les lois divines désapprouvent le meurtre des enfants, des personnes âgées et des citoyens paisibles, mais ceux qui commettent des attaques suicides] sont dans un état de légitime défense face à ceux qui ne montrent pas de pitié envers les personnes âgées, les enfants et les femmes… Ceux qui qualifient ces actes de *haram* (contraires à la *charia*) devraient se demander ce qui les motive.

Pourquoi des jeunes gens devraient-ils se sacrifier ? Qu'attendre d'autre des Palestiniens lorsque le Premier ministre israélien ne cesse de répéter que Jérusalem est la capitale éternelle d'Israël, ce qu'aucun raisonnement ni aucune religion ne peut accepter ? L'injustice nourrit les explosions et une personne à qui l'on fait du tort peut se sacrifier. Les personnes honorables préfèrent mourir plutôt que de vivre dans l'humiliation…

Je dis aux Israéliens : vous êtes responsables de ce qui arrive. Lorsque les terres sont volées et que l'injustice augmente, la furie se répand et les explosions se produisent pour y faire face. Je vois des rabbins juifs pousser à l'injustice. Dois-je pour autant rester silencieux ? Je dis aux Palestiniens : défendez-vous par tous les moyens. Je dis aux rabbins juifs : dites la vérité et exigez de votre gouvernement qu'il soit plus juste et s'abstienne de tout racisme et de toute bigoterie. Les religions ont été révélées par Dieu pour le bonheur de l'humanité. Elles prêchent la paix, le droit à la sécurité et le maintien des droits de ceux qui le méritent. Elles abhorrent l'injustice, le terrorisme et la destruction de vies.

---

1. Recteur de l'université islamique Al-Azhar.

## Front islamique mondial, *Déclaration : le jihad contre les juifs et les croisés* (23 février 1998)

*(Ce document a été signé par Oussama Ben Laden ; Ayman Al Zawahiri, chef du jihad en Égypte ; Abou-Yasser Rifa'i Ahmed Taha, du groupe islamique égyptien ; le cheikh Mir Hamzah, secrétaire de la Jamia-al-Ulema-il-Pakistan ; et Fazloul Rahman, chef du jihad du Bangladesh.)*

La péninsule arabique (l'Arabie Saoudite), depuis que Dieu l'a faite plate, a créé son désert et l'a entouré de mers, n'a jamais été prise d'assaut par des forces comme les armées croisées, qui s'y répandent telles des sauterelles, mangeant ses richesses et détruisant ses plantations. Cela se produit à une époque où des nations attaquent les musulmans comme des individus se disputant un plat de nourriture. À la lumière de cette situation grave et du manque de soutien, nous sommes obligés de discuter de ces événements et devons nous accorder pour régler le problème.

Personne ne conteste aujourd'hui ces faits connus de tous. Nous en dressons la liste afin de les rappeler à tous :

Premièrement, les États-Unis occupent depuis plus de sept ans la terre de l'islam en son lieu le plus sacré, la péninsule arabique, pillant ses richesses, dictant leur conduite à ses souverains, humiliant son peuple, terrorisant ses voisins et transformant ses bases dans la péninsule en fer de lance pour combattre les peuples musulmans des environs.

Si certaines personnes ont pu contester l'existence de cette occupation, tous les habitants de la péninsule en sont aujourd'hui conscients. Preuve en sont les continuelles agressions américaines contre le peuple irakien à partir de ces bases dans la péninsule, qui se font à l'encontre de la volonté de ses souverains, qui ne peuvent les empêcher.

Deuxièmement, malgré les immenses dégâts causés sur le peuple irakien par l'alliance des croisés et des sionistes, et malgré le grand nombre de morts, qui dépasse le million... malgré cela, les Américains perpétuent leur embargo, imposé après leur guerre féroce, cause de fragmentation et de dévastation. Ils sont ici pour annihiler ce qui reste de ce peuple et pour humilier ses voisins musulmans.

Troisièmement, si les véritables buts américains derrière ces guerres sont économiques et religieux, leur but est également de servir le minuscule État juif et de détourner l'attention de l'occupation de Jérusalem et du meurtre des musulmans qui s'y produit. Preuve en est leur impatience à vouloir réduire l'Irak, l'Arabie Saoudite, l'Égypte et le Soudan à des États fantoches et, à travers leur démantèlement et leur affaiblissement, assurer la survie d'Israël et la poursuite de la brutale occupation de la péninsule par les croisés.

Tous ces crimes et ces péchés commis par les Américains sont une déclaration de guerre ouverte à Dieu, à son messager et aux musulmans. L'Ulama a toujours considéré, au cours de l'histoire de l'islam, que le jihad est un devoir individuel lorsque l'ennemi détruit les pays musulmans. Cela a été révélé par l'imam Ben Qamada dans l'al-Mughni, l'imam Al-Kisa'i dans l'al-Bada'i, par Al-Qurbuti dans son interprétation et par le cheikh de l'Al-Islam dans ses livres, où il écrit : « Le combat pour repousser l'ennemi a pour but la défense de la sainteté et de la religion et c'est un devoir tel que défini par l'Ulama. Rien n'est plus sacré que la croyance et que de repousser un ennemi qui s'attaque à la religion et à la vie. »

Sur cette base, et conformément à la volonté de Dieu, nous lançons la *fatwa* suivante à tous les musulmans :

Tuer les Américains et leurs alliés, civils et militaires, est un devoir individuel pour chaque musulman qui peut le faire dans tous les pays où cela est possible, afin de libérer la mosquée d'Al-Aqsa et la sainte mosquée de La Mecque de leur emprise et pour obliger leurs armées à quitter la terre sainte de l'islam, vaincues et incapables de menacer un musulman. Cela est conforme à la volonté du Dieu tout-puissant : « Combats les païens dans leur ensemble comme ils te combattent dans leur ensemble » et « combats-les jusqu'à ce que le tumulte et l'oppression cessent et que règnent la justice et la foi en Dieu ».

Cela s'ajoute aux paroles du Dieu tout-puissant : « Pourquoi ne te battrais-tu pas pour la cause de Dieu et pour ceux qui, faibles, sont maltraités et oppressés ? Les femmes et les enfants qui crient "notre Seigneur, sors-nous de cette ville, ces gens sont des oppresseurs ; et lève-Toi pour nous, Toi le miséricordieux !" »

Nous, avec l'aide de Dieu, appelons tous les musulmans croyant en Dieu et voulant être récompensés pour avoir obéi à l'ordre de Dieu, à tuer les Américains et à piller leurs richesses, en tout endroit et à tout instant.

## Cheikh Hammoud Al-Uqlaa, *Fatwa sur les Talibans*
(29 novembre 2000)

*(En octobre 2001, le Conseil supérieur de la recherche d'Arabie Saoudite rejeta cette fatwa, indiquant que le cheikh Uqlaa n'avait aucun droit à la prononcer.)*

Le régime des Talibans en Afghanistan est le seul au monde où les lois et législations humaines sont inexistantes. Sa législation est au contraire appuyée sur la *charia* d'Allah et de son Prophète, dans ses cours de justice, ses ministères, ses cercles gouvernementaux et dans d'autres administrations...

Parmi les preuves démontrant que le gouvernement des Talibans est un gouvernement de *charia* figure l'hostilité à son égard de pays incroyants, ennemis de l'islam et des musulmans, qui lui imposent un embargo économique, l'isolent et renforcent leur emprise sur lui pour la seule raison de son adhésion aux croyances de l'islam.

Des frappes militaires vont bientôt toucher l'Afghanistan comme en 1998, lorsque les Américains avaient tiré des missiles de croisière. Dans le même temps, ces mêmes nations incroyantes continuent de soutenir financièrement, militairement et techniquement l'Alliance du Nord. Cela démontre clairement l'application de la *charia* par le gouvernement des Talibans et qu'ils sont dans leur bon droit en combattant l'Alliance du Nord. Le refus des nations incroyantes de reconnaître le régime des Talibans comme une nation et un gouvernement démontre définitivement que le gouvernement taliban applique la charia à la lettre...

Parmi les autres grandes qualités qui démontrent la validité du gouvernement musulman des Talibans, citons :

1. Ses efforts pour soutenir les moujahidin et les défendre contre les ennemis. Cela est attesté au sein de ce gouvernement.

2. Il n'utilise aucune forme de média proscrite par la *charia*.

3. Il est inflexible, sincère, honnête dans ses efforts pour appliquer la *charia*, le code pénal islamique interdisant les actes de désobéissance à Allah et son Prophète, mettant en place des punitions adaptées à ces transgressions et islamisant l'éducation et les médias.

4. Il est le seul pays au monde à lutter pour établir les droits des femmes conformément à la *charia* et non à la manière des séculiers qui encouragent les femmes à faire étalage de leur beauté, à ôter leur hidjab (voile), à se mélanger aux hommes, conduire des voitures seules et bien d'autres choses du même genre.

5. C'est le seul pays au monde à posséder un ministère autonome appelé ministère pour encourager le Bien et interdire le Mal.

## Abdel Aziz Ar-Rantissi[1], *Gloire aux kamikazes*

La nation musulmane a remporté ces temps-ci des victoires qui stupéfient notre ennemi. Des victoires qui ne se sont pas encore concrétisées sur le plan des armes mais sont toutefois le prélude indispensable au triomphe militaire. Certains peuvent s'étonner : « Comment peux-tu parler de victoire alors que toute la Palestine ploie sous l'occupation, que l'islam est frappé en Afghanistan, battu en Irak, menacé et encerclé de tous les côtés par le danger ? » Pour répondre à cela, il est utile de souligner que c'est l'invasion intellectuelle qui a permis à l'Occident de recruter des agents de notre propre sang. Défaits sur le terrain de la pensée, ils ont développé un sentiment d'infériorité par rapport à la civilisation occidentale et aux manifestations de sa puissance et ont fini par se ranger du côté de nos ennemis. Les défaites subies jadis par l'ennemi au terme des croisades lui avaient appris qu'un triomphe définitif sur le monde musulman ne pouvait être obtenu que par une invasion de sa pensée. À la conquête par le sol, nos ennemis ont donc préféré l'occupation de l'intellect des musulmans, et, en notre for intérieur, nous nous sommes sentis inférieurs et honteux. Les ennemis de l'islam, qui avaient mobilisé des armées entières de missionnaires et d'orientalistes et les avaient dotés de milliards de dollars et équipés du nec plus ultra de la technologie, ont été stupéfaits de voir notre nation retrouver ses origines, grâce aux moujahidin kamikazes qui se font exploser, au service de Dieu. C'est cette victoire sur les victimes de l'invasion intellectuelle, si empressées à satisfaire l'ennemi en désavouant les kamikazes et en réprouvant leur action [attentats suicides], c'est cette victoire qui constitue le véritable triomphe qui nous conduira sans le moindre doute vers la victoire dans la bataille militaire décisive.

---

1. Porte-parole du Hamas.

## Ayman Al Zawahiri, *L'importance de l'Afghanistan pour la révolution islamique* (janvier 2002)

1.  Un mouvement de jihad se doit de posséder une zone qui agirait comme une couveuse, où ses germes pourraient grandir et où il pourrait acquérir une expérience pratique du combat, de la politique et de l'organisation... Abou Oubaydah Al-Banshiri (un membre d'Al Qaida) avait l'habitude de dire : « C'est comme si l'on avait rajouté 100 ans à ma vie en Afghanistan. »

2.  Les jeunes musulmans d'Afghanistan mènent la guerre pour libérer une terre musulmane avec des slogans purement islamiques, un aspect réellement vital, car nombre des batailles de libération des musulmans ont été menées avec des slogans mélangeant le nationalisme à l'islam et, en vérité, ont parfois mélangé l'islam à des slogans gauchistes et communistes. Cela a provoqué un schisme dans la pensée des jeunes musulmans, entre leurs théories islamiques du jihad s'appuyant sur une loyauté absolue à la religion de Dieu, et leur application pratique.

Le cas de la Palestine fournit un des meilleurs exemples de ces slogans et croyances mélangés, poussant à s'allier au démon (les régimes arabes) pour parvenir à la libération de la Palestine. Ils se sont alliés au démon et ont perdu la Palestine.

Un autre fait primordial est que ces batailles ont été livrées sous des bannières non musulmanes ou sous des bannières mixtes, rendant presque indiscernable la frontière entre les amis et les ennemis. Les jeunes musulmans ont commencé à se demander qui était l'ennemi. Était-ce l'ennemi étranger qui occupe le territoire musulman ou l'ennemi domestique qui interdit l'établissement de la *charia* islamique, opprime les musulmans et dissémine l'immoralité sous des motifs de progrès, de nationalisme et de libération ? Cette situation a mené la patrie au bord du gouffre et l'a poussée à se rendre à l'ennemi, comme le reste des pays arabes, placés sous l'égide du nouvel ordre mondial...

En Afghanistan, les choses étaient parfaitement claires : une nation musulmane menant le jihad sous la bannière de l'islam contre un ennemi étranger, un agresseur infidèle soutenu par un régime corrompu et apostat. Dans cette guerre, le passage de la théorie à la pratique était très clair. Cette clarté s'avéra bénéfique en permettant de démontrer l'ambiguïté de nombreuses personnes qui affirmaient œuvrer pour l'islam mais se soustrayaient au jihad en prétextant qu'il n'existait pas d'arène où la distinction entre les musulmans et leurs ennemis était évidente.

3.  Cette enclave afghane fournit de plus, et surtout après le départ des Russes, l'exemple pratique d'un jihad mené contre des dirigeants renégats qui s'étaient alliés aux ennemis étrangers de l'islam. Najibullah est un exemple bien connu. Il priait, jeûnait et participait à des pèlerinages. Dans le même temps, il bannissait le gouvernement de l'islam et s'alliait avec les ennemis de l'islam, leur permettant d'entrer dans son pays et d'oppresser brutalement les musulmans et moujahidin.

4.  Les batailles de jihad menées en Afghanistan ont été menées, et c'est un autre point significatif, par de très jeunes hommes. L'URSS, superpuissance alors dotée de la plus importante armée terrestre au monde, fut détruite et le reste de ses troupes dut fuir l'Afghanistan sous les yeux des jeunes musulmans et en raison de leurs actions.

Ce jihad constituait un entraînement d'une très grande importance pour préparer les moujahidin à mener la bataille tant attendue contre la superpuissance qui exerce à présent sa domination sur le globe, les États-Unis.

Il a également donné aux jeunes moujahidin arabes, pakistanais, turcs et d'Asie centrale et de l'Est une excellente opportunité de se connaître sur le terrain du jihad afghan ; ils sont devenus frères d'armes contre les ennemis de l'islam.

De cette manière, les jeunes moujahidin et les mouvements de jihad ont appris à se connaître intimement, ont échangé des connaissances et compris les problèmes de leurs frères.

Tandis que les États-Unis soutenaient le Pakistan et les factions de moujahidin avec de l'argent et du matériel, les relations des jeunes Arabes moujahidin avec les États-Unis étaient totalement différentes.

La présence de ces jeunes Arabes en Afghanistan et l'augmentation de leur nombre représentent un échec de la politique américaine et une nouvelle preuve de la stupidité politique des Américains. Le financement des activités des moujahidin en Afghanistan provenait de l'aide d'organisations populaires. Cette aide était substantielle.

À travers ce soutien officieux, les moujahidin arabes ont établi des centres d'entraînement et des centres d'appel à la foi. Ils ont formé des unités qui ont entraîné et équipé des milliers de moujahidin et leur ont fourni de l'argent, des habitations, les moyens de voyager et une organisation.

*Textes choisis par Philippe Migaux.*

# Annexes

Cartes

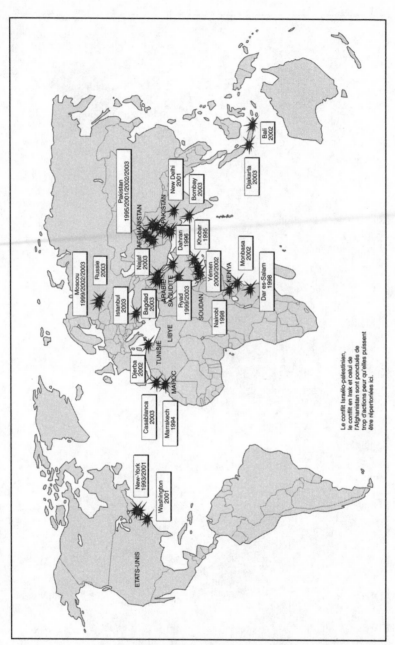

Carte 1. — Attentats islamistes
(Nicolas Rageau)

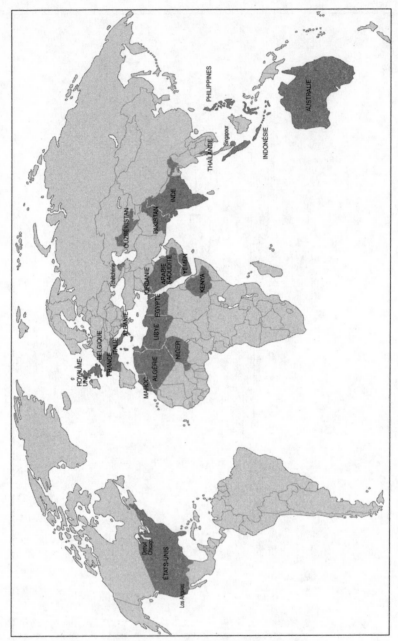

Carte 2. — Pays où des attentats ont été déjoués
(Nicolas Rageau)

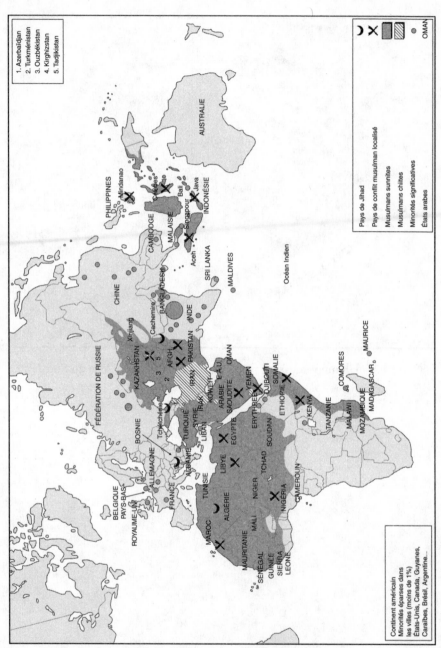

Carte 3. — Jihad et conflits localisés
(Nicolas Rageau)

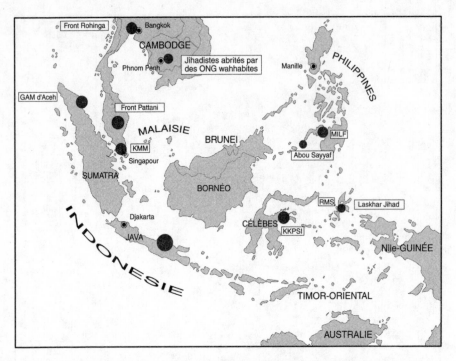

Carte 4. — Un nouveau front : les groupes jihadistes en Asie du Sud-Est
(Nicolas Rageau)

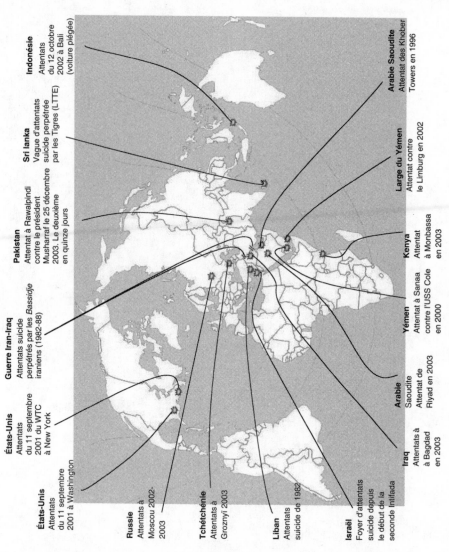

**États-Unis**
Attentats
du 11 septembre
2001 à Washington

**États-Unis**
Attentats
du 11 septembre
2001 du WTC
à New York

**Guerre Iran-Iraq**
Attentats suicide
perpétrés par les *Bassidje*
iraniens (1982-88)

**Pakistan**
Attentat à Rawalpindi
contre le président
Musharraf le 25 décembre
2003. Le deuxième
en quinze jours

**Sri lanka**
Vague d'attentats
suicide perpétrée
par les Tigres (LTTE)

**Indonésie**
Attentats
du 12 octobre
2002 à Bali
(voiture piégée)

**Arabie Saoudite**
Attentat des Khober
Towers en 1996

**Large du Yémen**
Attentat contre
le Limburg en 2002

**Kenya**
Attentat
à Monbassa
en 2003

**Yémen**
Attentat à Sanaa
contre l'USS Cole
en 2000

**Arabie**
Saoudite
Attentat de
Riyad en 2003

**Russie**
Attentats à
Moscou 2002-
2003

**Tchétchénie**
Attentats à
Grozny 2003

**Liban**
Attentats
suicide de 1982

**Israël**
Foyer d'attentats
suicide depuis
le début de la
seconde Intifada

**Iraq**
Attentats à
à Bagdad
en 2003

Carte 5. — 25 ans d'opérations suicides dans le monde

# Statistiques

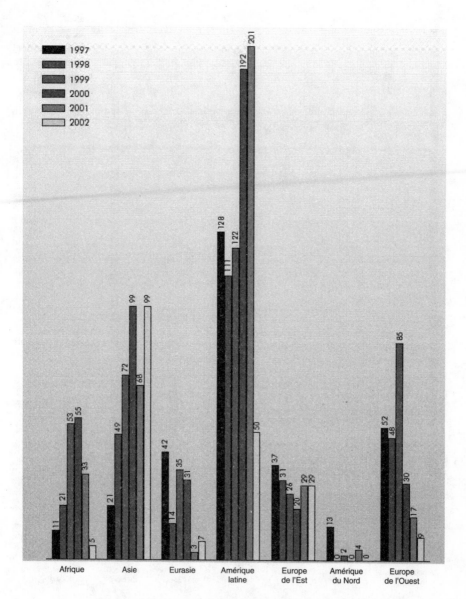

Les attaques terroristes dans le monde 1997-2002
(source : département d'État américain)

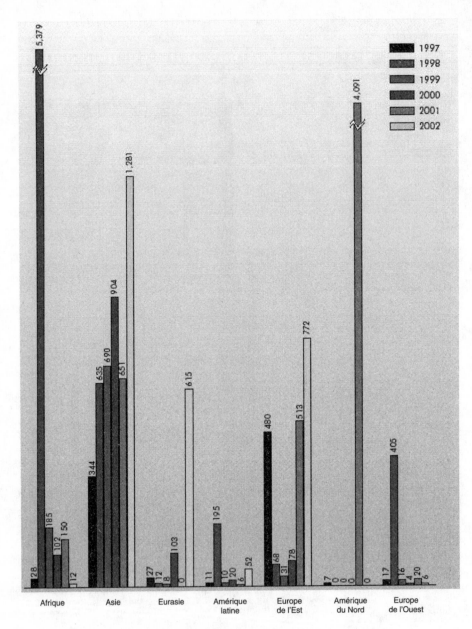

Les victimes du terrorisme dans le monde 1997-2002
(source : département d'État américain)

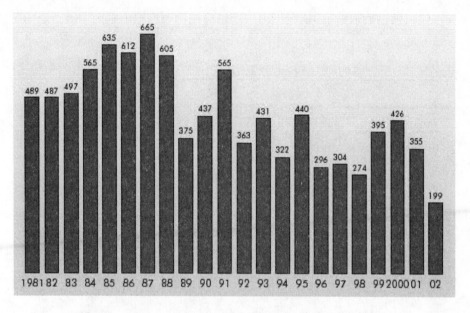

Nombre d'attaques terroristes dans le monde 1981-2002
(source : département d'État américain)

# Bibliographie

Adams, James, *The Financing of Terror*, New York, Simon & Schuster, 1986.

Alexander, Yonah et Latter, Richard (éd.), *Terrorism and the Media*, McLean, VA, Brassey's, 1990.

Aryanian, Mark Armen et Ayanian, John Z., « Armenian Political Violence on American Network News : An Analysis of Content », *Armenian Review*, vol. 40, n° 1-157 (printemps 1987).

Aust, Stefan, *The Baader-Meinhof Group : The Inside Story of a Phenomenon*, Londres, Bodley Head, 1987.

Barkun, Michael, « Millenarian Aspects of "White Supremacist" Movements », *Terrorism and Political Violence*, vol. 1, n° 4, octobre 1989.

Barkun, Michael, « Millenarian Groups and Law Enforcement Agencies : The Lessons of Waco », *Terrorism and Political Violence*, vol. 6, n° 1, printemps 1994.

Barkun, Michael (éd.), *Millenialism and Terror*, Londres, 1996.

Bauer, Yehuda, *From Diplomacy to Resistance : A History of Jewish Palestine 1939-1945*, New York, Atheneum, 1973.

Beckman, Robert L., « Rapporteur's Summary », in Paul Leventhal and Yonah Alexander (éd.), *Nuclear Terrorism : Defining the Threat*, Washington, DC, Pergamon-Brassey's, 1986.

Begin, Menahem, *The Revolt : Story of the Irgun*, Jerusalem, Steimatzky, 1977.

Bell, J. Bowyer, *A Time of Terror : How Democratic Societies Respond to Revolutionary Violence*, New York, Basic Books, 1978.

Bell, J. Bowyer, *The Secret Army : The IRA, 1916-1979*, Dublin, Poolbeg, 1989.

Binder, P. et Lepick, O., *Les armes biologiques*, Paris, PUF, 2001.

Bishop, Patrick et Mallie, Eamonn, *The Provisional IRA*, Londres, Heinemann, 1987 ; pb Corgi, 1989.

Bowyer, Bell, *The Secret Army The IRA, 1916-1979,* Dublin, 1979.

Burgat, François, *L'islamisme en face*, Paris, La Découverte, 1985.

Burgat, François, *L'islamisme au Maghreb*, Paris, Payot, 1995.

Carr, Caleb, « Terrorism as Warfare : The Lessons of Military History », *World Policy Journal*, vol. 13, n° 4, hiver 1996-1997.

Carré, Olivier et Michaux, Gérard, *Les Frères musulmans*, Paris, Gallimard, 1983.

Carré, Olivier et Dumont, Paul (dir.), *Radicalismes islamiques*, Paris, L'Harmattan, 1986.

Chaliand Gérard, *Terrorismes et Guérillas*, Paris, Flammarion, 1984.

Chaliand Gérard, *L'arme du terrorisme*, Paris, Audibert, 2002.

Chaliand Gérard (éd.), *Stratégies du terrorisme*, Paris, Desclée de Brouwer, 1999.

Chalk, Peter, *West European Terrorism and Counter-Terrorism, The Evolving Dynamic*, Londres, Macmillan, 1996.

Clutterbuck, Richard, *Living with Terrorism*, Londres, Faber and Faber, 1975.

Clutterbuck, Richard, *Terrorism and Guerrilla Warfare*, Londres, 1990.

Clutterbuck, Richard, *Terrorism in an Unstable World*, Londres, Routledge, 1994.

Conquest, Robert, *The Great Terror*, Harmondsworth, Penguin, 1971.

Corbett, Robert, *Guerrilla Warfare from 1939 to the Present Day*, Londres, Orbis, 1986.

Corsun, Andrew, *Research Papers on Terrorism – Armenian Terrorism : 1975-1980*, Washington, DC, Office of Security Threat Analysis Group, US Department of State, 1982.

Crenshaw, Martha, *Revolutionary Terrorism*, Stanford, Hoover Institution, 1978.

Crenshaw, Martha, *Terrorism and International Cooperation*, Occasional Paper Series n° 11, New York, Institute for East-West Security Studies, 1989.

Crenshaw, Martha, *Terrorism in Context*, Pennsylvania State University, 1995.

Daguzan, J. F., Chaliand, G. et Prenat, R., *Le terrorisme non conventionnel*, Paris, FED-CREST, 1999.

Davis, Uri, Mack, Andrew et Yuval-Davis, Ira, « Introduction », in Uri Davis, Andrew Mack and Ira Yuval-Davis (éd.), *Israel and the Palestinians*, Londres, Ithaca Press, 1975.

Dobson, Christopher et Payne, Ronald, *The Carlos Complex : A Study in Terror*, Londres, Coronet/Hodder & Stoughton, 1978.

Downes-LeGuin, Theo et Hoffman, Bruce, *The Impact of Terrorism on Public Opinion, 1988 to 1989*, MR-225-FF/RC, Santa Monica, CA, RAND Corporation, 1993.

Drake, Richard, *The Aldo Moro Murder Case*, Cambridge, MA, et Londres, Harvard University Press, 1995.

Ehrenfeld, Rachel, *Narco-terrorism*, New York, Basic Books, 1990.

Étienne, Bruno, *L'islamisme radical*, Paris, Hachette, 1987.

Fadl Allah, Ayatollah Muhammed Hussein, « Islam and Violence in Political Reality », *Middle East Insight*, vol. 4, n°s 4-5 (1986).

Fetscher, I. et Rohrmoser, G., *Analysen zum Terrorismus*, vol. 1, *Ideologien und Strategien*, Bonn, Westdeutscher Verlag, 1981.

Foley, Charles (éd.), *The Memoirs of General Grivas*, Londres, Longmans, 1964.

Foley, Charles and Scobie, W.I., *The Struggle for Cyprus*, Stanford, CA, Hoover Institution Press, 1975.

Grivas, General, *Guerrilla Warfare and Eoka's Struggle*, Londres, Longmans, 1964.

Guillen, Abraham, *Philosophy of the Urban Guerrilla*, New York, William Morrow, 1973.

Gunaratna, Rohan, *Al Qaida*, Paris, Éditions Autrement, 2002.

Gunaratna, Rohan, *War and Peace in Sri Lanka*, Colombo, Institute of fondamental Studies, 1987.

Halliday, Fred, *Islam and the Myth of Confrontation*, Londres, Tauris, 1996.

Heisbourg, François et le FRS, *L'hyperterrorisme*, Paris, Odile Jacob, 2001.

Heller, Joseph, *The Stern Gang : Ideology, Politics and Terror, 1940-1949*, Londres, Frank Cass, 1995.

Hoffman, Bruce, « Low-intensity Conflict : Terrorism and Guerrilla Warfare in the Coming Decades », *in* Lawrence Howard (éd.), *Terrorism : Roots, Impact, Responses*, New York, Praeger, 1992.

Hoffman, Bruce, *La mécanique terroriste*, Paris, Calmann-Lévy, 1999.

Horne, Alistair, *A Savage War of Peace : Algeria 1954-1962*, Penguin, 1977.

Ivianski, Zeev, « Sources of Inspiration for Revolutionary Terrorism : The Bakunin-Nechayev Alliance », *Conflict Quarterly*, vol. 8, n° 3, été 1988.

Jaber, Hala, *Hezbollah : Born with a Vengeance*, New York, Columbia University Press, 1997.

« Jail Term of Jewish Terrorist Reduced », *Jerusalem Post* (international edition), 12 October 1985.

Jamieson, Alison, *The Heart Attacked : Terrorism and Conflict in the Italian State*, Londres et New York, Marion Boyars, 1989.

Janke, Peter, *Guerrilla and Terrorist Organisations : A World Directory and Bibliography*, New York, Macmillan, 1983.

Jenkins, Brian Michael, « International Terrorism : A New Mode of Conflict », in David Carlton and Carlo Schaerf (éd.), *International Terrorism and World Security*, Londres, Croom Helm, 1975.

Jenkins, Brian Michael, *International Terrorism : The Other World War.* R-3302-AF, Santa Monica, CA, RAND Corporation, novembre 1985.

Joll, James, *The Anarchists*, Boston and Toronto, Little, Brown, 1964.

Kahane, Rabbi Meir, *They Must Go*, New York, Grosset & Dunlap, 1981.

Kaplan, David E. et Marshall, Andrew, *The Cult at the End of the World : The Incredible Story of Aum*, Londres, Hutchinson, 1996.

Kellen, Konrad, *On Terrorists and Terrorism*, N-1942-RC, Santa Monica, CA, RAND Corporation, décembre 1982.

Kepel, Gilles, *Le prophète et le pharaon*, Paris, Éd. du Seuil, 1993.

Kepel, Gilles, *Jihad*, Paris, Gallimard, 2003.

Kitson, Frank, *Low-intensity Operations*, Londres, Faber, 1971.

Kuper, Leo, *Genocide*, Yale University Press, 1981.

Lakos, Amos, *International Terrorism : A Bibliography*, Boulder, CO, Westview Press, 1986.

Laqueur, Walter, *Terrorism*, Londres, Weidenfeld & Nicolson, 1977.

Laqueur, Walter and Alexander, Yonah (éd.), *The Terrorism Reader*, New York, Meridian, 1987.

Lewis, Bernard, *The Assassins : A Radical Sect in Islam*, Londres, Al Saqi Books, 1985.

Marighella, Carlos, *Manuel du guérillero urbain*, trad. fr. disponible sur le site www.terrorisme.net.

Marret, Jean-Luc, *Les techniques du terrorisme*, Paris, PUF, 1997.

Mikolus, Edward F., *Transnational Terrorism : A Chronology of Events, 1968-1979*, Westport, CT, Greenwood Press, 1980.

Moss, Robert, *Urban Guerrillas*, Londres, International Institute for Strategic Studies, 1971.

Netanyahu, Benjamin (éd.), *Terrorism : How The West Can Win*, New York, Avon, 1986.

O'Neill, Bard E., *Insurgency and Terrorism : Inside Modern Revolutionary Warfare*, New York, Pergamon Press, 1990.

Parry, Albert, *Terrorism : From Robespierre to Arafat*, New York, Vanguard, 1976.

Peci, Patrizio, *Io, l'infame (Moi, l'infâme)*, Milan, Arnoldo Mondadori, 1983.

Ranstorp, Magnus, *Hizb'allah in Lebanon : The Politics of the Western Hostage Crisis*, Basingstoke et Londres, Macmillan, 1997.

Rapoport, David C., « Fear and Trembling : Terrorism in Three Religious Traditions », *American Political Science Review*, vol. 78, n° 3, septembre 1984.

Rapoport, David (éd.), *Inside Terrorist Organizations*, New York, Columbia University Press, 1988.

Rashid Ahmed (avec E. Malléa), *L'ombre des Talibans*, Paris, Éditions Autrement, 2001.

Rashid, Ahmet, Taliban. *Afghanistans Gotteskrieger und der Dschihad*, Munich, Droemersche Verlagsanstalt, 2001.

Raufer, Xavier et Bauer, Alain, *La guerre ne fait que commencer*, Paris, Jean-Claude Lattès, 2002.

Roy, Olivier, *L'échec de l'islam politique*, Paris, Seuil, 1992.

Roy, Olivier, *L'islamisme mondialisé*, Paris, Éd. du Seuil, 2002.

Roy, Olivier, *Les illusions du 11 Septembre*, Paris, Éd. du Seuil, 2002.

Roy, Olivier, *Généalogie de l'islamisme*, Paris, Hachette/Pluriel, 2002.

Schmid, Alex, Jongman Albert *et al.*, *Political Terrorism : A new guide to Actors, Concepts, Date Bases, Theories and Literature*, Amsterdam, 1988.

Sommier, Isabelle, *Le terrorisme*, Paris, Flammarion, 2000.

Sprinzak, Ehud, « Fundamentalism, Terrorism, and Democracy. The Case of the Gush Emunim Underground », Wilson Center Occasional Paper n° 4, Washington, DC, Smithsonian Institution, 1986.

Sprinzak, Ehud, *The Ascendance of Israel's Radical Right*, New York and Oxford, Oxford University Press, 1991.

Stern, J., *The Ultimate Terrorist*, Cambridge, MA, Harvard University Press, 1999.

Tahiri, Amir, *Holy Terror : The Inside Story of Islamic Terrorism*, Londres, Sphere, 1987.

Talbott, John, *The War without a Name : France in Algeria, 1954-1962*, Londres et Boston, Faber, 1980.

Taylor, Peter, *Provos : The IRA and Sinn Fein*, Londres, Bloomsbury, 1997.

Tucker, Jonathan B., « Bioterrorism : Threats and Responses », in Joshua Lederberg (éd.), *Biological Weapons : Limiting the Threat*, BCSIA Studies in International Security, Cambridge MA et Londres, MIT Press, 1999.

Wieviorka, Michel, *Société et terrorisme*, Paris, Fayard, 1988.

Wilkinson, Paul, *Terrorism and the Liberal State*, Londres, Palgrave MacMillan, 1994.

Wilkinson, Paul, *Terrorism versus Democracy : The Liberal State Response*, Londres, Frank Cass Publishers, 2000.

Wilkinson, Paul et Jenkins, Brian (éd.), *Aviation Terrorism and Security*, Londres, 1998.

*Bibliographie établie par Gérard Chaliand*

# Index

# A

## B

# C

# E

# F

# G

# H

# I

# J

## K

# L

# M

# N

# P

# S

# T

# U

# V

# Y

# Z

# Table des matières

## Quatrième partie : Les écrits de la terreur

*Composé par Nord Compo*
*à Villeneuve-d'Ascq*

Achevé d'imprimer en mars 2004
par Normandie Roto Impression s.a.s.
61250 Lonrai
Dépôt légal : mars 2004
N° d'imprimeur : 04-0538

*Imprimé en France*